Inglés
sin Barreras®

Diccionario Compacto
Español-Inglés Inglés-Español

D1132261

©MMIV Lexicon Marketing

Lexicon Marketing
640 South San Vicente Boulevard
Los Angeles, CA 90048

ISBN-1-59172-156-3
Product code: I742EPDIC

This edition is published by arrangement with Espasa Calpe, S.A.

Es Propiedad
© Espasa Calpe, S. A., Madrid, 2000

Director Editorial: Juan Ignacio Alonso
Directora de Diccionarios: Marisol Palés Castro
Editora: Margarita Ostojska Asensio
Equipo lexicográfico: Andrew Coney, Peggy Miller, Cayetana Ramón, Nuria Valverde

Edición Americana
Directora de Diccionarios: Karen Peratt
Director Editorial: Alejandro Paredes, Ph.D.
Editoras: María De Los Angeles Martínez y Arleen Nakama
Diseño gráfico: Leena Hannonen, MACnetic Design
Producción: Marcelo Ortuste

INTRODUCCIÓN

Este nuevo Diccionario Compacto de Inglés sin Barreras cuenta con más de 40,000 entradas y 75,000 definiciones y expresiones. Su objetivo principal es el de cubrir las necesidades elementales del usuario hispanohablante y ofrecerle una cobertura básica del inglés y del español actuales.

Las diferentes categorías gramaticales de una misma entrada se señalan mediante la numeración árabe (1,2, etc.), mientras que el símbolo ♦ indica las diferentes acepciones dentro de una misma categoría gramatical.

El uso sistemático de señales indicadoras permite identificar la traducción correcta con rapidez y precisión. Hay dos tipos de señales indicadoras: las abreviatruras de materias (de las que aparece una lista completa en las páginas IV-V) identifican el área o campo de uso de una palabra (*Fot* es fotografía, *Inform* corresponde a informática, etc.) y los indicadores entre paréntesis muestran un sujeto o un objeto típicos de un verbo, o un sustantivo que frecuentemente acompaña a determinado adjetivo. Estos, al mostrar el contexto adecuado, ayudan a localizar la traducción correcta de una determinada palabra o expression.

Todos las entradas inglesas van acompañadas de transcripciones fonéticas basadas en el Alfabeto Fonético Internacional (AFI). En la página III se explican las equivalencies fonéticas de los símbolos empleados en las transcripciones.

Con todo ello, esperamos dejar en sus manos un diccionario compacto, pero lo más completo posible, moderno y, ante todo, adecuado a las necesidades de un hispanohablante. Confiamos en que le ayudará a expresarse correcta y fluidamente en inglés en todas las situaciones de la vida cotidiana, académica o professional.

Fonética inglesa

En este diccionario, cada palabra inglesa va seguida de los símbolos que indican su pronunciación. Dichos símbolos se incluyen entre corchetes ([ ]). El acento se indica mediante un ' delante de la sílaba acentuada.

Las consonantes		Las vocales	
[p]	*p*et	[i]	f*ea*st
[b]	*b*in	[ɪ]	b*i*g
[t]	*t*ip	[ɛ]	t*e*n
[d]	*d*im	[æ]	f*a*t
[k]	*k*eep	[ɑ]	b*o*ther
[g]	*g*ood	[ɔ]	c*ou*rse
[tʃ]	*ch*air	[ʊ]	p*u*t
[dʒ]	*j*oke	[u]	l*oo*se
[f]	*f*ilm	[ʌ]	p*u*b
[v]	*v*an	[ə]	fam*ou*s
[θ]	*th*ink		
[ð]	*the*re		
[s]	*s*ing		
[z]	*z*ero		
[ʃ]	*sh*ip	[eɪ]	d*ay*
[ʒ]	trea*s*ure	[oʊ]	bl*ow*
[h]	*h*ot	[aɪ]	f*i*ne
[m]	*m*ill	[aʊ]	m*ou*se
[n]	*n*umber	[ɔɪ]	b*oi*l
[ŋ]	bri*ng*	[:]***	sl*ee*p
[l]	*l*ife		
[r]	*r*oll		
[j]	*y*ellow		
[w]	*w*ear		
[ɖ]*	wa*t*er		
[ʔ]**	cer*t*ain		

* Este sonido es muy parecido al de la letra "r".

** Indica una especie de pausa gutural que se hace después de algunas consonantes, especialmente la letra "t".

***Indica una prolongación del sonido vocal.

Abreviaturas usadas en este diccionario

abr	abreviatura	*Estad*	estadística
adj	adjetivo	*etc*	etcétera
adv	adverbio	*euf*	eufemismo
Agr	agricultura	*excl*	exclamación
Anat	anatomía	*f*	sustantivo femenino
antic	uso anticuado	*fam*	uso familiar
Antrop	antropología	*Farm*	farmacia
aprox	aproximadamente	*Ferroc*	ferrocarril
Arquit	arquitectura	*fig*	uso figurado
art	artículo	*Fil*	filosofía
Astrol	astrología	*Fin*	finanzas
Astron	astronomía	*Fís*	física
Astronáut	Astronáutica	*Fot*	fotografía
Auto	automovilismo	*fpl*	sustantivo femenino plural
aux	auxiliar	*frml*	uso formal
Av	aviación	*Ftb*	fútbol
Biol	biología	*fut*	futuro
Bot	botánica	*GB*	Gran Bretaña
Cicl	ciclismo	*gen*	uso general
Com	comercio	*Geog*	geografía
comp	comparativo	*Geol*	geología
cond	condicional	*Geom*	geometría
conj	conjunción	*ger*	gerundio
Constr	construcción	*Gimn*	gimnasia
Cosm	cosmética	*Hist*	historia
Cost	costura	*hum*	uso humorístico
Culin	cocina	*imperf*	imperfecto
def	definido	*impers*	impersonal
defect	defectivo	*Impr*	imprenta
dem	demostrativo	*Ind*	industria
Dep	deportes	*indef*	indefinido
det	determinante	*indet*	indeterminado
dim	diminutivo	*indic*	indicativo
Ecol	ecología	*Indum*	indumentaria
Econ	economía	*infin*	infinitivo
Educ	educación	*Inform*	informática
Elec	electricidad	*interr*	interrogativo
Ent	entomología	*inv*	invariable
esp	especialmente	*irón*	uso irónico
Esp	España	*irreg*	irregular

Jur	derecho	*pron*	pronombre
Lab	laboral	*ps*	pasado simple
LAm	Latinoamérica	*Psic*	psicología
Ling	lingüística	*Quím*	química
lit	uso literal	*Rad*	radio
Lit:	literatura	*rel*	relativo
Loc:	locución, locuciones	*Rel*	religión
loc adj	locución adjetiva	*sb*	alguien
loc adv	locución adverbial	*Seg*	seguros
m	sustantivo masculino	*sing*	singular
m, f/mf	sustantivo masculino y femenino	*Soc*	sociología
		sthg	algo
Mat	matemáticas	*subj*	subjuntivo
Med	medicina	*suf*	sufijo
Meteor	meteorología	*superl*	superlativo
Mil	militar	*Taur*	tauromaquia
Min	minería	*tb*	también
Mit	mitología	*Teat*	teatro
mpl	sustantivo masculino plural	*Téc*	técnica
Mús	música	*Tel*	telecomunicaciones
n	nombre	*Ten*	tenis
Náut	náutica	*Tex*	textil
neg	negativo	*Tip*	tipografía
neut	neutro	*Trans*	transporte
npl	sustantivo plural	*TV*	televisión
ofens	ofensivo	*Univ*	universidad
onomat	onomatopeya	*US*	Estados Unidos
Ópt	óptica	*usu*	usualmente
Orn	ornitología	*v*	verbo
Parl	parlamento	*v aux*	verbo auxiliar
pers	personal	*Vet*	veterinaria
pey	uso peyorativo	*vi*	verbo intransitivo
Petról	industria petrolera	*v impers*	verbo impersonal
pl	plural	*vr*	verbo reflexivo
Pol	política	*vtr*	verbo transitivo
pos	posesivo	*Zool*	zoología
pp	participio pasado	→	véase
pref	prefijo	≈	equivalente cultural
prep	preposición	®	marca registrada
pres	presente		

Cómo consultar este diccionario

lema o entrada	acuciante *adj* urgent, pressing: **teníamos una necesidad acuciante de dinero,** we had a pressing need for money
subentrada	adaptar *vtr* **1** to adapt **2** *(ajustar)* to adjust ■ adaptarse *vr* to adapt oneself [**a,** to]
traducciones	agobiante *adj* **1** *(trabajo)* overwhelming **2** *(espacio cerrado)* claustrophobic **3** *(clima, temperatura)* oppressive
ejemplos de uso	ahí *adv* there: **está ahí,** it's there; **ponlo por ahí,** put it over there; **ahí tienes,** here you are; **tiene cincuenta años o por ahí,** he's fifty or thereabouts
términos compuestos y locuciones	ajo *m* garlic; **cabeza de ajo,** head of garlic; **diente de ajo,** clove of garlic ◆ | LOC: *fam* **estar en el ajo,** to be in on it; *fam hum* **¡ajo y agua!,** like it or lump it!
cambio de categoría gramatical	above-board [əˈbʌvbɔrd] **I** *adj* honrado, legal **II** *adv* abiertamente, a las claras
indicadores de uso y contexto	absorb [əbˈzɔrb] *vtr* **1** *(líquido)* absorber: **carbon dioxide is absorbed by plants,** el dióxido de carbono es absorbido por las plantas **2** *(sonido, golpe)* amortiguar: **these boots will absorb the impact of most surfaces,** estas botas amortiguan el impacto de casi todas las superficies **3** *(tiempo)* exigir, llevar
transcripción fonética	airport [ˈɛrpɔrt] *n* aeropuerto: **it's one of the busiest airports in the world,** es uno de los aeropuertos más concurridos del mundo
forma verbal irregular	am [æm] *1.ᵃ persona sing pres* ➙ *be*
plural irregular	antenna [ænˈtɛnə] *n* **1** *(pl antennae* [ænˈtɛniː]*)* Zool *(de animal, insecto)* antena **2** *(pl antennas)* TV Rad antena
frase verbal	approve [əˈpruːv] **I** *vtr* aprobar **II** *vi* estar de acuerdo ■ approve of *vtr* **1** *(plan)* aprobar: **I do not approve of your staying out all night,** no estoy de acuerdo en que estés de juerga toda la noche **2** *(persona)* tener buena opinión de
indicadores de materia	arch [ɑrtʃ] **I** *n* **1** Arquit arco **2** Anat empeine: **I have a very high arch in my foot,** tengo un empeine muy alto

A

A, a *f (letra)* A

a *prep* → **al** 1 *(destino)* to; **ir a Portugal**, to go to Portugal; **ir a casa**, to go home 2 *(dirección)* **girar a la izquierda**, to turn (to the) left 3 *(localización)* at, on; **a la derecha/ izquierda**, on the right/left; **a lo lejos**, in the distance; **a mi lado**, at *o* by my side *o* next to me 4 *(tiempo)* at; **a las once**, at eleven o'clock; **al principio**, at first 5 *(distancia)* away; **a cien metros**, a hundred meters away 6 *(estilo)* **a la francesa**, (in the) French fashion *o* manner *o* style; **a mi manera**, my way 7 *(instrumento, modo)* ; **a mano**, by hand, **escrito a máquina**, typed, typewritten; **a pie**, on foot 8 *(medida)* **a 60 kilómetros por hora**, at 60 kilometers an hour; **a dos mil pesos el kilo**, two thousand pesos a kilo; **cuatro veces a la semana**, four times a week 9 *Dep* **ganar cinco a dos**, to win five (to) two 10 *(complemento indirecto)* to: **díselo a Rodrigo**, tell Rodrigo; **se lo di a él**, I gave it to him 11 *(complemento directo de persona)* **saludé a Marcial**, I said hello to Marcial 12 *(verbo + a + infinitivo)* to; **aprender a bailar**, to learn (how) to dance 13 **a decir verdad**, to tell (you) the truth; **a no ser que**, unless; **a ver**, let's see

abad *m* abbot

abadesa *f* abbess

abadía *f* abbey

abajo *adv* 1 *(en un edificio)* downstairs 2 *(posición)* below; **aquí/allí abajo**, down here/ there; **en el cajón de abajo**, in the drawer below 3 *(dirección, movimiento)* down, downwards; **calle/ escaleras abajo**, down the street/ stairs; **hacia abajo**, down, downwards

■ **abalanzarse** *vr* to rush towards

abalorio *m* trinket

abanderado,-a *m,f* 1 *(defensor)* champion 2 *(portaestandarte)* standard bearer

abandonado,-a *adj* 1 *(lugar)* deserted; *(persona, perro)* abandoned 2 *(aspecto)* neglected, untidy

abandonar I *vtr* 1 *(irse de)* to leave, quit 2 *(a una persona, a un animal)* to abandon 3 *(un proyecto, los estudios)* to give up 4 *Dep (retirarse de una carrera)* to drop out of; *(un deporte)* to drop

II *vi (desfallecer)* to give up

■ **abandonarse** *vr* 1 *(descuidarse)* to let oneself go 2 *(entregarse)* to abandon oneself

abandono *m* 1 *(marcha de un lugar)* abandoning, desertion 2 *(de proyecto, idea)* giving up 3 *(de aseo)* neglect 4 *(despreocupación)* carelessness

abanicar *vtr* to fan

■ **abanicarse** *vr* to fan oneself

abanico *m* 1 *(objeto)* fan 2 *fig (gama)* range; **un abanico de ofertas**, a range of offers

abaratamiento *m* reduction

abaratar *vtr* to cut *o* reduce the price of

■ **abaratarse** *vr (productos)* to become cheaper *o* to come down in price

abarcar *vtr* 1 to cover 2 *(con los brazos)* to embrace 3 *LAm (acaparar)* to monopolize

abarrotado,-a *adj* packed, crammed [de, with]

abarrotes *mpl LAm* groceries *pl*

abastecer *vtr* to supply [de, with]

■ **abastecerse** *vr* to stock up [de, on]

abastecimiento *m* supplying

abasto *m (usu pl)* **abastos**, provisions *pl*, supplies *pl*; **mercado de abastos**, wholesale food market ♦ | LOC: *fam* **no dar abasto**, not to be able to rest

abatido,-a *adj* dejected, depressed, downhearted

abatir *vtr* 1 *(derribar, derrumbar)* to knock down, pull down 2 *(tumbar el respaldo)* to fold down 3 *(desalentar)* to depress, dishearten

■ **abatirse** *vr* 1 *(desmoralizarse)* to lose heart, become depressed 2 *(caer sobre)* to swoop down [sobre, on]

abdicar *vtr & vi (ceder o renunciar a: unos derechos)* to abdicate

abdomen *m Anat* abdomen

abdominal I *adj* abdominal

II *mpl* **abdominales**, 1 abdominal muscles 2 *Dep* sit-ups

abecedario *m* alphabet

abedul *m Bot* birch

abeja *f Zool* bee

abejorro *m Zool* bumblebee

aberración *f* 1 *(desviación)* aberration 2 *(error, conducta equivocada)* outrage

aberrante *adj* aberrant, deviant

abertura *f* 1 *(grieta)* crack, slit 2 *(de una prenda)* slit

abeto *m Bot* fir (tree)

abierto,-a *adj* 1 open; *(grifo)* (turned) on 2 *(persona receptiva)* open-minded; *(extrovertido)* open

abigarrado,-a *adj* 1 *(mezclado, heterogéneo)* mixed 2 *(multicolor)* multicolored

abismal *adj (muy profundo)* abysmal; *(del océano)* abyssal

abismo *m* abyss

abjurar *vi fml* to abjure, renounce

ablandar *vtr* to soften

■ **ablandarse** *vr* 1 to soften, go soft *o* softer 2 *fig (enternecerse alguien)* to mellow

ablución *f* ablution

ablusado,-a *adj* loose, baggy

abocado,-a *adj* doomed

abochornar *vtr* to shame, embarrass

■ **abochornarse** *vr* to feel embarrassed

abofetear *vtr* to slap

abogado,-a *m,f* lawyer, attorney; **abogado de oficio**, legal aid lawyer; **abogado del Estado**, public prosecutor; **abogado defensor,** counsel for the defense; **abogado laboralista,** union lawyer

abogar *vtr* to plead

abolición *f* abolition

abolir *vtr defect* to abolish

abolladura *f* dent

abollar *vtr* to dent

■ **abollarse** *vr* to get dented

abombado,-a *adj* **1** *(superficie)* convex **2** *LAm (aturdido)* dazed

abonado,-a I *m,f* subscriber

II *adj* **1** *Fin (pagado)* paid **2** *(fertilizado)* fertilized

abonar *vtr* **1** *Agr* to fertilize **2** *(pagar)* to pay (for) **3** *(suscribir)* to subscribe

■ **abonarse** *vr* to subscribe **[a, to]**

abono *m* **1** *Agr (químico)* fertilizer; *(orgánico)* manure **2** *(pago)* payment **3** *(a una publicación)* subscription; *(de la ópera, del fútbol)* season ticket

abordaje *m Náut (choque entre navíos)* collision, fouling; *(asalto)* boarding; **¡al a.!,** stand by for boarding!

abordar *vtr* **1** *(a una persona)* to approach **2** *(un tema, un problema)* to tackle

aborigen I *adj* native, indigenous; *(australiano)* aboriginal

II *mf* native; *(australiano)* aborigine

aborrecer *vtr* to detest, loathe

abortar *vi (accidentalmente)* to miscarry, have a miscarriage; *(voluntariamente)* to abort, have an abortion

aborto *m (espontáneo)* miscarriage; *(provocado)* a0bortion

abotargado,-a *adj* **1** *(atontado)* unable to think properly **2** *(hinchado)* swollen, bloated

abotonar *vtr (una prenda)* to button (up)

abovedado,-a *adj* vaulted, arched

abrasar *vtr & vi* to scorch

■ **abrasarse** *vr* to burn

abrasivo,-a *adj & m* abrasive

abrazar *vtr* **1** *(con los brazos)* to embrace, hug **2** *fig (una creencia, un dogma)* to embrace

■ **abrazarse** *vr (dos personas)* to embrace (each other)

abrazo *m* embrace, hug

abrebotellas *m* bottle-opener

abrelatas *m inv* can opener

abreviar I *vtr* to shorten

II *vi* **1** to be quick *o* brief

abreviatura *f* abbreviation

abridor *m (de latas, botellas)* opener

abrigado,-a *adj* **1** *(persona)* wrapped up **2** *(una prenda)* warm

abrigar *vtr & vi* **1** *(dar calor)* to keep warm **2** *(resguardar)* to protect, shelter **3** *(tener un deseo, un sentimiento)* to cherish; *(una sospecha)* to have, harbor

■ **abrigarse** *vr* to wrap up

abrigo *m* **1** *(prenda)* coat, overcoat; **ropa de abrigo,** warm clothes *pl* **2** *(lugar resguardado)* shelter

◆ | LOC: **al abrigo de,** protected *o* sheltered from

abril *m* April

abrillantar *vtr* to polish

abrir I *vtr* **1** *(separar, permitir el acceso, desplegar)* to open; *(una cerradura)* to unlock; *(una cremallera)* to undo **2** *(una llave, un grifo)* to turn on **3** *(una zanja, un túnel, etc)* to dig **4** *(iniciar un discurso, una actividad)* to open, start

II *vi* **1** to open

■ **abrirse** *vr* to open; *fig* **abrirse camino,** to make one's way

abrochar *vtr & vr (cerrar una prenda)* to button (up); *(un cinturón)* to fasten; *(atar los zapatos)* to tie up; *(subir una cremallera)* to do up

abrumar *vtr* to overwhelm, crush

abrupto,-a *adj* **1** *(paisaje)* steep, rough, abrupt **2** *(cortante, violento)* abrupt

absceso *m Med* abscess

absentismo *m* absenteeism

ábside *m Arquit* apse

absolución *f* **1** *Rel* absolution **2** *Jur* acquittal

absoluto,-a I *adj (independiente)* absolute; *(completo, intenso)* total, complete

II *m* absolute

◆ | LOC: **en absoluto,** not at all, by no means

absolver *vtr* **1** *Rel* to absolve **2** *Jur* to acquit

absorbente *adj (material)* absorbent

absorción *f* absorption

absorto,-a *adj* **1** *(concentrado)* absorbed, engrossed **[en, in] 2** *(cautivado)* captivated

abstemio,-a I *adj* teetotal, abstemious

II *m,f* teetotaller

abstención *f* abstention

abstenerse *vr* **1** *Pol* to abstain **[de, from] 2** *(contenerse)* to refrain **[de, from]**

abstinencia *f* abstinence; **síndrome de abstinencia,** withdrawal symptoms *pl*

abstracción *f* abstraction

abstracto,-a *adj* abstract

abstraer *vtr* to abstract

■ **abstraerse** *vr* to become lost in thought

abstraído,-a *adj* **1** *(absorto)* absorbed, engrossed **[en, in] 2** *(distraído)* absentminded

absurdo,-a I *adj* **1** absurd **2** *(cosa ridícula)* ludicrous

II *m* absurdity, absurd thing

abuchear *vtr* to boo, jeer at

abuela *f* **1** grandmother; *fam* grandma, granny **2** *fig* old woman

abuelo *m* **1** grandfather; *fam* grandad, grandpa **2** *fig* old man **3 abuelos,** grandparents

abulia *f* apathy, lack of willpower

abultado,-a *adj* bulky, big

abultar I *vi* to be bulky

II *vtr (una cifra, una noticia)* to exaggerate

abundancia *f* abundance, plenty ♦ | LOC: **en abundancia,** plenty (of)

abundante *adj* abundant, plentiful

abundar *vi (haber o tener en cantidad)* to abound, be plentiful

aburguesado,-a *adj* bourgeois

■ **aburguesarse** *vr* to become bourgeois

aburrido,-a *adj* 1 *(cargante, tedioso)* **tu hermano es aburrido,** your brother's boring 2 *(que no se divierte)* **tu hermano está aburrido,** your brother's bored

aburrimiento *m* boredom

aburrir *vtr* to bore

■ **aburrirse** *vr* to get bored

abusar *vi* 1 *(aprovecharse de)* to take (unfair) advantage of; *(del poder, de la autoridad, etc)* to abuse 2 *(consumir en exceso)* **abusar del alcohol,** to drink too much *o* to excess 3 *Jur (de un menor, de una mujer)* to abuse

abusivo,-a *adj* 1 *(un precio)* exorbitant 2 *(una medida, una situación)* outrageous, unfair

abuso *m* abuse; **abuso de poder,** abuse of power; **abuso sexual,** sexual abuse

a. C. *(abr de antes de Cristo)* before Christ, BC

acá I *adv (proximidad)* here, over here **II** *pron LAm* this person here: **acá tiene razón,** this person is right

acabado,-a I *adj* 1 *(completo, terminado)* finished 2 *fig (viejo, destrozado)* worn-out, spent **II** *m* finish

acabar I *vtr* 1 to finish (off) 2 *(completar)* to complete **II** *vi* 1 to finish, end 2 **acabar con** *(agotar las existencias)* to finish something; *(romper algo)* to break something; *(matar)* to kill; *(destruir, eliminar)* to destroy something 3 **acabar de: acaba de llegar de Río,** he's just arrived from Río; **no acaba de decidirse,** she hasn't made up her mind yet

■ **acabarse** *vr* to finish, come to an end; *excl fam* **¡se acabó!,** that's that!

acacia *f Bot* acacia

academia *f* 1 academy 2 *(escuela)* school

académico,-a *adj* & *m,f* academic

acaecer *v impers* to happen, occur

acallar *vtr* to silence

acalorado,-a *adj* 1 hot 2 *fig (exaltado, molesto)* worked up, excited; *(disputa)* heated, angry

acalorarse *vr* 1 to get warm *o* hot 2 *fig* to get excited *o* worked up

acampada *f* camping

acampar *vi* to camp

acantilado *m* cliff

acaparar *vtr* 1 *(almacenar)* to hoard 2 *fig (a una persona)* to monopolize

acariciar *vtr* 1 to caress; *(a un animal)* to stroke 2 *fig (un proyecto)* to cherish

acarrear *vtr* 1 *(transportar)* to carry, transport 2 *fig (tener consecuencias)* to entail

acaso I *adv (duda)* perhaps, maybe; *(retórico)* **¿acaso no te lo advertí?,** didn't I warn you? **II** *conj* **si acaso no estuviera...,** if he shouldn't be there...

♦ | LOC: **por si acaso,** just in case

acatar *vtr* to observe, comply with

acatarrado,-a *adj* **estar acatarrado,** to have a cold

acatarrarse *vr* to catch a cold

acceder *vi* 1 *(entrar, transigir)* to accede, consent [a, to] 2 *(entrar, ser admitido)* to gain admittance [a, to] 3 *Inform* to access

accesible *adj* 1 accessible 2 *(de carácter abierto)* approachable

acceso *m* 1 *(entrada)* access, entry 2 *(ruta, camino, vía)* approach, access 3 *(arrebato de ira, de alegría)* fit; *Med (ataque de tos, de fiebre)* fit 4 *Univ (ingreso)* **prueba de acceso,** entrance examination

accesorio,-a I *m* accessory **II** *adj* incidental

accidentado,-a I *adj* 1 *(irregular, montañoso)* uneven, hilly 2 *(agitado, complicado)* eventful **II** *m,f* casualty, accident victim

accidental *adj* 1 accidental 2 *(fortuito)* chance

accidente *m* 1 accident; **tener un accidente laboral,** to have an industrial accident 2 *(casualidad)* chance

acción *f* action

accionar *vtr* to drive, work

accionista *mf* shareholder

acebo *m Bot (rama)* holly; *(árbol)* holly tree

acechar *vtr* 1 to lie in wait for 2 *(amenazar)* to threaten

acecho *m* **estar al acecho de,** *(esperar)* to lie in wait for

aceite *m* oil; **aceite de girasol,** sunflower oil; **aceite de oliva,** olive oil

aceituna *f* olive

aceleración *f* acceleration

acelerado,-a *adj* accelerated, fast

acelerador *m Auto* gas accelerator

acelerar *vtr* & *vi* to accelerate

acelga *f Bot* chard

acento *m* 1 *(tilde)* accent; *(de una palabra)* stress; *(forma de hablar característica)* accent 2 *(importancia, hincapié)* stress, emphasis

acentuar *vtr* 1 to stress 2 *fig* to emphasize, stress

■ **acentuarse** *vr fig* to become more pronounced *o* noticeable

acepción *f* meaning, sense

aceptable *adj* acceptable

aceptación *f* 1 acceptance 2 *(éxito)* success

aceptar *vtr* to accept

acequia *f* irrigation ditch *o* channel

acera *f* sidewalk

acerca de *loc adv* about

acercar vtr 1 to bring near o nearer, bring (over) 2 fig (unir, armonizar) to bring together 3 (llevar) to give a lift to
■ **acercarse** vr 1 to approach [a, -] 2 (desplazarse) to go; (venir) to come
acero m steel; **acero inoxidable,** stainless steel
acérrimo,-a adj (simpatizante) staunch; (adversario) bitter
acertado,-a adj 1 (hipótesis, respuesta) right, correct 2 (iniciativa, decisión) wise
acertante I m,f winner
II adj winning
acertar I vtr 1 (dar con la solución) to get right 2 (adivinar) to guess correctly
II vi (decidir correctamente) to be right
acertijo m riddle
acervo m heritage
achacar vtr (atribuir) to attribute
achacoso,-a adj ailing, unwell
achicar vtr 1 (atemorizar) to intimidate 2 (empequeñecer) to reduce, make smaller 3 (sacar agua de un sitio inundado) to bale out
■ **achicarse** vr 1 (apocarse) to lose heart 2 (mermar) to get smaller
achicharrar vtr 1 (quemar algo) to burn to a crisp 2 (calentar mucho) to scorch
achuchón m 1 (empujón) push, shove 2 (abrazo) (big) hug
acicalado,-a adj well-dressed, smart
acicalarse vr to dress up, smarten up
acicate m (motivación) spur, incentive
acidez f 1 (de un sabor) sharpness, sourness 2 Quím acidity 3 Med **acidez de estómago,** heartburn
ácido,-a I adj 1 (sabor, olor) sharp, tart 2 Quím (sustancia) acidic
II m Quím acid
acierto m 1 (elección) good choice; (solución) good idea 2 (habilidad, tino) skill, wisdom
aclamar vtr to acclaim
aclaración f explanation
aclarado m rinsing, rinse
aclarar vtr 1 (hacer comprensible) to clarify, explain 2 (suavizar color) to lighten, make lighter 3 (quitar el jabón) to rinse
■ **aclararse** vr 1 (comprender) to understand 2 (disminuir su color) to turn lighter 4 Meteor to clear (up)
aclimatar vtr to acclimatize [a, to]
■ **aclimatarse** vr 1 (a un clima) to become acclimatized 2 fig (a una situación) to get used to something
acné f acne
acobardar vtr to frighten
■ **acobardarse** vr 1 (sentir temor) to become frightened 2 (retraerse) to shrink back [ante, from]
acogedor,-ora adj (lugar, casa) cozy; (persona, ambiente) warm
acoger vtr 1 (recibir un proyecto, a una

persona) to receive 2 (admitir a alguien o algo con alegría) to welcome 3 (proteger) to take in
■ **acogerse** vr (dar una excusa) to take refuge [a, in]
acogida f reception
acometer vtr 1 (una tarea) to undertake 2 (agredir) to attack
acometida f 1 (ataque) attack 2 (del agua, gas, etc) connection
acomodado,-a adj well-off, well-to-do
acomodador,-ora m,f (hombre) usher; (mujer) usherette
acomodar vtr 1 (dar alojamiento) to lodge, accommodate 2 (dar asiento en cine, teatro, etc) to find a place for 3 (adaptar) to adapt
■ **acomodarse** vr 1 to make oneself comfortable 2 (acostumbrarse) to adapt
acompañante mf companion
acompañar vtr 1 to accompany 2 (una carta, un informe, etc) to enclose
acomplejado,-a adj & m,f, **estar a.,** to have a complex [por, about]
acomplejar vtr to give a complex
■ **acomplejarse** vr to develop a complex [por, about]
acondicionado,-a adj (local, habitáculo, negocio) equipped; **aire acondicionado,** air conditioning
acondicionar vtr 1 to prepare, set up 2 (climatizar) to air-condition
aconsejable adj advisable
aconsejar vtr to advise
acontecer vi to happen, take place
acontecimiento m event
acoplar vtr 1 to fit (together), join 2 Téc to couple, connect
acorazado,-a I adj armored, armor-plated
II m battleship
acordar vtr to agree
■ **acordarse** vr to remember
acorde I adj in agreement
II m Mús chord
acordeón m accordion
acordonado,-a adj cordoned off, sealed off
acorralar vtr to corner
acortar vtr to shorten
acosar vtr 1 to harass 2 fig (asediar) to pester
acoso m harassment; **acoso sexual,** sexual harassment
acostado,-a adj **estar acostado,** (tumbado) to be lying down; (en la cama) to be in bed
acostar vtr to put to bed
■ **acostarse** vr 1 to go to bed 2 fam (con otra persona) to sleep, to go to bed [con, with]
acostumbrado,-a adj 1 usual, customary 2 **estar acostumbrado,** (estar habituado a algo) to be used to
acostumbrar I vi (tener por costumbre) to be in the habit of
II vtr (inculcar un hábito) to get (somebody) used to [a, to]

■ **acostumbrarse** *vr* to become accustomed
[a, to], get used [a, to]

ácrata *adj* & *mf* anarchist

acre[1] *adj* (*al paladar*) sour, bitter; (*al olfato*)
acrid

acre[2] *m* (*medida de superficie*) acre

acreditar *vtr* 1 (*demostrar*) to prove 2
(*autorizar a alguien*) to accredit 3 *Fin* to
credit

acreedor,-ora *m,f Com* creditor

acribillar *vtr* to riddle, pepper; *fig* (*a
preguntas*) to bombard

acrílico,-a *adj* acrylic

acritud *f* 1 (*agresividad, mordacidad*)
acrimony 2 (*sabor*) sourness, bitterness; (*olor*)
acridness

acróbata *mf* acrobat

acta *f* 1 (*de una reunión*) minutes *pl*, record
2 (*certificado oficial*) certificate, official
document; **acta notarial,** affidavit **actitud** *f*
attitude

activar *vtr* 1 (*poner en marcha*) to activate 2
(*acelerar, animar*) to liven up

actividad *f* activity

activo,-a I *adj* active
II *m Fin* assets *pl*

acto *m* 1 act, action 2 (*evento público*)
ceremony 3 *Teat* act

actor *m* actor

actriz *f* actress

actuación *f* 1 (*interpretación, participación*) performance 2 (*intervención*) intervention, action

actual *adj* 1 current, present 2 (*que está al
día, moderno*) up-to-date

actualidad *f* 1 present time: **en la actualidad
somos más altos,** nowadays we are taller 2
(*acontecimientos presentes*) current affairs

actualizar *vtr* to update, bring up to date

actualmente *adv* 1 (*en nuestros días*)
nowadays, these days 2 (*ahora mismo*) at the
moment, at present

actuar *vi* 1 to act 2 *Cine Teat* to perform, act

acuarela *f* watercolor

Acuario *m Astrol* Aquarius

acuario *m* aquarium

acuático,-a *adj* aquatic, water; **deportes
acuáticos,** water sports

acuchillar *vtr* 1 to knife, stab 2 (*un suelo*) to
plane down

acuciante *adj* urgent, pressing

acudir *vi* 1 (*ir a una cita, a un lugar*) to go;
(*venir a una cita, a un lugar*) to come, arrive
2 (*prestar ayuda*) to give aid, help 3 (*buscar
ayuda o información*) to turn to

acueducto *m* aqueduct

acuerdo *m* 1 agreement; **acuerdo marco,**
framework agreement 2 (*conformidad*) **estoy
de acuerdo contigo,** I agree with you 3 *excl*
(*asentimiento*) **¡de acuerdo!,** all right!, O.K.!

acumular *vtr* to accumulate

■ **acumularse** *vr* to accumulate, build up

acunar *vtr* to rock

acuñar *vtr* (*moneda*) to mint

acupuntura *f* acupuncture

acurrucarse *vr* to curl up, snuggle up

acusación *f* 1 accusation 2 *Jur* (*cargo*) charge

acusado,-a I *m,f* accused, defendant
II *adj* (*notable*) marked, noticeable

acusar *vtr* 1 to accuse [de, of]; *Jur* to charge
[de, with] 2 (*sentir*) to feel 3 (*mostrar*) to
show

acústica *f* acoustics *sing*

acústico,-a *adj* acoustic

adaptable *adj* adaptable

adaptación *f* adaptation

adaptador *m* adapter

adaptar *vtr* 1 to adapt 2 (*ajustar*) to adjust

■ **adaptarse** *vr* to adapt oneself [a, to]

adecentar *vtr* to tidy (up), clean (up)

adecuado,-a *adj* appropriate, suitable

adecuar *vtr* to adapt

adelantado,-a *adj* 1 advanced 2 (*un reloj*)
fast 3 **pagar por adelantado,** to pay in
advance

adelantamiento *m Auto* passing; **hacer un
adelantamiento,** to pass

adelantar I *vtr* 1 to move *o* bring forward;
(*un reloj*) to put forward; *fig* to advance 2
(*sobrepasar a un coche, a alguien*) to overtake 3
(*una fecha, una convocatoria*) to bring forward
II *vi* 1 to advance 2 (*progresar*) to make
progress

■ **adelantarse** *vr* 1 (*tomar la delantera*) to go
ahead 2 (*un reloj*) to gain, be fast 3 (*venir
antes de lo esperado*) to come early

adelante I *adv* forward; **más adelante,** (*más
lejos*) further on; (*más tarde*) later
II *excl* **¡adelante!,** come in!

adelanto *m* 1 advance; (*mejora, progreso*)
progress 2 (*de sueldo*) advance payment

adelfa *f Bot* oleander, rosebay

adelgazar *vi* lose weight

ademán *m* 1 (*movimiento, gesto*) gesture 2
(*modales*) manners

además *adv* moreover, furthermore:
además, es un engreído, besides, he's
arrogant; **además de,** as well as

adentrarse *vr* 1 (*internarse en un bosque, etc*)
to go deep [en, into] 2 (*profundizar en un
tema*) to study thoroughly [en, -]

adentro *adv* (*interior*) inside: **mar adentro,**
at sea; **tierra adentro,** inland

adepto,-a *m,f* follower, supporter

aderezar *vtr Culin* (*condimentar una comida*)
to season; (*salpimentar una ensalada*) to dress

adeudar *vtr* to owe

adherencia *f* 1 (*entre dos superficies*)
adherence 2 *Auto* (*estabilidad*) roadholding

adherir *vtr* & *vi* to stick on

■ **adherirse** *vr* **adherirse a,** to adhere to

adhesión *f* 1 adhesion; (*apoyo*) support 2 (*a
un partido*) joining; (*a una teoría*) adherence

adhesivo,-a *adj & m* adhesive
adicción *f* addiction
adición *f* addition
adicional *adj* additional
adicto,-a I *m,f (que tiene dependencia)* addict **II** *adj (dependiente)* addicted [a, to]
adiestrar *vtr* to train
adinerado,-a I *adj* wealthy, rich **II** *m,f* rich person
adiós I *excl (como despedida)* goodbye; *fam* bye-bye; *(como saludo al cruzarse dos personas)* hello **II** *m* goodbye
aditivo,-a *adj & m* additive
adivinanza *f* riddle, puzzle
adivinar *vtr* to guess
adivino,-a *m,f* fortune-teller
adjetivo,-a I *m* adjective **II** *adj* adjectival
adjudicar *vtr* 1 *(un premio, un contrato)* to award 2 *(en una subasta)* to sell
■ **adjudicarse** *vr* to appropriate, take over
adjuntar *vtr* to enclose
adjunto,-a I *adj* 1 enclosed, attached 2 *Educ* assistant **II** *m,f Educ* assistant teacher
administración *f* 1 *(de una empresa)* administration, management 2 *(local en el que se administra)* (branch) office 3 *(gobierno)* government, administration, authorities *pl*
administrador,-ora I *m,f* administrator **II** *adj* administrating
administrar *vtr* 1 to administer 2 *(gobernar, conducir)* to run, manage
■ **administrarse** *vr* to manage one's own money
administrativo,-a I *adj* administrative **II** *m,f (funcionario)* official
admiración *f* 1 admiration 2 *Ling* exclamation mark
admirador,-ora *m,f* admirer
admirar *vtr* 1 to admire 2 *(asombrar, causar sorpresa)* to amaze, astonish
admisible *adj* admissible, acceptable
admisión *f* admission
admitir *vtr* 1 to admit, let in 2 *(dar por bueno)* to accept 3 *(permitir)* to allow 4 *(convenir, dar la razón)* to admit, acknowledge
admón. *(abr de administración)* administration, admin.
ADN *m (abr de ácido desoxirribonucleico)* deoxyribonucleic acid, DNA
adobar *vtr Culin* to marinate
adobo *m Culin* marinade
adoctrinar *vtr* to indoctrinate
adolecer *vi* 1 *(padecer una enfermedad)* to be ill [de, with] 2 *(tener un defecto)* to suffer from
adolescencia *f* adolescence
adolescente *adj & m,f* adolescent
adónde *adv interr* where (to)?

adonde *adv* where
adopción *f* adoption
adoptar *vtr* to adopt
adoquín *m* cobble, paving stone
adorar *vtr* 1 to adore 2 *Rel* to worship
adormecer *vtr* to send to sleep, make sleepy
adormecido,-a *adj* sleepy, drowsy
adornar *vtr* to adorn, decorate
adorno *m* decoration, adornment
adosado,-a I *adj* 1 adjacent 2 *(chalé, casa)* semidetached, terraced **II** *m* terraced house
adquirir *vtr* 1 to acquire 2 *frml (comprar)* to purchase
adquisición *f* 1 acquisition 2 *(compra)* buy, purchase
adquisitivo,-a *adj* **poder adquisitivo**, purchasing power
adrede *adv* deliberately, on purpose
adrenalina *f* adrenalin
adscribirse *vr* to affiliate [a, to]
aduana *f* 1 customs *pl* 2 *(impuesto)* duty
aduanero,-a I *adj* customs **II** *m,f* customs official
aducir *vtr* to adduce, allege
adueñarse *vr* **adueñarse de** *(hacerse con el control, apropiarse)* to take over
adulación *f* adulation
adular *vtr* to adulate
adulterar *vtr* to adulterate
adulterio *m* adultery
adulto,-a *adj & m,f* adult
advenedizo,-a *adj & m,f* upstart
advenimiento *m* advent, coming
adverbio *m* adverb
adversario,-a I *m,f* adversary, opponent **II** *adj* opposing
adversidad *f* adversity; *(infortunio, desgracia)* setback
advertencia *f* warning
advertido,-a *adj* 1 *(prevenido)* warned 2 *(informado)* informed
advertir *vtr* 1 *(prevenir, amenazar)* to warn 2 *(hacer ver)* to inform, advise 3 *(darse cuenta)* to realize, notice
adviento *m* Advent
aéreo,-a *adj* 1 aerial 2 *Av* air; *Com* **por vía aérea**, by air
aeróbic *m* aerobics *sing*
aerodinámico,-a *adj* aerodynamic; *(línea, forma)* streamlined
aeromodelismo *m* airplane modeling
aeronáutica *f* aeronautics *sing*
aeronáutico,-a *adj* aeronautical
aeronave *f* airship
aeroplano *m* light airplane
aeropuerto *m* airport
aerosol *m* aerosol
afable *adj* affable
afamado,-a *adj* famous, well-known

afán *m* **1** *(empeño)* effort **2** *(anhelo)* desire; *(celo)* zeal

■ **afanarse** *vr (esforzarse)* to toil [**en, at**]

afección *f Med* condition

afectación *f* affectation

afectado,-a *adj* affected

afectar *vtr* **1** *(incumbir)* to affect **2** *(impresionar, entristecer)* to affect, sadden

afecto,-a *m* affection

afectuoso,-a *adj* affectionate

afeitado,-a I *adj* clean-shaven **II** *m* shave

afeitar *vtr*, **afeitarse** *vr* to shave

afeminado,-a *adj* effeminate

aferrado,-a *adj* clinging [**a, to**]

aferrarse *vr* clutch, cling [**a, to**]

afianzamiento *m* strengthening, reinforcement

afianzar *vtr* to strengthen, reinforce

■ **afianzarse** *vr (persona)* to become established; *(una situación)* to be consolidated

afición *f* **1** liking **2** *Dep* **la afición**, the fans *pl*

aficionado,-a I *m,f* **1** enthusiast **2** *(no profesional)* amateur **II** *adj* **1** keen, fond **2** *(no profesional)* amateur

aficionarse *vr* to become fond [**a, of**], take a liking [**a, to**]

afilado,-a *adj* sharp

afilar *vtr* to sharpen

afiliación *f* affiliation

afiliado,-a *m,f* member

afiliarse *vr* to become a member [**a, of**]

afín *adj* **1** *(parecido)* kindred, similar **2** *(que guardan conexión)* related

afinar *vtr* **1** *(la puntería)* to sharpen **2** *(un instrumento)* to tune

afincarse *vr* to settle down

afinidad *f* affinity

afirmación *f* **1** affirmation **2** **afirmaciones**, *(declaraciones)* statement

afirmar *vtr* **1** *(manifestar)* to state, declare **2** *(apuntalar, consolidar)* to strengthen, reinforce

afirmativo,-a *adj* affirmative; **un voto afirmativo**, a vote in favor

aflicción *f* affliction

afligir *vtr* to afflict

■ **afligirse** *vr* to grieve, be distressed

aflojar *vtr* to loosen

■ **aflojarse** *vr* to come *o* work loose

aflorar *vi* to come to the surface, appear

afluencia *f* inflow, influx

afluente *m* tributary

afónico,-a *adj* **estar afónico,** to have lost one's voice

aforismo *m* aphorism

aforo *m (número total de plazas)* (seating) capacity

afortunado,-a *adj* **1** *(persona con suerte)* fortunate, lucky **2** **islas Afortunadas**, the Canaries

África *f* Africa

africano,-a *adj* & *m,f* African

afrodisíaco,-a *adj* & *m* aphrodisiac

afrontar *vtr* to confront, face

afuera I *adv* outside: **sal afuera,** come *o* go out **II** *fpl* **afueras,** outskirts

agachar *vtr* to lower

■ **agacharse** *vr* to duck

agalla *f* **1** *(de pez)* gill **2** *pl (valor)* guts

agarrado,-a *adj* **1** *fam* stingy, tight **2** *(baile)* cheek-to-cheek dancing

agarrar *vtr* **1** *(sujetar con fuerza)* to grasp, seize **2** *LAm (coger)* to take

■ **agarrarse** *vr* to hold on: **¡agárrate fuerte!,** hold tight!

agarrotarse *vr* **1** *(un músculo)* to stiffen **2** *(una máquina)* to seize up

agasajar *vtr* to smother with attention

ágata *f* agate

agazaparse *vr* to crouch (down)

agencia *f* **1** agency; *(sucursal)* branch; **agencia de viajes,** travel agency; **agencia inmobiliaria,** real estate office **2** *LAm (casa de empeño)* pawnshop

agenda *f* diary

agente *mf* **1** agent; **agente de bolsa,** stockbroker; **agente de seguros,** insurance broker **2** *(policía: hombre)* policeman; *(policía: mujer)* policewoman

ágil *adj* agile

agilidad *f* agility

agilizar *vtr (acelerar un trámite)* to speed up

agitación *f* *(nerviosismo)* restlessness; *(descontento social)* unrest

agitado,-a *adj* **1** agitated; *(el mar, un río)* rough **2** *(nervioso)* anxious

agitar *vtr* **1** *(el contenido de un envase)* to shake **2** *(alterar a una multitud)* to agitate, stir up

■ **agitarse** *vr* **1** *(ponerse nervioso)* to become agitated **2** *(el mar)* to become rough

aglomeración *f* agglomeration; *(gentío)* crowd

agnóstico,-a *adj* & *m,f* agnostic

agobiante *adj* **1** *(trabajo)* overwhelming **2** *(espacio cerrado)* claustrophobic **3** *(clima, temperatura)* oppressive **4** *(persona)* tiresome, tiring

agobiar *vtr* to overwhelm

■ **agobiarse** *vr* **1** *(angustiarse)* to get anxious; *fam* to get uptight **2** *(tener sensación de asfixia)* to suffocate

agobio *m* **1** *(angustia)* anxiety **2** *(ahogo)* suffocation

agolparse *vr* to crowd, throng

agonía *f* death throes *pl*

agonizante *adj* dying

agonizar *vi* to be dying

agosto *m* August

agotado,-a *adj* **1** *(sin fuerzas)* exhausted,

worn out **2** *(consumido, terminado)* exhausted
3 *Com (vendido)* sold out; *(libro descatalogado)*
out of print

agotador,-ora *adj* exhausting

agotamiento *m* exhaustion

agotar *vtr* **1** *(dejar sin fuerzas)* to exhaust,
wear out **2** *(consumir totalmente)* to exhaust,
use up (completely)

■ **agotarse** *vr* **1** *(terminarse las existencias, la
paciencia)* to run out, be used up; *Com* to be
sold out **2** *(cansarse)* to become exhausted *o*
tired out

agraciado,-a *adj* **1** *(guapo, favorecido)* pretty,
good-looking **2** *(ganador)* winning

agradable *adj* pleasant

agradar *vi* to please

agradecer *vtr* **1** *(dar las gracias a alguien)* to
thank for **2** *(estar agradecido)* to be grateful
[**a**, to] [**por**, for]

agradecido,-a *adj* grateful

agradecimiento *m* gratitude

agrado *m* pleasure

agrandar *vtr* to enlarge, make larger

■ **agrandarse** *vr* to enlarge, become larger

agrario,-a *adj* agrarian; **política agraria**,
agricultural policy

agravamiento *m* aggravation

agravante I *adj fur* aggravating

II *m fur* aggravating circumstance

agravar *vtr* to aggravate

■ **agravarse** *vr* to worsen, get worse

agraviar *vtr* to offend, insult

agravio *m* offense, insult

agredir *vtr defect* to assault

agregado,-a *m,f Pol* attaché

agregar *vtr* to add

agresión *f* aggression

agresividad *f* aggressiveness

agresivo,-a *adj* aggressive

agresor,-ora I *m,f* aggressor, attacker

II *adj* attacking

agriarse *vr* to turn sour

agrícola *adj* agricultural

agricultor,-ora *m,f* farmer

agricultura *f* agriculture

agridulce *adj* bittersweet; *Culin* sweet and
sour

agrietar *vtr* to crack; *(escamar la piel)* to chap

■ **agrietarse** *vr* to crack; *(la piel)* to get
chapped

agrio,-a *adj* sour

agrónomo,-a *m,f* **(ingeniero) agrónomo**,
agronomist, agricultural expert

agropecuario,-a *adj* farming, agricultural

agrupación *f* association

agrupar *vtr* to group

■ **agruparse** *vr* to group together, form a
group

agua *f* water; **agua corriente,** running water;
agua dulce, fresh water; **agua mineral,** mineral
water; **agua oxigenada,** hydrogen peroxide;

agua potable, drinking water; **agua salada,** salt
water; **aguas residuales,** sewage

aguacate *m Bot (árbol)* avocado; *(fruto)*
avocado (pear)

aguacero *m* shower, downpour

aguafiestas *mf inv* spoilsport, wet blanket

aguafuerte *m* **1** *Arte* etching **2** *Quím* nitric
acid

aguanieve *f* sleet

aguantar I *vtr* **1** *(soportar, tolerar)* to tolerate
2 *(sujetar)* to support, hold **3** *(reprimirse)*
aguantó la respiración tres minutos, he held
his breath for three minutes

II *vi* **1** *(durar)* to last **2** *(soportar)* **aguanta un
poco más,** hold on a bit longer

■ **aguantarse** *vr* **1** *(reprimirse)* to keep back **2**
(resignarse) to resign oneself

aguante *m* endurance, stamina

aguar *vtr* **1** to water down **2** *(frustar,
estropear)* to spoil

aguardar I *vtr* to await

II *vi* to wait

aguardiente *m* liquor, brandy

aguarrás *m* turpentine

agudeza *f* **1** sharpness **2** *(intensidad de un
dolor)* acuteness **3** *fig (comentario ingenioso)*
witticism, witty saying

agudizar *vtr* to intensify, make more acute

■ **agudizarse** *vr* to intensify, become more
acute

agudo,-a *adj* **1** *(sensación, enfermedad)* acute
2 *(sonido)* treble, high **3** *(ingenioso)* witty **4**
(oído, vista, olfato) sharp, keen

agüero *m* omen

aguijón *m* sting

águila *f Orn* eagle; **águila real,** golden eagle

aguileño,-a *adj* aquiline

aguja *f* **1** needle; *(de reloj)* hand; *(de
tocadiscos)* stylus **2** *Arquit* spire **3** *Ferroc* switch

agujerear *vtr* to make holes in

agujero *m* **1** hole; **agujero negro,** black hole
2 *Econ* deficit, shortfall

agujetas *fpl* stiffness *sing*

ahí *adv* there: **ahí tienes,** here you are; **tiene
cincuenta años o por ahí,** he's fifty or
thereabouts; **ve por ahí,** go that way

ahijado,-a *m,f* godchild; *(niño)* godson;
(niña) goddaughter **2 ahijados,** godchildren

ahogado,-a I *adj* **1** *(por inmersión)* drowned
2 *(por asfixia)* suffocated

II *m,f* drowned person

ahogar *vtr* **1** *(sumergiendo en líquido)* to
drown **2** *(quitando el aire)* to suffocate

■ **ahogarse** *vr* **1** *(en líquido)* to drown, be
drowned **2** *(faltar el aire)* to suffocate **3** *(un
motor)* to be flooded

ahondar I *vtr* to deepen

II *vi* to go deep

ahora I *adv* **1** *(en este instante)* now **2** *(hace
muy poco)* **ahora mismo acabo de verle,** I've
just seen him; *(dentro de muy poco)* **ahora**

vuelvo, I'll be right back **3 de ahora en adelante,** from now on; **hasta ahora,** *(hasta el momento)* until now, so far; *(hasta luego)* see you later; **por a.,** for the time being **II** *conj* **ahora bien,** *(sin embargo)* however

ahorcar *vtr* to hang

■ **ahorcarse** *vr* to hang oneself

ahorita *adv LAm* → **ahora**

ahorrador,-ora *adj* thrifty

ahorrar *vtr* **1** to save **2** *(evitar)* to spare

■ **ahorrarse** *vr* to save oneself

ahorro *m* **1** saving **2 ahorros,** savings

ahumado,-a *adj* **1** *(curado con humo)* smoked **2** *(sabor, ambiente, etc)* smoky

ahumar *vtr* **1** to smoke **2** *(llenar de humo)* to smoke out, to fill with smoke

ahuyentar *vtr* to scare away

aindiado,-a *adj* Indian-like, Indian-looking

airado,-a *adj* angry

aire *m* **1** air; **aire acondicionado,** air conditioning **2** *(aspecto)* air, appearance **3** *(viento)* wind: **hace aire,** it's windy **4 aires** *(alardes, pretensiones)* airs ◆ | LOC: **tomar el aire,** to get some fresh air

airoso,-a *adj* graceful, elegant

aislamiento *m* **1** isolation **2** *Téc* insulation

aislante I *adj* **cinta aislante,** insulating tape **II** *m* insulator

aislar *vtr* **1** to isolate **2** *Téc* to insulate

ajedrez *m* **1** *(juego)* chess **2** *(piezas y tablero)* chess set

ajeno,-a *adj* **1** *(de otra persona)* belonging to other people **2** *(sin relación)* unconnected [a, with] **3** *(extraño)* strange

ajetreado,-a *adj* (very) busy, hectic

ajillo *m Culin* **al ajillo,** fried with garlic

ajo *m* garlic

ajuar *m* *(de novia)* trousseau

ajustado,-a *adj* **1** *(una prenda ceñida)* tight **2** *(un presupuesto, un precio razonable)* reasonable

ajustar *vtr* **1** to adjust **2** *(apretar)* to tighten; *(encajar)* to fit **3** *Fin (cuenta)* to settle

ajuste *m* **1** adjustment **2** *(económico)* settlement; *fig* **ajuste de cuentas,** settling of scores

ajusticiar *vtr* to execute

al *(contracción de a & el)* **1** → **a 2** *(+ infinitivo)* **cierren la puerta al salir,** close the door on leaving; **al parecer,** apparently

ala I *f* **1** wing **2** *(de un sombrero)* brim **3 ala delta,** hang glider

alabanza *f* praise

alabar *vtr* to praise

alacena *f* (food) cupboard

alacrán *m Zool* scorpion

alambrada *f* wire fence

alambre *m* wire

alameda *f* **1** poplar grove **2** *(paseo arbolado)* avenue, boulevard

álamo *m Bot* poplar

alarde *m* bragging, boasting

alardear *vi* to brag, boast

alargado,-a *adj* elongated

alargar *vtr* **1** *(aumentar el tamaño)* to lengthen **2** *(extender un miembro)* to stretch **3** *(aumentar la duración)* to prolong, extend

■ **alargarse** *vr* **1** to get longer **2** *(prolongarse)* to go on

alarido *m* screech, shriek

alarma *f* alarm

alarmado,-a *adj* alarmed

alarmante *adj* alarming

alarmar *vtr* to alarm

■ **alarmarse** *vr* to be alarmed

alba *f* dawn, daybreak

albacea *mf* *(hombre)* executor; *(mujer)* executrix

albahaca *f Bot* basil

albañil *m* building worker; *(que pone ladrillos)* bricklayer

albañilería *f* **1** *(oficio)* bricklaying **2** *(obra)* brickwork

albarán *m Com* delivery note, dispatch note

albaricoque *m Bot (fruto)* apricot

albatros *m inv Orn* albatross

albedrío *m* will

albergar *vtr* **1** *(contener cosas, alojar)* to house; *(alojar temporalmente)* to accommodate **2** *fig (esperanzas, rencor, etc)* to cherish, harbor

■ **albergarse** *vr* to stay

albergue *m* hostel; **albergue juvenil,** youth hostel

albino,-a *adj & m,f* albino

albóndiga *f Culin* meatball

albornoz *m* bathrobe

alborotado,-a *adj* **1** worked up, agitated **2** *(desordenado)* untidy, messy

alborotar I *vtr* **1** *(causar agitación)* to agitate, work up **2** *(revolver, desordenar)* to make untidy, turn upside down

II *vi (causar jaleo)* to kick up a racket

■ **alborotarse** *vr* to get excited *o* worked up

alboroto *m* **1** *(jaleo)* din, racket **2** *(disturbios)* disturbance, uproar

álbum *m* album

alcachofa *f* **1** *Bot* artichoke **2** *(de tubo, regadera)* rose, sprinkler

alcalde *m* mayor

alcaldesa *f* mayoress

alcaldía *f* **1** *(cargo)* mayoralty **2** *(oficina)* mayor's office

alcance *m* **1** reach **2** *(de una noticia)* importance

alcantarilla *f* sewer

alcantarillado *m* sewer system

alcanzar I *vtr* **1** to reach **2** *(coger a una persona)* to catch up with **3** *(llegar hasta una cantidad)* to be up to **4** *(acercar algo)* to pass **5** *(lograr)* to attain, achieve

II *vi (ser suficiente)* to be sufficient

alcaparra f Bot Culin caper
alcázar m 1 (fortaleza) fortress, citadel 2 (castillo) castle, palace
alcayata f hook
alcohol m alcohol
alcohólico,-a adj & m,f alcoholic
alcoholímetro m Breathalyzer®
alcoholismo m alcoholism
alcornoque m Bot 1 cork oak 2 pey (poco inteligente) idiot
aldea f village
aldeano,-a I adj village
II m,f villager
aleación f alloy
aleatorio,-a adj (fortuito) fortuitous; (al azar) random
aleccionar vtr 1 (enseñar) to teach, instruct 2 (amaestrar) to train
alegar vtr 1 (argumentar a favor) to claim; Jur to allege 2 (presentar méritos) to put forward
alegato m argument
alegoría f allegory
alegrar vtr 1 (contentar, satisfacer) to make happy o glad 2 fig (animar) to enliven, brighten up
■ **alegrarse** vr to be glad, be happy
alegre adj 1 (contento) happy, glad 2 (color vivo) bright; (música) lively; (habitáculo) pleasant, cheerful 3 fig (achispado, bebido) tipsy, merry
alegría f joy, happiness
alejado,-a adj 1 (lugar) far away, remote 2 (distanciado de una actividad) away from
alejar vtr to move further away
■ **alejarse** vr 1 to go away, move away 2 (distanciarse) do distance oneself
aleluya m & f hallelujah, alleluia
alemán,-ana I adj & m,f German
II m (idioma) German
Alemania f Germany
alentar vtr fig to encourage
alergia f allergy
alérgico,-a adj allergic
alero m 1 eaves pl 2 Dep winger
alerta I adj & adv alert
II f alert; **dar la alerta,** to alert
alertar vtr to alert [de, to]
aleta f 1 (de pez) fin 2 (de foca, de nadador) flipper 3 Auto fenderl
aletargar vtr to make lethargic
■ **aletargarse** vr to become lethargic
aletear vi to flutter o flap the wings
alevosía f 1 (traición) treachery 2 (premeditación) premeditation
alfabeto m alphabet
alfarería f 1 (oficio) pottery 2 (taller) pottery; (tienda) pottery shop
alfarero,-a m,f potter
alféizar m sill, windowsill
alfil m Ajedrez bishop
alfiler m 1 Cost pin 2 (joya, broche) pin, brooch; (de corbata) tiepin 3 (para tender) peg

alfombra f (tapete) rug; (grande, moqueta) carpet
alfombrilla f rug, mat
alga f Bot alga; (marina) seaweed
álgebra f algebra
álgido,-a adj culminating, critical
algo 1 pron indef 1 (afirmativo) something; (interrogativo) anything: **su padre es arquitecto o algo así,** his father is an architect or something like that; **¿algo más?,** anything else? 2 (cantidad pequeña) some, a little: **¿queda algo de comer?,** is there any food left? 2 adv (un poco) quite, somewhat
algodón m cotton
alguien pron indef 1 (afirmativo) somebody, someone; (interrogativo) anybody, anyone
algún adj (delante de nombres masculinos) → **alguno,-a**
alguno,-a I adj 1 (afirmativo) some 2 (interrogativo) any 3 (negativo) not at all: **en este crimen no hay móvil alguno,** there's no motive at all for this crime
II pron indef 1 someone, somebody; **alguno que otro,** someone or other 2 **algunos,-as,** some (people)
alhaja f 1 jewel 2 (persona maravillosa) gem, treasure
alhelí m Bot wallflower, stock
aliado,-a adj allied
alianza f 1 (pacto) alliance 2 (anillo de boda) wedding ring
aliarse vr to become allies, form an alliance
alias adv & m inv alias
alicaído,-a adj 1 fig (mustio, débil) weak, feeble 2 fig (triste) down, depressed
alicatar vtr to tile
alicates mpl pliers
aliciente m 1 (atractivo) lure, charm 2 (incentivo) incentive
alienado,-a adj 1 (enajenado) insane, deranged 2 Pol alienated
alienar vtr to alienate
alienígena adj & mf alien, extraterrestrial
aliento m 1 breath: **estoy sin aliento,** I'm out of breath 2 (ánimo) encouragement
aligerar vtr 1 (acelerar) to speed up 2 (quitar peso) to make lighter
alimaña f Zool vermin
alimentación f 1 (conjunto de alimentos) food 2 (nutrición) feeding 3 Téc supply
alimentar I vtr 1 (dar de comer) to feed 2 fig (fomentar un sentimiento) to nourish 3 Inform to feed; Téc to supply
II vt & vi (ser nutritivo) to be nutritious
■ **alimentarse** vr to feed (oneself) [de, on]
alimento m 1 (comida) food 2 (valor alimenticio) nutritional value
alineación f 1 alignment 2 Dep (del equipo) line-up; (de un jugador) selection
alinear vtr 1 (poner en línea) to line up, align 2 Dep (a un jugador) to select

■ **alinearse** *vr* 1 to align oneself [**con**, with] 2 *(ponerse en fila)* to line up

aliñar *vtr* to dress

aliño *m* dressing

alioli *m* garlic mayonnaise

alisar *vtr* to smooth

■ **alisarse** *vr (atusarse el pelo)* to smooth down; *(quitarse los rizos)* to straighten

alistarse *vr Mil* to enlist, enroll

aliviar *vtr* 1 *(calmar un dolor)* to relieve, soothe 2 *(hacer menos pesado)* to lighten, make lighter

alivio *m* relief

allá *adv* 1 *(lugar alejado)* there, over there; **allá abajo**, down there; **allá arriba**, up there; **más allá**, further on; **más allá de**, beyond 2 *(tiempo remoto o indefinido)* **allá por los años cuarenta**, back in the forties

allanamiento *m Jur* **allanamiento de morada**, unlawful entry, burglary

allegado,-a I *adj* close

II *m,f (amigo íntimo)* close friend; *(pariente)* relative

allí *adv* there, over there; **allí abajo/arriba**, down/up there; **allí mismo**, right there

alma *f* 1 soul 2 *(la persona clave)* key figure

almacén *m* 1 *(depósito de mercancías)* warehouse 2 *(tienda de venta al por mayor)* wholesaler's 3 *LAm (tienda de comestibles)* grocer's shop 4 **Com (grandes) almacenes**, department store *sing*

almacenamiento *m* 1 storage, warehousing 2 *Inform* storage

almacenar *vtr* to store

almanaque *m* calendar

almeja *f Zool* clam

almendra *f Bot* almond

almendro *m Bot* almond tree

almíbar *m* syrup

almidón *m* starch

almirante *m* admiral

almohada *f* pillow

almohadilla *f* (small) cushion

almohadón *m* large pillow, cushion

almorrana *f fam* pile, hemorrhoid

almorzar I *vi (a mediodía)* to have lunch; *(a media mañana)* to have a mid-morning snack II *vtr (a mediodía)* to have (something) for lunch; *(a media mañana)* to have sthg for a mid-morning snack

almuerzo *m (a mediodía)* lunch; *(a media mañana)* mid-morning snack, *fam* elevenses

alocado,-a *adj* thoughtless, rash

alojamiento *m* accommodation

alojar *vtr* to accommodate, to put up

■ **alojarse** *vr* to stay [**en**, at/in]

alondra *f Orn* lark

alpaca *f* alpaca

alpargata *f* canvas sandal, espadrille

alpinismo *m* mountaineering, climbing

alpinista *mf* mountaineer, climber

alpiste *m* 1 *Bot* birdseed, canary grass 2 *fam (bebida)* booze

alquilar *vtr (un piso, una casa)* to rent; *(letrero)* **se alquila**, to lease

alquiler *m* 1 *(precio por: un objeto)* hire, rental; *(: pisos, casas)* rent 2 *(acción de alquilar: pisos, casas)* renting, letting; *(: disfraces, electrodomésticos)* rental; **alquiler de coches**, car rental♦ | LOC: **de alquiler**, *(para alquilar: pisos, casas)* to let *o* rented; *(: coche)* for rent; *(: televisión)* for rent

alquimia *f* alchemy

alquitrán *m* tar

alrededor I *adv (en torno)* round, around II *mpl* **alrededores**, surrounding area *sing* ♦ | LOC: **alrededor de** *(rodeando algo)* around; *(aproximadamente)* around, about

alta *f* 1 *Med (para reintegrarse a una actividad)* discharge; **dar el alta**, *(a un enfermo)* to discharge 2 *(registro en una actividad)* **te tienes que dar de alta en la Seguridad Social**, you must be registered with Social Security

altar *m Relig* altar

altavoz *m* loudspeaker

alteración *f* 1 *(modificación, cambio)* alteration 2 *(alboroto)* quarrel, row

alterar *vtr* to alter, change

■ **alterarse** *vr* 1 *(modificarse)* to change 2 *(irritarse)* to be upset

altercado *m* quarrel, argument

alternar I *vtr* to alternate II *vi (tratarse)* to meet people, socialize [**con**, with]

■ **alternarse** *vr* to alternate

alternativa *f* alternative

alternativo,-a *adj* alternative

alterno,-a *adj* alternate

altibajos *mpl fig* ups and downs

altiplano *m* high plateau

altísimo,-a *m* **el Altísimo**, the Almighty

altitud *f* altitude

altivez *f* arrogance, haughtiness

altivo,-a *adj* arrogant, haughty

alto[1] *m (interrupción)* stop, break

alto,-a[2] I *adj* 1 *(que tiene altura: edificio, persona, ser vivo)* tall 2 *(elevado)* high 3 *(sonido)* loud; **en voz alta**, aloud; *(tono)* high-pitched 4 *(precio, tecnología)* high 5 *(antepuesto al nombre: de importancia)* high-ranking, high-level: **alta sociedad**, high society

II *m (altura)* height: ¿**cómo es de alto?**, how tall/high is it?

III *adv* 1 high, high up 2 *(sonar, hablar, etc)* loud, loudly

altoparlante *m LAm* loudspeaker

altruista I *adj* altruistic

II *m* altruist

altura *f* 1 height; **de nueve metros de altura**, nine meters high 2 *(nivel)* level; **a la**

misma altura, on the same level
alubia f Bot bean
alucinación f hallucination
alucinado,-a adj fam (sorprendido) stunned
alucinante adj argot brilliant, mindblowing
alucinar I vtr to hallucinate; fig (maravillar) to fascinate
II vi argot to be amazed, be spaced out
alucinógeno,-a I adj hallucinogenic
II m hallucinogen
alud m avalanche
aludido,-a m,f the person in question **aludir** vi to allude to, mention
alumbrado,-a I adj lit
II m Elec lighting
alumbrar vi & vtr 1 (iluminar) to light, illuminate 2 (parir) to give birth
aluminio m aluminum
alumno,-a m,f (escolar) pupil; Univ student; boarder
alusión f allusion, mention
aluvión m downpour
alza f rise ◆ | LOC: **en alza,** (valores, precios) rising
alzar vtr to raise, lift
■ **alzarse** vr 1 (auparse, levantarse) to get up, rise 2 (sublevarse) to rise, rebel
a.m. adv (abr de **ante merídiem**) a.m.
ama f (señora) lady of the house; (propietaria) owner; **ama de casa,** housewife; **ama de llaves,** housekeeper
amabilidad f kindness
amable adj kind, nice
amado,-a I adj loved, beloved
II m,f sweetheart
amaestrar vtr (adiestrar animales) to train
amago m 1 (intento) attempt 2 fig (gesto de amenaza) threat
amainar vi (viento, etc) to drop, die down
amalgama f amalgam
amamantar vtr to breast-feed; Zool to suckle
amanecer I m dawn, daybreak
II v impers to dawn
amanerado,-a adj 1 mannered, affected
amansar vtr to tame
amante mf 1 (entusiasta) lover 2 (pareja en el amor) (hombre) lover; (mujer) mistress
amañar vtr 1 to fix, fiddle 2 (unas elecciones, un premio) to rig
amapola f Bot poppy
amar vtr to love
■ **amarse** vr to love each other
amargado,-a I adj 1 (resentido) embittered, bitter 2 fam (aburrido, harto) fed up
II m,f bitter person
amargar vtr 1 to make bitter 2 fig to embitter, sour
■ **amargarse** vr fig to become embittered o bitter
amargo,-a adj bitter

amargura f bitterness
amarillo,-a adj & m yellow; **prensa amarilla,** yellow press, gutter press, tabloid press
amarra f mooring rope; **soltar amarras,** to cast off, let go
amarrar vtr 1 Náut to moor, tie up 2 (atar) to tie (up), bind
amasar vtr 1 Culin to knead 2 fig (fortuna) to amass
amasijo m fam hotchpotch, jumble
amateur adj & mf amateur
amatista f amethyst
amazona f 1 (jinete) horsewoman 2 Mit Amazon
ambages mpl (rodeos) **me dijo sin ambages que no quería volver a verme,** he told me straight out that he didn't want to see me again
ámbar m amber
ambición f ambition, aspiration
ambicioso,-a I adj ambitious
II m,f ambitious person
ambidextro,-a m,f ambidextrous person
ambientación f Cine Teat setting
ambientador m air freshener
ambiental adj environmental; **música ambiental,** background music
ambientar vtr 1 (bar, etc) to liven up 2 Cine Teat to set
ambiente m 1 (atmósfera, entorno físico) environment 2 (animación, situación) atmosphere, air
ambigüedad f ambiguity
ambiguo,-a adj ambiguous
ámbito m 1 (espacio de influencia o actuación) field 2 (espacio físico) **es una empresa de ámbito nacional,** it's a nationwide company
ambos,-as I adj pl both
II pron pl both: **ambos aprobaron el examen,** they both passed the exam
ambulancia f ambulance
ambulante adj traveling, mobile
ambulatorio m outpatient department
amedrentar vtr to frighten, scare
amén[1] m amen
amén[2] en la loc prep **amén de** (además de) as well as
amenaza f threat
amenazador,-ora, amenazante adj threatening, menacing
amenazar vtr to threaten
amenizar vtr to liven up
ameno,-a adj entertaining
América f America; **América Central/del Norte/del Sur/Latina,** Central/North/South/Latin America
americana f (prenda) jacket
americano,-a adj & m,f American
amerindio,-a adj & m,f Amerindian
ametralladora f machine gun
ametrallar vtr to machine-gun

amianto *m* asbestos *sing*

amigable *adj* friendly

amígdala *f* tonsil

amigdalitis *f* tonsillitis

amigo,-a I *m,f* friend: **un amigo mío,** a friend of mine
II *adj (aficionado)* fond [**de,** of]

amilanarse *vr* to be frightened

aminorar *vtr* to reduce; **aminorar la marcha,** to slow down

amistad *f* 1 friendship 2 **amistades,** friends

amistoso,-a *adj* friendly

amnesia *f Med* amnesia

amnistía *f* amnesty

amo,-a *m, f* 1 *(propietario)* owner 2 *(señor de la casa)* master

amodorrarse *vr* to feel sleepy *o* drowsy

amoldar *vtr* to adapt, adjust
■ **amoldarse** *vr* to adapt oneself

amonestación *f* 1 rebuke, reprimand; *Dep* warning 2 *Rel* **amonestaciones,** (marriage) banns

amonestar *vtr* 1 *(reprender)* to rebuke, reprimand; *Dep* to warn 2 *Rel* to publish the banns of

amontonar *vtr* to pile up, heap up
■ **amontonarse** *vr* 1 to pile up, heap up 2 *(varias personas)* to crowd together

amor *m* love ◆ LOC: **hacer el amor,** to make love; **por amor al arte,** for nothing

amoral *adj* amoral

amoratado,-a *adj* 1 *(por el frío)* blue with cold 2 *(por un golpe)* black and blue

amordazar *vtr* 1 *(tapar la boca a una persona con un objeto)* to gag 2 *(coaccionar, silenciar)* to silence

amorfo,-a *adj* amorphous

amorío *m* love affair, flirtation

amortiguador *m Auto* shock absorber

amortiguar *vtr (un golpe)* to cushion; *(un ruido)* to muffle; *(una luz)* to subdue

amortización *f Fin (de un bono, una deuda)* repayment; *(de inversión)* depreciation, amortization

amortizar *vtr* 1 *(compensar una compra, una inversión)* to pay off 2 *(saldar una deuda totalmente)* to pay off; *(hacer un pago)* to repay

amotinarse *vr* to rise up; *Mil* to mutiny

amparar *vtr* to protect
■ **ampararse** *vr* to seek protection

amparo *m* protection, shelter

amperio *m* amp, ampere

ampliación *f* 1 *(de plazo, de duración)* extension 2 *(de negocio)* expansion 3 *(de una fotografía, un plano)* enlargement

ampliar *vtr* 1 *(hacer más largo un plazo)* to extend 2 *(hacer más grande un edificio)* to enlarge 3 *(extender un negocio)* to expand 4 *(una fotografía)* to enlarge, to blow up 5 *(el campo de acción)* to widen

amplificador *m* amplifier

amplificar *vtr* to amplify

amplio,-a *adj* 1 large, roomy 2 *(ancho, profundo, variado)* wide, broad

amplitud *f* 1 spaciousness 2 *(de espacio)* room, space 3 *Fís* amplitude

ampolla *f* 1 *Med (levantamiento de la piel)* blister 2 *(recipiente)* ampule

ampuloso,-a *adj* pompous, bombastic

amputar *vtr* to amputate

amueblar *vtr* to furnish

amuleto *m* amulet

amurallado,-a *adj* walled, fortified

amurallar *vtr* to wall, fortify

anacronismo *m* anachronism

ánade *m* duck

anales *mpl* annals

analfabetismo *m* illiteracy

analfabeto,-a *m,f* illiterate

analgésico,-a *adj & m* analgesic

análisis *m inv* 1 analysis 2 *Med* test

analista *mf* analyst

analizar *vtr* to analyze

analogía *f* analogy

análogo,-a *adj* analogous, similar

anarquía *f* anarchy

anarquista *adj & mf* anarchist

anatomía *f* anatomy

anatómico,-a *adj* anatomical

anca *f* 1 haunch 2 **ancas de rana,** frog legs

ancestral *adj* ancestral

ancho,-a I *adj* wide, broad
II *m* 1 *(anchura)* width, breadth: **¿qué ancho tiene?,** how wide is it?; **la mesa tiene un metro de ancho,** the table is a meter wide 2 *Cost* width

anchoa *f* anchovy

anchura *f* width, breadth

anciano,-a I *adj* very old, ancient
II *m,f* old person; **los ancianos,** old people

ancla *f* anchor

anclar *vtr & vi* to anchor

andamiaje, andamio *m* scaffolding

andar *m,* **andares** *mpl* walk *sing,* gait *sing*

andar I *vi* 1 to walk 2 *(moverse)* to move 3 *(funcionar)* to work 3 *(estar)* **tus llaves tienen que andar por casa,** your keys must be somewhere in the house
II *vtr (recorrer)* to walk

andén *m* platform

Andes *mpl* **los Andes,** the Andes

andino,-a *adj* Andean

andrajoso,-a *adj* ragged, tattered

anécdota *f* anecdote

anecdótico,-a *adj* anecdotal

anemia *f* anemia

anémico,-a *adj* anemic

anestesia *f (producto que priva de la sensibilidad)* anesthesic; *(procedimiento)* an anesthesia

anestesiar *vtr* to anesthetize, to give an anesthesic

anestésico,-a *adj & m* anesthetic

anestesista *m,f* anesthetist

anexionar *vtr* to annex

anexo,-a I *adj* attached, joined

II *m* annex

anfibio,-a I *adj* amphibious

II *m* amphibian

anfiteatro *m* **1** amphitheater **2** *Cine Teat* gallery, dress circle

anfitrión *m* host

anfitriona *f* hostess

ángel *m* angel

angina *f* **1** *fam pl (inflamación de las amígdalas)* tonsillitis, a sore throat **2** *Med* **angina de pecho,** angina pectoris

anglicano,-a *adj & m,f* Anglican; **la Iglesia anglicana,** the Anglican Church, the Church of England

anglosajón,-ona *adj & m,f* Anglo-Saxon

anguila *f* eel

angula *f* a young eel

ángulo *m* **1** angle **2** *(rincón, esquina)* corner

angustia *f* anguish

angustiar *vtr* to distress

anhelar *vtr* to yearn for, to long for

anhelo *m* wish, desire

anidar *vi* to nest

anilla *f* **1** ring **2** *Dep* **anillas,** rings

anillo *m* ring

animación *f* **1** *(diversión)* entertainment **2** *Cine (simulación de movimiento en dibujos)* animation

animado,-a *adj* **1** *(fiesta, reunión, conversación)* lively **2** *(estado de ánimo)* cheerful

animador,-ora *m,f* **1** entertainer; *TV* presenter **2** *Dep* cheerleader

animal I *m* animal

II *adj* animal

animar *vtr* **1** *(alegrar a alguien)* to cheer up; *(una fiesta, una reunión)* to liven up, brighten up **2** *(estimular a una persona)* to encourage ■ **animarse** *vr* **1** *(alegrarse una persona)* to cheer up; *(una fiesta, una reunión)* to brighten up **2** **¿te animas a venir?,** would you like to come along?

ánimo I *m* **1** *(talante)* spirit: **no estoy de ánimo para ir allí,** I'm not in the mood to go there **2** *(estímulo, fuerza)* courage: **su madre le dio ánimos,** his mother encouraged him **3** *(intención)* intention

II *excl* **¡ánimo!,** cheer up!

aniquilar *vtr* to annihilate

anís *m* **1** *(bebida)* anisette **2** *(semilla)* aniseed

aniversario *m* anniversary

ano *m* anus

anoche *adv* last night; *(por la tarde)* yesterday evening; **antes de anoche,** the night before last

anochecer I *v impers* to get dark

II *m* nightfall, dusk; **al anochecer,** at nightfall

anodino,-a *adj (insustancial)* insubstantial; *(soso)* insipid, dull

anomalía *f* abnormality, anomaly

anómalo,-a *adj* anomalous

anonadado,-a *adj* astonished, dumbfounded

anonimato *m* anonimity

anónimo,-a I *adj* **1** *(desconocido)* anonymous **2** *Com* **sociedad anónima.,** corporation

II *m (carta)* anonymous letter

anorak *m* anorak

anorexia *f* anorexia

anormal *adj* abnormal

anotación *f* **1** annotation **2** *(apunte)* note

anotar *vtr* **1** *(escribir una nota)* to take down, make a note of **2** *(glosar un texto)* to annotate

ansia *f* **1** *(deseo)* longing, yearning **2** *(intranquilidad, desasosiego)* anxiety

ansiar *vtr* to long for

ansiedad *f* anxiety

ansioso,-a *adj* eager

antagonista I *adj* antagonistic

II *mf* antagonist

antártico,-a I *adj* Antarctic

II *m* **el Antártico,** the Antarctic

Antártida *f* Antarctica

ante^1 *m* **1** *(piel)* suede **2** *Zool* elk, moose

ante^2 *prep* **1** before, in the presence of; *Jur* **ante notario,** in the presence of a notary **2** *(en vista de)* faced with, in view of ♦ LOC: **ante todo,** above all

anteanoche *adv* the night before last

anteayer *adv* the day before yesterday

antebrazo *m* *Anat* forearm

antecedente I *adj* previous

II *m* antecedent

III *mpl* **1 antecedentes,** *(historial)* record *sing* **2** *Jur* **antecedentes penales,** criminal record *sing*

anteceder *vtr* to precede, go before

antecesor,-ora *m,f* **1** *(en un cargo)* predecessor **2** *usu pl (antepasado)* ancestor

antelación *f* **con antelación,** beforehand, in advance

antemano *adv* **de antemano,** beforehand, in advance

antena *f* **1** *Rad TV* aerial; **antena parabólica,** satellite dish (aerial) **2** *Zool (de un insecto)* antenna, feeler

anteojo *m* **1** telescope **2** *mpl (prismáticos)* binoculars, field glasses; *LAm (gafas)* glasses, spectacles

antepasado,-a *m,f* ancestor

antepenúltimo,-a I *adj* antepenultimate; **la antepenúltima puerta a la derecha,** the third to last door on the right

II *m,f (de una carrera)* the third from last, *(de una lista)* the third from the bottom

anteponer *vtr* *fig* to give preference to

anteproyecto *m* **1** preliminary plan, draft **2** *Pol* **anteproyecto de ley,** draft bill

anterior *adj* 1 previous; **el día anterior,** the day before 2 *(delantero)* front; **la parte anterior,** front part

anterioridad *f* **ya he publicado con anterioridad,** I've had my work published before; **la situación era otra con anterioridad a su llegada,** the situation was very different prior to his arrival

anteriormente *adv* previously, before

antes *adv* 1 *(en el tiempo)* before 2 *(tiempo remoto)* in the past

◆ |LOC: **antes (bien),** on the contrary; **cuanto antes,** as soon as possible; **lo antes posible,** as soon as possible

antiadherente *adj* nonstick

antiaéreo,-a *adj* anti-aircraft

antibalas *adj* bulletproof; **chaleco antibalas,** bulletproof vest

antibiótico,-a *adj & m* antibiotic

anticiclón *m* anticyclone, high pressure area

anticipación *f* in advance

anticipado,-a *adj* brought forward ◆ |LOC: **por anticipado,** in advance

anticipar *vtr* 1 *(adelantar un suceso)* to bring forward 2 *(adelantar un pago)* to pay in advance

■ **anticiparse** *vr* 1 *(adelantarse)* to beat sb to it 2 *(llegar antes de lo previsto)* to arrive early

anticipo *m* advance

anticonceptivo,-a *adj & m* contraceptive

anticongelante *adj & m* antifreeze

anticonstitucional *adj* unconstitutional

anticuado,-a *adj & m,f* old-fashioned, antiquated

anticuario,-a *m,f* antique dealer

anticuerpo *m* antibody

antidisturbios I *adj* riot

II *mpl* riot police

antídoto *m* antidote

antiestético,-a *adj* unsightly

antifaz *m* mask

antigüedad *f* 1 *(edad de un objeto)* age 2 *(periodo histórico)* antiquity 3 *(en un puesto de trabajo)* seniority 4 *(objeto de valor por ser de otra época)* antique; **tienda de antigüedades,** antique shop

antiguo,-a *adj* 1 old, ancient 2 *(pasado de moda)* old-fashioned 3 *(anterior)* former

antillano,-a *adj & m,f* West Indian

Antillas *fpl* West Indies

antipático,-a *adj* unpleasant

antirrobo I *adj inv* antitheft

II *m (para coche)* car alarm; *(para casa)* burglar alarm

antiséptico,-a *adj & m* antiseptic

antítesis *f inv* antithesis

antojarse *vr (apetecer)* **se nos antojó ir al cine,** we wanted to go to a movie

antojo *m* 1 *(capricho)* whim, caprice; *(de embarazada)* craving 2 *(marca de nacimiento en la piel)* birthmark

antología *f* anthology

antónimo *Ling* I *adj* antonymous

II *m* antonym

antonomasia *f* **por antonomasia,** par excellence

antorcha *f* torch

antro *m pey (local público)* dump, hole

antropología *f* anthropology

antropólogo,-a *m,f* anthropologist

anual *adj* annual, yearly

anualmente *adv* yearly, once a year

anulación *f (de un contrato, una cita)* cancellation; *(de matrimonio)* annulment; *(de una sentencia)* quashing

anular¹ *m* ring finger

anular² *vtr* 1 *Com (un pedido)* to cancel; *Dep (un gol)* to disallow; *(un matrimonio)* to annul 2 *Inform* to delete

anunciante *m,f* advertiser

anunciar *vtr* 1 *(promocionar un producto)* to advertise 2 *(notificar)* to announce

anuncio *m* 1 *(publicitario)* advertisement, ad 2 *(noticia)* announcement 3 *(cartel, letrero)* notice, poster

anzuelo *m* (fish) hook

añadido *m* addition

añadidura *f* addition ◆ |LOC: **por añadidura,** *(además, de propina)* in addition

añadir *vtr* to add [a, to]

añejo,-a *adj (vino, queso)* mature 2 *(rancio)* stale

añicos *mpl* smithereens

año *m* 1 year 2 *(de edad)* years old: **mi hija tiene cuatro años,** my daughter is four (years old) 3 **año académico/escolar/sabático,** academic/school/sabbatic al year; **Año Nuevo,** New Year; **los años cuarenta,** the forties

añorar *vtr (tener nostalgia del país)* to be homesick for; *(echar de menos a alguien)* miss

apacible *adj* mild, calm

apaciguar *vtr (calmar)* to pacify, appease

■ **apaciguarse** *vr (calmarse una persona)* to calm down

apadrinar *vtr* 1 *(en un bautizo)* to act as godfather to; *(en una boda)* to be best man for 2 *(patrocinar)* to sponsor

apagado,-a *adj* 1 *(luz, cigarro)* out 2 *(color pálido)* dull; *(voz tenue)* sad; *(mirada)* lifeless 3 *(persona falta de ánimo)* spiritless

apagar *vtr (un fuego)* to put out; *(una luz, una radio, etc)* to turn off, switch off

apagón *m* power cut, blackout

apalear *vtr* to beat, thrash

apañar *vtr* to mend, fix

■ **apañarse** *vr fam* **apañárselas,** to manage

apaño *m* mend, repair

aparador *m* 1 *(mueble)* sideboard 2 *(escaparate en una tienda)* shop window

aparato *m* 1 (piece of) apparatus; *(dispositivo)* device; *(instrumento)* instrument;

aparato de radio/televisión, radio/televisión set 2 *Med* system 3 *(lujo, pompa)* display, pomp

aparatoso,-a *adj* 1 *(pomposo)* ostentatious, showy 2 *(voluminoso)* bulky

aparcamiento *m (en la calle)* parking place; *(parking)* parking lot/ramp

aparcar *vtr* to park

aparear *vtr,* **aparearse** *vr* to mate

aparecer I *vi* 1 to appear 2 *(acudir alguien, encontrar algo perdido)* to turn up
■ **aparecerse** *vr* to appear

aparejador,-ora *m,f* foreman (builder)

aparentar I *vtr* 1 *(fingir)* to affect 2 *(representar, parecer)* to look
II *vi (presumir)* to show off

aparente *adj* apparent, obvious

aparición *f* 1 appearance 2 *(visión de un ser sobrenatural)* apparition

apariencia *f* appearance ◆ |LOC: **en apariencia,** apparently

apartado,-a I *adj (lugar alejado)* remote, isolated
II *m* 1 *(párrafo)* section, paragraph 2

apartado de correos, Post Office Box

apartamento *m* (small) apartment

apartar *vtr* 1 *(alejar)* to move away, remove 2 *(guardar)* to put aside
■ **apartarse** *vr (alejarse)* to move over, move away

aparte[1] *adv* 1 *(en un sitio separado)* aside 2 *(dejando a un lado)* apart 3 *(separadamente)* separately ◆ |LOC: **aparte de,** *(además de)* besides

aparte[2] I *adj inv* 1 *(insólito)* special 2 *(distinto)* separated
II *m Teat* aside

apasionado,-a I *adj* passionate
II *m,f* enthusiast

apasionante *adj* exciting

apasionar *vtr* to excite, thrill

apático,-a *adj* apathetic

apátrida *adj inv* stateless

apdo. *(abr de* **apartado de correos)** PO Box

apeadero *m* halt

apearse *vr (bajarse: de un coche)* to get out; *(: de un autobús, tren)* to get off

apechugar *vi* to shoulder

apedrear *vtr* to throw stones at

apegado *adj* devoted, attached [**a,** to]

apegarse *vr* to become devoted *o* attached [**a,** to]

apego *m* love, affection

apelar *vi* 1 *Jur* to appeal [**contra/de,** against] [**ante,** to] 2 *(recurrir)* to resort [**a,** to]

apellidarse *vr* to have as a surname, be called

apellido *m* surname

apelotonarse *vr (varias personas)* to crowd together

apenar *vtr* to grieve

■ **apenarse** *vr* 1 to be grieved 2 *LAm (avergonzarse)* to be ashamed

apenas I *adv (casi no, difícilmente)* hardly, scarcely
II *conj (tan pronto como)* as soon as

apéndice *m* appendix

apendicitis *f* appendicitis

aperitivo *m* 1 *(bebida)* apéritif 2 *(comida)* appetizer

apertura *f* 1 *(comienzo)* opening 2 *Pol* liberalization

apestar *vi* to stink [**a,** of]

apetecer *vi* to feel like

apetecible *adj* tempting, inviting

apetito *m* appetite

apetitoso,-a *adj* appetizing

apiadarse *vr* to take pity [**de,** on]

apicultura *f* beekeeping, apiculture

apilar *vtr* to pile up, put into a pile
■ **apilarse** *vr* to pile up, heap up

apiñarse *vr* to crowd together

apio *m Bot* celery

apisonadora *f* steamroller

apisonar *vtr* to roll flat, pack down

aplacar *vtr* to placate, calm
■ **aplacarse** *vr* to calm down

aplanar *vtr* to level

aplastar *vtr* to flatten, squash

aplaudir *vtr* 1 to clap, applaud 2 *fig* to applaud

aplauso *m* applause

aplazamiento *m* postponement, adjournment; *(de un pago)* deferment

aplazar *vtr* to postpone, adjourn; *Fin (pago)* to defer

aplicación *f* application

aplicar *vtr* to apply
■ **aplicarse** *vr* 1 *(esforzarse)* to apply oneself, work hard 2 *(una norma, una ley)* to apply, be applicable

aplique *m* wall light

aplomo *m* aplomb

apodar *vtr* to nickname

apoderado,-a *m,f* 1 agent, representative 2 *(de torero, deportista)* agent, manager

apoderarse *vr* to take possession [**de,** of], seize

apodo *m* nickname

apogeo *m* height

apolítico,-a *adj* apolitical

apología *f* apology, defense

aporrear *vtr* to bang on

aportación *f* contribution

aportar *vtr* to contribute

aposta *adv* on purpose, intentionally

apostar I *vtr* to bet II *vi* to bet [**por,** on]
■ **apostarse** *vr* to bet

apóstrofo *m* apostrophe

apoyar *vtr* 1 to lean 2 *(causa)* to support
■ **apoyarse** *vr* 1 **apoyarse en,** to lean on 2 *(basarse)* to base

apoyo *m* support

apreciación *f* appreciation

apreciar *vtr* 1 to appreciate 2 *(observar, ver)* to notice, see

■ **apreciarse** *vr* to be noticeable

aprecio *m* regard, esteem

aprehensión *f* seizure

apremiante *adj* urgent, pressing

apremiar *vtr & vi* 1 *(urgir, tener prisa)* to be urgent 2 *(acuciar, meter prisa)* to press

aprender *vtr* to learn

aprendiz,-iza *m,f* apprentice, trainee

aprendizaje *m* 1 learning 2 *(como aprendiz)* apprenticeship, traineeship

aprensión *f* apprehension

aprensivo,-a *adj* apprehensive

apresurado,-a *adj* hurried, hasty

apresurar *vtr* to speed up

■ **apresurarse** *vr* to hurry up

apretado,-a *adj* tight

apretar *vtr* (pulsar un botón) to press; *(el cinturón, un tornillo)* to tighten; *(el gatillo)* to pull

■ **apretarse** *vr* to squeeze together, crowd together

apretón *m* 1 squeeze, crush 2 **apretón de manos,** handshake

apretujar *vtr* to squeeze, crush

■ **apretujarse** *vr* to squeeze together, crowd together

aprieto *m* tight spot, fix

aprisa *adv* quickly

aprisionar *vtr* to trap

aprobación *f* approval

aprobado *m Educ* pass

aprobar *vtr* 1 *(autorizar)* to approve 2 *(suscribir)* to approve of 3 *Educ* to pass 4 *Pol (una ley)* to pass

apropiado,-a *adj* suitable, appropriate

apropiarse *vr* to appropriate

aprovechado,-a I *adj* 1 *(el tiempo, un recurso)* well-spent 2 *(el espacio)* well-planned **II** *m,f pey* opportunist, scrounger

aprovechamiento *m* use

aprovechar I *vtr* 1 to make the most of 2 *(la situación)* to take advantage of **II** *vi* ¡**que aproveche!,** enjoy your meal!, bon appétit!

■ **aprovecharse** *vr* to use to one's advantage, to take advantage

aprovisionar *vtr* to supply, provide

aproximación *f* approximation

aproximado,-a *adj* approximate; *(estimado)* rough

aproximar *vtr* to bring *o* put nearer

■ **aproximarse** *vr* to approach

aptitud *f* aptitude

apto,-a *adj* 1 *(adecuado)* suitable, appropriate 2 *(capacitado)* capable, able

apuesta *f* bet, wager

apuesto,-a *adj* good-looking, handsome

apuntalar *vtr* to prop up, shore up, underpin

apuntar *vtr* 1 *(escribir)* to note down, make a note of 2 *(sugerir, indicar)* to indicate, suggest; **apuntar a...,** to point to... 3 *(un arma)* to aim 4 *(señalar)* to point out

■ **apuntarse** *vr* to enroll, put one's name down

apunte *m* note

apuñalar *vtr* to stab

apurado,-a *adj* 1 *(agobiado)* in need: **están muy apurados de dinero,** they are very hard up; *(de tiempo)* in a hurry 2 *LAm (con prisa)* in a hurry

apurar *vtr* 1 *(acabar)* to finish off 2 *(avergonzar)* to embarrass

■ **apurarse** *vr* 1 *(preocuparse)* to worry, get worried 2 *(darse prisa)* to rush, hurry

apuro *m* 1 *(aprieto)* tight spot, fix 2 *(falta de dinero)* hardship 3 *(vergüenza)* embarrassment

aquel, aquella *adj dem* 1 that; **aquel individuo,** that man 2 aquellos,-as, those; **aquellas señoras,** those women

aquél, aquélla *pron dem m,f* 1 that one; *(mencionado antes)* the former 2 **aquél,-ella que,** anyone who, whoever 3 aquéllos,-as, those; *(los mencionados antes)* the former

aquello *pron dem neut* that, it

aquí *adv* 1 *(lugar)* here; **aquí abajo/arriba,** down/up here; **aquí mismo,** right here 2 *(tiempo)* **de aquí a julio,** between now and July

árabe I *adj* 1 *(de Arabia)* Arab 2 *(de los moros)* Moorish

II *mf (persona)* Arab

III *m (idioma)* Arabic

arábigo,-a *adj (número, costumbre, arte)* Arabic; *(península)* Arabian

arado *m* plough, plow

arancel *m* tariff, customs duty

arandela *f Téc* washer

araña *f* 1 *Zool* spider 2 *(lámpara)* chandelier

arañar *vtr* to scratch

arañazo *m* scratch

arar *vtr* to plough, plow

arbitraje *m* 1 arbitration 2 *Dep* refereeing; *Ten* umpiring

arbitrar *vtr* 1 to arbitrate 2 *Dep* to referee; *Ten* umpire

arbitrariedad *f* 1 *(cualidad)* arbitrariness 2 *(actuación caprichosa)* arbitrary action

arbitrario,-a *adj* arbitrary

arbitrio *m (voluntad)* will; *(dictamen)* judgement

árbitro,-a *m,f* 1 *Dep* referee; *Ten* umpire 2 *(mediador en un conflicto)* arbitrator

árbol *m Bot* tree

arboleda *f* grove

arbusto *m* bush, shrub

arca *f* 1 *(baúl)* chest 2 *(para guardar dinero)* strongbox, safe

arcada *f* 1 *(náusea)* **tener arcadas** to retch 2 *Arquit* arcade; *(ojo de un puente)* arch

arcaico,-a *adj* archaic

arcén *m* *(de carretera)* verge; *(de autopista)* hard shoulder

archipiélago *m* archipelago

archivador *m* filing cabinet

archivar *vtr* 1 *(guardar)* to file (away) 2 *(considerar concluido)* to shelve 3 *Inform* to save

archivo *m* 1 *(documento)* file 2 *(archivador)* filing cabinet

arcilla *f* clay

arco *m* 1 *Arquit* arch 2 *Dep Mús* bow 3 **arco iris,** rainbow

arder *vi* to burn: *fam* **el jefe está que arde,** the boss is really fuming

ardid *m* scheme, plot

ardiente *adj* 1 *(encendido, vivo)* burning; **capilla ardiente,** chapel of rest, funeral chapel 2 *fig (apasionado, fervoroso)* passionate

ardilla *f* squirrel

ardor *m* 1 *(calor)* heat; *Med* **ardor de estómago,** heartburn 2 *fig (pasión)* ardor, fervor

arduo,-a *adj* arduous

área *f* area

arena *f* 1 sand 2 *Taur* bullring 3 *(lugar para luchar)* arena

arenoso,-a *adj* sandy

arenque *m* *Zool* herring

argamasa *f* mortar

Argentina *f* Argentina

argentino,-a *adj* & *m,f* Argentinian

argolla *f* 1 (large) ring 2 *LAm (alianza)* wedding ring

argot *m* *(de un grupo social)* slang; *(de un grupo profesional)* jargon

argucia *f* ruse

argüir *vtr (argumentar)* to argue

argumentación *f* argument

argumentar *vtr* & *vi* to argue

argumento *m* 1 *(razonamiento)* argument 2 *(trama)* plot

árido,-a *adj* arid; *fig* dry

Aries *m* *Astrol* Aries

ario,-a *adj* & *m,f* Aryan

arisco,-a *adj* unfriendly

arista *f* edge

aristocracia *f* aristocracy

aristócrata *mf* aristocrat

aristocrático,-a *adj* aristocratic

aritmética *f* arithmetic

arma *f* weapon: **arma blanca,** knife; **arma de fuego,** firearm; **arma homicida,** murder weapon

armada *f* navy; *Hist* **la Armada Invencible,** the Spanish Armada

armado,-a *adj* armed

armador,-ora *m,f* shipowner

armadura *f* 1 *Hist* (suit of) armor 2 *(estructura)* frame

armamento *m* armaments *pl*

armar *vtr* 1 *(dar armas)* to arm 2 *(ensamblar)* to fit *o* put together, assemble ■ **armarse** *vr* to arm oneself

armario *m* *(ropero)* closet; *(de cocina)* cupboard; **armario empotrado,** built-in closet

armazón *m* frame, framework; *Arquit (estructura)* shell

armisticio *m* armistice

armonía *f* harmony

armónica *f* mouth organ, harmonica

armonioso,-a *adj* harmonious

armonizar *vtr* & *vi* to harmonize

aro *m* hoop

aroma *m* aroma; *(de vino)* bouquet

aromático,-a *adj* aromatic

arpa *f* harp

arpía *f* *Mit* harpy; *fig* old witch, old hag

arpón *m* harpoon

arquear *vtr,* **arquearse** *vr* to bend, curve

arqueología *f* archeology

arqueólogo,-a *m,f* archeologist

arquero,-a *m,f* archer

arquetipo *m* archetype

arquitecto,-a *m,f* architect

arquitectónico,-a *adj* architectural

arquitectura *f* architecture

arraigado,-a *adj* deeply-rooted

arraigo *m* *fig* roots *pl,*

arrancar *I* *vtr* 1 *(una planta)* to uproot, pull up 2 *(una página)* to tear out; *(un diente)* to pull out 3 *fig (una confesión)* to extract 4 *Auto Téc* to start

II *vi* *Auto Téc* to start

arranque *m* 1 *(inicio)* start 2 *Auto Téc* starting 3 *fam (arrebato)* outburst, fit

arrasar *I* *vtr* to devastate, destroy

II *vi (en una votación)* to win by a landslide

arrastrar *vtr* to pull (along), drag (along) ■ **arrastrarse** *vr* to drag oneself; *fig (rebajarse)* to crawl

arrastre *m* 1 pulling, dragging 2 *(pesca)* trawling

arrear *fam* *vtr* 1 *(caballos)* spur on 2 *fam (un golpe, un cachete)* to give

arrebatar *vtr* *I* *(arrancar)* to snatch, seize 2 *fig (cautivar, apasionar)* to captivate, fascinate

arrebato *m* outburst, fit

arrecife *m* reef

arreglado,-a *adj* 1 *(funcionando)* repaired, fixed 2 *(ordenado)* tidy, neat 3 *(solucionado)* settled 4 *(elegante)* well-dressed, smart

arreglar *vtr* 1 *(poner en funcionamiento)* to repair, fix 2 *(solucionar)* to sort out 3 *(ordenar una habitación)* to tidy 4 *(poner elegante)* to get ready ■ **arreglarse** *vr* 1 *(ponerse elegante)* to get ready 2 *(reconciliarse)* to make up it **arreglo** *m* 1 *(reparación)* repair 2 *(trato)* compromise, agreement 3 *(solución)* solution 4 *Mús* arrangement

arremeter *vi* to attack
arrendamiento *m frml* 1 *(acción de alquilar)* renting 2 *(precio)* rent
arrendar *vtr* to rent
arrepentido,-a *adj* regretful
arrepentimiento *m* regret
arrepentirse *vr* 1 *(sentir remordimiento, pesar)* to regret [**de**, -]; *Rel* to repent [**de**, -] 2 *(volverse atrás)* to change one's mind
arrestar *vtr* to arrest
arresto *m* arrest; *Jur* **arresto domiciliario,** house arrest
arriba I *adv* up; *(encima)* on the top: **está ahí arria,** it's up there; **vive en el piso de arriba,** he lives upstairs; **hacia/para arriba,** upwards; **más arriba,** higher up, further up; **véase más arriba,** see above; **la parte de arriba,** the top (part)
II *excl* get up!; **¡arriba las manos!,** hands up!
III *prep Lam* **arriba de,** on top of
arribar *vi* to reach port, arrive
arribeño,-a *LAm adj & m,f* from the highlands
arriesgado,-a *adj* 1 *(que entraña peligro)* risky 2 *(temerario)* fearless, daring
arriesgar *vtr* to risk
■ **arriesgarse** *vr* to risk
arrimar *vtr* to move closer
■ **arrimarse** *vr* to move o come closer
arrinconar *vtr* 1 *(acorralar)* to corner 2 *(poner en un rincón)* to put in a corner
arrodillarse *vr* to kneel down
arrogancia *f* arrogance
arrogante *adj* arrogant
arrojar *vtr* 1 *(lanzar)* to throw, fling 2 *Com (un resultado)* to show
■ **arrojarse** *vr* to throw oneself, fling oneself
arrojo *m* daring, courage
arrollador,-ora *adj fig* overwhelming; *(éxito)* resounding; *(carácter)* captivating
arrollar *vtr* to run over
arropar *vtr* to wrap up; *(para dormir)* to tuck in
■ **arroparse** *vr* to wrap oneself up
arroyo *m* brook, stream
arroz *m* rice; **arroz integral,** brown rice
arruga *f* *(en la cara)* wrinkle; *(en la tela, papel, etc)* crease
arrugar *vtr* *(la cara)* to wrinkle; *(la tela)* to crease; *(un papel)* to crumple (up)
■ **arrugarse** *vr* 1 *(la cara)* to wrinkle; *(la tela, papel, etc)* to crease
arruinado,-a *adj* bankrupt, ruined
arruinar *vtr* to ruin
arsenal *m* arsenal
arsénico *m* arsenic
arte *m & f art* 1 *(habilidad)* skill 2 **artes,** *(trucos, mañas)* tricks 3 **bellas artes,** fine arts
artefacto *m* *(dispositivo)* device
arteria *f* 1 *Anat* artery 2 *(carretera)* highway

artesanal *adj* handmade
artesanía *f* 1 *(oficio, actividad)* craftwork 2 *(objetos hechos a mano)* crafts *pl*, handicrafts *pl*
artesano,-a I *m,f (hombre)* craftsman; *(mujer)* craftswoman
II *adj* handmade
ártico,-a I *adj* arctic; **el océano Ártico,** the Arctic Ocean
II *m* **el Ártico,** the Arctic
articulación *f* 1 *Anat* joint, articulation 2 *Téc* joint
articular *vtr* to articulate
artículo *m* article
artífice *mf* author
artificial *adj* 1 artificial 2 *Tex* man-made o synthetic
artificio *m* 1 artifice 2 *(truco, ingenio)* ruse
artillería *f* artillery
artilugio *m* gadget, device
artimaña *f* trick, ruse
artista *mf* artist
artístico,-a *adj* artistic
artritis *f* arthritis
artrosis *f* degenerative osteoarthritis
arveja *f* *LAm* pea
arzobispo *m* archbishop
as *m* ace
asa *f* handle
asado,-a I *adj Culin* roast
II *m Culin* roast
asalariado,-a I *adj* wage-earning
II *m,f* wage-earner
asaltar *vtr* to assault, attack; *(atracar un banco, una tienda)* to rob; *fig (un pensamiento)* to assail
asalto *m* 1 assault, attack 2 *Box* round
asamblea *f* meeting
asar *vtr* to roast
■ **asarse** *vr fig (de calor)* to be roasting
ascendencia *f* ancestry, ancestors *pl*
ascender I *vtr (en un puesto de trabajo)* to promote
II *vi* 1 *(subir)* move upward; *(temperatura)* to rise 2 *(al trono, a una montaña)* to ascend 3 *(de categoría)* to be promoted
ascendente I *adj* ascendant, ascending
II *m* ascendant
ascensión *f* 1 climb 2 *(al trono)* accession
ascenso *m* 1 promotion 2 *(subida a un monte)* ascent; *(de precios)* rise
ascensor *m* elevator
asco *m* disgust, repugnance
ascua *f* ember
aseado,-a *adj* tidy, neat
asear *vtr* to clean, tidy up
■ **asearse** *vr* to wash, get washed
asediar *vtr* to besiege
asedio *m* siege
asegurado,-a *adj* 1 insured 2 *(garantizado)* secure

asegurador,-ora *m,f* insurer
asegurar *vtr* 1 to insure 2 *(garantizar)*
asegurar el éxito de una empresa, to ensure the success of a project; **te aseguro que…,** I assure you that…
■ **asegurarse** *vr* to make sure
asentado,-a *adj (consolidado)* established, settled
asentamiento *m* settlement
asentir *vi* to assent, agree
aseo *m (cuarto de baño)* bathroom; *(retrete)* toilet
asequible *adj* 1 *(barato)* affordable 2 *(fácil de comprender)* easy to understand; *(alcanzable)* attainable
asesinar *vtr* to murder; *(perpetrar un magnicidio)* to assassinate
asesinato *m* murder; *(magnicidio)* assassination
asesino,-a I *adj* murderous
II *m,f* killer; *(hombre)* murderer; *(mujer)* murderess; *(magnicida)* assassin
asesor,-ora I *m,f* adviser
II *adj* advisory
asesoramiento *m* advice
asesorar *vtr* 1 to advise 2 *(dar opinión profesional)* to act as consultant to
■ **asesorarse** *vr* to consult
asesoría *f* consultant's office
aseverar *vtr* to assert
asexual *adj* asexual
asfalto *m* asphalt
asfixia *f* asphyxiation, suffocation
asfixiante *adj* 1 asphyxiating, suffocating 2 *(calor)* stifling 3 *(ambiente)* oppressive
asfixiar *vtr,* **asfixiarse** *vr* to asphyxiate, suffocate
así *adv (de este modo)* like this *o* that, this way: **es así de grande/alto,** it is this big/tall
♦ | LOC: **así como,** just as; **así que…,** so…
Asia *f* Asia; **Asia Menor,** Asia Minor
asiático,-a *adj & m,f* Asian
asiduidad *f* **con asiduidad,** frequently, regularly
asiduo,-a I *adj* assiduous, regular
II *m,f (cliente)* regular customer
asiento *m* 1 seat 2 *Fin* entry
asignación *f* 1 *(de fondos, de tarea)* assignment, allocation 2 *(paga)* allowance
asignar *vtr* to assign, allocate
asignatura *f* subject; *Educ* **asignatura pendiente,** failed subject; *fig* unresolved matter
asilo *m* asylum; **asilo político,** political asylum
asimétrico,-a *adj* asymmetric, asymmetrical
asimilar *vtr* to assimilate
asimismo *adv* also, as well
asintomático,-a *adj* asymptomatic
asir *vtr* to grasp, seize
asistencia *f* 1 *(presencia)* attendance 2 *(afluencia)* audience, public 3 *(ayuda, socorro)*

asistencia médica, medical assistance
asistenta *f* cleaning lady
asistente I *adj* attending; **personas asistentes,** the audience
II *mf* 1 *(ayudante)* assistant 2 **los asistentes,** the public *sing* 3 **asistente social,** social worker
asistir I *vtr* to assist, help; *Med* to attend
III *vi* to attend [a, -]
asma *f* asthma
asmático,-a *adj & m,f Med* asthmatic
asno *m* donkey, ass
asociación *f* association
asociado,-a I *adj* associated, associate
II *m,f Com* associate, partner
asociar *vtr* to associate
■ **asociarse** *vr* 1 to be associated 2 *Com* to become partners
asolar *vtr* to devastate, destroy
asomar I *vtr* to put out, stick out
II *vi* to appear
■ **asomarse** *vr* to lean out
asombrar *vtr* to amaze, astonish
■ **asombrarse** *vr* to be amazed [de, at]
asombro *m* amazement, astonishment
asombroso,-a *adj* amazing, astonishing
asomo *m* trace, hint
■ **asorocharse** *vr LAm* 1 to get altitude sickness 2 *(ruborizarse)* to blush
aspa *f (de molino)* arm; *(de ventilador)* blade
aspaviento *m* **hacer aspavientos,** to wave one's arms about, to gesticulate
aspecto *m* 1 look, appearance 2 *(matiz de un asunto)* aspect
áspero,-a *adj* 1 *(al tacto)* rough 2 *fig (de carácter)* surly
aspiración *f* 1 inhalation, breathing in 2 *(ambición, deseo)* aspiration
aspirador,-a *f* vacuum cleaner
aspirante *mf* candidate, applicant
aspirar I *vtr* 1 *(respirar)* to inhale, breath in 2 *(absorber)* to suck in, draw in
II *vi* to aspire
aspirina *f* aspirin
asqueroso,-a I *adj (sucio)* filthy; *(repulsivo)* revolting, disgusting
II *m,f* disgusting *o* filthy *o* revolting person
asta *f* 1 *(de bandera)* staff, pole; **a media asta,** at half mast 2 *Zool (cuerno)* horn
asterisco *m* asterisk
astilla *f* splinter
astillero *m* shipyard
astral *adj* astral; **carta astral,** birth chart
astringente *adj & m* astringent
astro *m* star
astrología *f* astrology
astrólogo,-a *m,f* astrologer
astronauta *mf* astronaut
astronave *f* spaceship
astronomía *f* astronomy
astronómico,-a *adj* astronomical

astrónomo,-a *m,f* astronomer

astucia *f* shrewdness; *(triquiñuela)* ruse

astuto,-a *adj* astute, shrewd

asumir *vtr* to assume

asunto *m* 1 subject: **no es asunto tuyo,** it's none of your business 2 **Asuntos Exteriores,** Foreign Affairs

asustar *vtr* to frighten, scare

■ **asustarse** *vr* to be frightened, be scared

atacar *vtr* to attack, assault

atadura *f fig* hindrance

atajar *vi* to take a shortcut [**por,** through]

atajo *m* 1 shortcut 2 *(puñado) pey* bunch

atañer *v impers* to concern, have to do with

ataque *m* 1 attack, assault 2 *Med* ataque al corazón, heart attack

■ **atarse** *vr fig* to get tied up

atardecer I *m* evening, dusk; **al atardecer,** at dusk

II *v impers* to get *o* grow dark

atareado,-a *adj* busy

atascado,-a *adj* stuck, blocked

atascar *vtr (obstruir)* to block, obstruct

■ **atascarse** *vr* 1 *(obstruirse)* to become obstructed *o* blocked 2 *fig (quedarse bloqueado)* to get bogged down

atasco *m* traffic jam

ataúd *m* coffin

atemorizar *vtr* to frighten, scare

atención I *f* attention

II *excl* attention!

♦ | LOC: prestar atención, to pay attention [**a,** to]

atender I *vtr* to attend to, help; *(una solicitud)* to agree to

II *vi (escuchar)* to pay attention [**a,** to]

atenerse *vtr* to abide [**a,** by]

atentado *m* attack; **atentado terrorista,** terrorist attack

atentamente *adv (en carta)* yours sincerely *o* faithfully

atentar *vi* atentaron contra la vida de un famoso escritor, there was an attempt on a famous writer's life

atento,-a *adj* 1 attentive 2 *(amable)* considerate, thoughtful

atenuante I *adj* attenuating

II *m Jur* extenuating circumstance

ateo,-a I *adj* atheistic II *m,f* atheist

aterrador,-ora *adj* terrifying

aterrar *vtr* to terrify

■ **aterrarse** *vr* to be terrified

aterrizaje *m Av* landing; **pista de aterrizaje,** runway; **tren de aterrizaje,** landing gear

aterrizar *vi* to land

aterrorizar *vtr* to terrify

■ **aterrorizarse** *vr* to be terrified

atesorar *vtr* to accumulate; *(bienes, riquezas)* to hoard

atestado¹ *m Jur* affidavit, statement

atestado,-a² *adj* packed with, full of

atestar¹ *vtr Jur* to testify

atestar² *vtr (abarrotar)* to pack, cram [**de,** with]

atestiguar *vtr & vi Jur* to testify to

atiborrar *vtr* to pack, stuff

■ **atiborrarse** *vr fam* to stuff oneself

ático *m* attic

atinar *vi* 1 *(dar en, alcanzar)* to hit 2 *(dar con algo, encontrar) (una calle, un objeto)* to find; *(una solución, una respuesta)* to get

atípico,-a *adj* atypical

atisbo *m fig* hint, inkling

atizar *vtr* 1 *(el fuego)* to poke, stoke 2 *(un golpe)* to deal

atlántico, a I *adj* Atlantic

II *m* **el (océano) Atlántico,** the Atlantic (Ocean)

atlas *m inv* atlas

atleta *mf* athlete

atlético,-a *adj* athletic

atletismo *m* athletics *sing*

atmósfera *f* atmosphere

atolondrado,-a *adj* foolish, feather-brained,

atómico,-a *adj* atomic

átomo *m* atom

atónito,-a *adj* amazed, astonished

atontado,-a *adj* 1 *(bobo)* silly, foolish 2 *(aturdido)* bewildered, amazed

atontar *vtr* to confuse, bewilder

atormentar *vtr* to torment

■ **atormentarse** *vr* to torment oneself

atornillar *vtr* to screw on

atosigar *vtr* to harass

atracador,-ora *m,f (de bancos)* (bank) robber; *(en la calle)* attacker, mugger

atracar I *vtr* to hold up; *(asaltar a una persona)* to rob

II *vi Náut* to tie up

■ **atracarse** *vr (de comida)* to stuff oneself

atracción *f* attraction

atraco *m* robbery, hold-up

atracón *m fam* blowout

atractivo,-a *adj* attractive, appealing

atraer *vtr* to attract

atragantarse *vr* to choke [**con,** on] **atrapar** *vtr* to catch

atrás I *adv* 1 *(lugar)* at the back, behind; **echarse hacia/para atrás,** to move backwards; **mirar hacia/para atrás,** to look back 2 *(tiempo)* in the past, ago; **dos meses atrás,** two months ago

II *excl* ¡atrás!, get back!

atrasado,-a *adj (un pago)* overdue; *(un reloj)* slow; *(un país, una región)* backward; *(un número, un fascículo)* back number

atrasar I *vtr* to put back

II *vi (un reloj)* to be slow

■ **atrasarse** *vr (quedarse atrás)* to remain *o* stay behind, lag behind

atraso *m* 1 delay 2 *(de un país)* backwardness

3 *Fin* **atrasos,** arrears

atravesar *vtr* 1 *(una pared)* to pierce, go through 2 *(una calle, un río)* to cross 3 *(una etapa)* to go through

■ **atravesarse** *vr* to get in the way; *fig* **se me ha atravesado este libro,** I can't stand this book

atreverse *vr* to dare

atrevido,-a *adj* 1 *(descarado)* daring, bold 2 *(insolente)* cheeky, impudent 3 *(un vestido)* risqué

atribuir *vtr* to attribute, ascribe

■ **atribuirse** *vr* to assume

atril *m (para libros)* bookrest; *(para partituras)* music stand

atrocidad *f* atrocity

atrofiarse *vr* to atrophy

atropellar *vtr* 1 *Auto* to knock down, run over 2 *(no respetar)* to abuse

atropello *m* 1 *Auto* knocking down, running over 2 *(abuso)* abuse

atroz *adj* 1 *(pésimo, insoportable)* atrocious 2 *fam (enorme)* enormous, tremendous

atuendo *m* dress, attire

atún *m* tuna

aturdido,-a *adj* stunned, dazed

aturdir *vtr* to stun, daze

audacia *f* audacity

audaz *adj* audacious, bold

audible *adj* audible

audición *f* 1 hearing 2 *Mús Teat* audition

audiencia *f* 1 *(público)* audience 2 *Jur* high court; *(juicio)* hearing

audiovisual *adj* audio-visual

auditivo,-a *adj* auditory

auditor,-ora *m,f Fin* auditor

auditorio *m* 1 *(público)* audience 2 *(sala)* auditorium, hall

auge *m* peak; *Econ* boom

augurar *vtr* to augur

aula *f (en colegio)* classroom; *(en universidad)* lecture room/hall

aullar *vtr* to howl

aullido *m* howl

aumentar I *vtr* to increase; *Fot* to enlarge; *Ópt* to magnify

II *vi (una cantidad)* to go up, rise; *(de valor)* to appreciate

aumento *m* increase

aun *adv* even; **aun así,** even so

aún *adv* still; *(en negativas)* yet

aunar *vtr* & *vr* to join together

aunque *conj* although, though; *(incluso si)* even if; *(a pesar de)* even though-

aúpa *excl* up!, get up!

auricular *m* 1 *Tel* receiver 2 **auriculares,** earphones, headphones

aurora *f* daybreak, dawn

ausencia *f* absence

ausentarse *vr* to leave

ausente I *adj* absent

II *mf* absentee

austeridad *f* austerity

austero,-a *adj* austere

Australia *f* Australia

australiano,-a *adj* & *m,f* Australian

Austria *f* Austria

austríaco,-a *adj* & *m,f* Austrian

auténtico,-a *adj* authentic

autista *adj* autistic

auto[1] *m* car

auto[2] *m Jur* decree, writ

autoadhesivo,-a *adj* self-adhesive

autobiografía *f* autobiography

autobiográfico,-a *adj* autobiographical

autobús *m* bus

autóctono,-a *adj* indigenous, autochthonous

autodefensa *f* self-defense

autoescuela *f* driving school

autógrafo *m* autograph

automático,-a *adj* automatic

automóvil *m* car

automovilismo *m* motoring

automovilista *mf* motorist

autonomía *f* 1 autonomy 2 *Esp* autonomous region

autonómico,-a *adj* autonomous

autónomo,-a *adj* autonomous, self-governing

autopista *f* highway

autopsia *f* autopsy, post mortem

autor,-ora *m,f (hombre)* author; *(mujer)* authoress

autoridad *f* authority

autoritario,-a *adj* authoritarian

autorizado,-a *adj* authorized, official

autorizar *vtr* to authorize

autorretrato *m* self-portrait

autoservicio *m* 1 *(restaurante)* self-service restaurant 2 *(supermercado)* supermarket

autosuficiente *adj* self-sufficient

autovía *f* divided highway

auxiliar 1 *adj* & *mf* auxiliary, assistant

II *vtr* to help, assist

auxilio *m* 1 assistance, help; **primeros auxilios,** first aid *sing* 2 *excl* **¡auxilio!** help!

avalancha *f* avalanche

avalar *vtr* to guarantee, endorse

avance *m* advance

avanzado,-a *adj* advanced

avanzar *vtr* to advance, make progress

avaricioso *adj* greedy

avaro,-a 1 *adj* avaricious, miserly

II *m,f* miser

avasallar 1 *vtr* to tyrannize; *(apabullar)* to push somebody around

II *vi* to trample on

ave *f* bird

avecinarse *vr* to approach, come near

avellana *f* hazelnut

avena *f Bot* oats *pl*

avenida *f* avenue

aventajado,-a *adj (sobresaliente)* outstanding, exceptional

aventajar *vtr* to be ahead [**a,** of]

aventura *f* **1** adventure **2** *(amorosa)* (love) affair

aventurado,-a *adj* risky

aventurar *vtr (hipótesis, opinión)* to venture
■ **aventurarse** *vr* to dare, venture

aventurero,-a *adj* adventurous

avergonzado,-a *adj* ashamed

avergonzar *vtr* to shame
■ **avergonzarse** *vr* to be ashamed

avería *f* breakdown

averiado,-a *adj* out of order; *(automóvil)* broken down

averiarse *vr* to break down

averiguación *f* enquiry

averiguar *vtr* to ascertain

aversión *f* aversion

avestruz *m* ostrich

aviación *f (civil)* aviation; *(militar)* air force

aviador,-ora *m,f (civil)* aviator, flier, flyer; *(militar)* air force pilot

avicultura *f* poultry farming

avidez *f* avidity, eagerness

ávido,-a *adj* avid

avinagrarse *vr* **1** to turn sour **2** *fig* to become sour *o* bitter

avión *m* airplane, plane, aircraft

avioneta *f* light aircraft

avisar *vtr* **1** *(prevenir, advertir)* to warn **2** *(comunicar)* to inform

aviso *m* notice; *(advertencia)* warning; *(comunicado)* note

avispa *f* wasp

avispado,-a *adj fam* quick-witted

avispero *m* wasps' nest

avivar *vtr* **1** *(fuego)* to stoke (up) **2** *(intensificar)* to intensify

axila *f* armpit

ay *excl* **1** *(dolor)* ouch! **2** *(pena, sorpresa)* oh!

ayer **I** *adv* yesterday
II *m* **el ayer,** yesterday, the past

ayuda *f* help, assistance, aid

ayudante *mf* assistant

ayudar *vtr* to help
■ **ayudarse** *vr (a sí mismo)* to help oneself; *(mutuamente)* each other

ayunar *vi* to fast

ayunas *fpl* **en la loc en ayunas,** with an empty stomach

ayuntamiento *m* **1** *(institución)* town/city council **2** *(edificio)* city hall

azabache *m* jet; *(color)* jet black

azada *f* hoe

azafata *f* **1** *Av* air hostess, stewardess **2** *(de congresos, de ferias)* hostess

azafrán *m* saffron

azahar *m (del naranjo)* orange blossom; *(del limonero)* lemon blossom

azar *m* chance ◆ | LOC: **al azar,** at random

azotar *vtr* **1** *(con la mano)* to beat; *(con el látigo)* to whip, flog

azote *m (golpe con la mano)* beating; *(con el látigo)* lash, stroke (of the whip)

azotea *f* flat roof

azteca *adj & mf* Aztec

azúcar *m & f* sugar

azucarero,-a 1 *m & f* sugar bowl
II *adj* sugar

azucena *f* white lily

azufre *m* sulphur, sulfur

azul *adj & m* blue; **pescado azul,** blue fish

azulejo *m* glazed tile

B

B, b *f (letra)* B, b

baba *f* dribble

babear *vi* **1** *(por ser pequeño)* to dribble **2** *(un animal)* to slobber

babero *m* bib

babosa *f* slug

baca *f Auto* roof rack

bacalao *m Zool* cod

bache *m* **1** *(en una carretera)* pot hole **2** *fig* bad patch

bachillerato *m* high school degree

bacteria *f* bacterium *(pl* bacteria)

badén *m* **1** *(hundimiento del terreno)* dip **2** *(en la acera)* dip in the kerb

bafle *m* loudspeaker

bagaje *m* wealth, background

bahía *f* bay

bailaor,-ora *m,f* flamenco dancer

bailar **I** *vtr & vi* to dance
II *vi (moverse, no encajar bien)* to move, to wobble

bailarín,-ina *adj & m,f* dancer

baile *m* **1** *(actividad)* dance **2** *(verbena)* dance; *(fiesta de sociedad)* ball

baja *f* **1** *(informe médico)* sick note; **baja por enfermedad,** sick leave; **baja por maternidad,** maternity leave **2** *(descenso)* drop, fall **3** *Mil (víctima, herido)* casualty

bajada *f* **1** *(descenso)* descent **2** *(pendiente)* slope **3** *(de precios, temperaturas)* drop, fall **4** *(de taxi)* **bajada de bandera,** minimum fare

bajamar *f* low tide

bajar **I** *vtr* **1** *(descender)* to come *o* go down **2** *(llevar algo abajo)* to bring *o* get *o* take down **3** *(un telón)* to lower; *(la cabeza)* to bow *o* lower **4** *(reducir el volumen)* to turn down; *(la voz)* to lower **5** *(los precios, etc)* to reduce, cut
II *vi* **1** to go *o* come down **2** *(apearse de un tren, un autobús)* to get off; *(de un coche)* to get out [**de,** of] **3** *(disminuir la temperatura, los precios)* to fall, drop
■ **bajarse** *vr* **1** to come *o* go down **2** *(apearse de un tren, un autobús)* to get off; *(de un coche)* to get out [**de,** of]

bajista *m,f Mús* bass guitarist

bajo,-a I *adj* **1** low **2** *(de poca estatura)* short **3** *(poco intenso)* faint, soft **4** *(escaso)* poor: **su nivel es muy bajo,** his level is very low **5** *Mús* low **6** *fig (mezquino, vil, ruin)* base, despicable: **bajos fondos,** the underworld
II *adv* low
III *m* **1** *Mús (instrumento, cantante, instrumentista)* bass **2** *(de un edificio)* ground floor **3** *(de una prenda)* hem
IV *prep* **1** *(lugar)* under, underneath; **bajo techo,** under shelter; **bajo tierra,** underground **2** *Pol Hist* under; **bajo la dictadura,** under the dictatorship **3** **bajo cero,** *(temperatura)* below zero **4** *fur* under; **bajo fianza,** on bail; **bajo juramento,** under oath

bajón *m* sharp fall, decline, slump

bajorrelieve *m* bas-relief

bala *f* bullet

balada *f* ballad

balance *m* **1** *Fin* balance; *(documento financiero)* balance sheet **2** *(valoración, resultado)* outcome

balancear *vtr* to swing
■ **balancearse** *vr (en una mecedora)* to rock; *(en un columpio)* to swing; *(uno mismo)* to move to and fro

balanceo *m* rocking, swinging

balanza *f* scales *pl*; **balanza comercial,** balance of trade; **balanza de pagos,** balance of payments

balaustrada *f* balustrade

balazo *m* **1** *(tiro de bala)* shot **2** *(herida de bala)* bullet wound

balboa *m* balboa *(national currency of Panamá)*

balbucear *vi & vt* to stutter, to stammer

balcón *m* balcony

balda *f* shelf

baldado,-a *adj* **1** *fam (agotado)* shattered **2** *(maltrecho, incapacitado)* crippled

balde¹ *m* bucket

balde² *loc adv* **1 de balde,** *(gratis)* free **2 en balde,** *(en vano, para nada)* in vain

baldosa *f (en el interior)* (ceramic) floor tile; *(en el exterior)* flagstone, paving stone

balido *m* bleating, bleat

ballena *f Zool* whale

ballet *m* ballet

balneario *m* spa

balón *m* **1** ball, football **2 balón de oxígeno,** *Med* oxygen cylinder

baloncesto *m* basketball

balonmano *m* handball

balsa¹ *f Náut* raft

balsa² *f* pool, pond

balsámico,-a *adj* soothing

bálsamo *m* balsam, balm

balsero,-a *m,f* rafter

bambolearse *vr (algo que cuelga)* to swing; *(una embarcación)* to roll

banal *adj* banal, trivial

banana *f* banana

banca *f* **1** *(conjunto de bancos)* (the) banks; *(actividades bancarias)* banking **2** *(en juegos)* bank

bancario,-a I *adj* banking
II *m,f* bank employee

bancarrota *f* Fin bankruptcy

banco *m* **1** *(para sentarse)* bench **2** *Com Fin* bank **3** *(de peces)* shoal, school **4** *Med (de órganos, etc)* bank

banda¹ *f* **1** *Mús* band **2** *(de criminales)* gang

banda² *f* **1** *(cinta)* sash **2** *(franja, lista)* strip **3** *(lado)* side **4** *(billar)* cushion **5** *Ftb* **saque de banda,** throw-in **6** *Telec* **banda de frecuencia,** frequency band; *Cine* **banda sonora,** sound track

bandada *f (de pájaros)* flock

bandazo *m* lurch

bandeja *f* tray

bandera *f* flag

banderilla *f Tauro* banderilla

bandido,-a *m,f* **1** *fam (pícaro, travieso)* rascal **2** *(granuja)* crook **3** *(ladrón)* bandit

bando¹ *m (edicto)* edict, proclamation

bando² *m* faction, side

bandoneón *m Mús LAm* large accordeon

banquero,-a *m,f* banker

banqueta *f* stool

banquete *m* banquet, feast; **banquete de bodas,** wedding reception

banquillo *m* **1** *fur* dock **2** *Dep* bench, benches *pl*

bañador *m (de mujer)* bathing suit; *(de hombre)* swimming trunks *pl*

bañar *vtr* to bathe
■ **bañarse** *vr (para lavarse)* to have *o* take a bath; *(para nadar)* to go for a swim

bañera *f* bath

bañista *m,f* bather, swimmer

baño *m* **1** bath; **tomar *o* darse un baño,** to have *o* take a bath **2** *(cuarto de baño)* bathroom; *(retrete)* toilet **3** *(cobertura de un objeto)* coat **4** **baño María,** bain marie, a double saucepan

bar *m* bar

baraja *f* pack, deck

barajar *vtr* **1** *(los naipes)* to shuffle **2** *fig (considerar distintas posibilidades)* to consider, juggle with

barandilla *f (pasamanos)* handrail, banister; *(de una ventana, balcón)* railing

barata *f LAm* **1** *(rebajas)* sale **2** *(cucaracha)* cockroach

baratija *f* trinket, bauble

barato,-a *adj* cheap

barba *f* beard

barbaridad *f* **1** atrocity, act of cruelty **2** *(despropósito)* piece of nonsense **3** *(cantidad excesiva)* a lot

bárbaro,-a I *adj* **1** *(cruel, despiadado)*

barbaric 2 *(incivilizado, rudo)* barbarous 3 *fam (en mucha cantidad)* massive 4 *Hist* barbarian
II *m,f Hist* barbarian
barbilla *f* chin
barbudo,-a *adj* bearded man
barca *f* small boat
barco *m* 1 boat, ship; **barco de pasajeros,** passenger ship
barítono *m* baritone
barniz *m (para proteger)* varnish; *(para vitrificar)* glaze
barnizar *vtr (madera, cuadro)* to varnish; *(barro, loza)* to glaze
barómetro *m* barometer
barra *f* 1 bar 2 *(de un bar, cafetería, etc)* bar 3 *(de labios)* lipstick 4 *(de pan)* French loaf, baguette 5 *Inform* **barra de desplazamiento,** scroll bar
barracón *m* accomodation block, barrack hut
barranco *m* 1 *(precipicio)* precipice 2 *(hendidura profunda)* gully, ravine
barrendero,-a *m,f* (street) sweeper
barreño *m* tub
barrer I *vtr* 1 to sweep 2 *(destruir, rechazar)* to sweep away
II *vi (en una votación)* to win by a landslide
barrera *f* barrier
barriada *f (vecindario)* neighborhood
barricada *f* barricade
barriga *f* 1 belly; *fam* tummy
barrigón,-ona, barrigudo,-a *adj* potbellied
barril *m* barrel
barrio *m* 1 area, district 2 *(vecindario)* neighborhood ♦ | LOC.: **de barrio,** local
barro *m* 1 *(mezcla de tierra y agua)* mud 2 *(para alfarería)* clay
barroco,-a *adj* baroque
barrote *m (barra gruesa)* bar; *(en una cuna, en un respaldo)* crosspiece
bártulos *mpl fam* things, goods and chattels
barullo *m (ruido)* row, din; *(lío, embrollo, confusión)* confusion
basar *vtr* to base [en, on]
■ **basarse** *vr (teoría, película)* to be based [en, on]
basca *f argot* people, crowd
báscula *f* scales
base I *f* 1 base 2 *(fundamento de una teoría, de un argumento)* basis, *(motivo)* grounds 3 *(conocimientos previos)* grounding 4 *Mil* base 5 *Inform* **base de datos,** data base
II *fpl* 1 *Pol* the grass roots 2 *(de un concurso)* rules
básico,-a *adj* basic
basílica *f* basilica
bastante I *adj* 1 *(suficiente)* enough 2 *(en abundancia)* quite a lot of
II *adv* 1 *(suficiente)* enough: **nunca tiene bastante,** it's never enough for her 2 *(muy, mucho)* fairly, quite: **viaja bastante,** she travels quite often **bastar** *vi* to be enough, suffice
■ **bastarse** *vr* to be self-sufficient, be able to manage
basto,-a *adj* 1 *(rugoso)* rough, coarse 2 *(grosero, vulgar)* coarse, uncouth
bastón *m* 1 stick, walking stick 2 *(para esquiar)* ski pole 3 *Anat (de la retina)* rod
basura *f* trash, garbage
basurero *m* 1 *(oficio)* garbage collector 2 *(vertedero)* dump, garbage dump
bata *f* 1 *(de casa)* robe, dressing gown, housecoat 2 *(de profesional sanitario)* white coat
batalla *f* 1 battle 2 **batalla campal,** pitched battle
batallar *vi* to fight, quarrel
batallón *m* battalion
batata *f Bot* sweet potato
bate *m Dep* bat
batería I *f* 1 *Auto* battery 2 *Mús* drums *pl* 3 **batería (de cocina),** pots and pans, kitchen pans
II *mf Mús* drummer
batida *f* 1 *(búsqueda)* search 2 *(para que salga la caza)* beat
batido,-a I *adj Culin* whipped
II *m* milk shake
batidora *f Culin* whisk, mixer
batir *vtr* 1 to beat 2 *Culin (mezclar ingredientes)* to beat, *(levantar claras, etc)* to whip, whisk 3 *Dep (un récord)* to break 4 *(las alas)* to flap
■ **batirse** *vr (luchar)* to fight
batuta *f Mús* baton
baúl *m* 1 trunk 2 *LAm Auto* trunk
bautismo *m* baptism, christening
bautizar *vtr* to baptize, christen
bautizo *m* baptism, christening
baya *f Bot* berry
bayeta *f* cloth; *(de la cocina)* dishcloth; *(del suelo)* floorcloth
bazar *m* bazaar
bazo *m Anat* spleen
bazofia *f pey* leftovers
beato,-a I *adj pey* prudish; *(piadoso)* devout
II *m,f* 1 pious person 2 *pey* prudish person
bebé *m* baby
bebedor,-ora *m,f* heavy drinker
beber *vtr & vi* to drink
bebida *f* drink
bebido,-a *adj (ebrio)* drunk; *(achispado)* tipsy
beca *f* grant; *(de estudios)* scholarship; **beca de investigación,** research fellowship
becar *vtr* to award a grant to *o* to award a scholarship
becario,-a *m,f* grant holder, scholar
becerro *m Zool* calf
bechamel *f* bechamel sauce, white sauce
bedel *m* beadle
beduino,-a *adj & m,f* Bedouin

beige *adj & m inv* beige

béisbol *m* baseball

belén *m* nativity scene, crib

belga *adj & mf* Belgian

Bélgica *f* Belgium

bélico,-a *adj (antes de sustantivo)* war; **conflicto bélico,** war; **material bélico,** armaments *pl*

beligerante *adj* belligerent

belleza *f* beauty

bello,-a *adj* 1 *(hermoso)* beautiful 2 **la Bella Durmiente,** Sleeping Beauty

bellota *f Bot* acorn

bemol I *adj Mús* flat

II *m* flat; **doble bemol,** double-flat

bencina *f LAm* petrol, gasoline

bendecir *vtr* to bless; *(la mesa)* to say grace

bendición *f* blessing

bendito,-a I *adj* blessed

II *m,f (santo, bondadoso)* good sort, kind soul; *(pánfilo, cándido)* simple soul

beneficencia *f* charity

beneficiado,-a *adj* favored

beneficiar *vtr* to benefit

■ **beneficiarse** *vr* to profit [**de algo,** from sthg] [**con algo,** by sthg]

beneficio *m* 1 *Com Fin* profit 2 *(provecho, ventaja)* benefit 3 *(ayuda)* **a beneficio de,** in aid of

beneficioso,-a *adj* beneficial

benéfico,-a *adj* charitable

benevolencia *f* benevolence

benevolente, benévolo,-a *adj* benevolent, lenient

bengala *f* 1 *(de salvamento)* flare 2 *(fuego artificial)* sparkler

benigno,-a *adj* benign

benjamín,-ina *m,f* youngest child

berberecho *m Zool* (common) cockle

berenjena *f Bot* eggplant

bermudas *mpl Indum* Bermuda shorts

berrear *vi* 1 *(mugir)* to bellow, low 2 *(llorar un niño a gritos)* to howl, bawl 3 *(cantar mal, gritar una persona)* to yell, bawl

berrido *m* 1 *(mugido)* bellowing, lowing 2 *(de un niño)* howl

berrinche *m fam* tantrum

berro *m Bot* cress, watercress

besamel *f → bechamel*

besar *vtr*, **besarse** *vr* to kiss

beso *m* kiss

bestia I *f* beast, animal

II *m,f fam fig* brute, beast

III *adj fig* brutish

bestial *adj* 1 bestial 2 *fam (muy grande)* huge, tremendous

bestialidad *f* 1 *(atrocidad)* act of cruelty 2 *fam (gran cantidad)* a lot

besugo *m Zool* sea bream

betún *m* 1 *(para el calzado)* shoe polish 2 *Quím* bitumen

biberón *m* feeding bottle

Biblia *f* Bible

bíblico,-a *adj* biblical

bibliografía *f* bibliography

biblioteca *f* library

bibliotecario,-a *m,f* librarian

bicameral *adj Pol* bicameral; **sistema bicameral,** two-chamber system

bicarbonato *m* bicarbonate

bicentenario *m* bicentennial

bíceps *m inv* biceps

bicho *m* 1 *(insecto)* bug, insect; *(animal)* 2 *(niño)* little devil 3 **(mal) bicho** *(persona perversa)* nasty piece of work; *fig fam* **bicho raro,** weirdo: **Pedro es un bicho raro,** Pedro is a weirdo; *fam hum* **bicho viviente,** living soul; **todo bicho viviente tiene un móvil,** every mother's son has a mobile phone

bici *f fam* bike

bicicleta *f* bicycle; **andar/montar en bicicleta,** to ride a bicycle; **bicicleta estática,** exercise bike

bien I *m* 1 *(justicia, bondad)* good 2 *(provecho, ventaja)* **en bien de la comunidad,** for the good of community 3 *(propiedad)* **bienes,** goods; **bienes de consumo,** consumer goods *pl*; **bienes gananciales,** communal property

II *adv* 1 *(correctamente)* well 2 *(sano)* well, fine; **sentirse/encontrarse bien,** to feel well 3 *(satisfactoriamente)* **oler bien,** to smell nice; **vivir bien,** to be comfortably off 4 *(muy)* very, quite; **una cerveza bien fría,** a nice cold beer

III *conj* **ahora bien,** now, now then; **bien ... o bien ...,** either... or...; **más bien,** rather, a little; **no bien,** as soon as: **no bien llegó...,** o **bien,** or, or else; **si bien,** although, even though...

IV *excl* **¡está bien!,** *(¡de acuerdo!)* fine!, all right; **¡muy bien!,** excellent, first class!; **¡qué bien!,** great!, fantastic; *(desaprobación)* **¡ya está bien!,** that's (quite) enough!

V *adj inv* **un barrio bien,** a well-to-do neighborhood

bienal *f* biennial exhibition

bienestar *m (satisfacción)* well-being, welfare

bienintencionado,-a *adj* well-meaning, well-intentioned

bienio *m* two-year period

bienvenida *f* welcome: **salimos a darle la bienvenida,** we went out to welcome him

bienvenido,-a *adj* welcome

bifocal *adj* bifocal; **gafas bifocales,** bifocals

bifurcación *f* bifurcation; *fam (de un camino)* fork

bifurcarse *vr* to bifurcate, fork

bigamia *f* bigamy

bígamo,-a I *adj* bigamous

II *m,f* bigamist

bigote *m (de persona)* moustache, mustache; *(de animales)* whiskers *pl*

bilabial *adj & f* bilabial

bilateral *adj* bilateral

bilingüe *adj* bilingual

bilis *f* bile

billar *m* 1 (*juego*) billiards *sing;* **billar americano,** pool 2 *tb pl* (*local*) billard hall

billete *m* 1 (*de transporte*) ticket; **billete de ida y vuelta,** round-trip ticket 2 (*de dinero*) bill

billetera *f,* **billetero** *m* wallet, billfold

billón *m* GB *anteriormente* billion; US & GB *mod* trillion (10^{12})

bimensual *adj* twice-monthly, bi-monthly

binomio *m* Mat binomial

biodegradable *adj* biodegradable

biografía *f* biography

biográfico,-a *adj* biographical

biógrafo,-a *m,f* biographer

biología *f* biology

biológico,-a *adj* biological

biólogo,-a *m,f* biologist

biombo *m* (folding) screen

biopsia *f* biopsy

bioquímica *f* biochemistry

bípedo *adj & m* biped

biquini *m* bikini

birrete *m* mortarboard

birria *f fam* useless

bis I *m* encore **II** *adv* twice

bisabuela *f* great-grandmother

bisabuelo *m* great-grandfather; **bisabuelos,** great-grandparents

bisagra *f* hinge

bisexual *adj & mf* bisexual

bisiesto *adj & m* **año bisiesto,** leap year

bisnieto,-a *m,f* (*niño*) great-grandson; (*niña*) great-granddaughter; **mis bisnietos,** my great-grandchildren

bisonte *m* bison, buffalo

bisté, bistec *m* steak

bisturí *m* scalpel

bisutería *f* imitation jewelry

bit *m* Inform bit

bizantino,-a *adj* 1 (*complicado e irrelevante*) hair-splitting 2 (*de Bizancio*) Byzantine

bizco,-a I *adj* cross-eyed **II** *m,f* cross-eyed person

bizcocho *m* sponge cake

biznieto,-a *m,f;* **→ bisnieto,-a**

blanca *f* Mús half note

Blancanieves *f* Lit Snow White

blanco,-a I *adj* 1 white 2 (*pálido*) fair **II** *m,f* (*hombre*) white man; (*mujer*) white woman **III** *m* 1 (*color*) white 2 (*diana*) target 3 (*espacio sin imprimir*) blank

blancura *f* whiteness

blando,-a *adj* 1 (*mullido*) soft 2 (*de carácter*) weak

blanquear *vtr* 1 (*la ropa, el papel, etc*) to whiten; (*con cal*) to whitewash 2 (*dinero*) to launder

blasfemar *vi* to blaspheme [**contra/de,** against]

blasfemia *f* blasphemy

blindado,-a *adj* 1 (*vehículo*) armored 2 (*antibalas*) bullet-proof 3 (*puerta*) reinforced

bloc *m* pad; **bloc de notas,** notepad

bloque *m* 1 (*trozo grande*) block 2 (*edificio*) block 3 Pol bloc

bloquear *vtr* 1 (*impedir el movimiento, el acceso*) to block 2 (*una cuenta*) to freeze 3 (*colapsar un servicio, un aparato*) to jam, seize up

bloqueo *m* blockade; Dep block

blusa *f* blouse

boa *f* boa

bobada *f* 1 (*tontería*) nonsense 2 (*desacierto*) mistake

bobina *f* 1 reel, spool 2 Elec coil

bobo,-a I *adj* (*simple, lelo*) stupid, silly; (*cándido*) naïve **II** *m,f* fool

boca *f* 1 mouth 2 (*entrada*) entrance; **boca de riego,** hydrant; **el boca a boca,** kiss of life *o* mouth-to-mouth respiration ◆ LOC: *fig* **boca abajo,** face down(ward); **boca arriba,** face up(ward)

bocacalle *f* entrance to a street

bocadillo *m* sandwich

bocado *m* 1 (*trozo de comida*) mouthful 2 (*mordisco*) bite

bocajarro (a) *loc adv* point-blank

bocanada *f* 1 (*de humo*) puff 2 (*golpe de aire, etc*) gust

boceto *m* Arte sketch, outline u (*borrador*) outline, plan

bochorno *m* 1 (*tiempo muy caluroso*) sultry *o* close weather 2 *fig* (*vergüenza*) shame, embarrassment

bocina *f* horn

boda *f* (*ceremonia*) wedding; (*enlace*) marriage

bodega *f* 1 (*fábrica de vinos*) winery; (*almacen*) wine cellar; (*tienda de vinos y licores*) wine shop 2 Náut Av hold 3 LAm grocery store, grocer's

bodegón *m* still-life

body *m* 1 (*de lencería*) bodysuit 2 (*de gimnasia*) leotard

bofetada *f* slap on the face

bogavante *m* Zool lobster

bohío *m* LAm hut

boicot *m* boycott

boicotear *vtr* to boycott

boina *f* beret

bol *m* bowl

bola *f* 1 ball; (*canica*) marble 2 *fam* (*mentira*) fib

bolera *f* bowling alley

boletería *f* LAm 1 Dep Ferroc ticket office 2 Teat ticket office, box office

boletín *m* 1 (*informativo*) bulletin 2 (*publicación oficial*) gazette

boleto m 1 LAm (entrada) ticket 2 (de rifa) ticket 3 (seta) boletus

boli m fam ball-point pen, biro®

bolígrafo m ballpoint (pen), biro®

bolívar m bolivar (national currency of Venezuela)

Bolivia f Bolivia

boliviano,-a I adj & m,f Bolivian
II m boliviano (national currency of Bolivia)

bollo m 1 Culin bun, bread roll 2 (abolladura) dent

bolo m 1 skittle, ninepin 2 bolos (juego) skittles

bolsa[1] f 1 bag 2 Av bolsa de la compra, shopping bag; bolsa de estudios, educational grant; bolsa de trabajo, labor exchange, employment bureau

bolsa[2] f Fin Stock Exchange

bolsillo m pocket ◆ | LOC: (tamaño) de bolsillo, pocket, pocket-size: libro de bolsillo, paperback

bolso m handbag, bag, purse

boludo,-a adj & m,f LAm vulgar 1 (tonto, memo) jerk 2 (vago) good for nothing 3 ofens (gilipollas) prick

bomba[1] f (explosivo) bomb; bomba atómica/incendiaria, nuclear/incendiary bomb 2 (de bicicleta, de líquidos) pump; bomba de agua, water pump; bomba de incendios, fire engine 3 fam (notición) bombshell

bombardear vtr to bomb, shell

bombardeo m bombing, bombardment

bombazo m 1 fig fam (una gran sorpresa) sensation, stir 2 (explosión) bomb blast

bombeo m (de líquido, aire) pumping

bombero,-a m,f (hombre) fireman; (mujer) firewoman; (ambos sexos) firefighter

bombilla f (light) bulb

bombo m 1 Mús bass drum 2 (de un sorteo) lottery drum

bombón m 1 chocolate 2 fam (niño) lovely; (adulto) stunner

bombona f cylinder; bombona de butano, butane gas cylinder

bondad f 1 goodness 2 frml (cortesía) tenga la bondad de pasar, please be so kind as to come in

bondadoso,-a adj kind

boniato m Bot sweet potato

bonificar vtr Com to give a bonus to

bonito,-a[1] adj pretty, nice

bonito[2] m Zool tuna

bono m 1 (vale) voucher 2 Fin bond, debenture; bonos del Tesoro o del Estado, Treasury bonds

bonobús m bus pass

bonsái m bonsai

boquerón m Zool (fresh) anchovy

boquete m hole

boquiabierto,-a adj (atónito) flabbergasted

boquilla f 1 (para un cigarrillo) tip; (de pipa) mouthpiece 2 Mús mouthpiece **borda** f Náut gunwale; fuera borda, (motor) m outboard motor; (lancha) f outboard

bordado,-a I adj Cost embroidered
II m Cost embroidery

bordar vtr Cost to embroider

borde[1] m (de una mesa, un camino) edge; (de una taza, etc) rim, brim

borde[2] m,f fam crude, stupid person
II adj fam stroppy

bordear vtr 1 (ir por el borde, rodear) to go round, skirt 2 (estar en el borde) to border

bordillo m curb

bordo m ◆ | LOC: a bordo, on board

borrachera f (embriaguez) drunkenness: cogí una buena borrachera, I got really drunk

borracho,-a I adj (ebrio) drunk; estar borracho, to be drunk
II m f drunkard, drunk

borrador m 1 (escrito provisional) rough draft 2 (croquis) rough o preliminary sketch 3 (de la pizarra) eraser

borrar vtr 1 (con una goma) to erase, rub out 2 Inform to delete

borrasca f area of low pressure

borrascoso,-a adj stormy

borrego,-a m,f yearling lamb

borrico,-a m,f 1 Zool ass, donkey 2 fam (persona testaruda) ass, stubborn 3 fam pey (ignorante, simple) thickhead, dimwit

borrón m blot, smudge

borroso,-a adj 1 (percepción) blurred (un recuerdo, una idea) fuzzy

bosque m forest

bosquejar vtr to draft, outline

bosquejo m (de una pintura) sketch, study; (de un proyecto) draft, outline

bostezar vi to yawn

bostezo m yawn

bota f 1 boot 2 (de vino) wineskin 3 botas de agua, rubber boots

botana f LAm tb fpl snack

botánica f botany

botar I vi 1 (una persona) to jump 2 (un objeto) to bounce
II vtr 1 Náut to launch 2 (un balón, pelota) to bounce 3 LAm (echar de un lugar, despedir) to throw o chuck out

bote[1] m 1 jump, bound 2 (de pelota) bounce, rebound

bote[2] m 1 (de lata) can, tin; (de vidrio) jar; (para propinas) jar o box for tips 2 (en lotería) jackpot

bote[3] m Náut boat

bote[4] m ◆ | LOC: estar de bote en bote, to be packed o to be full to bursting

botella f bottle

botín[1] m (de un robo) loot, booty

botín[2] m (calzado) ankle boot

botiquín m medicine chest o cabinet; (maletín) first aid kit

botón *m* button

botones *m inv (empleado de un hotel)* bellboy, bellhop

bóveda *f* vault

bovino,-a *adj* 1 bovine 2 **ganado bovino,** cattle

boxeador *m* boxer

boxear *vi* to box

boxeo *m* boxing

boya *f* 1 *Náut* buoy 2 *(corcho de pescar)* float

boyante *adj* buoyant

bozal *m* muzzle

braga *f tb fpl* panties *pl,* knickers *pl* first

bragueta *f (de pantalón)* fly of pants, flies *pl*

bramar *vi* 1 *(el ganado)* to low, bellow 2 *(el mar, el viento)* to roar, howl

branquia *f* gill

brasa *f* ember, red-hot coal

Brasil, *m* Brazil

brasileño,-a *adj* & *m,f* Brazilian

bravo,-a I *adj* 1 *(salvaje, fiero)* fierce, ferocious 2 *(mar)* rough, stormy 3 *LAm* angry
II *excl* ¡bravo!, well done!, bravo!

braza *f* breaststroke

brazada *f (en natación)* stroke

brazalete *m* 1 *(joya, adorno)* bracelet 2 *(distintivo)* armband

brazo *m* 1 *Anat* arm; *(de un río, candelabro)* branch 2 *fig* **brazo armado,** armed wing; *fig* **brazo derecho,** right-hand man ♦ | LOC: **ir (agarrados) del brazo,** to walk arm in arm; **en brazos,** in one's arms

brebaje *m* concoction, brew

brecha *f* 1 *(herida en la cabeza)* gash 2 *Mil & fig* breach

brécol *m* broccoli

Bretaña *f* Brittany

breva *f* early fig

breve *adj* brief ♦ | LOC: **en breve,** shortly, soon

brezo *m Bot* heather

bricolaje *m* do-it-yourself, DIY

brigada I *f* 1 *Mil* brigade 2 *(de policías, de salvamento, de trabajadores, etc)* squad
II *m Mil* sergeant major

brillante I *adj* 1 *(un color, una persona, un objeto)* brilliant 2 *(una superficie)* gleaming
II *m* diamond

brillar *vi (emitir luz)* to shine; *(emitir destellos)* to sparkle; *(centellear)* to glitter

brillo *m (resplandor)* shine; *(del Sol, de la Luna, de un foco de luz, etc)* brightness; *(centelleo)* glittering; *(de un color)* brilliance; **sacar brillo a,** to shine, polish

brincar *vi* to skip

brindar I *vi* to drink a toast: **brindo por los novios,** here's to the bride and groom
II *vtr* 1 *(ofrecer)* to offer, provide 2 *Taur* to dedicate
■ **brindarse** *vr* to offer [a, to]

brindis *m* toast

brisa *f* breeze

británico,-a I *adj* British; **las Islas Británicas,** the British Isles
II *m,f* 1 Briton 2 **los británicos,** the British

brizna *f* 1 *(de hierba)* blade 2 *(pizca)* scrap

broca *f Téc* bit

brocha *f* 1 *(para pintar)* paintbrush 2 **brocha de afeitar,** shaving brush; **brocha de maquillar,** blusher brush

broche *m* 1 *(joya)* brooch 2 *(de un collar)* clasp

brocheta *f* 1 *(varilla para ensartar alimentos)* brochette, skewer 2 *(comida servida ensartada)* kebab

broma *f* joke ♦ | LOC: **gastar una broma,** to play a joke; **hablar en broma,** to be joking

bromear *vi* to joke

bromista I *adj* fond of joking *o* playing jokes
II *m,f* joker, prankster

bronca *f* 1 *(disputa, pelea)* quarrel, row 2 *(reprimenda)* telling-off

bronce *m* 1 bronze; *(escultura)* **edad de bronce,** bronze age 2 *Dep* bronze medal

bronceado,-a I *adj* suntanned, tanned
II *m* suntan, tan

bronceador,-ora *m* suntan cream *o* lotion

broncearse *vr* to get a tan *o* suntan

bronquitis *f inv* bronchitis

brotar *vi* 1 *(germinar, retoñar)* to sprout 2 *(surgir la violencia)* to break out 3 *(manar)* to spring, gush

brote *m* 1 *Bot (retoño)* bud, shoot 2 *(de agua)* gushing 3 *(de enfermedad, violencia, etc)* outbreak

bruces (de) *loc adv* face downwards

bruja *f* witch, sorceress

brujería *f* witchcraft, sorcery

brújula *f* compass

bruma *f* mist

brusco,-a *adj* 1 *(rudo, poco amable)* brusque, abrupt 2 *(súbito)* sudden, sharp

brutal *adj* 1 brutal 2 *fam (excesivo, intenso)* huge, enormous

brutalidad *f* brutality

bruto,-a I *adj* 1 *(poco inteligente)* stupid, thick 2 *(grosero)* coarse, uncouth 3 *(sin descuentos)* gross 4 *(peso)* gross
II *m,f* blockhead, brute

buceador,-ora *m,f* diver

bucear *vi (en aguas profundas)* to dive; *(en la piscina)* to swim under water

budismo *m* Buddhism

budista *adj* Buddhist

buen *adj (delante de un nombre masculino singular o infinitivo)* good: ¡**buen viaje!,** have a good trip! → **bueno,-a**

buenaventura *f* good fortune, good luck

bueno,-a I *adj* 1 good 2 *(saludable)* well, in good health 3 *Meteor (apacible)* good 4 *fam (macizo)* gorgeous, sexy 5 *irón* fine, real: **armó**

un buen jaleo, he kicked up quite a fuss
II *excl* **¡bueno!,** *(vale)* all right, OK
◆ LOC: **¡buenas!,** hello!; **dar algo por bueno,** to approve sthg; **estar de buenas,** to be in a good mood; **de buenas a primeras,** suddenly, all at once; **por las buenas,** willingly
buey *m* ox; **buey (de mar)** *(marisco)* crab
búfalo,-a *m,f* buffalo
bufanda *f* scarf
bufé *m* buffet; **bufé libre,** self-service buffet meal
bufete *m (despacho de abogado)* lawyer's office, lawyer's practice
bufón,-ona *m,f* buffoon
buhardilla *f* attic
búho *m* owl
buitre *m* 1 *Zool* vulture 2 *fig pey (persona)* vulture
bujía *f Auto* spark plug
bulbo *m Bot* bulb
bulevar *m* boulevard
Bulgaria *f* Bulgaria
búlgaro,-a *adj* & *m,f* Bulgarian
bulimia *f* bulimia
bulla *f* 1 *(jaleo)* noise, fuss, racket 2 *(aglomeración)* crowd, mob
bullicio *m* hubbub
bullir *vi* 1 *(un líquido)* to boil, bubble (up) 2 *(hormiguear)* to bustle
bulto *m* 1 *(volumen, objeto indeterminado)* shape, form 2 *(equipaje)* piece of luggage 3 *Med* lump
buque *m* ship 1 **buque cisterna,** tanker; **buque de guerra,** warship; **buque escuela,** training ship
burbuja *f* bubble
burdel *m* brothel
burgués,-esa *adj* & *m,f* bourgeois
burguesía *f* bourgeoisie
burla *f* 1 *(mofa)* mockery 2 *(broma)* joke
burladero *m Taur* refuge in bullring
burlar *vtr* 1 *(engañar)* to outwit 2 *(esquivar)* to evade
■ **burlarse** *vr* to mock, make fun **[de,** of]
burocracia *f* bureaucracy
burócrata *m,f* bureaucrat
burocrático,-a *adj* bureaucratic
burrada *f* 1 *(comentario tonto)* piece of nonsense 2 *fam (cantidad desmedida)* loads *pl,* lots *pl*
burro,-a I *m,f* 1 donkey, ass 2 *fam (estúpido)* dimwit, blockhead
II *adj* 1 *fam (necio)* stupid, dumb 2 *fam (terco)* stubborn
bursátil *adj* stock-market
bus *m* bus
busca I *f* search
II *m inv* bleeper, pager
buscar *vtr* 1 to look for 2 *(en la enciclopedia, en el diccionario)* to look up 3 *(recoger cosas)* to collect; *(recoger personas)* to pick up

■ **buscarse** *vr* to ask for
búsqueda *f* search
busto *m* bust
butaca *f* 1 *(mueble)* armchair 2 *(localidad)* seat
butano *m* butane (gas)
buzo *m* 1 *(submarinista)* diver 2 *(prenda de vestir)* overall
buzón *m* mailbox
byte *m Inform* byte

C

C, c *f (letra)* C, c
c/ *(abr de calle)* street, St
cabal *adj (sensato)* upright, worthy **cabalgar** *vtr* & *vi* to ride
cabalgata *f* cavalcade
caballa *f Zool* mackerel
caballería *f* 1 *Mil* cavalry 2 *Hist* chivalry
caballero *m* 1 gentleman 2 *Hist* knight 3 *frml (señor)* sir 4 **caballeros,** *(en un lavabo)* gents; **ropa de caballero,** menswear
caballete *m* 1 *(de pintor)* easel 2 *(hueso de la nariz)* bridge
caballito I *m Zool* sea-horse
II *mpl* **caballitos,** *(tiovivo)* merry-go-round, carousel *sing*
caballo *m* 1 horse 2 *Ajedrez* knight 3 *Naipes* queen 4 *argot (heroína)* horse, smack 5 *Fís* **caballos de vapor,** horse power ◆ LOC: **montar a caballo,** to ride; **a caballo,** on horseback
cabaña *f* cabin
cabaré, cabaret *m* cabaret
cabecear *vi* 1 *(mover la cabeza)* to nod off 2 *Dep (un balón)* to head
cabecera *f* 1 *(de una cama)* headboard 2 *(de una mesa)* top, head 3 **libro de cabecera,** bedside book; **médico de cabecera,** family doctor
cabecilla *m,f* leader
cabello *m* 1 hair 2 *Culin* **cabello de ángel,** sweet made of pumpkin and syrup
caber *vi* 1 *(poder entrar)* to fit: **no cabe por la ventana,** it won't go through the window; **no sé si cabrán los tres,** I don't know if there is room for all three of them 2 *(en un recipiente)* to hold
cabestrillo *m* sling: **tiene el brazo en cabestrillo,** he has his arm in a sling
cabeza *f* 1 head 2 *(sentido común)* sense 3 *(mente)* mind, head 4 **cabeza de ajo,** bulb of garlic 5 **cabeza rapada,** skinhead ◆ LOC: *(en natación)* **se tiró de cabeza a la piscina,** he dived headfirst into the pool; **en cabeza,** in the lead; **por cabeza,** per head
cabezada *f* nod ◆ LOC: *fam* **dar cabezadas,** to nod
cabezota *fam* I *adj* pig-headed
II *m,f* pig-headed person

cabida *f* capacity

cabina *f* cabin; *(de un conductor)* cab; *(de teléfono)* telephone booth

cable *m* 1 cable; **enviar un cable,** to cable, wire 2 *(de un aparato eléctrico)* wire

cabo *m* 1 *(extremo)* end 2 *Geog* cape 3 *Náut* rope, cable 4 *Mil* corporal ◆ LOC: **al cabo de,** after; **de cabo a rabo,** from start to finish

cabra *f* goat ◆ LOC: *fam* **estar como una cabra,** to be off one's head

cabrear *vtr fam* to make angry

■ **cabrearse** *vr fam* to get worked up

cabrito *m Zool* kid

cabrón,-ona I *m Zool* billy goat

II *m,f vulgar ofens (hombre)* bastard; *(mujer)* bitch

caca *f fam* poop

cacahuete *m Bot* peanut

cacao *m* 1 *Bot* cacao 2 *(bebida)* cocoa

cacarear *vi* to cluck

cacatúa *f Orn* cockatoo

cacería *f* hunt, shoot

cacerola *f* saucepan, *(de barro)* casserole

cacharro *m* 1 *(de loza)* earthenware pot *o* jar 2 *fam (objeto inservible o viejo)* thing, piece of junk 3 **cacharros** *pl, (de cocina)* pots and pans

cachear *vtr* to frisk, search

cachemir *m*, **cachemira** *f* cashmere

cachete *m* 1 *(en la cara)* slap; *(en las nalgas)* smack 2 *(mejilla)* cheek

cacho¹ *m fam* 1 *(pedazo)* bit, piece 2 *LAm (rato)* while

cacho² *m LAm (cuerno)* horn

cachondearse *vr fam* to make fun of

cachondeo *m fam* ◆ LOC: **estar de cachondeo,** to be joking

cachorro,-a *m,f (de perro)* pup, puppy; *(de gato)* kitten; *(de otros animales)* cub, baby

cacique *m pey Pol* local *(political)* boss; *(persona influyente e injusta)* tyrant

cacto *m*, **cactus** *m inv Bot* cactus *inv*

cada *adj* 1 *(distribución) (entre dos)* each; *(entre más)* each, every; **seis de cada diez,** six out of (every) ten 2 *(frecuencia)* **cada día,** every day; **cada dos días,** every second day *o* every other day ◆ LOC: **a cada instante/paso,** constantly; **cada vez más,** more and more

cadáver *m* 1 *(de persona)* corpse, (dead) body 2 *(de animal)* body, carcass

cadena *f* 1 chain 2 *(de una mascota, etc)* lead, leash 3 *TV* channel 4 *(de trabajo)* line 5 **cadena de montaje,** assembly line; *Geog* **cadena montañosa,** mountain range; *Jur* **cadena perpetua,** life imprisonment 6 **cadenas** *pl, Auto* tire chains

cadera *f* hip

cadete *m Mil* cadet

caducar *vi* to expire

caducidad *f* 1 expiry 2 **fecha de caducidad,** *(en alimentos)* sell-by date; *(en medicinas)* to be used before

caer *vi* 1 to fall 2 *(causar buena o mala impresión)* **le cae bien/mal,** he likes/doesn't like her

■ **caerse** *vr* 1 to fall (down) 2 *(el pelo, los dientes)* to lose

café *m* 1 coffee; white/black coffee 2 *(establecimiento)* café

cafeína *f* caffeine

cafetera *f* 1 *(para hacer café)* coffee-maker; *(en una cafetería)* expresso machine 2 *(para servir café)* coffeepot

cafetería *f* snack bar, café; *Ferroc* buffet, refreshment room

cagar *vi & vtr vulgar* to (have a) shit,

caída *f* 1 fall 2 *(del pelo, los dientes)* loss 3 *(de los precios)* drop 4 *Pol* downfall, collapse

caimán *m Zool* alligator

caja *f* 1 box; *(de embalaje)* crate, case 2 *Fin Com (en tienda)* cash desk; *(en banco)* cashier's desk 3 **caja de ahorros,** savings bank, **caja fuerte,** safe 4 *Auto* **caja de cambios,** gearbox

cajero,-a *m,f* cashier; **cajero automático,** ATM machine

cajetilla *f (de tabaco)* pack

cajón *m (de un mueble)* drawer ◆ LOC: *fam* **de cajón,** obvious, self-evident

cal¹ *f* lime

cal² *abr de caloría(s),* calorie(s), cal

cala *f Geog* creek, cove

calabacín *m Bot (grande)* squash; *(pequeño)* zucchini

calabaza *f Bot* pumpkin

calabozo *m (de una comisaría)* jail; *(de un castillo)* dungeon; *(de una cárcel)* cell

calada *f fam* drag, puff

calamar *m Zool* squid *inv*

calambre *m* 1 *Elec (descarga)* electric shock 2 *(contracción en músculo)* cramp

calaña *f pey* kind, sort

calar *vtr* 1 *(empapar)* to soak, drench: 2 *(atravesar)* to pierce, penetrate 3 *fam (a alguien o sus intenciones)* to rumble

■ **calarse** *vr* 1 *(empaparse)* to get soaked 2 *Auto* to stall

calavera I *f* skull

II *m (libertino)* tearaway, madcap

calcar *vtr* 1 *(un dibujo)* to trace 2 *(imitar)* to copy, imitate

calcetín *m* sock

calcio *m* calcium

calco *m* 1 tracing 2 *(imitación exacta)* exact replica, straight copy

calcomanía *f* transfer

calculador,-ora I *adj (persona, mente)* calculating

II *f* calculator

calcular *vtr* 1 *Mat* to calculate 2 *(evaluar,*

estimar) to (make an) estimate **3** (*conjeturar*) to reckon, guess

cálculo *m* **1** (*operación matemática*) calculation **2** (*previsión, conjetura*) reckoning **3** *Med* gallstone **4** *Mat* (*disciplina*) calculus

caldear *vtr* to heat up

caldera *f* (*de la calefacción*) boiler

calderilla *f* small change

caldo *m* (*de verduras, ave*) stock; (*con tropezones*) broth; (*sin tropezones, consomé*) clear soup

calé & *mf* gypsy

calefacción *f* heating; heat; **calefacción central/eléctrica,** central/electric heating

calefactor *m* heater

caleidoscopio *m* kaleidoscope

calendario *m* **1** calendar **2** (*de trabajo*) schedule

calentador *m* heater

calentamiento *m Dep* warm-up

calentar *vtr* **1** (*la leche, el aceite, horno*) to heat; (*algo que se quedó frío*) to warm up **2** *vulgar* (*excitar sexualmente*) to arouse (sexually) *o* to turn on

■ **calentarse** *vr* to get hot *o* warm, heat up

calentura *f* **1** (*en los labios*) cold sore **2** (*fiebre*) temperature

calibre *m* **1** (*de arma, tubo*) caliber, bore **2** (*importancia, categoría*) importance, magnitude

calidad *f* quality

cálido,-a *adj* warm

caliente *adj* **1** hot **2** (*una discusión, etc*) heated **3** *vulgar* (*sexualmente excitado*) hot, horny

calificación *f Educ* mark

calificar *vtr* **1** to describe [**de**, as] **2** (*puntuar un examen, etc*) to mark, grade

caligrafía *f* (*arte*) calligraphy; (*escritura a mano*) handwriting

cáliz *m* **1** *Rel* chalice **2** *Bot* calyx

callado,-a *adj* quiet

callar *vi* **1** (*parar de hablar*) to stop talking **2** (*no decir nada*) to keep quiet, say nothing
II *vtr* (*dejar de dar una noticia*) not to mention *o* to keep to oneself

■ **callarse** *vr* to stop talking, be quiet: ¡cállate!, shut up!

calle *f* **1** street, road; **calle cortada,** cul-de-sac, dead end; **calle mayor,** main street **2** *Dep* (*de una pista, o circuito*) lane

callejero,-a I *m* (*guía de una ciudad*) street directory
II *adj* street; (*animal*) alley; **perro callejero,** stray dog

callejón *m* back alley *o* street; (*sin salida*) cul-de-sac, dead end

callo *m* **1** *Med* callus, corn **2** *Culin* **callos,** tripe *sing*

calma *f* **1** calm **2** ¡calma!, calm down; **tomárselo con calma,** to take it easy

calmante *m* painkiller

calmar *vtr* **1** (*a una persona*) to calm (down) **2** (*un dolor*) to soothe, relieve

■ **calmarse** *vr* to calm down **2** (*disminuir, apaciguarse*) to ease off

calor *m* **1** heat: **hacía mucho calor,** it was very hot; **pasar/tener calor,** to feel hot *o* to be hot **2** (*afecto, cariño*) warmth ◆ | LOC: **entrar en calor,** to warm up

caloría *f* calorie

calumnia *f* **1** calumny **2** *Jur* slander

caluroso,-a *adj* hot

calva *f* **1** (*piel sin pelo*) bald patch

calvicie *f* baldness

calvo,-a *adj* bald

calzada *f* road, carriageway

calzado *m* shoes *pl*, footwear

calzar *vtr* to wear: ¿qué número calza?, what size does he take?

■ **calzarse** *vr* to put on one's shoes

calzoncillos *mpl* underpants, pants, shorts

cama *f* bed; **cama de matrimonio,** double bed

camaleón *m Zool* chameleon

cámara *f* **1** *Fot TV* camera **2** (*habitación, reservado*) room, chamber **3** (*refrigerador industrial*) cold-storage room **4** *Pol* Chamber, House; **cámara alta 5** *Auto* (*de un neumático*) inner tube
◆ | LOC: **a cámara lenta,** in slow motion

camarada *mf Pol* comrade

camarero,-a *m,f* **1** (*de un restaurante*) (*hombre*) waiter, (*mujer*) waitress; (*de una barra de bar*) (*hombre*) barman, (*mujer*) barmaid **2** (*servicio de hotel*) (*hombre*) bellboy, (*mujer*) chambermaid

camarón *m Zool* (common) prawn

camarote *m* cabin

cambiar I *vtr* **1** to change **2** (*cromos, etc*) to swap, (*en un comercio*) to exchange
II *vi* to change; **cambiar de casa,** to move (house); **cambiar de idea,** to change one's mind

■ **cambiarse** *vr* **1** (*mudarse de ropa*) to change (clothes) **2** (*de dirección*) to move

cambiazo *m fam* **1** big change **2** (*estafa*) switch

cambio *m* **1** change; (*de opinión*) shift **2** *Fin* (*de la moneda extranjera*) exchange ◆ | LOC: **a cambio de,** in exchange for; **en cambio,** on the other hand

camelia *f Bot* (*flor*) camellia

camello,-a I *m,f Zool* camel
II *m argot* (drug) pusher

camelo *m fam* **1** (*estafa*) hoax **2** (*mentira*) cock-and-bull story

camerino *m* dressing room

camilla *f* **1** stretcher; (*para reconocer a un paciente*) examining couch

camillero,-a *m,f* stretcher

caminante *mf* walker ·

caminar I *vi* to walk
II *vtr* to walk
camino *m* **1** *(estrecho, sin asfaltar)* path, track; *(en general)* road **2** *(itinerario, ruta)* route, way **3** *(medio, modo)* way ◆ LOC: *fig* **ir por buen/mal camino**, to be on the right/wrong track; **ponerse en camino**, to set off; **de camino a**, on the way to
camión *m Auto* truck; **camión cisterna**, tanker; **camión de la basura**, garbage truck
camionero,-a *m,f* truck driver
camioneta *f* van
camisa *f* **1** *Indum* shirt **2 camisa de fuerza**, straight jacket
camiseta *f* **1** *Indum (interior)* undershirt; *(exterior)* T-shirt **2** *Dep* shirt
camisón *m* nightdress, *fam* nightie
campamento *m* camp
campana *f* **1** *(de iglesia, colegio)* bell **2** *Cost* bell-bottom **3 campana extractora**, extractor hood; **vuelta de campana**, roll over
campanilla *f Bot* harebell
campaña *f* **1** *(electoral, etc)* campaign **2** *Mil* expedition
campechano,-a *adj fam* unpretentious, straightforward
campeón,-ona *m,f* champion
campeonato *m* championship
campero,-a *adj* **1** country, rural **2** *(botas)* **camperas**, cowboy boots
campesino,-a I *m,f* peasant; *(hombre)* countryman; *(mujer)* countrywoman
II *adj* rural, peasant-like
cámping *m* **1** *(espacio para acampar)* campsite **2** *(acampada)* camping
campo *m* **1** country, countryside **2** *(tierra de cultivo)* land; *(parcela de cultivo)* field **3** *Dep* field; *(de fútbol)* pitch; *(de golf)* course **4** *(ámbito)* field **5** *Fís Fot* field **6 campo de concentración**, concentration camp; **campo visual**, field of vision; **trabajo de campo**, fieldwork
camuflar *vtr* to camouflage
cana *f (gris)* grey hair; *(blanco)* white hair
Canadá *m* Canada
canadiense *adj & mf* Canadian
canal *m* **1** *(artificial)* canal; *(natural)* channel **2** *TV Elec Inform* channel **3** *(vía, conducto)* channel
canalizar *vtr* to channel
canalla *pey* **I** *mf* swine, rotter
II *f* riffraff, mob
canalón *m* gutter
canapé *m Culin* canapé
Canarias *fpl* **1** the Canaries **2 las islas Canarias**, the Canary Islands
canario *m Orn* canary
canario,-a I *adj* of/from the Canary Islands
II *m,f* native of the Canary Islands
canasta *f* basket
canasto *m* big basket, hamper

cancelar *vtr* **1** *(una cuenta, viaje, etc)* to cancel **2** *(una deuda)* to pay off
cáncer *m* **1** *Med* cancer **2** *Astron* Cancer
cancerígeno,-a *adj* carcinogenic
cancha *f* ground; *Ten* court
canciller *m* **1** chancellor **2** *LAm (ministro de Exteriores)* Foreign Secretary
canción *f* song; **canción de cuna**, lullaby
candado *m* padlock
candelabro *m* candelabra
candente *adj* **1** *(un hierro, vidrio, etc)* red-hot **2** *(polémico, de interés)* burning
candidato,-a *m,f (a un cargo, premio)* candidate; *(a un empleo)* applicant
cándido,-a *adj* candid
candor *m* candor
canela *f* cinnamon
canelones *mpl Culin* cannelloni
cangrejo *m Zool (marino)* crab; *(de agua dulce)* freshwater crayfish
canguro *m* **1** *Zool* kangaroo
II *mf fam* baby-sitter
caníbal *adj & mf* cannibal
canica *f* marble
caniche *m Zool* poodle
canijo,-a *adj fam* puny, weak
canino,-a I *adj* canine
II *m (colmillo)* canine tooth
canjear *vtr* to exchange
canoa *f* canoe
canódromo *m* dogtrack
canon *m* **1** canon, norm **2** *Mús Rel* canon **3** *Com* royalty, toll
canónigo *m (clérigo)* canon
canonizar *vtr* to canonize
canoso,-a *adj (pelo)* white, grey; *(de pelo blanco)* white-haired; *(de pelo gris)* grey-haired
cansado,-a *adj* tired
cansancio *m* tiredness, weariness
cansar *vtr* **1** to tire **2** *(hartar, aburrir)* to get tired
■ **cansarse** *vr* to get tired
cantante *mf* singer
cantaor,-ora *m,f* flamenco singer
cantar[1] *vtr & vi* to sing
cantar[2] *m* **1** song, chant **2** *Lit* poem; **un cantar de gesta**, an epic poem
cántaro *m* pitcher ◆ LOC: *fig* **llover a cántaros**, to pour with rain
cantautor,-ora *m,f* singer-songwriter
cante *m* **1** *(modo de cantar)* singing; *(canción)* song **2** *Esp* **cante flamenco**, flamenco singing
cantera *f* **1** *(de piedra, grava, etc)* quarry **2** *fig Ftb* junior players
cantidad *f* **1** quantity **2** *fam (número o porción grande)* lots of **3** *(suma de dinero)* amount, sum **4** *(cifra)* figure
◆ LOC: **en cantidad**, a lot
cantimplora *f* water bottle
canto[1] *m* **1** *(modo de cantar)* singing **2** *(canción)* chant, song

canto² m (borde) edge ◆ | LOC: **de canto**, on its side

canto³ m **canto rodado**, (grande) boulder; (pequeño) pebble

canturrear vi & vtr to hum, croon

caña f 1 (para pescar) rod 2 Bot reed; (tallo) cane, stem; **caña de azúcar**, sugar cane 3 fam (vaso de cerveza) a draft beer

cañada f 1 (paso entre dos montañas) gully 2 (camino para el ganado) cattle (o sheep) track

cañería f pipe

cañón m 1 Mil cannon; (de escopeta, etc) barrel 2 Geog canyon

cañonazo m gunshot, cannon shot

caoba I f (árbol, madera) mahogany
II m & adj (color) mahogany

caos m chaos

caótico,-a adj chaotic

capa f 1 (recubrimiento) layer, coat; **capa de ozono**, ozone layer 2 Culin coating 3 (prenda) cloak, cape

capacidad f capacity

capacitar vtr to qualify [**para,** for]

caparazón m shell

capataz mf (hombre) foreman; (mujer) forewoman

capaz adj capable, able; **ser capaz de hacer algo,** (tener la habilidad de) to be able to do sthg; (tener la audacia de) to dare to do sthg
◆ | LOC: LAm **es capaz que llueva**, it is likely to rain

capcioso,-a adj captious, cunning

capellán m chaplain

Caperucita Roja f Lit Little Red Riding Hood

capicúa adj & m (número) reversible number

capilla f Rel chapel; **capilla ardiente**, chapel of rest

capital I f capital
II m Fin capital; **capital activo/social**, working/share capital
III adj capital, main; **pena capital**, capital punishment

capitalista adj & mf capitalist

capitán,-ana m,f Mil Náut Dep captain; **capitán general**, general of the army

capitel m Arquit capital

capitulación f 1 (convenio, pacto) agreement 2 Mil (de una rendición) capitulation 3 Jur **capitulaciones matrimoniales,** marriage settlement

capitular vi 1 Mil (rendirse) to capitulate, surrender 2 (pactar) to reach an agreement

capítulo m 1 (de un libro, serie) chapter 2 fig (apartado, tema) area

capo m gangster

capó m Auto hood

capote m 1 Taur cape 2 Mil greatcoat

capricho m 1 (deseo) whim, caprice 2 (marca de nacimiento) birthmark 3 Mús caprice, capriccio

caprichoso,-a adj 1 (antojadizo) whimsical, fanciful 2 (maniático, exigente) fussy

Capricornio m Astron Astrol Geog Capricorn

cápsula f capsule

captar vtr 1 (una señal) to receive, pick up 2 (clientes) to gain, to win 3 (una broma, ironía) to understand, grasp

capturar vtr 1 (a un criminal, enemigo, etc) to capture, seize 2 (una presa) to catch

capucha f hood

capuchino m 1 (café) cappuccino 2 Rel capuchin

capullo m 1 (de un insecto) cocoon 2 Bot bud

caqui I adj (color) khaki
II m Bot (fruta) persimmon

cara I f 1 face 2 (expresión del rostro) **tiene buena/mala cara**, he looks good/bad 3 fam (desfachatez) cheek, nerve 4 (de un folio, disco) side 5 (anverso de una moneda) right side: **¿cara o cruz?**, heads or tails?
II mf fam (fresco, descarado) cheeky person

caracol m 1 Zool snail; LAm shell 2 Anat cochlea 3 (rizo del pelo) kiss-curl, ringlet

caracola f conch

carácter m 1 (genio, nervio) character 2 (modo de ser) **tener buen/mal carácter**, to be good-natured/bad-tempered

característico,-a adj characteristic

caracterizar vtr 1 (diferenciar) to characterize 2 (a un personaje) to play
■ **caracterizarse** vr Teat (vestirse y maquillarse de) to portray

caradura adj & mf fam cheeky devil

caramba excl fam (sorpresa) good grief!; (enfado) damn it!

caramelo m 1 candy 2 (azúcar quemado) caramel

carantoña f caress

carátula f (de un casete, vídeo) cover; (de un disco) sleeve

caravana f 1 (de camellos) caravan; (de coches en carretera) backup 2 (remolque, roulotte) caravan

carbón m coal

carboncillo m charcoal

carbono m carbon

carburador m carburetor

carburante m fuel

carca adj & mf fam (chapado a la antigua) old fogey; Pol reactionary

carcajada f guffaw

cárcel f prison, jail

carcelero,-a m,f jailer, warden

carcoma f Zool woodworm

cardenal m 1 Med (moratón de un golpe) bruise 2 Rel cardinal

cardíaco,-a, cardiaco,-a adj cardiac, heart; **ataque/paro cardiaco**, heart attack/failure

cardinal adj cardinal

cardiólogo,-a m,f cardiologist

cardo m Bot thistle

carecer *vi* carecer de algo, to lack sthg

carencia *f (falta, privación)* lack [**de**, of]; *(escasez)* shortage [**de**, of]

careta *f* mask

carga *f* 1 *(acción)* loading 2 *(peso)* load 3 *(cantidad de explosivo)* charge 4 *Fin (impuesto)* tax: **libre de cargas**, not subject to any charges 5 *fig (deber, obligación)* burden 6 *Mil Elec* charge

cargado,-a *adj* 1 *(lleno)* loaded 2 *(un café, té, combinado)* strong 3 *(el tiempo, la atmósfera)* sultry; *(lleno de humo, poco ventilado)* stuffy

cargador *m* 1 *(de una pistola)* magazine 2 *Elec (de una pila, batería eléctrica)* charger

cargar I *vtr* 1 to load 2 *(un mechero, una pluma)* to fill 3 *(poner carga eléctrica)* to charge 4 *Com* to charge: **cárguelo a mi cuenta,** charge it to my account
II *vi* 1 *(soportar, hacerse cargo)* to lumber [**con**, with] 2 *(llevar un peso)* to carry 3 *(arremeter, atacar)* to charge [**contra**, against]
■ **cargarse** *vr* 1 *fam (estropear)* to smash, ruin 2 *fam (asesinar)* to kill

cargo *m* 1 *(puesto)* post, position 2 *(cuidado, responsabilidad)* charge; **estar al cargo de,** to be in charge of 3 *Jur* charge, accusation 4 *Fin* charge, debit ♦ LOC: **correr a cargo de,** *(gastos)* to be met by

carguero *m* 1 *Náut* freighter 2 *Av* transport plane

Caribe *m* the Caribbean

caribeño,-a I *adj* Caribbean
II *m,f* person from the Caribbean region

caribú *m Zool* caribou

caricatura *f* caricature

caricia *f* caress, *(a un animal)* stroke

caridad *f* charity

caries *f inv* decay

cariño *m* 1 *(afecto)* affection: **siento mucho cariño por este disco,** I'm very fond of this record; *(cuidado)* care 2 *(querido)* darling

carisma *m* charisma

caritativo,-a *adj* charitable

cariz *m* look

carmesí *adj & m* crimson

carmín I *m & adj* carmine
II *m* lipstick

carnaval *m* carnival

carne *f* 1 flesh 2 *(alimento)* meat: **carne de cerdo,** pork 3 *(de un fruto)* pulp 4 *fig* **carne de gallina,** gooseimples **carné,**

carnet *m* card; **carnet de conducir,** driver's license

carnicería *f* butcher's (shop)

carnicero,-a *m,f* butcher

carnívoro,-a I *adj* carnivorous
II *m,f* carnivore

caro,-a I *adj* expensive, dear
II *adv* dearly

carpa *f* 1 *Zool* carp 2 *(lona)* big top; *(pequeña techumbre)* marquee 3 *LAm (tienda de campaña)* tent

carpeta *f* folder

carpetazo *m* dar carpetazo a un asunto, to shelve a matter

carpintería *f* 1 *(arte, oficio)* carpentry; *(marcos, suelos de madera de una casa)* woodwork 2 *(taller)* carpenter's workshop

carpintero,-a *m,f* carpenter

carraspear *vi* to clear one's throat

carrera *f* 1 *(competición)* race 2 *(estudios universitarios)* degree; **carrera técnica,** technical degree 3 *(profesión)* career, profession 4 *(trayecto en taxi)* journey

carrete *m* 1 *(bobina de hilo, sedal)* reel; *(de alambre, cable, etc)* coil 2 *(de fotografías)* roll

carretera *f* highway; **carretera comarcal/interstate highway**

carretilla *f* wheelbarrow

carril *m* 1 *Ferroc* rail 2 *Auto* lane 3 *(de una ventana, puerta)* slide

carrillo *m* cheek

carrito *m* carrito de la compra, shopping cart

carro *m* 1 *(carreta)* cart 2 *(de máquina de escribir)* carriage 3 *(de supermercado, aeropuerto)* cart 4 *Mil* carro de combate, tank 5 *LAm* car

carrocería *f* Auto bodywork

carroña *f* carrion

carroza I *f* 1 *(coche de caballos)* coach, carriage 2 *(de desfile)* float
II *m,f fam* old fogey

carruaje *m* carriage, coach

carta *f* 1 letter; **carta certificada,** registered letter 2 *(de un restaurante)* menu: **carta de vinos,** wine list 3 *Naipes* card 4 *Av Náut* chart 5 *(documento oficial)* papers

cartabón *m* set square

cartel *m* poster

cartelera *f* 1 *Prensa* entertainments section 2 *(de un cine)* billboard

cartera *f* 1 *(billetera, monedero)* wallet 2 *(para llevar documentos)* briefcase; *(de niño)* satchel, schoolbag 3 *Pol* portfolio 4 *Com (de clientes)* client list 5 *LAm (bolso)* handbag, purse

carterista *mf* pickpocket

cartero,-a *m,f (hombre)* postman; *(mujer)* postwoman

cartilla *f* 1 book; **cartilla de ahorros,** savings book; **cartilla del médico,** medical card 2 *(para aprender a leer)* first reader, primer

cartón *m* 1 *(materia)* card, cardboard 2 *(envase)* carton

cartucho *m* 1 *(de escopeta)* cartridge 2 *Inform Téc (de toner)* print cartridge; *(para la pluma)* refill

cartulina *f* card

casa *f* 1 *(edificio)* house 2 *(hogar)* home: **vete a casa,** go home; **estábamos en casa de Rosa,** we were at Rosa's 3 *(empresa)* company, firm 4 **casa**

de empeños, pawnshop; **casa de huéspedes,** boarding house; *fam* **casa de locos,** madhouse; **casa de socorro,** first aid post

casado,-a I *adj* married

casar I *vtr* to marry

II *vi* (*encajar*) to match, go *o* fit together

■ **casarse** *vr* to marry, get married

cascabel I *m* **1** bell, jingle bell **2** (*de una serpiente*) rattle

II *f Zool* rattlesnake

cascada *f* waterfall, cascade

cascado,-a *adj fig* **1** (*achacoso*) worn-out, aged **2** (*estropeado*) wrecked

cascanueces *m inv* nutcracker

cascar I *vtr* **1** (*romper*) to crack **2** *fam* (*pegar*) to hit

■ **cascarse** *vr* to crack

cáscara *f* **1** (*de un huevo, una nuez, etc*) shell **2** (*piel de la fruta*) skin, peel **3** (*de grano, semilla*) husk

casco I *m* **1** (*para la cabeza*) helmet; **casco azul,** blue helmet **2** (*envase de cristal vacío*) empty bottle **3** (*de barco*) hull **4** (*de caballo*) hoof **5** (*de una ciudad*) center; **casco antiguo/viejo,** old part of town

II *mpl* **cascos,** (*de música*) headphones

cascote *m* piece of rubble *o* debris

casero,-a I *adj* **1** (*hecho en casa*) home-made **2** (*hogareño*) home-loving

II *m,f* (*hombre*) landlord; (*mujer*) landlady

caseta *f* **1** (*de perro*) kennel **2** (*de feria, exposición*) stand, stall

casete I *m* (*magnetófono*) cassette player *o* recorder

II *f* (*cinta*) cassette (tape)

casi *adv* almost, nearly; *fam* **casi, casi,** just about; **casi nadie,** hardly anyone; **casi nunca,** hardly ever; **casi siempre,** almost always

casilla *f* **1** (*de un casillero*) pigeonhole **2** (*de un tablero*) square; (*de un impreso*) box **3** *LAm* P.O. Box ◆ | LOC: *fam* **sacar a alguien de sus casillas,** to drive somebody mad

casillero *m* pigeonholes *pl*

casino *m* casino

caso *m* **1** (*suceso*) case **2** *Med* case **3** *Jur* affair **4** (*circunstancia, situación*) **en el mejor/peor de los casos,** at best/worst; **en ese/tal caso,** in that case ◆ | LOC: **hacer caso a** *o* **de alguien,** to pay attention to sb; **no venir al caso,** to be beside the point; **poner por caso,** to suppose; **en todo caso,** in any case; **en último caso,** as a last resort

caspa *f* dandruff

casquillo *m* **1** (*de bala*) bullet shell **2** (*de una bombilla*) fitting

cassette *m* & *f* → **casete**

casta *f* **1** (*división social*) caste **2** (*raza, pedigrí*) breed

castaña *f* chestnut

castañetear *vi* (*los dientes*) to chatter

castaño,-a I *m* **1** *Bot* chestnut **2** (*color*) chestnut-brown

II *adj* (*color de un objeto*) chestnut-brown; (*del pelo, los ojos*) brown, dark

castañuelas *fpl* castanets

castellano,-a I *adj* Castilian

II *m,f* (*nativo*) Castilian

III *m* (*idioma*) Spanish, Castilian

castidad *f* chastity

castigar *vtr* **1** to punish **2** *Jur Dep* to penalize

castigo *m* **1** punishment **2** *Jur* penalty

Castilla *f* Castile

castillo *m* castle

casto,-a *adj* chaste

castor *m Zool* beaver

castrar *vtr* to castrate

casual *adj* accidental, chance

casualidad *f* chance, coincidence: **de casualidad,** by chance

cataclismo *m* cataclysm

catalán,-ana I *adj & m,f* Catalonian

II *m* (*idioma*) Catalan

catalejo *m* small telescope

catálogo *m* catalogue, catalog

Cataluña *f* Catalonia

catapulta *f Mil* catapult

catar *vtr* to taste

catarata *f* **1** *Geog* waterfall **2** *Med* cataract

catarro *m* (*common*) cold

catástrofe *f* catastrophe

catear *vtr fam Educ* to fail, flunk

catecismo *m* catechism

catedral *f* cathedral

catedrático,-a *m,f Educ Univ* professor; (*de instituto de bachillerato*) head of department

categoría *f* **1** category **2** (*prestigio, estilo*) class **3** (*grado en la calidad*) **de primera/segunda categoría,** first/second rate

católico,-a *adj & m,f* Catholic

catorce *adj & m inv* fourteen

cauce *m* bed

caucho *m* **1** rubber **2** *LAm* (*neumático*) tire

caudal *m* **1** (*de un río*) flow **2** (*bienes*) wealth, riches *pl*

caudillo *m* leader, head

causa *f* **1** cause **2** (*motivo*) reason **3** *Jur* (*proceso*) trial ◆ | LOC: **a** *o* **por causa de,** because of

causar *vtr* to cause, bring about

cautela *f* caution

cauteloso,-a *adj* cautious

cautivar *vtr* (*fascinar*) to captivate

cautivo,-a *adj & m,f* captive

cauto,-a *adj* cautious

cava I *m* cava, *fam* champagne

cavar *vtr* to dig

caverna *f* cave

caviar *m* caviar

cavidad *f* cavity

caza I *f* **1** hunting; **caza furtiva,** poaching **2** (*animales para cazar*) game **3** (*persecución*)

hunt; **caza de brujas,** witch hunt
II *m Av* fighter, fighter plane
cazador,-ora *m,f* hunter; **cazador furtivo,** poacher
cazadora *f* (waist-length) jacket; *(de cuero)* leather jacket
cazar *vtr* to hunt
cazatalentos *mf inv* head-hunter
cazo *m* 1 *(cacerola pequeña)* saucepan 2 *(cucharón)* ladle
cazuela *f (cacerola)* saucepan; *(de gres)* casserole ◆ | LOC: **a la cazuela,** stewed
c/c *(abr de* **cuenta corriente)** current account, c/a
CD *m* 1 *(abr de compact disk)* CD 2 *(abr de cuerpo diplomático)* diplomatic corps
cebada *f Bot* barley
cebar *vtr (a un animal)* to fatten; *fam (a una persona)* to feed up
cebo *m* bait
cebolla *f* onion
cebolleta *f* spring onion, scallion
cebra *f* 1 *Zool* zebra 2 **paso de cebra,** crosswalk
cecear *vi* to lisp
ceder **I** *vtr (voluntariamente)* to hand over; *(obligatoriamente)* to give; **ceder el paso,** to give way, to yield
II *vi (una cuerda, un cable)* to give way
cedro *m Bot* cedar
cédula *f Fin* bond, warrant
cegar *vtr* to blind
ceguera *f* blindness
ceja *f* eyebrow
celador,-ora *m,f* attendant; *(de una cárcel)* guard
celda *f* cell
celebración *f* 1 *(fiesta)* celebration 2 *(de un juicio, unas elecciones, etc)* holding
celebrar *vtr* 1 *(festejar)* to celebrate 2 *(un juicio, unas elecciones)* to hold; *(una boda)* to perform
■ celebrarse *vr* 1 *(tener lugar)* to take place, be held 2 *(conmemorarse)* to be celebrated
célebre *adj* famous, well-known
celeste **I** *adj* 1 *(de cielo)* celestial 2 *(color)* sky-blue
II *m* sky blue
celo *m* 1 *Zool (en los machos)* rut; *(en las hembras)* heat 3 **celos** *pl:* **tener celos,** to be jealous
celo® *m fam* Scotch tape®
celofán *m* cellophane®
celoso,-a *adj* jealous
celta **I** *adj* Celtic
II *m,f* Celt
III *m (idioma)* Celtic
célula *f* cell
celulitis *f inv* cellulitis
cementerio *m* 1 cemetery, graveyard 2 **cementerio de automóviles,** scrapyard

cemento *m* cement; **cemento armado,** reinforced cement
cena *f* dinner, supper
cenar **I** *vi* to have supper *o* dinner
II *vtr* to have for supper *o* dinner
cenicero *m* ashtray
cenit *m* zenith
ceniza *f* ash
censo *m* census
censura *f* 1 censorship 2 *Pol* **moción de censura,** vote of no confidence
censurar *vtr* 1 *(libro, película)* to censor 2 *(criticar, reprobar)* to censure, criticize
centavo *m LAm Fin* cent, centavo
centellear *vi* to flash, sparkle
centena *f,* **centenar** *m* hundred
centenario,-a I *adj* hundred-year-old
II *m* centenary, hundredth anniversary
centeno *m Bot* rye
centésimo,-a *adj & m,f* hundredth
centígrado,-a *adj* centigrade
centilitro *m* centiliter
centímetro *m* centimeter
céntimo *m* cent
centinela *mf* sentry
centollo *m Zool* spider crab
central **I** *adj* central
II *f* 1 *(oficina principal)* head office; **central de correos,** main post office 2 *Elec (de energía)* power station
centralita *f Tel* switchboard
centralizar *vtr* to centralize
centrar *vtr* 1 to center 2 *(los esfuerzos, la atención)* to concentrate, center
■ centrarse *vr* 1 to be centered *o* based 2 *(concentrarse)* to concentrate **[en,** on**]**
céntrico,-a *adj* central
centrifugar *vtr* to spin-dry
centrista *Pol* **I** *adj* center
II *m,f* centrist
centro *m* 1 middle, center 2 **centro comercial,** shopping center
Centroamérica *f* Central America
centroamericano,-a *adj & m,f* Central American
centroeuropeo,-a *adj & m,f* Central European
ceñido,-a *adj* tight
ceñirse *vr* to limit oneself, stick **[a,** to**]**
ceño *m* scowl, frown: **frunció el ceño,** he frowned
cepa *f Agr* vine
cepillar *vtr* to brush
■ cepillarse *vr* to brush
cepillo *m* 1 brush; **cepillo de dientes,** toothbrush; **cepillo del pelo,** hairbrush 2 *Rel (limosnero)* alms box
cepo *m* 1 *Caza* trap 2 *Auto* clamp
cera *f* wax; *(de abeja)* beeswax
cerámica *f* ceramics *sing*
cerca¹ *adv* 1 *(a poca distancia)* near, close 2

(próximo en el tiempo) soon ◆ | LOC: **cerca de,** nearly, around

cerca² *f* fence, wall

cercado *m* **1** *(vallado)* enclosure **2** *(valla)* fence, wall

cercanía *f* proximity, nearness
II *fpl* **cercanías,** outskirts, suburbs

cercano,-a *adj* **1** close, nearby **2 Cercano Oriente,** Near East

cercar *vtr* **1** *(con una valla)* to fence, enclose **2** *(al enemigo)* to surround

cerco *m* **1** circle, ring **2 Mil** *(sitio)* siege

cerda *f* bristle

cerdo *m* **1** *Zool* pig **2** *(carne de cerdo)* pork

cereal *m* cereal

cerebro *m* **1** *Anat* brain **2** *fig (inteligencia)* brains *pl*: **es el cerebro de la banda,** he's the brains of the gang

ceremonia *f* ceremony

cereza *f* Bot cherry

cerilla *f* match

cero *m* **1** zero **2** *Dep* nil: **ganaron dos a cero,** they won two nil

cerrado,-a *adj* **1** closed, shut; *(recinto)* enclosed **2** *(a las novedades, etc)* narrow minded **3** *(tímido)* reserved **4** *(curva)* tight, sharp

cerradura *f* lock

cerrajero,-a *m,f* locksmith

cerrar *I vtr* **1** to shut, close; *(con llave)* to lock; *(un grifo abierto)* to turn off; *subir una cremallera)* to do up; *(un sobre)* to seal **2** *(un trato, un acuerdo)* to finalize **3** *(bloquear)* **cerrarle el paso a alguien,** to block sb's way **II** *vi* **1** to close, shut **2** *(un negocio)* to close down
■ **cerrarse** *vr* **1** to close, shut **2** *(una jornada, una actividad)* to end **3** *fam (ponerse intransigente)* to close one's mind **cerro** *m* hill

cerrojo *m* bolt

certamen *m* competition, contest

certero,-a *adj* *(en la puntería)* accurate; *(en la opinión)* sound

certeza, certidumbre *f* certainty: **no lo sé con certeza,** I'm not certain of it

certificado,-a I *adj* **1** certified **2** *(correo)* registered
II *m* certificate

certificar *vtr* **1** to certify **2** *(una carta)* to register

cervatillo *m* Zool fawn

cervecería *f* **1** *(bar)* pub, bar **2** *(fábrica de cerveza)* brewery

cerveza *f* beer; **cerveza de barril,** draft beer

cervical I *adj* cervical
II *fpl* **me duelen mucho las cervicales,** my neck really hurts

cesar *vi* **1** *(parar)* to stop, cease [**de,** -] **2** *(en un cargo o puesto)* to resign [**como/en,** as]

cesárea *f* Med Cesarean (section)

cese *m* **1** *(suspensión)* cessation, suspension **2** *(dimisión, renuncia)* resignation

césped *m* lawn, grass

cesta *f* basket

cesto *m* basket

cetáceo *m* Zool cetacean, whale

chabacano,-a *adj* pey *(de mal gusto)* cheap

chabola *f* shack

chabolismo *m* the existence *o* problem of shanty towns

chacal *m* Zool jackal

cháchara *f* fam small talk, chinwag, chat

chafar *vtr* **1** fam *(un plan, una sorpresa, etc)* to ruin, spoil **2** *(espachurrar)* to squash, crush, flatten

chal *m* shawl

chalado,-a *adj* fam crazy, nuts

chalé *m* → **chalet**

chaleco *m* **1** *(de tela)* vest; *(de lana)* sleeveless pullover **2 chaleco antibalas,** bullet-proof vest; **chaleco salvavidas,** life jacket

chalet *m* house

champán, champaña *m* champagne

champiñón *m* mushroom

champú *m* shampoo

chamuscar *vtr* to singe, scorch

chance *m* LAm opportunity

chancear *vi* LAm to joke, horse around

chancho,-a *m,f* LAm pig, hog

chanchullo *m* fam *(negocio turbio)* fiddle, swindle

chancla *f* Indum flipflop

chándal *m* Indum track *o* jogging suit

chantaje *m* blackmail; **hacer chantaje,** to blackmail

chantajista *mf* blackmailer

chapa *f* **1** *(lámina)* sheet, plate; *(de un coche)* bodywork **2** *(de una botella)* bottle top, cap **3** *(insignia)* pin, badge **4** LAm *(cerradura)* lock

chaparrón *m* downpour, heavy shower

chapotear *vi* to splash about, paddle

chapucero,-a I *adj* **1** *(hecho con descuido)* shoddy, amateurish **2** *(poco cuidadoso en el trabajo)* bungling, amateurish
II *m,f* bungler

chapuza *f* **1** *(trabajo mal hecho)* shoddy piece of work **2** *(trabajo ocasional)* odd job

chapuzón *m* *(baño)* dip

chaqué *m* morning coat

chaqueta *f* jacket; **traje de chaqueta,** suit

chaquetero,-a *m,f* fam pey Pol turncoat

chaquetón *m* short coat

charanga *f* Mús brass band

charca *f* pond, pool

charco *m* puddle

charcutería *f* delicatessen

charla *f* **1** *(palique)* talk, chat **2** *(conferencia)* informal lecture *o* address

charlar *vi* to talk, chat

charlatán,-ana *m,f* **1** *(hablador)* chatterbox; *(indiscreto)* indiscreet person, gossip; *(fanfarrón)* boaster, show off **2** *(embaucador, timador)* trickster

charol *m* patent leather

chárter *adj inv* charter

chasco *m fam* disappointment

chasis *m inv Auto* chassis

chasquido *m* (*ruido*) crack; (*de la lengua*) click; (*de los dedos*) snap

chatarra *f* 1 scrap (metal), scrap iron 2 *fam* (piece of) junk

chatarrero,-a *m,f* scrap dealer *o* merchant

chato,-a I *adj* 1 (*nariz*) snub; (*persona*) snub-nosed 2 (*objeto*) flat, flattened, squat
II *m* (small) glass of wine

chauvinista *adj & mf* chauvinist

chaval,-a *m,f fam* (*chico*) boy, lad; (*chica*) girl

checo,-a I *adj* Czech; **República Checa,** The Czech Republic
II *m,f* (*persona*) Czech
III *m* (*idioma*) Czech

chelín *m* shilling

chepa *f fam* hump

cheque *m* check; **cheque de viaje,** traveler's check

chequeo *m* checkup

chévere *adj LAm fam,* terrific, great, fantastic

chicano,-a *adj & m,f* chicano

chicha *f LAm* chicha, maize liquor

chícharo *m LAm* pea

chichón *m* bump, lump

chicle *m* chewing gum

chico,-a I *m,f* (*muchacho*) boy, lad; (*muchacha*) girl
II *adj* small, little

chicote *m LAm* whip

chiflado,-a I *adj fam* mad, crazy [**por,** about]
II *m,f* (*loco*) nut, loony

chiflar *vi* (*con la boca*) to whistle; (*con un silbato*) to blow

chiíta *adj & mf Rel* Shiite

chile *m* chilli (pepper)

Chile *m* Chile

chileno,-a *adj & m,f* Chilean

chillar *vi* 1 (*emitir un chillido*) to scream, shriek 2 (*levantar la voz*) to shout 3 (*un ave*) to screech; (*un cerdo*) to squeal

chillido *m* 1 (*de terror, dolor*) scream, shriek 2 (*grito, berrido de persona*) shout 3 (*grito de ave*) screech; (*de cerdo*) squeal

chillón,-ona *adj* 1 (*voz*) shrill, high-pitched; (*sonido*) harsh, strident 2 (*color*) loud; gaudy

chimenea *f* 1 (*hogar*) fireplace, hearth 2 (*tiro del humo*) chimney

chimpancé *m Zool* chimpanzee

china *f* 1 (*piedrecilla*) pebble, small stone 2 *argot* (*de hachís*) deal 3 *Geog* (**la**) **China,** China

chinche *f Zool* bug, bedbug

chincheta *f* thumbtack

chino,-a *m* (*idioma*) Chinese 2 *fam* (*lenguaje incomprensible*) Greek

chip *m Inform* chip

chipirón *m Zool* baby squid

chiquillo,-a *m,f* kid, youngster

chirimiri *m* drizzle

chirimoya *f Bot* custard apple

chiringuito *m* refreshment stall

chirla *f Zool* small clam

chirriar *vi* (*una bisagra, etc*) to creak; (*los frenos del coche*) to screech, squeal

chisme *m* 1 *fam* (*cosa, aparato*) thing 2 (*cotilleo*) piece of gossip

chismorrear *vi fam* to gossip

chismoso,-a I *adj* gossipy
II *m,f* gossip

chispa *f* 1 spark 2 *fam* (*un poco, pizca*) bit, dash 3 *fam* (*ingenio*) wit, sparkle

chispear *vi* 1 to spark 2 (*lloviznar*) to spit, drizzle

chiste *m* joke: **un chiste verde,** a blue *o* dirty joke

chivarse *vr fam* to tell tales

chivato,-a I *m,f fam* 1 (*soplón*) squealer, grass 2 (*acusica*) telltale
II *m* alarm, warning device

chivo,-a *m,f Zool* kid, young goat

chocar I *vi* to crash, collide; **chocar con/contra,** to run into, collide with
II *vtr* 1 to knock; (*la mano*) to shake

chochear *vi* to be senile *o* in one's dotage

chocolate *m* 1 chocolate 2 *argot* (*hachís*) dope

chófer, *LAm* **chofer** *m* (*conductor*) driver; (*conductor particular*) chauffeur

chollo *m fam* 1 (*cosa barata*) bargain, snip 2 (*trabajo cómodo*) cushy job

chopo *m Bot* poplar

choque *m* 1 (*golpe*) impact 2 (*accidente de tráfico*) crash, collision; **choque en cadena,** pile-up

chorizo,-a I *m Culin* chorizo
II *m,f fam* (*ladrón de poca monta*) thief, pickpocket

chorrada *f fam* piece of nonsense

chorrear I *vi* 1 to drip, trickle; *fam* **estoy chorreando de sudor,** I'm pouring with sweat 2 *fam* (*estar empapado*) to be soaked
II *vtr* to flow out

chorro *m* 1 (*de líquido abundante*) spurt; (*pequeño*) trickle 2 (*de gas, de vapor*) jet; **propulsión a chorro,** jet propulsion 3 *fig* stream, flood

chovinista I *adj* chauvinistic
II *mf* chauvinist

choza *f* hut, shack

chubasco *m* heavy shower, downpour

chubasquero *m* raincoat

chufa *f* tiger nut

chuleta *f* 1 chop, cutlet 2 *Educ fam* crib (note)

chulo,-a I *m,f* (*presuntuoso*) show-off; (*insolente*) cocky
II *adj* (*bonito*) smashing

chupa

III m (*proxeneta*) pimp

chupa f *argot* short jacket

chupachups® m lollipop

chupado,-a adj **1** (*delgado*) skinny, thin **2** fam (*pregunta, actividad*) very easy

chupar I vtr **1** (*sacar líquido de algo*) to suck **2** (*lamer*) to lick
II vi to suck

chupete m pacifier

churrasco m barbecued meat, steak

churro m *Culin* fritter, cruller

chusma f *pey* rabble, mob

chutar vi *Dep* (*el balón*) to shoot
■ **chutarse** vr *argot* (*droga*) to shoot up

Cía (*abr de* **compañía**) company, Co

cianuro m *Farm Quím* cyanide

ciberespacio m *Inform* cyberspace

cibernética f cybernetics *sing*

cicatriz f scar

cicatrizar vtr & vi *Med* to heal

cíclico,-a adj cyclical

ciclismo m cycling

ciclista I adj cycling
II m,f cyclist

ciclo m **1** cycle **2** (*de conferencias, etc*) course, series

ciclomotor m moped, motorbike

ciclón m *Meteor* cyclone

ciego,-a I adj (*persona*) blind
II m,f blind person; **los ciegos**, the blind *pl*

cielo I m **1** sky **2** *Rel* Heaven **3** (*persona adorable*) angel
II interj (*sorpresa*) **¡cielo santo!**, good heavens!

ciempiés m inv *Zool* centipede

cien adj & m inv hundred; **cinco por cien**, five percent

ciencia f **1** science **2** frml (*conocimiento*) knowledge **3 ciencia ficción**, science fiction; **ciencias ocultas**, the occult *sing*
◆ LOC: **a ciencia cierta**, for certain

científico,-a I adj scientific
II m,f scientist

ciento I adj hundred
II m **1 por ciento**, per cent; **diez por ciento**, ten per cent

cierre m **1** (*acción de cerrar*) closing, shutting **2** (*cese de un negocio*) shutdown, closing-down **3** (*de un bolso*) clasp; (*una puerta*) catch; (*un collar*) fastener **4** *TV* (*final de emisión*) close-down **5 cierre centralizado**, central locking

cierto,-a I adj **1** (*no falso*) true; (*seguro*) certain: **lo cierto es que...**, the fact is that... **2** (*algún*) certain: **estoy de acuerdo hasta cierto punto**, I agree up to a point
II adv certainly
◆ LOC: **por cierto**, by the way

ciervo,-a m,f *Zool* deer; (*macho*) stag; (*hembra*) hind, doe

cifra f **1** (*número*) figure, number **2** (*código secreto*) cipher, code

cigala f *Zool* Norway lobster, crayfish

cigarra f *Zool* cicada

cigarrillo m cigarette

cigarro m **1** (*puro*) cigar **2** (*cigarrillo*) cigarette

cigüeña f *Orn* stork

cilantro m *Bot Culin* coriander

cilindrada f *Auto* cubic capacity

cilíndrico,-a adj cylindrical

cilindro m cylinder

cima f summit

cimientos mpl foundations

cinc m zinc

cincel m chisel

cincelar vtr to chisel

cinco adj & m five

cincuenta adj & m fifty

cine m **1** (*local*) movie theater **2** (*arte*) cinema: **cine mudo/sonoro**, silent/ talking films *pl*

cineasta m/f film director, film maker

cínico,-a I adj cynical
II m,f cynic

cinta f **1** (*para el pelo*) band, strip; (*para envolver, para la máquina de escribir*) ribbon **2** *Téc Mús* tape **3** *Cine* film; **cinta de vídeo**, video tape; **cinta virgen**, blank tape **4 cinta transportadora**, conveyor belt

cintura f waist

cinturilla f *Cost* braid, edging

cinturón m belt; **cinturón de seguridad**, safety belt

ciprés m *Bot* cypress

circo m circus

circuito m **1** *Elec* circuit **2** *Auto Dep* track, circuit

circulación f **1** circulation **2** *Auto* (*tráfico*) traffic

circular I f (*notificación*) circular
II vi **1** (*la sangre*) to circulate **2** (*tren, autobús*) to run; (*un peatón*) to walk **3** fig (*difundirse un rumor*) to go round; (*moneda*) to be in circulation

círculo m **1** *Geom* circle **2** (*social*) circle; **su círculo de amigos**, her friends

circunferencia f circumference

circunscribirse vr to be limited [**to**, a]

circunscripción f **1** district **2 circunscripción electoral**, constituency

circunstancia f circumstance; **bajo ninguna circunstancia**, under no circumstances

cirrosis f *Med* cirrhosis

ciruela f *Bot* (*fruta*) plum; **ciruela claudia**, greengage; **ciruela pasa**, prune

cirugía f surgery

cirujano,-a m,f surgeon

cisma m **1** *Rel* schism **2** *Pol* split

cisne m *Orn* swan

cisterna f **1** (*del cuarto de baño*) cistern **2** (*contenedor*) tank

cistitis f inv *Med* cystitis

cita *f* **1** *(para un encuentro formal)* appointment **2** *(para un encuentro informal)* date **3** *(de un autor, libro)* quotation

citación *f Jur* citation, summons *sing*

citar *vtr* **1** *(dar fecha)* to arrange to meet *o* to make an appointment with **2** *(mencionar, repetir textualmente)* to quote **3** *Jur* to summon

cítrico,-a I *adj* citric, citrus
II *mpl* **cítricos**, citrus fruits

ciudad *f (mediana o pequeña)* town; *(grande)* city; **ciudad deportiva**, sport center; **ciudad dormitorio**, dormitory town; **ciudad universitaria**, university campus

ciudadano,-a *m,f* citizen

civil I *adj* **1** civil: **se casaron por lo civil**, they got married in the registry office **2** *Mil* civilian
II *mf* civilian

civilización *f* civilization

civilizar *vtr* to civilize

cizaña *f* ◆ | LOC: *fig* **meter/sembrar cizaña**, to sow discord

clamar *vtr* to cry out for, clamor for

clamor *m* clamor

clan *m* clan

clandestino,-a *adj* clandestine, underground

clara *f* **1** *(bebida)* beer with lemonade, shandy **2** *(del huevo)* white

claraboya *f* skylight

clarete *adj & m* rosé

claridad *f* **1** *(luminosidad)* light, brightness **2** *(comprensibilidad)* clarity; **con claridad**, clearly **3** *(perspicacia)* clearness

clarificar *vtr* to clarify

clarín *m Mús* bugle

clarinete *m Mús* clarinet

claro,-a I *adj* **1** *(despejado, evidente)* clear **2** *(poco espeso)* thin **3** *(color)* light
II *adv* clearly
III *excl* of course!; **¡claro que puedo!**, of course I can!

clase *f* **1** *(género, tipo)* kind, sort **2** *(categoría)* class; **viajar en primera/ segunda clase**, to travel first/second class **3** *(grupo social)* class; **clase alta/media**, upper/middle class **4** *Educ (aula)* classroom; *(grupo de estudiantes)* class; *(lección)* lesson, class **5** *(elegancia, estilo)* class

clásico,-a I *adj* **1** *Arte* classical **2** *(tradicional)* classic **3** *(típico)* classic
II *m* classic

clasificación *f* **1** classification **2** *Dep (lista)* table; *(acción)* qualification

clasificar *vtr* to classify, class
■ **clasificarse** *vr Dep* to qualify

clasista I *adj pey (ideas, sociedad, persona)* class-conscious, classist
II *m pey* snob

claustro *m* **1** *Educ Univ (de profesores, etc)* staff meeting **2** *Arquit Rel* cloister

claustrofobia *f* claustrophobia

cláusula *f* fur clause

clausura *f* closure; **ceremonia de clausura**, closing ceremony

clausurar *vtr* to close

clavar I *vtr* **1** *(con un martillo)* to hammer in; *(sujetar con clavos)* to nail **2** *(una estaca)* to drive in **3** *fam (cobrar demasiado)* to sting *o* fleece
■ **clavarse** *vr* **clavarse un alfiler**, to stick a pin into oneself

clave I *f* **1** *(meollo, pista)* key **2** *(código, cifra)* code, cipher **3** *Mús (tono)* key; *(símbolo)* clef
II *m Mús* harpsichord

clavel *m Bot* carnation

clavícula *f Anat* collarbone

clavo *m* **1** *(punta)* nail **2** *Med* pin **3** *Culin (especia)* clove

clemencia *f* mercy, clemency

clementina *f Bot (fruto)* clementine

cleptómano,-a *adj & m,f Med* kleptomaniac

clérigo *m* priest

clero *m* clergy

cliente *mf* client, customer

clima *m* climate

climatizado,-a *adj* air-conditioned

clímax *m inv* climax

clínica *f* clinic

clínico,-a *adj* clinical

clip *m* paperclip

clítoris *m inv Anat* clitoris

cloaca *f* sewer, drain

cloro *m* chlorine

club *m* club

cm *(abr de centímetro s)* centimeter, cm

coacción *f* coercion

coaccionar *vtr* to coerce

coágulo *m* clot, coagulum *frml*

coalición *f* coalition

coartada *f* alibi

coartar *vtr* to restrict

cobarde I *adj* cowardly
II *m,f* coward

cobaya *f Zool* guinea pig

cobertizo *m* shed

cobertura *f* cover, coverage

cobija *f LAm* blanket

cobijo *m* shelter, protection

cobrador,-ora *m,f* **1** *(de la luz, agua, etc)* collector **2** *(de autobús) (hombre)* conductor; *(mujer)* conductress

cobrar I *vtr* **1** *(pedir un precio)* to charge; *(exigir el pago)* to collect; *(recibir el pago de una deuda)* to recover **2** *(un cheque, un billete de lotería)* to cash; *(recibir el salario)* to earn
II *vi* **1** *(recibir el salario)* to be paid **2** *fam (recibir una zurra)* to catch it, get it

cobre *m* **1** *Min* copper **2** *LAm (moneda)* copper cent, penny

cobro *m (de un pago, deuda)* collection; *(de un cheque)* cashing ◆ | LOC: *Tel* **llamar a cobro**

revertido, to reverse the charges, to call collect

cocaína f cocaine

cocer I vtr 1 to cook; (hervir) to boil; (el pan, una masa) to bake 2 (un ladrillo, cerámica) to fire **II** vi (un líquido) to boil

■ **cocerse** vr 1 (un alimento) to cook; (hervir) to boil; (hornear) to bake 2 fam (pasar mucho calor) to roast

coche m 1 car; **ir en coche,** to go by car; **coche fúnebre,** hearse 2 (carruaje de caballos, vagón de tren) carriage, coach

cochecito m (para bebés) baby carriage

cochera f 1 (aparcamiento de autobuses) depot 2 LAm garage

cochinillo m suckling pig

cochino,-a I m,f 1 (cerdo) pig; (cerda) sow 2 fam (persona sucia) pig, filthy person **II** adj (sucio) filthy, disgusting

cocido m Culin stew

cocina f 1 (habitación de la casa) kitchen 2 (electrodoméstico) stove 3 (modo de cocinar) cooking, cuisine

cocinar vtr & vi to cook

cocinero,-a m,f cook

coco m 1 Bot (fruto) coconut fam (inteligencia) brains 2 fam (cabeza) coco

cocodrilo m Zool crocodile

cóctel m 1 (de bebidas, alimentos, etc) cocktail 2 (fiesta) cocktail party

codazo m 1 (golpe en el codo) blow to one's elbow; (con el codo) **le di un codazo en las costillas,** I elbowed him in the ribs 2 (señal dada con el codo) nudge with one's elbow

codearse vr to hobnob [**con,** with], rub shoulders [**con,** with]

codicia f greed

codicioso,-a adj covetous, greedy

código m code

codo m Anat elbow

codorniz f Zool quail

coeficiente m 1 Mat coefficient 2 Fís Quím (grado) rate

coexistencia f coexistence

cofradía f 1 (hermandad religiosa) brotherhood 2 (de carpinteros, canteros, etc) association, guild

cofre m (arca) trunk, chest

coger I vtr 1 to take; (agarrar) to seize; (sostener) to hold 2 (un medio de transporte) to take, catch; (una pelota, un resfriado, a alguien que huye, a alguien haciendo algo) to catch: **¡te cogí!,** I caught you! 3 (una cosecha, flores, ropa tendida) to pick 4 (un hábito) to pick up; (velocidad, impulso) to gather 5 (entender el sentido de algo) to grasp: **no lo cojo,** I don't understand it 6 (atropellar) to run over, knock down 7 LAm vulgar to fuck **II** vi fam to fit

■ **cogerse** vr to hold on; **cogerse de la mano,** to hold hands

cogollo m 1 (de una lechuga) heart 2 (de un asunto) core, heart

cogote m nape o back of the neck

coherente adj coherent, consistent

cohesión f cohesion

cohete m 1 (fuego artificial) fireworks (usu pl) 2 (propulsado a chorro) rocket

cohibir vtr to inhibit

■ **cohibirse** vr to feel inhibited

coincidencia f coincidence

coincidir vi 1 (ocurrir al mismo tiempo) to coincide [**con,** with] 2 (dar el mismo resultado, encajar) to fit in [**con,** with] 3 (estar de acuerdo) to agree

coito m coitus, intercourse

cojear vi 1 (caminar defectuosamente) to limp, hobble 2 (bailar un mueble) to wobble

cojera f limp

cojín m cushion

cojo,-a I adj 1 (que camina con cierta dificultad) lame 2 (que no se apoya firmemente) rickety **II** m,f lame person

col f Bot cabbage; **coles de Bruselas,** Brussels sprouts

cola[1] f 1 (de animal, de un avión) tail 2 (peinado) ponytail 3 (de un vestido) train 4 (fila) line 5 **a la cola,** at the back o rear **cola**[2] f (pegamento) glue

colaboración f collaboration **colaborador,-ora I** m,f 1 collaborator 2 Prensa contributor **II** adj collaborating

colaborar vi to collaborate, cooperate

colada f wash, laundry; **hacer la colada,** to do the washing o laundry

colador m strainer

colapsar vtr to bring to a standstill

■ **colapsarse** vr to come to a standstill

colapso m Med collapse

colar vtr 1 (la leche, el caldo) to strain 2 (hacer pasar por una abertura) to slip

■ **colarse** vr 1 (entrar sin ser visto) to slip in; (sin ser invitado) to gatecrash 2 (saltarse el turno) to cut in the line

colcha f (bed)spread

colchón m mattress

colchoneta f 1 (de playa, hinchable) air mattress 2 (en un gimnasio) mat

colección f collection

coleccionable adj & m collectable

coleccionar vtr to collect

coleccionista mf collector

colecta f collection; **hacer una colecta,** to collect (for charity)

colectivo,-a I adj collective **II** m 1 (asociación) association 2 LAm long-distance taxi 3 LAm bus

colega mf 1 colleague 2 argot mate, buddy

colegial I adj (de escuela) school **II** m,f student; **colegiales,** schoolchildren

colegio m 1 (escuela) school; **colegio privado,**

private school; colegio público, public school **2** (*asociación profesional*), college, association; **colegio de médicos,** Medical Association **3** *Pol* **colegio electoral,** electoral college **4** *Univ* **colegio mayor** *o* **universitario,** dormitory

cólera I *f* anger, rage
II *m Med* cholera

colesterol *m Med* cholesterol

coleta *f* (*dos a los lados o una pequeña*) pigtail, (*una cola atrás*) ponytail

colgante *m* pendant

colgar I *vtr* **1** (*un cuadro*) to hang (up); (*tender la ropa*) to hang (out) **2** (*suspender*) to fail **3** (*ahorcar*) to hang **4** (*el teléfono*) to hang up *o* put down
II *vi* **1** to hang [**de,** from] **2** *Tel* (*cortar la comunicación*) to hang up

colibrí *m Orn* hummingbird

cólico *m Med* colic

coliflor *f Bot* cauliflower

colilla *f* butt

colina *f* hill

colirio *m Farm* eyedrops, eyewash

colisión *f* collision, crash

colitis *f* colitis

collar *m* **1** (*joya*) necklace **2** (*de una mascota*) collar

colmar *vtr frml* **1** to fill (right up); (*un cuenco, una copa*) to fill to the brim **2** (*satisfacer*) to fulfil, satisfy

colmena *f* beehive

colmillo *m* **1** *Zool* (*de carnívoro*) fang; (*de mamut, elefante*) tusk **2** (*de persona*) canine tooth

colmo *m* height ♦ | LOC: **¡eso es el colmo!,** that's the last straw!

colocación *f* **1** (*distribución*) layout **2** (*empleo*) job, employment

colocar *vtr* to place, put
■ **colocarse** *vr* **1** (*en un lugar*) to put oneself **2** (*encontrar trabajo*) to take a job [**de,** as]

Colombia *f* Colombia

colombiano,-a *adj* & *m,f* Colombian

colon *m Anat* colon

colón *m* colon, Costa Rican and Salvadoran national currency

colonia[1] *f* **1** colony **2** (*campamento de verano*) summer camp

colonia[2] *f* (*agua perfumada*) cologne

colonizar *vtr* to colonize

coloquial *adj* colloquial

coloquio *m* **1** (*conversación*) conversation **2** (*debate*) discussion

color *m* color

colorado,-a *adj* & *m* red ♦ | LOC: **ponerse colorado (como un tomate),** (*de vergüenza*) to blush, go bright red

colorante *m* coloring

colorear *vtr* to color

colorete *m* (*cosmético*) rouge, blush

columna *f* **1** column **2** (*pila*) stack, pile **3** *Prensa* columna **5 columna vertebral,** *Anat* spine

columnista *mf Prensa* columnist

columpiar *vtr* to swing
■ **columpiarse** *vr* (*en un columpio*) to swing

columpio *m* swing

coma[1] *f* **1** *Mat* point **2** *Ling* comma; **punto y coma,** semicolon

coma[2] *m Med* coma

comadreja *f Zool* weasel

comadrona *f* midwife

comandante *m* **1** *Mil Náut* commander, commanding officer **2** *Av* captain

comando *m* **1** *Mil* (*individuo*) commando; (*grupo*) unit; **comando terrorista,** terrorist unit **2** *Inform* command

comarca *f* region

comba *f* skipping rope

combar *vtr* to bend

combate *m* combat; *Box* fight; *Mil* battle

combatir I *vi* to fight [**contra,** against]
II *vtr* to combat

combinación *f* **1** combination **2** (*prenda interior femenina*) slip

combinado,-a I *adj* combined
II *m* **1** (*cóctel*) cocktail, mixed drink **2** *Dep* line-up

combinar *vtr* to combine

combustible I *m* fuel
II *adj* combustible

combustión *f* combustion

comedia *f* **1** *Teat* comedy **2** *fam* (*farsa*) act

comediante,-a *m,f* **1** *Teat* (*hombre*) actor; (*mujer*) actress **2** (*farsante*) fraud

comedido,-a *adj* self-restrained

comedor,-ora *m* **1** (*habitación de la casa*) dining room, (*conjunto de muebles*) suite of dining room furniture **2** (*de una fábrica, universidad, etc*) canteen

comensal *mf* companion at table

comentar *vtr* **1** (*mencionar*) to mention; (*hacer una observación*) to comment **2** (*contrastar opiniones*) **to discuss 3** (*un texto*) to comment on

comentario *m* **1** comment, remark **2** (*texto*) commentary **3 comentarios,** (*cotilleos*) gossip

comenzar *vtr* & *vi* to begin, start

comer I *vtr* **1** to eat **2** (*en el parchís, etc*) to take
II *vi* to eat
■ **comerse** *vr* **1** to eat **2** (*omitir*) to skip

comercial *adj* commercial

comercializar *vtr* to market

comerciante *mf* merchant

comerciar *vi* to trade

comercio *m* **1** (*establecimiento*) shop **2** (*relación*) commerce, trade; **comercio exterior,** foreign trade; **comercio interior,** domestic trade

cometa I *m Astron* comet
II *f (juguete, volantín)* kite
cometer *vtr* 1 *(un error)* to make 2 *(perpetrar)* to commit
cometido *m* 1 *(tarea)* task, assignment 2 *(función)* duty
cómic *m* comic
comicios *mpl* elections
cómico,-a I *adj (gracioso)* comical, funny
II *m,f* comic; *(hombre)* comedian; *(mujer)* comedienne
comida *f* 1 *(alimentos)* food 2 *(ingesta de alimentos)* meal; *(al mediodía)* lunch
comienzo *m* beginning, start ♦ | LOC: **a comienzos de**, at the beginning of; **dar comienzo**, to begin o start
comillas *fpl* quotation marks ♦ | LOC: **entre comillas**, in quotation marks
comilón,-ona *m,f* big eater, glutton
comilona *f fam* big meal, feast
comino *m Culin* cumin, cummin **comisaría** *f* police station
comisario,-a *m,f* 1 *(de policía)* police inspector 2 *(delegado)* commissioner
comisión *f* 1 *Com (de un comerciante)* commission 2 *(comité)* committee
comité *m* committee
comitiva *f* suite, retinue
como I *adv* 1 *(manera)* how: **hazlo como quieras**, do it however you like 2 *(semejanza, equivalencia)* as: **es como tú**, he's just like you 3 *(conformidad)* as: **como estaba diciendo...**, as I was saying... 4 *(aproximadamente)* about: **como unos treinta**, about thirty
II *conj* 1 **como** [+ *subj*], *(si)* if: **como no comas, no vas al cine**, if you don't eat, you won't go to the movie 2 *(porque)* as, since: **como llamó tan tarde, ya no me encontró**, as he phoned so late, he didn't find me in 3 **como si**, as if
III *prep (en calidad de)* as: **lo aconsejé como amigo**, I advised him as a friend
cómo *adv* 1 *(interrogativo)* how: **¿cómo estás?**, how are you?; **¿cómo se hace?**, how is it made? 2 *(cuánto)* **¿a cómo están los plátanos?**, how much are the bananas? 3 *(cuando no se ha oído bien)* **¿cómo?**, what? 4 *(exclamativo)* how; **¡cómo ha cambiado!**, how she's changed! ♦ | LOC: **cómo no**, of course
cómoda *f* chest of drawers
comodidad *f* 1 comfort 2 *(interés propio)* convenience
comodín *m Naipes* joker
cómodo,-a *adj* 1 comfortable 2 *(fácil, conveniente)* handy, convenient
compacto,-a I *adj (denso)* compact
II *m Audio (disco compacto)* compact disc; *(reproductor de compactos)* CD player, compact disc player
compadecer *vtr* to feel sorry for, pity

■ **compadecerse** *vr* to have o take pity [**de**, on]
compaginar *vtr* to combine [**con**, with]
compañerismo *m* companionship, comradeship
compañero,-a *m,f* 1 companion; *(de habitación)* roommate 2 *(pareja sentimental)* partner
compañía *f* company; **hacer compañía (a alguien)**, to keep sb company
comparación *f* comparison; **en comparación**, comparatively
comparar *vtr* to compare [**con**, with]
comparecer *vi* Jur to appear [**ante**, before]
compartim(i)ento *m* compartment
compartir *vtr* to share
compás *m* 1 *Téc* (pair of) compasses 2 *Mús* time; *(en el pentagrama)* bar 3 *Náut* compass ♦ | LOC: **al compás de**, in time to
compasión *f* compassion, pity
compasivo,-a *adj* compassionate
compatible *adj* compatible
compatriota *mf* compatriot; *(hombre)* fellow countryman; *(mujer)* fellow countrywoman
compenetrarse *vr* to understand each other
compensación *f* compensation
compensar I *vtr* 1 *(equilibrar)* to make up for 2 *(indemnizar)* to compensate (for)
II *vi (merecer la pena)* to be worthwhile
competencia *f* 1 *(entre competidores)* competition 2 *(responsabilidad)* field, province
competente *adj* competent
competición *f* competition, contest
competidor,-ora *m,f* competitor
competir *vi* to compete [**con**, with o against] [**en**, in] [**por**, for]
competitividad *f* competitivity
competitivo,-a *adj* competitive
complacer *vtr frml* to please
complejidad *f* complexity
complejo,-a *adj* & *m* complex
complementario,-a *adj* complementary
complemento *m* 1 complement; **ropa y complementos**, clothes and accessories 2 *Ling (de un verbo)* object
completar *vtr* to complete
completo,-a *adj* 1 *(entero, total)* complete 2 *(lleno)* full 3 *(exhaustivo)* comprehensive
complicación *f* complication
complicar *vtr (dificultar)* to complicate, make difficult

■ **complicarse** *vr* to get complicated
cómplice *mf* accomplice, *Jur* accessory
complot *m* conspiracy, plot
componente I *adj* component
II *mf (de un grupo, equipo)* member
III *m (elemento, pieza)* component; *(ingrediente)* ingredient
componer I *vtr* 1 *(constituir)* to compose,

make up **2** *(reparar)* to mend, repair
II *vtr* & *vi Mús Lit* to compose
■ **componerse** *vr (estar formado)* to be made
up [**de**, of], consist [**de**, of] ◆ |LOC: *fam*
componérselas) to manage
comportamiento *m* behavior
comportarse *vr* to behave
composición *f* composition
compositor,-ora *m,f* composer
compota *f Culin* compote
compra *f* **1** *(acción)* buying; **ir de compras,**
to go shopping **2** *(objeto comprado)* purchase,
buy; *(conjunto de alimentos)* shopping
comprador,-ora *m,f* purchaser, buyer
comprar *vtr* to buy
comprender *vtr* **1** to comprise, include **2**
(entender) to understand
comprensión *f* understanding
comprensivo,-a *adj* understanding
compresa *f Med* compress **2** *(para la
menstruación)* sanitary napkin
comprimido,-a *m Farm* tablet
comprimir *vtr* to compress
comprobante *m* receipt
comprobar *vtr* to check
comprometer *vtr* **1** *(obligar)* to compel,
oblige **2** *(implicar)* to involve, compromise **3**
(poner en peligro) to jeopardize
■ **comprometerse** *vr (hacerse novios)* to
become engaged
compromiso *m* **1** *(obligación)* obligation,
commitment **2** *(acuerdo)* agreement **3** *frml*
compromiso (de boda), engagement
compuesto,-a **I** *adj (que no es simple)*
compound
II *m* compound
comulgar *vi Rel* to receive Holy Communion
común *adj* **1** *(frecuente)* common, usual: **es
poco común,** it's unusual **2** *(ordinario,
corriente)* ordinary **3** *(compartido)* shared,
communal
comunicación *f* **1** communication **2**
(contacto) contact **3** *(conexión)* connection **4**
(escrito) paper
comunicado,-a *m* **1** *(notificación oficial)*
communiqué **2** **comunicado de prensa,**
press release
comunicar **I** *vtr* to communicate
II *vi* **1** to communicate **2** *(estar unido a otro
sitio)* to get in touch **3** *Tel* to be engaged
■ **comunicarse** *vr* to communicate
comunicativo,-a *adj* communicative
comunidad *f* community; **comunidad
autónoma,** autonomous region; **comunidad
de bienes,** co-ownership
comunión *f* communion
comunista *adj* & *mf* communist
comunitario,-a *adj* **1** of *o* relating to the
community **2** *(de CE)* of *o* relating to the EC;
los países comunitarios, the members of
the EC

con *prep* **1** with **2** *(relación)* to: **habló con
Alberto,** he spoke to Alberto **3** *(con
infinitivo)* **con avisar les evitas el disgusto,**
just by phoning you'll save them any
worry; *(+ que + subjuntivo)* **basta con que lo
digas,** it will be enough if you just say it
◆ |LOC: **con tal (de) que...,** provided
that...; **con todo (y con eso),** even so
cóncavo,-a *adj* concave
concebir *vtr* **1** *(plan, hijo)* to conceive **2**
(comprender) to understand
conceder *vtr* **1** *(admitir)* to admit, concede
2 *(un deseo, préstamo)* to grant; *(un premio,
una beca)* to award
concejal,-ala *m,f* city councilor
concentración *f* **1** concentration **2** *(de
personas)* gathering; *(de vehículos)* rally; *(de
equipo)* base
concentrar *vtr* to concentrate, bring
together
■ **concentrarse** *vr* **1** to concentrate **2**
(congregarse) to gather, congregate
concepción *f* conception
concepto *m* **1** *(idea)* concept **2** *(opinión, juicio)*
opinion **3** *(en un recibo, etc)* item ◆ |LOC: **bajo
ningún concepto,** under no circumstances
concernir *vtr impers* **1** *(corresponder)* to be up
to **2** *(interesar, preocupar)* to concern: **en lo
que a vosotros concierne,** as far as you are
concerned
concertar *vtr* **1** *(un precio)* to agree on; *(una
cita)* to arrange **2** *(coordinar)* to coordinate
concesión *f* **1** *(adjudicación)* awarding **2**
(explotación, cesión) dealership, franchise **3**
(en una negociación, disputa) concession
concesionario,-a *m,f* dealer
concha *f Zool* shell
conciencia *f* **1** *(moral)* conscience **2**
(conocimiento) consciousness, awareness: **no
tiene conciencia del problema,** he isn't
aware of the problem **3** *Med* **perder/
recobrar la conciencia,** to lose/regain
consciousness
concienciar *vtr* to make aware [**de**, of]
■ **concienciarse** *vr* to become aware [**de**,
of]
concierto *m* **1** *Mús (composición)* concerto;
(función) concert **2** *(pacto)* agreement
conciliar *vtr* to reconcile
concilio *m Rel* council
conciso,-a *adj* concise
concluir *vtr* to conclude
conclusión *f* conclusion
concluyente *adj* conclusive
concordar *vi* to agree
concretar *vtr* **1** *(precisar un tema, un punto)*
to specify **2** *(concertar una fecha, hora)* to fix
concreto,-a I *adj* **1** *(preciso, real)* concrete **2**
(particular) specific; **en este caso concreto...,**
in this particular case...
II *m LAm (hormigón)* concrete

concurrencia f 1 (*público*) audience 2 (*de circunstancias, características*) concurrence
concurrido,-a adj crowded, busy
concurrir vi to concur, coincide
concursante mf (*en una competición*) competitor, (*en un concurso*) contestant
concursar vi to compete, take part
concurso m 1 (*competición*) competition; (*de pintura, baile, etc*) contest; (*de televisión*) quiz show
condado m county
conde m count
condecoración f decoration
condecorar vtr to decorate
condena f 1 (*juicio negativo*) condemnation, disapproval 2 *Jur* sentence
condenado,-a I adj 1 *Jur* convicted 2 (*destinado, abocado*) doomed 3 *Rel* damned
II m,f 1 *Jur* convicted person; (*a muerte*) condemned person 2 *Rel* damned
condenar vtr 1 *Jur* to convict, find guilty: **lo condenaron a muerte,** he was condemned to death 2 (*reprobar*) to condemn
condensador m condenser
condensar vtr, **condensarse** vr to condense
condesa f countess
condescender vi 1 to condescend 2 (*ceder*) to comply (with), consent (to)
condescendiente adj condescending
condición I f 1 condition 2 (*situación social*) status
II fpl 1 **condiciones** (*circunstancias*) conditions 2 (*estado*) condition; **en buenas/malas condiciones,** in good/bad condition 3 (*aptitudes*) talent
condicional adj conditional
condicionar vtr 1 (*supeditar*) to make conditional 2 (*influir, determinar*) to condition
condimentar vtr to season, flavor
condimento m seasoning, flavoring
condón m condom
cóndor m *Orn* condor
conducir I vtr 1 (*un coche*) to drive 2 (*llevar a un sitio*) to take; (*a una situación*) to lead
II vi 1 *Auto* to drive 2 (*camino, actitud*) to lead
conducta f 1 behavior, conduct 2 **mala conducta,** bad behavior, misbehavior, misconduct
conducto m 1 (*canalización*) channel, pipe 2 *Anat* duct, canal 3 *fig* (*medio, vía*) channels
conductor,-ora I m,f *Auto* driver
II m *Elec* conductor
conectar I vtr 1 to connect (up) 2 (*a la red eléctrica*) to plug in, switch on 3 (*dos puntos distantes*) to unit, link up
II vi 1 (*establecer comunicación*) to communicate 2 *fam* (*simpatizar*) **no conecto con mi padre,** I don't get on with my father
conejillo m en la loc **conejillo de Indias,** guinea pig

conejo m *Zool* rabbit
conexión f connection [**con,** to/with] [**entre,** between]
confabularse vr to conspire, plot
confeccionar vtr to make (up)
confederación f confederation
conferencia f 1 (*charla, disertación*) lecture 2 *Tel* long-distance call 3 (*reunión*) conference; **conferencia de prensa,** press conference
conferenciante mf lecturer
confesar vtr to confess, admit
■ **confesarse** vr *Rel* to go to confession
confesión f confession
confiado,-a adj 1 (*que tiene confianza en los demás*) trusting, unsuspecting 2 (*seguro, tranquilo*) self-confident
confianza I f 1 (*fe, seguridad*) confidence: **tiene mucha confianza en sí mismo,** he is very self-confident 2 (*trato, intimidad*) **con María tengo confianza,** I'm on very close terms with María
II confianzas, liberties
♦ | LOC: **de confianza,** reliable; **en confianza,** in confidence
confiar I vtr 1 (*poner bajo la tutela*) to entrust 2 (*decir reservadamente*) to confide
II vi (*fiarse de*) **confiar en,** to trust
■ **confiarse** vr to be over-confident
confidencia f confidence
confidencial adj confidential
configuración f 1 configuration 2 *Inform* configuration
configurar vtr 1 (*conformar*) to shape, form 2 *Inform* to configure
confirmación f confirmation
confirmar vtr to confirm
confiscar vtr to confiscate
confitería f candy store 2 *LAm* café
confitura f preserve, jam
conflicto m conflict
confluir vi 1 (*personas, situaciones*) to converge 2 (*corrientes de agua, caminos*) to meet
conformar vtr to shape
■ **conformarse** vr to resign oneself, be content
conforme I adj 1 (*de acuerdo*) **conforme,** agreed, all right 2 (*satisfecho*) satisfied
II adv (*según, del mismo modo*) as: **dejé todo conforme estaba,** I left things as they were
conformidad f approval, consent
confortable adj comfortable
confrontación f 1 (*cotejo*) contrast 2 (*careo*) confrontation
confrontar vtr 1 (*cotejar*) to compare 2 (*carear*) to confront
confundir vtr 1 to confuse [**con,** with] 2 (*embarullar a alguien*) to mislead 3 (*turbar*) to confound
■ **confundirse** vr 1 (*cometer una equivocación*) to be mistaken 2 (*desaparecer, mezclarse*) to mingle

confusión *f* 1 *(desorden)* confusion 2 *(error)* mistake

confuso,-a *adj* confused

congelado,-a I *adj* 1 frozen 2 *Med* frostbitten

II *mpl* **congelados,** frozen food *sing*

congelador *m* freezer

congelar *vtr* to freeze

■ **congelarse** *vr* 1 to freeze 2 *Med* to get *o* become frostbitten

congeniar *vi* to get along [**con,** with]

conglomerado *m* 1 *(masa compacta)* conglomerate 2 *(de circunstancias)* conglomeration

congregación *f* congregation

congregar *vtr*, **congregarse** *vr* to congregate, assemble

congresista *mf* member of a congress

congreso *m* *Pol* **Congreso de los Diputados,** Congress

cónico,-a *adj* 1 *(en forma de cono)* conical 2 *Geom* conic

conjetura *f* conjecture

conjeturar *vtr* to conjecture

conjugación *f* conjugation

conjugar *vtr* 1 *Ling* to conjugate 2 *fig (estilos, intereses)* to combine

conjunción *f* conjunction

conjuntivitis *f* *Med* conjunctivitis

conjunto,-a I *m* 1 *(grupo)* group, set 2 *(totalidad de algo)* whole 3 *Mús (grupo de música)* group, band 4 *Indum* ensemble 5 *Mat* set 6 *Dep* team

conllevar *vtr* to entail

conmemoración *f* commemoration

conmemorar *vtr* to commemorate

conmigo *pron pers* with me: **conmigo mismo/misma,** to/with myself

conmoción *f* commotion, shock

conmocionar *vtr* to shake

conmovedor,-ora *adj* moving

conmover *vtr* to move, touch

connotación *f* connotation

cono *m* cone; **Cono Sur,** South America

conocer *vtr* 1 to know 2 *(por primera vez)* to meet

■ **conocerse** *vr* *(dos personas)* to know each other

conocido,-a I *adj* 1 *(sabido)* known 2 *(familiar)* familiar 3 *(popular, famoso)* well-known

II *m,f* acquaintance

conocimiento *m* 1 knowledge 2 *(conciencia)* consciousness 3 **conocimientos,** knowledge

conque *conj* so

conquista *f* conquest

conquistador,-ora *m,f* conqueror

conquistar *vtr* 1 *(territorios)* to conquer 2 *(a una persona)* to win over

consagrar *vtr* 1 *(dedicar)* to devote to 2 *Rel* to consecrate

■ **consagrarse** *vr* 1 *(dedicarse plenamente)* to devote oneself [**a,** to], dedicate oneself [**a,** to] 2 *(lograr reconocimiento)* to establish oneself

consciente *adj* 1 conscious, aware 2 *Med* conscious

consecuencia *f* 1 *(efecto)* consequence 2 *(conclusión)* conclusion ◆ LOC: **a consecuencia de,** as a consequence o result of; **en consecuencia,** therefore

consecutivo,-a *adj* consecutive

conseguir *vtr* 1 *(obtener)* to get, obtain; *(alcanzar)* to achieve 2 *(con infinitivo)* to manage to

consejero,-a *m,f* 1 counselor 2 *Com* **consejero delegado,** managing director 3 *(consultor)* adviser

consejo *m* 1 *(opinión)* advice 2 *(de un banco, administración)* board; *(de un organismo público)* council; **consejo de ministros;** cabinet meeting

consenso *m* consensus

consentido,-a I *adj (malcriado)* spoiled

II *m,f* spoiled child

consentimiento *m* consent

consentir I *vtr* 1 *(permitir)* to allow, permit 2 *(malcriar, mimar)* to spoil

II *vi* to consent

conserje *m* *(en una escuela, un edificio público, etc)* caretaker; *(en un hotel)* receptionist; *(en un bloque de edificios)* doorman

conserjería *f* 1 reception 2 *(en un bloque de viviendas)* porter's office, porter's lodge

conserva *f* tinned *o* canned food

conservación *f* 1 *(cuidado)* maintenance, upkeep 2 *(de un bosque, especie)* conservation 3 *(de un alimento)* preservation

conservador,-ora I *adj* & *m,f* conservative; *Pol* Conservative

II *m,f* 1 *Pol* Conservative 2 *(de un museo, una biblioteca)* curator

conservar *vtr* 1 to conserve, preserve 2 *(mantener, guardar)* to keep up, maintain

■ **conservarse** *vr* 1 *(pervivir)* to survive 2 *(mantener aspecto joven)* **se conserva muy mal,** she looks very old

conservatorio *m* conservatory

consideración *f* 1 *(ponderación, juicio)* consideration: tomar en consideración, to **take into account** 2 *(respeto a los demás, cuidado)* regard

considerar *vtr* to consider

consigna *f* 1 *(para el equipaje)* check-room 2 *(orden)* orders, instructions

consigo *pron pers* 1 *(3.ª persona) (con él)* with him; *(con ella)* with her; *(cosa, animal)* with it; *(con ellos)* with them; *(con usted o ustedes; con uno)* with you 2 **consigo mismo,** *(con él mismo)* with/to himself; **consigo misma,** *(con ella misma)* with/to herself; **consigo mismos,** *(con ellos mismos)* with/to themselves

consiguiente adj resulting, consequent
♦ | LOC: **por consiguiente,** therefore, consequently

consistente adj 1 *(argumento)* sound, solid 2 *(objeto, materia)* solid, thick 3 *(que consiste)* consisting [en, of]

consistir vi 1 *(radicar)* to lie [en, in] 2 *(estar formado)* to consist [en, of]

consola f 1 console table 2 *Inform* console

consolación f consolation

consolar vtr to console, comfort
■ **consolarse** vr to console oneself

consolidar vtr, **consolidarse** vr to consolidate

consomé m clear soup, consommé

consonante adj & f consonant

consorcio m consortium

consorte I adj **príncipe consorte,** prince consort
II mf frml *(cónyuge)* partner, spouse

conspiración f conspiracy, plot

conspirar vi to conspire, plot

constancia f 1 *(tenaz)* constancy, perseverance 2 *(prueba)* proof, evidence

constante I adj 1 *(tenaz)* steadfast 2 *(incesante, sin variaciones)* constant, incessant
II f 1 constant feature 2 *Mat* constant

constar vi 1 *(figurar)* to figure in, be included (in) 2 *(tener certidumbre)* **me consta que...,** I am absolutely certain that... 3 *(estar compuesto)* to be made up [de, of], consist [de, of]

constelación f constellation

consternar vtr, **consternarse** vr to dismay

constipado,-a I adj **estar constipado,** to have a cold o a chill
II m cold, chill

constiparse vr to catch a cold o a chill

constitución f fur Med constitution

constitucional adj constitutional

constituir vtr 1 *(formar)* to constitute 2 *(representar)* to represent 3 *(fundar)* to constitute, set up
■ **constituirse** vr to set oneself up [en, as]

constituyente adj & mf constituent

construcción f 1 *(edificio)* building 2 *(acción)* construction

constructivo,-a adj constructive

constructor,-ora I m,f builder
II f building firm

construir vtr to construct, build

consuelo m consolation

cónsul mf consul

consulado m consulate

consulta f 1 *(petición de consejo)* query 2 *(búsqueda de información)* search 3 Med *(visita al médico)* consultation; *(despacho)* doctor's office

consultar vtr 1 to consult, seek advice [con, from] 2 *(en un diccionario, etc)* to look up

consumado,-a adj consummate

consumición f *(refresco, bebida)* drink

consumido,-a adj emaciated

consumidor,-ora m,f consumer

consumir vtr to consume; **consumir antes de...,** best before...
■ **consumirse** vr 1 *(evaporarse)* to boil away 2 *(un enfermo)* to waste away

consumismo m consumerism

consumo m consumption; **bienes/sociedad de consumo,** consumer goods/society

contabilidad f Com 1 *(oficio)* accountancy, accounting 2 *(de un negocio, empresa)* accounts

contable mf accountant

contactar vi to contact, get in touch [con, with]

contacto m 1 contact; **pegamento de contacto** 2 *(amigo, influencia)* contact 3 Auto ignition 4 *(trato)* touch

contado,-a adj 1 *(escaso)* few and far between: **nos hemos visto en contadas ocasiones,** we have very seldom met 2 *(numerados)* numbered ♦ | LOC: **pagar al contado,** to pay cash

contador m meter; **contador de la luz,** electricity meter

contagiar vtr Med *(enfermedad)* to infect with o spread
■ **contagiarse** vr 1 *(ser contagioso)* to be contagious 2 *(adquirir por contagio)* to get infected [de, by o with]

contagioso,-a adj contagious

contaminación f contamination

contaminar vtr 1 *(la atmósfera)* to pollute 2 *(un alimento, etc)* to contaminate 3 *(una cultura, lengua)* to corrupt

contar I vtr 1 *(un suceso, una historia)* to tell 2 *(numerar)* to count
II vi to count
♦ | LOC: **contar con,** *(confiar en)* to count on; *(constar de)* to have
■ **contarse** vr to be included

contemplación I f contemplation
II fpl **contemplaciones** *(miramientos)* ceremony

contemplar vtr 1 *(admirar, recrearse)* to contemplate 2 *(una posibilidad)* to consider

contemporáneo,-a adj & m,f contemporary

contendiente mf contender, contestant

contenedor m 1 container 2 *(de escombros)* skip; *(de basuras)* bin; **contenedor de vidrio/papel,** bottle/ paper bank o recycling bin

contener vtr 1 to contain 2 *(refrenar una pasión)* to hold back
■ **contenerse** vr to hold (oneself) back

contenido m content, contents pl

contentar vtr 1 *(alegrar)* to cheer up 2 *(satisfacer)* to please
■ **contentarse** vr 1 *(alegrarse)* to cheer up 2

(darse por satisfecho) to make do [**con**, with], be satisfied [**con**, with]

contento,-a *adj* happy, pleased [**con**, with]

contestación *f* answer

contestador *m* **contestador (automático)**, answering machine

contestar *vtr* to answer

contestatario,-a *adj* anti-establishment, non-conformist

contexto *m* context

contigo *pron pers* with you

contiguo,-a *adj* contiguous [**a**, to], adjoining

continente *m* 1 *Geog* continent 2 *(que contiene algo)* container

continuación *f* continuation ♦ | LOC: **a continuación**, next

continuar *vtr & vi* to continue

continuidad *f* continuity

continuo,-a *adj* 1 *(incesante)* continuous 2 *(repetido)* continual, constant

contorno I *m* outline

II *mpl* **contornos**, surroundings *pl*, environment

contra *prep (oposición)* against
♦ | LOC: **los pros y los contras,** the pros and cons

contraataque *m* counterattack

contrabajo *m* double bass

contrabandista *mf* smuggler; *(de armas)* gunrunner

contrabando *m* smuggling; *(de armas)* gunrunning

contracción *f* contraction

contradecir *vtr* to contradict

contradicción *f* contradiction

contradictorio,-a *adj* contradictory

contraer *vtr* to contract

■ **contraerse** *vr* to contract

contraindicación *f* contraindication

contraproducente *adj* counterproductive

contrapunto *m* counterpoint

contrariar *vtr* 1 *(disgustar)* to upset 2 *(contradecir)* to go against

contrariedad *f* 1 *(trastorno)* setback 2 *(fastidio)* annoyance, irritation

contrario,-a I *adj* 1 opposite 2 *(negativo, nocivo)* contrary [**a**, to]

II *m,f* rival
♦ | LOC: **al contrario/por el contrario**, on the contrary; **de lo contrario**, otherwise

contrarrestar *vtr* to offset, counteract

contraseña *f* password

contrastar *vtr* to contrast [**con**, with]

contraste *m* contrast

contratar *vtr* to hire, engage

contratiempo *m* setback, hitch

contrato *m* contract

contraventana *f* shutter

contribución *f* contribution

contribuir *vi* to contribute [**a**, to] [**para**, towards]

contribuyente *mf* taxpayer

contrincante *mf* opponent, rival

control *m* 1 *(dominio)* control 2 *Educ* test 3 *(inspección)* check 4 *(de Policía, militar)* checkpoint, roadblock

controlador,-ora *m,f* **controlador (aéreo)**, air traffic controller

controlar *vtr* 1 to control 2 *(comprobar)* to check

■ **controlarse** *vr* to control oneself

controversia *f* controversy

controvertido,-a *adj* controversial

contundente *adj* 1 *(concluyente)* conclusive 2 *(golpe)* heavy

contusión *f* contusion, bruise

convaleciente *adj & mf* *Med* convalescent

convalidar *vtr* to validate; *(documento)* to ratify

convencer *vtr* 1 *(una idea)* to convince 2 *(persuadir)* to persuade

convencional *adj* conventional

conveniencia *f* 1 *(interés)* benefit 2 *(provecho)* advisability, convenience

conveniente *adj* 1 *(medida)* advisable 2 *(comentario)* convenient

convenio *m* agreement

convenir *vtr & vi* 1 *(ser ventajoso)* to be advisable 2 *(venir bien)* to suit 3 *(acordar)* to agree

convento *m* *(de monjas)* convent; *(de monjes)* monastery

converger *vi* to converge

conversación *f* conversation

conversar *vi* to talk [**con**, to/with] [**sobre**, about]

conversión *f* conversion

convertir *vtr* 1 to turn, change 2 *Rel* to convert

■ **convertirse** *vr* 1 **convertirse en,** to turn into, become 2 *Rel* to be converted [**a**, to]

convexo,-a *adj* convex

convicción *f* conviction

convicto,-a *adj* convicted

convivencia *m* 1 *(vida en común)* life together 2 *(de culturas, situaciones)* coexistence

convivir *vi* 1 *(en la misma casa)* to live together 2 *fig* to coexist [**con**, with]

convocar *vtr* 1 to summon 2 *(una reunión, elecciones)* to call

convocatoria *f* 1 *Educ* examination session 2 *(de una oposición, reunión, etc)* notification, announcement; *(de una huelga)* call

convulsión *f* 1 *Med* convulsion 2 *fig (agitación social)* unrest, upheaval

conyugal *adj* conjugal

cónyuge *mf* spouse

coñac *m* brandy, cognac

cooperación *f* cooperation

cooperar *vi* to cooperate [**a, en, in**] [**con**, with]

cooperativa *f* cooperative

coordinación f coordination
coordinador,-ora m,f coordinator
coordinar vtr to coordinate
copa f 1 (de vino, etc) glass 2 (trago, bebida) drink; **tomar una copa,** to have a drink 3 Dep cup 4 (de un árbol) top 5 Naipes **copas,** hearts
copia f copy
copiar vtr to copy
copiloto m Auto co-driver; Av copilot
copla f verse, couplet
copo m flake; **copo de nieve,** snowflake
copular vtr to copulate [**con,** with]
coquetear vi to flirt [**con,** with]
coqueto,-a I adj (persona) vain, coquettish; (decoración) nice, pretty; (gesto) flirting
II m,f flirt
coraje m 1 (entereza) courage 2 (rabia) anger
coral[1] m Zool coral
coral[2] f Mús choral, chorale
Corán m Rel Koran
corazón m heart
corazonada f hunch, feeling
corbata f tie, necktie
corchete m 1 Impr square bracket 2 Cost (cierre automático) hook (and eye), fastener
corcho m cork
cordel m string
cordero,-a m,f lamb
cordial I m (bebida) cordial
II adj cordial, warm
cordialidad f cordiality, warmth
cordillera f mountain chain o range
córdoba m cordoba, national currency of Nicaragua
cordón m 1 cord; (de zapatos) shoelace 2 Anat **cordón umbilical,** umbilical cord
cordura f common sense
coreografía f choreography
cornada f Taur goring
corneta f bugle
coro m Teat chorus; Mús choir
corona f 1 crown 2 (de flores) wreath, garland 3 Fin (moneda danesa, noruega) krone; (sueca) krona; (histórica) crown
coronar vtr to crown
coronel m Mil colonel
coronilla f crown of the head
corporativo,-a adj corporative
corpulento,-a adj corpulent, stout
corral m 1 (para animales) farmyard, barnyard, pen 2 (patio interior) courtyard 3 Hist (teatro) open-air auditorium
correa f 1 (tira) strap; (de reloj) watchstrap; (de pantalón) belt; (de perro) lead, leash 2 Téc belt
corrección f 1 (rectificación) correction 2 (urbanidad) courtesy, politeness
correcto,-a adj 1 (atento, educado) polite, courteous [**con,** to] 2 (sin fallos) correct
corredor,-ora I m,f Dep runner 2 Fin **corredor de bolsa,** stockbroker

II m Arquit corridor
corregir vtr to correct
■ **corregirse** vr to mend one's ways
correo m mail; **echar al correo,** to post; **por correo,** by post; **correo aéreo,** airmail; Inform **correo electrónico,** e-mail
correr I vi 1 to run; (ir deprisa) to go fast; (al conducir) to drive fast 2 (el viento) to blow; (un río) to flow 3 (darse prisa) to hurry 4 (estar en situación de) **correr peligro,** to be in danger; **correr prisa,** to be urgent
II vtr 1 to run 2 (una cortina) to draw; (un cerrojo) to close 3 (un mueble) to pull up, draw up
■ **correrse** vr 1 (desplazarse) to move 2 (arrimarse) to move over o up: **córrete hacia allá, por favor,** move along, please 3 (desteñirse) to run 4 vulgar (tener orgasmo) to come
correspondencia f correspondence
corresponder vi 1 (pertenecer) to belong 2 (ser adecuado) to correspond [**a,** to] [**con,** with] 3 (incumbir) to concern
■ **corresponderse** vr to correspond
corresponsal mf Prensa correspondent
corrida f **corrida (de toros),** bullfight
corriente I adj 1 (común) common, ordinary 2 (agua) running 3 (actual, presente) current, present 4 Fin (cuenta) current
II f 1 current, stream 2 Elec **corriente eléctrica,** (electric) current 3 (de aire) draft 3 (tendencia) trend, current
corro m 1 circle, ring 2 (juego) ring-around-a-rosy
corroborar vtr to corroborate
corromper vtr 1 (pudrir) to turn bad, rot 2 (pervertir) to corrupt, pervert
■ **corromperse** vr 1 (pudrirse) to go bad, rot 2 (pervertirse) to become corrupted
corrosivo,-a adj corrosive
corrupción f 1 corruption 2 (putrefacción) rot, decay
corrupto,-a adj corrupt
cortacésped m & f lawnmower
cortado,-a I adj 1 cut (up) 2 (leche) sour 3 (piel) flaky, dry
II m small coffee with a dash of milk
cortafuego m firebreak
cortar I vtr 1 to cut; (un árbol) to cut down; (el césped) to mow 2 (amputar) to cut off 3 (la luz, el teléfono) to cut off 4 (impedir el paso) to block 5 (eliminar, censurar) to cut out
II vi 1 (partir) to cut 2 (atajar) to cut across, to take a short cut 3 fam (interrumpir una relación) to split up
■ **cortarse** vr 1 (herirse) to cut oneself 2 (las uñas, etc) to cut 3 (la leche, mayonesa) to curdle 4 (la piel, los labios) to chap 5 (el suministro) to cut off 6 fam (avergonzarse) to become shy
cortaúñas m inv nail clippers pl
corte[1] m 1 cut; **corte de pelo,** haircut 2 Cost cut; **corte y confección,** dressmaking 3 (sección)

section **4 corte de digestión,** stomach cramp

corte²**,** f court ♦ LOC: **hacerle la corte a alguien,** to court sb

cortés adj courteous, polite

cortesía f courtesy, politeness

corteza f **1** (del pan) crust; (del queso) rind **2** (de un tronco) bark

cortina f curtain

corto,-a I adj short
II m Cine short (film)

cortocircuito m Elec short circuit

cortometraje m short (film)

cosa f **1** thing **2** (asunto) matter, business: **es cosa mía,** that's my business; **eso es otra cosa,** that's different

cosecha f **1** Agr harvest **2** (año de vendimia) vintage

cosechar I vtr **1** Agr to harvest, gather (in) **2** (éxitos) to reap, achieve
II vi to harvest

coser vtr **1** to sew **2** Med to stitch up of

cosmético,-a adj & m cosmetic

cosmopolita adj & mf cosmopolitan

cosmos m inv cosmos

cosquillas fpl tickling sing: **hacerle cosquillas a alguien,** to tickle sb; **tener cosquillas,** to be ticklish

cosquilleo m tickling

costa f coast
II costas fpl Jur costs

costado m side

costar vtr & vi **1** (tener un precio) to cost **2** (llevar tiempo) to take **3** (ser trabajoso) **me cuesta hablar alemán,** I find it difficult to speak German

Costa Rica f Costa Rica

costarricense adj & mf Costa Rican

costarriqueño,-a adj & m,f Costa Rican

coste m cost

costear vtr to afford, pay for
■ **costearse** vr to pay one's way

costilla f rib

costo m **1** cost **2** argot (hachís) dope, shit, stuff

costra f **1** scab **2** (capa) crust

costumbre f **1** habit: **como de costumbre,** as usual **2** (de un pueblo, cultura, etc) custom

costura f **1** sewing **2** (oficio) dressmaking

costurero m (cesto de costura) sewing basket

cotidiano,-a adj daily, everyday

cotilla mf fam busybody, gossip

cotillear vi fam to gossip [**de,** about]

cotilleo m fam gossip

cotización f **1** (a la seguridad social) contribution **2** Fin (en Bolsa) price, quotation; (de una moneda) exchange rate

cotizar vi **1** Fin (en Bolsa) to be quoted **2** (a la seguridad social) to pay national insurance
■ **cotizarse** vr Fin to sell

coto m **1** reserve; **coto privado,** private property

cotorra f **1** Orn parrot **2** fig pey (persona) chatterbox

coyote m Zool coyote

coz f kick

cráneo m Anat cranium, skull

cráter m Geol crater

creación f creation

creador,-ora m,f creator

crear vtr to create

creatividad f creativity

creativo,-a adj creative

crecer vi to grow

creciente adj growing, increasing

crecimiento m growth

credencial I adj credential
II f (acreditación) documents pl; credentials

crédito m **1** Com Fin credit; (préstamo) loan **2** (credibilidad) credibility **3** (prestigio) reputation ♦ LOC: **a crédito,** on credit; **dar crédito a,** to believe

credo m creed

crédulo,-a adj credulous, gullible

creencia f belief

creer I vtr **1** (suponer) to think **2** (tener fe, confianza) to believe
II vi **1** Rel to believe [**en,** in]
■ **creerse** vr to consider oneself to be

creíble adj credible, believable

creído,-a I adj arrogant, vain
II m,f big head

crema f cream

cremallera f zipper

crematorio,-a adj & m crematorium

cremoso,-a adj creamy

crepe f crêpe, pancake

crepuscular adj twilight

crepúsculo m twilight

crespo,-a adj curly, frizzy: **es un perro de pelo crespo,** it's a curly-haired dog

cresta f crest

cretino,-a I adj stupid, cretinous
II m,f cretin

creyente mf believer

cría f **1** (crianza) breeding, raising **2** (de un animal) young

criada f maid

criado,-a m,f servant

criar vtr **1** (niños) to bring up, rear **2** (animales) to breed, raise

criatura f **1** (ser vivo) creature **2** (niño pequeño) baby, child

criba f **1** Agr sieve **2** fig filter

crimen m serious crime; Esp murder

criminal mf & adj criminal

crin f, **crines** fpl mane sing

criollo,-a adj & m,f Creole

crisis f inv **1** crisis **2** Med (ataque) fit, attack

cristal m **1** (vidrio) glass; (de una ventana, escaparate) (window) pane; (de unas gafas) lens **2** (mineral) crystal

cristalero,-a m,f glazier

cristalizar *vi* to crystallize
cristiandad *f* Christendom, Christianity
cristianismo *m* Christianity
cristiano,-a *adj* & *m,f* Christian
Cristo *m* Christ
criterio *m* 1 *(opinión)* opinion 2 *(juicio)* discretion 3 *(norma, regla)* criterion
crítica *f* 1 *(censura)* criticism 2 *Prensa* review 3 *(los críticos profesionales)* critics
criticar I *vtr* to criticize
II *vi (murmurar)* to gossip
crítico,-a I *adj* critical
II *m,f* critic
croar *vi* to croak
crol *m Natación* crawl
cromo *m* 1 *(estampa)* picture card 2 *(metal)* chromium, chrome
crónico,-a *adj* chronic
cronológico,-a *adj* chronological
cronometrar *vtr* to time
cronómetro *m* stopwatch
croqueta *f Culin* croquette
croquis *m inv* sketch
cruce *m* 1 crossing; *(de carreteras)* crossroads 2 *(entre animales)* cross, *(animal cruzado)* crossbreed 3 *Tel* crossed line
crucero *m* 1 *(viaje por mar)* cruise 2 *(barco)* cruise ship 3 *Arquit* transept
crucial *adj* crucial
crucificar *vtr* to crucify
crucifijo *m* crucifix
crucigrama *m* crossword (puzzle)
crudo,-a I *adj* 1 raw 2 *(comida poco hecha)* underdone 3 *(clima, realidad)* harsh 4 *(color)* cream, natural
II *m (petróleo)* crude
cruel *adj* cruel
crueldad *f* cruelty
crujiente *adj* crunchy
crujir *vi* to crunch; *(el suelo, los muebles)* to creak
crustáceo *m Zool* crustacean
cruz *f* 1 cross 2 *(reverso de una moneda)* tails: ¿cara o cruz?, heads or tails? 3 **Cruz Roja,** Red Cross
cruzada *f* crusade
cruzar I *vtr* 1 to cross; *(las piernas)* to cross one's legs; *(los brazos)* to fold one's arms 2 *(dirigir unas palabras, miradas)* to exchange 3 *(animal, planta)* to cross, crossbreed
II *vi (atravesar)* to cross
■ **cruzarse** *vr* 1 to cross 2 *(encontrarse)* to pass sb **[con, -]** 3 *(información, apuntes)* to exchange 4 *(interponerse)* to cut in front of sb
cuaderno *m* notebook
cuadra *f* 1 *(establo)* stable 2 *LAm* block (of houses)
cuadrado,-a I *adj* 1 *Geom* square 2 *(musculoso, fornido)* muscled, stocky 3 *fig (mente)* rigid
II *m* square

cuadrar I *vi* 1 *(coincidir)* to square, agree **[con,** with**]** 2 *(las cuentas)* to balance, tally
II *vtr* to balance
■ **cuadrarse** *vr (soldado)* to stand to attention
cuadrilátero,-a *m Box* ring
cuadrilla *f* 1 *(equipo)* team 2 *Taur* bullfighter's team 3 *Mil* squad
cuadro *m* 1 *Arte* painting, picture 2 *Teat* scene 3 *Geom* square 4 *(gráfico, esquema)* chart, graph
cuádruple *adj* quadruple, fourfold
cuajada *f* curd, junket
cuajar I *vtr (leche)* to curdle
II *vi* 1 *(nieve)* to lie 2 *(moda)* to catch on 3 *(plan, esfuerzo)* to get off the ground
cual I *pron rel (persona) (sujeto)* who; *(objeto)* whom 2 *(cosa)* which
II *pron* 1 *correl* **tal cual,** exactly as 2 *ant (comparativo)* such as
cuál I *pron interr* which (one)?, what?
II *adj interr* which
cualidad *f* quality
cualificado,-a *adj* qualified
cualquier *adj indef* any: cualquier cosa, anything; **cualquier sitio,** anywhere
cualquiera I *adj indef* 1 any 2 *(corriente, poco importante)* ordinary
II *pron indef* 1 *(persona)* anybody 2 *(cosa, animal)* any one
cuando I *adv (de tiempo)* when
II *conj* 1 when 2 *(condicional) (si)* if 3 *(concesiva) (aunque)* **(aun) cuando,** even if
◆ LOC: **cuando quiera que,** whenever; **de cuando en cuando/de vez en cuando,** from time to time
cuándo *adv interr* when?
cuantioso,-a *adj* substantial, considerable
cuanto,-a I *adj* all: come cuanto arroz quieras, eat as much rice as you want; **unas cuantas veces,** a few times
II *pron rel* as much as: dice todo cuanto piensa, he says everything he thinks
III *pron indef pl* unos cuantos, a few
IV *adv* 1 *(cantidad)* **cuanto más…,** más, the more… the more 2 *(tiempo)* **ven cuanto antes,** come as soon as possible
◆ LOC: **en cuanto,** *(tan pronto como)* as soon as; *(en condición de)* as; **en cuanto a,** with respect to, regarding
cuánto,-a I *adj* & *pron interr sing* how much?; *(pl)* how many?: ¿cuánto es?, how much is it?; ¿cuántos días faltan?, how many days are left?
II *adv* how, how much
cuarenta *adj* & *m inv* forty
cuarentena *f Med* quarantine
cuaresma *f* Lent
cuartel *m* 1 *Mil* barracks *pl* 2 **cuartel general,** headquarters
cuarteto *m Mús* quartet

cuarto,-a I *adj* & *m,f* fourth
II *m* 1 *(habitación)* room; **cuarto de baño,** bathroom 2 *(cuarta parte)* quarter 3 *(de un animal)* **cuarto delantero,** shoulderquarter; **cuarto trasero,** hindquarter 4 *Dep* **cuartos de final,** quarter finals
III *f Mús Auto* fourth
cuarzo *m* quartz
cuatro *adj* & *m inv* four
cuatrocientos,-as *adj* & *m,f* four hundred
cuba *f* barrel, cask
Cuba *f* Cuba
cubano,-a *adj* & *m,f* Cuban
cubertería *f* cutlery
cúbico,-a *adj* cubic
cubierta *f* 1 cover 2 *(de rueda)* tire 3 *Náut* deck 4 *(techo)* roof
cubierto,-a I *adj* 1 covered; *(piscina)* indoor
II *m* 1 *(asiento y plato para un comensal)* place setting 2 **cubiertos,** cutlery *sing*
cubismo *m Arte* cubism
cubo *m* 1 *(recipiente)* bucket 2 *Mat* cube 3 *(de una rueda)* hub 4 **cubo de la basura,** trash/garbage can
cubrir *vtr* to cover
cucaracha *f Zool* cockroach
cuchara *f* spoon
cucharada *f* spoonful
cucharadita *f* teaspoonful
cucharilla *f* teaspoon
cuchichear *vi* to whisper
cuchilla *f* 1 blade 2 **cuchilla de afeitar,** razor blade
cuchillazo *f* stab
cuchillo *m* knife
cuclillas *en la loc adv* **en cuclillas,** crouching
cuco,-a *m Orn* cuckoo
cuello *m* 1 neck 2 *(de la camisa)* collar
cuenca *f Geog* basin
cuenco *m* bowl
cuenta *f* 1 *(recibo)* bill 2 *(cálculo)* count; **cuenta atrás,** countdown 3 *(de collar)* bead 4 *Fin (de banco)* account; **cuenta corriente,** checking account ◆ | LOC: **darse cuenta,** to realize; **tener en cuenta,** to take into account; **trabajar por cuenta propia,** to be self-employed
cuentagotas *m inv* eye-dropper
cuentakilómetros *m inv (de distancia)* odometer, mileometer; *(de velocidad)* speedometer
cuento *m* 1 story 2 *Lit* short story 3 *(embuste)* lie
cuerda *f* 1 *(soga gruesa)* rope; *(fina, cordel)* string 2 *(de instrumento)* string 3 *(del reloj)* spring 4 **cuerdas vocales,** vocal chords ◆ | LOC: **dar cuerda al reloj,** to wind up a watch
cuerdo,-a *adj* sane
cuerno *m* 1 horn; *(de ciervo)* antler 2 *(instrumento musical)* horn

cuero *m* 1 *(piel curtida)* leather 2 **cuero cabelludo,** scalp ◆ | LOC: *fam* **en cueros,** naked
cuerpo *m* 1 body 2 *(cadáver)* corpse 3 *(de un edificio o mueble)* section, part 4 *(grupo)* corps, force; **cuerpo de bomberos,** fire brigade
cuervo *m Orn* raven
cuesta *f* slope; **cuesta abajo,** downhill; **cuesta arriba,** uphill ◆ | LOC: *adv* **a cuestas,** on one's back *o* shoulders
cuestión *f* 1 *(asunto)* matter, question 2 *(pregunta)* question ◆ | LOC: **en cuestión,** in question
cuestionario *m* questionnaire
cueva *f* cave
cuidado,-a I *adj* well cared for
II *m* 1 care; **tener cuidado,** to be careful; **con cuidado,** carefully 2 *(cargo, vigilancia)* **estar al cuidado de,** *(cosa)* to be in charge of; *(persona)* to look after
III *excl* **¡cuidado!,** look out!, watch out! ◆ | LOC: **me trae sin cuidado,** I couldn't care less
cuidadoso,-a *adj* careful
cuidar *vtr* & *vi (vigilar, atender)* to care for, look after
■ **cuidarse** *vr* to look after oneself
culata *f* 1 *(de arma)* butt 2 *Auto* cylinder head
culebra *f Zool* snake
culminación *f* culmination
culminante *adj (punto)* highest, topmost; *(momento)* culminating
culminar *vi* to culminate
culo *m* 1 *fam (trasero)* backside 2 *(de recipiente)* bottom
culpa *f* 1 *(responsabilidad)* blame: **echarle la culpa a alguien,** to put the blame on sb; **es culpa nuestra,** it is our fault 2 *(culpabilidad)* guilt
culpable I *mf* culprit, offender
II *adj* guilty; *Jur* **declararse culpable,** to plead guilty
culpar *vtr* 1 to blame 2 *(de un delito)* to accuse [de, of]
cultivar *vtr* 1 to cultivate 2 *Biol* to culture
cultivo *m* 1 cultivation; *(planta)* crop 2 *Biol* culture
culto,-a I *adj* educated; *(palabra)* learned
II *m* cult; *Rel* worship
cultura *f* culture
cultural *adj* cultural
culturismo *m* bodybuilding
cumbre *f* 1 *(de un monte)* summit, peak 2 *fig (culminación)* pinnacle, peak
cumpleaños *m inv* birthday
cumplido,-a I *adj* 1 *(cortés)* polite 2 *(plazo)* expired; *(misión)* accomplished
II *m* compliment
cumplir I *vtr* 1 *(un proyecto, tarea)* to carry out, fulfill 2 *(un deseo)* to fulfill; *(promesa)* to

keep **3** *(sentencia)* to serve **4** *(años)* **ayer cumplí treinta años,** I turned thirty (years old) yesterday

II *vi* **4** *(actuar de acuerdo con)* **cumplir con lo pactado,** to carry out an agreement **5** *(quedar bien)* to do the right thing (by) **6** *(plazo)* to expire, end

■ **cumplirse** *vr* **1** *(un deseo, una ilusión)* to be fulfilled **2** *(un plazo)* to expire

cúmulo *m* pile, load

cuna *f* **1** cot **2** *fig (linaje)* cradle

cundir *vi* **1** *(extenderse)* to spread, grow **2 no me cunde el tiempo,** I haven't got much work done

cuneta *f* gutter

cuña *f* wedge

cuñado,-a *m,f* **1** *(hombre)* brother-in-law; *(mujer)* sister-in-law **2 cuñados,** *(hombres)* brothers-in-law; *(hombres y mujeres)* brother(s)- and sister(s)-in-law

cuota *f* **1** *(pago)* installment; *(a un club)* membership fees *pl*, dues *pl* **2** *(porción)* quota, share

cupón *m* coupon, voucher

cúpula *f* **1** Arquit dome **2** *(de dirigentes)* leadership

cura *f* **I** Med cure

II *m* Rel priest

curación *f* treatment; *(recuperación)* recovery

curandero,-a *m,f* quack

curar **I** *vtr* **1** *(a un enfermo)* to cure **2** *(vendar, desinfectar)* to dress **3** *(carne, pescado)* to cure **II** *vi* & *vr* **curar(se)** *(hacerse una cura)* to heal (up); *(recuperarse)* to recover, get well

curiosidad *f* curiosity

curioso,-a **I** *adj* **1** curious **2** *(extraño)* strange, odd **3** *(limpio)* neat, tidy

II *m,f* **1** *(mirón)* onlooker **2** *pey (chismoso)* nosey-parker, busybody

currículum *m* **currículum vitae (CV),** curriculum vitae, résumé

cursar *vtr* **1** *(estudiar)* to study **2** *(tramitar)* to process

cursi *adj pey* pretentious, affected

cursillo *m* short course

cursiva *adj* & *f (letra)* **cursiva,** italics

curso *m* **1** course **2** *(año académico)* year; *(niños de una misma clase)* class **3** Fin **moneda de curso legal,** legal tender

cursor *m* cursor

curva *f* **1** curve **2** *(en carretera)* bend; **curva cerrada,** sharp bend *o* curve

cúspide *f* peak

custodia *f* custody

custodiar *vtr* to watch over

cutáneo,-a *adj* cutaneous, skin

cutis *m* complexion, skin

cuyo,-a *pron rel* & *pos (de persona)* whose; *(de cosa)* of which

CV *(abr de **currículum vitae**)* curriculum vitae (CV), résumé

D

D, d *f (letra)* D, d

D. *abr de* **Don** Mr

D.ª *abr de* **Doña** Mrs

dactilar *adj* finger; **huella dactilar,** fingerprint

dado,-a[1] *adj* given ◆ | LOC: **dado que,** since, given that

dado[2] *m* **1** *frml* die *(pl* dice*)* **2** *(juego)* dice *(pl* dice*)*

dalia *f* Bot dahlia

dálmata *adj* & *mf* Dalmatian; *(perro)* Dalmatian (dog)

daltónico,-a **I** *adj* color-blind

II *m,f* color blind person

dama *f* **1** *(señora)* lady; **primera dama,** US First Lady **2** *(en el juego de damas)* king; *(en el ajedrez)* queen **3 damas,** *(juego de mesa)* checkers

danés,-esa **I** *adj* Danish

II *m,f (persona)* Dane

III *m* **1** *(idioma)* Danish **2 gran danés,** *(perro)* Great Dane

danza *f* dancing; *(baile)* dance

danzar *vtr* & *vi* to dance

dañar *vtr* **1** *(deteriorar, estropear)* to damage **2** *(perjudicar, molestar)* to harm, prejudice

dañino,-a *adj* harmful, damaging [para, to]

daño *m* **1** *(deterioro, perjuicio)* damage; *Jur* **daños y perjuicios,** *(legal)* damages **2** *(a una persona) (físico, moral)* to hurt

dar **I** *vtr* **1** *(dar)* to give **2** *(transmitir una noticia)* to tell; *(un recado, recuerdos)* to pass on, give; **dar las gracias,** to thank **3** *(retransmitir u ofrecer un espectáculo)* to show, put on **4** *(organizar una fiesta)* to throw, give **5** *(producir lana, miel, etc)* to produce, yield; *(fruto, flores)* to bear; *(beneficio, interés)* to give, yield **6** *(un sentimiento)* **dar pena,** to make sad; **le da mucha vergüenza,** he's very embarrassed **7** *(proporcionar)* to provide **8** *(impartir clases)* to teach **9** *(estropear)* to ruin **10** *(abrir el paso de la luz)* to switch on; *(del gas, agua)* to turn on **11** *(propinar una bofetada, un puntapié, etc)* to hit, give **12** *(aplicar una mano de pintura, cera)* to apply, put on **13** *(considerar)* **dar por,** to assume, consider: **dar por supuesto/sabido,** to take for granted, to assume **14** *(realizar la acción que implica el objeto)* **dar un paseo,** to go for a walk

II *vi* **1 le dio un ataque de nervios,** she had an attack of hysterics **2 dar de comer/cenar,** to provide with lunch/dinner **3 dar a,** *(mirar, estar orientado a)* to look out onto, to overlook **4 dar con,** *(una persona, objeto)* to come across **5 dar de sí,** *(una camiseta, bañador)* to stretch, give **6 dar en,** to hit

◆ | LOC: **dar a alguien por: le dio por ponerse a cantar,** she decided to start singing; **dar a conocer,** *(noticia)* to release

■ **darse** *vr* **1** *(producirse, tener lugar)* **se dieron una serie de coincidencias,** a series of coincidences occurred **2** *(hallarse)* to be found, exist **3** *(aplicarse)* devote oneself **4** *(tener habilidad para algo)* **se le dan bien las matemáticas,** he's good at maths **5 darse a,** *(entregarse, abandonarse)* to take to: **se dio a la bebida,** he took to drink **6 darse con** *o* **contra,** to bump *o* crash into ♦ | LOC: **darse por vencido,** to give in; **dárselas de,** to boast about

dardo *m* dart

dátil *m Bot* date

dato *m* **1** piece of information **2 datos,** *Inform* data; *(pormenores)* information

dcha. *(abr de* **derecha)** right

d. C. *(abr de* **después de Cristo)** anno Domini, AD

de *prep* **1** *(pertenencia, posesión)* of; **la dirección de mis padres,** my parents' address **2** *(contenido)* **un vaso de vino,** a glass of wine **3** *(asunto)* about, on: **un curso de inglés,** an English course; **un libro de arte,** a book on art **4** *(oficio)* as: **está/trabaja de enfermera,** she is working as a nurse **5** *(cualidad)* **una persona de carácter,** a person with character **6** *(procedencia)* from: **es de Guatemala,** he is *o* comes from Guatemala; **de London a París,** from London to Paris **7** *(causa)* with, because of; **llorar de alegría,** to cry with joy **8** *(localización)* **el señor de la camisa azul,** the man in the blue shirt; **la casa de la esquina,** the house on the corner **9** *(tiempo)* **a las cinco de la mañana,** at five in the morning; **de día,** by day; **de noche,** at night **10** *(finalidad)* **libro de consulta,** reference book; **máquina de escribir,** typewriter **11** *(comparación)* **el discurso fue más largo de lo esperado,** the speech was longer than expected; *(con superlativo)* in; **el coche más caro del mundo,** the most expensive car in the world **12** *(precio)* for **13** *(una avenida de quince millas,** an avenue fifteen miles long; **una botella de litro,** a liter bottle **14** *(condicional)* **de no ser así,** if that wasn't *o* weren't the case; **de ser cierto,** if it was *o* were true **15 de tres en tres,** in threes *o* three at a time

deambular *vi* to saunter, stroll

debajo *adv* underneath, below: **debajo de,** under; **tienes que coger el de debajo,** you have to take the one below

debate *m* debate

debatir *vtr* to debate

■ **debatirse** *vr* to struggle

debe *m Com* debit, debit side

deber[1] *m* **I** duty

II *Educ* **deberes,** homework *sing*

deber[2] **I** *vtr* **1** *(tener una deuda)* to owe **2** *(+ infinitivo: estar obligado a)* must, to have to **3** *(para dar un consejo)* should

II *vi* *(deber + de + infinitivo: ser posible)* *(positivo)* must; *(negativo)* can not

■ **deberse** *vr* *(ser efecto de)* **deberse a,** to be due to

debido,-a *adj* due, proper ♦ | LOC: **debido a,** because of; **debido a que,** because of the fact that

débil *adj* *(fuerza, salud)* weak; *(intensidad de luz o sonido)* faint

debilidad *m* weakness

debilitar *vtr* to weaken

■ **debilitarse** *vr* to weaken

debutar *vi* to make one's début

década *f* decade

decadencia *f* decadence

decaído,-a *adj* down

decano,-a *m,f Univ* dean

decantarse *vr* to opt

decapitar *vtr* to behead, decapitate

decena *f* ten

decencia *f* decency

decenio *m* ten-year period, decade

decente *adj* decent

decepción *f* disappointment

decepcionado,-a *adj* disappointed

decepcionante *adj* disappointing

decepcionar *vtr* to disappoint

decidido,-a *adj* determined, resolute

decidir *vtr* & *vi* to decide

■ **decidirse** *vr* to make up one's mind

decimal *adj* & *m* decimal

décimo,-a I *adj* & *m,f* tenth

II *m (fracción)* tenth

decir I *m* *(dicho, sentencia)* saying

II *vtr* **1** to say **2** *(con complemento indirecto)* to tell: **no le dije mi opinión,** I didn't tell him my opinion **3** *(suscitar interés, una idea)* to mean, appeal: **ese libro no me dice nada,** that book doesn't appeal to me

♦ | LOC: *Tel Esp* **diga** *o* **dígame,** hello?; **digamos,** let's say; **es decir,** that is (to say); **ni que decir tiene,** needless to say; **por así decirlo,** as it were *o* so to speak; **querer decir,** to mean

■ **decirse** *vr* **1** *(a uno mismo)* to say to oneself **2** *(una palabra, frase)* **¿cómo se dice «ombligo» en inglés?,** how do you say 'ombligo' in English? **3** *(impersonal)* **se dice que...,** they say/people say that...

decisión *f* **1** decision **2** *(firmeza)* decisiveness

decisivo,-a *adj* decisive

declamar *vtr* & *vi* to declaim, recite

declaración *f* **1** declaration; *(de la renta)* tax return **2** *(comentario)* comment **3** *Jur* statement; **declaración jurada,** sworn statement

declarar I *vtr* **1** to declare **2** *(decir, anunciar)* to state **3** *Jur* *(un juez)* to find: **les declararon culpables/ inocentes,** they were found guilty/not guilty

II *vi Jur* *(ante un juez)* to testify

■ **declararse** *vr* 1 to declare oneself 2 *(reconocerse)* *Jur* **declararse culpable/inocente,** to plead guilty/not guilty 3 *(una guerra)* to be declared, break out; *(una epidemia)* to break out

declinar I *vi (perder fuerza)* to decline
II *vtr (rechazar)* to decline

declive *m* decline

decoración *f* decoration

decorado *m* scenery, set

decorador,-ora *m,f* 1 decorator 2 *Teat* set designer

decorar *vtr* to decorate

decorativo,-a *adj* decorative

decretar *vtr* to decree

decreto *m* decree

dedal *m* thimble

dedicación *f* dedication

dedicar *vtr* 1 to dedicate 2 *(tiempo, esfuerzos)* to devote **[a, to]**

■ **dedicarse** *vr (tener como profesión)* ¿a qué se dedica su suegro?, what does her father-in-law do for a living?

dedicatoria *f* dedication

dedo *m (de la mano)* finger; *(del pie)* toe

deducción *f* deduction

deducir *vtr* 1 to deduce, infer 2 *Com* to deduct

■ **deducirse** *vr 1 (concluirse)* to be deduced 2 *Com (restar)* to be deducted

defecto *m* defect, fault

defender *vtr* to defend **[contra,** against] **[de,** from]

■ **defenderse** *vr* 1 to defend oneself 2 *(resguardarse)* to shelter **[de,** from]

defensa I *f* 1 defense 2 *Auto* bumper, fender 3 *Dep (conjunto)* defense 4 *Med* **defensas,** defenses
II *m Dep* defender, back

defensor,-ora *m,f* defender; **abogado defensor,** counsel for the defense; **el defensor del pueblo,** the ombudsman

deficiencia *f* deficiency, shortcoming; **deficiencia mental,** mental handicap; **deficiencia respiratoria,** respiratory failure

deficiente I *adj* deficient
II *mf* mentally handicapped person
III *m Educ* fail

déficit *m* 1 *Fin* deficit 2 *(escasez)* shortage

deficitario,-a *adj* loss-making

definición *f* definition

definir *vtr* to define

definitivo,-a *adj* definitive

deformación *f* deformation

deformar *vtr* 1 *(una parte del cuerpo)* to deform; *(una prenda)* to put out of shape 2 *(la verdad, realidad, una imagen)* to distort

■ **deformarse** *vr* 1 to become deformed 2 *(una prenda)* to go out of shape

deforme *adj (persona)* deformed; *(objeto)* misshapen

defraudar *vtr* 1 *(decepcionar)* to disappoint 2 *(estafar, sustraer una suma)* to defraud, cheat

degenerar *vi* to degenerate

degradar *vtr* to degrade

degustar *vtr* to taste, sample

dehesa *f* pasture, meadow

dejadez *f* slovenliness

dejado,-a *adj* 1 *(descuidado en el aseo)* untidy, slovenly 2 *(negligente, despreocupado)* negligent, careless

dejar *vtr* 1 *(poner en un sitio una cosa)* to leave; *(a una persona en un lugar)* to drop off 2 *(prestar)* to lend 3 *(abandonar a un niño)* to abandon; *(romper relaciones con)* to leave; *(una actividad)* to give up; *(desistir)* to give up 4 *(autorizar, dar permiso)* to let, allow: **dejar entrar/salir,** to let in/out 5 *(producir beneficios)* to produce 6 *(aplazar)* put off

◆ | LOC: **déjame en paz,** leave me alone; **dejar fuera,** *(excluir, no tener en cuenta)* to leave out, omit

■ **dejarse** *vr* 1 *(olvidar)* to leave 2 *(parar)* **déjate de tonterías,** stop that nonsense

delantal *m* apron

delante *adv* 1 *(lugar)* in front: **siéntate tú delante,** sit in front; **la puerta de delante,** the front door; *(movimiento)* **los niños iban caminando delante de mí,** the children were walking ahead of me; **pase usted delante, por favor,** you go first, please; **se inclinó hacia delante,** he bent forward 2 *(en presencia de)* in front of

delantero,-a I *adj* front
II *m Ftb* forward; **delantero centro,** center forward

delatar *vtr* 1 to betray 2 *(traicionar, descubrir)* to give away

delegación *f* 1 *(representación)* delegation 2 *(oficina, filial)* local office, branch; **delegación de Hacienda,** Tax Office

delegado,-a *m,f* 1 delegate 2 *Com* representative

delegar *vtr* to delegate **[en, to]**

deletrear *vtr* to spell (out)

delfín *m Zool* dolphin

delgado,-a *adj* thin; *(persona)* slim

deliberado,-a *adj* deliberate

deliberar *vi* to deliberate (on), consider

delicadeza *f* delicacy

delicado,-a *adj* delicate

delicia *f* delight

delicioso,-a *adj* delicious

delimitar *vtr* to delimit

delincuencia *f* delinquency, crime

delincuente *adj* & *mf* delinquent, criminal

delineante *m (hombre)* draftsman; *(mujer)* draftswoman

delirante *adj* delirious

delirar *vi* to be delirious

delirio *m* delirium

delito *m* 1 crime, offense 2 *fig (barbaridad)* outrage

delta *m* delta; *Dep* **ala delta,** hang-glider

demacrado,-a *adj* emaciated

demagogia *f* demagogy

demanda *f* 1 *Jur* lawsuit 2 *Com* demand 3 *(petición, solicitud)* demand

demandado,-a I *m,f* defendant
II *adj* in demand

demandante *mf* plaintiff

demandar *vtr* to sue

demás I *adj* **los/las demás,** the rest of
II *pron* **lo/los/las demás,** the rest

demasiado,-a I *adj (cuando el sustantivo inglés es singular)* too much; *(cuando el sustantivo inglés es plural)* too many
II *adv (modificando un adjetivo)* too: **es demasiado pesado/caro,** it is too heavy/expensive; *(modificando un verbo)* **bebe/habla demasiado,** he drinks/talks too much

demente I *adj Med* insane; *(desequilibrado)* mad
II *mf Med* insane person; *(desequilibrado) (hombre)* madman, *(mujer)* madwoman

democracia *f* democracy

demócrata I *adj* democratic
II *mf* democrat

democrático,-a *adj* democratic

democratizar *vtr* to democratize

demografía *f* demography

demoler *vtr* to demolish

demonio *m* devil

demora *f* delay

demorar *vtr* to delay, hold up
■ **demorarse** *vr* 1 *(tardar)* to be delayed, be held up 2 *(detenerse, entretenerse)* to linger

demostración *f* 1 demonstration 2 *(de una teoría)* proof

demostrar *vtr* 1 *(enseñar)* to show, demonstrate 2 *(hacer evidente)* to prove

denegar *vtr* to refuse

denigrante *adj* humiliating, degrading

denominador *m Mat* denominator; **mínimo común denominador,** lowest common denominator

denominar *vtr* to name, designate

densidad *f* 1 density; **densidad de población,** population density 2 *(de un texto, argumento)* heaviness, denseness

denso,-a *adj* dense

dentadura *f* teeth, set of teeth; **dentadura postiza,** false teeth *pl*, dentures *pl*

dentífrico,-a *m* toothpaste

dentista *mf* dentist

dentro *adv* 1 *(en el interior de un objeto)* inside; **por dentro es rojo,** it's red (on the) inside; *(de un edificio, casa)* inside, indoors 2 *(de una persona)* deep down: **lo llevo muy dentro,** I feel it deep down ◆ | LOC: **dentro de,** *(lugar)* inside; *(plazo)* **dentro de poco,** shortly, soon

denuncia *f* 1 *Jur* report 2 *(protesta, crítica)* denunciation

denunciar *vtr* 1 *(un crimen, abuso)* to report 2 *(a alguien)* to press o bring charges: **denunciamos al dueño,** we pressed charges against the owner 3 *(hacer una crítica)* to denounce

departamento *m* 1 *(de universidad, de empresa, territorial)* department 2 *Ferroc* compartment

dependencia *f* dependence [**de,** on]

depender *vi* 1 *(estar condicionado por)* to depend [**de,** on]: **depende de nosotros,** it is up to us; **no sé, depende,** I don't know, it depends 2 *(estar subordinado a)* to be dependent [**de,** on]: **depende de sus padres,** she's dependent on her parents

dependienta *f* shop assistant

dependiente I *adj* dependent [**de,** on]
II *m* shop assistant

depilar *vtr* to remove the hair from; *(con pinzas)* to pluck; *(con cera)* to wax

deportar *vtr* to deport

deporte *m* sport

deportista I *mf (hombre)* sportsman, *(mujer)* sportswoman
II *adj* sporty

deportivo,-a I *adj* sports
II *m Auto* sports car

depositar *vtr* 1 *Fin* to deposit 2 *(poner)* to place, put [**en,** on]
■ **depositarse** *vr* to settle

depósito *m* 1 *Fin* deposit 2 *(contenedor)* tank, store ◆ | LOC: **en depósito,** *(mercancía)* on deposit

depreciarse *vr* to depreciate, lose value

depredador,-ora I *adj* predatory
II *m,f* predator

depresión *f* depression

depresivo,-a *adj* depressive

deprimente *adj* depressing

deprimir *vtr* to depress
■ **deprimirse** *vr* to get depressed

deprisa *adv* quickly

depuración *f* 1 *(limpieza)* purification, treatment 2 *(expulsión, purga)* purge

depurar *vtr* 1 *(limpiar un líquido, agua)* to purify 2 *(un partido, una empresa)* to purge 3 *(el estilo, vocabulario, etc)* to refine

derecha *f* 1 *(mano)* right hand 2 *(lugar)* right, right-hand side 3 *Pol* **la derecha,** the right ◆ | LOC: *Pol* **de derechas,** right-wing

derecho,-a I *adj* 1 *(lado, acera, etc)* right 2 *(recto, erguido)* upright, straight
II *m* 1 *(exigencia legítima)* right: **derecho de admisión,** right to refuse admission 2 *Jur (conjunto de leyes)* law; **derecho laboral/procesal,** labor/ procedural law 3 *(justicia)* **no hay derecho a que los traten así,** it's not fair to treat people like that
III *adv* straight

deriva *f* drift ♦ | LOC: **ir a la deriva,** *(un barco)* to drift *o* to go adrift; *(una persona)* to lose one's way

derivado *m* derivative

derivar I *vi* 1 *(proceder)* to derive, stem [**de,** from] *2 (desviarse, tomar otra dirección)* to move on [**hacia,** to]
II *vtr (dirigir la conversación)* to steer [**hacia,** towards]

dermatólogo,-a *m,f Med* dermatologist

derramar *vtr* to spill; *(lágrimas)* to shed
■ **derramarse** *vr* to spill

derrame *m Med* bleeding; **derrame cerebral,** brain hemorrhage

derrapar *vi* to skid

derretir *vtr* to melt
■ **derretirse** *vr* to melt; *(hielo, nieve)* to thaw

derribar *vtr* 1 *(un edificio)* to pull down; *(a una persona)* to knock down; *(un avión)* to shoot down *2 (un gobierno)* to bring down

derrocar *vtr Pol* to overthrow, bring down

derrochar *vtr* to waste, squander

derroche *m* 1 *(gasto excesivo)* waste, squandering *2 (sobreabundancia)* profusion, abundance

derrota *f* defeat

derrotar *vtr* to defeat, beat

derruir *vtr* to demolish

derrumbar *vtr (hacer caer)* to knock, pull down
■ **derrumbarse** *vr* 1 *(desplomarse, caer)* to collapse, fall down; *(un techo)* to fall in, cave in *2 (abatirse una persona)* to break down

desabrochar *vtr* to undo
■ **desabrocharse** *vr* 1 *(una persona su ropa)* to undo *2 (la prenda sola, sin querer)* to come undone

desacato *m* 1 lack of respect, disrespect [**a,** for] *2 Jur (a un tribunal, juez)* contempt of court

desacierto *m* mistake, error

desactivar *vtr* 1 *(un explosivo)* to defuse *(un plan, una organización)* to deactivate

desacuerdo *m* disagreement

desafiante *adj* defiant

desafiar *vtr* challenge

desafinar *vi* to be out of tune
■ **desafinarse** *vr* to go out of tune

desafío *m* challenge

desafortunado,-a *adj* unlucky, unfortunate

desagradable *adj* unpleasant, disagreeable

desagradar *vi* to displease

desagradecido,-a I *adj* 1 *(persona)* ungrateful *2 (tarea)* thankless
II *m,f* ungrateful person

desagrado *m* displeasure

desagüe *m* 1 *(cañería)* waste pipe, drainpipe *2 (acción de desaguar)* drainage

desahogarse *vr (la ira, rabia)* to let off steam; *(contar las penas, los secretos)* to unburden oneself

desahogo *m* 1 *(alivio, descarga)* relief *2 (holgura económica, acomodo)* comfort

desahuciar *vtr* 1 *(a un inquilino)* to evict *2 (a un enfermo)* to declare to be terminally ill

desajuste *m* economic imbalance

desalentador,-ora *adj* discouraging, disheartening

desaliñado,-a *adj* scruffy, untidy

desalmado,-a *adj* cruel, heartless

desalojar *vtr* 1 to evacuate, clear *2 (a un inquilino)* to evict

desamparado,-a I *adj (persona)* helpless, unprotected; *(lugar)* bleak, forsaken
II *m,f* helpless *o* abandoned person

desangrarse *vr* to lose (a lot of) blood, to bleed to death

desanimado,-a *adj* 1 *(abatido, entristecido)* downhearted, dejected *2 (reunión, verbena, etc)* dull, lifeless

desanimar *vtr* to discourage, dishearten
■ **desanimarse** *vr* to lose heart, get discouraged

desapacible *adj* nasty, unpleasant; *(persona)* ill-natured

desaparecer *vi* to disappear

desaparecido,-a I *adj* missing
II *m,f* missing person

desapasionado,-a *adj* dispassionate

desapercibido,-a *adj* unnoticed

desaprensivo,-a I *adj* unscrupulous
II *m,f* unscrupulous person

desaprobar *vtr* 1 *(no aprobar)* to disapprove of *2 (reprobar, condenar)* to condemn, reject

desaprovechar *vtr* to waste

desarmar *vtr* 1 *(un mueble, juguete, etc)* to dismantle, take to pieces *2 Mil (a una persona)* to disarm *3 (a una persona)* to disarm

desarme *m* disarmament

desarraigado,-a *adj* rootless, without roots

desarrollado,-a *adj* developed

desarrollar *vtr* 1 to develop *2 (exponer con mayor detalle)* to explain
■ **desarrollarse** *vr* 1 to develop *2 (suceder, tener lugar)* to take place

desarrollo *m* development

desarticular *vtr* to dismantle

desasosiego *m* restlessness, uneasiness

desastre *m* disaster

desastroso,-a *adj* disastrous

desatar *vtr* 1 to untie, undo *2 (provocar, desencadenar)* to unleash
■ **desatarse** *vr* 1 *(un zapato, cordón)* to come undone; *(una persona a sí misma)* to untie oneself *2 (desencadenarse una tormenta)* to break; *(una pasión)* to run wild

desatascar *vtr* to unblock, clear

desatornillar *vtr* to unscrew

desatrancar *vtr* to unblock; *(puerta)* to unbolt

desautorizar *vtr 1 (no dar permiso para)* to ban, forbid **2** *(una declaración)* to deny, *(a alguien)* to discredit, undermine the authority of

desayunar I *vi* to have breakfast; *frml* to breakfast

II *vtr* to have for breakfast

desayuno *m* breakfast

desbandada *f* scattering ♦ | LOC: **en desbandada,** in all directions *o* in disorder

desbarajuste *m* confusion, disorder

desbaratar *vtr* to ruin, wreck

desbloquear *vtr 1 (un camino, acceso)* to unblock **2** *Mil* to raise the blockade on **3** *(una negociación)* to get going again **4** *(una cuenta, los salarios)* to unfreeze

desbocado,-a *adj 1 (caballo)* runaway **2** *(el cuello, las mangas)* stretched
■ **desbocarse** *vr 1 (caballo)* to bolt, run away **2** *(el cuello, las mangas)* to stretch

desbordar I *vtr* to overflow; *fig* to overwhelm

II *vi* to overflow [de, with]
■ **desbordarse** *vr* to overflow, flood

descabellado,-a *adj* crazy, wild

descafeinado,-a *adj* decaffeinated

descalificar *vtr 1 (eliminar de una competición)* to disqualify **2** *(desacreditar)* to discredit

descalzarse *vr* to take one's shoes off

descalzo,-a *adj* barefoot

descaminado,-a *adj fig* **descaminado,** to be on the wrong track

descampado *m* waste ground

descansar *vi* to rest, have a rest; *(un momento)* to take a break

descansillo *m* landing

descanso *m* rest, break: **me tomaré un día de descanso,** I'll take a day off **2** *Cine Teat* interval; *Dep* half-time, interval

descapotable *adj & m Auto* convertible

descarado,-a I *adj (insolente)* cheeky, insolent; *(desvergonzado)* shameless

II *m,f* cheeky person

descarga *f 1 (de mercancías)* unloading **2** *Elec Mil* discharge

descargar I *vtr 1 (sacar la carga)* to unload **2** *Elec Mil* to discharge **3** *(un golpe)* to deal **4** *(de trabajo, de una obligación)* to relieve *o* free [de, of] **5** *(la ira, el malhumor)* to take out [en/sobre, on]

II *vi (tormenta)* to break
■ **descargarse** *vr (una pila, batería, etc)* to go dead

descaro *m* nerve

descarrilar *vi Ferroc* to derail, be derailed

descartar *vtr* to rule out
■ **descartarse** *vr Naipes* to discard, throw away

descascarillarse *vr (loza, etc)* to chip, peel

descendencia *f* descendants

descender I *vi 1 (ir hacia abajo)* to go down, descend; *(disminuir: temperatura, precio)* to fall, drop **2** *(provenir de)* **descender de,** to descend from

II *vtr* to bring down

descendiente *m/f* descendant

descenso *m 1* descent **2** *(de temperatura, precios)* fall, drop **3** *Dep (de categoría)* relegation

descentralizar *vtr* to decentralize

descifrar *vtr 1 (un mensaje)* decode; *(un misterio)* to solve; *(los motivos, las causas)* to figure out

descodificar *vt* to decode

descolgado,-a *adj (teléfono)* off the hook

descolgar *vtr 1 (el teléfono)* to pick up **2** *(una lámpara, un cuadro, etc)* to take down

descolorido,-a *adj* faded

descompasado,-a *adj* out of time

descomponer *vtr 1 (dividir)* to break up, split **2** *(pudrir)* to rot, decompose **3** *(poner nervioso)* to get on sb's nerves **4** *(el rostro)* to distort
■ **descomponerse** *vi 1 (deshacerse, pudrirse)* to rot, decompose **2** *(ponerse nervioso)* to lose one's cool **3** *(ponerse enfermo)* to feel ill; *(tener diarrea)* to get diarrhea

descompuesto,-a *adj 1 (podrido)* rotten, decomposed **2** *(desencajado)* contorted, distorted **3** *fam (con diarrea)* having diarrhea

descomunal *adj* huge, massive

desconcertado,-a *adj* su reacción me dejó **desconcertado,** I was taken aback by his reaction

desconcertar *vtr* to disconcert

desconchado,-a *adj (una pared)* flaking; *(una pieza de loza)* chipped

desconcierto *m* chaos, confusion

desconectar *vtr 1* to disconnect **2** *(apagar)* to switch off **3** *(desenchufar)* to unplug **4** *fig (desentenderse)* to switch off
■ **desconectarse** *vr 1 (desentenderse)* to switch off **2** *(dejar de tener relación)* to lose touch

desconfiado,-a *adj* distrustful, wary

desconfianza *f* distrust, mistrust

desconfiar *vi* to distrust [de, -]: **desconfiaba de él,** I didn't trust him

descongelar *vtr* to defrost

desconocido,-a I *adj 1* unknown; **una voz desconocida,** an unfamiliar voice **2** *(irreconocible)* unrecognizable: **estás desconocida,** you have changed a lot

II *m,f* stranger

desconsideración *f* lack of consideration

desconsiderado,-a I *adj* inconsiderate, thoughtless

II *m,f* inconsiderate *o* thoughtless person

desconsolado,-a *adj* disconsolate, grief-stricken

descontado,-a *adj fam* ♦ | LOC: **dar por descontado,** to take for granted: **por**

descontado, needless to say, of course

descontar vtr 1 (rebajar) to deduct, give a discount; (no incluir) to leave out, disregard 2 Dep (tiempo) to add on

descontento,-a adj unhappy, dissatisfied [con, with]

descontrol m fam lack of control, chaos

■ **descontrolarse** vr to lose control

desconvocar vtr to call off

descorchar vtr to uncork

descortesía f discourtesy, impoliteness

descoser vtr to unstitch, unpick

■ **descoserse** vr to come unstitched

descosido m (en una prenda) open seam

descrédito m disrepute, discredit

descremado,-a adj skimmed

describir vtr to describe

descripción f description

descriptivo,-a adj descriptive

descuartizar vtr to cut up o into pieces

descubierto,-a I adj 1 (sin cubrir) open, uncovered 2 (desvelado, hallado) discovered **II** m Fin overdraft

descubrimiento m discovery

descubrir vtr 1 (algo oculto o ignorado) to discover; (un plan secreto) to uncover 2 (algo tapado) to uncover 3 (enterarse) to find out 4 (revelar, manifestar) to give away

descuento m discount

descuidado,-a adj 1 (poco aseado) untidy, neglected 2 (poco cuidadoso) careless, negligent 3 (desprevenido) off one's guard

descuidar vtr to neglect, overlook

■ **descuidarse** vr 1 (distraerse, perder la atención) to be careless 2 (prestar poco cuidado al aspecto) to let oneself go

descuido m 1 (distracción) oversight, mistake 2 (dejadez) negligence, carelessness

desde I prep 1 (punto en que comienza a contarse el tiempo) since: **¿desde cuándo lo sabes?,** how long have you known?; **desde ayer,** since yesterday 2 (punto en que comienza a contarse una distancia o se señala una perspectiva) from; **desde aquí,** from here ♦ LOC: **desde luego,** of course; **desde siempre,** always

desdén m disdain

desdeñar vtr to disdain

desdicha f misfortune

desdichado,-a I adj unlucky, unfortunate **II** m,f poor devil, unfortunate

deseable adj desirable

desear vtr 1 (anhelar, querer con intensidad) to desire: **estoy deseando verte,** I'm looking forward to seeing you; (suerte, felicidad, etc) to wish 2 frml (querer) to want: **¿desea usted algo, caballero?,** can I help you, Sir?

desechable adj disposable, throw-away

desechar vtr 1 (un objeto) to discard, throw out o away 2 (una oferta) to turn down, refuse; (descartar una idea, un proyecto) to drop, discard

desechos mpl (basura) trash

desembalar vtr to unpack

desembarcar I vtr (bultos, carga) to unload; (pasajeros, tripulación) to disembark **II** vi to disembark

desembocadura f mouth

desembocar vi (un río) to flow [en, into]; (una calle, avenida) to lead [en, to] 2 (una situación) to culminate [en, in]

desembolsar vtr to pay out

desembolso m expenditure, payment

desempatar vi Dep to break the deadlock

desempate m play-off

desempeñar vtr 1 (un puesto) to hold, occupy; (una función) to fulfil; (un papel) to play 2 (recuperar la casa de empeños) to redeem

desempleado,-a I adj unemployed, out of work **II** m,f unemployed person

desempleo m unemployment

desencadenar vtr 1 to unchain 2 (producir, dar lugar) to unleash

■ **desencadenarse** vr (comenzar, originarse) to break out, start

desencajado,-a adj 1 (fuera de lugar, mal colocado) (un hueso) out of joint; (una puerta) off its hinges; (una pieza) out of position 2 (rostro) contorted, distorted

desencajar vtr (pieza) to free, knock out of position; (hueso) to dislocate

■ **desencajarse** vr 1 (pieza) to come out; (hueso) to become dislocated 2 (el rostro) to become distorted

desencaminado,-a → **descaminado,-a**

desencanto m disenchantment

desenchufar vtr to unplug

desenfadado,-a adj 1 (persona) carefree, easy going 2 (ropa) casual

desenfocado,-a adj out of focus

desenfrenado,-a adj (ritmo, etc) frantic, uncontrolled; (vicio, pasión) unbridled

desenganchar vtr (algo que se queda prendido) to unhook; (un vagón) to uncouple

desengañarse vr to open one's eyes, to face the facts

desengaño m disappointment

desenlace m 1 result, outcome; **un feliz desenlace,** a happy end 2 Cine Teat Lit ending, dénouement

desenmascarar vtr to unmask

desenredar vtr to untangle, disentangle

desenroscar vtr to unscrew

desentenderse vr not to want to have anything to do [de, with]

desenterrar vtr 1 (un cadáver) to disinter, exhume; (un hueso, cofre, etc) to dig up 2 (un recuerdo) to revive

desentonar vi 1 (no armonizar) not to match 2 (estar fuera de lugar) to be out of place

desentrañar vtr to unravel, get to the bottom of

desentrenado,-a *adj* out of training *o* shape
desenvolver *vtr* to unwrap
■ **desenvolverse** *vr* **1** *(una persona)* to manage, cope **2** *(un acontecimiento)* to develop
deseo *m* **1** wish **2** *(sexual, pasional)* desire
deseoso,-a *adj* eager
desequilibrado,-a I *adj* unbalanced
II *m,f* unbalanced person
desequilibrio *m* imbalance
deserción *f* desertion
desertar *vi* to desert
desértico,-a *adj* desert
desertización *f* desertification
desertor,-ora *m,f* deserter
desesperación *f* *(tristeza absoluta)* despair; *(ante una medida extrema)* desperation
desesperado,-a *adj* desperate, hopeless, in despair
desesperante *adj* exasperating
desesperar *vtr* **1** to drive to despair **2** *(poner nervioso, irritado)* to exasperate
■ **desesperarse** *vr* **1** *(perder la esperanza)* to despair **2** *(perder la calma)* to get exasperated
desestabilizar *vtr* to destabilize
desestimar *vtr* to reject
desfalco *m* Fin embezzlement
desfallecer *vi* **1** *(de hambre, cansancio)* to feel faint; *(perder el conocimiento)* to faint **2** *(perder el ánimo, abatirse)* to lose heart
desfasado,-a *adj* **1** *(objeto, moda, etc)* outdated **2** *(persona)* old-fashioned, behind the times **3** *Téc* out of phase
desfase *m* difference, gap
desfavorable *adj* unfavorable
desfigurar *vtr* **1** *(deformar físicamente)* to disfigure **2** *(alterar, distorsionar)* to distort
desfiladero *m* Geog narrow pass
desfilar *vi* **1** to march in single file **2** *Mil* to march past, parade **3** *(pasar por un lugar un grupo)* to pass [**ante**, in front of] [**por**, through]
desfile *m* Mil parade, march-past; **desfile de modas**, fashion show
desfogarse *vr* to let off steam
desgajarse *vr* to come off, split off
desgana *f* **1** *(falta de apetito)* lack of appetite **2** *(falta de interés)* apathy, indifference; **con desgana,** unwillingly
desgarbado,-a *adj* ungraceful, ungainly
desgarrador,-ora *adj* heart-rending
desgarrar *vtr* to tear
desgarrón *m* large tear, rip
desgastar *vtr* to wear out
■ **desgastarse** *vr* to wear out
desgracia *f* **1** *(mala suerte)* misfortune **2** *(suceso penoso)* tragedy ◆ Loc: **por desgracia,** unfortunately
desgraciado,-a I *adj* **1** *(sin suerte, desdichado)* unfortunate **2** *(sin felicidad)* unhappy
II *m,f* **1** unfortunate person **2** *pey ofens* wretch

desgravar *vtr* to deduct
desguazar *vtr* to break up
deshabitado,-a *adj* uninhabited, unoccupied
deshacer *vtr* **1** *(un nudo, paquete)* to undo; *(el equipaje)* to unpack; *(una cama)* to strip **2** *(estropear)* to destroy, ruin **3** *(un trato)* to break off **4** *(en un líquido)* to dissolve **5** *(derretir)* to melt
■ **deshacerse** *vr* **1** *(una lazada, un nudo)* to come undone **2** *(en un líquido)* to dissolve **3** *(derretirse)* to melt **4** *(por la tristeza)* to go to pieces **5 deshacerse de alguien/algo,** to get rid of sb/sthg
deshecho,-a *adj* **1** *(muy triste, abatido)* devastated, shattered **2** *(muy cansado)* exhausted, tired out
desheredar *vtr* to disinherit
deshidratar *vtr* to dehydrate
deshielo *m* thaw
deshinchar *vtr* to deflate
deshonesto,-a *adj* **1** *(no honrado)* dishonest **2** *(no pudoroso)* indecent, improper
deshonor *m,* **deshonra** *f* dishonor
deshonrar *vtr* to dishonor
deshora (a) *loc adv* at odd times
deshuesar *vtr* *(un ave, la carne)* to bone; *(una aceituna, fruta)* to stone, pit
desidia *f* apathy, carelessness, neglect
desierto,-a I *m* desert
II *adj* deserted
designar *vtr* **1** to designate **2** *(un lugar, momento)* to fix
desigual *adj* **1** *(irregular, poco igualado)* uneven **2** *(descompensado)* unequal **3** *(variable, cambiante)* changeable
desilusión *f* disappointment, disillusionment
desilusionar *vtr* to disappoint, disillusion
desinfectante *adj & m* disinfectant
desinfectar *vtr* to disinfect
desinflar *vtr* to deflate; *(un neumático)* to let the air out of
■ **desinflarse** *vr* to go flat
desinhibido,-a *adj* uninhibited
desintegrar *vtr,* **desintegrarse** *vr* to disintegrate
desinterés *m* **1** *(desidia, abulia)* lack of interest, apathy **2** *(altruismo, desapego)* unselfishness
desinteresado,-a *adj* unselfish, selfless
desintoxicar *vtr* to detoxify
■ **desintoxicarse** *vr* to undergo detoxification *frml; (de drogas)* to come off drugs; *(de alcohol)* to dry out
desistir *vi* to desist *frml*
desleal *adj* **1** *(falto de lealtad)* disloyal **2** *(injusto, fuera de las reglas)* unfair
desligar *vtr* **1** *(cuestiones, asuntos)* to separate **2** *(una cuerda, amarra, etc)* to untie, unfasten
■ **desligarse** *vr* **desligarse de,** to disassociate oneself from

desliz *m* 1 *(equivocación)* mistake 2 *euf* *(aventura amorosa)* indiscretion

deslizar *vt (pasar algo por una superficie)* to slide; *(introducir algo con discreción)* to slip [**en,** into] [**por,** through] [**debaje de,** under]
■ **deslizarse** *vr* 1 *(sobre una superficie)* to slide 2 *(un río, una corriente)* to flow 3 *(en un lugar, silenciosamente)* to glide

deslumbrante *adj* dazzling; *fig* stunning

deslumbrar *vtr* to dazzle

desmadrarse *vr fam* to go wild

desmantelar *vtr* to dismantle

desmaquillador,-ora I *m* make-up remover II *adj* **leche desmaquilladora,** cleansing cream

desmaquillarse *vr* to remove one's make-up

desmayado,-a *adj* unconscious

desmayarse *vr* to faint

desmayo *m* faint, fainting fit

desmedido,-a *adj* disproportionate, excessive

desmejorado,-a *adj* worse

desmentir *vtr* to deny

desmenuzar *vtr (desmigar)* to crumble; *(el bacalao, etc)* to flake, shred

desmesurado,-a *adj* excessive

desmilitarizar *vtr* to demilitarize

desmontable *adj* 1 *(mueble, artefacto)* that can be dismantled, collapsible 2 *(prenda de vestir)* removable, detachable

desmontar I *vtr* to dismantle, take to pieces II *vi* to dismount [**de, -**], get off [**de, -**]

desmoralizar *vtr* to demoralize

desmoronarse *vr* to crumble, fall to pieces

desnatado,-a *adj (leche)* skim (milk), nonfat

desnivel *m* 1 *(pendiente)* drop, difference in height 2 *(desproporción, contraste)* gap

desnivelado,-a *adj* 1 not level, uneven 2 *(descompensado)* out of balance

desnivelar *vtr* to throw out of balance

desnucarse *vr* to break one's neck

desnudar *vtr* to undress, strip
■ **desnudarse** *vr* to get undressed, strip

desnudo,-a I *adj (una persona)* naked, nude, *(una parte del cuerpo, algo sin adornos)* bare; **la verdad desnuda,** the bare/naked truth II *m Arte* nude

desnutrido,-a *adj* undernourished

desobedecer *vtr* to disobey

desobediencia *f* disobedience

desobediente *adj* disobedient II *mf* disobedient person

desocupado,-a *adj* 1 *(libre, sin ocupar)* free, vacant 2 *(sin nada que hacer)* free, not busy

desodorante *adj & m* deodorant

desolación *f* desolation

desolador,-ora *adj* 1 *(asolador, arrasador)* devastating 2 *(descorazonador)* distressing

desollar *vtr* 1 *(quitar la piel)* to skin 2 *fig (criticar)* to pull to pieces

desorbitado,-a *adj (precio)* exorbitant

desorden *m* disorder; *(de una habitación)* untidiness, mess

desordenado,-a *adj (alborotado)* messy, untidy; *(no correlativo)* out of order; *(sin norma)* chaotic

desordenar *vtr* to make untidy, mess up; *(romper una secuencia, un orden)* to put out of order, to mix up

desorganizado,-a *adj* disorganized

desorganizar *vtr* to disorganize, disrupt

desorientar *vtr* to disorientate
■ **desorientarse** *vr* to lose one's sense of direction *o* one's bearings

despabilado,-a *adj* → **espabilado,-a**

despachar *vtr* 1 *(atender en una tienda)* to serve, wait on, help (customers) 2 *(un asunto)* to get through, deal with 3 *(leer el correo)* to send, dispatch

despacho *m* 1 *(oficina)* office; *(en casa)* study 2 *(comunicado oficial)* dispatch

despacio *adv* 1 *(lentamente)* slowly 2 *LAm (en voz baja)* quietly

desparpajo *m (desenvoltura)* self-confidence; *(desenfado)* ease

desparramar *vtr,* **desparramarse** *vr* to spread, scatter; *(líquido)* to spill

despavorido,-a *adj* terrified

despectivo,-a *adj* derogatory, disparaging

despedazar *vtr* to cut *o* tear to pieces

despedida *f* farewell, goodbye; **despedida de soltera/soltero,** hen/stag party

despedir *vtr* 1 *(a un empleado)* to sack, fire 2 *(a alguien que se va)* to see off 3 *(a su goodbye to* 4 *(aroma, humo, etc)* to give off
■ **despedirse** *vr* 1 *(decir adiós)* to say goodbye [**de,** to] 2 *(dejar un trabajo)* to leave, resign 3 *fig (perder las esperanzas)* to forget, give up

despegar I *vtr* to take off, detach II *vi Av* to take off
■ **despegarse** *vr* to come unstuck

despegue *m* takeoff

despeinado,-a *adj* dishevelled, with untidy hair

despeinarse *vr* to mess one's hair up

despejado,-a *adj* 1 *(sin obstáculos)* clear 2 *(sin nubes)* cloudless 3 *(espabilado)* wide awake, quick

despejar *vtr* 1 *(quitar obstáculos, vaciar)* to clear 2 *(aclarar un misterio, una duda)* to clear up 3 *Mat* to work out the value of 4 *Ftb (el balón)* to clear
■ **despejarse** *vr* 1 *(el cielo)* to clear 2 *(una persona)* to clear one's head/mind 3 *(aclararse)* to become clear

despensa *f* pantry, larder

despeñadero *m* cliff, precipice

despeñarse *vr* to go *o* fall over a cliff

desperdiciar *vtr* 1 *(malgastar)* to waste 2 *(no aprovechar)* to throw away

desperdicio *m* *(desaprovechamiento, gasto inútil)* waste **2** *desperdicios, (basura)* trash *sing, (desechos)* scraps, leftovers **desperdigar** *vtr,* **desperdigarse** *vr* to scatter, separate

desperezarse *vr* to stretch (oneself)

desperfecto *m* **1** *(tara, fallo)* flaw, imperfection **2** *(daño leve)* damage

despertador *m* alarm clock

despertar I *vtr* **1** to wake (up) **2** *fig (un sentimiento, recuerdo)* to arouse
II *m* awakening
■ **despertarse** *vr* to wake (up)

despido *m* dismissal, sacking

despierto,-a *adj* **1** *(no dormido)* awake **2** *(vivo, espabilado)* quick, sharp

despilfarrar *vtr* to waste, squander

despistado,-a I *adj* **1** *(olvidadizo)* scatterbrained, absent-minded **2** *(desorientado)* confused
II *m,f* scatterbrain

despistar *vtr* **1** *(hacer perder la pista)* to lose, throw off the scent **2** *fig* to mislead
■ **despistarse** *vr* **1** *(distraerse)* to get distracted, switch off; *(equivocarse)* to get confused **2** *(perderse)* to get lost

desplazamiento *m* **1** *(viaje, trayecto)* trip, journey **2** *(movimiento, cambio)* movement **3** *Inform* scroll(ing)

desplazar *vtr* **1** to displace **2** *Inform* to scroll
■ **desplazarse** *vr* *(moverse)* to move; *(viajar)* to travel

desplegar *vtr* **1** *(las velas, un mapa)* to open (out), spread (out) **2** *(energías, una cualidad, etc)* to use, deploy
■ **desplegarse** *vr* **1** to open (out), spread (out) **2** *Mil* to deploy

despliegue *m* **1** *Mil* deployment **2** *(alarde, demostración)* display, show

desplomarse *vr* to collapse

desplumar *vtr* **1** *(un ave)* to pluck **2** *fam (dejar sin dinero)* to clear out

despoblado,-a *adj* uninhabited, deserted

despojar *vtr* to strip **[de,** of**]**

déspota *mf* despot

despotricar *vi* to rant and rave [**contra,** about]

despreciable *adj* **1** *(odioso)* despicable, contemptible, worthless **2** *(inapreciable, poco importante)* negligible

despreciar *vtr* **1** *(odiar)* to despise **2** *(menospreciar)* to look down on, to scorn **3** *(desdeñar)* to reject, spurn

desprecio *m* *(menosprecio, falta de estima)* contempt, scorn, disdain **2** *(descortesía, desaire)* slight, snub

desprender *vtr* **1** *(despegar)* to remove, detach **2** *(emanar un olor, humo)* to give off
■ **desprenderse** *vr* **1** *(despegarse, soltarse)* to come off **2** *(emanar)* to be given off **3** *(deshacerse de algo)* to get rid of; *(regalarlo)* to give away

desprendido,-a *adj* *(generoso)* generous, unselfish, open-handed

despreocupado,-a *adj* **1** *(tranquilo)* unconcerned **2** *(negligente)* careless; *(estilo)* casual

despreocuparse *vr* **1** *(liberarse de una preocupación)* to stop worrying **2** *(no prestar atención, cuidado, etc)* to be unconcerned *o* indifferent [**de,** to]

desprestigiar *vtr* to discredit, run down

desprevenido,-a *adj* unprepared

desproporcionado,-a *adj* disproportionate

desprovisto,-a *adj* lacking [**de,** in], without [**de,** -], devoid [**de,** of]

después *adv* **1** *(más tarde)* later, afterwards; *(luego)* then; *(seguidamente)* next; **unos días después,** a few days later; **poco después,** soon after **2** *(pospuesto a nombres de espacio o tiempo: siguiente)* **el día después,** the next day ◆ | LOC: **después de,** after

desquiciarse *vr* *(persona)* to go crazy, become unhinged

destacado,-a *adj* outstanding

destacar *vtr fig* to emphasize, stress

destacar(se) *vi & vr* to stand out

destapar *vtr* **1** to take the lid off; *(una botella)* to open **2** *(desarropar)* to uncover **3** *fig (asunto)* to uncover
■ **destaparse** *vr* to become uncovered

destartalado,-a *adj* ramshackle

destello *m* flash, sparkle

desteñir *vi & vtr* to discolor
■ **desteñirse** *vr* to lose color, fade

desterrar *vtr* **1** *(a una persona)* to exile **2** *(una idea)* to dismiss

destiempo (a) *loc adv* at the wrong moment

destierro *m* exile

destilar *vtr* to distil

destilería *f* distillery

destinar *vtr* **1** *(apartar para algún fin)* to set aside, assign **2** *(un trabajador)* to appoint **3** *(un envío)* to address

destinatario,-a *m,f* **1** *(de una carta)* addressee **2** *(de una mercancía, carga)* consignee

destino *m* **1** *(sino)* fate, fortune **2** *(rumbo)* destination **3** *(de un puesto de trabajo)* post **4** *(finalidad, uso)* purpose

destituir *vtr* to dismiss *o* remove from office

destornillador *m* screwdriver

destornillar *vtr* to unscrew

destreza *f* skill

destrozar *vtr* **1** to ruin **2** *(apenar, desgarrar)* to shatter, devastate

destrucción *f* destruction

destructivo,-a *adj* destructive

destructor,-ora I *adj* destructive
II *m Náut* destroyer

destruir *vtr* to destroy

desuso *m* disuse ◆ | LOC: **en desuso,** obsolete, outdated

desvalido,-a adj defenseless

desvalijar vtr (una casa, tienda) to burgle; (a una persona) to rob, clean out fam

desván m attic, loft

desvanecerse vr 1 (un recuerdo, una imagen, duda) to vanish, fade 2 (perder el conocimiento) to faint

desvariar vi to talk nonsense

desvarío m delirium

desvelado,-a adj awake, wide awake

desvelar vtr 1 (no dejar dormir) to keep awake 2 (descubrir, revelar) to reveal

■ **desvelarse** vr (no poder dormirse) to stay awake

desvencijado,-a adj ramshackle, rickety

desventaja f 1 (desigualdad, inferioridad) disadvantage 2 (inconveniente) drawback

desvergonzado,-a adj 1 (sin pudor, vergüenza) shameless 2 (atrevido, sin respeto) insolent

desvergüenza f 1 (atrevimiento, descaro) insolence 2 (falta de pudor, inmoralidad) shamelessness

desvestir vtr to undress

■ **desvestirse** vr to undress, get undressed

desviación f 1 deviation 2 (en una carretera) diversion, detour 3 Med curvature

desviar vtr 1 (un río, el tráfico, fondos) to divert, detour 2 (un tiro, golpe) to deflect 3 (la conversación) to change 4 (la mirada) to avert

■ **desviarse** vr 1 (de un camino, ruta) to go off course 2 (tomar una desviación) to turn off 3 fig (del tema, asunto) to digress

desvincular vtr to separate

■ **desvincularse** vr to cut oneself off [de, from]

desvío m diversion, detour

desvivirse vr (esforzarse, mostrar mucho interés) to live [por, for], to devote oneself [por, to]

detallar vtr to give the details of, list

detalle m 1 detail 2 (atención, cortesía) kindness 3 (toque decorativo) touch

detectar vtr to detect

detective mf detective

detector,-ora m,f detector

detención f 1 Jur detention, arrest 2 (parón, interrupción) stoppage ◆ LOC: con detención, carefully, thoroughly

detener vtr 1 to stop, halt 2 Jur (a un sospechoso) to arrest, detain

■ **detenerse** vr to stop

detenido,-a I adj 1 (sin movimiento) standing, still, stopped 2 (un sospechoso) arrested, detained 3 (análisis) detailed, thorough

II m,f detainee, person under arrest

detenimiento m con detenimiento, carefully

detergente adj & m detergent

deteriorar vtr to spoil, damage

■ **deteriorarse** vr 1 (cbuorse u perder, ajarse) to get damaged 2 (desgastarse, dejar de funcionar bien) wear out 3 (ir a peor) to deteriorate, get worse

deterioro m deterioration

determinación f 1 (valor, osadía) determination 2 (decisión) decision

determinado,-a adj 1 (concreto, preciso) fixed 2 Ling (artículo) definite 3 (decidido, convencido) decisive, resolute

determinar vtr 1 (concretar, especificar) to fix, set 2 (tomar una decisión) to decide on 3 (condicionar) to determine 4 (causar) to bring about

detestar vtr to detest, hate

detonante m 1 (de una bomba) detonator 2 (de una situación) trigger

detonar vi & vtr to detonate

detractor,-ora m,f detractor

detrás adv (lugar) behind, at the back ◆ LOC: detrás de, behind

detrimento m detriment

deuda f debt

deudor,-ora m,f debtor

devaluación f devaluation

devaluar vtr to devalue

devastador,-ora adj devastating

devastar vtr to devastate

devoción f devotion

devolución f return; Com refund, repayment

devolver I vtr (un libro, objeto) to give back, return; (dinero) to refund

II vi (vomitar) to vomit, throw up

■ **devolverse** vr LAm to return

devorar vtr to devour

devoto,-a I adj Rel pious, devout

II m,f Rel pious person 2 (admirador) devotee

DF (abr de **distrito federal**) 1 Federal District 2 LAm Mexico City

día m day; **una vez al día**, once a day; (periodo de luz diurna) daytime, daylight; **día festivo**, holiday; **día hábil/laborable**, working day; **día libre**, day off ◆ LOC: **al día**, up to date; **de día**, by day, during daylight; **de un día para otro**, overnight; **hoy (en) día**, nowadays

diabetes f Med diabetes

diabético,-a adj & m,f diabetic

diablo m 1 devil 2 excl ¡vete al diablo!, go to hell!

diabólico,-a adj 1 diabolical 2 terrible

diadema f hairband

diafragma m diaphragm

diagnosticar vtr to diagnose

diagnóstico m diagnosis

diagonal adj & f diagonal

diagrama m diagram

dial m dial

dialecto m dialect

dialogar vi to talk

diálogo *m* dialogue

diamante *m* 1 diamond 2 *Naipes* **diamantes,** diamonds

diámetro *m* diameter

diapositiva *f* slide

diario,-a I *m* 1 *Prensa* (daily) newspaper 2 (*cuaderno íntimo*) diary; *Náut* **diario de a bordo,** logbook
II *adj* daily
♦ | LOC: **a diario,** daily, everyday; **de diario,** everyday

diarrea *f Med* diarrhea

dibujar *vtr* to draw

dibujo *m* drawing; **dibujos animados,** cartoons *pl*

diccionario *m* dictionary

dicha *f* happiness

dicho,-a I *adj* 1 said, mentioned 2 (*mencionado con anterioridad*) **dicha publicación,** the above-mentioned publication
II *m* (*refrán, sentencia*) saying

dichoso,-a *adj* 1 (*contento, afortunado*) happy 2 *fam* (*condenado*) damned

diciembre *m* December

dictado *m* dictation

dictador,-ora *m,f* dictator

dictadura *f* dictatorship

dictamen *m* (*de un juez, tribunal*) ruling; (*de un experto*) report

dictar *vtr* 1 (*un texto*) to dictate 2 (*sentencia*) to pass

didáctico,-a *adj* didactic

diecinueve I *m* nineteen
II *adj* nineteenth

dieciocho I *m* eighteen
II *adj* eighteenth

dieciséis I *m* sixteen
II *adj* sixteenth

diecisiete I *m* seventeen
II *adj* seventeenth

diente *m* 1 tooth; **dientes postizos,** false teeth 2 *Téc* cog 3 (*de ajo*) clove

diesel *adj* & *m* diesel

diestra *f* right hand

dieta *f* 1 diet: **nos hemos puesto a dieta,** we are on a diet 2 *Fin* **dietas,** expenses

diez *adj* & *m inv* ten

difamar *vtr* to defame

diferencia *f* difference

diferenciar *vtr* 1 (*saber discernir*) to distinguish, tell the difference 2 (*hacer distinto*) to differentiate
■ **diferenciarse** *vtr* to differ [**de,** from], be different [**de,** from]

diferente I *adj* different [**de,** from]
II *adv* differently

diferido,-a *adj TV* **en diferido,** recorded

difícil *adj* 1 difficult 2 (*improbable*) unlikely

difuminar *vtr* to blur

difundir *vtr,* **difundirse** *vr* to spread

difunto,-a I *adj* late, deceased
II *m,f* deceased

difusión *f* 1 (*de noticias, rumores*) spreading, circulation 2 *Rad TV* broadcasting 3 *Fís Quím* diffusion

digerir *vtr* to digest

digestión *f* digestion

digestivo,-a *adj* digestive

digital *adj* digital; **huellas digitales,** fingerprints

digitalizar *vtr Inform* digitize, digitalize

dígito *m* digit

dignidad *f* dignity

digno,-a *adj* 1 worthy 2 (*suficiente*) decent, good

dilación *f* delay

dilatar I *vtr* 1 (*un cuerpo*) to expand 2 (*la pupila*) to dilate 3 (*hacer durar*) to prolong 4 (*retrasar, posponer*) to postpone, put off

dilema *m* dilemma

diligencia *f* 1 (*prontitud, eficacia*) diligence 2 (*de caballos*) stagecoach 3 *Jur* **diligencias,** proceedings

diligente *adj* diligent

diluir *vtr,* **diluirse** *vr* to dilute

diluviar *v impers* to pour with rain

diluvio *m* flood; **el Diluvio (Universal),** the Flood

dimensión *f* dimension

diminutivo,-a *adj* & *m Ling* diminutive

diminuto,-a *adj* minute, tiny

dimisión *m* resignation

dimitir *vi* to resign

Dinamarca *f* Denmark

dinámica *f* dynamics *sing*

dinámico,-a *adj* dynamic

dinamita *f* dynamite

dinamitar *vtr* to dynamite

dinamo, dínamo *f* dynamo

dinastía *f* dynasty

dineral *m fam* fortune

dinero *m* money; **dinero en efectivo,** cash; **dinero negro,** undeclared income

dinosaurio *m* dinosaur

dioptría *f Med* diopter

dios *m* god 2 *Excl* **¡Dios mío!,** Oh my God!

diosa *f* goddess

dióxido *m Quím* dioxide

diploma *m* diploma

diplomacia *f* diplomacy

diplomático,-a I *adj Pol* diplomatic
II *m,f* diplomat

diptongo *m Ling* diphthong

diputación *f* delegation

dique *m* dike

dirección *f* 1 (*sentido, rumbo*) direction; **dirección obligatoria,** one way only; **dirección prohibida,** no entry; **en dirección a,** towards 2 (*domicilio*) address 3 (*conjunto de dirigentes de una empresa*) management; (*de un partido*) leadership; (*de un colegio*) principal's office 4 *(cargo de dirección)* directorship 5 *(oficina del director)* director's office 6 *Auto Téc* steering; **dirección asistida,** power steering

directivo,-a I *adj* directive; **junta directiva,** board of directors
II *m,f* director, member of the board

directo,-a *adj* direct ♦ | LOC: *TV Rad* **en directo,** live

director,-ora *m,f* director; *(de un colegio)* principal; *(de un periódico)* editor 2 *(de una película, musical)* director; *(de orquesta)* conductor

directorio,-a *m* directory

dirigente *mf* leader

dirigir I *vtr* 1 to direct; *(una empresa)* to manage; *(un negocio, una escuela)* to run; *(un sindicato, partido)* to lead; *(un periódico)* to edit 2 *(una orquesta)* to conduct; *(una película)* to direct 3 *(hacer llegar unas palabras, un escrito)* to address; *(una mirada)* to give
■ **dirigirse** *vr* 1 *(encaminarse)* to go [a/hacia, to], to make one's way [a/hacia, towards] 2 *(a una persona)* to address

discapacitado,-a *adj* disabled, handicapped

disciplina *f* discipline, self control

discípulo,-a *m,f* disciple

disco *m* 1 disc, disk 2 *Mús* record; **disco compacto,** compact disc 3 *Inform* disk; **disco duro,** hard disk

discográfico,-a *adj* **compañía discográfica,** record company

discontinuo,-a *adj* discontinuous

discordia *f* discord

discoteca *f* 1 *(sala de baile)* discotheque 2 *(colección de discos)* record collection

discreción *f* discretion

discrepancia *f* 1 *(diferencia)* discrepancy 2 *(desacuerdo)* disagreement

discrepar *vi* to disagree [de, with] [en, on]

discreto,-a *adj* 1 *(prudente)* discreet 2 *(mediocre)* average

discriminación *f* discrimination

discriminar *vtr* to discriminate

disculpa *f* excuse, apology

disculpar *vtr* to excuse
■ **disculparse** *vr* to apologize [por, for]

discurso *m* speech

discusión *f* argument

discutir I *vi* to argue, have an argument
II *vtr* 1 *(debatir, considerar)* to discuss, talk about 2 *(rebatir, poner en cuestión)* to challenge, question

disecar *vtr* 1 *(un animal)* to stuff 2 *(una flor, hoja)* to dry

diseminar *vtr* to disseminate, spread

disentir *vi* to dissent, disagree [de (algo), with]

diseñador,-ora *m,f* designer

diseñar *vtr* to design

diseño *m* design

disfraz *m* 1 *(para disimular)* disguise 2 *(para una fiesta)* costume

disfrazar *vtr* to disguise
■ **disfrazarse** *vr (vestirse para no ser reconocido)* to disguise oneself; *(para una fiesta)* to dress up [de, as]

disfrutar I *vi* 1 *(gozar, pasarlo bien)* to enjoy oneself 2 *(estar en posesión de)* to enjoy [de, -]
II *vtr* to enjoy

disgustado,-a *adj* upset, displeased

disgustarse *vr* to get upset, be annoyed

disgusto *m* 1 *(preocupación, pesar)* upset 2 *(desgracia)* trouble 3 *(enfado, disputa)* quarrel, row

disidente *adj* & *mf* dissident

disimular I *vtr* to conceal, hide
II *vi* to pretend

disimulo *m* cunning

disiparse *vr* to disappear, vanish

dislexia *f Med* dyslexia

dislocar *vtr* to dislocate

disminución *f* decrease, drop

disminuir I *vtr* to reduce
II *vi* to diminish

disolvente *adj* & *m* solvent

disolver *vtr* 1 to dissolve 2 *(una reunión)* to break up
■ **disolverse** *vr* 1 to dissolve 2 *(deshacerse un grupo)* to be dissolved

disparar I *vtr* 1 *(un arma de fuego)* to fire; *(un proyectil)* to shoot 2 *Ftb* to shoot
■ **dispararse** *vr* 1 *(una pistola)* to go off, fire 2 *(los precios)* to rocket

disparatado,-a *adj* absurd

disparate *m* 1 *(que se dice)* nonsense 2 *(que se hace)* foolish act

disparo *m* 1 shot 2 *Dep Ftb* shot

dispersar *vtr* 1 to disperse 2 *(desperdigar)* to scatter
■ **dispersarse** *vr* to disperse

disponer I *vtr* 1 *(colocar)* to arrange, set out 2 *(preparar)* to prepare: **lo dispuso todo para el encuentro,** she prepared everything for the meeting 3 *(mandar, establecer)* to lay down, state: **así lo dispuso en su testamento,** so he stipulated in his will
II *vi* **disponer de,** to have at one's disposal
■ **disponerse** *vr* to prepare, get ready

disponible *adj* available

disposición *f* 1 *(orden)* order, law; **una disposición judicial,** a judicial resolution 2 *(distribución)* layout: **no me gusta la disposición de los muebles,** I don't like the arrangement of the furniture 3 *(servicio, disfrute)* disposal 4 *(situación, ánimo)* condition, mood: **estoy en disposición de enfrentarme con ella,** I'm prepared to face her; **no estás en disposición de ir al baile,** you are in no condition to go to the ball 5 *(voluntad, predisposición)* will

dispositivo *m* device

dispuesto,-a *adj* **1** *(preparado)* ready **2** *(colocado)* arranged **3** *(resuelto, convencido)* determined

disputa *f* **1** *(enfrentamiento)* dispute; *(por un puesto, etc)* contest **2** *(riña, pelea)* argument

disputar **I** *vi* **1** *(debatir)* to argue **2** *(competir por)* to contest **II** *vtr* **1** *(competir)* to compete **2** *Dep (un encuentro)* to play

■ **disputarse** *vr* **1** *(luchar por)* to contest **2** *(un bien, derecho, porcentaje)* to fight over

disquete *m Inform* diskette, floppy disk

disquetera *f Inform* disk drive

distancia *f* distance

distanciar *vtr* to separate

■ **distanciarse** *vr* **1** *(de un punto)* to become separated, get further away **2** *(de otra persona)* to distance oneself

distante *adj* distant, far-off

distinción *f* **1** distinction **2** *(privilegio)* honor

distinguir *vtr* **1** *(reconocer)* to recognize **2** *(apreciar la diferencia)* to distinguish **3** *(conferir un privilegio, honor)* to honor

■ **distinguirse** *vr* **1** *(ser apreciable)* to stand out **2** *(caracterizarse)* to be characterized

distinto,-a *adj* different

distorsión *f* distortion

distracción *f* **1** *(para divertirse)* entertainment **2** *(falta de atención)* distraction

distraer *vtr* **1** *(entretener)* to entertain **2** *(desviar la atención)* to distract

■ **distraerse** *vr* **1** *(divertirse)* to amuse oneself **2** *(perder la atención)* to get *o* be distracted

distraído,-a *adj* **1** *(entretenido)* entertaining **2** *(despistado)* absent-minded

distribución *f* **1** *(reparto)* distribution **2** *(de una casa, los muebles)* layout

distribuidor,-ora *m,f* **1** distributor **2** *Com* wholesaler

distribuir *vtr* to distribute

distrito *m* district

disturbio *m* riot, disturbance

disuadir *vtr* to dissuade [de, from]

disuasorio,-a, disuasivo,-a *adj* dissuasive

DIU *m* *(abr de dispositivo intrauterino)* intrauterine device, IUD

diurético,-a *adj & m* diuretic

diurno,-a *adj* **1** daytime **2** *Bot Zool* diurnal

divagar *vi* to digress, wander

diván *m* divan, couch

divergencia *f* divergence

diversidad *f* diversity, variety

diversificar *vtr* to diversify

■ **diversificarse** *vr* to be diversified *o* varied; *(empresa)* to diversify

diversión *f* fun

diverso,-a *adj* **1** *(distinto)* different **2** *(variado)* varied **3 diversos,** *(varios)* several

divertido,-a *adj* funny, amusing

divertir *vtr* to amuse, entertain

■ **divertirse** *vr* to enjoy oneself, have a good time

dividir *vtr & vi* to divide

■ **dividirse** *vr* to divide

divinidad *f* divinity

divino,-a *adj* divine

divisar *vtr* to make out, discern

división *f* division

divorciado,-a **I** *adj* divorced **II** *m,f (hombre)* divorcé; *(mujer)* divorcée

divorciar *vtr* to divorce

■ **divorciarse** *vr* to get divorced

divorcio *m* divorce

divulgar *vtr* **1** *(un secreto, etc)* to disclose **2** *Rad TV* to broadcast

■ **divulgarse** *vr* to spread

DNI *m Esp (abr de documento nacional de identidad)* identification card, ID card

do *m Mús* doh. C

dóberman *m Zool* Doberman (pinscher)

dobladillo *m Cost* hem

doblar **I** *vtr* **1** *(duplicar)* to double **2** *(un mapa, la ropa)* to fold **3** *(flexionar)* to bend **4** *(torcer)* to bend **5** *(una esquina)* to go round **6** *(una película)* to dub

doble **I** *adj* double; *(hipócrita)* two-faced **II** *m* **1** double **2** *Dep* **dobles,** doubles

doblegar *vtr* to bend

■ **doblegarse** *vr* to give in

doce *adj & m inv* twelve

doceavo,-a *adj & m* twelfth

docena *f* dozen

docencia *f* teaching

dócil *adj* docile

doctor,-ora *m,f* doctor

doctorado *m Univ* **1** doctorate **2** PhD

doctrina *f* doctrine

documentación *f* documentation

documental *adj & m* documentary

documentar *vtr* to document

■ **documentarse** *vr* to research [sobre, -], get information [sobre, about *o* on]

documento *m* document; *Esp* **Documento Nacional de Identidad (DNI),** Identification Card

dogma *m* dogma

dogmático,-a *adj & m,f* dogmatic

dólar *m* dollar

doler *vi* to hurt, ache

dolor *m* **1** *Med* pain; **dolor de espalda,** backache **2** *(aflicción)* grief, sorrow

dolorido,-a *adj* **1** *(un brazo, músculo)* sore, aching **2** *(entristecido, afligido)* hurt, sore

doloroso,-a *adj* painful

domar *vtr* to tame

domesticar *vtr* to domesticate

doméstico,-a *adj* domestic

domiciliar *vtr Fin* to pay by standing order

domicilio *m* **1** home, residence **2** *(dirección habitual)* address

dominación f domination

dominante adj dominant

dominar I vtr **1** (un pueblo, país) to dominate **2** (contener, controlar) to control **3** (conocer perfectamente: un idioma) to speak very well; (: un asunto, una actividad) to master

II vi to dominate

■ **dominarse** vr to control oneself

domingo m Sunday

dominguero,-a m,f fam (en el campo) weekend traveler; (en la carretera) Sunday driver

dominical I adj Sunday

II m Prensa Sunday supplement

dominicano,-a adj & m,f Dominican

dominio m **1** (poder) command, grasp **3** (ámbito, campo) scope, sphere **4** (territorio) lands; (colonias) colonies **dominó** m dominoes pl

don¹ m **1** (capacidad) gift, talent **2** (regalo, dádiva) gift

don² m Señor Don Carlos Jiménez, Mr Carlos Jiménez; **ser un don nadie,** to be a nobody

donante m/f donor; Med **donante de sangre,** blood donor

donar vtr **1** to donate **2** (un órgano) to give

donativo m donation

dónde adv interr where: ¿de dónde es?, where is he from?

donde adv rel where

dondequiera adv (en cualquier lugar) everywhere: **dondequiera que esté,** wherever it is

doña f (Señora) D.ª Aurora Leite, Mrs. Aurora Leite

doparse vr to take drugs

dóping m Dep drug-taking

dorado,-a I adj golden

II m Téc gilding

dorar vtr **1** to gild **2** (tostar) to brown

dormido,-a adj **1** asleep **2** (pierna, brazo) numb

dormir I vi to sleep

II vtr **dormir una siesta,** to have a nap

■ **dormirse** vr to fall asleep

dormitorio m **1** bedroom **2** (de colegio, residencia) dormitory

dorsal I adj dorsal; **espina dorsal,** spine

II m Dep number

dos I adj **1** (cardinal) two **2** (ordinal) second

II pron (cardinal) two

III m two

doscientos,-as adj & m,f two hundred

dosificar vtr to dose

dosis f inv dose

dotado,-a adj **1** (con un don especial) gifted **2** (surtido, provisto) equipped **3** (un premio) **el premio está dotado con tres millones,** the prize is worth three million

dotar vtr **1** (conceder) **dotar de,** to provide with **2** (un premio, etc) to assign

dote f **1** (de una mujer) dowry **2 dotes,** (don, capacidad) gift sing, talent sing

Dr (abr de **doctor**) doctor, Dr

Dra (abr de **doctora**) doctor, Dr

dragón m Mit dragon

drama m drama

dramático,-a adj dramatic

dramaturgo,-a m,f playwright, dramatist

drástico,-a adj drastic

drenar vtr to drain

droga f Med & fig drug

drogadicto,-a m,f drug addict

drogar vtr to drug

■ **drogarse** vr to take drugs, do drugs

droguería f **1** Esp shop selling cosmetics, cleaning and decorating materials **2** LAm chemist's, drugstore

dromedario m Zool dromedary

dualidad f duality

dubitativo,-a adj doubtful

ducha f shower

ducharse vr to shower, have o take a shower

duda f doubt

dudar I vi **1** to doubt **2** (estar indeciso) to hesitate [en, to]

II vtr to doubt

dudoso,-a adj **1** (poco probable) unlikely, doubtful; (incierto) uncertain **2** (indeciso, vacilante) undecided

duelo¹ m (enfrentamiento, lucha) duel

duelo² m (luto) mourning

duende m **1** (ser fantástico) goblin, elf **2** (gracia, atractivo) magic, charm

dueño,-a m,f **1** owner **2** (de un hostal, casa alquilada) (hombre) landlord, (mujer) landlady

dulce I adj **1** sweet **2 agua dulce,** fresh water

II m **1** Culin (pastel) cake; **dulce de membrillo,** quince jelly o preserves **2** (caramelo) candy

duna f dune

dúo m duet

duodécimo,-a adj & m,f twelfth

dúplex m duplex, duplex apartment

duplicado,-a m duplicate, copy

duplicar vtr **1** (hacer una copia) to duplicate **2** (doblar una cifra) to double

■ **duplicarse** vr to double

duque m duke

duquesa f duchess

duración f duration, length

durante prep during

durar vtr to last

dureza f **1** hardness; (de una persona) harshness, severity **2** (en las manos, en los pies) callus

duro,-a I adj **1** hard **2** (violento, brusco) rough

II adv hard

E

E, e *f (letra)* E, e

E *(abr de Este)* East, E

e *conj* and

ebanista *m* cabinet-maker

ébano *m* ebony

echar *vtr* **1** *(por el aire)* to throw **2** *(añadir)* to put; *(una bebida)* to pour **3** *(despedir: humo, olor)* to give off; *(del trabajo)* to sack, fire; *(obligar a salir)* to throw out **4** *(calcular subjetivamente)* to reckon **5** *fam (un espectáculo)* to show **6** *(derribar)* **echar abajo,** *(edificio)* to demolish **7** *(+ sustantivo) fig* **échale una ojeada a esto,** have a look at this; *fig* **echarle una mano a alguien,** to give sb a hand **8 echar de menos** *o* **en falta,** to miss

■ **echarse** *vr* **1** *(acostarse)* to lie down; *(tirarse)* to throw oneself **2** *(empezar)* to begin to

eclipsar *vtr* to eclipse

eclipse *m* eclipse

eco *m* **1** echo **2** rumor **3** *(alcance, propagación)* impact

ecografía *f* scan

ecología *f* ecology

ecológico,-a *adj* ecological

ecologista I *adj* ecological, environmental **II** *mf* ecologist

economía *f* **1** economy **2** *(rama del saber)* economics

económico,-a *adj* **1** *(país, empresa)* economic; *(persona)* financial **2** *(barato)* economical, inexpensive

economista *mf* economist

ecosistema *m* ecosystem

ecuación *f* equation

Ecuador *m* Ecuador

ecuador *m Geog* **el ecuador,** the Equator

ecualizador *m* graphic equalizer

ecuánime *adj* **1** *(persona)* calm, even-tempered **2** *(opinión, decisión)* impartial

ecuatorial *adj* equatorial; **Guinea Ecuatorial,** Ecuatorial Guinea

ecuestre *adj* equestrian

eczema *m* eczema

edad *f* **1** age: **¿qué edad tiene tu prima?,** how old is your cousin? **2** *(periodo)* age: **Edad de Oro,** Golden Age

edición *f* **1** *(de un libro, cartel)* publication **2** *(ejemplares)* edition

edicto *m* edict, proclamation

edificar *vtr* to build

edificio *m* building

editar *vtr* **1** *(en papel)* to publish **2** *(disco, CD)* to bring out CD **3** *Inform* to edit

editor,-ora I *adj* publishing **II** *m,f* **1** *(dueño de editorial)* publisher **2** *(supervisor de edición)* editor

editorial I *adj* publishing **II** *f* publisher(s), publishing house **III** *m Prensa* editorial, leading article

edredón *m* quilt, duvet, eiderdown

educación *f* **1** education **2** *(crianza)* upbringing **3** *(urbanidad, cortesía)* **compórtate con educación,** be polite; **no hagas eso, es una falta de educación,** don't do that, it's rude

educado,-a *adj (cortés)* polite: **es un niño muy bien/mal educado,** he's a very well-mannered/rude boy

educador,-ora *m,f* teacher

educar *vtr* **1** *(criar)* to raise **2** *(enseñar)* to educate **3** *(un sentido, la voz)* to train

educativo,-a *adj* educational; **sistema educativo,** education system

edulcorante *m* sweetener

EE. UU. *mpl (abr de Estados Unidos)* United States of America, USA; United States, US

efectivo,-a I *adj* effective **II** *m* **1** *Fin* **en efectivo,** in cash **2 efectivos,** *Mil* forces

◆ | LOC: *Fin* **hacer efectivo un cheque,** to cash a cheque

efecto *m* **1** *(consecuencia, resultado)* effect **2** *(impresión)* impression **3** *(fin, propósito)* purpose **4 efectos personales,** personal belongings *o* effects **5** *Dep* spin

efectividad *f* **1** *(de una medida, un medicamento)* effectiveness **2** *(validez)* validity

efectuar *vtr* to carry out

efervescente *adj* effervescent; *(bebida)* fizzy; *(aspirina)* soluble

eficacia *f* **1** *(de una medida, un medicamento)* effectiveness **2** *(de una persona)* efficiency

eficaz *adj* **1** *(medida, medicamento)* effective **2** *(persona)* efficient

eficiente *adj* efficient

efímero,-a *adj* ephemeral

efusivo,-a *adj* effusive

egocéntrico,-a *adj* egocentric, self-centered

egoísmo *m* egoism, selfishness

egoísta I *adj* egoistic, selfish **II** *mf* egoist, selfish person

egresar *vi LAm (terminar la escuela)* to leave school; *(los estudios universitarios)* to graduate

ej. *(abr de ejemplo)* exempli gratia, e.g.

eh *interj* hey (you)!

eje *m* **1** *Téc (de una rueda)* axle; *(de una máquina)* shaft **2** *Mat* axis *(pl* **axes)**; **eje de coordenadas,** x and y axes

ejecución *f* **1** execution **2** *Mús* performance

ejecutar *vtr* **1** *(llevar a cabo, cumplir)* to carry out **2** *(asesinar)* to execute **3** *Mús* to perform, play **4** *Inform* to run

ejecutivo,-a I *adj* executive **II** *m* executive

ejecutor,-ora *m,f* **1** executant, performer **2** *Jur* executor **3** *(verdugo)* executioner

ejemplar I *m* **1** *(de un libro)* copy; *(de publicación periódica)* number, issue **2** *(de una especie animal, vegetal)* specimen **II** *adj* exemplary, model

ejemplo m example ◆ | LOC: **por ejemplo,** for example

ejercer I vtr 1 (un oficio, una profesión) to practice 2 (una influencia, acción) to exert 3 (un derecho) to exercise II vi to practice [**de, as**]

ejercicio m 1 exercise 2 (desempeño de profesión) practice 3 Fin tax year; **ejercicio económico,** financial year 4 (examen, esp práctico) exam, proof

ejote m LAm green bean

el art def m 1 the 2 (no se traduce) (ante un tratamiento formal) **el sr. Gómez,** Mr Gomez; (cuando el sustantivo es general) **el hambre/ tiempo,** hunger/time 3 (se traduce por un posesivo) (con partes del cuerpo) **se ha cortado el pelo,** she's cut her hair; (prendas) **se lo metió en el bolsillo,** he put it in his pocket; (pertenencias) **guarda el diario en el cajón,** put your diary into the drawer 4 (con días de la semana) **iré el miércoles,** I'll go on Wednesday 5 (cuando el sustantivo está elidido) the one: **prefiero el azul,** I prefer the blue one; (delante de un posesivo) **el de María,** Maria's; **es el mío,** it's mine

él pron pers 1 (sujeto) (persona) he; (animal, cosa) it: **fue él,** it was him 2 (complemento) (persona) him; (animal, cosa) it; **dáselo a él,** give it to him 3 (posesivo) **de él,** his

elaborar vtr 1 (fabricar) to manufacture, produce 2 (un proyecto, una teoría) to develop

elasticidad f 1 elasticity 2 fig flexibility

elástico,-a adj & m elastic

elección f 1 choice 2 Pol election (usu en pl) **elecciones,** election(s)

electorado m electorate pl

electoral adj electoral; **campaña electoral,** election campaign; **colegio electoral,** polling station; **jornada electoral,** polling day

electricidad f electricity

electricista mf electrician

eléctrico,-a adj electric

electrificar vtr to electrify

electrizar vt to electrify

electro m fam (del corazón) electrocardiogram

electrochoque, electroshock m electric shock therapy

electrocutar vtr to electrocute

electrodo m electrode

electrodoméstico m electrical appliance

electromagnético,-a adj electromagnetic

electrón m electron

electrónica f electronics sing

electrónico,-a adj electronic

elefante m elephant; **elefante marino,** sea elephant, elephant seal

elegancia f elegance

elegante adj elegant

elegir vtr 1 to choose 2 Pol (a un dirigente) to elect

elemental adj 1 (esencial) basic, elemental, escuela elemental, elementary school 2 (indivisible) **partícula elemental,** elementary particle 3 (sencillo, sin complejidad) elementary

elemento m 1 element 2 (parte integrante) component, part 3 fam (tipo, sujeto) type, sort 4 **elementos,** elements; (nociones básicas) rudiments 5 (medio vital) habitat

elepé m LP

elevación f 1 elevation 2 (del terreno) rise (in the ground)

elevado,-a adj 1 (temperatura) high; (torre, construcción) tall 2 (altruista, espiritual) noble

elevalunas m inv Auto **elevalunas eléctrico,** electric windows

elevar vtr 1 to raise 2 Mat to raise (to the power of); **elevar al cuadrado,** to square; **elevado a la cuarta, etc, potencia,** to raise to the power of four, etc

■ **elevarse** vr 1 (levantarse del suelo) to rise 2 (alzarse) to stand 3 **elevar a,** (cantidad) to amount o come to

eliminar vtr to eliminate

eliminatoria f Dep heat round

eliminatorio,-a adj qualifying, preliminary

elipse f Mat ellipse

elite f élite

elitista adj & mf elitist

elixir m elixir

ella pron pers 1 (sujeto) she; (animal, cosa) it: **fue ella,** it was her 2 (complemento) her; (animal, cosa) it, her: **es para ella,** it's for her 3 (posesivo) **de ella,** hers

ellas pron pers fpl → **ellos**

ello pron pers neut it

ellos pron pers mpl 1 (sujeto) they 2 (complemento) them 3 (posesivo) **de ellos,** theirs → **él, ella**

elocuencia f eloquence

elocuente adj eloquent

elogiar vtr to praise

elogio m praise

elote m LAm tender corncob

El Salvador m El Salvador

eludir vtr to avoid

emanar vi 1 to emanate [**de, from**] 2 fig (tener origen) to stem o come [**de, from**]

emancipar vtr to emancipate

■ **emanciparse** vr to become emancipated

embadurnar vtr to smear [**de, with**]

■ **embadurnarse** vr to get covered [**de, in**]

embajada f embassy

embajador,-ora m,f ambassador

embalaje m packing, packaging

embalar vtr to pack

■ **embalarse** vr 1 (coger velocidad) to speed up 2 (precipitarse, entusiasmarse) to rush into sthg

embalsamar vtr to embalm

embalse *m* reservoir

embarazada I *adj* pregnant; **quedarse embarazada,** to get pregnant
II *f* pregnant woman

embarazo *m* pregnancy

embarazoso,-a *adj* awkward, embarrassing

embarcación *f* 1 *(barco)* boat, craft 2 *(acción de subir a un barco)* embarkation

embarcadero *m* quay, pier

embarcar I *vtr (pasajeros)* to board; *(bultos, maletas)* to load
II *vi* to board
■ **embarcarse** *vr* 1 *Náut* to go on board; *Av* to board 2 *(emprender)* **to** embark

embargar *vtr* 1 *Jur (una propiedad, cuenta)* to seize 2 *(arrebatar, poseer)* to fill, overcome

embargo *m* 1 *Jur* seizure of property 2 *Com Pol* embargo

embarque *m (de pasajeros)* boarding; *(de bultos, maletas)* loading; **puerta de embarque,** gate; **tarjeta de embarque,** boarding card

embellecer *vtr* to embellish

embestir *vtr & vi* 1 *Taur* to charge 2 *(contra el enemigo)* to attack [**contra,** on]

emblema *m* emblem

embolia *f* embolism

embolsar *vtr,* **embolsarse** *vr* to pocket

emborrachar *vtr,* **emborracharse** *vr* to get drunk

emboscada *f* ambush

embotellamiento *m Auto* traffic jam

embotellar *vtr* 1 *(meter en una botella)* to bottle 2 *Auto (producir un atasco)* to block

embrague *m Auto* clutch

embravecerse *vr* 1 *(mar, viento)* to become rough 2 *LAm (ponerse furioso)* to become enraged

embriagar *vtr* 1 *(emborrachar, achispar)* to intoxicate 2 *(causar placer)* to enrapture
■ **embriagarse** *vr* 1 *(emborracharse)* to get drunk 2 *(deleitarse)* to feel heady

embriaguez *f* intoxication

embrión *m* 1 *embryo* 2 *Bot* seed, germ

embrollo *m* 1 *(enredo)* muddle, confusion 2 *(situación apurada)* fix, jam

embrujado,-a *adj (persona)* bewitched; *(objeto)* haunted

embrujo *m* 1 *(hechizo mágico)* spell, charm 2 *(encanto)* attraction, charm

embudo *m* funnel

embuste *m* lie, trick

embustero,-a *m,f* cheat, liar

embutido *m* sausage

embutir *vtr* to stuff

emergencia *f* emergency

emerger *vi* to emerge

emigración *f* emigration; *(de animales)* migration

emigrante *adj & mf* emigrant

emigrar *vi* to emigrate; *(los animales)* to migrate

eminencia *f* 1 *(especialista en un campo)* leading figure 2 *Rel* Eminence

eminente *adj* eminent

emirato *m* emirate

emisario,-a *m,f* emissary

emisión *f* 1 emission 2 *(de moneda, papel oficial)* issue 3 *Rad TV* broadcasting

emisora *f* radio *o* television station

emitir *vtr* 1 to emit, send out 2 *(un parecer, una opinión)* to express; *(un veredicto)* to bring in 3 *(moneda, papel oficial)* to issue 4 *Rad TV* to broadcast

emoción *f* 1 *(sentimiento)* emotion 2 *(nerviosismo, expectación)* excitement

emocionar *vtr* 1 *(causar emoción)* to move, touch 2 *(ilusionar)* to excite, thrill
■ **emocionarse** *vr* 1 *(conmoverse)* to be moved 2 *(ilusionarse)* to get excited

emotivo,-a *adj* emotional

empacar *vi LAm (hacer la maleta)* to pack up

empacharse *vtr* to get indigestion

empacho *m* indigestion, upset stomach

empadronar *vtr,* **empadronarse** *vr* to register

empalagar *vtr & vi* 1 *(ser demasiado dulce)* to be too rich *o* sweet 2 *(aburrir, disgustar)* to bore

empalagoso,-a *adj* 1 *(excesivamente dulce)* sickly sweet 2 *(persona, película, libro)* cloying

empalizada *f* fence

empalmar I *vtr* to join
II *vi* to connect

empalme *m* 1 *Elect* connection; *Fot Cin* splice 2 *Ferroc* junction; *Auto* intersection

empanada *f* pie

empanadilla *f* pasty

empanado,-a *adj* breaded

empantanarse *vr* to become flooded

empañar *vtr* to steam up
■ **empañarse** *vr* to steam up

empapado,-a *adj* soaked

empapar *vtr* to soak
■ **empaparse** *vr (mojarse, calarse)* to get drenched *o* soaked

empapelar *vtr* to wallpaper

empaquetar *vtr* to pack

emparedado *m* sandwich

emparejar *vtr* 1 *(hacer pares iguales)* to match 2 *(personas)* to pair off

emparentado,-a *adj* related

empastar *vtr* to fill

empaste *m* filling

empatado,-a *adj Dep* drawn

empatar I *vi Dep* to tie, draw
II *vtr* 1 *Dep* to tie 2 *LAm (empalmar)* to join

empate *m Dep* draw, tie: **empate a cero,** zero-zero draw

empedernido,-a *adj* hardened

empedrado,-a I *adj* cobbled
II *m (pavimento de piedras)* cobbles *pl*

empeine *m* instep

empeñado,-a *adj* 1 *(tener deudas)* to be in debt 2 *(estar decidido, obstinado)* to be determined 3 *(en una casa de empeños)* **in** pawn

empeñar *vtr* to pawn, hock

■ **empeñarse** *vr* 1 *(obstinarse)* to insist [**en,** on] 2 *(adquirir deudas)* to get into debt

empeño *m* 1 insistence 2 **casa de empeños,** pawnshop

empeorar I *vi* to get worse

II *vtr* to make worse

emperador *m* 1 emperor 2 *Zool* swordfish

emperatriz *f* empress

empezar *vtr & vi* 1 to begin, start 2 *(un paquete, una caja)* to open, start

empinado,-a *adj (camino)* steep

empírico,-a *adj* empirical

empleado,-a *m,f* employee; *(administrativo, funcionario)* clerk; **empleada de hogar,** domestic servant

emplear *vtr* 1 *(utilizar)* to use; *(esfuerzo, tiempo)* to spend 2 *(a un trabajador)* to employ

empleo *m* 1 *(trabajo)* job; **estar sin empleo,** to be unemployed; *Pol* employment 2 *(utilización)* use; **modo de empleo,** instructions for use

emplomar *vtr LAm (empastar)* to fill

empobrecer *vi* to impoverish

empollar *vtr* 1 *(la gallina: huevos)* to sit on 2 *fam (estudiar mucho)* to bone up on

empollón,-ona *fam pey m,f* swot

empolvarse *vr* to powder

empotrado-a *adj* fitted, built in

emprendedor,-ora *adj* enterprising

emprender *vtr* 1 *(una tarea)* to undertake 2 *(un viaje)* to embark on, to set out

empresa *f* 1 *Com Ind* company, firm 2 *(proyecto, tarea)* undertaking, task

empresario,-a *m,f* 1 *(hombre)* businessman; *(mujer)* businesswoman 2 *(miembro de patronal)* employer

empujar *vtr* 1 *(desplazar)* to push, shove 2 *(inducir)* to drive

empuje *m* 1 push 2 *(resolución)* energy, drive

empujón *m* push, shove

empuñadura *f* hilt

empuñar *vtr* 1 *(esgrimir un arma)* to brandish 2 *(coger por el puño)* to hold

emular *vtr* to emulate

emulsión *f* emulsion

en *prep* 1 *(lugar)* in, on, at: **en el cajón,** in the drawer; **en casa/el trabajo,** at home/work; *(sobre)* **en la mesa,** on the table 2 *(tiempo)* in, on, at: **en ese preciso instante,** at that very moment; **en un minuto,** in a minute; *LAm* **en la mañana,** in the morning 3 *(modo)* **en bata,** in a dressing gown; **en francés,** in French 4 *(medio)* by, in: **puede venir en avión/coche/metro/tren,** she can come by air/car/tube/train 5 *(movimiento)* into: **entró en la habitación,** he went into the room 6 *(tema, materia)* at, in; **experto en finanzas,** expert in finances 7 *(partición, fases)* in: **hicimos el viaje en dos etapas,** we did the journey in two stages 8 *(de... en...)* **de tres en tres,** three by three 9 *(con infinitivo)* **fue rápido en desenfundar,** he was quick to pull out

enajenación *f frml* 1 *(locura)* insanity 2 *Jur* transfer

enamorado,-a I *adj* in love

II *m,f* 1 person in love

enamorarse *vr* to fall in love [**de,** with]

enano,-a I *adj* dwarf

II *m,f* dwarf

encabezar *vtr* 1 *(una manifestación, protesta)* to lead 2 *(una lista)* to head

encadenar *vtr* 1 to chain [**a,** to] 2 *(ideas)* to link, connect

encajar I *vtr* 1 *(algo dentro de algo)* to insert 2 *(aceptar)* to take 3 *(un golpe a alguien)* to land sb a blow

II *vi* to fit

encaje *m* lace

encalar *vtr* to whitewash

encallar *vi Náut* to run aground

encaminado,-a *adj* 1 *(orientado)* **ir bien/mal encaminado,** to be on the right/wrong track 2 *(dirigido, destinado)* aimed

encaminar *vtr* to direct

■ **encaminarse** *vr* to head [**a,** for] [**hacia,** towards]

encantado,-a *adj* 1 *(satisfecho)* delighted; **encantado de conocerle,** pleased to meet you 2 *(hechizado)* enchanted

encantador,-ora I *adj* charming, lovely

II *m,f* enchanter

encantamiento *m* spell

encantar I *vi (gustar mucho)* to love

II *vt (embrujar)* to bewitch, cast *o* put a spell on

encanto *m* charm

encapricharse *vr* to take a fancy [**de,** to]

encarcelar *vtr* to imprison

encarecer *vtr (el precio)* to put up the price of

■ **encarecerse** *vr* to become more expensive

encargado,-a I *m,f* 1 *Com* manager 2 *(responsable)* person in charge

II *adj* in charge

encargar *vtr* 1 *(encomendar)* to entrust 2 *Com (solicitar mercancías)* to order

■ **encargarse** *vr* **encargarse de,** to see to, deal with, look after

encargo *m* 1 *(recado)* errand 2 *Com* order

encariñado,-a *adj* fond *(con,* of], attached [**con,** to]

encariñarse *vr* to become fond [**con,** of], get attached [**con,** to]

encarnar *vtr* to personify

encarnizado,-a *adj* fierce

encarrilar *vtr* **1** *(un tren)* to put on the rails **2** *(un proyecto, la vida, una persona)* to put on the right track

encasillar *vtr* to pigeonhole

encauzar *vtr* to channel

encéfalo *m Anat* brain

encefalograma *m* encephalogram

encendedor *m* lighter

encender *vtr* **1** *(con interruptor)* to switch on; *(con fuego)* to light **2** *(avivar)* to stir up

■ **encenderse** *vr (un fuego)* to catch; *(una luz)* to come on

encendido,-a *m* ignition

encerado *m (pizarra)* blackboard

encerar *vtr* to polish

encerrar *vtr* **1** to shut in; *(con llave)* to lock in **2** *(entrañar)* to contain, include

■ **encerrarse** *vr* **1** to shut oneself up *o* in; *(con llave)* to lock oneself in **2** *(en uno mismo)* to become withdrawn

encestar *vi Dep* to score (a basket)

encharcado,-a *adj* **1** *(anegado)* flooded **2** *(estancado)* stagnant

encharcar *vtr* to flood

■ **encharcarse** *vr* to get flooded

enchufado,-a I *adj* **1** *(un electrodoméstico)* plugged in **2** *fam (recomendado)* **estar enchufado**, to have good connections **II** *m,f fam (ojo derecho, preferido)* pet

enchufar *vtr* **1** *Elec (a la red)* to plug in; *(poner en marcha)* to turn on **2** *(dirigir un chorro de luz)* to shine; *(de agua)* **me enchufó con la manguera**, he turned the hose on me **3** *fam (favorecer)* to pull strings for

enchufe *m* **1** *Elec (hembra)* socket; *(macho)* plug *(persona)* contact

encía *f Anat* gum

enciclopedia *f* encyclopedia

encierro *m* **1** *Pol (como protesta)* sit-in **2** *(confinamiento)* confinement **3** *(reclusión)* seclusion **4** *(de toros)* running of bulls (through the streets)

encima *adv* **1** *(en la parte superior de)* on top **2** *(sobre uno)* **no tenía encima la documentación**, she didn't have her papers on her; *(sobre el cuerpo)* **se me cayó encima el café**, I spilled the coffee over myself **3** *(además)* besides, on top of that ◆ |LOC: **encima de**, *(sobre)* on, over; *(superficialmente)* **hablamos de ello por encima**, we scarcely talked about it

encimera *f* worktop

encina *f Bot* holm oak

encinta *adj* pregnant

encoger I *vi (prenda)* to shrink **II** *vtr* **1** *(prenda)* to shrink **2** *(una parte del cuerpo)* to contract

■ **encogerse** *vr (sobre uno mismo)* to contract: **se encogió de hombros**, she shrugged her shoulders

encolar *vtr (un mueble, etc)* to glue

encolerizar *vtr* to infuriate, anger

■ **encolerizarse** *vr* to get angry

encomendar *vtr* to entrust

■ **encomendarse** *vr* to entrust oneself [a, to]

encontrar *vtr* **1** to find **2** *(tropezar)* to meet

■ **encontrarse** *vr* **1** *(con alguien)* to meet **2** *(sentirse)* to feel, be **3** *(descubrir)* to discover

encorvar *vtr* to bend

■ **encorvarse** *vr* to stoop, bend

encuadernar *vtr* to bind

encuadrar *vtr* **1** *Fot Cine* to frame **2** *(incluir, clasificar)* to include, classify

encubrir *vtr* **1** *(un hecho, la verdad)* to conceal **2** *Jur (a un delincuente)* to cover up for

encuentro *m* **1** meeting **2** *Dep* match

encuesta */ 1 (de opiniones)* opinion poll **2** *(de datos)* survey

encuestador,-ora *m,f* pollster

encuestar *vtr* to poll

encumbrar *vtr* to exalt, elevate

endeble *adj* feeble, weak

enderezar *vtr* **1** *(poner recto)* to straighten up **2** *(corregir, poner en buen camino)* to sort out

■ **enderezarse** *vr* to straighten up

endeudarse *vr* to get into debt

endibia, endivia *f* endive

endosar *vtr* **1** *(un cheque)* to endorse **2** *fam (un trabajo)* to lumber with

endulzar *vtr* to sweeten

endurecer *vtr* to harden

■ **endurecerse** *vr* to harden, go hard

enema *m* enema

enemigo,-a I *adj* enemy

II *m,f* enemy

enemistad *f* enmity

enemistar *vtr* to cause a rift between

■ **enemistarse** *vr* to fall out [con, with]

energético,-a *adj* energy

energía *f* energy: **energía eléctrica**, electricity; **energía nuclear**, nuclear power

enero *m* January

enésimo,-a *adj* **1** *Mat* n^{th} **2** *fam* umpteenth

enfadado,-a *adj* angry

enfadar *vtr* to make angry

■ **enfadarse** *vr* **1** to get angry [con, with] **2** *(uno con otro)* to fall out

énfasis *m inv* emphasis, stress

enfatizar *vtr* to emphasize, stress

enfermar *vi* to become *o* fall ill, get sick

enfermedad *f* illness; **una enfermedad crónica**, a chronic disease

enfermería *f* **1** *(lugar)* sickbay **2** *(oficio)* nursing

enfermero,-a *m,f* nurse

enfermizo,-a *adj* unhealthy, sickly

enfermo,-a I *adj* ill, sick: **se puso enferma**, she fell ill **II** *m,f* sick person; *(paciente)* patient

enfocado,-a *adj* **está bien/mal enfocado**,

(una fotografía) to be in/out of focus; *(un problema)* to have a good/bad approach

enfocar *vtr* 1 *(una cámara, un proyector)* to focus 2 *(un problema, un asunto)* to approach 3 *(con un haz de luz)* to shine a light on

enfoque *m* 1 *(de un problema)* approach 2 *Fot TV* focus; *(acción)* focusing

enfrentamiento *m* confrontation

enfrentar *vtr* 1 *(afrontar)* to confront, face up to 2 *(enemistar)* to set at odds 3 *(poner frente a frente)* to bring face to face

■ **enfrentarse** *vr* 1 to face 2 *Dep (un equipo)* to play; *(una persona)* to meet [a, -]

enfrente *adv* opposite, facing

enfriar I *vtr* to cool (down), chill

II *vi* to cool down

■ **enfriarse** *vr* 1 to get *o* go cold 2 *(coger un resfriado)* to get *o* catch a cold 3 *(el entusiasmo)* to cool down

enfurecer *vtr* to enrage, infuriate

■ **enfurecerse** *vr* to become furious, lose one's temper

enganchado,-a *adj* 1 *argot (a las drogas)* hooked

enganchar *vtr* 1 *(con un gancho, una rama)* to hook 2 *Ferroc* to couple 3 *(prender)* **la novela la engancha,** the novel grips you

■ **engancharse** *vr* 1 to get caught *o* hooked 2 *fam (a la droga)* to get hooked

engañar *vtr* 1 to deceive, mislead 2 *(mentir)* to lie 3 *(timar)* to cheat, trick 5 *(ser infiel)* to be unfaithful to

II *vi* to be deceptive

■ **engañarse** *vr* to deceive *o* fool oneself

engaño *m (mentira, trampa)* deception, swindle; *(estafa)* fraud; *(infidelidad)* unfaithfulness

engendrar *vtr* 1 *Biol* to engender 2 *(dar lugar, provocar)* to give rise to, cause

englobar *vtr* to include

engordar I *vi* 1 to put on weight, get fat 2 *(causar gordura)* to be fattening

II *vtr* to fatten (up), make fat

engranaje *m Téc* gears

engrandecer *vtr* to exalt

engrasar *vtr* 1 *(untar con grasa, etc)* to lubricate, oil 2 *(ensuciar con grasa)* to make greasy

engreído,-a *adj* conceited

engrosar *vtr* to swell, increase

engullir *vtr* to gobble up, wolf down

enharinar *vtr* to flour

enhebrar *vtr* to thread

enhorabuena *f* congratulations *pl*

enigma *m* enigma

enjabonar *vtr* to soap

enjambre *m* swarm

enjaular *vtr* to cage

enjuagar *vtr* to rinse

enjugar *vtr,* **enjugarse** *vr* to wipe away

enjuiciar *vtr* 1 to judge, examine 2 *Jur (a un sospechoso)* to prosecute

enlace *m* 1 *(relación)* link, connection 2 *frml*

(boda) wedding 3 *(persona de contacto)* liaison 4 *Ferroc* connection

enlatado,-a *adj* canned, tinned

enlatar *vtr* to can, tin

enlazar *vtr & vi* to link [con, with/to], connect [con, with]

enloquecer I *vi* to go mad

II *vtr* to drive mad

enmarcar *vtr* to frame

enmascarar *vtr* 1 *(poner una máscara)* to mask 2 *(disimular, encubrir)* to disguise

enmendar *vtr* to correct

■ **enmendarse** *vr* to reform

enmienda *f* 1 *Jur Pol* amendment 2 *(rectificación)* correction

enmohecerse *vr* to go moldy

enmudecer *vi* to fall silent

ennegrecer *vtr,* **ennegrecerse** *vr* to blacken, turn black

enojado,-a *adj* angry

enojar *vtr* to anger, annoy

■ **enojarse** *vr* to get angry [por, about]

enorgullecerse *vtr/vr* to feel proud [de, of]

enorme *adj* enormous, huge

enormidad *f* 1 enormity 2 *(intensificador)* **una enormidad,** loads

enraizado,-a *adj* rooted

enredadera *f* creeper, climbing plant

enredar *vtr* 1 to entangle, tangle up 2 *(un asunto, situación)* to confuse, complicate 3 *fig (implicar en algo ilegal, turbio)* to involve [en, in], to mix up [en, in]

■ **enredarse** *vr* 1 *(cables, cuerdas, pelo)* to get entangled 2 *(asunto, situación)* to get complicated *o* confused 3 *fig (implicarse en algo turbio)* to get mixed up, involved [en, in] 4 *(aturullarse, aturdirse)* to get mixed up

enredo *m* 1 tangle 2 *(asunto lioso)* muddle, mess

enrevesado,-a *adj (problema, persona)* complicated, difficult

enriquecer *vtr* 1 *(con bienes materiales)* to make rich 2 *(mejorar)* to enrich

■ **enriquecerse** *vr* 1 to get *o* become rich 2 *(espiritualmente)* to be enriched

enrojecer *vtr* 1 to redden, turn red 2 *(de ira, vergüenza)* to blush

enrolarse *vr Mil* to enlist in, join up

enrollado,-a *adj* 1 *(una alfombra, un mapa, etc)* rolled up; *(en un carrete)* coiled up 2 *fam (bueno, estupendo)* great 3 *fam* **está enrollado con Marisa,** he has a thing going with Marisa

enrollar *vtr (una persiana, etc)* to roll up; *(un cable)* to coil; *(un hilo)* to wind up

■ **enrollarse** *vr* 1 *fam (hablar mucho tiempo)* to go on and on 2 *fam (con una persona)* to have an affair with sb

enroque *m Ajedrez* castling

enroscar *vtr* 1 to coil, wind 2 *(atornillar)* to screw in *o* on

■ **enroscarse** *vr* to coil up

ensalada *f* salad

ensaladera *f* salad bowl

ensamblaje *m Téc* assembly

ensamblar *vtr* to assemble

ensanchar *vtr* 1 *Cost* to let out 2 *(una calle, etc)* to enlarge, widen

■ **ensancharse** *vr* to get wider

ensangrentado,-a *adj* bloodstained, covered in blood

ensartar *vtr* 1 *(cuentas de un collar, etc)* to string 2 *(con un pincho)* to spit

ensayar *vtr* 1 *Teat Mús* to rehearse 2 *(un método, una técnica)* to test, try out

II *vi* to rehearse

ensayo *m* 1 *(escrito)* essay 2 *Teat* rehearsal 3 *(prueba)* test, trial

enseguida, en seguida *adv* 1 *(tiempo) (de inmediato)* at once; *(en muy poco tiempo)* **enseguida les atenderán,** you will be served in a moment 2 *(espacio)* immediately after, next

ensenada *f* inlet

enseñanza *f* 1 *(transmisión de conocimientos)* teaching 2 *(sistema de formación)* education

enseñar *vtr* 1 to teach 2 *(dejar ver)* to show

ensimismado,-a *adj (muy concentrado)* engrossed; *(ausente)* lost in thought

ensombrecer *vtr* 1 to cast a shadow over 2 *(entristecer)* to sadden

■ **ensombrecerse** *vr* to darken

ensordecedor,-ora *adj* deafening

ensuciar *vtr* to get dirty

■ **ensuciarse** *vr* to get dirty

ensueño *m* dream

entablar *vtr (iniciar una conversación, amistad)* to strike up, begin; *(un negocio)* to start

entablillar *vtr Med* to splint

entallado,-a *adj* fitted

entarimado *m* floorboards

ente *m* 1 *(ser)* being 2 *(organismo, colectividad)* body, entity

entender I *vtr (comprender)* to understand

II *vi* **entender de,** *(saber)* to know about

■ **entenderse** *vr (llevarse bien)* to get on well

entendido,-a *m,f* expert

entendimiento *m* understanding

enterado,-a *adj* well-informed

II *m,f fam pey* know-all

enterarse *vr* to find out

enternecedor,-ora *adj* moving, touching

entero,-a I *adj* 1 entire, whole 2 *(cabal, sensato)* honest, upright 3 *fig (ante una desgracia)* strong

II *m* 1 *Mat* whole number 2 *Fin (en Bolsa)* point

enterrador,-ora *m,f* gravedigger

enterrar *vt* to bury

entidad *f* organization

entierro *m* 1 burial 2 *(exequias, ritual)* funeral

entomología *f* entomology

entonación *f* intonation

entonar I *vtr* 1 *Mús* to sing 2 *Med* to tone up

II *vi* 1 *Mús* to sing in tune 2 *(combinar)* to go [**con,** with]

entonces *adv* then

entornar *vtr* to half-close; *(una puerta, ventana)* to leave ajar

entorno *m* 1 *(medio)* environment 2 *(proximidades)* surroundings *pl*

entorpecer *vtr* 1 *(un acuerdo, un camino)* to hinder 2 *(las capacidades, los sentidos)* to dull

entrada *f* 1 *(acceso)* entrance 2 *(para espectáculos)* ticket 3 *(concurrencia, taquilla)* Dep gate; *Teat* attendance 4 *(vestíbulo)* hall 5 *(pago inicial)* deposit 6 *(en un grupo, lugar)* entry 7 *Culin* starter 8 *Com (ingresos)* income 9 *(en la cabellera)* receding hairline 10 *Ftb* tackle

entrante I *adj* coming

II *m Culin* starter

entrañar *vtr* to entail

entrañas *fpl* 1 *Anat (de persona)* entrails; *(de animal)* guts 2 *fig* bowels

entrar I *vi* 1 to come in, go in, enter 2 *(encajar)* to fit 3 *(estar incluido)* to be included 4 *(en una organización, partido)* to join, get into 5 *(en una situación)* to go into: **entrar en calor,** to warm up 6 *(sobrevenir)* to come over: **le entraron ganas de llorar,** he felt like crying 7 *(agradar)* **no me entran las lentejas,** I don't like lentils

II *vtr* 1 to bring in 2 *Inform* to enter

entre *prep* 1 *(señalando límites)* between 2 *(rodeado de)* among(st)

entreabierto,-a *adj* half-opened; *(puerta, ventana)* ajar

entreacto *m* interval

entrecejo *m* space between the eyebrows

◆ | LOC: **fruncir el entrecejo,** to frown

entrecot *m* fillet steak, entrecôte

entredicho *m* doubt, question

entrega *f* 1 *(de un pedido)* delivery; *(de un premio)* presentation 2 *(fascículo)* issue 3 *(dedicación)* devotion

entregar *vtr* 1 *(poner en poder de)* to hand over 2 *(unos papeles, trabajo, etc)* to give in, hand in 3 *Com* to deliver

■ **entregarse** *vr* 1 *(al enemigo, a la policía)* to give oneself up, surrender 2 *(abandonarse)* to abandon oneself, give oneself over 3 *(poner interés)* to devote oneself

entrelazar *vtr,* **entrelazarse** *vr* to entwine

entremés *m* 1 *Culin* hors d'œuvres 2 *Lit* short farce or play

entremezclarse *vr* to mix, mingle

entrenador,-ora *m,f* trainer, coach

entrenamiento *m* training

entrenar *vtr & vi* to train

■ **entrenarse** *vr* to train

entresijos *mpl (secretos, menudencias) fam* ins and outs

entresuelo *m* mezzanine

entretanto *adv* meanwhile

entretener *vtr* 1 *(divertir)* to entertain, amuse 2 *(retrasar)* to hold up

■ **entretenerse** *vr* 1 *(divertirse, pasar el rato)* to amuse oneself 2 *(retrasarse)* to be delayed, be held up

entretenido,-a *adj* amusing, entertaining

entretenimiento *m* 1 *(diversión)* entertainment, amusement 2 *(pasatiempo)* pastime

entrever *vtr* to glimpse, catch sight of

entrevista *f* interview

entrevistador,-ora *m,f* interviewer

entrevistar *vtr* to interview

■ **entrevistarse** *vr* to have an interview

entristecer *vtr* to sadden, make sad

■ **entristecerse** *vr* to be sad *[por,* about]

entrometerse *vr* to meddle, interfere *[en,* in]

entrometido,-a I *m,f* busybody, meddler **II** *adj* interfering

entroncar *vi* 1 to connect 2 to be related *[con,* to]

entumecido,-a *adj* numb

enturbiar *vtr* 1 *(agua)* to make cloudy 2 *fig (asunto)* to cloud

■ **enturbiarse** *vr* to become cloudy

entusiasmar *vtr* to delight

■ **entusiasmarse** *vr* to get excited *o* enthusiastic *[con,* about]

entusiasmo *m* enthusiasm

entusiasta I *adj* keen *[de,* on], enthusiastic **II** *mf* enthusiast

enumerar *vtr* to enumerate, list

enunciado *m* 1 *(de pregunta, problema)* wording 2 *Ling* statement

enunciar *vtr* to enunciate

envasar *vtr (empaquetar)* to pack; *(en vidrio)* to bottle; *(en lata)* to can, tin

envase *m (recipiente)* container; **envase no retornable,** non-returnable bottle

envejecer I *vi (persona)* to grow old; *(vino, licor)* to age
II *vtr (persona, vino)* to age

envenenar *vtr* to poison

enviado *m,f (delegado, mensajero)* envoy 2 *Prensa* **enviado especial,** special correspondent

enviar *vtr* to send

enviciar *vtr* to corrupt

■ **enviciarse** *vr* to become addicted *[con,* to], to get hooked *[con,* on]

envidia *f* envy

envidiable *adj* enviable

envidiar *vtr* to envy

envidioso,-a *adj* envious

envío *m* 1 *(acción)* sending 2 *(en grandes cantidades)* consignment; *(un paquete)* parcel;

envío contra reembolso, cash on delivery; **gastos de envío,** shipping and handling

enviudar *vi* to be widowed; *(un hombre)* to become a widower; *(una mujer)* to become a widow

envoltorio *m*, **envoltura** *f* wrapper

envolver *vtr* 1 *(con papel)* to wrap 2 *(rodear, cubrir)* to envelop 3 *(enredar, implicar)* to involve

■ **envolverse** *vr* 1 *(en una manta, etc)* to wrap oneself up *[en,* in] 2 *(involucrarse)* to become involved *[en,* in]

enyesar *vtr* 1 *(una pared)* to plaster 2 *(un brazo, etc)* to put in plaster

enzima *f* enzyme

épica *f* epic poetry

epicentro *m* epicenter

épico,-a *adj* epic

epidemia *f* epidemic

epilepsia *f Med* epilepsy

epílogo *m* epilogue, epilog

episodio *m* episode

epístola *f* epistle

epitafio *m* epitaph

epíteto *m* epithet

época *f* 1 *(periodo de tiempo)* period, time 2 *Agr* season

equilibrar *vtr* to balance

equilibrio *m* balance

equilibrista *mf* 1 *(volatinero)* acrobat; *(en la cuerda floja)* tightrope walker, *(en el alambre)* wire-walker

equino,-a *adj* equine, horse

equipaje *m* luggage; **hacer el equipaje,** to pack

equipar *vtr* to equip *[con,* with]

equiparar *vtr* to compare

equipo *m* 1 *(grupo de profesionales)* team 2 *(conjunto de aparatos)* equipment 3 *(conjunto de ropa, elementos, etc)* outfit

equitación *f* horseback riding

equitativo,-a *adj* fair, equitable

equivalente *adj* & *m* equivalent

equivaler *vi* to be equivalent *[a,* to]

equivocación *f* error, mistake

equivocado,-a *adj* mistaken, wrong

equivocar *vtr* 1 *(no acertar)* to get wrong 2 *(confundir)* to mix up

■ **equivocarse** *vr* 1 *(confundirse, errar)* to make a mistake 2 *(estar en un error)* to be mistaken

equívoco,-a I *adj* equivocal, ambiguous **II** *m* misunderstanding

era *f (periodo)* age, era; **la era de la informática,** the age of the computer

erario *m* treasury

erección *f* erection

erguir *vtr* to erect, lift up

■ **erguirse** *vr* to straighten up, stand up straight

erial *m* wasteland

erigir *vtr* to erect, build
■ **erigirse** *vr* to place oneself

erizar *vtr* to make stand on end
■ **erizarse** *vr* to stand on end

erizo *m Zool* hedgehog; **erizo de mar,** sea urchin

ermita *f* hermitage

ermitaño,-a *m,f* hermit; *Zool* **cangrejo ermitaño** hermit crab

erosión *f* erosion

erosionar *vtr* to erode

erótico,-a *adj* erotic

erotismo *m* eroticism

erradicar *vtr* to eradicate

errar I *vtr* 1 *(un tiro, golpe)* to miss 2 *(una elección)* to get wrong
II *vi* to wander

errata *f* misprint

erróneo,-a *adj* erroneous, wrong

error *m* error, mistake

eructar *vi* to burp, belch

eructo *m* burp, belch

erudición *f* erudition

erudito,-a I *adj* erudite, learned
II *m,f* scholar

erupción *f* 1 *Geol* eruption; **entrar en erupción,** to erupt 2 *Med* rash

esbelto,-a *adj* slender

esbozar *vi* 1 *(un proyecto, un dibujo)* to sketch, outline 2 *(amagar un gesto)* to hint, give a hint of

esbozo *m* sketch, outline, rough draft

escabeche *m* pickle, marinade; **en escabeche,** pickled

escabroso,-a *adj* 1 *(terreno)* rough 2 *(difícil de abordar, incómodo)* tricky, distasteful

escabullirse *vr* 1 *(escurrirse, deslizarse)* to slip away 2 *(desaparecer de un sitio)* to melt away

escafandra *f (de buzo)* diving helmet, diving suit; *(de astronauta)* spacesuit

escala *f* 1 *(serie, gradación)* scale 2 *(de colores)* range; **escala de valores,** set of values 3 *(parada provisional)* *Náut* port of call; *Av* stopover

escalador,-ora *m,f* climber, mountaineer

escalar *vtr* to climb, scale

escalera *f* 1 stairs *pl*, staircase; **escalera de incendios,** fire escape 2 *(portátil)* ladder

escalerilla *f* steps *pl*; *Náut* gangway

escalofrío *m* 1 *(de fiebre, frío)* shiver; **tener escalofríos,** to shiver 2 *(de horror)* shudder

escalón *m* step

escalonar *vtr* 1 *(distribuir en el tiempo)* to stagger 2 *(en el tiempo)* to space out

escalope *m* escalope

escama *f* 1 *Zool Bot* scale 2 *(de jabón, piel)* flake

escampar *vi* to stop raining, clear up

escandalizar I *vtr* to shock
II *vi* to shock, offend, make a racket
■ **escandalizarse** *vr* to be shocked

escándalo *m* 1 *(ruido, jaleo)* noise, racket, din 2 *(inmoralidad)* scandal

escáner *m* scanner

escapada *f* 1 escape; *(fuga)* break-out 2 *Dep* breakaway 3 *(viaje fugaz)* short trip

escapar *vi* to escape
■ **escaparse** *vr* 1 to escape, run away 2 *(una oportunidad, transporte)* **se me escapó el autobús,** I missed the bus 3 *(gas, líquido)* to leak, escape

escaparate *m* shop window

escapatoria *f* escape

escape *m* 1 *(de gas, líquido)* leak, escape 2 *Téc* exhaust; **tubo de escape,** exhaust (pipe)

escarabajo *m Zool* beetle

escarbar I *vtr & vi* 1 *(en la tierra)* to scratch [en, around, in] 2 *(en un asunto)* to delve into
II *vtr* 1 *(en una herida, nariz)* to pick 2 *(remover)* to poke

escarcha *f* frost

escarchado,-a *adj* 1 *(cubierto de escarcha)* frosty 2 *(cubierto de azúcar cristalizada)* candied, crystallized

escarlata *adj* scarlet

escarmentar I *vi* to learn one's lesson
II *vtr* to teach a lesson to

escarmiento *m* punishment, lesson

escarola *f Bot* (curly) endive

escarpado,-a *adj (accidentado, montañoso)* craggy; *(pendiente, cuesta)* steep, sheer

escarpia *f* hook

escasear *vi* to be scarce

escasez *f* shortage

escaso,-a *adj (alimentos, recursos)* scarce, scant; *(dinero, tiempo)* short; *(luz)* poor
♦ | LOC: **andar escaso de,** to be short of

escatimar *vtr* to skimp on

escayola *f* 1 plaster 2 *(uso médico)* plaster

escayolar *vtr Med* to put in plaster

escena *f* 1 scene 2 *(escenario)* stage

escenario *m* 1 *Teat* stage 2 *(entorno)* scenario; *(de suceso)* scene; *(ambientación)* setting

escénico,-a *adj* scenic

escenografía *f Teat* stage design; *Cine* set design

escepticismo *m* skepticism

escéptico,-a I *adj* skeptical
II *m,f* skeptic

escindirse *vr* to split

escisión *f* split

esclarecer *vtr* to clarify; *(un suceso)* to throw light on

esclavitud *f* slavery

esclavizar *vtr* to enslave

esclavo,-a *adj & m,f* slave

esclusa *f* lock

escoba *f* broom, brush

escocer *vi* to sting, smart
■ **escocerse** *vr (la piel)* to get sore

escocés,-esa I *adj* Scottish

II *m,f (hombre)* Scotsman; *(mujer)* Scotswoman

Escocia *f* Scotland

escoger *vtr* to choose [**entre**, between] [**de**, from]

escolar I *adj* school; **año escolar**, school year

II *m,f (niño)* schoolboy; *(niña)* schoolgirl

escollo *m* 1 *(roca)* reef 2 *(dificultad, obstáculo)* pitfall, handicap

escolta *f* 1 *(grupo)* escort 2 *(guardaespaldas)* bodyguard

escoltar *vtr* to escort

escombros *mpl* rubble, debris *sing*

esconder *vtr* to hide [**de**, from]; *(la verdad)* to conceal [**de**, from]

■ **esconderse** *vr* to hide [**de**, from]

escondidas *fpl LAm* **jugar a las escondidas**, to play hide-and-seek ◆ | LOC: **a escondidas**, secretly

escondite *m* 1 *(escondrijo)* hiding place 2 *(juego)* hide-and-seek

escopeta *f* shotgun

Escorpio *m Astrol* Scorpio

escorpión *m Zool* scorpion

escotado,-a *adj* low-cut

escote *m* neckline ◆ | LOC: **pagar a escote**, *(dos personas)* to go Dutch (treat); *(varias personas)* to chip in

escotilla *f* hatch

escozor *m Med* stinging, smarting

escribir *vtr* to write; *(a máquina, en el ordenador)* to type

■ **escribirse** *vr* 1 *(mantener correspondencia)* to write to each other 2 *(deletrear)* to spell

escrito,-a I *adj* written; **escrito a mano**, handwritten

II *m* writing

escritor,-ora *m,f* writer

escritorio *m* writing desk

escritura *f* 1 *(manera de escribir)* handwriting 2 *Jur* deed, document 3 *Rel* **las (Sagradas) Escrituras**, the (Holy) Scriptures

escrúpulo *m* scruple

escrupuloso,-a *adj* 1 *(minucioso)* painstaking 2 *(aprensivo)* fastidious 3 *(riguroso)* scrupulous

escrutinio *m* 1 *(recuento)* count 2 *(examen detenido)* scrutiny

escuadra *f* 1 *(de dibujo, de carpintería)* set square 2 *Mil* squad; *Náut* squadron

escuadrón *m* squadron

escuálido,-a *adj* emaciated

escuchar I *vtr* to listen to; *(un consejo, una propuesta)* to take

II *vi* to listen

escudero *m* squire

escudilla *f* bowl

escudo *m* 1 *(de un guerrero)* shield 2 *(emblema)* coat of arms

escudriñar *vtr* to scrutinize

escuela *f* school

escueto,-a *adj* plain; *(lenguaje)* concise

esculpir *vtr* to sculpt; *(madera)* to carve; *(metal)* to engrave

escultor,-ora *m,f (hombre)* sculptor; *(mujer)* sculptress

escultura *f* sculpture

escupir I *vi* to spit

II *vtr* to spit out

escupitajo *m vulgar* spittle

escurreplatos *m inv* dish rack

escurridizo,-a *adj* 1 *(suelo, objeto)* slippery 2 *(persona)* elusive, slippery

escurridor *m* 1 colander 2 *(escurreplatos)* dish rack

escurrir *vtr (ropa)* to wring out; *(vajilla)* to drain

■ **escurrirse** *vr* to slip

ese,-a *adj dem* that; **esos,-as**, those

ése,-a *pron dem m,f* that one; **ésos,-as**, those (ones)

esencia *f* essence

esencial *adj* essential

esfera *f* 1 sphere 2 *(de un aparato)* dial; *(de un reloj)* face

esférico,-a *adj* spherical

esfinge *f* sphinx

■ **esforzar** *vtr* to strain

■ **esforzarse** *vr* to make an effort [**por**, to]

esfuerzo *m* effort

esfumarse *vr fam* to disappear, vanish

esgrima *f Dep* fencing

esgrimir *vtr* to wield

esguince *m* sprain

eslabón *m* link

eslavo,-a I *adj* Slavic, Slavonic

II *m,f (persona)* Slav

III *m (idioma)* Slavonic

eslovaco,-a I *adj* Slovak(ian); **República Eslovaca**, Slovakia

II *m,f (persona)* Slovak

Eslovaquia *f* Slovakia

Eslovenia *f* Slovenia

esloveno,-a I *adj* & *m,f* Slovene

II *m (idioma)* Slovene

esmalte *m (de porcelana, etc)* enamel; *(de uñas)* nail polish *o* varnish

esmeralda *f* emerald

esmerarse *vr* 1 *(poner cuidado)* to take care 2 *(esforzarse)* to try very hard [**en**, **por**, to]

esmero *m* (great) care

esmoquin *m* tuxedo

esnob I *adj* 1 *(persona)* snobbish 2 *(sitio)* posh

II *m,f* snob

eso *pron dem neut* that: **¡eso es!**, that's it! ◆ | LOC: **a eso de**, around

esófago *m Anat* esophagus

esos,-as *adj dem pl* → **ese,-a**

ésos,-as *pron dem m,fpl* → **ése,-a**

esotérico,-a *adj* esoteric

espabilado,-a *adj* **1** *(despejado)* wide awake **2** *(listo, despierto)* bright; *(ingenioso, astuto)* shrewd

espabilar I *vtr* to wake up
II *vi* **1** *(avivar el ingenio)* to wise up **2** *(darse prisa)* to hurry up
■ **espabilarse** *vr* **1** *(despejarse, despertarse)* to wake up **2** *(darse prisa)* to hurry (up) **3** *fam (avivarse)* to wise up

espacial *adj* space

espacio *m* **1** space **2** *(período de tiempo)* period **3** *(sitio)* room **4** *Rad TV* program

espacioso,-a *adj* spacious, roomy

espada *f* **1** sword **2** *Naipes* spade

espagueti *mpl* spaghetti *sing*

espalda *f* **1** *Anat* back **2** *Natación* backstroke

espantapájaros *m inv* scarecrow

espantar *vtr* **1** *(ahuyentar)* to shoo o scare away **2** *(causar espanto)* to scare, frighten

espanto *m* fright

espantoso,-a *adj* horrifying

España *f* Spain

español,-a I *adj* Spanish
II *m,f* Spaniard; **los españoles,** the Spanish
III *m (idioma)* Spanish

esparadrapo *m* (sticking) bandage

esparcir *vtr* **1** *(diseminar)* to scatter **2** *(divulgar)* to spread

espárrago *m Bot* asparagus

esparto *m Bot* esparto grass

espasmo *m* spasm

espátula *f Culin* spatula; *Arte* palette knife; *(de albañilería)* trowel

especia *f Culin* spice

especial *adj* special

especialidad *f* specialty; *Educ* main subject

especialista *mf* specialist

especializarse *vr* to specialize [**en,** in]

especie *f* **1** *Biol* species *inv* **2** *(clase, tipo)* kind, sort

especificar *vtr* to specify

específico,-a *adj* specific

espécimen *m* specimen

espectacular *adj* spectacular

espectáculo *m* **1** spectacle, sight **2** *(representación, entretenimiento)* show **3** *fig* sight: **esta mujer es un espectáculo,** this woman is a real sight

espectador,-ora *m,f* **1** *Teat Cine* member of the audience; *Dep* spectator **2** **los espectadores,** the audience *sing*

espectro *m* **1** *Fís* spectrum **2** *(espíritu, aparición)* specter **3** *(gama)* range

especular *vi* to speculate

especulativo,-a *adj* speculative

espejismo *m* mirage

espejo *m* mirror; *Auto* **espejo retrovisor,** rear-view mirror

espeluznante *adj* hair-raising, terrifying

espera *f* wait ◆ | LOC: **a la espera de,** expecting; **en espera de...,** waiting for...

esperanza *f* hope

esperanzador,-ora *adj* encouraging

esperar I *vtr* **1** *(aguardar)* to wait for **2** *(tener esperanza)* to hope **3** *(desear, suponer)* to expect **4** *fig (un hijo)* to expect
II *vi* to wait

esperma *m Anat* sperm

espermatozoide *m Anat* spermatozoid

espesar *vtr* to thicken

espeso,-a *adj* thick

espesor *m* thickness

espía *mf* spy

espiar I *vi* to spy
II *vtr* to spy on

espiga *f* **1** *(de trigo)* ear **2** *Téc* peg, pin

espigado,-a *adj* slender

espina *f* **1** *Bot* thorn **2** *(de un pez)* bone **3** *Anat* **espina dorsal,** spine

espinaca *f Bot* spinach

espinilla *f* **1** *Anat* shin **2** *(impureza de la piel)* blackhead

espionaje *m* spying, espionage

espiral *adj* & *f* spiral

espiritismo *m* spiritualism

espíritu *m* spirit

espiritual *adj* spiritual

espléndido,-a *adj* **1** splendid **2** *(generoso)* generous

esplendor *m* splendor

espolvorear *vtr* to sprinkle [**de, con,** with]

esponja *f* sponge

esponjoso,-a *adj* spongy; *(mullido)* soft

espontaneidad *f* spontaneity

espontáneo,-a *adj* spontaneous

esporádico,-a *adj* sporadic

esposar *vtr* to handcuff

esposas *fpl* handcuffs

esposo,-a *m,f* spouse; *(hombre)* husband; *(mujer)* wife

espuela *f* spur

espuma *f* foam; *(del mar)* surf, foam; *(de la cerveza)* froth; *(de jabón)* lather

espumoso,-a *adj* frothy; *(vino)* sparkling

espuerje *m Bot* cutting

esquela *f* announcement of a death, obituary

esqueleto *m* **1** *Anat* skeleton **2** *(estructura)* framework

esquema *m* diagram

esquemático,-a *adj* schematic

esquí *m* **1** *(tabla)* ski **2** *(actividad)* skiing

esquiador,-ora *m,f* skier

esquiar *vi* to ski

esquilar *vtr* to shear

esquimal *adj* & *mf* Eskimo, *(de Canadá)* Inuit

esquina *f* corner

esquirol,-ola *m pey* blackleg, scab

esquivar *vtr* **1** *(un obstáculo, golpe)* to dodge **2** *(a una persona)* to avoid, dodge

esquivo,-a *adj* aloof, unsociable

esquizofrenia *f* schizophrenia

esquizofrénico,-a *adj* & *m,f* schizophrenic

esta *adj dem* → **este,-a**

ésta *pron dem f* → **éste**

estabilidad *f* stability

estabilizar *vtr* to stabilize

estable *adj* stable

establecer *vtr* to establish; (*un récord*) to set (up)

■ **establecerse** *vr* to settle

establecimiento *m* establishment

establo *m* (*para vacas*) cow shed; (*para caballos*) stable

estaca *f* 1 (*palo puntiagudo*) stake, post 2 (*garrote*) stick, club

estación *f* 1 station 2 (*del año*) season

estacional *adj* seasonal

estacionamiento *m Auto* 1 (*acción de aparcar*) parking 2 (*aparcamiento*) parking lot

estacionar *vtr* & *vi Auto* to park

■ **estacionarse** *vr* (*estancarse*) to stabilize, halt

estacionario,-a *adj* stationary

estadía *f LAm* stay

estadio *m* stadium

estadista *mf Pol* (*hombre*) statesman; (*mujer*) stateswoman

estadística *f* 1 (*ciencia*) statistics *sing* 2 (*datos, resultado*) statistic

estado *m* 1 *Pol* state 2 (*circunstancia, situación*) state, condition: **estado civil**, marital status ◆ | LOC: **estar en estado**, to be expecting

Estados Unidos *mpl* United States (of America)

Estados Unidos Mexicanos *mpl frml* United States of Mexico

estadounidense I *adj* United States, American

II *mf* United States citizen, American

estafa *f* swindle

estafar *vtr* to swindle, cheat, trick

estalactita *f* stalactite

estalagmita *f* stalagmite

estallar *vi* 1 (*explotar*) to explode, blow up 2 (*un suceso*) to break out 3 *fig* (*de rabia, etc*) to explode

estallido *m* explosion; (*de un suceso, una guerra*) outbreak

estampa *f* illustration

estampado,-a *m* print

estampar *vtr* 1 (*en tela, papel*) to print 2 (*dejar huella o señal*) to imprint

■ **estamparse** *vr* (*chocar*) to crash [**contra**, into], to smash [**contra**, into]

estampida *f* stampede

estampilla *f LAm* (postage) stamp

estancado,-a *adj* 1 (*agua*) stagnant 2 (*situación*) static

estancar *vtr* 1 (*agua*) hold back 2 *fig* (*un asunto*) to block; (*proceso, investigación*) to bring to a standstill

■ **estancarse** *vr* 1 (*detenerse el agua*) to stagnate 2 (*detenerse un asunto o proceso*) to come to a standstill

estancia *f* 1 (*en un sitio*) stay 2 *frml* (*habitación, cuarto*) room 3 *LAm* (*hacienda*) ranch, farm

estanco,-a I *m* tobacconist's

II *adj* watertight

estándar *adj* & *m* standard

estandarte *m* standard, banner

estanque *m* pond

estanquero,-a *m,f* tobacconist

estante *m* shelf

estantería *f* 1 shelves *pl* 2 (*para libros*) bookcase

estaño *m* tin

estar *vi* 1 (*existir, hallarse*) to be: **está al norte**, it is to the north; **su pedido aún no está**, your order isn't ready yet 2 (*permanecer*) to stay: **estos días estoy en casa de mis padres**, these days I'm staying at my parents' place 3 (*tener una situación actual determinada: con adjetivo o participio*) **está dormido**, he's asleep; (*con gerundio*) **está estudiando**, he is studying; (*con adverbio*) **está muy mal**, (*enfermo*) he is very ill 4 (*quedar, sentar*) **el jersey me está pequeño**, the sweater is too small for me 5 (*para indicar precio, grados, fecha*) (+ **a**: *fecha*) to be: **¿a qué día estamos?**, what's the date?; (: *precio*) to be at: **¿a cómo/cuánto están las manzanas?**, how much are the apples?; (: *grados*) **en Caracas estamos a cuarenta grados**, it's forty degrees in Caracas ◆ | LOC: **estar al caer**, to be just round the corner; **estoy con María**, I agree with Mary; **estoy de broma**, I'm joking; **está de vacaciones**, he's on vacation; **esa ropa está para planchar**, these clothes are ready to be ironed; **estoy por la igualdad de derechos**, I'm for equal rights; **está tras el ascenso**, he is after a promotion

estarse *vr* **¡estáte quieto!**, keep still!; **estáte tranquilo, yo lo arreglo**, don't worry, I'll fix it

estatal *adj* state

estático,-a *adj* static

estatua *f* statue

estatura *f* (*altura*) height: **¿qué estatura tiene?**, how tall is he?

estatuto *m* 1 *Jur* (*ley*) statute 2 (*conjunto de reglas*) rules

este *m* east

este,-a *adj dem* 1 this 2 **estos,-as**, these

éste,-a *pron dem m,f* 1 this one 2 **éstos,-as**, these (ones)

estela *f* (*de barco*) wake; (*de avión*) vapor trail

estelar *adj* stellar

estepa *f* steppe

estera *f* rush mat

estercolero *m* dunghill

estéreo *m & adj* stereo

estereofónico,-a *adj* stereophonic, stereo

estereotipo *m* stereotype

estéril *adj* sterile; *(sin resultado)* futile

esterilidad *f* sterility; *(inutilidad)* futility

esterilizar *vtr* to sterilize

esterilla *f* small mat

esterlina *adj & f* sterling; **libra esterlina,** pound (sterling)

esternón *m* sternum, breastbone

estero *m LAm* marsh, swamp

estética *f* esthetics *sing*

esteticista *mf* beautician

estético,-a *adj* esthetic

estiércol *m* manure, dung

estigma *m* stigma; *Rel* stigmata

estilizar *vtr* to stylize

estilo *m* 1 style 2 *(elegancia)* **es una mujer con mucho estilo** she's a very stylish woman 3 *Natación* stroke 4 *Ling* **estilo directo/indirecto,** direct/indirect speech

estima *f* respect, esteem

estimación *f* 1 *(aprecio)* esteem, respect 2 *(de resultados, daños, gastos, etc)* estimate 3 *(valoración, apreciación)* estimation

estimado,-a *adj* 1 esteemed, respected; **Estimado Señor Pérez,** *(en carta)* Dear Mr Pérez 2 *(apreciado, valorado)* appreciated

estimar *vtr* 1 *frml (sentir cariño)* to esteem, respect 2 *(juzgar, considerar)* to consider, think 3 *(valorar)* to appreciate 4 *(calcular)* to estimate

estimulante I *adj* stimulating

II *m* stimulant

estimular *vtr* 1 *(dar ánimos)* to encourage 2 *(potenciar, activar)* to stimulate

estímulo *m* 1 *(acicate, ánimo)* encouragement 2 *Biol Fís* stimulus; *(acción)* stimulation

estío *m frml* summer

estipular *vtr* to stipulate

estirar *vtr* 1 *(alargar, tensar)* to stretch 2 *(alisar)* to smooth out

estirarse *vr* to stretch

esto *pron dem neut* this: **¿qué es esto?,** what's this?

estofado *m Culin* stew

estoico,-a I *adj* stoical

II *m,f* stoic

estómago *m* stomach

Estonia *f* Estonia

estonio,-a *adj & m,f* Estonian

estorbar I *vtr* 1 *(obstaculizar)* to hinder 2 *(incomodar a alguien)* to disturb

II *vi* to be in the way

estorbo *m* 1 *(obstáculo)* hindrance 2 *(incómodo)* nuisance

estornudar *vi* to sneeze

estornudo *m* sneeze

estos,-as *adj dem pl* → **este,-a**

éstos,-as *pron dem m,fpl* → **éste,-a**

estrabismo *m Med* squint

estrado *m* 1 *(palestra)* platform 2 *Mús* bandstand 3 *Jur* stand

estrafalario,-a *adj fam* outlandish, eccentric

estragos *m* damage, destruction

estrambótico,-a *adj fam* outlandish, eccentric

estrangular *vtr* 1 to strangle 2 *Med (un conducto)* to strangulate

estratagema *f* stratagem

estrategia *f* strategy

estratégico,-a *adj* strategic

estrato *m* 1 *Geol Sociol* stratum 2 *Meteor* stratus

estrechar *vtr* 1 to make narrow 2 *(la mano)* to shake 3 *(entre los brazos)* to hug

■ **estrecharse** *vr* 1 to narrow, become narrower 2 *(las manos)* **se estrecharon la mano,** they shook hands 3 *(abrazarse)* to hug

estrecho,-a I *adj* 1 *(espacio)* narrow 2 *(indumentaria)* tight 3 *(íntimo)* close, intimate

II *m Geog* strait, straits *pl*

estrella *f* star; **estrella de cine,** film star; *Zool* **estrella de mar,** starfish

estrellar *vtr fam* to smash [**contra,** into, against]

■ **estrellarse** *vr* 1 *Auto Av (chocar)* to crash [**contra,** into] 2 *(fallar estrepitosamente)* to founder, fail

estremecerse *vr* to shudder, tremble [**de,** with]

estrenar *vtr* 1 *(un objeto)* to use for the first time; *(una prenda)* to wear for the first time 2 *Cine* to première; *Teat* to perform for the first time

estreno *m Teat* first night; *Cine* première

estreñido,-a *adj* constipated

estreñimiento *m* constipation

estrépito *m* din, racket

estrepitoso,-a *adj* 1 *(con mucho ruido)* deafening 2 *(enorme, descomunal)* spectacular

estrés *m* stress

estresante *adj* stressful

estría *f* 1 *(de la piel)* stretch mark 2 *(en un objeto)* groove

estribillo *m (de una canción)* chorus; *(de un poema)* refrain

estribo *m* stirrup

estribor *m* starboard

estricto,-a *adj* strict

estridente *adj* strident

estrofa *f* verse

estropajo *m* scourer, scouring pad

estropear *vtr* 1 *(causar daños)* to damage 2 *(frustrar, malograr)* to spoil, ruin 3 *(una máquina)* to break

■ **estropearse** *vr (máquina)* to break down; *(alimento)* to go off *o* bad

estructura *f* 1 structure 2 *(de un edificio, etc)* frame, framework

estruendo *m* roar, racket

estrujar *vtr* **1** (*apretar con fuerza*) to crush **2** (*exprimir*) to squeeze
estuario *m Geol* estuary
estuche *m* **1** case **2** (*para lápices*) pencil case
estudiante *mf* student
estudiar *vtr & vi* to study
estudio *m* **1** study **2** (*investigación*) research **3** (*sala*) studio **4** *Educ* **estudios**, studies
estudioso,-a *adj* studious
estufa *f* heater
estupefaciente *m* drug, narcotic
estupefacto,-a *adj* astounded, flabbergasted
estupendo,-a *adj* fantastic
estupidez *f* stupidity
estúpido,-a I *adj* stupid **II** *m,f* idiot
etapa *f* stage, phase
eternidad *f* eternity
eternizarse *vr fam* **1** (*no tener fin*) to be endless **2** *fam* (*demorarse mucho*) to take ages
eterno,-a *adj* eternal
ética *f* **1** (*moral*) ethic **2** (*disciplina*) ethics *sing*
ético,-a *adj* ethical
etimología *f* etymology
etiqueta *f* **1** (*en envases, ropa, etc*) label **2** (*protocolo*) etiquette
etnia *f* ethnic group
étnico,-a *adj* ethnic
eucalipto *m Bot* eucalyptus
eucaristía *f Rel* Eucharist
eufemismo *m* euphemism
eufórico,-a *adj* euphoric
euro *m Fin* euro
Europa *f* Europe
europeo,-a *adj & m,f* European
euskera, eusquera *m* (*idioma*) Basque
eutanasia *f* euthanasia
evacuación *f* evacuation
evacuar *vtr* to evacuate
evadir *vtr* **1** (*dificultad, tarea*) to shirk, avoid **2** (*dinero, impuestos*) to evade
■ **evadirse** *vr* to escape
evaluación *f* **1** evaluation **2** *Educ* test
evaluar *vtr* to evaluate, assess
evangelio *m Rel* gospel
evangelista *m Rel* evangelist
evaporar *vtr* to evaporate
■ **evaporarse** *vr Fís* to evaporate
evasión *f* **1** (*de una persona*) escape **2** (*de dinero, impuestos*) evasion
evasiva *f* evasive answer
evasivo,-a *adj* evasive
evento *m* event
eventual *adj* **1** (*probable*) possible **2** (*temporal*) casual, temporary
evidencia *f* evidence
evidente *adj* obvious
evitar *vtr* **1** to avoid **2** (*una enfermedad, etc*) to prevent

evocar *vtr* to evoke
evolución *f* **1** *Biol* evolution **2** (*de los acontecimientos, de un negocio*) development
evolucionar *vi* **1** *Biol* to evolve **2** (*funcionar, desarrollarse*) to develop
ex *pref* former, ex-; **ex ministro**, former minister; *fam* **mi ex**, my ex
exactitud *f* accuracy
exacto,-a *adj* (*cantidad*) exact; (*comentario, observación*) precise
exageración *f* exaggeration
exagerado,-a *adj* (*persona, historia*) exaggerated; (*cálculo, cantidad*) excessive
exagerar *vtr* to exaggerate
exaltar *vtr* to praise
■ **exaltarse** *vr* to get overexcited
examen *m* examination, exam; **examen de conducir,** *LAm* **examen de manejar,** driving test; *Med* **examen médico,** checkup
examinador,-ora *m,f* examiner
examinar *vtr* to examine
■ **examinarse** *vr* to take *o* sit an examination
exasperante *adj* exasperating
exasperar *vtr* to exasperate
excavación *f* excavation
excavadora *f* digger
excavar *vtr Arqueol* to excavate; (*un túnel, un hoyo*) to dig
exceder *vtr* to exceed, surpass
■ **excederse** *vr* to go too far
excelencia *f* **1** excellence **2** (*título*) **Su Excelencia,** His *o* Her *o* Your Excellency
excelente *adj* excellent
excéntrico,-a *adj* eccentric
excepción *f* exception
excepcional *adj* exceptional
excepto *adv* except (for)
excesivo,-a *adj* excessive
exceso *m* excess
excitación *f* **1** (*nerviosismo, expectación*) excitement **2** (*sexual*) arousal **3** *Biol* stimulation
excitante I *adj* exciting; *Med* stimulating **II** *m* stimulant
excitar *vtr* to excite
■ **excitarse** *vr* to get excited
exclamación *f* exclamation
exclamar *vtr & vi* to exclaim
excluir *vtr* to exclude
exclusión *f* exclusion
exclusiva *f* exclusive
exclusivo,-a *adj* exclusive
excomulgar *vtr Rel* to excommunicate
excremento *m* excrement
excursión *f* excursion
excursionista *mf* (*a pie*) hiker, rambler; (*en autobús, etc*) tripper
excusa *f* (*pretexto*) excuse; (*disculpa*) apology
excusar *vtr* to excuse
■ **excusarse** *vr* to apologize

exento,-a *adj* exempt, free

exhalar *vtr* to exhale, breathe out; *(un gas, perfume)* to give off, emit

exhaustivo,-a *adj* exhaustive

exhausto,-a *adj* exhausted

exhibición *f* 1 *(demostración)* exhibition, display 2 *(de una película, espectáculo)* showing, performance

exhibicionista *mf* exhibitionist

exhibir *vtr* to exhibit

■ **exhibirse** *vr* to show off

exigencia *f* 1 demand 2 *(requisito)* requirement

exigente *adj* demanding

exigir *vtr* to demand

exiliado,-a I *adj* exiled, in exile

II *m,f* exile

exiliar *vtr* to exile, send into exile

■ **exiliarse** *vr* to go into exile

exilio *m* exile

existencia *f* 1 existence 2 Com **existencias**, stock *sing*, stocks

existir *vi* to exist

éxito *m* success

exitoso,-a *adj* successful

éxodo *m* exodus

exorbitante *adj* exorbitant, excessive

exorcista *mf* exorcist

exótico,-a *adj* exotic

expandir *vtr* to expand

■ **expandirse** 1 to expand 2 *(un rumor)* to spread

expansión *f* 1 expansion; *(de un rumor)* spreading 2 *(entretenimiento)* relaxation

expatriado,-a *adj & m,f* expatriate

expectación *f* excitement, expectancy

expectativa *f* expectation

expedición *f* expedition

expediente *m* 1 *(documentación, informes)* dossier, file; *(historial de un estudiante, etc)* record 2 *Jur* proceedings *pl*

expedir *vtr* 1 *(un documento)* to issue 2 *(enviar)* to send, dispatch

expendedor,-ora I *adj* vending

II *m,f* seller

expensas ◆ | LOC: **a expensas de,** at the expense of

experiencia *f* experience

experimentado,-a *adj* experienced

experimental *adj* experimental

experimentar I *vtr* 1 to experience, feel 2 *(un cambio)* to undergo

II *vi* to experiment

experimento *m* experiment

experto,-a *m,f* expert

explanada *f* esplanade

explayarse *vr* to talk at length (about)

explicación *f* explanation

explicar *vtr* to explain

■ **explicarse** *vr* 1 *(expresarse con claridad)* to explain (oneself) 2 *(comprender)* to understand

explícito,-a *adj* explicit

exploración *f* exploration

explorador,-ora *m,f (persona)* explorer

explorar *vtr* to explore

explosión *f* explosion, blast

explosivo,-a *adj & m* explosive

explotación *f* 1 exploitation 2 *Agr* cultivation (of land); *(de una granja)* farming

explotador,-ora *m,f pey* exploiter

explotar I *vi* to explode, go off

II *vtr* 1 *(desarrollar, utilizar)* to exploit; *(una mina)* to work; *(la tierra)* to cultivate 2 *(a una persona)* to exploit

expoliar *vtr* to plunder, pillage

exponente I *mf* exponent

II *m* Mat exponent

exponer *vtr* 1 *(en un discurso, escrito)* to expound, put forward 2 *(en una galería, escaparate)* to exhibit, display 3 *(someter, poner)* to expose

■ **exponerse** *vr* to expose oneself

exportación *f* export

exportador,-ora I *adj* exporting

II *m,f* exporter

exportar *vtr* to export

exposición *f* 1 Arte exhibition 2 *(de un argumento, proyecto)* account 3 Fot exposure

expresar *vtr* to express

■ **expresarse** *vr* to express oneself

expresión *f* expression

expresivo,-a *adj* expressive

expreso,-a *adj* express

exprimidor *m* juicer

exprimir *vtr* to squeeze

expropiar *vtr* to expropriate

expuesto,-a *adj* 1 *(arriesgado)* risky, dangerous 2 *(estar)* *(en un escaparate, galería)* on display, on show; *(sin protección)* exposed

expulsar *vtr* 1 to expel 2 Dep *(a un jugador)* to send off

expulsión *f* 1 *(permanente)* expulsion 2 Dep sending off

exquisito,-a *adj* 1 exquisite 2 *(sabroso)* delicious 3 *(gusto, persona)* refined

éxtasis *m inv* ecstasy, rapture

extender *vtr* 1 to extend; *(un territorio)* to enlarge 2 *(desplegar, estirar)* to spread (out), open (out); *(una mano, las piernas, etc)* to stretch (out) 3 *(untar)* to spread 4 *(expedir)* *(un cheque)* to make out; *(un documento)* to draw up; *(un certificado)* to issue

■ **extenderse** *vr* 1 *(en el tiempo)* to extend, last 2 *(en el espacio)* to spread out, stretch 3 *(divulgarse)* to spread, extend 4 *(hablar mucho tiempo)* to go on

extendido,-a *adj* 1 *(desplegado)* spread out, open; *(alas, brazos)* outstretched 2 *(hábito, uso, rumor)* widespread

extensión *f* extension; *(de un escrito, de tiempo)* length; *(de un territorio, superficie)* area

extenso,-a adj extensive, vast; (en tiempo, desarrollo) long

exterior I adj **1** (en la parte externa) outer; (que está afuera) outside **2** Pol Econ foreign **II** m **1** (parte de fuera) exterior, outside **2** (extranjero) abroad **3** Cine **exteriores,** location sing

exteriorizar vtr to show, reveal

exterminio m extermination

externo,-a I adj external **II** m,f Educ day pupil

extinción f extinction

extinguir vtr **1** (un fuego) to extinguish, put out **2** (una especie) to wipe out
■ **extinguirse** vr **1** (el fuego) to go out **2** (una especie) to become extinct, die out

extintor m fire extinguisher

extirpar vtr **1** Med to remove **2** (vicios, abusos) to eradicate

extorsión f extortion

extra I 1 adj **1** (de más, plus) extra; **horas extras,** overtime; **paga extra,** bonus **2** (de calidad superior) top quality **II** m (gasto adicional) extra expense **III** m,f Cine Teat extra

extracción f **1** extraction **2** (en lotería, sorteo) draw

extracto m **1** extract **2** (resumen) summary; (fragmento) extract; (banco) **extracto de cuenta,** bank statement

extractor m extractor

extradición f extradition

extraer vtr to extract, take out

extraescolar adj extracurricular

extranjero,-a I adj foreign **II** m,f foreigner **III** m abroad

extrañar vtr **1** (asombrar) to surprise **2** (echar de menos) to miss **3** (notar extraño) **extraño mucho la cama,** I find this bed strange o (echar de menos) I miss my own bed
■ **extrañarse** vr **extrañarse de,** to be surprised at

extraño,-a I adj strange; Med foreign **II** m,f stranger

extraoficial adj unofficial

extraordinario,-a adj extraordinary

extrarradio m outskirts pl, suburbs pl

extraterrestre I adj extraterrestrial **II** mf alien

extravagante adj odd, outlandish

extraviado,-a adj lost

extraviar vtr to lose
■ **extraviarse** vr (un objeto) to go o be missing; (una persona) to get lost

extremidad f **1** (de un ser vivo) limb, extremity **2** (extremo) end, tip

extremista adj & mf Pol extremist

extremo,-a I adj **1** extreme; (lejano) **Extremo Oriente,** Far East **II** m **1** (fin o principio) end **2** (punto o situación

límite) extreme; (asunto, punto de que se trata) point

extravertido,-a adj & m,f extrovert

exuberante adj (persona) exuberant; (vegetación) lush, abundant

eyacular vi to ejaculate

F

F, f f (letra) F, f

fa m Mús fah, F

fabada f bean stew

fábrica f factory

fabricación f (en serie) manufacture; (de un objeto) making

fabricado,-a adj **fabricado en Corea,** made in Korea

fabricar vtr **1** (en serie) to manufacture **2** (elaborar) to make

fábula f Lit fable

fabuloso,-a adj fabulous

faceta f facet

facha f fam look, appearance

fachada f façade

facial adj facial

fácil I adj **1** easy **2** (probable) likely **II** adv easily

facilidad f **1** (simplicidad) easiness **2** (sin esfuerzo) ease **3** (ayuda para hacer algo) facility

facilitar vtr **1** (dar, proveer) to provide **2** (hacer más fácil) to make easy, facilitate

factible adj practicable, feasible

factor m factor

factoría f factory

factura f **1** Com invoice **2** (recibo) bill

facturar vtr **1** Com to invoice **2** Av (equipaje) to check in

facultad f faculty

facultativo,-a m,f doctor

faena f **1** (trabajo) work; **faenas de la casa,** household chores **2** fam (mala pasada) dirty trick

faisán m pheasant

fajo m bundle

falda f **1** (de vestir) skirt **2** (de una montaña) slope, hillside, foot

falla f **1** (defecto) defect, fault **2** LAm (error, fallo) mistake, fault **3** Geol fault

fallar[1] **I** vi Jur to rule **II** vtr (un premio) to award

fallar[2] vi **1** to fail **2** (decepcionar) to disappoint

fallecer vi frml to pass away, die

fallecido,-a adj deceased

fallido,-a adj unsuccessful

fallo[1] m **1** Jur judgement, sentence **2** (de un premio) award

fallo[2] m **1** (error) mistake **2** (de un órgano, de un motor) failure

falsificación f **1** (acción) forgery, counterfeit **2** (lo falsificado) falsification, fake

falsificar *vtr (distorsionar)* to falsify; *(crear una copia falsa)* to forge, counterfeit

falso,-a *adj* **1** false **2** *(persona)* insincere

falta *f* **1** lack **2** *(ausencia)* absence **3** *(imperfección)* fault, defect **4** *Jur* misdemeanor **5** *Dep Ftb* foul; **Ten** fault **faltar** *vi* **1** *(estar ausente)* to be missing **2** *(no tener)* to be lacking **3** *(restar)* to be left: **no falta nada por hacer,** there's nothing more to be done **4** *(no acudir)* **tu hermano faltó a la cita,** your brother didn't turn up/come **5** *(incumplir)* **faltar uno a su palabra,** to break one's word **6** *(insultar)* **faltar a alguien,** to be rude to someone

fama *f* **1** *(popularidad)* fame, renown **2** *(opinión pública)* reputation

famélico,-a *adj* starving, starved, famished

familia *f* family

familiar I *adj* **1** *(de la familia)* family **2** *(conocido)* familiar

II *mf* relative

familiarizarse *vr* to familiarize oneself [**con,** with]

famoso,-a I *adj* famous

II *m* famous person

fanático,-a I *adj* fanatical

II *m,f* fanatic

fanfarrón,-ona *fam* **I** *adj* boastful

II *m,f* show-off

fango *m* mud

fantasía *f* **1** fantasy **2** *Mús* fantasia

fantasma *m (aparición)* ghost

fantástico,-a *adj* fantastic

faquir *m* fakir

faraón *m* Pharaoh

faringe *f* pharynx

faringitis *f* pharyngitis

farmacéutico,-a I *adj* pharmaceutical

II *m,f* pharmacist, chemist

farmacia *f* pharmacy

fármaco *m* medicine

faro *m* **1** *(de la costa)* lighthouse **2** *(de un vehículo)* headlight, headlamp

farola *f* streetlight, streetlamp

farolillo *m* Chinese lantern

farragoso,-a *adj* confused, rambling

farsa *f* farce

farsante *mf* fake, impostor

fascículo *m* installment

fascinante *adj* fascinating

fascinar *vtr* to fascinate

fascista *adj* & *mf* fascist

fase *f* **1** *(etapa)* phase, stage **2** *Elec Fís* phase **3** *(de la Luna)* phase

fastidiar *vtr* **1** *(causar enojo, molestia)* to annoy, bother **2** *fam (el pelo, un coche, etc)* to damage, ruin; *(un proyecto, plan)* to spoil

■ **fastidiarse** *vr* **1** *(conformarse, aguantarse)* to put up with it, resign oneself **2** *fam (una máquina)* to get damaged, break down

fastidio *m* **1** *(enojo)* nuisance **2** *(molestia, lata)* bother

fatal I *adj* **1** *(desastroso, muy perjudicial)* fatal **2** *(lamentable, pésimo)* awful, dreadful

II *adv fam* awfully, terribly

fatídico,-a *adj* fateful

fatiga *f* fatigue, tiredness

fatigar *vtr* to tire, weary

■ **fatigarse** *vr* to tire, become tired

fatigoso,-a *adj* **1** *(que produce cansancio)* tiring, exhausting **2** *(respiración)* labored

fauces *fpl Zool* jaws

fauna *f* fauna

favor *m* favor: **¿me puedes hacer un favor?,** could you do me a favor?

favorable *adj* favorable

favorecer *vtr* **1** to favor **2** *(un sombrero, vestido)* to flatter

favorito,-a *adj* & *m,f* favorite

fax *m* fax

faz *f* face

fdo. *(abr de firmado)* signed

fe *f* **1** faith **2** *(documento oficial)* certificate

febrero *m* February

febril *adj Med* feverish

fecha *f* **1** date: **fecha de caducidad,** sell-by date; **fecha límite,** deadline **2** **fechas,** *(momento, tiempo)* time *sing*; **por aquellas fechas,** at that time

fechar *vtr* to date

fecundar *vtr* to fertilize

fecundo,-a *adj* fertile

federación *f* federation

federal *adj* & *mf* federal

felicidad *f* **1** happiness **2** **felicidades** *(por un cumpleaños)* happy birthday; *(por una boda, un ascenso)* congratulations

felicitación *f* congratulation; **tarjeta de felicitación,** greeting card

felicitar *vtr* to congratulate [**por,** on]

feligrés,-esa *m,f* parishioner

felino,-a *adj* & *m* feline

feliz *adj* happy; **feliz cumpleaños,** happy birthday; **que tengas un feliz viaje,** have a good trip

felpudo *m* mat, doormat

femenino,-a I *adj* **1** *(propio de mujer)* feminine **2** *(para mujer)* women's **3** *(órgano, sexo)* female **4** *Ling* feminine

II *m Ling* feminine

feminista *adj* & *mf* feminist

fémur *m Anat* femur

fenomenal I *adj fam* great, terrific

II *adv fam* wonderfully, marvelously

fenómeno,-a I *m* phenomenon

II *adv* marvelously

feo,-a I *adj* **1** *(carente de belleza)* ugly **2** *(turbio)* nasty

II *m (desaire, descortesía)* snub

féretro *m* coffin

feria *f* fair; **feria de ganado,** cattle market;

feria del libro, book fair

fermentación *f* fermentation

fermentar *vi* to ferment

ferocidad *f* ferocity, fierceness

feroz *adj* fierce, ferocious

férreo,-a *adj* 1 *(fuerte, indoblegable)* iron: **tiene una voluntad férrea,** she has an iron will 2 *(relativo al hierro)* ferrous 3 *Ferroc* rail; **vía férrea,** railway

ferretería *f* ironmonger's (shop), hardware store

ferrocarril *m* railroad

ferroviario,-a *adj* railway, rail

ferry *m* ferry

fértil *adj* fertile

fertilidad *f* fertility

fertilizante **I** *m* fertilizer

II *adj* fertilizing

fertilizar *vtr* to fertilize

ferviente *adj* fervent

fervor *m* fervor

festejar *vtr* to celebrate

festejo **I** *m* celebration

II *mpl* festivities

festín *m* feast, banquet

festival *m* festival

festividad *f* festivity

festivo,-a *adj* 1 *(humor, ambiente)* festive 2 *(no laborable)* **día festivo,** holiday

II *m* holiday

fetiche *m* fetish

fétido,-a *adj* stinking, fetid

feto *m* fetus

FF. CC. *mpl (abr de ferrocarriles)* railroad

fiable *adj* reliable, trustworthy

fiambre *m Culin* cold meat

fiambrera *f* lunch box

fiambrería *f LAm* delicatessen

fianza *f* 1 *(pago como garantía)* deposit 2 *Jur* bail: **le pondrán en libertad bajo fianza,** he'll be released on bail

fiar *vtr* to sell on credit

■ **fiarse** *vr* to trust [**de,** -]

fiasco *m* fiasco

fibra *f* fiber

ficción *f* fiction

ficha *f* 1 *(tarjeta de cartón)* filing card; **ficha técnica,** *(de un ordenador, etc)* specifications *pl,* technical data; *(de un libro, disco, película)* credits *pl* 2 *(de un juego de mesa, parchís)* counter; *(de dominó)* domino 3 *(de guardarropa)* number 4 *(en el casino)* chip 5 *(de un futbolista, etc)* signing-on fee, contract

fichado,-a *adj* **está fichado por la Policía,** he has a police record

fichaje *m Dep* signing

fichar **I** *vtr* 1 to put on file; *(la policía)* to record 2 *Dep* to sign up

II *vi* 1 *(en un empleo)* *(la entrada)* to clock in; *(la salida)* to clock out 2 *Dep* to sign

fichero *m* card index

ficticio,-a *adj* fictitious

fidelidad *f* 1 *(lealtad)* faithfulness 2 *(precisión, esp en una reproducción)* fidelity; **alta fidelidad,** high fidelity, hi-fi

fideo *m* noodle

fiebre *f* fever

fiel **I** *adj* 1 *(constante)* faithful, loyal 2 *(preciso, exacto)* accurate, exact

II *m* 1 *(de una balanza)* needle, pointer 2 *Rel* **los fieles,** the congregation

fieltro *m* felt

fiera *f* wild animal

fiero,-a *adj* 1 *(animal)* wild 2 *(batalla, combate)* fierce, ferocious

fierro *m LAm* 1 *(hierro)* iron 2 *(navaja)* knife 3 **fierros** *mpl LAm* tools

fiesta *f* 1 *(reunión de amigos)* party 2 *(festividad)* celebration, festivity; **fuimos a la fiesta del pueblo,** the village fiesta/carnival; **día de fiesta,** holiday; **fiesta nacional,** bank holiday 3 *Rel* feast **figura** *f* figure

figurado,-a *adj* figurative

figurar *vi* to figure [**como,** as] [**entre,** among]

■ **figurarse** *vr* to imagine, suppose

fijador *m* 1 *(del pelo)* gel 2 *Fot* fixative

fijar *vtr* 1 to fix 2 *(acordar, establecer)* to set

■ **fijarse** *vr* 1 *(percatarse)* to notice 2 *(prestar atención)* to pay attention 3 *(una meta, una tarea)* to set

fijo,-a **I** *adj* 1 fixed 2 *(trabajo)* steady

II *adv* for sure

fila **I** *f* 1 file, row 2 *(de butacas)* row

II *fpl* **filas** 1 *Mil* ranks 2 *(de un partido político)* rank and file

filántropo,-a *m,f* philanthropist

filarmónico,-a *adj* philharmonic

filatelia *f* philately, stamp collecting

filete *m* 1 *(de carne, pescado)* fillet 2 *Art*

filial **I** *adj* 1 *(relativo a los hijos)* filial 2 *Com* subsidiary

II *f* subsidiary

filmar *vtr* to film, shoot

filmoteca *f* film library

filo *m* *(cutting)* edge; **de doble filo,** double-edged

filología *f* philology

filón *m Min* seam, vein

filoso,-a *adj LAm* sharp-edged

filosofía *f* philosophy

filósofo,-a *m,f* philosopher

filtrar *vtr* 1 *(un líquido)* to filter 2 *(una noticia, un dato)* to leak

■ **filtrarse** *vr* 1 *(líquido)* seep 2 *(una noticia)* to leak out

filtro *m* filter

fin *m* 1 *(final, término)* end: **fin de semana,** weekend; **noche de Fin de Año,** New Year's Eve 2 *(meta)* purpose, aim; **con el fin de,** with the aim of ♦ | LOC: **¡por o al fin!,** at last!

final **I** *adj* final

II *m* end; **al final,** in the end; **final feliz,** happy ending

III *f Dep* final

finalidad *f* purpose, aim

finalista *mf* finalist

finalizar *vtr* & *vi* to end, finish

financiar *vtr* to finance

financiero,-a I *adj* financial

II *m,f* financier

financista *mf LAm* financier, financial expert

finanzas *fpl* finances

finca *f* **1** *(casa de campo)* country house **2** *(terreno)* estate **3** *(inmueble urbano edificado)* building **4** *(inmueble)* property

fingir *vtr* to pretend

■ **fingirse** *vr* to pretend to be

finiquito *m* settlement

finlandés,-esa I *adj* Finnish

II *m,f (persona)* Finn

III *m (idioma)* Finnish

Finlandia *f* Finland

fino,-a *adj* **1** *(poco espeso)* fine, thin *(con gusto)* refined, polite **3** *(suave, terso)* delicate **4** *(vista, oído)* sharp, acute; *(olfato)* keen **5** *(sutil, inteligente)* subtle **6** *(trabajo laborioso)* fine

firma *f* **1** signature **2** *(conjunto de empresas, establecimiento)* firm, company

firmamento *m* firmament

firmar *vtr* to sign

firme I *adj* **1** firm

II *m* road surface

III *adv* firm, firmly

IV *excl Mil* **¡firmes!** attention!

fiscal I *adj* **1** *(relativo al fisco)* fiscal, tax **2** *(relativo al fiscal)* prosecuting

II *mf Jur* public prosecutor, district attorney; **Fiscal General del Estado,** Attorney General

fisco *m* treasury

fisgonear *vi* to snoop, pry

física *f* physics *sing*

físico,-a I *adj* physical

II *m,f (especialista)* physicist

III *m* physique

fisioterapeuta *mf Med* physiotherapist

fisioterapia *f Med* physiotherapy

fisonomía *f* physiognomy

fisura *f* fissure

flácido,-a *adj* flaccid, flabby

flaco,-a *adj* **1** *(muy delgado)* skinny **2** *(débil)* weak

flagrante *adj* flagrant

flamante *adj* **1** *(recién estrenado)* brand-new **2** *(llamativo, atractivo)* splendid, brilliant

flamenco,-a I *adj* **1** *Mús* flamenco **2** *(de Flandes)* Flemish

II *m* **1** *Mús* flamenco **2** *Orn* flamingo **3** *(idioma)* Flemish

flan *m* caramel custard

flanco *m* flank, side

flanquear *vtr* to flank

flaquear *vi* to weaken, give way

flash *m Fot* flash

flatulencia *f* flatulence

flauta *f* flute; **flauta dulce** *o* **de pico,** recorder

flautista *mf Mús* flutist, flute player

flecha *f* arrow

flechazo *m* **1** *(lanzamiento de flecha)* arrow shot **2** *(herida)* arrow wound **3** *(enamoramiento repentino)* love at first sight

fleco *m* **1** *(de alfombra, vestido)* fringe **2** *(de un asunto, negociación)* loose end

flema *f* phlegm

flemón *m* gumboil, abscess

flequillo *m* bangs

fletar *vtr* to charter

flexibilidad *f* flexibility

flexible *adj* flexible

flexionar *vtr* to flex

flexo *m* reading lamp

flirtear *vi* to flirt

flojear *vi* **1** *(ir mal)* to fall off, go down; *(estar débil, flaquear)* to weaken, grow weak

flojo,-a *adj* **1** *(tornillo, cuerda, etc)* loose, slack **2** *(examen, trabajo)* poor **3** *(vago, perezoso)* lazy, idle

flor *f* **1** flower **2** *(lo selecto de algo, lo mejor)* best part, cream: **la flor de la vida,** the prime of life

flora *f Biol* flora; **flora intestinal,** intestinal bacteria

florecer *vi* **1** *(dar flor)* to flower **2** *(prosperar)* to flourish, thrive

florero *m* vase

florido,-a *adj* **1** *(con motivos florales)* flowery **2** *(escrito, expresión)* florid

florista *mf* florist

floristería *f* florist's (shop)

flota *f* fleet

flotador *m* **1** *(de caña, redes)* float **2** *(para nadar)* rubber ring

flotar *vi* to float

fluctuar *vi* to fluctuate

fluidez *f* fluency

fluido,-a I *adj* fluid; *(discurso, narración)* fluent

II *m* fluid; **fluido (eléctrico),** current, power

fluir *vi* to flow

flujo *m* **1** *(de un líquido, gas)* flow **2** *(marea alta)* rising tide, flow **3** *Fís* flux **4** *Med* discharge

fluorescente *adj* fluorescent

fluvial *adj* river

FM *f (abr de frecuencia modulada)* Frequency Modulation, FM

FMI *m (abr de Fondo Monetario Internacional)* International Monetary Fund, IMF

fobia *f* phobia [**a,** about]

foca f Zool seal

foco m 1 (lámpara potente) 3spotlight, floodlight 2 (núcleo, centro) center, focal point 3 LAm (bombilla) (electric light) bulb; (de automóvil) (car) headlight; (de la calle) street light

fofo,-a adj pey flabby

fogata f bonfire

fogón m 1 (de una cocina) ring, burner

folclore m folklore

folclórico,-a adj folk

folio m sheet of paper

folletín m 1 (novela por entregas) newspaper serial 2 fig melodrama

folleto m leaflet; (grapado, con varias hojas) brochure

follón m fam 1 (escándalo, jaleo) row, fuss 2 (lío, confusión, caos) mess, trouble

fomentar vtr to promote

fonda f inn

fondear vtr & vi Náut to anchor

fondo m 1 (parte más profunda) bottom 2 (interior de una persona) en el fondo es muy tierno, deep down he's very gentle 3 (extremo opuesto) (de una habitación) back; (de un pasillo) end 4 (segundo plano) background 5 (núcleo, meollo) essence, core 6 Prensa artículo de fondo, leading article 7 Dep corredor de fondo, long-distance runner 8 Fin fund

fonética f Ling phonetics pl

fontanero,-a m,f plumber

footing m jogging

forajido,-a m,f outlaw

forastero,-a m,f outsider, stranger

forcejear vi to wrestle, struggle

fórceps m inv forceps pl

forense I adj forensic

II mf (médico) forense, forensic surgeon

forestal adj forest; repoblación forestal, refforestation

forjado,-a adj wrought

forjar vtr 1 (un metal) to forge 2 (una empresa, una ilusión) to create, make

forma f 1 form, shape 2 (modo) way: forma de pago, method of payment 3 Dep form: está en baja forma, she's off form 4 formas, (modales) manners ◆ LOC: de forma que, so that; de todas formas, anyway, in any case

formación f 1 formation 2 (crianza) upbringing 3 (instrucción) training; formación profesional, vocational training

formal adj 1 formal 2 (serio, educado) serious, serious-minded; (cumplidor) reliable, dependable

formalidad f 1 (trámite, protocolo) formality 2 (seriedad, corrección) seriousness 3 (responsabilidad, puntualidad) reliability

formalizar vtr to formalize

■ **formalizarse** vr to settle down

formar vtr 1 to form 2 (criar) to bring up; (instruir) to educate, train

■ **formarse** vr 1 to be formed, form 2 (educarse, instruirse) to be educated o trained

formatear vt Inform to format

formato m format; (de papel, fotografía) size

formidable adj 1 (muy bueno) wonderful, terrific 2 (muy grande, impresionante) formidable

fórmula f formula

formular vtr 1 to formulate 2 (una pregunta) to ask; (un deseo) to express

formulario,-a m form

foro m 1 forum 2 (de discusión) round table, forum

forofo,-a m,f am fan, supporter

forrar vtr (el interior) to line; (el exterior) to cover

■ **forrarse** vr fam (enriquecerse) to make a packet

forro m (interior) lining; (exterior) cover, case

fortalecer vtr to fortify, strengthen

fortaleza f 1 strength; (de carácter) fortitude 2 (construcción amurallada) fortress, stronghold

fortificar vtr to fortify

fortuito,-a adj fortuitous, chance

fortuna f 1 fortune 2 (buena suerte) luck

forzado,-a adj forced

forzar vtr to force

forzoso,-a adj obligatory, compulsory

fosa f 1 (para un muerto) grave 2 Anat cavity; fosas nasales, nostrils 3 Geog (deep) trough 4 (zanja) pit; fosa séptica, septic tank

fósforo m 1 Quím phosphorus 2 (cerilla) match

fósil adj & m fossil

foso m 1 (zanja) pit 2 (rodeando una fortaleza, castillo) moat 3 (para la orquesta) pit 4 (en un garaje mecánico) service pit

foto f fam photo

fotocopia f photocopy

fotocopiadora f photocopier

fotocopiar vtr to photocopy

fotografía f 1 photograph 2 (profesión) photography

fotografiar vtr to photograph, take a photograph of

fotógrafo,-a m,f photographer

fotomatón m photo booth

frac m Indum dress coat, tails pl

fracasar vi to fail

fracaso m failure

fracción f fraction

fraccionar vtr to break up, divide

■ **fraccionarse** vr to break up

fractura f fracture

fracturar vtr, to fracture, break up

■ **fracturarse** vr to fracture

fragancia f fragrance

fragata f frigate

frágil adj 1 (fácil de romper) fragile 2 (poco fuerte) frail, weak

fragmento m fragment; (pasaje, párrafo) passage

fraguar I vtr 1 (un metal) to forge 2 (idear) o think up, fabricate; (urdir) to hatch **I** vi to set, harden

fraile m friar, monk

frailecillo m Zool puffin

frambuesa f raspberry

francés,-esa I adj French **II** m,f (hombre) Frenchman; (mujer) Frenchwoman **II** m (idioma) French

Francia f France

francmasón,-ona m,f Freemason, Mason

franco,-a I adj 1 (sincero) frank 2 Hist Frankish 4 (libre de impuestos) tax-free **II** m 1 Fin (moneda) franc 2 Hist Frank

francotirador,-ora m,f sniper

franela f flannel

franja f 1 (de tierra) strip 2 (en una tela) stripe

franquear vtr 1 (traspasar, cruzar) to cross 2 (un obstáculo) to overcome 3 (poner sellos) to frank

franqueo m postage

franquicia f 1 exemption 2 Com franchise

franquista adj & mf Francoist

frasco m small bottle, flask

frase f 1 (oración) sentence; (dicho) phrase 2 Mús phrase

fraternal adj brotherly, fraternal

fraternidad f brotherhood, fraternity

fraude m fraud

fraudulento,-a adj fraudulent

fray m Rel brother

frecuencia f frequency; **frecuencia modulada** (FM), frequency modulation (FM) ♦ LOC: **con frecuencia**, frequently

frecuentar vtr to frequent

frecuente adj 1 (que se repite a menudo) frequent 2 (habitual, normal) common

fregadero m (kitchen) sink

fregado m 1 (lavado) washing 2 (asunto complicado) messy affair 3 LAm fam (molestia) pain in the neck

fregar vtr 1 to wash 2 LAm fam to annoy, irritate

fregona f mop

freidora f (deep) fryer

freír vtr, **freírse** vr to fry

frenar vtr 1 (un vehículo, máquina) to brake 2 (contener) (crisis, inflación, etc) to slow down; (una tendencia, un impulso) to restrain

frenazo m sudden braking

frenesí m frenzy

frenético,-a adj frantic

freno m 1 brake; **freno de mano,** handbrake 2 (límite, traba) curb, check

frente I m front
♦ LOC: **hacer frente a algo,** to face something; **de frente,** (hacia delante) ahead;

frente a, in front of

fresa f Bot strawberry

fresco,-a I adj 1 (temperatura) cool 2 (alimentos) fresh 3 (noticias, acontecimientos) fresh, new **II** m 1 (frescor) fresh air, cool air 2 Arte fresco

fresón m Bot (large) strawberry

fricción f 1 friction 2 (masaje) massage

friegaplatos m/inv (persona) dishwasher

frígido,-a adj frigid, cold

frigorífico,-a I m refrigerator, fridge **II** adj **cámara frigorífica,** cold-store

frijol, fríjol m Bot kidney bean

frío,-a I adj cold **II** m cold

friolero,-a adj sensitive to the cold

fritanga f 1 LAm fried food 2 Esp pey greasy fried food

frito,-a I adj Culin fried **II** m piece of fried food

frívolo,-a adj frivolous

frondoso,-a adj leafy

frontal adj frontal

frontera f frontier

fronterizo,-a adj frontier, border front

frontón m Dep (juego) pelota

frotar vtr, **frotarse** vr to rub

fructífero,-a adj fruitful

frugal adj frugal

fruncir vtr 1 Cost to gather 2 (el ceño) to frown, knit one's brow

frustración f frustration

frustrante adj frustrating

frustrar vtr to frustrate; (una esperanza) to disappoint
■ **frustrarse** vr 1 (esperanza, planes) to fail, come to nothing 2 (persona) to get frustrated

fruta f fruit

frutal I adj fruit; **árbol frutal,** fruit tree **II** m fruit tree

frutería f fruit shop

frutero,-a I m,f fruit seller **II** m fruit bowl

frutilla f LAm strawberry

fruto m 1 fruit; **frutos secos,** nuts 2 (provecho, partido) profit, benefit 3 (resultado) result, fruit

fucsia f Bot fuchsia

fuego m 1 fire 2 (lumbre) light; ¿me podrías dar fuego, por favor?, have you got a light, please? 3 (de una cocina) (de gas) burner; (eléctrica) plate 4 **fuegos (artificiales),** fireworks

fuente f 1 fountain 2 (plato de servir) (serving) dish 3 (origen de algo) source

fuera adv 1 (en/hacia la parte exterior) outside, out 2 (no en el lugar habitual) out, away: **está fuera,** she's away 3 Dep **fuera de juego,** offside; **nuestro equipo juega fuera,** our team is playing away 4 (sobrepasando *límites prescritos)* after; **fuera de horario,** after hours; **fuera de plazo,** after the deadline; *(más allá)* beyond, out of; **fuera de peligro,** out of danger

fuerte I *adj* 1 strong 2 *(intenso) (dolor)* severe; *(color)* intense 3 *(comida)* heavy 4 *(volumen)* loud 5 *(impactante)* violent
II *m* 1 *(fortificación)* fort 2 *(punto fuerte)* forte, strong point
III *adv (con fuerza, con violencia)* hard; *(con intensidad, apretadamente)* tight: **¡agárrate fuerte!,** hold on tight!

fuerza *f* 1 *Fís* force 2 *(vigor físico)* strength 3 *(violencia física)* force; *(obligación, autoridad)* force 4 *(garra, ímpetu)* grip 5 *(grupo de tropas)* force; **las Fuerzas Armadas,** the Armed Forces ♦ | LOC: **a la fuerza,** by force

fuete *m LAm* whip

fuga *f* 1 *(de una persona)* escape, flight; **fuga de cerebros,** brain drain 2 *(de un líquido, gas, etc)* leak

fugarse *vr* to escape; *(con alguien)* to run off

fugaz *adj* fleeting, brief

fugitivo,-a *m,f* fugitive

fulano,-a *m,f (sustituyendo el nombre)* so-and-so; **Don Fulano de tal,** Mr. So-and-so

fulgor *m lit* brilliance, glow

fulminante *adj* 1 *(repentino)* sudden; *(de efecto instantáneo)* immediate, summary 2 *(fuerte)* crushing, devastating

fulminar *vtr fig* to strike dead

fumada *f LAm (calada)* pull, drag

fumador,-ora *m,f* smoker; **los no fumadores,** nonsmokers

fumar *vtr & vi* to smoke
■ **fumarse** *vr* to smoke

fumigar *vtr* to fumigate

función *f* 1 *Cine Teat* performance 2 *(finalidad, tarea)* function 3 *(cargo, empleo)* duties *pl* 4 *Mat* function ♦ | LOC: **en función de,** depending on

funcionamiento *m* operation

funcionar *vi* to work: **no funciona,** *(en letrero)* out of order

funcionario,-a *m,f* official, employee, civil servant

funda *f* cover; *(de gafas, reloj)* case; *(de un cuchillo)* sheath

fundación *f* foundation

fundador,-ora *m,f* founder

fundamental *adj* fundamental

fundamento *m* basis, grounds

fundar *vtr* 1 *(una institución)* to found 2 *(una sospecha, una teoría)* to base, found
■ **fundarse** *vr* 1 *(una institución)* to be founded 2 *(una sospecha, teoría)* to be based; *(persona)* to base oneself

fundir *vtr* 1 *(derretir)* to melt 2 *(fusionar, unir)* to unite, join 3 *(una bombilla, un plomo)* to blow
■ **fundirse** *vr* 1 *(derretirse)* to melt 2 *(bombilla, plomos)* to blow

fúnebre *adj* funeral; **coche fúnebre,** hearse

funeral *m* funeral

funeraria *f* undertaker's, funeral parlor

funesto,-a *adj (causa)* ill-fated, fatal; *(consecuencias)* disastrous

fungir *vi LAm* to act **[como/de,** as]

funicular *m* funicular (railway)

furgón *m Auto* van

furgoneta *f Auto* van

furia *f* fury

furioso,-a *adj* furious

furor *m* fury, rage

furtivo,-a *adj* furtive, stealthy

fuselaje *m* fuselage

fusible *m* fuse

fusil *m* gun, rifle

fusilar *vtr* to shoot, execute

fusión *f* 1 *Com* merger 2 *Fís (de un metal fundición)* fusion; *(del hielo, licuefacción)* thawing, melting

fusionar *vtr,* **fusionarse** *vr* 1 *Fís* to fuse ⟨⟩ *Com* to merge

futbito *m* indoor soccer

fútbol *m* soccer

futbolín *m* table football

futbolista *mf* footballer, football ⟨o⟩ socce⟨r⟩ player

futuro,-a I *adj* future
II *m* future

G

G, g *f (letra)* G, g

gabardina *f* raincoat

gabinete *m* 1 *(oficina)* study; **gabinet⟨e⟩ psicológico,** psychologist's consulting roo⟨m⟩ 2 *Pol* cabinet

gafas *fpl* 1 glasses, spectacles; **gafas de sol** sunglasses 2 *(de protección, de submarinista⟩* goggles

gafe *adj & mf fam* jinx

gaita *f* bagpipes *pl*

gaitero,-a *m,f* piper

gajes *mpl fam irón* **gajes del ofici⟨o⟩** occupational hazards

gajo *m* segment

gala *f* 1 *(traje de fiesta)* full dress ⟨⟩ *(espectáculo)* gala 3 **galas,** finery *sing*

galáctico,-a *adj* galactic

galán *m* 1 handsome young man 2 *Tea⟨t⟩* leading man

galante *adj* gallant

galápago *m Zool* turtle

galardón *m* prize

galardonado,-a *m,f* prizewinner

galardonar *vtr* to award a prize to

galaxia *f* galaxy

galera *f* galley

galería *f* 1 *Arquit* covered balcon⟨y⟩ 2 *(de arte)* art gallery 3 *(gente, público)* galler⟨y⟩ 4 *(conjunto de tiendas)* **galería d⟨e⟩ alimentación,** market

Gales *m* (país de) Gales, Wales

galés,-esa I *adj* Welsh

II *m,f* (hombre) Welshman; (mujer) Welshwoman; **los galeses,** the Welsh

III *m* (idioma) Welsh

galgo *m Zool* greyhound

galimatías *m inv fam* gibberish

gallego,-a I *adj* 1 Galician 2 *LAm pey* Spanish

II *m,f* 1 Galician, native of Galicia 2 *LAm pey* Spaniard

III *m* (idioma) Galician

galleta *f Culin* cookie

gallina I *f* 1 *Zool* hen 2 (juego) **la gallina/gallinita ciega,** blind man's buff

II *mf fam* coward, chicken

gallinero *m* 1 hen run 2 *Teat* **el gallinero,** the gods *pl*

gallo *m* 1 *Zool* cock, rooster 2 (lenguado) sole 3 *Mús fam* off-key note

galopar *vi* to gallop

galope *m* gallop

gama *f* range

gamba *f* prawn

gamberrada *f* act of hooliganism

gamberro,-a I *m,f* hooligan, *fam* yob

II *adj* uncouth

gamo *m Zool* fallow deer

gamuza *f* 1 *Zool* chamois 2 (trapo para el polvo) duster

gana *f* 1 (deseo) wish [**de,** for]: **tengo muchas ganas de verle,** I really want to see him 2 (voluntad) will: **de buena gana,** willingly; *fam* **no le da la gana,** she doesn't feel like it 3 (hambre, apetencia) appetite

ganadería *f* 1 (cría del ganado) cattle farming, stockbreeding 2 (conjunto de ganado) livestock

ganadero,-a *m,f* livestock farmer

ganado *m* livestock

ganador,-ora I *adj* winning

II *m,f* winner

ganancia *f* profit

ganar I *vtr* 1 (un salario) to earn 2 (un premio) to win 3 (al contrincante) to beat 4 (una cima, una orilla) to reach

II *vi* (vencer) to win

■ **ganarse** *vr* 1 (el pan, el sustento, la vida) to earn 2 (granjearse) to win 3 (merecer) to deserve

ganchillo *m* crochet work; **hacer ganchillo,** to crochet

gancho *m* 1 hook 2 *fam* (gracia, encanto) charm 3 (cómplice de un estafador) bait, decoy; (de la policía) stool-pigeon 4 *LAm* (para el pelo) hairpin

gandul,-ula *m,f* loafer

ganga *f* bargain

gangoso,-a *adj* nasal

gángster *m* gangster

gansada *f fam* silly thing to say *o* do

ganso,-a I *m,f* 1 *Zool* goose; (macho) gander 2 *fam* dimwit

II *adj fam* dumb, stupid

garabato *m* scrawl

garaje *m* garage

garantía *f* 1 guarantee 2 *Fin* (prenda, fianza) bond, security

garantizar *vtr* to guarantee

garbanzo *m* chickpea

garbo *m* grace

garfio *m* hook, grappling iron

garganta *f* 1 (de persona, animal) throat 2 (entre montañas) gorge, narrow pass

gargantilla *f* short necklace

gárgaras *fpl* 1 gargling *sing* 2 *LAm* (elixir bucal) gargle *sing*

gárgola *f* gargoyle

garita *f* 1 *Mil* sentry box 2 (de portero, etc) lodge

garito *m fam* joint

garra *f* 1 *Zool* claw; (de buitre, águila) talon 2 *fig* (fuerza) **tener garra,** to be compelling

garrafa *f* carafe

garrafal *adj* monumental

garrapata *f Zool* tick

garrote *m* 1 (palo grueso) club 2 *Jur* garrotte

garza *f Orn* heron

gas *m* 1 gas: **gas butano/ciudad,** butane/town gas 2 (de una bebida) fizz; **bebidas con gas,** fizzy drinks 3 *Med* gases, flatulence *sing*

gasa *f* 1 *Tex* gauze, chiffon 2 *Med* lint

gaseosa *f* lemonade, fizzy soft drink

gasoducto *m* gas pipeline

gasoil, gasóleo *m* diesel oil

gasolina *f* gasoline, gas; **gasolina sin plomo,** unleaded gasoline

gasolinera *f* gas station

gastado,-a *adj* worn-out

gastar *vtr* 1 (dinero, tiempo) to spend; (gasolina, energía) to consume 2 (desperdiciar) to waste 3 (terminar) to use up 4 (ropa) to wear out 5 **le gastaron una broma,** they played a joke on him

■ **gastarse** *vr* 1 (desgastarse) to wear out 2 (consumirse) to run out

gasto *m* 1 (cantidad de dinero) expenditure; (más en pl) **gastos,** expenses 2 (uso) comsumption

gatas (a) ◆ | LOC: on all fours

gatear *vi* 1 (un bebé) to crawl 2 (trepar) to climb

gatillo *m* trigger

gato *m* 1 *Zool* cat 2 *Auto Téc* jack

gavilán *m Orn* sparrowhawk

gaviota *f Orn* seagull, gull

gay *adj inv & m* homosexual, gay

gazpacho *m Culin* gazpacho

gel *m* gel

gelatina *f* 1 (sustancia) gelatin 2 *Culin* Jell-O®

gema *f Min* gem

gemelo,-a I *adj* & *m,f* twin; **alma gemela,** soul mate

II *m* **1** *(de la pantorrilla)* calf **2** *(de la camisa)* cufflink

III *mpl* **gemelos** *(prismáticos)* binoculars

gemido *m* groan

Géminis *m Astrol* Gemini

gemir *vi* to groan

gen *m* gen

generación *f* generation

general I *adj* general

II *m Mil Rel* general

◆ | LOC: **por lo** *o* **en general,** in general, generally

generalizar *vtr* **1** to generalize **2** *(extender, propagar)* to spread

■ **generalizarse** *vr* to become widespread *o* common

generar *vtr* to generate

género *m* **1** *(clase, tipo)* kind, sort **2** *Arte Lit Mús* genre **3** *(mercancía)* article, goods; *(tejido, paño)* fabric **4** *Ling* gender **5** *Biol* genus

generosidad *f* generosity

generoso,-a *adj* generous [con, to]

genética *f* genetics *sing*

genético,-a *adj* genetic

genial I *adj* brilliant

II *adv* wonderfully

genio *m* **1** *(mal carácter)* temper: **está de mal genio,** he's in a bad mood **2** *(talento, capacidad)* genius **3** *(ente fantástico)* genie

genital I *adj* genital

II *mpl* **genitales,** genitals

genocidio *m* genocide

gente *f* people *pl* ◆ | LOC: *LAm* **ser gente,** to be good, kind *o* respectable

gentil *adj* kind

gentío *m* crowd

gentuza *f pey* riffraff

genuino,-a *adj (no mezclado)* genuine; *(no falseado)* authentic

geografía *f* geography

geología *f* geology

geometría *f* geometry

geranio *m Bot* geranium

gerente *mf* manager

geriátrico,-a I *adj* geriatric

II *m* geriatric hospital

germen *m* germ

germinar *vi* to germinate

gestación *f* gestation

gestarse *vr* **1** *(un movimiento político, artístico)* to grow **2** *(una idea)* to develop **3** *(una revolución, etc)* to brew

gesticular *vi* to gesticulate

gestión *f* **1** *(de una empresa)* management **2** **gestiones,** *(trámites)* formalities, steps

gestionar *vtr* **1** *(negociar)* to negotiate **2** *(administrar)* to administer

gesto *m* **1** *(de dolor, disgusto)* face **2** *(con las manos)* gesture

gestor,-ora *m,f* solicitor

Gibraltar *m* Gibraltar

gibraltareño, -a I *adj* of Gibraltar, Gibraltarian

II *m,f* Gibraltarian, inhabitant of Gibraltar; **los gibraltareños,** the Gibraltarians

giganta *f* giant

gigante I *m* giant

II *adj* giant, enormous

gilipollas *mf ofens* damned fool *o* idiot

gimnasia *f* gymnastics *pl*

gimnasio *m* gymnasium

gimotear *vi* to snivel, grizzle

ginebra *f* gin

ginecología *f* gynecology

ginecólogo,-a *m,f* gynecologist

gira *f* tour

girar I *vi* **1** *(unas aspas, un trompo, etc)* to spin **2** *(torcer, cambiar de dirección)* to turn **3** *(tratar)* to revolve

II *vtr* **1** *(la cabeza, llave)* to turn **2** *Fin (dinero)* to send by giro; *(una letra de cambio)* to draw

girasol *m Bot* sunflower

giro *m* **1** *(vuelta)* turn **2** *(expresión, locución)* turn of phrase **3** *Fin* draft; **giro postal/telegráfico,** money order

gitano,-a *adj* & *m,f* gypsy, gipsy

glacial *adj* icy

glaciar *m* glacier

glándula *f* gland

glasear *vtr Culin* to glaze

global *adj* **1** *(en conjunto)* comprehensive **2** *(mundial)* global

globo *m* **1** *(con aire)* balloon **2** *(esfera)* globe; **globo terráqueo,** globe

glóbulo *m* globule; **glóbulos rojos/blancos,** red/ white corpuscles

gloria I *f* **1** *(renombre, reconocimiento)* glory **2** *Rel* heaven

II *m Rel (cántico)* Gloria

glorieta *f* **1** *(plazuela)* small square **2** *(rotonda, cruce de calles)* roundabout, traffic circle **3** *(en un jardín, cenador)* bower, arbor

glorioso,-a *adj* glorious

glosario *m* glossary

glotón,-ona I *adj* greedy

II *m,f* glutton

glotonería *f* gluttony

glucosa *f Quím* glucose

gobernador,-ora *m,f* governor

gobernante I *adj* ruling

II *mf* ruler

gobernar *vtr* & *vi* **1** to govern **2** *Náut* to steer

gobierno *m* government

gol *m* goal

golear *vtr Ftb* to hammer

golf *m* golf

golfista *m,f* golfer

golfo *m Geog* gulf

golondrina *f Orn* swallow

golosina *f* candy

goloso,-a *adj* sweet-toothed

golpe *m* **1** *(que se da o que da alguien)* blow; *(en una fruta)* bruise; *(en una puerta)* knock; **golpe (de Estado),** coup (d'état); **golpe de suerte,** stroke of luck **2** *Auto* bump **3** *(disgusto)* blow **4** *(ocurrencia)* witticism **5** *(robo)* robbery

golpear *vtr* **1** *(accidentalmente)* to hit **2** *(con intención de herir)* to beat, hit; *(con el puño)* to punch **3** *(una puerta, una ventana, etc)* to bang

goma *f* **1** rubber: **goma de borrar,** eraser **2** *(elástica, para el pelo)* rubber band

gomaespuma *f* foam rubber

gomero *m LAm* **1** *(planta)* rubber plant **2** *(trabajador)* rubber plantation worker

gomina *f* hair gel

góndola *f* gondola

gordo,-a I *adj* **1** *(persona)* fat **2** *(cable, jersey, etc)* thick **3** *(importante, serio)* big **II** *m,f* fat person; *fam* fatty **III** *m* **el gordo,** *(de una lotería)* the jackpot

gorila *m* **1** *Zool* gorilla **2** *(portero de club, discoteca)* bouncer; *(guardaespaldas)* bodyguard

gorjear *vi* to chirp

■ **gorjearse** *vr LAm* **gorjearse de alguien,** to laugh at sb's expense

gorra *f* (peaked) cap ◆ | LOC: *fam* **con la gorra,** easily, effortlessly; **de gorra,** free

gorrión *m Orn* sparrow

gorro *m* cap

gorrón,-ona *m,f fam* sponger

gota *f* **1** drop **2** *Med* gout **3** **gotas,** *(para los ojos, oídos)* drops

gotear *vi & impers* to drip

gotera *f* leak

gótico,-a *adj* Gothic

gozar I *vtr* to enjoy **II** *vi* to enjoy [**de, -**]

gozne *m* window *o* door hinge

gozo *m* **1** *(alegría)* joy **2** *(placer)* enjoyment

gozoso,-a *adj* joyful, happy

grabación *f* recording

grabado,-a *m* *(técnica, oficio)* engraving

grabadora *f* tape recorder

grabar *vtr* **1** to record **2** *Inform* to save **3** *Arte* to engrave

gracia *f* **1** *(encanto)* grace **2** *(ocurrencia, chispa)* joke: **¡qué gracia!,** how funny! **3** *(indulto)* pardon **4** *Mit* grace; **las tres Gracias,** the Three Graces

gracias *excl (agradecimiento)* thanks ◆ | LOC: **dar gracias a alguien,** to thank; **gracias a,** thanks to

gracioso,-a I *adj* **1** *(con chispa)* funny **2** *(con atractivo, encanto)* graceful **II** *m,f* **1** joker

grada *f* **1** *(escalón)* step **2** **gradas** *(de un anfiteatro, estadio)* stands, terraces

grado *m* **1** degree **2** *Mil* rank **3** *(gusto, voluntad)* desire, will

graduable *adj* adjustable

graduación *f* **1** graduation **2** *Mil* rank

gradual *adj* gradual

graduar *vtr* **1** *(calibrar)* to regulate; *(la vista)* to test; *(un termómetro)* to graduate **2** *Educ Mil* to confer a degree *o* a rank on

■ **graduarse** *vr* **1** **necesito graduarme la vista,** I need to have my eyes tested **2** *Educ Mil* to graduate

gráfico,-a I *adj* graphic; **diseño gráfico,** graphic design **II** *m,f* graph

gragea *f Med* pill

grajo,-a I *m,f Orn* rook **II** *m LAm (olor)* body odor

gral. *(abr de general)* general, gen

gramática *f* grammar

gramo *m* gram

Gran Bretaña *f* Great Britain

granada *f* **1** *Bot* pomegranate **2** *Mil* grenade

granate I *adj inv (color)* maroon **II** *m (color)* maroon

grande *adj* **1** *(tamaño)* big, large **2** *(cantidad)* large **3** *fig (fuerte, intenso)* great

grandioso,-a *adj* grandiose

granel (a) *loc adv (sin medir exactamente)* loose; *(en grandes cantidades)* in bulk

granero *m Agr* granary

granito *m* granite

granizada *f* hailstorm

granizado,-a *m,f* iced drink

granizar *v impers* to hail

granizo *m* hail

granja *f* farm

granjero,-a *m,f* farmer

grano *m* **1** *(de cereal)* grain; *(de café)* bean **2** *(en la piel)* spot **3** *(de la lija, una fotografía)* grain

granuja *m* **1** *(pícaro)* urchin **2** *(estafador, truhán)* swindler

grapa *f* staple

grapadora *f* stapler

grapar *vtr* to staple

grasa *f* **1** grease **2** *(de un cuerpo)* fat

grasiento,-a *adj* greasy

graso,-a *adj* **1** *(pelo, piel)* greasy **2** *(adiposo)* fatty

gratificar *vtr* **1** *(complacer, compensar)* to gratify **2** *(compensar con dinero una tarea)* to give a bonus; *(dar una recompensa)* to reward

gratinar *vtr Culin* gratiné

gratis *adv inv* free

gratitud *f* gratitude

grato,-a *adj* pleasant

gratuito,-a *adj* **1** *(gratis)* free (of charge) **2** *(sin justificación, sin fundamento)* gratuitous

grava *f* gravel

gravamen *m* **1** *(impuesto)* tax **2** *(carga, obligación)* burden

gravar vtr Jur to tax

grave adj 1 (peligroso, crítico) serious 2 (voz, nota, tono) low

gravedad f 1 (de una situación, estado) seriousness 2 Fís gravity

gravilla f fine gravel

gravitar vi 1 Fís to gravitate 2 **gravitar sobre,** (descansar, apoyarse en) to rest on; (cernirse) to hang over

gravoso,-a adj costly

graznido m (sonido desagradable) squawk; (de un pato) quack; (de un cuervo) caw

Grecia f Greece

gregario,-a adj gregarious

gremio m 1 Hist guild 2 (profesión, oficio) profession

greña f lock of tangled hair

gres m stoneware

gresca f 1 (riña, pelea) row 2 (alboroto) racket

griego,-a adj & m,f Greek

grieta f crack

grifo m tap, faucet

grillete m shackle

grillo,-a m,f Zool cricket

grima f 1 (desazón) uneasiness 2 (dentera) reluctance 3 (asco) disgust

gripe f flu

gris adj & m grey, gray

gritar vtr & vi to shout

grito m shout

grosella f Bot redcurrant; **grosella negra,** blackcurrant

grosería f 1 (expresión insultante) rude word o expression 2 (carencia de modales) rudeness

grosero,-a I adj 1 (tosco, de baja calidad) coarse 2 (ofensivo, desagradable) rude **II** m,f **es un grosero,** he's very rude

grosor m thickness

grotesco,-a adj grotesque

grúa f 1 (para construcción) crane 2 (para arrastrar coches) tow truck 3 Cine TV crane

grueso,-a I adj 1 (objeto) thick 2 (obeso, rollizo) stout **II** m 1 (mayor parte) bulk 2 (grosor) thickness

grulla f Orn crane

grumo m lump

gruñido m grunt

gruñir vi to grunt

gruñón,-ona adj grumpy

grupo m 1 group: **grupo sanguíneo,** blood group 2 Mús group, band

gruta f cave

guacamayo,-a m,f Orn macaw

guacamole m LAm Culin guacamole, avocado sauce

guachinango,-a adj LAm 1 (zalamero) slimy 2 (astuto) sharp

guacho,-a adj & m,f LAm 1 (huérfano) orphan 2 (bastardo) bastard

guadaña f scythe

guagua f LAm bus

guajira f Cuban folk song

guanaco,-a I m Zool guanaco **II** adj LAm dumb, stupid

guanche adj & m,f Guanche

guano m guano

guantazo m slap

guante m glove

guantera f Auto glove compartment

guapo,-a adj 1 good-looking, cute; (mujer) beautiful, pretty; (hombre) handsome

guaraca f LAm slingshot

guarango,-a adj LAm rude, coarse

guarda m,f guard; **guarda jurado,** security guard

guardabarros m inv Auto fender

guardabosque m f gamekeeper

guardacoches m f inv parking attendant

guardacostas m inv (embarcación) coastguard vessel

guardaespaldas m f inv bodyguard

guardameta m f Dep goalkeeper

guardapolvo m overalls pl

guardar vtr 1 (preservar) to keep: **¿puedes guardármelo?,** can you look after it for me? 2 (un secreto, recuerdo) to keep: **guardaron silencio,** they remained silent 3 (en un sitio) to put away 4 (reservar) to keep 5 Inform to save

■ **guardarse** vr (en el bolsillo, en el traje) **se guardó la cartera en el bolsillo,** he put his wallet in his pocket

guardarropa m 1 (del museo, teatro) cloakroom 2 (conjunto de ropa) wardrobe

guardería f **guardería infantil,** nursery (school), daycare center

guardia I f 1 (custodia, vigilancia) watch 2 (cuerpo armado) guard 3 (turno de servicio) duty; Mil guard duty; **farmacia de guardia,** pharmacy on call **II** m f (hombre) policeman; (mujer) policewoman

guardián,-ana m,f watchman, watchwoman

guarecer vtr to shelter

■ **guarecerse** vr to take shelter o refuge [de, from]

guarida f 1 (de animal) lair 2 (de criminales) hide-out

guarnición f 1 Culin garnish 2 Mil garrison

guarrada f, **guarrería** f fam 1 dirty o disgusting thing 2 (mala pasada) dirty trick

guarro,-a I adj filthy, disgusting **II** m,f pig

guasa f mockery

guasón,-ona I adj humorous **II** m,f joker

guata f 1 (relleno de algodón) (cotton) padding 2 LAm fam (barriga) belly, paunch

Guatemala f Guatemala

guatemalteco,-a I adj Guatemalan, of Guatemala

I *m, f* Guatemalan
guateque *mn* party
guay *adj inv fam* brilliant, terrific
guayaba *f* 1 *(fruta)* guava 2 *LAm* fib, lie
guayabera *f* loose-fitting shirt
guayabo,-a I *m, f LAm (persona guapa)* masher
I *m Bot* guava tree
guepardo *m Zool* cheetah
guerra *f* war: **guerra civil/mundial**, civil/world war
guerrero,-a I *m, f* warrior
I *adj* warlike
guerrilla *f (grupo armado)* guerrilla force *o* band
guía I *mf (cicerone, consejero, etc)* guide
I *f* 1 *(orientación)* guideline 2 *(libro de pautas)* guide 3 *(listado)* directory; **guía de teléfonos**, telephone directory
guiar *vtr* to guide
◀ guiarse *vr* to be guided, to go [**por**, by]
guijarro *m* pebble
guinda *f (fruto)* morello (cherry)
guindilla *f* chilli
guiñapo *m* 1 *(harapo, piltrafa)* rag 2 *fig (persona)* wreck
guiñar *vtr* to wink
guiño *m* 1 wink 2 *(mensaje indirecto)* message, codeword
guiñol *m* puppet show
guión *m* 1 *Cine TV* script 2 *Ling* hyphen, dash 3 *(de una conferencia, clase, etc)* sketch, outline
guionista *mf* scriptwriter
guiri *mf argot* foreigner
guirigay *m fam* hubbub
guirnalda *f* garland
guisado *m Culin* stew
guisante *m Bot* pea
guisar *vtr* to cook
guiso *m* dish
guitarra *f* guitar
guitarrista *mf* guitarist
gusano *m* worm; *(oruga)* caterpillar; *(de mosca)* maggot
gustar *vi* 1 **me gusta el pan**, I like bread; *(con infinitivo)* **me gusta escribir**, I like to write *o* I like writing; **me gustaría ir**, I would like to go 2 *frml cortesía:* **cuando gustes**, whenever you like 3 *frml (sentir agrado o afición)* **gustar de**, to enjoy
gusto *m* 1 *(sensación)* taste 2 *(para apreciar la belleza)* taste: **mal gusto**, bad taste 3 *(inclinación, agrado)* liking 4 *(placer)* pleasure
◀ LOC: a gusto, comfortable *o* at ease; **con mucho) gusto**, with (great) pleasure; **tanto gusto**, pleased to meet you
gutural *adj* guttural

H

H, h *f (letra)* H, h
haba *f Bot* broad bean
habano *m* Havana cigar
haber I *v aux* 1 *(en tiempos compuestos)* to have: **lo he comido todo**, I've eaten it all
II *v impers* 1 *(existir, estar, hallarse)* **hay**, there is *o* are; **había**, there was *o* were: **hay poco que decir**, there is little to be said 2 *(ocurrir, suceder)* **habrá una reunión**, there will be a meeting; **hoy hay fiesta en el club náutico**, there's a party today in the sailing club
III *(haber de + infinitivo) (obligación)* to have to: **has de ser más estudioso**, you must be more studious; *(haber que + infinitivo) (conveniencia, necesidad u obligación)* it is necessary to: **habrá que ir**, we will have to go; **habría que pintar el salón**, we should paint the living room; **hay que hacerlo**, you must do it
IV *nm Fin* credit
V *mpl* **haberes**, *(bienes)* assets
◆ LOC: había una vez…, once upon a time…; **no hay de qué**, you're welcome *o* don't mention it
habichuela *f Bot* kidney bean
hábil *adj* 1 *(mañoso)* skillful 2 *(astuto, ingenioso)* smart 3 *(laboral)* working; **dos días hábiles**, two working days
habilidad *f* 1 *(con una herramienta, etc)* skill 2 *(astucia, ingenio)* cleverness
habilidoso,-a *adj* skilful
habilitar *vtr* 1 *(una casa, un edificio)* to fit out 2 *(a una persona)* to entitle
habitación *f (pieza de una casa)* room; *(dormitorio)* bedroom: **reservé una habitación doble**, I booked a double room
habitante *mf* inhabitant
habitar I *vi* to live
II *vtr* to live in, to inhabit
hábito *m* habit
habitual *adj* 1 *(corriente)* usual, habitual 2 *(asiduo)* regular
habituar *vtr* to accustom [**a**, to]
■ habituarse *vr* to get used [**a**, to], become accustomed [**a**, to]
habla *f* 1 *(lengua, idioma)* language; **los países de habla hispana**, Spanish-speaking countries 2 *(capacidad para hablar)* speech
hablador,-ora *adj (charlatán)* talkative; *pey (indiscreto)* gossipy
habladuría *f* habladurías, gossip, rumors
hablante *mf* speaker
hablar I *vi* 1 to speak, talk: **estaba hablando con Jorge**, I was speaking to Jorge 2 *(charlar)* to talk, chat: **le encanta hablar por teléfono**, he loves chatting on the phone
II *vtr* 1 *(una lengua)* to speak: **habla francés**, he speaks French 2 *(discutir, tratar)* to talk over, discuss: **háblalo con tu madre**, talk it over with your mother

■ **hablarse** *vr* **1** to speak *o* talk to one another **2** *(relacionarse)* **no nos hablamos**, we are not on speaking terms **3** *(en un letrero)* **se habla danés**, Danish spoken

hacer I *vtr* **1** *(crear, fabricar, construir)* to make; **hacer un jersey**, to make a sweater; **hacer un puente**, to build a bridge **2** *(una acción)* to do: **haz lo que quieras**, do what you want **3** *(amigos, dinero)* to make **4** *(obligar, forzar)* to make: **hazle entrar en razón**, make him see reason **5** *(causar, provocar)* to make: **no hagas llorar a tu hermana**, don't make your sister cry **6** *(arreglar)* to make: **hacer la cama**, to make the bed **7** *(producir una impresión)* to make ... look: **ese vestido la hace mayor**, that dress makes her look older **8** *(en sustitución de otro verbo)* to do: **cuido mi jardín, me gusta hacerlo**, I look after my garden, I like doing it **9** *(actuar como)* to play: **no hagas el tonto**, don't play the fool **II** *vi* **1** *(en el teatro, etc)* to play: **hizo de Electra**, she played Electra **2** *(hacer por + infinitivo)* to try to: **hice por ayudar**, I tried to help **3** *(simular)* to pretend: **hice como si no lo conociera**, I acted as if I didn't know him **III** *v impers* **1** *(tiempo transcurrido)* ago: **hace mucho (tiempo)**, a long time ago; **hace tres semanas que no veo la televisión**, I haven't watched TV for three weeks **2** *(condición atmosférica)* **hacía mucho frío**, it was very cold ■ **hacerse** *vr* **1** *(convertirse)* to become, grow; **hacerse mayor**, to grow old **2** *(simular)* to pretend: **me vio, pero se hizo el despistado**, he saw me, but pretended he hadn't **3** *(acostumbrarse)* to get used **[a, to]**: **me tengo que hacer a la idea**, I've got to get used to the idea

hacha *f* ax

hacia *prep* **1** *(en dirección a)* towards, to; **hacia abajo**, down, downwards; **hacia adelante**, forwards; **hacia arriba**, up, upwards; **hacia atrás**, back, backwards **2** *(en torno a)* at about, at around: **estaré allí hacia las cinco**, I'll be there at about five o'clock

hacienda *f* **1** Fin Treasury; **hacienda pública**, public funds *o* finances *pl*; **Ministerio de Hacienda**, Treasury **2** *(finca, rancho)* ranch

hada *f* fairy

halagar *vtr* to flatter

halago *m* flattery

halcón *m* Orn falcon

halterofilia *f* weight-lifting

hallar *vtr* to find

■ **hallarse** *vr* **1** *(estar, encontrárse)* to be **2** *(estar ubicado)* to be (situated)

hallazgo *m* **1** *(descubrimiento)* discovery **2** *(objeto encontrado)* find

hamaca *f* **1** *(chinchorro)* hammock **2** *(mecedora)* rocking chair **3** *(tumbona)* sun lounger

hambre *f* **1** *(apetito)* hunger: **tengo much**... **hambre**, I'm very hungry **2** *(inanición* starvation

hambriento,-a *adj* *(por inanición)* starving *(por apetito)* hungry

hamburguesa *f* hamburger, burger

hampa *f* underworld

hámster *m* Zool hamster

harapo *m* rag

harén *m* harem

harina *f* flour

hartar *vtr* **1** *(molestar, cansar)* to annoy **2** *(saciar)* to satiate ■ **hartarse** *vr* **1** *(atiborrarse)* to eat one's fill **2** *(cansarse)* to get fed up **[de, with]**, grow/ge... tired **[de, of]**

harto,-a *adj* **1** *(de comida)* full **2** *(hastiado aburrido)* fed up **II** *adv* frml very

hasta I *prep* **1** *(marca límite: en el espacio)* u... to, as far as, down to; **hasta el final**, right t... the end; *(en el tiempo)* until, till, up to; **hast**... **junio**, until June; **hasta la fecha**, up to now *(en la cantidad)* up to, as many as; *(en l... acción)* till, until: **hasta sus última**... **consecuencias**, till the bitter end **2** *(indic**... sorpresa)* even **II** *conj* **1** *(seguido de gerundio o* **cuando**) even when: **hasta llorando está guapo**, he's good looking even when he cries **2 hasta que** until

◆ LOC: **hasta luego**, see you later

hastío *m* weariness

haya *f* beech

haz *m* **1** Agr sheaf **2** *(de luz)* shaft

hazaña *f* deed, exploit

hazmerreír *m* laughing stock

hebilla *f* buckle

hebra *f* **1** *(trozo de hilo)* thread **2** *(de carne* sinew

hebreo,-a I *adj* Hebrew **II** *m,f* Hebrew

hechicero,-a *m,f* *(hombre)* wizard, sorcerer *(mujer)* witch, sorceress

hechizar *vtr* **1** *(con magias)* to cast a spell o... **2** *(encandilar, cautivar)* to bewitch, charm

hechizo *m* **1** *(embrujo, sortilegio)* spell **2** *fi... (seducción, encanto)* fascination, charm

hecho,-a I *adj* **1** *(realizado)* made, done: **est**... **muy bien hecho**, it's really well done **2** *(acostumbrado)* used **3** *(cocinado, cocido)* done **un filete muy/poco hecho**, a well cooked/rare steak **4** *(persona)* mature **II** *m* **1** *(suceso real)* fact; **de hecho**, in fact **2** *(obra, acción)* act, deed **3** *(acontecimiento, caso* event, incident

hechura *f* *(de un vestido)* cut; *(confección* making up, tailoring

hectárea *f* hectare

hectolitro *m* hectoliter

heder *vi* to stink, smell foul

hediondo,-a *adj* foul-smelling
hedor *m* stink, stench
hegemonía *f* hegemony
helada *f* frost
heladería *f* ice-cream parlor
helado,-a I *m* ice cream
II *adj* **1** *(muy frío)* frozen **2** *fig (atónito)* stunned, flabbergasted: **la noticia me dejó helado,** I was flabbergasted by the news
helar I *vtr* to freeze
II *v impers* to freeze
■ **helarse** *vr* to freeze
helecho *m Bot* fern
hélice *f* **1** *Av Náut* propeller **2** *Anat Arquit Mat* helix
helicóptero *m Av* helicopter
helio *m Quím* helium
hematoma *m Med* hematoma
hembra *f* **1** *Bot Zool* female **2** *vulgar (mujer)* woman **3** *Téc* female; *(de un tornillo)* nut; *(de un enchufe)* socket
hemeroteca *f* newspaper library
hemisferio *m* hemisphere
hemorragia *f Med* hemorrhage
hemorroides *fpl* hemorrhoids, piles
hendidura *f* crack
heno *m* hay
heráldica *f* heraldry
herbívoro,-a I *adj* herbivorous, grass-eating
II *m,f Zool* herbivore
herbolario,-a I *m,f* herbalist
II *m* **1** *(establecimiento)* herbalist's (shop); health food shop **2** *(colección de plantas)* herbarium
hercio *m* hertz
heredar *vtr* to inherit
heredero,-a *m,f (hombre)* heir; *(mujer)* heiress
hereje *mf Rel* heretic
herejía *f Rel* heresy
herencia *f* **1** *Jur* inheritance, legacy **2** *Biol* heredity
herida *f (de bala, de cuchillo)* wound; *(lesión, golpe)* injury
herido,-a *m,f* casualty, injured person
herir *vtr* **1** *(físicamente) (accidentalmente)* to injure; *(con un arma, instrumento)* to wound **2** *(espiritualmente)* to hurt, wound
■ **herirse** *vr* to injure *o* hurt oneself
hermana 1 sister → **hermano**
hermanastro,-a *m,f (hombre)* stepbrother; *(mujer)* stepsister
hermandad *f* fraternity, brotherhood, sisterhood
hermano *m* brother; **primo hermano,** first cousin
hermético,-a *adj* **1** *(cierre, frasco)* hermetic, airtight **2** *fig (impenetrable, secreto)* secretive, inscrutable
hermoso,-a *adj* **1** *(bello)* beautiful, lovely **2** *(grande, espléndido)* fine

hermosura *f* beauty
héroe *m* hero
heroico,-a *adj* heroic
heroína *f* **1** *(mujer)* heroine **2** *(droga)* heroin
heroinómano,-a *m,f* heroin addict
herradura *f* horseshoe
herramienta *f Téc* tool
herrar *vtr* **1** *(poner herraduras)* to shoe **2** *(marcar a hierro)* to brand
herrería *f* forge, smithy
herrero *m* blacksmith, smith
hervidero *m fig* hotbed
hervir I *vtr (el agua, la leche)* to boil
II *vi Culin* to boil
heterodoxo,-a *adj* unorthodox
heterogéneo,-a *adj* heterogeneous
heterosexual *adj & mf* heterosexual
hiato *m Ling* hiatus
hibernar *vi (un animal)* to hibernate
híbrido,-a *adj & m,f* hybrid
hidratante *adj* moisturizing
hidratar *vtr* to moisturize
hidrato *m Quím* hydrate
hidráulico,-a *adj* hydraulic
hidroavión *m* seaplane, hydroplane
hidrógeno *m Quím* hydrogen
hiedra *f Bot* ivy
hiel *f* **1** *Anat* bile **2** *fig (amargura, resentimiento)* bitterness
hielo *m* ice
hierba *f* **1** grass **2** *Culin* herb
hierbabuena *f Bot* mint
hierbajo *m* weed
hierro *m* **1** *(metal)* iron **2** *(señal de ganadería)* brand
hígado *m* liver
higiene *f* hygiene
higiénico,-a *adj* hygienic; **papel higiénico,** toilet paper
higo *m* fig
hija *f* daughter → **hijo**
hijastro,-a *m,f (hombre)* stepson; *(mujer)* stepdaughter
hijo *m* **1** son, child; **hijo natural,** illegitimate child; **hijo único,** only child **2** *pl* **hijos,** offspring, children
hilar *vtr & vi* to spin
hilaridad *f* hilarity
hilera *f* line, row
hilo *m* **1** *Cost* thread; *(de perlé, de tejer)* yarn; *(tela de hilo)* linen **2 hilo musical,** background music **3** *(cable)* wire
hilvanar *vtr* **1** *Cost* to tack, baste **2** *fig (relacionar)* to link
himno *m* hymn
hincapié *m* **hacer hincapié en,** *(recalcar)* to emphasize, stress; *(insistir)* to insist on
hincar *vtr* to drive (in)
■ **hincarse** *vr* **hincarse de rodillas,** to kneel (down)
hincha *fam mf Ftb* fan, supporter

hinchado,-a *adj* 1 *(de aire)* inflated, blown up 2 *Med (inflamado)* swollen, puffed up

hinchar *vtr* 1 *(un globo)* to inflate, blow up 2 *fig (una historia, un presupuesto)* to inflate, exaggerate

■ **hincharse** *vr* 1 *Med* to swell (up) 2 *fam (comer en exceso)* to stuff oneself [**de**, with]

hindú *adj* & *mf* Hindu

hiperactivo,-a *adj* hyperactive

hipermercado *m* hypermarket

hipertensión *f* high blood pressure

hípica *f* (horse) riding

hípico,-a *adj* related to horses; **club hípico,** riding club

hipnotizar *vtr* to hypnotize

hipo *m* hiccups, hiccoughs

hipocresía *f* hypocrisy

hipócrita I *adj* hypocritical

II *mf* hypocrite

hipódromo *m* racetrack, racecourse

hipopótamo *m Zool* hippopotamus

hipoteca *f Fin* mortgage

hipotecar *vtr* 1 *Fin* to mortgage 2 *(poner en peligro)* to jeopardize

hipótesis *f inv* hypothesis

hispánico,-a *adj* Hispanic, Spanish

hispano,-a I *adj (español)* Spanish; *(español y latinoamericano)* Hispanic; *(latinoamericano)* Spanish American

II *m,f* Spanish American, *US* Hispanic

Hispanoamerica *f* Spanish America

hispanoamericano,-a *adj* & *m,f* Spanish American

hispanohablante I *mf* Spanish speaker

II *adj* Spanish-speaking

histeria *f* hysteria

histérico,-a *adj* hysterical

historia *f* 1 history 2 *(cuento)* story, tale

historiador,-ora *m,f* historian

historial *m* 1 *Med* medical record, case history 2 *(académico, laboral)* curriculum vitae

histórico,-a *adj* 1 historical 2 *(verdadero, real)* factual, true

historieta *f* 1 *(cuento)* short story, tale 2 *(viñeta)* comic strip

hito *m* milestone

Hnos *(abr de Hermanos)* Brothers, Bros

hocico *m* snout

hogar *m* 1 *(lugar en que se habita)* home: **no tenía hogar,** he was homeless 2 *(de una chimenea)* hearth, fireplace 3 *(asilo)* home; *(orfanato)* orphanage

hogareño,-a *adj (ambiente)* home, family; *(persona)* home-loving

hoguera *f* bonfire

hoja *f* 1 *Bot* leaf; **un árbol de hoja perenne,** an evergreen tree; **de hoja caduca,** deciduous 2 *(de papel)* sheet, leaf; *(de un libro)* leaf, page; *(impreso)* hand-out, printed sheet; *Inform* **hoja de cálculo,** spreadsheet 3 *(plancha de metal)* sheet 4 *(de un arma blanca)*

blade 5 *(de una puerta o ventana)* leaf

hojalata *f* tin, tin plate

hojaldre *m Culin* puff pastry

hojear *vtr* to leaf through, flick through

hola *excl* hello!, hullo!, hi!

Holanda *f* Holland

holandés,-esa I *adj* Dutch

II *m,f (hombre)* Dutchman; *(mujer)* Dutchwoman

III *m (idioma)* Dutch

holgado,-a *adj* 1 *(despegado del cuerpo)* loose, baggy 2 *(sobrado: de dinero)* comfortable; *(: de espacio, etc)* ample, roomy

holgazán,-ana I *adj* lazy, idle

II *m,f* lazybones *inv*, layabout

holgazanear *vi* to laze o loaf around

hollín *m* soot

holocausto *m* holocaust

hombre I *m* 1 *(individuo)* man; **hombre de Estado,** statesman; **hombre de paja,** dummy, figurehead 2 *(género)* mankind, man

II *interj* 1 *(en un saludo)* hey!, hey there!: **¡hombre, José!,** hey, José! 2 *(enfático)* **¡hombre, claro que iré!,** sure, of course I'll go!; *(incredulidad)* **¡sí hombre!,** oh, come on!

hombrera *f* shoulder pad

hombro *m* shoulder ◆ | LOC: **encogerse de hombros,** to shrug one's shoulders; **mirar a alguien por encima del hombro,** to look down one's nose at sb

homenaje *m* homage, tribute

homenajear *vtr* to pay tribute to

homeopatía *f Med* homeopathy

homicida I *mf Jur (hombre)* murderer; *(mujer)* murderess

II *adj Jur* murder, homicidal; **el arma homicida,** the murder weapon

homicidio *m Jur* homicide

homogéneo,-a *adj* homogeneous, uniform

homologar *vtr* 1 *(hacer equivalentes)* to standardize 2 *(considerar válido)* to approve

homólogo,-a I *adj (semejante)* comparable

II *m,f* counterpart

homosexual *adj* & *mf* homosexual

homosexualidad *f* homosexuality

hondo,-a *adj* 1 *(profundo)* deep; **plato hondo,** soup dish 2 *fig (sentimiento)* profound, deep

hondonada *f Geog* hollow, depression

Honduras *f* Honduras

hondureño,-a *adj* & *m,f* Honduran

honestidad *f* 1 *(justicia, rectitud)* honesty, uprightness 2 *(pudor)* modesty

honesto,-a *adj* 1 *(justo, recto)* honest, upright 2 *(decente)* modest

hongo *m* 1 fungus 2 *(sombrero)* bowler (hat)

honor *m* 1 *(cualidad, dignidad)* honor: **nos hizo el honor de visitarnos,** we were honored by his visit 2 *(fama, reconocimiento, gloria)* **en honor a la verdad…,** to be fair…

honorable *adj* honorable

norario,-a I *adj* honorary
mpl **honorarios,** fees, fee *sing*
norífico,-a *adj* honorary
nradez *f* 1 *(respeto, venerar)* honesty, integrity
nrado,-a *adj* 1 *(persona)* honest 2 *(negocio, bajo)* upright, respectable
nrar *vtr* 1 *(respetar, venerar)* to honor 2 *(altecer, ennoblecer)* to be a credit to: **ese gesto honra,** that gesture does him credit
ra *f* 1 *(60 minutos)* hour: **te veo dentro de dia hora,** I'll see you in half an hour; **me gan por horas,** they pay me by the hour; **ras extras,** overtime 2 *(momento)* time: **¿qué ra es?,** what's the time? 3 *(cita)* appointment: **pedir hora con el dentista,** to k for an appointment with the dentist
rario-a *m* timetable, schedule
rca *f* gallows *pl*
rcajada *f* ◆ LOC: **a horcajadas,** astride
rchata *f* Culin sweet drink made from tiger ts and sugar
rizontal *adj* horizontal
rizonte *m* 1 horizon 2 *(línea entre cielo y ra)* skyline
rmiga *f* ant
rmigón *m* concrete
rmigueo *m* 1 pins and needles *pl*, tingling tching sensation 2 *(desasosiego)* anxiety
rmiguero *m* anthill
rmona *f* hormone
rnada *f* batch
rnillo *m* 1 *(portátil)* portable *o* camping ve 2 *(fuego de una cocina)* ring
rno *m* 1 *(para cocinar)* oven 2 *(para fundir tal, vidrio)* furnace 3 *(para cocer cerámica)* kiln
róscopo *m* horoscope
rquilla *f* 1 *(del pelo)* hairpin, bobby pin 2 r pitchfork
rrendo-a *adj* horrifying, horrible
rrible *adj* horrible, dreadful, awful
rror *m* 1 horror, terror: **¡qué horror!,** w awful! 2 *(antipatía, aversión)* fam **le ago horror a la plancha,** I hate doing the ning
rrorizar *vtr* to horrify, terrify
rroroso,-a *adj* 1 *(que causa terror)* rrifying, terrifying 2 *fam (muy feo)* deous, ghastly 3 *fam (muy desagradable)* ful, dreadful
rtaliza *f* vegetable
rtensia *f* Bot hydrangea
rtera *adj* fam 1 *(persona)* flashy, vulgar 2 jeto)* tacky, kitsch
spedaje *m* lodgings *pl*, accommodations
spedar *vtr* to put up, lodge
spedarse *vr* to stay [**en,** at]
spital *m* hospital
spitalario,-a *adj* 1 *(agradable, acogedor)* spitable 2 Med hospital

hospitalidad *f* hospitality
hospitalizar *vtr* to hospitalize
hostal *m* guest house
hostelería *f* 1 *(empresa)* catering trade 2 *(estudios)* hotel management
hostería *f* LAm inn, lodging house
hostia I *f* 1 Rel host 2 *vulgar (golpe)* belt, smash, thump
II *excl vulgar (usu tb pl)* shit! bloody hell!
hostil *adj* hostile
hostilidad *f* hostility
hotel *m* hotel
hotelero,-a I *adj* hotel
II *m,f* hotel-keeper, hotelier
hoy *adv* 1 *(en el día actual)* today 2 *fig (en la actualidad)* now ◆ LOC: **hoy (en) día,** nowadays; **hoy por hoy,** at the present time
hoyo *m* hole, pit
hoyuelo *m* dimple
hoz *f* sickle
hucha *f* piggy bank
hueco,-a I *adj* 1 *(vacío)* empty, hollow 2 *(voz, sonido)* resonant
II *m* 1 *(cavidad vacía)* hollow, hole 2 *(rato libre)* free time 3 *(sitio libre)* empty space
huelga *f* strike
huelguista *mf* striker
huella *f* 1 *(pisada)* footprint; *(de vehículo, animal)* track; **huella dactilar** *o* **digital,** fingerprint 2 *fig (rastro, señal)* trace, sign
huérfano,-a *mf* orphan
huerta *f* Agr 1 *(parcela de cultivo)* truck garden 2 *(zona de regadío)* irrigated area used for cultivation
huerto *m* 1 *(de frutales)* orchard 2 *(de verduras)* vegetable garden, kitchen garden
hueso *m* 1 Anat bone 2 *(de una fruta)* pit 3 LAm *(enchufe)* contact
huésped,-eda *m,f* 1 *(invitado)* guest; *(cliente de hotel, etc)* lodger, boarder, guest 2 Biol host
hueva *f* tb fpl **huevas** 1 Zool spawn 2 Culin roe
huevo *m* 1 egg; **huevo duro,** hard-boiled egg; **huevo escalfado,** poached egg; **huevo frito,** fried egg; **huevo pasado por agua,** soft-boiled egg; **huevos revueltos,** scrambled eggs 2 *vulgar (usu pl)* balls *pl*
huida *f* flight, escape
huir *vi* 1 *(escapar)* to run away [**de,** from], flee: **huyeron a Méjico,** they fled to México 2 *(esquivar, rehuir)* to avoid
hule *m* oilcloth, oilskin
hulla *f* Min coal
humanidad *f* humanity
humanitario,-a *adj* humanitarian
humano,-a I *adj* 1 *(relativo al hombre)* human 2 *(benévolo, indulgente)* humane
II *m (ser) humano,* human (being)
humareda *f* dense cloud of smoke
humedad *f* 1 *(de la ropa, una habitación)* dampness 2 *(del ambiente)* humidity

humedecer *vtr* to moisten, dampen
■ **humedecerse** *vr* to become damp *o* wet
húmedo,-a *adj* (*una prenda, una habitación*) damp; (*clima*) humid, moist
humildad *f* 1 (*de carácter*) humility 2 (*de condición social*) humbleness
humilde *adj* humble
humillación *f* humiliation
humillante *adj* humiliating, humbling
humillar *vtr* to humiliate
humo *m* 1 smoke; (*vapor*) vapor, steam; (*de un tubo de escape, de un extractor*) fumes *pl* 2
humos *mpl* (*soberbia, vanidad*) airs
humor *m* 1 (*talante, ánimo*) mood: **hoy estoy de buen humor,** today I'm in a good mood 2 (*alegría, ingenio*) humor
humorista *mf* humorist
hundido,-a *adj* 1 (*bajo el agua*) sunken; (*ojos*) deep-set 2 *fig* (*desmoralizado*) down, demoralized
hundir *vtr* 1 (*una embarcación*) to sink 2 (*una construcción*) to bring *o* knock down 3 *fig* (*a alguien*) to demoralize
■ **hundirse** *vr* 1 (*una embarcación*) to sink 2 (*una construcción*) to collapse 3 (*un negocio*) crash 4 *fig* (*una persona*) to fall to pieces
húngaro,-a I *adj* Hungarian
II *m,f* (*persona*) Hungarian
III *m* (*idioma*) Hungarian
Hungría *f* Hungary
huracán *m* hurricane
huraño,-a *adj* unsociable
hurra *excl* hurray!, hurrah!
hurtadillas *adv* **a hurtadillas,** stealthily, on the sly
hurtar *vtr* to steal, pilfer
husmear I *vtr* (*rastrear con el olfato*) to sniff out, scent
II *vi fig* (*fisgar, curiosear*) to snoop, pry

I

I, i *f* (*letra*) I, i; **i griega,** Y, y
ibérico,-a *adj* Iberian
Iberoamérica *f* Latin America
iberoamericano,-a *adj* & *m,f* Latin American
iceberg *m* iceberg
icono *m* icon; *Inform* icon
ida *f* (*partida*) departure, going; **billete de ida y vuelta,** return ticket; **idas y venidas,** comings and goings
idea *f* idea: **cambiar de idea,** to change one's mind
ideal I *adj* ideal
II *mf* ideal
idealista I *adj* idealistic
II *mf* idealist
idealizar *vtr* to idealize, glorify
idear *vtr* 1 (*un invento, diseño*) to devise, invent 2 (*una teoría, un plan*) to think up, conceive

ídem *adv* idem, ditto
idéntico,-a *adj* identical
identidad *f* identity: **carné de identida** identity card
identificar *vtr* to identify [**con,** with]
■ **identificarse** *vr* to identify oneself; (*sentir simpatía*) to identify [**con,** with]
ideología *f* ideology
ideológico,-a *adj* ideological
idílico,-a *adj* idyllic
idilio *m* 1 *Lit* idyll 2 *fig* (*romance*) roman love affair
idioma *m* language
idiota I *adj* idiotic, stupid
II *mf* idiot, fool
ido,-a *adj* 1 (*ausente, distraído*) abse minded 2 *fam* (*loco*) crazy, nuts
idólatra I *adj* idolatrous
II *mf* idolater
idolatrar *vtr* to idolize, to worship
idolatría *f* idolatry
ídolo *m* idol
idóneo,-a *adj* suitable, fit
iglesia *f* church
ignorancia *f* ignorance
ignorante I *adj* 1 ignorant, unaware [**c** of]
II *mf* ignoramus
ignorar *vtr* 1 (*desconocer algo*) not to know (*no dar importancia*) to ignore
■ **ignorarse** *vr* (*desconocerse*) to be unknow
igual I *adj* 1 (*del mismo aspecto*) the sam **llevaban sombreros iguales,** they wo identical hats 2 (*indiferente*) **me da igual, i** all the same to me; **es igual,** it doesn't matter 3 (*del mismo tamaño*) equal: **los d trozos son iguales,** both pieces are the sam size 4 *Dep* (*empatados*) even; **Ten treint iguales,** thirty all 5 *Mat* equal: **tres más cin igual a ocho,** three plus five equals eight
II *m* equal; **de igual a igual,** on an equ footing
III *adv fam* 1 (*de la misma manera*) t same: **todo sigue igual,** everything remai the same 2 (*probablemente*) probably: **igu vengo,** I'll probably come
igualar *vtr* 1 to make equal 2 (*una superfic* to level 3 *Dep* (*empatar*) to equalize
■ **igualarse** *vr* 1 to become equal **igualarse con alguien,** to place oneself an equal footing with sb
igualdad *f* 1 (*de trato*) equality: **en iguald de condiciones,** on equal terms 2 (*coincide cia, parecido*) similarity
igualmente *adv* 1 (*por igual*) equally 2 (*e mismo modo, lo mismo digo*) *fam* **¡gracias ¡igualmente!,** thank you! - the same to yo
ijada *f,* **ijar** *m Anat* flank
ilegal *adj* illegal
ilegalidad *f* illegality
ilegible *adj* illegible, unreadable

gítimo,-a *adj* **1** *(hijo)* illegitimate **2** not
,itimate, unlawful

so,-a *adj* unhurt, unharmed

cito,-a *adj* illicit, unlawful

nitado,-a *adj* unlimited, limitless

gico,-a *adj* illogical

minación *f* lighting

minar *vtr* **1** to illuminate, light (up) **2** *fig*
(señar) to enlighten; *(esclarecer)* to throw
ht upon

sión *f* **1** illusion: **hacerse ilusiones,** to
ild up one's hopes; *(sueño)* dream, hope:
ilusión de mi vida es ésa, that's the dream
my life **2** *(felicidad, alegría)* excitement,
rill: **a los niños les hace ilusión ir al zoo,**
e children are excited about going to the
o; **¡qué ilusión!,** how exciting!

sionar *vtr* **1** *(crear expectativas)* to build up
's hopes **2** *(causar alegría)* to excite, thrill
ilusionarse *vr* **1** *(esperanzarse)* to build up
a e's hopes **2** *(alegrarse)* to be excited *o*
rilled [**con,** about]

so,-a *adj* gullible

ustración *f* **1** illustration **2** *Hist* **la**
ustración, the Enlightenment

strar *vtr* **1** *(un libro, un tema)* to illustrate **2**
(señar) to instruct

ilustrarse *vr* to acquire knowledge
obre, of], learn

stre *adj* distinguished

agen *f* **1** image **2** *TV* picture

aaginación *f* imagination

aaginar *vtr* to imagine

aaginarse *vr* **1** to imagine **2** *(suponer)* to
ppose

aaginario,-a *adj* imaginary

aaginativo,-a *adj* imaginative

aán *m* **1** *(mineral)* magnet **2** *(líder espiritual*
usulmán, tb **imam)** imam

abécil I *adj* stupid, silly
mf idiot, fool

aborrable *adj* indelible

aitación *f* imitation

aitar *vtr* to imitate

apaciencia *f* impatience

apaciente *adj (ansioso)* impatient; *(agitado)*
xious

apactar *vtr* to shock, stun

apacto *m* **1** *(conmoción)* impact **2** *(de arma)*

apar *adj Mat* odd

aparcial *adj* impartial, unbiased

apartir *vtr (una lección)* to give

apasible *adj* impassive

apecable *adj* impeccable

apedido,-a I *adj* disabled, handicapped
m,f disabled *o* handicapped person

apedimento *m (dificultad)* hindrance,
ostacle; *Jur* impediment

apedir *vtr* **1** *(entorpecer)* to impede, hinder
(frustrar) to prevent, stop

impenetrable *adj* **1** impenetrable **2**
(persona) inscrutable

impensable *adj* unthinkable

imperante *adj (dinastía, partido)* ruling;
(moda, tendencia) prevailing

imperar *vi (mandar, dominar)* to rule;
(preponderar) to prevail

imperativo,-a I *adj* imperative
II *m Ling* imperative

imperdible *m* safety pin

imperdonable *adj* unforgivable,
inexcusable

imperecedero,-a *adj* everlasting; *fig*
enduring

imperfección *f* **1** imperfection **2** *(tara)*
defect, fault

imperfecto,-a *adj* **1** imperfect, fallible **2**
Ling imperfect

imperio *m* **1** empire **2** *(dominación)* rule,
Hist frml imperium

impermeable I *adj (tejido)* waterproof
II *m* raincoat, mac

impersonal *adj* impersonal

impertinencia *f* impertinence

impertinente I *adj* **1** *(atrevido)* impertinent
2 *(improcedente)* irrelevant
II *mf* impertinent person

imperturbable *adj* imperturbable,
unruffled

ímpetu *m* **1** *(violencia)* violence **2** *(brío)*
energy

impetuosidad *f* **1** *(precipitación)* impetuosity,
impulsiveness **2** *(violencia)* violence

impetuoso,-a *adj* **1** *(apasionado, irreflexivo)*
impetuous, impulsive **2** *(violento)* violent

impío,-a *adj* ungodly, irreligious

implantar *vtr* **1** *(modas, cambios)* to
introduce **2** *Med* to implant

implicar *vtr* **1** *(comprometer)* to involve,
implicate [**en,** in] **2** *(comportar)* to imply

implícito,-a *adj* implicit, implied

implorar *vtr* to implore, to beg

imponente *adj* **1** *(impresionante)* imposing,
impressive **2** *fam (guapo)* terrific,
tremendous

imponer *vtr* **1** to impose *(sobrecoger)* to be
impressive; *(suscitar respeto)* to inspire respect **3**
Fin to deposit
■ **imponerse** *vr* **1** *(prevalecer)* to prevail **2**
(ser necesario) to be necessary **3** *(dominar)* to
impose **4** *(una carga, un deber)* to take on: **te**
impusiste una tarea hercúlea, you took on a
Herculean task

impopular *adj* unpopular

importación *f* import, importation

importador,-ora *m,f* importer

importancia *f* importance

importante *adj* important

importar I *vi* **1** *(tener valor o interés)* to be
important, matter: **no importa,** it doesn't
matter **2** *(incumbir)* **eso no les importa a los**

vecinos, that doesn't concern the neighbors 3 *(estorbar, disgustar)* to mind: ¿le importaría deletrearlo?, would you mind spelling it?
II *vtr Fin Inform* to import

importe *m Com Fin* amount, total

imposibilitar *vtr* 1 *(impedir)* to make impossible, prevent 2 *(incapacitar)* to disable, cripple

imposible *adj* impossible

imposición *f* 1 *(de una norma, una tarea)* imposition 2 *Fin* deposit; *(tributo)* taxation

impostor,-ora *m,f* impostor

impotente *adj* 1 powerless, helpless 2 *Med* impotent

impreciso,-a *adj* imprecise, vague

impregnar *vtr* to impregnate [**en, con,** with]

■ **impregnarse** *vr* to become impregnated [**de, con,** with]

imprenta *f* 1 *(taller)* printing works 2 *(máquina)* printing press 3 *(técnica)* printing

imprescindible *adj* essential, indispensable

impresión *f* 1 *Impr (acto)* printing; *(edición)* edition 2 impression; **causar buena/mala impresión,** to make a good/bad impression; *(impacto desagradable)* shock

impresionante *adj (admirable)* impressive, striking; *(sobrecogedor)* shocking

impresionar I *vtr* 1 *(causar admiración)* to impress; *(sobrecoger)* to shock 2 *Fot* to expose **II** *vi* to impress

impresionista *adj* & *mf* impressionist

impreso,-a I *adj* printed
II *m* 1 *(papel, folleto)* printed matter 2 *(para cumplimentar)* form

impresor,-ora I *m,f* printer
II *f Inform* printer

imprevisible *adj* unforeseeable, unpredictable

imprevisto,-a I *adj* unforeseen, unexpected
II *m* unforeseen event

imprimir *vtr* to print

improbable *adj* improbable, unlikely

improductivo,-a *adj* unproductive

impropio,-a *adj* inappropriate, unsuitable

improvisación *f* improvisation

improvisar *vtr* to improvise

improviso *adj loc* unexpectedly, suddenly

imprudencia *f* imprudence, rashness

imprudente *adj* imprudent, unwise

impuesto,-a m *Fin* tax; **impuesto de lujo,** luxury tax; **libre de impuestos,** tax-free

impugnar *vtr* to challenge, contest

impulsar *vtr* to impel, drive

impulsivo,-a *adj* impulsive

impulso *m* impulse, thrust

impunidad *f* impunity

impureza *f* impurity

impuro,-a *adj* impure

imputar *vtr* to impute, attribute

inaccesible *adj* inaccessible

inaceptable *adj* unacceptable

inactivo,-a *adj* inactive

inadaptado,-a I *adj* maladjusted
II *m,f* misfit

inadecuado,-a *adj* unsuitab inappropriate

inadmisible *adj* inadmissible

inadvertido,-a *adj* unnoticed, unseen

inagotable *adj* 1 *(que no agota sus recurs* inexhaustible 2 *(que no se cansa nunc* tireless

inaguantable *adj* unbearable, intolerabl

inalámbrico,-a I *adj* cordless
II *m* cordless telephone

inalcanzable *adj* unattainable, unachievable

inanición *f* starvation

inanimado,-a *adj* inanimate

inapreciable *adj* 1 *(imperceptible)* insignifica 2 *(valioso, no calculable materialmen* invaluable, inestimable

inaudito,-a *adj* 1 *(insólito)* unprecedente *fig (inaceptable)* outrageous

inauguración *f* inauguration, opening

inaugurar *vtr* to inaugurate, open

inca *adj* & *mf* Inca

incalculable *adj* incalculable

incansable *adj* tireless

incapacidad *f* 1 incapacity, inability *(incompetencia)* incompetence

incapacitado,-a *adj* 1 *(física, psíquicamen* incapacitated, disabled 2 *(legalmen* disqualified, unfit [**para,** for]

incapaz *adj* 1 *(que carece de habilidad)* unab [**de,** to] 2 *(que carece de la cualidad)* incapab [**de,** of] 3 *(que carece de la fuerza mora física)* **soy incapaz de continuar,** I can't on 5 *Jur* unfit [**para,** for]

incauto,-a *adj* incautious, unwary

incendiar *vtr* to set fire to, to set alight
■ **incendiarse** *vr* to catch fire

incendio *m* fire; **incendio provocado,** ars

incentivo *m* incentive

incertidumbre *f* uncertainty, doubt

incesante *adj* incessant, never-ending

incesto *m* incest

incestuoso,-a *adj* incestuous

incidencia *f* 1 *(repercusión)* effect, inciden 2 *(hecho)* incident

incidente *m* incident

incidir *vi* 1 *(incurrir)* to fall [**en,** into] *(hacer hincapié)* to insist [**en,** on] 3 *(ten efecto)* to affect, influence

incienso *m* incense

incierto,-a *adj* uncertain

incineración *f* 1 *(de basuras)* incineration *(de cadáveres)* cremation

incinerar *vtr* 1 *(basura)* to incinerate *(cadáveres)* to cremate

incipiente *adj* incipient, budding

incisión *f* incision, cut

incisivo,-a I *adj* **1** *(comentario, persona)* incisive, cutting **2** *(instrumento, arma)* sharp **II** *m Anat* incisor

incitar *vtr* to incite, urge

inclinación *f* **1** *(del terreno, de un edificio)* slope, incline; *(del cuerpo)* stoop **2** *(reverencia)* bow **3** *(cariño, afición)* inclination [**por**, for]; *(predisposición)* tendency, inclination [**a**, to]

inclinar *vtr* **1** to incline, bend; *(la cabeza)* to nod
■ **inclinarse** *vr* **1** to lean, slope, incline **2** *(al saludar)* to bow; **inclinarse ante**, to bow down to **3** *fig (tener tendencia)* to be inclined [**a**, towards) **4** *(optar)* to prefer

incluir *vtr* **1** to include **2** *(contener)* to contain, comprise **3** *(adjuntar)* to enclose

inclusive *adv* **1** *(después de sustantivo: incluido)* inclusive **2** *(incluso)* even

incluso *adv* even

incógnita *f* **1** *Mat* unknown quantity, unknown **2** *(misterio)* mystery

incógnito *adj usu en la loc* **de incógnito**, incognito

incoherente *adj* incoherent

incoloro,-a *adj* colorless

incombustible *adj* incombustible

incomodar *vtr* **1** *(causar molestia)* to inconvenience **2** *(disgustar)* to bother, annoy
■ **incomodarse** *vr* **1** *(tomarse molestias)* to put oneself out, go out of one's way **2** *(enojarse)* to get annoyed *o* angry

incómodo,-a *adj* uncomfortable

incompatibilidad *f* incompatibility

incompatible *adj* incompatible [**con**, with]

incompetencia *f* incompetence

incompetente *adj & mf* incompetent

incompleto,-a *adj* incomplete; *(sin acabar)* unfinished

incomprensible *adj* incomprehensible

incomprensión *f* incomprehension

incomunicado,-a *adj* **1** *(aislado)* isolated **2** *(en la cárcel)* in solitary confinement

inconcebible *adj* inconceivable, unthinkable

incondicional *adj* *(amistad, rendición)* unconditional; *(respaldo)* wholehearted; *(amigo)* faithful; *(simpatizante, defensor)* staunch

inconexo,-a *adj* unconnected, disjointed

inconformista *adj & mf* nonconformist

inconfundible *adj* unmistakable, obvious

incongruencia *f* incongruity

incongruente *adj* incongruous

inconmensurable *adj* immeasurable, vast

inconsciencia *f* **1** *(irreflexión)* thoughtlessness, irresponsibility **2** *Med* unconsciousness

inconsciente *adj* **1** *(no voluntario)* unconscious **2** *(alocado, irresponsable)* thoughtless, irresponsible

incontable *adj* countless

incontestable *adj* indisputable, unquestionable

incontrolable *adj* uncontrollable

inconveniente I *adj* **1** inconvenient **2** *(inoportuno)* unsuitable
II *m* **1** *(objeción)* objection; *(problema)* difficulty **2** *(desventaja)* disadvantage, drawback

incordiar *vtr fam* to bother, pester

incordio *m fam* nuisance, pain

incorporado,-a *adj* **1** incorporated [**a**, into] **2** *Téc* built-in

incorporar *vtr* **1** *(añadir)* to add **2** *(incluir)* to incorporate
■ **incorporarse** *vr* **1** *(a un grupo)* to join; *(a un empleo)* to start; *Mil* **incorporarse a filas**, to join up **2** *(sentarse)* to sit up

incorrecto,-a *adj* **1** *(erróneo)* incorrect, inaccurate **2** *(descortés)* discourteous, rude

incorregible *adj* incorrigible

incrédulo,-a I *adj* **1** incredulous, skeptical **2** *Rel* unbelieving
II *m,f* **1** skeptic, disbeliever **2** *Rel* unbeliever

increíble *adj* incredible, unbelievable

incrementar *vtr* to increase
■ **incrementarse** *vr* to increase

incremento *m* increase, growth; **incremento salarial**, wage rise

incrustar *vtr* to inlay

incubadora *f* incubator

incubar *vtr* to incubate

incuestionable *adj* unquestionable, indisputable

inculcar *vtr* *(sentimientos, valores)* to instill [**en**, into]

inculpar *vtr* to accuse [**de**, of], to blame [**de**, for]; *Jur* to charge [**de**, with]

inculto,-a I *adj* *(poco instruido, iletrado)* uneducated
II *m,f* ignoramus, uneducated person

incultura *f* ignorance, lack of culture

incumbencia *f* concern

incumbir *vi* to be incumbent [**a**, upon]

incumplir *vtr* not to fulfill; *(deber)* to fail to fulfill; *(promesa, contrato)* to break; *(orden)* to fail to carry out

incurrir *vi* to fall [**en**, into]

indagar *vtr* to investigate

indecente *adj* indecent

indeciso,-a *adj* **1** *(dubitativo)* hesitant, unsure **2** *(sin decidir)* inconclusive

indefenso,-a *adj* defenseless, helpless

indefinido,-a *adj* **1** *(sin límites concretos)* indefinite; *(sin precisión)* undefined, vague **2** *Ling* indefinite

indemnización *f* indemnity, compensation

indemnizar *vtr* to indemnify, compensate [**por**, for]

independencia *f* independence

independiente *adj* independent

independizarse *vr* to become independent

indescriptible *adj* indescribable

indeseable *adj & mf* undesirable

indeterminado,-a *adj* 1 indefinite; vague 2 *Ling* indefinite

indicación *f* 1 *(consejo, instrucción)* instruction 2 *(de tráfico)* indication, sign

indicado,-a *adj* right, suitable

indicador,-ora *m* 1 indicator 2 *Téc* gauge, dial, meter

indicar *vtr* to indicate, show, point out

indicativo,-a *adj* indicative

índice *m* 1 *(de libro)* index, contents *pl* 2 *(proporción, tasa)* rate 3 *Anat* (**dedo**) **índice**, index finger, forefinger

indicio *m* 1 *(señal)* indication, sign, trace [**de**, of] 2 *Jur (prueba)* evidence

índico,-a *adj* Indian; **Océano Índico**, Indian Ocean

indiferencia *f* indifference

indiferente *adj* 1 *(irrelevante)* unimportant 2 *(impasible)* indifferent

indígena I *adj* indigenous, native [**de**, to] II *mf* native [**de**, of]

indigencia *f* poverty

indigestión *f* indigestion

indigesto,-a *adj* indigestible, difficult to digest

indignación *f* indignation

indignante *adj* outrageous, shocking

indignar *vtr* to infuriate, make angry

■ **indignarse** *vr* to get indignant [**por**, at; **about**]

indigno,-a *adj* 1 *(no merecedor)* unworthy [**de**, of] 2 *(impropio)* wrong 3 *(infame, humillante)* wretched, dreadful

indio,-a *adj & m,f* Indian; **fila india**, single file

indirecta *f fam* hint, insinuation

indirecto,-a *adj* indirect

indisciplinado,-a *adj* undisciplined

indiscreción *f* indiscretion; *(comentario)* tactless remark: **si no es indiscreción,** if you don't mind my asking

indiscreto,-a *adj* indiscreet

indiscriminado,-a *adj* indiscriminate

indiscutible *adj* indisputable

indispensable *adj* indispensable, essential

indispuesto,-a *adj* indisposed, unwell

individual I *adj* individual; *(para un solo individuo)* single II *mpl Dep* **individuales,** singles

individualista I *adj* individualistic II *mf* individualist

individuo *m* individual

índole *f* 1 *(carácter)* character, nature 2 *(clase)* kind, sort

indolente *adj* lazy, indolent

indoloro,-a *adj* painless

indómito,-a *adj (rebelde)* indomitable

inducir *vtr* 1 to lead 2 *Fís* to induce

indudable *adj* unquestionable

indulgencia *f* indulgence, leniency

indulgente *adj* indulgent [**con,** towards/about], lenient [**con,** with]

indultar *vtr fur* to pardon

indulto *m fur* pardon, amnesty

indumentaria *f* clothing, clothes *pl*

industria *f* industry

industrial I *adj* industrial II *mf* industrialist

industrializar *vtr* to industrialize

inédito,-a *adj* 1 *(no editado)* unpublished 2 *(desconocido)* unknown

ineficaz *adj* ineffective

ineficiencia *f* inefficiency

ineludible *adj* unavoidable

inepto,-a I *adj* inept, incompetent II *m,f* incompetent person

inequívoco,-a *adj* unmistakable, unequivocal

inercia *f* inertia

inerte *adj* inert

inesperado,-a *adj (no esperado)* unexpected; *(no previsto)* unforeseen

inestable *adj* unstable, unsteady; *(tiempo)* changeable

inevitable *adj* inevitable, unavoidable

inexistente *adj* non-existent

inexorable *adj* inexorable

inexperto,-a *adj* inexperienced

inexplicable *adj* inexplicable

infalible *adj* infallible

infame I *adj* 1 *(pésimo, horrible)* dreadful, awful 2 *(persona)* infamous, vile II *mf* vile person

infancia *f* childhood, infancy

infanta *f* infanta, princess

infante *m* 1 infante, prince 2 *Mil* infantryman

infantería *f Mil* infantry

infantil *adj* 1 *(para niños)* children's 2 *(propio de niños)* childlike; *pey* childish, infantile

infarto *m Med* heart attack, coronary

infatigable *adj* tireless

infección *f* infection

infeccioso,-a *adj* infectious

infectar *vtr* to infect

■ **infectarse** *vr* to become infected [**de,** with]

infeliz *adj* unhappy

inferior I *adj* 1 *(en posición)* lower 2 *(en calidad)* inferior 3 *(en cantidad)* lower, less 4 *(en rango)* inferior II *mf (persona)* subordinate, inferior

inferioridad *f* inferiority

infernal *adj* infernal, hideous

infestar *vtr* 1 *fig (abarrotar)* to overrun, invade 2 *(con una plaga)* to be infested with

infidelidad *f* infidelity, unfaithfulness

infiel I *adj (a una persona)* unfaithful II *mf Rel* infidel

infierno *m* hell

infiltrado,-a *m,f* infiltrator

infiltrar *vtr* to infiltrate
■ **infiltrarse** *vr* to infiltrate [**en,** into]
ínfimo,-a *adj frml* **1** *(superlativo de bajo: mínimo)* extremely low **2** *(superlativo de malo: sin calidad)* very poor
infinidad *f* infinity
infinitivo,-a *adj & m Ling* infinitive
infinito,-a I *adj* infinite, endless
II *m* **1** *Mat* infinity **1** *Fil* the infinite
inflación *f Econ* inflation
inflamable *adj* flammable
inflamación *f Med* inflammation
inflamar *vtr* to inflame
■ **inflamarse** *vr* to become inflamed
inflar *vtr* **1** *(un globo, etc)* to inflate, blow up; *Náut (vela)* to swell **2** *fig (una noticia, historia, etc)* to exaggerate
■ **inflarse** *vr* to inflate; *Náut (vela)* to swell
inflexible *adj* inflexible
infligir *vtr* to inflict
influencia *f* influence
influenciar *vtr* to influence
influir I *vtr* to influence
II *vi* to have influence [**en,** on]
influyente *adj* influential
información *f* **1** information **2** *(de periódico, radio, TV)* news *sing* **3** *Tel* directory assistance
informal *adj* **1** *(sin protocolo)* informal **2** *(ropa, estilo)* casual **3** *(irresponsable)* unreliable
informar I *vtr* to inform [**de,** of]
II *vi & vtr* to report
■ **informarse** *vr* to find out [**de/sobre,** about], to inquire [**de/sobre,** about]
informática *f* computing, information technology
informático,-a I *adj* computer, computing
II *m,f* (computer) technician
informativo,-a I *adj* informative
II *m Rad TV* news (bulletin)
informe *m* **1** report **2 informes,** *(para un empleo)* references
infracción *f* infringement
infractor,-ora *m,f* offender
in fraganti *loc adv* red-handed
infranqueable *adj* **1** impassable **2** *fig (una dificultad)* insurmountable
infrarrojo,-a *adj* infra-red
infringir *vtr* to infringe
infructuoso,-a *adj* unsuccessful, fruitless
infundado,-a *adj* unfounded, groundless
infundir *vtr* to instill
infusión *f* infusion
ingeniar *vtr* to invent, devise ◆ LOC: **ingeniárselas para hacer algo,** to manage to do sthg
ingeniería *f* engineering
ingeniero,-a *m,f* engineer; **ingeniero agrónomo,** agronomist; *Esp* **ingeniero de caminos, canales y puertos,** civil engineer
ingenio *m* **1** *(para idear cosas)* talent,

inventiveness **2** *(para dar respuestas)* wit **3** *(aparato)* device
ingenioso,-a *adj* **1** ingenious **2** *(gracioso, agudo)* witty
ingente *adj* huge, enormous
ingenuo,-a I *adj* naive
II *m,f* naive person
Inglaterra *f* England
ingle *f Anat* groin
inglés,-esa I *adj* English
II *m,f* *(hombre)* Englishman; *(mujer)* Englishwoman; **los ingleses,** the English
III *m (idioma)* English
ingratitud *f* ingratitude, ungratefulness
ingrato,-a I *adj* **1** *(persona)* ungrateful **2** *(objeto, situación)* unpleasant **3** *(que no compensa)* thankless, unrewarding
II *m,f* ungrateful person
ingrediente *m* ingredient
ingresar I *vtr* **1** *Fin (en un banco)* to deposit, pay in; *(recibir ganancias)* to take in **2** *Med* to admit
II *vi* **1** to enter **2** *Med* to admit; **ingresó cadáver,** to be dead on arrival
ingreso *m* **1** *Fin* deposit **2** *(entrada)* entry [**en,** into]; *(admisión)* admission [**en,** to] **3 ingresos,** *(sueldo, renta)* income *sing*, revenue *sing*
inhabilitar *vtr* to disqualify
inhalador *m Med* inhaler
inhalar *vtr* to inhale
inhibir *vtr* to inhibit
■ **inhibirse** *vr* to be inhibited
inhóspito,-a *adj* inhospitable
inhumano,-a *adj* inhuman
inhumar *vtr* to bury
inicial I *adj* initial
II *f* initial
iniciar *vtr* **1** *(dar comienzo)* to begin, start; *(poner en marcha)* to initiate **2** *(introducir a un grupo, un secreto)* to initiate [**en,** into]
■ **iniciarse** *vr (comenzar)* to begin, start
iniciativa *f* initiative
inicio *m* beginning, start
inimitable *adj* inimitable
injerencia *f* interference, meddling [**en,** in]
injerto *m* graft
injusticia *f* injustice
injusto,-a *adj* unjust, unfair
inmadurez *f* immaturity
inmaduro,-a *adj* immature
inmediaciones *fpl* neighborhood *sing*
inmediato,-a *adj* **1** *(que sucede en seguida)* immediate **2** *(próximo, contiguo)* next [**a,** to], adjoining
inmejorable *adj (muy bueno)* excellent; *(no superable)* unbeatable
inmenso,-a *adj* immense, vast
inmerecido,-a *adj* undeserved, unmerited
inmersión *f* immersion
inmerso,-a *adj* **1** *fig* immersed [**en,** in]

inmigración *f* immigration
inmigrante *adj & m,f* immigrant
inmigrar *vi* to immigrate
inminente *adj* imminent, impending
inmiscuirse *vr* to interfere, meddle [**en, in**]
inmobiliaria *f* real estate company
inmobiliario,-a *adj* property, real-estate;
agente inmobiliario, realtor
inmoral *adj* immoral
inmortal *adj & mf* immortal
inmóvil *adj* motionless, immobile, still
inmovilizar *vtr* to immobilize
inmueble I *adj* **bienes inmuebles,** real estate
II *m* building, property
inmundo,-a *adj* filthy
inmune *adj* immune
inmunidad *f* immunity
inmunizar *vtr* to immunize
inmunodeficiencia *f Med*
immunodeficiency
inmutarse *vr* to get upset: **escuchó la
sentencia sin inmutarse,** he heard the
sentence without turning a hair
innato,-a *adj* innate, inborn
innecesario,-a *adj* unnecessary
innovación *f* innovation
innovar *vtr & vi* to innovate
innumerable *adj* innumerable, countless
inocencia *f* innocence
inocente I *adj* **1** innocent **2** *(ingenuo)*
gullible
II *mf* innocent
inodoro,-a I *adj* odorless
II *m* toilet, lavatory
inofensivo,-a *adj* harmless
inolvidable *adj* unforgettable
inoportuno,-a *adj* inappropriate
inorgánico,-a *adj* inorganic
inoxidable *adj* **acero inoxidable,** stainless
steel
inquietar *vtr* to worry
■ **inquietarse** *vr* to worry
inquieto,-a *adj* **1** *(preocupado, desazonado)*
worried, [**por,** about] **2** *(curioso, emprendedor)*
eager **3** *(agitado)* restless
inquietud *f* **1** *(falta de sosiego)* worry **2** *(falta
de quietud)* restlessness **3** *(interés, inclinación)*
interest
inquilino,-a *m,f* tenant
inquisitivo,-a *adj* inquisitive
insaciable *adj* insatiable
insano,-a *adj* unhealthy
insatisfecho,-a *adj* dissatisfied
inscribir *vtr* **1** *(en un registro oficial)* to
register **2** *(matricular)* to enroll **3** *(grabar)* to
inscribe
■ **inscribirse** *vr* **1** *(en un registro)* to register; *(en un
club, etc)* to join **2** *(matricularse)* to enroll
inscripción *f* **1** *(en piedra, metal)* inscription **2**
(matriculación) registration, enrollment **3** *(en
un registro)* registration

insecticida *m* insecticide
insecto *m* insect
inseguridad *f* **1** insecurity **2** *(duda)*
uncertainty
inseguro,-a *adj* **1** *(sin confianza)* insecure **2**
(vacilante) uncertain **3** *(peligroso)* unsafe
inseminar *vtr* to inseminate
insensato,-a I *adj* foolish
II *m,f* fool
insensible *adj* **1** *(impasible, inconmovible)*
insensitive [**a,** to] **2** *(difícil de percibir)*
imperceptible **3** *Med (sin sensibilidad)* numb
inseparable *adj* inseparable
insertar *vtr* to insert
inservible *adj* useless
insigne *adj* distinguished
insignia *f* **1** *(distintivo)* badge **2** *(bandera)*
flag; *Náut* **buque insignia,** flagship **3**
(medalla) medal
insignificante *adj* insignificant
insinuar *vtr* to insinuate
■ **insinuarse** *vr* **insinuarse a alguien,** to
make advances to somebody
insípido,-a *adj* **1** *(soso)* insipid **2** *(aburrido)*
dull
insistencia *f* insistence
insistente *adj* insistent
insistir *vi* to insist [**en/sobre,** on]
insociable *adj* unsociable
insolación *f Med* sunstroke
insolente *adj* insolent
insólito,-a *adj* unheard-of, unusual
insoluble *adj* insoluble
insolvencia *f Fin* insolvency
insolvente *adj Fin* insolvent
insomnio *m* insomnia
insonorizado,-a *adj* soundproof
insonorizar *vtr* to soundproof
insoportable *adj* unbearable
insostenible *adj* untenable
inspección *f* inspection
inspeccionar *vtr* to inspect
inspector,-ora *m,f* inspector
inspiración *f* **1** *(creatividad, genio)* inspiration
2 *(de aire)* inhalation
inspirar *vtr* **1** *(sugerir)* to inspire **2** *(inhalar)*
to inhale, breathe in
■ **inspirarse** *vr* to be inspired [**en,** by]
instalación *f* **1** installation **2** **instalaciones,**
(deportivas, etc) facilities
instalar *vtr* **1** to install **2** *(puesto, tienda)* to
set up
■ **instalarse** *vr* to settle (down)
instancia *f* **1** *(petición)* request **2** *(escrito)*
application form **3** *Jur* instance
instantánea *f* snapshot
instantáneo,-a *adj* **1** instantaneous **2** *(con
productos solubles)* instant
instante *m* instant, moment
instaurar *vtr* to found
instigador,-ora *m,f* instigator

instigar *vtr* to instigate

instintivo,-a *adj* instinctive

instinto *m* instinct

institución *f* institution

instituir *vtr* to institute

instituto *m* 1 *(institución cultural)* institute 2 *Educ* high school 3 **instituto de belleza,** beauty parlor *o* salon

institutriz *f* governess

instrucción *f* 1 *(educación, conocimientos)* education 2 *(de un expediente)* preliminary investigation; **la instrucción del sumario,** proceedings *pl*; **juez de instrucción,** examining magistrate 3 *Mil* drill 4 *(usu pl)* *(indicación)* instruction

instrumento *m* instrument; **instrumento de cuerda/percusión/**   **viento,** stringed/percussion/wind instrument

insubordinado,-a *adj* insubordinate

insubordinarse *vr* to become unruly, to rebel

insuficiencia *f* insufficiency; *Med* **insuficiencia renal/respiratoria,** kidney/respiratory failure

insuficiente I *adj* insufficient
II *m Educ (nota)* fail (F)

insular I *adj* insular, island
II *mf* islander

insultar *vtr* to insult

insulto *m* insult

insumiso,-a I *adj* unsubmissive
II *m* person who refuses to do military service or any substitute social work

insuperable *adj* 1 *(excelente)* unsurpassable 2 *(no superable, insalvable)* insurmountable

insurrección *f* insurrection

intacto,-a *adj* intact

intachable *adj* irreproachable

integración *f* integration [**en,** into]

integral I *adj* integral
II *f Mat* integral

integrar *vtr* to compose, make up
■ **integrarse** *vr* to integrate [**en,** with]

integridad *f* integrity

íntegro,-a *adj* 1 *(completo)* whole, entire 2 *(honesto, incorruptible)* upright

intelecto *m* intellect

intelectual *adj & mf* intellectual

inteligencia *f* intelligence

inteligente *adj* intelligent

intemperie *f* bad weather

intempestivo,-a *adj (inoportuno)* untimely; *(inconveniente)* unsuitable

intención *f* intention

intencionado,-a *adj* deliberate

intensidad *f* intensity

intensificar *vtr (hacer más intenso)* to intensify, make stronger; *(hacer más activo)* to step up
■ **intensificarse** *vr* to intensify; *(amistad)* to strengthen

intensivo,-a *adj* intensive

intenso,-a *adj* intense

intentar *vtr* to try, attempt

intento *m* attempt

intercalar *vtr* to insert

intercambiar *vtr* to exchange, swap

intercambio *m* exchange

interceder *vi* to intercede [**a favor de,** on sb's behalf]

interceptar *vtr* 1 *(apoderarse)* to intercept 2 *(bloquear, detener)* to block

intercontinental *adj* intercontinental

interés *m* 1 interest 2 *(provecho personal)* self-interest 3 *Fin* interest

interesado,-a I *adj* 1 *(que tiene interés por algo)* interested [**en,** in] 2 *(egoísta)* selfish
II *m,f* interested person; **los interesados,** those interested *o* concerned

interesante *adj* interesting

interesar I *vtr* 1 *(inspirar interés)* to interest 2 *(incumbir)* to concern
II *vi (ser motivo de interés)* to be of interest, to be important
■ **interesarse** *vr* **interesarse por** *o* **en,** to be interested in

interferencia *f* interference; *Rad TV* jamming

interferir *vtr* 1 to interfere [**con,** with] 2 *Rad TV* to jam

interfono *m Tel* intercom

interino,-a *m,f* temporary worker

interior I *adj* 1 inner, inside, interior: **ropa interior,** underwear 2 *(espiritual)* inward, interior 3 *Pol* domestic, internal; **comercio interior,** inland *o* domestic trade 4 *Geog* inland
II *m* 1 inside, interior 2 *Geog* interior 3 *Pol* Department of the Interior 4 *Cine (usu pl)* interiors

interiorizar *vtr* to internalize

interjección *f Ling* interjection

interlocutor,-ora *m,f* speaker; *(en una negociación)* negotiator

intermediario *m* 1 *Com* middleman 2 *(en una negociación)* mediator

intermedio,-a I *adj* intermediate
II *m TV (de una película, un programa)* break, interval

interminable *adj* endless

intermitente I *adj* intermittent
II *m Auto* turn signal

internacional *adj* international

internado *m (colegio)* boarding school

internar *vtr* to confine

Internet *f Inform* Internet

interno,-a I *adj* 1 internal 2 *Pol* domestic
II *m,f (alumno)* boarder; *Med (enfermo)* patient; *(preso)* inmate

interponer *vtr* 1 to insert [**entre,** between] 2 *Jur* **interponer un recurso,** to give notice of appeal [**contra,** against]

■ **interponerse** *vr* to intervene [**entre,** between]

interpretación *f* 1 interpretation 2 *Mús Teat* performance

interpretar *vtr* 1 to interpret 2 *Teat (un papel)* to play; *(obra)* to perform; *Mús* to play, perform

intérprete *mf* 1 *(traductor)* interpreter 2 *Teat (actor)* performer; *Mús (cantante)* singer; *(músico)* performer

interrogación *f* 1 interrogation 2 *Ling* **(signo de) interrogación,** question *o* interrogation mark

interrogar *vtr* to interrogate

interrogatorio *m* interrogation

interrumpir *vtr* to interrupt; *(tráfico)* to block

interrupción *f* interruption

interruptor *m Elec* switch

intersección *f* intersection

interurbano,-a *adj* intercity

intervalo *m* interval

intervención *f* intervention

intervenir I *vi (mediar)* to intervene [**en,** in]; *(participar)* to take part [**en,** in] II *vtr* 1 *(un alijo de droga, etc)* to confiscate, to seize 2 *(bloquear una cuenta bancaria)* to block 3 *(un teléfono)* to tap 4 *Med (a un paciente)* to operate on

interviú *f* interview

intestino *m Anat* intestine

intimar *vi* to become close [**con, to**]

intimidad *f* intimacy

intimidar *vtr* to intimidate

íntimo,-a *adj* 1 *(muy profundo, interno)* intimate 2 *(reservado, no público)* private 3 *(amistad)* close

intolerante I *adj* intolerant II *mf* intolerant person

intoxicación *f* poisoning

intoxicar *vtr* to poison

intranquilidad *f* worry

intranquilo,-a *adj (angustiado)* worried; *(en movimiento continuo)* restless

intransigente *adj* intransigent

intransitable *adj* impassable

intransitivo,-a *adj Ling* intransitive

intravenoso,-a *adj* intravenous

intrépido,-a *adj* intrepid

intriga *f* 1 *(maquinación)* intrigue 2 *Cine Teat (trama)* plot 3 *(curiosidad intensa)* curiosity; **sentir intriga,** to be intrigued

intrigar *vtr* to intrigue, interest

intrincado,-a *adj* 1 *(cuestión, problema)* intricate 2 *(camino)* hard, winding

intrínseco,-a *adj* intrinsic

introducción *f* introduction

introducir *vtr* 1 to introduce 2 *(meter)* to insert, put in

intromisión *f* meddling, interference

introspectivo,-a *adj* introspective

introvertido,-a I *adj* introverted II *m,f* introvert

intruso,-a I *adj* intrusive II 1 *m,f* intruder 2 *Jur* trespasser

intuición *f* intuition

intuir *vtr* 1 to know by intuition 2 *(sospechar)* to suspect

inundación *f* flood

inundar *vtr* to flood

inútil I *adj* 1 *(sin utilidad)* useless; *(sin resultado)* vain, pointless 2 *Mil* unfit (for service) II *mf fam* good-for-nothing

inutilizar *vtr* to make *o* render useless

invadir *vtr* to invade

invalidar *vtr* to invalidate

invalidez *f* 1 *Jur (nulidad)* invalidity 2 *Med (minusvalía)* disability

inválido,-a I *adj* 1 *Jur (nulo)* invalid 2 *Med (minusválido)* disabled, handicapped II *m,f Med* disabled *o* handicapped person

invariable *adj* invariable

invasión *f* invasion

invasor,-ora I *adj* invading II *m,f* invader

invencible *adj* 1 *(no derrotable)* invincible 2 *(no superable)* insurmountable

invención *f* invention

inventar *vtr* 1 *(un objeto, una técnica)* to invent 2 *(excusa, mentira)* to make up, concoct

inventario *m* inventory

invento *m* invention

inventor,-ora *m,f* inventor

invernadero *m* greenhouse

invernar *vi* to hibernate

inverosímil *adj* unlikely, implausible

inversión *f* 1 *(de tiempo, dinero, esfuerzo)* investment 2 *(de una magnitud, una figura)* inversion

inverso,-a *adj* opposite; *(orden)* reverse

inversor,-ora *m,f Fin* investor

invertebrado,-a *adj & m Zool* invertebrate

invertir *vtr* 1 *(orden, magnitudes)* to invert, reverse 2 *(dinero, tiempo, esfuerzo)* to invest [**en, in**]

investigación *f* 1 *(pesquisa, indagación)* investigation 2 *(estudio riguroso)* research

investigador,-ora *m,f* 1 *(detective)* investigator 2 *(científico)* researcher, research worker

investigar *vtr* 1 *(estudiar)* to research 2 *(indagar)* to investigate

invidente I *adj* sightless, blind II *mf* blind person

invierno *m* winter

invisible *adj* invisible

invitación *f* invitation

invitado,-a *m,f* guest

invitar *vtr* to invite

in vitro *adj inv* in vitro

involucrar *vtr* to involve [**en**, **in**]
■ **involucrarse** *vr* to get involved [**en**, **in**]
involuntario,-a *adj* involuntary
inyección *f* injection
inyectar *vtr* to inject [**en**, **into**]
ir I *vi* 1 *(dirigirse a un lugar)* to go: **voy a París**, I'm going to Paris 2 *(acudir regularmente)* to go: **va al colegio**, he goes to school 3 *(conducir a)* to lead, go to: **el sendero va a la mina**, the path goes to the mine 4 *(abarcar)* to cover: **las lecciones que van desde la página 1 a la 53**, the lessons on pages 1 to 53 5 *(guardarse habitualmente)* **va al lado de éste**, it goes beside this one 6 *(mantener una posición)* to be: **va el primero**, he's in first place 7 *(tener un estado de ánimo, una apariencia)* to be: **iba furioso/radiante**, he was furious/ radiant; **vas muy guapa**, you look very smart *o* pretty 8 *(desenvolverse)* **¿cómo te va?**, how are things? *o* how are you doing? 9 *(funcionar)* to work (properly): **el reloj no va**, the clock doesn't work 10 *(sentar bien)* to suit: **ese corte de pelo no te va nada**, that haircut doesn't suit you at all 11 *(combinar)* to match, go: **el rojo no va con el celeste**, red doesn't go with pale blue 12 *(vestir)* to wear; **ir con abrigo**, to wear a coat; **ir de negro/de uniforme**, to be dressed in black/in uniform 13 *fam (importar, concernir)* to concern: **eso va por ti también**, and the same goes for you 14 *(ir + de) fam (tratar)* to be about: **¿de qué va la película?**, what's the film about? 15 *(ir + por)* **ir por la derecha**, to keep (to the) right; *(ir a buscar)* **ve por agua**, go and fetch some water; *(haber llegado)* **voy por la página noventa**, I've got as far as page ninety 16 *(ir + para) (tener casi, estar cercano a)* **va para los cuarenta**, she's getting on for forty; *(encaminarse a)* **iba para ingeniero**, she was studying to be an engineer
II *v aux* 1 *(ir + gerundio)* **va mejorando**, he's improving; **ir caminando**, to go on foot 2 *(ir a + infinitivo)* **iba a decir que**, I was going to say that; **va a esquiar**, she goes skiing; **va a nevar**, it's going to snow; **vas a caerte**, you'll fall
◆ LOC: **a eso iba**, I was coming to that; **¡ahí va!**, catch!; **¡qué va!**, of course not! *o* nothing of the sort!; **¡vamos a ver!**, let's see!; **van a lo suyo**, they look after their own interests; **ir a parar**, to end up
■ **irse** *vr* 1 *(marcharse)* to go away, leave: **me voy**, I'm off; **¡vámonos!**, let's go!; **¡vete!**, go away!; **vete a casa**, go home 2 *(líquido, gas) (escaparse)* to leak 3 *(direcciones)* **¿por dónde se va a...?**, which is the way to...? 4 *(gastar)* to go, be spent
ira *f* wrath, rage, anger
irascible *adj* irascible, irritable
iris *m inv Anat* iris; **arco iris**, rainbow

Irlanda *f* Ireland; **Irlanda del Norte**, Northern Ireland
irlandés,-esa I *adj* Irish
II *m,f* *(hombre)* Irishman; *(mujer)* Irishwoman; **los irlandeses**, the Irish
III *m (idioma)* Irish
ironía *f* irony
irónico,-a *adj* ironic
irracional *adj* irrational
irradiar *vtr* 1 *(luz, calor, alegría)* to radiate 2 *LAm fig (expulsar)* to expel
irreal *adj* unreal
irreconocible *adj* unrecognizable
irrefutable *adj* irrefutable
irregular *adj* irregular
irrelevante *adj* irrelevant
irremediable *adj* irremediable
irreparable *adj* irreparable
irrepetible *adj* unrepeatable
irreprochable *adj* irreprochable, blameless
irresistible *adj* 1 *(ganas, atractivo, persona)* irresistible 2 *(inaguantable)* unbearable
irresponsable *adj* irresponsible
irrigar *vtr* to irrigate, water
irrisorio,-a *adj* derisory, laughable, ridiculous
irritación *f* irritation
isósceles *m Mat* isosceles
izq., izqdo.,-a. *(abr de* **izquierdo,-a**) left
izquierdo,-a I *adj* left
II *f* 1 *(mano)* left hand 2 *(lado)* **la izquierda**, the left 3 *Pol* the left; **una política/un partido de izquierda(s)**, a left-wing policy/party

J

J, j *f (letra)* J, j
jabalí *m Zool* wild boar
jabalina *f Dep* javelin
jabón *m* soap
jabonera *f* soapdish
jacinto *m Bot* hyacinth
jactancia *f frml* boastfulness
jactarse *vr* to boast, brag [**de**, about]
jadear *vi* to pant, gasp
jadeo *m* panting, gasping
jalar *vtr & vi fam* to eat
jalea *f* jelly
jalear *vtr (animar)* to cheer (on)
jaleo *m* 1 *(ruido)* din, racket; **armar jaleo**, to make a racket 2 *(situación confusa)* muddle 3 *(bronca)* row
jamás *adv* 1 *(nunca)* never 2 *(alguna vez)* ever: **la peor historia jamás contada**, the worst story ever told 3 *(intensificador)* **nunca jamás**, never again
jamón *m* ham
jaque *m Ajedrez* check: **jaque mate**, checkmate
jaqueca *f Med* migraine

jara f Bot rockrose
jarabe m syrup
jardín m 1 garden 2 (guardería) **jardín de infancia,** nursery school, kindergarten
jardinería f gardening
jardinero,-a m,f gardener
jarra f jug
jarro m 1 (recipiente) jug 2 (contenido) jugful
jarrón m vase
jaspe m Min jasper
jaula f (para animales) cage
jazmín m Bot jasmine
jefa f female boss, manageress
jefatura f 1 (cargo, dirección) leadership 2 (sede) central office; **jefatura de Policía,** police headquarters
jefe,-a m,f 1 boss; Com manager 2 (líder) leader: **jefe de Estado,** Head of State
Jehová m Jehovah; **testigos de Jehová,** Jehovah's Witnesses
jengibre m Bot ginger
jeque m sheikh
jerarquía f 1 hierarchy 2 (grado, escalafón) rank
jerárquico,-a adj hierarchical
jerez m sherry
jerga f (de un grupo profesional) jargon; (argot) slang
jeringuilla f syringe
jeroglífico,-a I adj hieroglyphic
II m 1 Ling hieroglyph, hieroglyphic 2 (pasatiempo) rebus
jersey m sweater, pullover, jumper
Jesucristo m Jesus Christ
jesuita adj & mf Jesuit
Jesús I m Jesus
II excl 1 (expresa sorpresa) good heavens! 2 (al estornudar) bless you!
jet f jet set
jicote m LAm wasp
jilguero,-a m,f Orn goldfinch
jipijapa m panama hat
jirafa f Zool giraffe
jirón m 1 (trozo de tela) shred, strip 2 (parte desgarrada de algo) bit, scrap
joder I vtr vulgar to fuck
II excl shit, for heaven's sake
jornada I f 1 (día de trabajo) working day; **trabajo de media jornada/jornada completa,** part-time/full-time work 2 (día) day 3 (día de viaje) day's journey
II fpl **jornadas,** conference sing
joroba I f hump
II excl drat!
jorobado,-a I adj hunchbacked
II m,f hunchback
jorobar fam vtr 1 (molestar, enfadar) to annoy, bother 2 (arruinar, estropear) to ruin, wreck
■ **jorobarse** vr 1 (fastidiarse) to grin and bear it 2 (estropearse) to break

jota f (de una baraja) jack
joven I adj young
II mf (hombre) youth, young man; (mujer) girl, young woman; **los jóvenes,** young people, youth
jovial adj jovial, good-humored
joya f 1 jewel, piece of jewelery 2 (persona) **es una joya,** he's a real treasure
joyería f (establecimiento) jewelery shop, jeweler's (shop)
joyero,-a I m,f jeweler
II m jewel case o box
juanete m bunion
jubilación f 1 (retirada del trabajo) retirement 2 (pensión) pension
jubilado,-a I adj retired
II m,f retired person, pensioner; **los jubilados,** retired people
jubilarse vr to retire
judaísmo m Judaism
judería f Jewish quarter
judía f Bot (seca) bean; (verde) green bean
judicial adj judicial
judío,-a I adj Jewish
II m,f Jew
judión m Culin butter bean
judo, yudo m Dep judo
juego m 1 game; **juego de cartas,** card game; **juego de palabras,** play on words, pun 2 (de apuestas) gambling 3 Dep game; **Juegos Olímpicos,** Olympic Games; **terreno de juego,** Ten court; Ftb field; **estar fuera de juego,** to be offside 4 (conjunto coordinado) set; **juego de sábanas,** set of sheets
juerga f fam binge, rave-up
juerguista I adj fun-loving
II mf fun-loving person, raver
jueves m inv Thursday; **Jueves Santo,** Maundy Thursday
juez mf 1 judge; **juez de paz,** justice of the peace 2 Dep **juez de línea,** linesman; **juez de silla,** umpire
jugada f 1 move; (en billar) shot 2 (faena, mala pasada) dirty trick
jugador,-ora m, f 1 player 2 (persona con vicio de apostar) gambler
jugar I vi 1 to play 2 (no tomar en serio, manipular) **jugar con,** to toy with
II vtr 1 to play: **jugamos una partida de ajedrez,** we had a game of chess 2 (apostar) to bet, stake
■ **jugarse** vtr to put at stake o to place in danger; **jugarse el pellejo,** to risk one's life
jugarreta f fam dirty trick: **me han hecho una jugarreta,** they played a dirty trick on me
■ **jugarse** vr 1 (arriesgar) to risk: **me juego el empleo,** I'm risking my job 2 (apostar) to bet, stake
jugo m juice
jugoso,-a adj juicy, succulent

juguete *m* toy

juguetear *vi* to play

juguetería *f* toy shop

juguetón,-ona *adj* playful

juicio *m* 1 *(facultad mental)* judgement, discernment 2 *(parecer, criterio)* opinion, judgement 3 *(sentido común, prudencia)* reason, common sense 4 *Jur* trial, lawsuit; **llevar a alguien a juicio,** to take legal action against sb, sue sb ♦ LOC: **perder el juicio,** to go mad *o* insane; **muela del juicio,** wisdom tooth

julio *m* 1 *(mes)* July 2 *Fís* joule

junco *m* 1 *Bot* rush 2 *Náut* junk

jungla *f* jungle

junio *m* June

junta *f* 1 *(reunión)* meeting, assembly 2 *(grupo de dirección)* board, committee; **junta directiva,** board of directors 3 *Mil* junta 4 *Téc* joint

juntar *vtr* 1 *(unir)* to join, put together; *(ensamblar)* to assemble 2 *(reunir a personas)* **quiere juntar a toda la familia,** she wants to get all her family together 3 *(coleccionar)* to collect 4 *(una cantidad de dinero)* to raise
■ **juntarse** *vr* 1 *(aproximarse, unirse)* to join; *(converger)* to meet 2 *(congregarse)* to gather

junto,-a I *adj* together
II *adv* **junto** 1 *(cerca de)* **junto a,** next to 2 *(en colaboración con, además de)* **junto con,** together with

jurado,-a *m* 1 *(tribunal)* jury; *(en un concurso)* panel of judges 2 *(miembro del tribunal)* juror, member of the jury

juramento *m* oath

jurar I *vi Jur Rel* to swear, take an oath
II *vtr* to swear
■ **jurarse** *vr* to swear

jurel *m* scad, horse mackerel

jurídico,-a *adj* legal

jurisdicción *f* jurisdiction

jurisdiccional *adj* jurisdictional; **aguas jurisdiccionales,** territorial waters

jurista *mf* jurist, lawyer

justamente *adv* 1 *(con justicia)* fairly; *(merecidamente)* deservedly 2 *(exactamente)* right; *(precisamente)* precisely

justicia *f* justice

justificación *f* justification

justificante *m* written proof

justificar *vtr* to justify
■ **justificarse** *vr* to excuse oneself

justo,-a I *adj* 1 just, fair, right 2 *(adecuado, idóneo)* right, accurate 3 *(exacto)* exact 4 *(preciso)* very 5 *(apretado)* tight
II *adv* **justo** *(exactamente)* exactly, precisely, just; **justo ahora,** just now

juvenil *adj* youthful, young

juventud *f* 1 *(edad)* youth 2 *(jóvenes)* young people

juzgado *m* court, tribunal

juzgar *vtr* to judge

K

K, k *f (letra)* K, k

kárate *m Dep* karate

kilo *m* 1 *(unidad de peso)* kilo 2 *fig (cantidad excesiva)* ton, loads

kilogramo *m* kilogram

kilometraje *m* mileage

kilómetro *m* kilometer

kilovatio *m* kilowatt

kimono *m* kimono

kiosco *m* → **quiosco**

kiwi *m* 1 *Orn* kiwi 2 *(fruto)* kiwi (fruit)

Kleenex® *m* Kleenex®, tissue

koala *m Zool* koala (bear)

kung fu *m* kung fu

L

L, l *f (letra)* L, l

l *(abr de litro)* liter, l

la[1] *art def f* 1 the; **la camisa,** the shirt 2 *(cuando el nombre está elidido)* **la de Juan,** Juan's → **el**

la[2] *pron pers f* 1 *(persona)* her: **me la encontré,** I met her 2 *(usted)* you: **la recogeré a las tres, madre,** I'll fetch you at three o'clock, mother 3 *(cosa)* it: **la encontré,** I found it → **le**

la[3] *m Mús* la

laberinto *m* labyrinth

labia *f fam* loquacity

labio *m* lip

labor *f* 1 job, task 2 *Agr* farmwork 3 *(de costura)* needlework, sewing

laborable *adj* **día laborable,** working day

laboral *adj* industrial, labor

laboratorio *m* laboratory

laborioso,-a *adj* 1 *(trabajador)* hardworking 2 *(trabajoso)* laborious

laborista *Pol* I *adj* Labor; **partido laborista,** Labor Party
II *mf* Labor Party member

labrador,-ora *m,f* 1 *(dueño de sus tierras)* farmer 2 *(asalariado)* farm worker

labrar *vtr* 1 *Agr* to farm 2 *(la madera)* to carve; *(un mineral)* to cut; *(un metal)* to work
■ **labrarse** *vr fig* to build (for oneself)

laca *f* 1 lacquer 2 *(para el pelo)* hairspray

lacio,-a *adj* 1 *(cabello)* lank, limp 2 *(lánguido)* languid, weak

lacra *f* evil, curse

lactante *mf* unweaned baby

lácteo,-a *adj* milky, milk: **(productos) lácteos,** dairy products; *Astron* **Vía Láctea,** Milky Way

ladear *vtr* to tilt

ladera *f* slope

lado *m* 1 side: **a un lado,** aside 2 *(lugar)* place 3 *(camino, dirección)* direction, way: **nos fuimos por otro lado,** we went another way

♦ |LOC: **al lado**, close by, nearby; **al lado de**, next to, beside

ladrar *vi* to bark

ladrillo *m* brick

ladrón,-ona I *m,f* thief, robber

II *m* *Elec* multiple socket *o* adaptor

lagartija *f* small lizard

lagarto *m* lizard

lago *m* lake

lágrima *f* tear

laguna *f* 1 small lake 2 *fig (de la memoria, de un trabajo)* gap

laico,-a I *adj* lay, secular

II *m,f* lay person; *(hombre)* layman; *(mujer)* laywoman

lamentar *vtr* to regret

■ **lamentarse** *vr* to complain

lamento *m* moan, wail

lamer *vtr* to lick

lámina *f* 1 *(porción plana y fina)* sheet, plate 2 *Impr* plate 3 *(estampa)* print

lámpara *f* lamp; *(de pie)* floor lamp

lana *f* wool

lanar *adj* **ganado lanar**, sheep

lancha *f* motorboat, launch; **lancha neumática**, rubber dinghy; **lancha salvavidas**, lifeboat

langosta *f* *Zool* 1 *(de mar)* lobster 2 *(de tierra)* locust

langostino *m* *Zool* king prawn

languidecer *vi* to languish

lánguido,-a *adj* 1 *(apagado)* languid 2 *(sin fuerzas)* listless

lanza *f* spear

lanzadera *f* shuttle

lanzado,-a *adj fam* reckless

lanzamiento *m* 1 *(de un objeto)* throwing, hurling 2 *(de un producto, empresa, misil)* launch; **oferta de lanzamiento,** introductory offer 3 *Dep (de jabalina, disco)* throw; *(de peso)* put

lanzar *vtr* 1 *(arrojar)* to throw 2 *(insulto, grito)* to let out 3 *Mil & Com* to launch

■ **lanzarse** *vr* 1 *(tirarse, arrojarse)* to throw *o* hurl oneself 2 *(iniciar una tarea)* to embark on

lapa *f* *Zool* limpet

lapicero *m* mechanical pencil

lápida *f* headstone

lápiz *m* pencil; **lápiz de labios**, lipstick, lipliner; **lápiz de ojos**, eyeliner

lapso *m* 1 *(de tiempo)* lapse, space 2 *(lapsus)* lapse, slip

lapsus *m* lapse, slip

largarse *vr fam* split

largo,-a I *adj* long

II *m* 1 length: **¿cuánto tiene de largo?,** how long is it? 2 *Natación* length

III *adv* **largo,** at length

largometraje *m* feature film

laringe *f* *Anat* larynx

las[1] *art def fpl* 1 the; **las camisas**, the shirts 2 **las que,** *(personas)* the ones who, those who; *(cosas)* the ones that, those that: **compra las que te gusten,** buy the ones you like ➡ **la**

las[2] *pron pers fpl (a ellas)* them; *(a ustedes)* you: **las veré el lunes,** I'll see you this Monday; **no las estropees,** don't damage them ➡ **la, les** *y* **los**

lasaña *f* *Culin* lasagna

láser *m inv* laser

lástima *f* pity

lastimar *vtr* to hurt, injure

lastre *m* 1 *(de barco, globo)* ballast 2 *(rémora)* dead weight

lata *f* 1 *(bote)* can 2 *fam* nuisance, pain (in the neck)

lateral I *adj* side, lateral

II *m* side

latido *m* beat

latifundio *m* large estate

latigazo *m* 1 lash 2 *(dolor intenso)* sharp pain

látigo *m* whip

latín *m* Latin

latino,-a I *adj* Latin; **América Latina,** Latin America

II *m,f* Latin American

Latinoamérica *f* Latin America

latinoamericano,-a *adj & m, f* Latin American

latir *vi* to beat

latitud *f* latitude

latón *m* brass

laurel I *m* *Bot* laurel; *Culin* bay leaf

II *mpl* **laureles,** success, glory

lava *f* lava

lavable *adj* washable

lavabo *m* 1 *(pila)* sink 2 *(cuarto de baño)* washroom; *(en una cafetería, tienda)* lavatory, toilet

lavado *m* wash, washing; **lavado en seco,** dry-cleaning

lavadora *f* washing machine

lavanda *f* *Bot* lavender

lavandería *f* 1 *(autoservicio)* laundromat 2 *(con personal)* laundry

lavaplatos *m inv* dishwasher

lavar *vtr* to wash

lavavajillas *m inv* dishwasher

laxante *adj & m* laxative

lazo *m* 1 *(lazada)* bow 2 *(nudo)* knot 3 *fig (usu pl) (vínculo, relación)* tie, bond

le *pron pers mf (objeto indirecto) (a él)* (to *o* for) him; *(a ella)* (to *o* for) her; *(a usted)* (to *o* for) you; *(a una cosa)* (to *o* for) it

II *pron pers m (objeto directo) (él)* him; *(usted)* you

leal *adj* loyal; *(un animal)* faithful

lealtad *f* loyalty, faithfulness

lección *f* lesson

lechal *adj* suckling lamb

leche *f* 1 milk; **leche descremada** *o* **desnatada,** skim *o* skimmed milk; **leche entera,** whole milk 2 *Cosm* milk, cream 3 *fam* **mala leche,** nastiness

lechero,-a I *adj* milk, dairy
II *m* milkman
lecho *m* 1 *frml (cama)* bed 2 *(fondo)* **lecho del río,** river-bed
lechón *m* suckling pig
lechuga *f* lettuce
lechuza *f* owl
lector,-ora I *m,f* 1 *(persona)* reader 2 *Univ* (language) assistant
II *m (aparato)* reader; **lector de (discos) compactos,** CD player
lectura *f* reading
leer *vtr* to read
legal *adj* legal
legalidad *f* legality
legalizar *vtr* 1 to legalize 2 *(certificar)* to authenticate
legaña *f* sleep
legendario,-a *adj* legendary
legión *f* legion
legislación *f* legislation
legislar *vi* to legislate
legislativo,-a *adj* legislative
legislatura *f* legislature
legitimidad *f* *Jur* legitimacy, lawfulness
legítimo,-a *adj* 1 *Jur* legitimate, lawful 2 *(puro, genuino)* authentic, real
legumbre *f* pulse, legume
lejanía *f* distance
lejano,-a *adj* distant, far-off; **el Lejano Oeste,** the Far West
lejía *f* bleach
lejos *adv* far (away) ◆ | LOC: **a lo lejos,** in the distance; **de lejos,** from a distance; **lejos de,** far from
lelo,-a *fam* **I** *adj* stupid, silly
II *m,f* dummy, dimwit
lema *m* 1 *(de una compañía, persona)* motto, slogan 2 *(en un diccionario)* headword
lencería *f* lingerie
lengua *f* 1 *Anat* tongue 2 *Ling* language; **lengua materna,** native *o* mother tongue
lenguado *m* *Zool (pez)* sole
lenguaje *m* language
lengüeta *f* 1 *Mús* reed 2 *(del calzado)* tongue
lente *f* lens
lenteja *f* *Bot* lentil
lentejuela *f* sequin
lentilla *f* contact lens
lentitud *f* slowness
lento,-a I *adj* slow
II *adv* slowly
leña *f* firewood
leñador,-ora *m,f* woodcutter
leño *m* log
Leo *m* *Astrol* Leo
león *m* *Zool* lion
leona *f* *Zool* lioness
leopardo *m* *Zool* leopard
leotardos *mpl* thick tights
lepra *f* *Med* leprosy

leproso,-a I *adj* leprous
II *m,f* leper
les I *pron pers mpl (objeto directo) (ellos)* them; *(ustedes)* you
II *pron pers mfpl (objeto indirecto) (a ellos,-as)* them; *(a ustedes)* you
lesbiana *f* lesbian
lesión *f* 1 *(física)* injury 2 *(económica, moral)* damage
lesionar *vtr* to injure
letal *adj* lethal
letargo *m* lethargy
letra *f* 1 letter 2 *(manera de escribir)* (hand) writing 3 *Mús* lyrics *pl* 4 *Fin* **letra (de cambio),** bill of exchange; *(de un pago aplazado)* installment
letrado,-a *m,f* *Jur* lawyer
letrero *m* notice, sign
leucemia *f* *Med* leukemia
levadura *f* yeast; **levadura en polvo,** baking powder
levantamiento *m* 1 raising, lifting; *Dep* **levantamiento de pesos,** weightlifting 2 *(de un pueblo)* uprising, insurrection
levantar *vtr* 1 to lift; **levantar la voz/mano,** to raise one's voice/hand 2 *(una construcción, un monumento)* to erect 3 *fig (el ánimo)* to raise; *(sublevar)* to make rise 4 *(poner fin)* to lift
■ **levantarse** *vr* 1 *(de una silla, del suelo)* to stand up, rise; *(de la cama)* to get up 2 *(para protestar)* to rise, revolt 3 *(viento, brisa)* to get up; *(una tormenta)* to gather 4 *(acabar)* to finish
levante *m* 1 East 2 *(viento del este)* east wind
leve *adj* slight
léxico,-a *m* vocabulary, word list
ley *f* law ◆ | LOC: **oro de ley,** pure gold; **plata de ley,** sterling silver
leyenda *f* 1 *(narración)* legend 2 *(inscripción)* inscription, lettering
liar *vtr* 1 *(envolver)* to wrap up; *(un cigarro)* to roll 2 *(embrollar)* to muddle up; *(aturdir)* to confuse
■ **liarse** *vr* 1 *(embrollarse)* to get muddled up 2 *fam (tener un idilio)* to get involved
libelo *m* libel
libélula *f* *Zool* dragonfly
liberación *f* *(de una ciudad)* liberation; *(de un prisionero)* release, freeing
liberal I *adj* liberal
II *mf* liberal
liberalizar *vtr* to liberalize
liberar *vtr* *(de un invasor, opresor, etc)* to liberate; *(sacar de la cárcel)* to free, release
libertad *f* freedom, liberty; *Jur* **libertad condicional,** parole; **libertad bajo fianza,** bail; **libertad de comercio,** free trade; **libertad de culto/prensa,** freedom of worship/the press
libertino,-a *adj* & *m,f* libertine
Libra *f* *Astrol* Libra

libra f *Medida* Fin pound; **libra esterlina,** pound sterling

librar I vtr **1** to free **2** (*una orden de pago*) to draw
II vi (*tener el día libre*) **libra los fines de semana,** he has weekends off
■ **librarse** vr **1** to escape **2** (*deshacerse, desentenderse*) to get rid of

libre adj free

librería f **1** (*establecimiento*) bookstore **2** (*mueble*) bookcase

librero,-a m,f bookseller

libreta f **1** notebook **2** Fin (*cartilla*) passbook

libro m book

licencia f **1** (*autorización*) permission **2** (*documento oficial*) permit, license

licenciado,-a m,f **1** Univ graduate; **licenciado en Ciencias/Humanidades,** Bachelor of Science/Arts **2** LAm lawyer

licenciar vtr Mil to discharge
■ **licenciarse** vr **1** Univ to graduate **2** Mil to be discharged

licenciatura f Univ (*titulación superior*) (bachelor's) degree; (*estudios superiores*) degree (course)

liceo m **1** lyceum **2** (*de enseñanza secundaria*) secondary school

lícito,-a adj **1** Jur lawful **2** frml (*permisible*) allowed

licor m liquor, spirits pl, liqueur

licuadora f blender

líder mf leader

liderar vtr to lead

liderato, liderazgo m **1** leadership **2** Dep top o first position

lidia f bullfighting

lidiar I vtr Taur to fight
II vi to fight

liebre f **1** Zool hare **2** Dep pacemaker

liendre f nit

lienzo m **1** Arte canvas **2** Tex linen

lifting m facelift

liga f **1** Dep Pol league **2** (*prenda femenina*) garter

ligamento m Anat ligament

ligar vtr **1** (*unir*) to join; fig **mis recuerdos me ligan a esta ciudad,** my memories bind me to this town **2** (*relacionar*) to link

ligereza f **1** lightness; (*de un tejido*) flimsiness **2** (*falta de responsabilidad*) flippancy; (*en el comportamiento*) indiscretion; (*comentario*) indiscreet remark **3** (*prontitud, velocidad*) speed

ligero,-a I adj **1** (*de poco peso*) light, lightweight **2** (*rápido*) swift, quick **3** (*acento, etc*) slight; (*cena, brisa*) light **4** (*poco serio*) light
II adv **ligero** (*veloz*) fast, swiftly

light adj inv (*cigarrillos*) **fuma Camel Light™,** he smokes Camel Lights™

ligón,-ona adj & m,f fam (*hombre*) ladies' man; (*mujer*) man-eater

liguero,-a m garter belt

lijar vtr to sand o sandpaper (down)

lila adj inv & f lilac

lima¹ f Bot (*fruta*) lime

lima² f (*de trabajo*) file; (*de uñas*) nailfile

limar vtr **1** to file **2** (*diferencias*) to smooth out

limbo m limbo

limitar I vtr to limit, restrict
II vi to border

límite m **1** limit **2** Geog Pol boundary, border
II adj (*tope*) limit; **fecha límite,** deadline

limítrofe adj neighboring, bordering

limón m Bot lemon

limonada f (*natural*) lemonade; (*de bote*) lemon squash

limosna f alms

limpiabotas m inv shoeshine, bootblack

limpiacristales m inv window cleaner

limpiador,-ora m,f cleaner

limpiaparabrisas m inv windshield wipers

limpiar I vtr **1** to clean; (*con un paño*) to wipe; (*el calzado*) to polish **2** (*la sangre, el organismo*) to cleanse
II vi to clean

limpieza f **1** (*aseo, pulcritud*) cleanliness **2** (*acción de limpiar*) cleaning **3** (*precisión*) neatness; **con limpieza,** neatly

limpio,-a I adj **1** clean **2** Fin (*neto*) net **3** Dep **juego limpio,** fair play
II adv **limpio** fairly

linaje m lineage

lince m lynx

linchar vtr to lynch

lindar vi to border [con, on]

linde mf boundary, limit

lindo,-a I adj pretty
II adv LAm (*bien*) nicely

línea f **1** line **2** (*trayecto de autobús*) route; (*de ferrocarril, metro*) line; Av **línea aérea,** airline **3** Inform **en línea,** on-line **4** (*figura, cuerpo esbelto*) figure

lineal adj linear; **dibujo lineal,** technical drawing

lingote m bar, ingot

lingüístico,-a adj linguistic

lino m **1** Bot flax **2** Tex linen

linterna f lantern

lío m **1** fam (*desorden*) mess, muddle **2** fam (*romance*) affair **3** (*de ropa, etc*) bundle

liquen m Bot lichen

liquidación f **1** (*de un negocio*) liquidation; (*de un producto*) clearance sale **2** (*de una deuda*) settlement; (*al finalizar un contrato*) settlement

liquidar vtr **1** (*una deuda*) to settle; (*un producto*) to sell off **2** fam (*dilapidar*) to waste away **3** (*asesinar*) to bump somebody off

liquidez f Fin liquidity

líquido,-a I m **1** liquid **2** Fin liquid assets pl

adj 1 liquid 2 *Fin* net

a *f* 1 *Mús* lyre 2 *Fin* lira

rico,-a *adj* lyrical

io *m Bot* iris

ón *m Zool* dormouse

siado,-a I *adj* crippled

m,f cripple

siar *vtr* to cripple

so,-a *adj* 1 *(textura)* smooth, even 2 *(sin zos, sin pliegues)* straight 3 *(sin estampar)* ain 4 *LAm (descarado)* rude

sta *f* 1 list 2 *(raya, franja)* stripe

stado,-a *m* 1 list 2 *Inform (de un informe, etc)* sting, printout

stín *m* telephone directory

sto,-a *adj* 1 *(despierto, agudo)* smart 2 *reparado)* ready

stón *m Dep* bar

tera *f* bunk bed; *Ferroc* berth

teral *adj* literal

terario,-a *adj* literary

teratura *f* literature

tigar *vi fur* to litigate

tigio *m* 1 *Jur* lawsuit 1 *fig* dispute; **en litigio,** stake

toral I *m* coast, seaboard

adj coastal

tro *m* liter

turgia *f* liturgy

viano,-a *adj* lightweight

vido,-a *adj* livid

aga *f (en el cuerpo)* sore; *(en la boca)* ulcer

ama *f* flame

amada *f* 1 *(vocación)* call 2 *Tel* (phone) call

amado,-a *adj* so-called

amamiento *m* appeal

amar I *vtr* 1 to call 2 *(telefonear)* to call p, phone, ring 3 *(suscitar vocación, interés)* o appeal 4 *(por un nombre de pila)* to ame; *(por un apodo, mote, diminutivo)* to all

vi *(con los nudillos)* to knock; *(con el timbre)* o ring

llamarse *vr* to be called: ¿cómo se llama?, hat's his name?

amativo,-a *adj* 1 *(sugerente)* eye-catching 2 *persona)* striking

ano,-a *adj* 1 *(sin desniveles, plano)* flat, level *(campechano)* straightforward 3 *(explicación, tilo, etc)* clear

anta *f Auto (de una rueda)* wheel rim; *LAm neumático)* tire

anto *m* crying

anura *f* plain

ave *f* 1 *(de una cerradura)* key: **cierra con ave,** lock the door; *Auto* **la llave de ontacto,** the ignition key; *(de una cañería)* ap; *(del fluido eléctrico)* switch 2 *herramienta)* **llave fija,** wrench; **llave nglesa,** monkey wrench 3 *(en defensa ersonal)* lock 4 *Tip* brace

llavero *m* keyring

llegada *f* arrival; *Dep* finish

llegar *vi* 1 to arrive 2 *(momento, acontecimiento)* **llegó la hora de...,** the time has come to... 3 *(alcanzar)* to reach: **no llego al último estante,** I can't reach the top shelf 4 *(ser suficiente)* to be enough 5 *(llegar a + infinitivo)* to go so far as to: **llegué a creerlo,** I even believed it

llenar I *vtr* 1 to fill 2 *(una superficie)* to cover 3 *(una comida, actividad, etc)* to satisfy

II *vi* to be filling

■ **llenarse** *vr* to fill (up), become full

lleno,-a I *adj* 1 *(colmado)* full (up); **luna llena,** full moon 2 *(superficie)* covered 3 *(gordito)* plump

II *m (en espectáculos)* full house

llevar *vtr* 1 to take: **llévame a casa,** take me home; *(en dirección a)* to bring 2 *(vestir)* to wear: **lleva el pelo suelto,** she wears her hair down 3 *(transportar)* to carry: **no llevo dinero encima,** I don't carry any money on me 4 *(tolerar, sufrir)* **lleva muy mal la separación,** she is taking the separation very badly 5 *(una diferencia de edad)* **le lleva dos años a su hermana,** he is two years older than his sister 6 *(cobrar)* to charge 7 *(tiempo)* **llevo dos horas esperando,** I've been waiting for two hours; **esto llevará un buen rato,** this will take a long time 8 *(un negocio, empresa)* to be in charge of; *(a una persona)* to handle

■ **llevarse** *vr* 1 *(de un sitio a otro)* to take away: ¡**llévatelo de aquí!,** take it away! 2 *(un premio, una felicitación)* to win 3 *(arrebatar)* to carry away 4 *fam (estar de moda)* to be fashionable 5 **llevarse bien/mal con alguien,** to get along well/badly with sb

llorar *vi* to cry; *Lit* weep

lloriquear *vi* to snivel

lloroso,-a *adj* tearful

llover *v impers* to rain

llovizna *f* drizzle

lloviznar *v impers* to drizzle

lluvia *f* rain

lluvioso,-a *adj* rainy

lo[1] *art det neut* the; **lo mío,** mine; **lo nuestro,** ours; **lo otro,** the other thing; **lo peor,** the worst (thing)

lo[2] *pron pers m & neut* 1 *(objeto)* it: **no lo compliques,** don't complicate it; *(no se traduce)* **díselo,** tell her; **no lo sé,** I don't know → **le** 2 *(lo cual...),* which... 3 **lo que...,** what...: **pídeme lo que quieras,** ask me for whatever you want

lobo,-a *m Zool* wolf

lóbulo *m* (ear) lobe

local I *adj* local

II *m* premises *pl*

localidad *f* 1 *(ciudad, villa)* locality, place 2 *Cine Teat (plaza, butaca)* seat; *(entrada)* ticket

localizar vtr 1 to find 2 (una epidemia, un incendio) to localize

loción f lotion

loco,-a I adj mad, crazy; **volverse loco,** to lose one's mind
II m,f (hombre) madman, (mujer) madwoman

locomotora f locomotive

locuaz adj loquacious, talkative

locución f Ling idiom

locura f madness, insanity

locutor,-ora m,f TV Rad presenter

locutorio m telephone booth

lodo m mud

lógica f logic

lógico,-a adj logical

logística f logistics sing o pl

logotipo m logo

lograr vtr 1 to obtain: **logró hacerse escuchar,** he managed to make himself heard 2 (medalla, reconocimiento) to win

logro m achievement

loma f hillock, hill

lombarda f Bot red cabbage

lombriz f Zool worm, earthworm

lomo m 1 back 2 Culin loin 3 (de un libro) spine

lona f canvas

loncha f slice

lonchería f LAm snack bar

longaniza f spicy (pork) sausage

longitud f 1 (dimensión) length; **de un metro de longitud,** one meter long 2 Geog longitude

lonja[1] f → **loncha**

lonja[2] f (de pescado) fish market

loro m parrot

los[1] I art def mpl 1 the; **los perros,** the dogs 2 (no se traduce) **los mamíferos,** mammals 3 → **el, las** y **lo** 4 (cuando el sustantivo está elidido) **los que están ahí sentados,** those who are sitting there; (objetos) **los míos/suyos son azules,** mine/yours are blue → **les**

los[2] pron pers mpl them

losa f 1 (stone) slab, flagstone; (de una tumba) gravestone 2 (carga, remordimiento) burden

lote m 1 set 2 Com lot 3 Inform batch

lotería f lottery

loto f 1 Bot lotus 2 (lotería) lottery

loza f 1 (barro fino) china 2 (objetos) crockery

lozano,-a adj 1 (con buena salud) healthy-looking 2 (una planta) lush

lubri(fi)cante m lubricant

lucero m bright star

lucha f 1 (combate) fight 2 (trabajo, esfuerzo) struggle

luchador,-ora m,f fighter

lúcido,-a adj lucid

luciérnaga f glow-worm

lucir I vi to shine

II vtr 1 (ropa, joyas, peinado) to wear (cualidades) to display

■ **lucirse** vr 1 (quedar bien) to do very well (presumir) to show off

lucrativo,-a adj lucrative

lucro m gain, profit

luego I adv 1 (a continuación) the afterwards, next 2 (un poco más tarde) late (on); LAm **luego de,** after

II conj therefore

♦ | LOC: **desde luego,** of course

lugar m 1 place 2 (ocasión) time 3 (motive occasion ♦ | LOC: **tener lugar,** to take plac **en lugar de,** instead of; **en primer lugar,** the first place, firstly

lugareño,-a adj & m,f local

lugarteniente m,f lieutenant

lúgubre adj dismal, lugubrious

lujo m luxury

lujoso,-a adj luxurious

lujuria f lust

lumbre f (hoguera) fire; (para encender u cigarro, etc) light

luminoso,-a adj 1 luminous 2 (habitación casa, etc) light

luna f 1 moon; **luna de miel,** honeymoon (de una tienda) window; (de un espejo) mirro

lunar I m (en la piel) mole, beauty spot; (e una tela) dot
II adj lunar

lunático,-a m,f lunatic

lunes m inv Monday

lupa f magnifying glass

lustro m five-year period

luto m mourning

luz f 1 light; **luz natural,** sunlight 2 Au light; **luz larga,** headlights pl; **luces de cruc** dipped headlights; **luces de posición** sidelights 3 luces, (entendimiento) intelligenc sing 4 **traje de luces,** bullfighter's costum ♦ | LOC: fig **dar a luz,** (parir) to give birth to

M

M, m f (letra) M, m

m 1 (abr de metro) meter, meters, m 2 (ab de minuto) minute, minutes, min

macabro,-a adj macabre

macarrón m Culin piece of macaroni

macedonia f Culin fruit salad

Macedonia f Macedonia

macedonio,-a I adj & m,f Macedonian
II m (idioma) Macedonian

macerar vtr Culin (pescado, etc) to marinade (fruta) to soak

maceta f plant pot, flowerpot

machacar I vtr 1 (a golpes) to crush 2 fan (vencer, derrotar) to crush, thrash 3 fan (agotar, cansar) to exhaust, wear out
II vi fam (insistir) to harp on, go on

machete m machete

achista *adj* & *mf* male chauvinist

acho I *adj* **1** (*ser vivo*) male **2** *fam* (*viril*) acho, manly, virile
  m 1 (*ser vivo*) male **2** *fam* (*hombre*) macho, ugh guy **3** *Téc* (*pieza encajable*) male piece part; (*de un enchufe*) plug

acizo,-a I *adj* **1** (*compacto*) solid **2** (*recio*) lid, robust **3** *fam* (*hombre, mujer*) good oking
  m Geog (*montañoso*) mountain mass, massif

acro *f Inform* macro

adalena *f* → **magdalena**

adeja *f* hank, skein

adera *f* wood; (*para construir*) timber, mber

adero m 1 (*tabla*) piece of timber, piece lumber **2** (*leño*) log **3** *argot* (*policía*) cop

adrastra *f* stepmother

adre *f* **1** mother

adreselva *f* honeysuckle

adriguera *f* burrow, hole

adrina *f* **1** (*de bautismo*) godmother **2** (*de da*) matron of honor, chief bridesmaid **3** *g* (*benefactora*) protectress, benefactress

adrugada *f* **1** (*amanecer*) dawn **2** (*después medianoche*) early morning; **las cuatro de madrugada**, four o'clock in the morning

adrugar *vi* to get up early

aduro,-a *adj* **1** (*persona*) mature **2** (*fruta*) pe

aestría *f* mastery, skill

aestro,-a I *m,f* **1** *Educ* teacher, hoolteacher **2** (*en un oficio*) master **3** *Mús* aestro
  adj **1** (*excelente, destacado*) master; **obra aestra**, masterpiece **2** (*principal*) main, aster

afia *f* mafia

afioso,-a I *adj* mafia
  m,f mafioso

agdalena, madalena *f* muffin

agia *f* magic

ágico,-a I *adj* **1** (*truco, amuleto*) magic **2** *fig* ascinante*) magical, wonderful

agistrado,-a *m,f* *Jur* judge; *LAm* **primer agistrado**, prime minister

agistral *adj* masterly

agnánimo,-a *adj* magnanimous

agnate *mf* magnate, tycoon

agnesio *m* magnesium

agnético,-a *adj* magnetic

agnetófono, magnetofón *m* tape corder

agnífico,-a *adj* splendid, wonderful

agnitud *f* magnitude, dimension

ago,-a *m,f* (*hechicero*) wizard, magician; **el ago de Oz**, the Wizard of Oz; **los Reyes agos**, the Wise Men

agro,-a *adj* (*sin grasa*) lean
  m (*de cerdo*) loin of pork

agullar *vtr* to bruise, damage

■ **magullarse** *vr* to get bruised *o* damaged

mahometano,-a *adj* & *m,f Rel* Muslim

mahonesa *f* → **mayonesa**

maillot *m* (*para gimnasia, ballet*) leotard; *Dep* shirt

maíz *m* corn

majestad *f* majesty

majestuoso,-a *adj* majestic, stately

majo,-a *adj* *fam* pretty, nice

mal I *adj* (*delante de sustantivo masculino*) bad; **un mal momento**, (*inoportuno*) a bad time → **malo,-a**
  II m 1 evil, wrong **2** (*perjuicio*) harm: **me ha hecho mucho mal**, it really hurt me **3** (*dolencia*) illness, disease
  III *adv* badly, wrong: **oye muy mal**, she can hardly hear

malabarista *mf* juggler

malcriado,-a *adj* & *m,f* bad-mannered

maldad *f* **1** wickedness, evil **2** (*comentario*) wicked *o* evil remark

maldecir *vtr* to curse

maldición *f* curse

maldito,-a *adj* **1** *fam* (*incordiante*) damned **2** (*sujeto a maldición*) damned, cursed

maleante *adj* & *mf* criminal, thug, delinquent

maleducado,-a I *adj* bad-mannered
  II *m,f* bad-mannered person

malentendido *m* misunderstanding

malestar m 1 (*físico*) discomfort **2** *fig* (*intranquilidad*) uneasiness

maleta *f* suitcase, case

maletero *m Auto* trunk

maletín *m* briefcase

maleza *f* **1** (*matorrales, espesura*) undergrowth **2** (*hierbajos, rastrojos*) weeds *pl*

malgastar *vtr* & *vi* to waste

malhablado,-a I *adj* foul-mouthed
  II *m,f* foulmouthed person

malherido,-a *adj* seriously wounded

malicia *f* **1** (*picardía*) cunning **2** (*mala intención*) malice, maliciousness

malicioso,-a I *adj* **1** (*pícaro*) mischievous **2** (*malintencionado*) malicious
  II *m,f* malicious person

malintencionado,-a I *adj* spiteful, ill-intentioned
  II *m,f* spiteful *o* ill-intentioned person

malla I *f* **1** *Tex* mesh **2** (*para gimnasia*) leotard **3** *LAm* (*bañador*) swimsuit, swimming costume
  II *fpl* **mallas**, (*pantalón ajustado*) leggings

malo,-a I *adj* → **mal 1** *fam*: **he tenido un día muy malo**, I've had a bad day **2** (*perverso*) wicked, bad; (*desobediente, travieso*) naughty **3** (*dañino*) harmful **4** (*enfermo*) ill, sick **5** (*alimentos*) rotten
  II *m,f* *fam* **el malo**, the villain

malograr *vtr* to upset

■ **malograrse** *vr* to fail, fall through

maloliente *adj* foul-smelling, stinking

malpensado,-a I *adj* nasty-minded
II *m,f* nasty-minded person

malsonante *adj (palabras, lenguaje)* rude, foul

malta *f* malt

maltratar *vtr* 1 *(un objeto)* to mistreat 2 *(psicológicamente)* to ill-treat, *(golpear)* to batter

malva I *adj inv* & *m (color)* mauve
II *f Bot* mallow

malvado,-a *adj* evil, wicked

malvivir *vi* to live badly

mamá *f fam* mom, mommy

mama *f (de mujer)* breast; *(de animal)* teat

mamar I *vtr* to suck
II *vi* to feed

mamífero,-a *m,f* mammal

mampara *f* screen

mampostería *f* masonry

mamut *m* mammoth

manada *f Zool* herd; *(de lobos, perros)* pack

manantial *m* spring

manar I *vi* to flow [**de,** from]
II *vtr* to flow with

mancha *f* 1 *(de grasa, pintura, etc)* stain 2 *(en la piel)* spot

manchar *vtr* to stain
■ **mancharse** *vr* to get dirty

manco,-a I *adj* 1 *(sin brazo)* one-armed; *(sin mano)* one-handed 2 *(sin brazos)* armless; *(sin manos)* handless
II *m,f (sin mano)* one-handed person; *(sin brazo)* one-armed person; *(sin manos)* handless person

mandamiento *m* 1 *(orden)* order; **un mandamiento judicial,** warrant 2 *Rel* commandment

mandar *vtr* 1 *(dar órdenes)* to order 2 *(remitir)* to send: **mándalo por correo,** send it by post 3 *(capitanear, dirigir)* to lead, be in charge *o* command of; *Mil* to command

mandarina *f* tangerine

mandatario,-a *m,f* leader

mandato *m* 1 *(orden)* order, command; *Jur* warrant 2 *(periodo de gobierno)* term of office

mandíbula *f* jaw

mando *m* 1 *(autoridad)* command, control 2 *Téc (control)* controls *pl*; *Auto* **cuadro** *o* **tablero de mandos,** dashboard; **mando a distancia,** remote control

mandón,-ona I *adj fam* bossy
II *m,f fam* bossy person

manecilla *f* hand

manejable *adj* 1 *(objeto)* easy to use; *(vehículo)* easy to drive 2 *(persona)* easily led

manejar I *vtr* 1 *(manipular)* to handle, operate 2 *(dirigir, controlar)* to handle; *(a alguien)* to manipulate 3 *LAm (automóvil)* to drive
II *vi LAm* to drive
■ **manejarse** *vr* to manage

manejo *m* 1 *(utilización)* handling, use *(más en pl) (chanchullos)* tricks *pl* 3 *LA[...]* *(conducción)* driving

manera I *f* way, manners
II *fpl* **maneras,** manners
◆ | LOC: **de cualquier manera/de tod[...]** **maneras,** anyway, at any rate, in any cas[...] **de manera que,** so (that); **de ningu[...]** **manera,** in no way, certainly not

manga *f* 1 *Cost* sleeve: **de man[...]** **corta/larga,** short-/long-sleeved 2 *(pa[...]* **regar)** hose (pipe)

mangar *vtr argot* to nick, pinch, swipe

mango[1] *m (asidero)* handle

mango[2] *m Bot* mango

manguera *f* hose

maní *m* peanut

manía *f* 1 *(costumbre)* habit 2 *(odio, ojeri[...]* dislike 3 *Med* mania

maníaco,-a, maniaco,-a I *adj* manic
II *m,f* maniac

maniático,-a I *adj* fussy
II *m,f* fusspot

manicomio *m* mental hospital

manicura *f* manicure

manifestación *f* 1 *(de trabajadores, e[...]* demonstration 2 *(muestra)* manifestation, sig[...]

manifestante *mf* demonstrator

manifestar *vtr* 1 *(una opinión, [...]* *pensamiento)* to state, declare 2 *([...]* *sentimiento)* to show, display
■ **manifestarse** *vr* 1 *(un grupo)* demonstrate 2 *(declararse)* to declare onese[...]

manifiesto,-a I *adj* clear, obvious
II *m Pol* manifesto

manilla *f* 1 *(de reloj)* hand 2 *(tirador)* hand[...]

manillar *m* handlebar

maniobra *f* maneuver

manipulación *f* manipulation

manipular *vtr* 1 *(con manos, instrumento)* handle 2 *(dirigir, utilizar)* to manipulate

maniquí *m Cost Com* dummy

manirroto,-a *adj* spendthrift

manivela *f Téc* crank

mano *f* 1 hand; *(de animal)* forefoot; *([...]* *perro, gato)* paw; *(de cerdo)* trotter 2 *(cap[...]* coat 3 *(lado)* **a mano derecha/izquierda,** *o* the right/left (hand side) **4 mano de obr[...]** labor (force) ◆ | LOC: *(sin máquina)* by han[...] *(asequible)* at hand; **de segunda man[...]** second-hand; **echar una mano a alguien,** give sb a hand; **estrechar la mano a alguie[...]** to shake hands with sb

manojo *m* bunch

manopla *f* mitten

manosear *vtr (un objeto)* to finger; *[...]* *alguien)* to grope

manotazo *m* smack, slap

mansión *f* mansion

manso,-a *adj* 1 *(persona)* gentle, meek *(animal)* tame, docile

manta *f* blanket

manteca *f* 1 *(grasa animal)* fat; *(de cerdo)* lard 2 *(de leche, frutos)* butter

mantecado *m (bollo)* bun (made with lard)

mantel *m* tablecloth

mantener *vtr* 1 *(conservar)* to keep 2 *(sostener)* to have; *(una teoría, hipótesis)* to defend, maintain 3 *(alimentar, sustentar)* to support, feed ■ **mantenerse** *vr* 1 *(conservarse)* to keep 2 *(persistir)* to maintain 3 *(subsistir)* to live [con/de, on]

mantenimiento *m Téc* maintenance, upkeep

mantequilla *f* butter

mantillo *m* humus

mantón *m* shawl

manual I *adj* manual
II *m (libro)* manual, handbook

manufactura *f* 1 *(fabricación)* manufacture 2 *(industria)* factory

manuscrito,-a *m* manuscript

manutención *f* maintenance

manzana *f* 1 *Bot* apple 2 *(de una calle)* block

manzanilla *f* 1 *Bot* camomile 2 *(infusión)* camomile tea 3 *(vino blanco)* manzanilla, dry sherry

maña *f* 1 *(destreza)* skill 2 *(truco, engaño)* trick

mañana I *adv* tomorrow
II *f* morning: **cerramos los sábados por la mañana,** we close on Saturday mornings; **¡hasta mañana!,** see you tomorrow!; *Teat* **función de mañana,** morning performance, matinée
III *m* tomorrow, the future

mañoso,-a *adj* skillful

mapa *m* map

mapamundi *m* world map

maqueta *f* 1 *(modelo)* scale model 2 *Mús* demo

maquillaje *m* make-up

maquillar *vt* 1 *(una cara)* to make up ■ **maquillarse** *vr* to put one's make-up on, make (oneself) up

máquina *f* 1 machine: **máquina de escribir,** typewriter; **máquina tragaperras,** fruit machine

maquinaria *f* 1 *(grupo de máquinas)* machinery, machines *pl* 2 *(mecanismo)* mechanism, works *pl*

maquinilla *f* razor

mar *m & f* sea: **en alta mar,** on the high seas; **mar adentro,** out to sea
II *m* 1 sea; **Mar Cantábrico,** Cantabrian Sea 2 *(gran cantidad)* **un mar de deudas,** a flood of debts ◆ | LOC: **a mares,** a lot; **hacerse a la mar,** to set sail

maraña *f* tangle

maratón *m* marathon

maravilla *f* marvel, wonder: **es una maravilla de persona,** he's a wonderful person

maravilloso,-a *adj* wonderful, marvelous

marca *f* 1 *(huella)* mark 2 *(distintivo)* sign; *Com* brand, make 3 *(impronta)* stamp 4 *Dep* time, result

marcador,-ora *m* 1 marker 2 *Dep* scoreboard

marcaje *m Dep* marking, cover

marcapasos *m inv Med* pacemaker

marcar *vtr* 1 *(señalar)* to mark 2 *(resaltar)* **ese gesto marca la importancia del tratado,** that gesture stresses the importance of the treaty 3 *Tel* to dial 4 *(una hora, grados, etc)* to indicate, show, mark 5 *Dep (un tanto)* to score; *(a otro jugador)* to mark 6 *(un peinado)* to set

marcha *f* 1 *(partida)* departure 2 *(camino)* **realizamos una marcha de cinco horas,** we had a five hours walk 3 *(curso, rumbo)* course 4 *(funcionamiento)* running: **la impresora está en marcha,** the printer is working 5 *(velocidad, ritmo)* **aminora la marcha,** slow down; **aprieta la marcha,** speed up 6 *Auto* gear: **íbamos marcha atrás,** we were going in reverse (gear) 7 *Dep* walk 8 *Mús* march 9 *fam (diversión)* going on: **tiene mucha marcha,** he likes a good time

marchar *vi* 1 *(ir)* to go, walk 2 *(funcionar)* to go, work 3 *Mil* to march
■ **marcharse** *vr (irse)* to leave, go away

marchitar *vtr,* **marchitarse** *vr* to shrivel, wither

marchito,-a *adj* shriveled, withered

marchoso,-a *fam* **I** *adj (persona)* fun-loving; *(música, local)* lively
II *m,f* fun lover, partygoer

marciano,-a *adj & m,f* Martian

marco *m* 1 *(de fotografía, óleo)* frame: **pinté el marco de la puerta,** I painted the doorframe 2 *(contexto)* framework 3 *(moneda)* mark

marea *f* tide; **marea alta/baja,** high/low tide

mareado,-a *adj* **estoy mareado,** *(con ganas de vomitar)* I feel sick; *(a punto de desmayarse)* I feel dizzy

marear *vtr* 1 *(producir náuseas)* to make sick; *(producir desfallecimiento)* to make dizzy 2 *fam (molestar)* to confuse, puzzle
■ **marearse** *vr (sentir ganas de vomitar)* to feel sick; *(sentir desfallecimiento)* to feel dizzy

maremoto *m* tidal wave

mareo *m (ganas de vomitar)* sickness; *(en el mar)* seasickness; *(en un avión)* airsickness; *(en un coche)* carsickness, travel-sickness; *(desfallecimiento)* dizziness, lightheadedness

marfil *m* ivory

margarina *f* Culin margarine

margarita *f Bot* daisy

margen *m* 1 *(de un libro)* margin 2 *(en un cálculo)* margin 3 *Com* profit 4 *(espacio)* margin

II *mf (de un camino, terreno)* border, edge; *(de un río)* bank
marginación *f* marginalization
marginado,-a I *adj* marginalized
II *m,f* dropout
marginal *adj* marginal
marginar *vtr* **1** *(a un sector)* to marginalize, to reject **2** *(a una persona)* to leave out, ostracize
maría *f* **1** *fam Educ* easy subject **2** *argot (droga)* marijuana, pot
marido *m* husband
marimandón,-ona *m,f fam* bossy person
marina *f* **1** *Mil* navy; **marina mercante,** merchant navy **2** *Arte* seascape **3** *Geog* seacoast
marinero,-a *m* sailor
marino,-a I *adj* marine
II *m* sailor
marioneta *f* marionette, puppet
mariposa *f* butterfly
mariquita I *f Ent* ladybird
II *m pey ofens (marica)* queer, pansy, poof
mariscal *m Mil* marshall
marisco *m* seafood, shellfish
marisma *f* marsh
marisquería *f* seafood/shellfish restaurant
marítimo,-a *adj* maritime, sea
mármol *m* marble
maroma *f* **1** *Náut* cable **2** *(cuerda)* thick rope
marqués *m* marquis
marquesa *f* marchioness
marquesina *f* shelter
marrano,-a I *adj (sucio)* filthy, dirty
II *m,f* **1** *Zool* pig **2** *(persona sucia)* dirty pig, slob
marrón I *adj* brown
II *m* brown
marroquinería *f* leather goods
Marte *m* Mars
martes *m inv* Tuesday
martillo *m* hammer
mártir *mf* martyr
martirio *m* **1** *Rel* martyrdom **2** *(padecimiento)* torment **3** *fam (lata, fastidio)* torture
martirizar *vtr* **1** *Rel* to martyr **2** *(hacer sufrir)* to torment **3** *(aburrir, fastidiar)* to torture
marxista *adj & mf Pol Fil* Marxist
marzo *m* March
mas *conj frml* but: **sé que es difícil, mas no debes darte por vencido,** I know it's hard, but you mustn't give up
más I *adv & pron* **1** *(aumento)* more: **parte dos trozos más,** cut two more pieces; **tendría que ser más barato,** it should be cheaper; **asistieron más de cien personas,** more than a hundred people attended; *(con pronombre interrogativo)* **¿alguien más quiere repetir?,** would anybody else like a second helping?; *(con pronombre indefinido)*

no sé nada más, I don't know anything else **2** *(comparación)* more: **es más complicado que el primero,** it's more complicated than the first one **3** *(superlativo)* most: **ella es la más divertida,** she's the funniest **4** *(otra vez)* **no volví a verlo más,** I never saw him again **5** *(sobre todo)* **debiste llamar, y más sabiendo que estoy sola,** you should have phoned me, especially knowing I'm alone **6** *(otro)* **no tengo más cuchillo que éste,** I have no other knife but this one **7** *excl* **so…,** such a…, what a…!; **¡está más pesado!,** he's such a pain!; **¡qué cosa más fea!,** what an ugly thing!
II *prep Mat* plus; **dos más dos,** two plus *o* and two
◆ |LOC: **más bien,** rather; **más o menos,** more or less
masa *f* **1** mass **2** *Culin* dough, pastry **3** *(personas)* mass; **cultura de masas,** mass culture
masacrar *vtr* to massacre
masacre *f* massacre
masaje *m* massage
masajista *mf (hombre)* masseur; *(mujer)* masseuse
mascar *vtr & vi* to chew
máscara *f* mask
mascarilla *f* **1** *Med* face mask **2** *(cosmética)* face pack
mascota *f* **1** *(muñeco, objeto, persona)* mascot **2** *(animal)* pet
masculino,-a *adj* **1** *(sexo)* male **2** *(propio de hombre)* male, masculine **3** *(destinado a hombres)* men's **4** *Ling* masculine
masificación *f* overcrowding
masificado,-a *adj* overcrowded
masivo,-a *adj* massive
masón *m* mason, freemason
masonería *f* masonry, freemasonry
masoquista I *adj* masochistic
II *mf* masochist
máster *m* master's degree
masticar *vtr* to chew
mástil *m* **1** *(de bandera)* mast, pole **2** *Náut* mast **3** *(de instrumento de cuerda)* neck
mastín *m* mastiff
mata *f* bush
matadero *m* slaughterhouse
matador *m* matador, bullfighter
matanza *f* slaughter
matar *vtr* **1** *(a una persona)* to kill; *(al ganado)* to slaughter **2** *(el hambre, la sed, el tiempo)* to kill
■ **matarse** *vr* to kill oneself
matasellos *m inv* postmark
matasuegras *m inv* party blower
mate[1] *adj (sin brillo)* matt
mate[2] *m* **1** *Ajedrez* mate; **jaque mate,** checkmate **2** *LAm (infusión)* maté
matemáticas *fpl* mathematics *sing*
matemático,-a I *adj* mathematical

II *m,f* mathematician
III *f* mathematics
materia *f* **1** matter **2** *Educ (asignatura)* subject
material I *adj (no espiritual)* material, physical
II *m* material; **material informático,** computer materials *pl*
materialista I *adj* materialistic
II *mf* materialist
maternal *adj* maternal, motherly
maternidad *f* maternity, motherhood
materno,-a *adj* maternal
mates *fpl* math *sing*
matinal *adj* morning
matiz *m* **1** *(de color)* shade **2** *(de intención)* shade of meaning, nuance
matizar *vtr* **1** *fig (precisar)* to clarify **2** *Arte* to blend, harmonize **3** *fig (palabras, discurso)* to tinge
matón,-ona *m,f fam* thug, bully
matorral *m* brushes, thicket
matriarcado *m* matriarchy
matrícula *f* **1** registration **2** *Auto (número)* registration number; *(placa)* license plate **3** *Educ* **matrícula de honor,** distinction
matricular *vtr,* **matricularse** *vr* to register
matrimonio *m* **1** *(pareja casada)* married couple **2** *(institución)* marriage; **contraer matrimonio,** to get married
matriz *f* **1** *Anat* womb, uterus **2** *(molde)* mould **3** *Mat* matrix
matrona *f* midwife
matutino,-a *adj* morning
maullar *vi* to meow
maullido *m* meowing, meow
maxilar *m* jawbone
máxima *f* **1** *(enseñanza, regla)* maxim **2** *Meteor* maximum temperature
máximo,-a I *adj* maximum, highest
II *m (tope)* maximum: **como máximo,** *(como mucho)* at the most; *(a más tardar)* at the latest
mayo *m* May
mayonesa, mahonesa *f* mayonnaise
mayor I *adj* **1** *(comparativo de tamaño)* larger, bigger; *(superlativo)* largest, biggest **2** *(comparativo de grado)* greater; *(superlativo)* greatest **3** *(comparativo de edad)* older; *(superlativo)* oldest **4** **está muy mayor,** *(crecido, maduro)* he's quite grown-up; *(anciano)* he looks old; **ser mayor de edad,** to be of age; *(maduro)* old **5** *(principal)* major, main **6** *Mús* major **7** *Com* **al por mayor,** wholesale
II *m* **1** *Mil* major **2** **mayores,** *(adultos)* grownups, adults; *(ancianos)* elders
mayordomo *m* butler
mayoría *f* majority, most
mayoritario,-a *adj* majority
mayúscula *f* capital letter

mazapán *m Culin* marzipan
mazmorra *f* dungeon
mazo *m* mallet
mazorca *f Agr* cob
me *pron pers* **1** *(objeto directo)* me: **me abrazó con fuerza,** he hugged me tight **2** *(objeto indirecto)* me, to me, for me: **préstame una moneda,** lend me a coin **3** *(pron reflexivo)* myself: **me prometí conseguirlo,** I promised myself I would manage it
mear *vi vulgar* to piss, pee
mecánica *f* **1** *(ciencia)* mechanics *sing* **2** *(funcionamiento)* mechanics *pl,* workings *pl*
mecánico,-a I *adj* mechanical
II *m,f* mechanic
mecanismo *m* mechanism
mecanizar *vtr* to mechanize
mecanografiar *vtr* to type
mecanógrafo,-a *m,f* typist
mecedora *f* rocking chair
mecenas *mf inv* patron
mecer *vtr* to rock
◼ **mecerse** *vr* to swing, rock
mecha *f* **1** *(de cirio, etc)* wick **2** *(de barreno, bomba)* fuse **3** *(de pelo)* streak
mechero *m* lighter
mechón *m* **1** *(de pelo)* lock **2** *(de lana)* tuft
medalla I *f* medal
II *mf Dep (persona)* medalist
medallón *m* medallion
media *f* **1** *(hasta el muslo)* stocking **2** *(hasta la cintura)* (pair of) tights **3** *(calcetín alto)* long socks **4** *(cantidad proporcional)* average
◆ | LOC: **a medias,** *(no del todo)* unfinished; *(a partes iguales)* half and half
mediación *f* mediation, intervention
mediado,-a *adj* half-full, half-empty ◆ | LOC: **a mediados de,** about the middle of
mediador,-ora *m,f* mediator
mediana *f* **1** *Auto* central reservation **2** *Mat* median
mediano,-a I *adj* **1** *(tamaño)* medium-sized **2** *(calidad, estatura)* average **3** *(hermano)* middle
II *m,f* the middle one
medianoche *f* midnight
mediante *prep* by means of
mediar *vi* to mediate
medicación *f* medication, medical treatment
medicamento *m* medicine, medicament
medicina *f* medicine
médico,-a I *m,f* doctor; **médico de cabecera,** family doctor
II *adj* medical
medida *f* **1** *(medición)* measurement; *(unidad)* measure **2** *(grado, intensidad)* extent: **no sé en qué medida nos afectará,** I don't know to what extent it will affect us **3** *Pol* measure
medieval *adj* medieval

medievo m Middle Ages pl
medio,-a I adj 1 (mitad) half: **una hora y media**, an hour and a half 2 (no extremo) middle; **clase media**, middle class 3 (prototípico) average: **la calidad media es baja**, the average quality is poor
II adv half: **el trabajo está medio hecho**, the work is half done
III m 1 (mitad) half 2 (centro) middle; (entre dos) in between 3 (instrumento, vía) means 4 (entorno) enviroment
mediocre adj mediocre
mediocridad f mediocrity
mediodía m 1 (media mañana) midday, lunchtime; (doce de la mañana) midday, noon
medir I vtr 1 (dimensiones) to measure 2 (ponderar) to weigh up
II vi to measure, be: **mide cinco metros de ancho**, it is five meters wide
meditar vtr & vi to meditate, ponder
mediterráneo,-a adj & m Mediterranean
médula f 1 (de hueso, tallo) marrow; **médula espinal**, spinal cord 2 (núcleo, meollo) marrow, pith
medusa f Zool jellyfish
megáfono m megaphone
megalómano,-a adj megalomaniac
mejilla f cheek
mejillón m mussel
mejor I adj 1 (comparativo de **bueno**) better: **no hay nada mejor**, there's nothing better 2 (superlativo de **bueno**) best; **lo mejor**, the best thing
II adv 1 (comparativo de **bien**) better: **canta mucho mejor**, he sings much better 2 (superlativo de **bien**) best: **soy la que mejor lo hace**, I'm the one who does it best 3 (antes, preferiblemente) **mejor lo escribes**, you'd better write it down
♦ | LOC: **a lo mejor**, maybe, perhaps, maybe **mejor**, so much the better
mejora f improvement
mejorar I vtr 1 to improve 2 Dep (un tiempo, una marca) to break
II vi to improve, get better
■ **mejorarse** vr to get better
mejoría f improvement
melancolía f melancholy
melancólico,-a adj melancholic, melancholy
melena f 1 (de persona) hair 2 (de león) mane
mella f 1 (hendedura) nick, notch; (en plato, diente, etc) chip 2 (hueco) gap 3 (efecto) impression
mellado,-a adj (sin dientes) gap-toothed
mellizo,-a adj & m,f twin
melocotón m Bot peach
melodía f melody, tune
melodrama m melodrama
melón m melon

meloso,-a adj sweet, honeyed
membrana f membrane
membrete m letterhead
membrillo m 1 quince 2 (dulce) quince preserve o jelly
memo,-a insult I adj silly, stupid
II m,f idiot
memorándum m memorandum
memoria f 1 memory 2 (recuerdo) memory 3 (informe) report, statement 4 **memorias**, (biografía) memoirs ♦ | LOC: **de memoria**, by heart
memorizar vtr to memorize
menaje m household goods pl
mencionar vtr to mention
mendigar vtr & vi to beg
mendigo,-a m,f beggar
mendrugo m crust of stale bread
menear vtr 1 to shake, move 2 (el rabo) to wag, waggle
menestra f vegetable stew
menguar I vtr 1 to diminish, reduce 2 (en la calceta) to decrease
II vi 1 to diminish, decrease 2 (la Luna) to wane
menopausia f Med menopause
menor I adj 1 (comparativo de tamaño) smaller; (superlativo) smallest; 2 (comparativo de grado) less; (superlativo) least, slightest 3 (comparativo de edad) younger; (superlativo) youngest 4 Mús minor 5 Com **al por menor**, retail
II mf Jur minor
menos I adv 1 (en menor cantidad, grado) (con no contable) less: **tengo menos fuerza que antes**, I have less strength than before; (con contable) fewer: **mi casa tiene menos habitaciones**, my house has fewer rooms 2 (superlativo) least: **es el menos indicado para opinar**, he's the worst person to judge 3 (sobre todo) **no pienso discutir, y menos contigo**, I don't want to argue, especially with you
II prep 1 but, except 2 Mat minus: **siete menos dos**, seven minus two
♦ | LOC: **a menos que**, unless; **al o por lo menos**, at least; **cada vez menos**, less and less; **¡menos mal!**, thank goodness!
menospreciar vtr 1 (despreciar) to scorn, disdain 2 (infravalorar) to underestimate
menosprecio m 1 contempt, scorn, disdain 2 disrespect, indifference
mensaje m message
mensajero,-a m,f messenger, courier
menstruación f Biol menstruation
mensual adj monthly
mensualidad f 1 (sueldo) monthly salary 2 (pago) monthly payment o installment
menta f mint
mental adj mental
mentalidad f mentality

mentalizar *vtr* to make aware

mentalizarse *vr* to become aware

mente *f* mind

mentir *vi* to lie, tell lies

mentira *f* lie

mentiroso,-a I *adj* lying

I *m,f* liar

mentón *m Anat* chin

menú *m* menu; **menú del día,** set menu

menudillos *mpl* giblets

menudo,-a *adj* **1** *(persona)* thin, slight; *(cosa)* small, tiny **2** *excl* what a...!: **¡menudo golpe me di!,** what a bump I had!

meñique *adj & m (dedo)* meñique, little finger

meollo *m* **1** *Anat* marrow **2** *fig* pith, heart

mercadillo *m* street market

mercado *m* market

mercancía *f* merchandise, freight goods *pl*

mercante *adj* merchant

mercería *f* notions store

mercurio *m Quím* mercury

merecer *vtr* to deserve ◆ | LOC: **merece la pena,** to be worth the trouble *o* to be worth it

merecerse *vr* to deserve

merendar I *vtr* **merendé un bocadillo,** I had a sandwich for tea

II *vi* to have an afternoon snack, to have tea

merendero *m* **1** *(chiringuito)* outdoor bar, kiosk **2** *(en el campo)* picnic spot

merengue *m* meringue

meridiano,-a *adj* meridian

meridional I *adj* southern

II *mf* southerner

merienda *f* afternoon snack, tea

mérito *m* merit

merluza *f Zool* hake

mermar I *vtr* to cause to decrease *o* diminish

II *vi* to decrease, diminish

mermelada *f* **1** *(dulce)* jam, jelly; **mermelada de ciruela,** plum jam **2** *(ácida)* marmalade

mero¹ *m Zool* grouper

mero²,-a *adj* mere, pure

merodear *vi* to prowl, loiter

mes *m* **1** *(tiempo)* month: **dentro de dos meses,** in two month's time **2** *(sueldo)* monthly salary *o* wages *pl*; *(pago)* monthly payment

mesa *f* **1** *(mueble)* table; *(de oficina)* desk **2** *(comida)* **pon la mesa,** set the table **3** *(presidencia)* board, executive; **el presidente de la mesa,** the chairman

meseta *f Geog* plateau, tableland, meseta

mesilla, mesita *f* **mesilla (de noche),** bedside table, night table

mesón *m* bar

mestizo,-a I *adj (persona)* of mixed race

II *m,f* mestizo, person of mixed race

meta *f* **1** *Dep (llegada)* finish, finishing line; *(portería)* goal **2** *(finalidad, objetivo)* goal, aim

metáfora *f* metaphor

metal *m* **1** metal **2** *Mús* brass

metálico,-a I *adj* metallic

II *m* cash

metalúrgico,-a I *adj* metallurgical

II *m,f* metallurgist

metedura *f fam* **metedura de pata,** blunder

meteorito *m* meteorite, meteor

meteorológico,-a *adj* meteorological; **información meteorológica,** weather report

meter *vtr* **1** to put [en, in]; *(en colegio, cárcel)* to put; *(dinero)* **metimos el dinero en el banco,** we put the money into our bank account **2** *(involucrar)* to involve [en, in], to get mixed up [en, in]

meterse *vr* **1** *(entrar)* to go *o* come, get [in/into, en]: **se metió en una secta,** he joined a sect **2** *(involucrarse)* to get into, get mixed up **3** *(entrometerse)* to meddle **4** *(tomar el pelo)* **no te metas con María,** don't pick on Maria

meticuloso,-a *adj* meticulous

metódico,-a *adj* methodical

método *m* **1** method **2** *Educ* course

metralleta *f* submachine-gun

métrico,-a *adj* metric

metro *m* **1** meter; **metro cuadrado/ cúbico,** square/ cubic meter **2** *(instrumento para medir)* tape measure **3** *(transporte)* subway

metrópoli, metrópolis *f* metropolis

metropolitano,-a I *adj* metropolitan

II *m frml* → **metro**

mezcla *f* **1** *(acción)* mixing, blending; *Rad Cine* mixing **2** *(producto)* mixture, blend; *Audio* mix; *Text* mix

mezclar *vtr* **1** *(combinar, amalgamar)* to mix, blend **2** *(algo ordenado antes)* to mix up **3** *(involucrar)* to involve, mix up

mezclarse *vr* **1** *(sentimientos, ideas, cosas)* to get mixed up **2** *(involucrarse)* to get involved [con, with]

mezquino,-a *adj* **1** *(persona)* mean, stingy **2** *(escaso, despreciable)* miserable

mezquita *f* mosque

mi¹ *adj pos* my

mi² *m Mús* E

mí *pron pers* me: **lo hago por mí,** I do it for myself

mía *adj & pron pos f* → **mío**

miau *m* miaow

micra *f (unidad de longitud)* micron

microbio *m* microbe

microbús *m* minibus

microchip *m Inform* microchip

micrófono *m* microphone

microondas *m* microwave (oven)

microscopio *m* microscope

miedo *m* **1** *(terror)* fear, fright: **me da miedo la oscuridad,** I'm scared of the dark **2** *(recelo,* *preocupación)* concern: **tengo miedo por ti,** I'm worried about you

miedoso,-a *adj* fearful

miel *f* honey

miembro *m* 1 *(parte integrante)* member 2 *Anat* limb; *(pene)* penis

mientras I *conj* 1 *(a la vez, durante)* while: **no comas mientras estudias,** don't eat while you are studying 2 *(+ subjuntivo)* as long as: **mientras no mejores,** as long as you don't improve 3 **mientras que** *(por el contrario)* whereas
II *adv (entre tanto)* meanwhile, in the meantime

miércoles *m inv* Wednesday

mierda *f vulgar* shit

miga *f* crumb

migraña *f Med* migraine

mil *adj & m* thousand; **mil millones,** a billion; **mil personas,** a o one thousand people

milagro *m* miracle

milagroso,-a *adj* miraculous

milenario,-a I *adj* thousand-year-old, millenial
II *m* millenium

milenio *m* millenium

milésimo,-a *adj & m,f* thousandth

mili *f fam* military service

milicia *f (ejército no regular)* militia

milímetro *m* millimeter

militar I *adj* military
II *m* soldier
III *vi Pol (ser miembro de)* to be a member

milla *f* mile

millar *m* thousand

millón *m* million

millonario,-a *adj & m,f* millionaire

mimar *vtr* 1 *(consentir)* to spoil 2 *(tratar con cariño)* to fuss over

mimbre *m* wicker

mímica *f* mimicry, mime

mimo *m* 1 *(muestra de cariño)* pampering, fuss *(cuidado)* care 3 *Teat (actor)* mime

mina *f* 1 mine 2 *(de lápiz)* lead, *(de portaminas)* refill

minar *vtr* 1 *(con explosivos)* to mine 2 *fig (debilitar, destruir)* to undermine

mineral *adj & m* mineral

minería *f* 1 *(industria)* mining industry; 2 *Téc* mining

minero,-a I *m,f* miner
II *adj* mining

miniatura *f* miniature

minifalda *f* miniskirt

minimizar *vtr* to minimize

mínimo,-a I *adj* 1 *(muy pequeño)* minute, tiny 2 *(muy escaso)* minimal 3 *(menor posible)* minimum
II *m* minimum

ministerio *m* ministry

ministro,-a *m,f* minister; **primer ministro** Prime Minister

minoría *f* minority

minoritario,-a *adj* minority

minucioso,-a *adj* 1 *(detallista)* meticulous *(detallado)* minute, detailed

minúsculo,-a I *adj (importancia, tamaño)* minuscule, tiny
II *m (letra)* small letter, lower-case

minusválido,-a I *adj* handicapped
II *m,f* handicapped person

minuta *f* 1 *(de un abogado)* bill 2 *(de un restaurante)* menu

minutero *m* minute hand

minuto *m* minute

mío,-a I *adj pos* of mine: **tienes un libro mío,** you have got a book of mine
II *pron pos* mine: **el mío es más grande** mine is bigger

miope *adj & m/f* short-sighted

miopía *f* short-sightedness

mirada *f* look

mirador *m* 1 *(natural)* viewpoint 2 *(galería)* windowed balcony

mirar I *vtr* 1 to look at: **mirar una palabra en el diccionario,** to look up a word in the dictionary 2 *(examinar)* to watch: **miraba la película atentamente,** she was watching the film carefully
II *vi* 1 *(buscar)* **miraré en ese rincón,** I'll have a look in that corner 2 *(cuidar)* to look after sb/sthg: **mira por tus intereses,** she is looking after your interests 3 *(estar orientado)* to face
■ **mirarse** *vr* 1 to look at oneself 2 to look at each other

mirilla *f* spyhole, peephole

mirlo *m Orn* blackbird

misa *f* mass

miserable I *adj* 1 *(lástimoso, pobre)* wretched poor 2 *(malvado, ruin)* despicable *(avariento)* mean
II *m,f* 1 *(mezquino)* miser 2 *(canalla)* wretch scoundrel

miseria *f* 1 *(pobreza)* extreme poverty 2 *(cantidad despreciable)* pittance, miserable amount 3 *(más en pl)* *(desgracias, penalidades)* miseries

misericordia *f* mercy, compassion

misero,-a *adj* miserable

misil *m* missile

misión *f* mission

misionero,-a *m,f* missionary

mismo,-a I *adj* 1 same 2 *(uso enfático)* **el rey mismo apareció en el umbral,** the king himself appeared on the threshold
II *pron* same: **es el mismo árbol,** it's the same tree; **por uno o sí mismo,** by oneself
III *adv* 1 **ahora mismo,** right now 2 **as mismo,** likewise

misógino,-a I *adj* misogynous

m,f misogynist
niss f beauty queen
níster m fam Ftb coach, trainer
nisterio m mystery
nisterioso,-a adj mysterious
nitad f 1 half: **leí la mitad del libro,** I read
alf of the book 2 (centro) middle
nítico,-a adj mythical
nitin m Pol meeting
nito m myth
nitología f mythology
nixto,-a adj mixed
nobiliario m furniture
nochila f rucksack, backpack
nochuelo m Orn little owl
noción f motion: **moción de censura,** vote
f no confidence
nocos mpl **sonarse los mocos,** to blow one's
ose; **tener mocos,** to have a runny nose
noda f 1 fashion: **está pasado de moda,** it
s old-fashioned 2 (fiebre) craze
nodales mpl manners
nodalidad f form, category; Com
nodalidad de pago, method of payment
nodelar vtr to model, shape
nodelo I adj inv & m model
II m,f (fashion) model
nódem m Inform Tel modem
noderado,-a adj 1 (persona, ideas) moderate
2 (precio) reasonable; (temperatura, viento)
nild
noderador,-ora m,f chairperson
noderar vtr 1 to moderate 2 (velocidad) to
educe 3 (una discusión) to chair
moderarse vr to be moderate, control
neself
nodernizar vtr, **modernizarse** vr to
nodernize
noderno,-a adj modern
nodestia f modesty
nodesto,-a adj modest
nódico,-a adj moderate
nodificar vtr to modify
nodismo m idiom
nodisto,-a I m,f (de alta costura) fashion
esigner, couturier,-ère
f (costurera) dressmaker
nodo m 1 (forma de hacer) way, manner 2
ing mode 3 **modos,** manners
nodorra f drowsiness
nodular vtr to modulate
nódulo m module
nofa f mockery
nofarse vr to jeer [de, at], scoff [de, at],
ake fun [de, of]
noflete m chubby cheek
nogollón m fam 1 (gran cantidad) loads, an
wful lot [de, of] 2 (lío, alboroto) mess, racket
noho m mold
nohoso,-a adj moldy
nojado,-a adj wet

mojar vtr 1 to wet 2 (en la leche, el café, etc) to
dip, dunk
■ **mojarse** vr to get wet
mojón m boundary stone; (en la carretera)
milestone
moka m mocha
Moldavia f Moldavia
moldavo,-a adj & m,f Moldavian
molde m mold; (de cocina) tin
moldear vtr 1 (barro, masa) to mold 2 (sacar
el molde) to cast 3 (el carácter) to shape
mole f mass, bulk
molécula f molecule
moler vtr to grind
molestar vtr 1 (causar enojo, incomodidad) to
disturb, bother: **¿le molestaría contestar a
unas preguntas?,** would you mind answering
some questions? 2 (causar dolor) to hurt
■ **molestarse** vr 1 (ofenderse) to take offense
[por, at] 2 (hacer el esfuerzo) to bother
molestia f 1 (incomodidad) trouble 2 (trabajo,
esfuerzo) bother 3 (fastidio) nuisance 4 (dolor)
slight pain
molesto,-a adj 1 (incómodo) uncomfortable 2
(fastidioso) annoying, pestering 3 (enfadado,
disgustado) annoyed
molinillo m grinder
molino m mill
momentáneo,-a adj momentary
momento m 1 (instante) moment 2 (periodo)
time ♦ | LOC: **al momento,** at once; **de un
momento a otro,** at any moment; **en un
momento dado,** at a given moment
momia f mummy
monada f fam cute, lovely person o thing
monarca m,f monarch
monarquía f monarchy
monasterio m Rel monastery
monda f peel, skin
mondadientes m inv toothpick
mondar vtr to peel
moneda f 1 coin 2 (de un país) currency
monedero m purse
monería f → **monada**
monetario,-a adj monetary
monitor,-ora I m,f (profesor) instructor
II m Inform (pantalla) monitor
monja f nun
monje m monk
mono,-a I m,f Zool monkey
II m 1 Indum (para trabajo) overalls pl;
coveralls pl 2 argot (de abstinencia) cold turkey
III adj fam lovely, pretty
monólogo m monologue
monopatín m skateboard
monopolio m monopoly
monopolizar vtr to monopolize
monótono,-a adj monotonous
monóxido m Quím monoxide
monstruo m 1 monster; pey freak 2 (genio)
genius, giant

montacargas *m inv* service *o* freight elevator
montador,-ora *m,f* 1 *Cine TV* film editor 2 *(de máquinas)* fitter
montaje *m* 1 *Téc (de una máquina, un mueble, etc)* assembly 2 *Cine* editing and mounting 3 *Fot* montage; **montaje fotográfico**, photomontage 4 *fam (simulación, engaño)* farce, set-up
montaña *f* 1 mountain 2 *fam (montón)* pile
montañismo *m* mountaineering
montañoso,-a *adj* mountainous
montar I *vi (subirse)* to get in; *(en bici, a caballo)* to ride
II *vtr* 1 *(un mueble, un arma)* to assemble 2 *(engarzar)* to set, mount 3 *(un negocio)* to set up, start 4 *Culin* to whip 5 *Teat (un espectáculo)* to stage, mount
■ **montarse** *vr (subirse)* to get on; *(en un vehículo)* to get in [en, to]
monte *m* 1 mountain 2 *(terreno)* **monte alto,** forest; **monte bajo,** scrubland
montón *m* 1 *(pila, taco)* heap, pile 2 *(gran cantidad)* **un montón de,** a load of, lots of
montura *f* 1 *(animal)* mount; *(silla)* saddle 2 *(de gafas)* frame; *(de joyas)* mount
monumento *m* monument
monzón *m* monsoon
moño *m (de pelo)* bun
moqueta *f* fitted carpet
mora *f Bot* blackberry
morada *f frml* dwelling
morado,-a I *adj* purple
II *m* 1 *(color)* purple 2 *(moratón)* bruise
moral I *adj* moral
II *f* 1 *(ética)* morals *pl* 2 *(ánimo)* morale, spirits *pl*
moraleja *f* moral
moralista I *adj* moralistic
II *mf* moralist
morboso,-a *adj* morbid
morcilla *f* black pudding
mordaz *adj* biting, scathing
mordaza *f* gag
mordedura *f* bite
morder *vtr* to bite
mordisco *m* bite
mordisquear *vtr* to nibble (at)
moreno,-a *adj* 1 *(de pelo)* dark-haired; *(de piel)* dark-skinned; **pan/azúcar moreno,** brown bread/sugar 2 *(bronceado)* tanned
morera *f Bot* white mulberry
morfina *f* morphine
moribundo,-a *adj & m,f* moribund, dying
morir *vi* to die
■ **morirse** *vr* to die
mormón,-ona *adj & m,f* Mormon
moro,-a *adj & m,f* 1 *(norteafricano)* Moor 2 *Hist (musulmán)* Muslim
morro *m* 1 *(hocico)* snout 2 *(de coche, avión)* nose 3 *fam (caradura)* nerve

morrón *adj* **pimiento morrón,** sweet red pepper
morsa *f* walrus
Morse *m* morse
mortadela *f* bologna
mortaja *f* shroud
mortal I *adj* 1 mortal 2 *(accidente, veneno etc)* fatal
II *mf* mortal
mortalidad *f* mortality
mortero *m Culin Mil* mortar
mortífero,-a *adj* deadly, lethal
mortificar *vtr*; **mortificarse** *vr* to mortify
moruno,-a *adj* Moorish
mosaico *m* mosaic
mosca I *f* fly
II *adj (enfadado)* annoyed; *(inquieto)* worried; *(intrigado)* suspicious
mosquitero *m* mosquito net
mosquito *m* mosquito
mostaza *f* mustard
mosto *m* grape juice
mostrador *m (de comercio)* counter; *(de cafetería)* bar
mostrar *vtr* to show
mota *f* speck
mote *m* nickname
mote [2] *m LAm* creamed corn
moteado,-a *adj* 1 *(con lunares)* dotted 2 *(la piel)* mottled
motín *m* 1 *(en un barco, en el ejército)* mutiny 2 *(levantamiento)* riot
motivar *vtr* 1 *(provocar)* to cause 2 *(animar)* to motivate
motivo *m* 1 *(causa)* reason 2 *Arte Mús* motif, leitmotif
moto *f Auto* motorbike
motocicleta *f* motorbike
motociclismo *m* motorcycling
motocross *m* motocross
motor *m* 1 *(de combustible)* engine; *(eléctrico)* motor; **motor de arranque,** starter (motor); **motor de explosión,** internal-combustion engine
motor, motriz *adj* motor
motora *f* motorboat
motorista *mf* motorcyclist
motosierra *f* power saw
mover *vtr* 1 to move: **mover la cabeza** *(afirmativamente)* to nod; *(negativamente)* to shake one's head 2 *(activar)* to drive
■ **moverse** *vr* 1 to move 2 *(apurarse)* to hurry up; **¡muévete!,** get a move on!
movido,-a *adj* 1 *Fot* blurred 2 *(ajetreado)* busy
móvil I *adj* mobile
II *m* 1 *(razón)* motive 2 *fam Tel* mobile phone, cellular phone
movilización *f* mobilization
movilizar *vtr* to mobilize
movimiento *m* 1 movement; *Fis Téc* motion

2 *(actividad)* activity **3** *Com Fin (de una cuenta)* operations **4** *(alzamiento, manifestación social)* movement; **el movimiento feminista,** the feminist movement

moza *f* young girl, lass

mozo *m* **1** young man, lad **2** *(de estación)* porter; *(de hotel)* bellboy, bellhop

mucamo,-a *m,f LAm* servant

muchacha *f* girl

muchacho *m* boy

muchedumbre *f* crowd

mucho,-a I *adj indef* **1** *(abundante, numeroso)* *(en frases afirmativas)* a lot of, lots of; **mucha comida,** a lot of food; *(en frases negativas)* much, many *pl:* **no queda mucho azúcar,** there isn't much sugar left; **no conozco muchos sitios,** I don't know many places **2** *(demasiado)* **es mucha responsabilidad,** it's too much responsibility
II *pron* a lot, a great deal, many: **de ésos tengo muchos,** I've got lots of those
III *adv* **1** *(cantidad)* a lot, very much: **me arrepentí mucho,** I was very sorry **2** *(tiempo)* **hace mucho que desapareció,** he went missing a long time ago; *(a menudo)* often

muda *f* **1** *(de ropa)* change of clothes **2** *Zool* shedding

mudanza *f* move

mudar *vtr* to change
■ **mudarse** *vr* **1** *(de casa)* to move **2** *(de ropa)* to change one's clothes

mudo,-a I *adj* **1** *(que no habla)* dumb **2** *fig (sin palabras)* speechless, dumbstruck **3** *(letra, cine)* mute, silent
II *m,f* mute

mueble *m* piece of furniture

mueca *f* **1** *(gesto de burla)* mocking face **2** *(gesto de dolor, reprobación)* grimace

muela *f Anat* molar: **muela del juicio,** wisdom tooth

muelle[1] *m* spring

muelle[2] *m Náut* dock

muerte *f* death

muerto,-a I *adj* **1** *(sin vida)* dead **2** *(cansado)* exhausted **3** *Dep* **tiempo muerto,** time-out **4** *(uso enfático)* **muerto de frío/miedo,** frozen/scared to death **5** *Auto* **(en) punto muerto,** (in) neutral
II *m,f* **1** *(cadáver)* dead person **2** *(tarea fastidiosa)* dirty job **3** *(víctima de accidente)* fatality

muesca *f* notch

muestra *f* **1** *(de un producto, sustancia)* sample, specimen **2** *Estad* sample **3** *(gesto, demostración)* sign

mugido *m (de vaca)* moo; *(de toro)* bellow

mugir *vi (vaca)* to moo; *(toro)* to bellow

mugre *f* filth, muck

mugriento,-a *adj* filthy, mucky

mujer *f* **1** woman; **varias mujeres,** several women **2** *(esposa)* wife

muleta *f* crutch

muletilla *f (palabra)* pet word; *(frase)* pet phrase

mullido,-a *adj* soft

multa *f* fine, *Auto* ticket

multar *vtr* to fine

multicolor *adj* multicolored

multinacional *adj* & *f* multinational

múltiple *adj* **1** multiple **2 múltiples,** *(muchos)* many

multiplicación *f Mat* multiplication

multiplicar *vtr* & *vi* to multiply [**por,** by]
■ **multiplicarse** *vr* to multiply

múltiplo,-a *adj* & *m* multiple

multitud *f* **1** *(gente)* crowd, mass **2** *(gran cantidad)* multitude

mundano,-a *adj* mundane

mundial I *adj* worldwide; **comercio mundial,** world trade
II *m Dep* world championship

mundo *m* **1** world **2 todo el mundo,** everybody

munición *f* ammunition

municipal I *adj* municipal
II *m (policía)* policeman

municipio *m* **1** *(territorio)* municipality **2** *(ayuntamiento, concejo)* town *o* city council

muñeca *f* **1** *(juguete)* doll **2** *Anat* wrist

muñeco *m (juguete)* boy doll

muñequera *f* wristband

muñón *m Anat* stump

mural *m* & *adj* mural

muralla *f* wall

murciélago *m Zool* bat

murmullo *m* murmur

murmurar *vi* **1** *(hablar mal, cotillear)* to gossip **2** *(hablar bajo)* to whisper; *(hablar entre dientes)* to grumble

muro *m* wall

musa *f* muse

muscular *adj* muscular

músculo *m* muscle

musculoso,-a *adj* muscular

museo *m* museum; *(de pintura, escultura)* gallery

musgo *m* moss

música *f* music

musical I *adj* musical
II *m* musical

músico,-a I *adj* musical
II *m,f* musician

muslo *m* thigh

musulmán,-ana *adj* & *m,f* Muslim, Moslem

mutante *m,f* & *adj* mutant

mutilación *f* mutilation

mutilado,-a *m,f* disabled person

mutilar *vtr* to mutilate

mutuo,-a *adj* mutual

muy *adv* **1** very: **muy tierno,** very tender **2** *(demasiado)* too: **está muy caliente,** it's too hot

N

N, n *f* (letra) N, n
nabo *m* Bot turnip
nácar *m* mother-of-pearl
nacer *vi* 1 to be born: **nació en el mes de julio**, she was born in July; (ave) to hatch (out) 2 (pelo, dientes) to begin to grow 3 (río, manantial) to rise 4 (originarse) to start
nacido,-a *adj* born; **recién nacido**, newborn
naciente *adj* (incipiente) new, incipient; (sol) rising
nacimiento *m* 1 birth 2 (inicio, origen) origin, beginning 3 (de un río, manantial) source 4 (belén) Nativity scene, crib
nación *f* nation
nacional *adj* 1 national 2 (interior, no internacional) domestic: **llegadas nacionales**, domestic arrivals
nacionalidad *f* nationality
nacionalista *adj* & *mf* nationalist
nacionalizar *vr* 1 (a una persona) to naturalize 2 Econ (hacer estatal) to nationalize
■ **nacionalizarse** *vr* to become naturalized
nada I *pron* 1 (ninguna cosa) nothing; (con otro negativo) nothing, not ... anything: **no hay nada más importante**, there is nothing more important 2 (en preguntas) anything: **¿no tienes nada que decir?**, don't you have anything to say? 3 (muy poco) **con la niebla no veíamos nada**, we couldn't see a thing in the fog 4 (en ciertas construcciones) anything; **sin decir nada**, without saying anything/a word
II *adv* not at all: **no escribe nada mal**, he doesn't write at all badly
◆ LOC: **casi nada**, almost nothing; **gracias, - de nada**, thanks, - don't mention it; **nada más oírlo**, as soon as she heard it
nadador,-ora *m,f* swimmer
nadar *vi* 1 Dep to swim 2 (un objeto) to float
nadie *pron* 1 (ninguna persona) no-one, nobody; (con otro negativo) **nadie dirá nada**, no one will say anything; **no quiere a nadie**, she doesn't love anyone 2 **sin que nadie lo oyese**, without anyone hearing; **casi nadie**, hardly anyone ◆ LOC: **ser un don nadie**, to be a nobody
nado (a) *loc adv* swimming
naftalina *f* (para la ropa) mothballs
nailon *m* nylon
naipe *m* playing card
nalga *f* buttock; **nalgas**, bottom *sing*, buttocks
nana *f* lullaby
napia *f* fam (tb en pl) nose
naranja I *f* Bot orange
II *adj* & *m* (color) orange
naranjada *f* orangeade
narciso *m* 1 Bot (blanco) narcissus; (amarillo) daffodil

narcótico *m* narcotic
narcotraficante *mf* drug dealer
narcotráfico *m* drug trafficking
nariz *f* (tb en pl narices) nose ◆ LOC: fam **en mis/tus/sus (propias) narices**, right under my/your/his very nose; fam **meter las narices en algo**, to poke one's nose into sthg
narración *f* narration
narrador,-ora *m,f* narrator
narrar *vtr* to narrate, tell
narrativa *f* narrative
narrativo,-a *adj* narrative
nata *f* 1 (de pastelería) cream 2 (sobre la leche hervida) skin 3 (lo más selecto) cream, best
natación *f* swimming
natal *adj* **mi ciudad natal**, my home town; **tu país natal**, your native country
natalidad *f* birth rate
natillas *fpl* Culin custard *sing*
natividad *f* Nativity
nativo,-a *adj* & *m,f* native
natural I *adj* 1 natural; **a tamaño natural**, life-size 2 (nativo) **soy natural de Castilla**, I come from Castilla
II *m* 1 (temperamento, inclinación) nature 2 Arte life: **lo pintó del natural**, he painted it from life
naturaleza *f* 1 nature; Arte **naturaleza muerta**, still life 2 (constitución) physical constitution
naturalista I *adj* naturalistic
II *mf* naturalist
naturismo *m* naturism
naturista *mf* naturist
naufragar *vi* 1 (una embarcación) to sink, be wrecked; (una persona) to be shipwrecked 2 (un proyecto, negocio) to founder, fail
naufragio *m* Náut shipwreck
náufrago,-a *m,f* shipwrecked person; fig castaway
náusea *f* (usu pl) nausea, sickness; **siento/tengo náuseas**, I feel sick
náutico,-a *adj* nautical
navaja *f* 1 (cuchillo de bolsillo) penknife, pocketknife; (arma blanca) knife; (de afeitar) razor 2 (marisco) razor-shell
naval *adj* naval
nave *f* 1 (barco) ship; (espacial) spaceship, spacecraft 2 Ind plant; (almacén) warehouse; (local amplio) building 3 (de iglesia) nave
navegable *adj* navigable
navegar *vi* to navigate
Navidad *nf* (tb en pl) Christmas; **¡Feliz Navidad!**, Merry Christmas!
navideño,-a *adj* Christmas
nazi *adj* & *mf* Nazi
neblina *f* mist, thin fog
necedad *f* 1 (ignorancia, imprudencia) stupidity, foolishness 2 (hecho o dicho) stupid thing to say o to do

necesario,-a *adj* necessary

neceser *m* toilet bag, sponge bag

necesidad *f* 1 necessity, need 2 *(dificultad económica)* hardship

necesitado,-a *adj* needy

necesitar *vtr* to need

néctar *m* nectar

nectarina *f Bot* nectarine

neerlandés,-esa I *adj* Dutch, of o from the Netherlands
II *m,f (persona) (hombre)* Dutchman; *(mujer)* Dutchwoman; **los neerlandeses,** the Dutch
III *m (idioma)* Dutch

nefasto,-a *adj* unlucky, ill-fated

negación *f* 1 *(de los hechos, de una acusación)* denial; *(a colaborar, participar)* refusal 2 *Ling* negative

negar *vtr* 1 to deny 2 *(rechazar)* to refuse, deny

■ **negarse** *vr* to refuse [a, to]

negativa *f* denial

negativo,-a I *adj* negative, adverse
II *m Fot* negative

negligencia *f* negligence

negociación *f* negotiation

negociante *mf* dealer; *(hombre)* businessman; *(mujer)* businesswoman

negociar I *vtr (acordar, tratar)* to negotiate
II *vi (traficar, comerciar)* to do business, deal

negocio *m* 1 *Com Fin* business 2 *(asunto)* affair

negrilla, negrita *adj & f Impr* bold

negro,-a I *adj* 1 black; *(bronceado)* suntanned 2 *(muy sucio)* filthy, black 3 *(suerte, situación)* awful 4 *(furioso)* furious 5 *(raza, música)* black 6 *(no legalizado)* **mercado negro,** black market
II *m,f (hombre)* black man; *(mujer)* black woman
III *m* 1 *(color)* black 2 *(tabaco)* black tobacco 3 *(escritor anónimo)* ghostwriter
IV *f* 1 *Mús* quarter note 2 *(mala suerte)* **la negra,** bad luck

nene,-a *m,f (niño)* baby boy; *(niña)* baby girl

neolítico,-a *adj* neolithic

neozelandés,-esa I *adj* of/from New Zealand
II *mf* New Zealander

Neptuno *m Astron* Neptune

nervio *m* 1 *Anat Bot* nerve; *(de la carne)* sinew 2 *(vigor, carácter)* nerve, courage 1 **nervios, nerves** *pl*

nerviosismo *m* nerves *pl*

nervioso,-a *adj* nervous

neto,-a *adj* net

neumático,-a I *adj* pneumatic
II *m Auto* tire

neumonía *f* pneumonia

neurólogo,-a *m,f* neurologist

neurótico,-a *adj & m,f* neurotic

neutral *adj* neutral

neutralizar *vtr* to neutralize

neutro,-a *adj* 1 neutral 2 *Ling* neuter

nevada *f* snowfall

nevado,-a *adj* snow-covered

nevar *v impers* to snow

nevera *f* 1 *(electrodoméstico)* refrigerator, *fam* fridge 2 *(para excursiones)* cool box

nexo *m* connection, link

ni *conj* 1 **no ... ni, ni ... ni,** neither ... nor, not ... or: **ni vive ni deja vivir,** she won't live or let live; **no iréis ni tú ni él,** neither you nor he will go 2 *(siquiera)* even: **ni aunque me maten,** not even if they kill me

Nicaragua *f* Nicaragua

nicaragüense *adj & mf* Nicaraguan

nicho *m* niche

nicotina *f* nicotine

nido *m* nest

niebla *f* fog

nieto,-a *m,f (niño)* grandson; *(niña)* granddaughter; **los nietos,** the grandchildren

nieve *f* snow

ningún *adj* → **ninguno,-a**

ninguno,-a I *adj* 1 no: **no tienes ninguna vergüenza,** you have no shame; *(con otro negativo)* not ... any: **no queda ninguna galleta,** there aren't any biscuits left
II *pron* 1 *(persona)* no one: **él tiene un hermano y yo ninguno,** he has a brother and I don't; *(referido a dos personas)* neither: **ninguno de nosotros (dos) tiene hermanas,** neither of us has a sister; *(referido a un grupo)* **ninguno vino a misa,** none of them came to mass; *(nadie)* nobody, no one: **ninguno lo sabía,** nobody knew it 2 *(objeto)* **yo tengo una oportunidad, pero él ninguna,** I have a chance, but he has none; *(referido a dos objetos)* neither: **ninguno es útil,** neither is useful; *(referido a un grupo)* **ninguno era rojo,** none of them was red

niña I *f* 1 *girl* 2 *Anat* pupil
II *adj* → **niño,-a**

niñera *f* nursemaid, nanny

niñez *f* childhood

niño,-a I *m,f* child: **tiene dos niños y una niña,** he has two sons and a daughter; **va a tener un niño,** she's expecting a baby
II *adj (persona infantil)* child
♦ | LOC: **la niña de tus ojos,** the apple of one's eye

níquel *m* nickel

níspero *m* medlar

nítido,-a *adj (claro, límpido)* clear; *(bien definido)* sharp

nitrógeno *m* nitrogen

nivel *m* 1 level 2 standard 3 *Ferroc* **paso a nivel,** grade crossing

nivelar *vtr* 1 to level out 2 *(las fuerzas, el presupuesto, etc)* to balance out

no I *adv* 1 *(como respuesta)* no: ¿quieres un

poco?, - no, gracias, would you like a bit?, - no, thanks **2** *(en frases negativas)* not: **aún no está dormido,** he isn't asleep yet; **¿por qué no?,** why not? **2** *(en preguntas retóricas o de confirmación)* **está enfadado, ¿no es así?,** he is angry, isn't he?
II *m* no: **¿es un no definitivo?,** is that a definite no?
noble I *adj 1 (aristocrático)* noble **2** *(sincero, honrado)* honest, noble
II *m (hombre)* nobleman; *(mujer)* noblewoman
nobleza *f* nobility
noche *f* **1** *noche 2 (espacio de tiempo: antes de las diez)* evening ♦ LOC: **buenas noches,** *(saludo)* good evening, *(despedida)* good night; **de la noche a la mañana,** overnight
Nochebuena *f* Christmas Eve
Nochevieja *f* New Year's Eve
noción *f* **1** notion, idea **2 nociones,** basic knowledge *sing*
nocivo,-a *adj* harmful
nocturno,-a *adj* **1** night **2** *Bot Zool* nocturnal
nodriza *f* **1** *(ama de cría)* wet nurse **2** *(vehículo)* **nave nodriza,** supply spaceship
nogal *m Bot* walnut (tree)
nómada 1 *adj* nomadic
II *mf* nomad
nombramiento *m* appointment
nombrar *vtr* **1** *(para un cargo)* to appoint **2** *(mencionar)* to name, mention
nombre *m* **1** name **2** *Ling* noun ♦ LOC: **en nombre de algo/alguien,** on behalf of sthg/sb
nómina *f* **1** *(sueldo mensual)* salary; *(documento)* payslip **2** *(plantilla de trabajadores)* payroll
nominar *vtr* to nominate
nominativo,-a *adj* bearing a person's name
nordeste *m* → **noreste**
nórdico,-a I *adj (escandinavo)* Nordic
II *m,f* Nordic person
noreste *m* northeast
noria *f* **1** *(atracción de feria)* big wheel **2** *(para sacar agua)* water-wheel
norirlandés,-esa I *adj* Northern Irish
II *m,f (hombre)* Northern Irishman; *(mujer)* Northern Irishwoman
norma *f* norm, rule
normal *adj* normal, usual
normalidad *f* normality
normalizar *vtr* **1** *(sujetar a norma)* to standardize **2** *(volver a la normalidad)* to normalize, restore to normal
■ **normalizarse** *vr* to return to normal
normativa *f* rules *pl*
noroeste *m* northwest
norte *m* north
norteño,-a I *adj* northern
II *m,f* Northerner
Noruega *f* Norway
noruego,-a I *adj* Norwegian
II *m,f* Norwegian

III *m (idioma)* Norwegian
nos *pron pers* **1** us: **no nos lo dijo,** he didn't tell us **2** *(reflexivo)* ourselves: **no nos hemos portado bien,** we haven't behaved ourselves **3** *(recíproco)* each other: **nos conocemos desde hace tiempo,** we have known each other for a long time
nosotros,-as *pron pers pl* **1** *(como sujeto)* we: **nosotros somos simpáticos,** we are nice **2** *(como complemento)* us: **ven con nosotras,** come with us
nostalgia *f* **1** *(de otros tiempos)* nostalgia; *(del hogar, la patria)* homesickness
nostálgico,-a *adj* **1** *(de otros tiempos)* nostalgic; *(del hogar, la patria)* homesick
nota *f* **1** *(escrito breve)* note; **tomar notas,** to take notes **2** *Educ* mark, grade **3** *(cuenta, factura)* bill **4** *Mús* note
notable I *adj* **1** *(cualidad, mérito)* outstanding, remarkable; *(distancia, diferencia)* noticeable
II *m Educ* the grade of B
notar *vtr* **1** *(darse cuenta)* to notice **2** *(a alguien en un estado)* to find **3** *(sentir)* to feel
■ **notarse** *vr* **1** to be noticeable *o* evident, to show **2** *(sentirse)* to feel
notaría *f* notary's office
notario,-a *m,f* notary (public); *(en determinadas funciones)* solicitor
noticia *f* news *sing*
notificar *vtr* to notify
novato,-a I *adj* inexperienced; *fam* green
II *m,f* novice, beginner
novecientos,-as *adj & m,f* nine hundred
novedad *f* novelty
novedoso,-a *adj* **1** *(un estilo, punto de vista)* new, original **2** *(una técnica, solución)* innovative
novela *f* novel
novelista *mf* novelist
noveno,-a *adj & m* ninth
noventa *adj & m inv* ninety
novia *f* **1** *(pareja)* girlfriend **2** *(prometida oficial)* fiancée **3** *(en la boda)* bride
noviazgo *m* engagement
noviembre *m* November
novillada *f* bullfight with young bulls
novillero,-a *m,f* apprentice matador
novillo,-a *m,f (toro)* young bull; *(vaca)* young cow
novio *m* **1** *(pareja)* boyfriend **2** *(prometido oficial)* fiancé **3** *(en la boda)* (bride) groom; **los novios,** the bride and groom
nube *f* cloud
nublado,-a *adj* cloudy, overcast
nublarse *vr* **1** to become cloudy, cloud over **2** *(una imagen, la vista, memoria)* to cloud over
nuboso,-a *adj* cloudy
nuca *f Anat* nape, back of the neck
nuclear *adj* nuclear
núcleo *m* **1** nucleus **2** *(parte más importante)* core **3** *(grupo de personas)* group **4** *(foco)* focus **5**

núcleo urbano, city center
nudillo *m (usu pl)* knuckle
nudista *adj* & *mf* nudist
nudo *m* knot
nuera *f* daughter-in-law
nuestro,-a I *adj pos* 1 *(antepuesto al sustantivo)* our; **nuestro padre,** our father 2 *(pospuesto sin artículo)* our: **es primo nuestro,** he's our cousin; *(pospuesto con artículo indeterminado)* of ours; **un libro nuestro,** a book of ours
II *pron pos* ours: **la nuestra es más grande,** ours is bigger
nueve *adj* & *m inv* nine
nuevo,-a I *adj* 1 new 2 *(añadido)* further
♦ | LOC: **de nuevo,** again
nuez *f* 1 *Bot* walnut 2 *Culin* **nuez moscada,** nutmeg 3 *Anat (de la garganta)* Adam's apple
nulo,-a *adj* 1 *(no válido)* null and void, invalid; *Dep* **lanzamiento/gol nulo,** disallowed shot/goal 2 *(inepto)* useless, hopeless
numeración *f* numeration; **numeración arábiga/romana,** Arabic/Roman numerals *pl*
numerar *vtr* to number
número *m* 1 number; **número de teléfono,** telephone number 2 *(de una revista)* number, issue 3 *(de calzado)* size 4 *(de un espectáculo)* sketch, act
numeroso,-a *adj* numerous
nunca *adv* 1 never 2 *(con otros adverbios)* ever; **casi nunca,** hardly ever; **más que nunca,** more than ever; **nunca jamás,** never ever
nupcial *adj* wedding, nuptial
nutria *f Zool* otter
nutrición *f* nutrition
nutrir *vtr* to nourish, feed
■ **nutrirse** *vr* to feed [**de/con,** on]
nutritivo,-a *adj* nutritious, nourishing

Ñ

Ñ, ñ *f (letra)* Ñ, ñ
ñame *m LAm* yam
ñandú *m* rhea
ñoñería, ñoñez *f* 1 *(falta de gracia)* insipidness 2 *(mojigatería)* prudery
ñoño,-a *adj* 1 *(sin gracia)* drippy, dull 2 *(mojigato)* prudish; *(remilgado)* whiny, fussy
II *m* *f* whiny person, drip
ñoqui *m* gnocchi

O

O, o *f (letra)* O, o
O *(abr de* **oeste)** West, W
o *conj* 1 or; **carne o pescado,** meat or fish 2 **o ... o,** either ... or: **o es zurdo o es diestro,** he must be either lefthanded or righthanded
oasis *m inv* oasis

obedecer I *vtr* to obey
II *vi* 1 *(ser debido a)* to be due to 2 *(los frenos, un animal)* to respond
obediencia *f* obedience
obediente *adj* obedient
obertura *f* overture
obesidad *f* obesity
obeso,-a *adj* & *m,f* obese
obispo *m* bishop
objeción *f* objection
objetar *vtr* to object
objetividad *f* objectivity
objetivo,-a I *adj* objective
II *m* 1 *(finalidad)* objective, aim 2 *(de un misil, disparo)* target 3 *Cine Fot* lens
objeto *m* 1 object 2 *(finalidad)* aim, purpose 3 *Ling* object
objetor,-ora *m,f* objector; **objetor de conciencia,** conscientious objector
oblicuo,-a *adj* oblique
obligación *f* 1 *(deber, compromiso)* obligation, duty 2 *Fin* bond, debenture
obligar *vtr* to force, oblige
obligatorio,-a *adj* compulsory, obligatory
obra *f* 1 *(producto, trabajo)* (piece of) work; **obra de arte,** work of art 2 *(acción)* deed 3 *Constr* building site; *(de la carretera, etc)* repairs 4 *Teat* play 5 *(efecto, resultado)* result
obrar I *vi* 1 *(proceder)* to act, behave 2 *(hallarse)* **el testamento obra en mi poder/mis manos...,** the will is in my possession
II *vtr (causar)* to work
obrero,-a I *m,f* worker
II *adj* working; **el movimiento obrero,** the labor movement
obsceno,-a *adj* obscene
obsequio *m* gift, present
observación *f* observation
observador,-ora I *m,f* observer
II *adj* observant
observar *vtr* 1 *(mirar detenidamente)* to observe, watch 2 *(advertir)* to notice 3 *(la ley, las costumbres, etc)* to observe
observatorio *m* observatory
obsesión *f* obsession
obsesionar *vtr* to obsess
■ **obsesionarse** *vr* to get obsessed
obsesivo,-a *adj* obsessive
obsoleto,-a *adj* obsolete
obstaculizar *vtr* 1 *(un propósito, actividad)* to hinder 2 *(el paso de una persona, animal, etc)* to stand in the way of; *(de un fluido)* to obstruct
obstáculo *m* 1 *(dificultad)* handicap 2 *(en un camino, etc)* obstacle
obstante (no) I *conj* nevertheless
II *adv* in spite of, despite
obstinado,-a *adj* obstinate
obstinarse *vr* to persist [**en,** in]
obstrucción *f* 1 obstruction 2 *Med* blockage

obstruir vtr to block, obstruct
■ **obstruirse** vr to get blocked up
obtener vtr to obtain, get
■ **obtenerse** vr to come from
obvio,-a adj obvious
oca f 1 Zool goose 2 (juego de mesa) chutes and ladders
ocasión f 1 (circunstancia) occasion 2 (coyuntura favorable) opportunity, chance 3 Com bargain; **coches de ocasión,** second-hand cars; **precios de ocasión,** discount prices
ocasional adj 1 (casual) accidental, chance 2 (temporal, circunstancial) occasional
ocasionar vtr to cause, bring about
ocaso m 1 (puesta de sol) sunset 2 (decadencia) decline, twilight
occidental adj western, occidental
occidente m west; **el Occidente,** the West
océano m ocean
ochenta adj & m inv eighty
ocho adj & m inv eight
ochocientos,-as adj & m,f eight hundred
ocio m leisure time
ocre m ochre, ocher
octavilla f pamphlet, leaflet
octavo,-a adj & m,f eighth
octubre m October
ocular adj eye
oculista mf ophthalmologist, oculist
ocultar vtr to conceal, hide
■ **ocultarse** vr to hide
oculto,-a adj concealed, hidden
ocupación f occupation
ocupado,-a adj 1 (atareado) busy 2 (asiento) taken; (aseos, teléfono) engaged 3 (invadido, sitiado) occupied
ocupar vtr 1 (espacio, tiempo) to take up 2 (un puesto) to hold, fill 3 (casa, territorio) to occupy; (ilegalmente) to squat (in)
■ **ocuparse** vr 1 (de alguien) to look after 2 (de hacer algo) to see to; (de una actividad) to be in charge of
ocurrencia f 1 (comentario ingenioso) witty remark, wisecrack 2 (idea repentina) idea
ocurrente adj witty
ocurrir v impers to happen, occur
■ **ocurrirse** vr se le ocurrió que fuésemos a Cancún, it occured to him that we could go to Cancun
odiar vtr to detest, hate
odio m hatred, loathing
odioso,-a adj hateful
odontólogo,-a m,f dentist, dental surgeon
oeste m west
ofender vtr to offend
■ **ofenderse** vr to get offended [con/ por, by], take offense [con/ por, at]
ofensa f offense; (insulto) insult, affront
ofensivo,-a adj offensive
oferta f 1 offer 2 Econ oferta y demanda,

supply and demand 4 Com bargain
ofertar vtr to offer
oficial I adj official
II m f officer
oficialista adj LAm (progubernamental) pro-government
oficina f 1 office 2 oficina de correos/ turismo, post/tourist office; **oficina de empleo,** job office, employment office
oficinista mf office worker, clerk
oficio m 1 trade; (profesión) job, occupation 2 (comunicación oficial) official letter o note; **abogado de oficio,** state-appointed lawyer 3 Rel service
ofimática f Inform office automation
ofrecer vtr 1 (agua, ayuda, dinero, etc) to offer 2 (posibilidad, solución, consejo) to give 3 (un homenaje, banquete, etc) to hold
■ **ofrecerse** vr (a hacer algo) to offer, volunteer [**para,** to]
oftalmólogo,-a m,f ophthalmologist
ogro m ogre
oídas (de) loc adv by hearsay
oído m ear; **de oído,** by ear 2 (facultad) hearing
oír vtr 1 (un sonido o ruido) to hear 2 (un ruego, consejo, una mentira) to pay attention, listen to
ojal m buttonhole
ojalá excl 1 (como respuesta) let's hope so! 2 (+ subjuntivo) ¡ojalá venga mañana!, I hope she comes tomorrow!
ojeada f quick look
ojera f (más en pl) ring o bag under the eyes
ojo I m 1 eye: **mírame a los ojos,** look into my eyes 2 (de cerradura) keyhole 3 (de un puente) span 4 (precaución) **ten mucho ojo al cruzar la calle,** be very careful when you cross the street 5 (tino, acierto) **¡qué ojo tienes para las tallas!,** you're such a good judge of sizes!
II excl careful!, watch out!
okupa mf fam squatter
ola f wave
oleada f wave
oleaje m swell
óleo m oil
oleoducto m pipeline
oler vtr & vi to smell
■ **olerse** vr to suspect, sense
olfatear vtr 1 (un olor, rastro) to sniff 2 fig (fisgar, husmear) to pry into
olfato m 1 (sentido) sense of smell 2 fig (intuición, sagacidad) good nose, instinct
oligarquía f oligarchy
olimpiada f Dep Olympiad, Olympic Games pl; **las Olimpiadas,** the Olympic Games
olímpico,-a adj Olympic
oliva f olive
olivo m Bot olive (tree)
olla f 1 saucepan, pot; **olla exprés** o **a**

presión, pressure cooker **2** *(modo de cocinar)* stew

olmo *m Bot* elm

olor *m* smell

olvidadizo,-a *adj* forgetful

olvidar *vtr* **1** *(desterrar de la memoria)* to forget **2** *(dejar por descuido)* to leave (behind)

■ **olvidarse** *vr* to forget

olvido *m* **1** oblivion **2** *(despiste)* oversight

ombligo *m* navel

omisión *f* omission

omiso,-a *adj en la loc* **hacer caso omiso de,** to take no notice of

omitir *vtr* to omit, leave out

omnipotente *adj* omnipotent, almighty

omnipresente *adj* omnipresent

omnívoro,-a I *adj* omnivorous

II *m,f* omnivore

omóplato, omoplato *m Anat* shoulder blade

once I *adj inv* eleven

II *m inv* **1** eleven **2** *Ftb* eleven, team

onda *f* wave; **onda electromagnética,** electromagnetic wave; *Rad* **onda corta/media,** short/medium wave **2** *(en un líquido)* ripple

ondear *vi* to flutter

ondulado,-a *adj (pelo)* wavy; *(terreno, perfil)* undulating

ondular I *vtr (el pelo)* to wave

II *vi (una superficie)* to undulate; *(una bandera)* to flutter

onomatopeya *f* onomatopoeia

onza *f* **1** *(de chocolate)* square **2** *(medida de peso de 28,7 gr)* ounce

opaco,-a *adj* **1** *(no translúcido)* opaque **2** *(sin brillo, sombrío)* dull

ópalo *m* opal

opción *f* **1** option **2** *(alternativa)* alternative

opcional *adj* optional

open *m* open

ópera *f* opera

operación *f* **1** operation **2** *Fin* transaction, deal

operador,-ora *m,f* **1** *(de una máquina)* operator **2** *Cine (de una cámara) (hombre)* cameraman, *(mujer)* camerawoman; *(de un proyector)* projectionist

operar I *vtr* **1** *Med* to operate [a, on] **2** *(llevar a cabo, efectuar)* to bring about

II *vi* **1** *(actuar)* to operate **2** *Fin* to deal, do business [con, with]

■ **operarse** *vr* **1** *Med* to have an operation **2** *(efectuarse)* to occur, take place

operario,-a *m,f* operator; *(obrero)* worker

opinar *vi* **1** *(tener una opinión formada)* to think **2** *(declarar una opinión)* to give one's opinion

opinión *f* opinion

opio *m* opium

oponente *mf* opponent

oponer *vtr* **1** to put up **2** *(un argumento, razón)* to put forward

■ **oponerse** *vr* **1** *(manifestarse en contra)* to be opposed, object **2** *(contradecir)* **su teoría se opone a la mía,** his theory is opposite to mine

oporto *m (vino)* port (wine)

oportunidad *f* opportunity, chance

oportuno,-a *adj* **1** *(momento, acción)* timely **2** *(persona, comentario, medidas)* appropriate

oposición *f* **1** *(enfrentamiento, disparidad)* opposition **2** *(examen para funcionario)* competitive/entrance examination

opositar *vi* to sit a competitive examination

opositor,-ora *m,f* **1** *(en un examen público)* candidate for a competitive examination **2** *(a un proyecto, una opinión, etc)* opponent

opresión *f* oppression

opresivo,-a *adj* oppressive

oprimir *vtr* **1** *(un botón)* to press; *(zapatos, prenda)* to be too tight **2** *(someter)* to oppress

optar *vi* **1** *(decidirse)* to choose [**entre,** between] **2** *(a un puesto, a un galardón)* to apply [**a,** for]

optativo,-a *adj* optional

óptica *f* **1** *(establecimiento)* optician's (shop) **2** *(ciencia)* optics **3** *(forma de considerar)* point of view

óptico,-a I *adj* optical

II *m,f* optician

optimista I *adj* optimistic

II *mf* optimist

opuesto,-a *adj* opposite

opulento,-a *adj* opulent

oración *f* **1** *Rel* prayer **2** *Ling* sentence

orador,-ora *m,f* speaker, orator

oral *adj* oral

orangután *m Zool* orangutang

orar *vi Rel* to pray

órbita *f* **1** orbit **2** *Anat* eye socket

orden I *m* order: **orden del día,** agenda

II *f* order: **no obedecimos sus órdenes,** we failed to obey his orders ♦ | LOC: *Mil* **¡a la orden/a sus órdenes!,** yes, sir!

ordenado,-a *adj* tidy

ordenador *m* computer

ordenanza I *m* **1** *(en una oficina)* office boy, porter **2** *Mil* orderly

II *f* regulations, by-laws

ordenar *vtr* **1** *(un armario, los papeles, etc)* to put in order, arrange; *(una habitación, la casa)* to tidy up **2** *(dar un mandato)* to order

■ **ordenarse** *vr Rel* to be ordained

ordeñar *vtr* to milk

ordinario,-a *adj* **1** *(habitual)* ordinary, common **2** *(basto, grosero)* vulgar, common

orégano *m* oregano

oreja *f Anat* ear

orfanato *m* orphanage

orfebre *m (del oro)* goldsmith; *(de la plata)* silversmith

orfelinato *m* orphanage

orfeón *m Mús* choral society, choir

orgánico,-a *adj* organic

organismo *m* 1 *Zool Biol Bot* organism 2 *(institución)* organization

organización *f* organization

organizar *vtr* to organize

■ **organizarse** *vr* 1 to organize oneself 2 *(una bronca, una fiesta)* to take place

órgano *m* organ

orgasmo *m* orgasm

orgía *f* orgy

orgullo *m* 1 *(autoestima, pundonor)* pride 2 *(soberbia, altivez)* arrogance

orgulloso,-a *adj* 1 proud 2 *(altivo, soberbio)* to be arrogant, haughty

orientación *f* 1 *(en el espacio)* orientation, direction 2 *(en el conocimiento)* guidance 3 *(ideología, tendencia)* direction

oriental I *adj* eastern, oriental

II *mf* Oriental

orientar *vtr* 1 *(un objeto)* to position 2 *(a una persona)* to advise, guide 3 *(indicar camino)* to give directions 4 *(actitud, acción, etc, hacia un fin determinado)* to direct, aim

■ **orientarse** *vr (una persona en un lugar)* to get one's bearings, to find one's way

oriente *m* East; **el Extremo/Medio Oriente,** the Far/Middle East

orificio *m* 1 hole 2 *Anat Téc* orifice; *(de la nariz)* nostrils

origen *m* 1 origin 2 *(causa)* cause ◆ | LOC: **dar origen a,** to give rise to

original I *adj* original

II *mf* original

originar *vtr* to cause, give rise to

■ **originarse** *vr* to originate, start

orilla *f* 1 *(de una superficie, de un camino)* edge 2 *(de un río)* bank 3 *(del mar, de un lago)* shore

orina *f* urine

orinal *m* chamberpot; *fam* potty; *(en hospital)* bedpan

orinar *vi* to urinate

■ **orinarse** *vr* to wet oneself

ornamento *m* ornament

oro *m* 1 oro; **oro de ley,** fine gold 2 *(en la baraja española)* **oros,** ≈ diamonds

orquesta *f* 1 *(de concierto)* orchestra 2 *(de verbena, jazz, etc)* band

orquestar *vtr* to orchestrate

orquídea *f* orchid

ortiga *f* (stinging) nettle

ortodoxo,-a *adj & m,f* orthodox

ortografía *f* orthography, spelling

ortográfico,-a *adj* orthographic(al): **signos ortográficos,** punctuation marks

ortopedia *f* 1 *(ciencia)* orthopedics 2 *(establecimiento)* surgical aids shop

oruga *f* caterpillar

orzuelo *m* sty, stye

os *pron pers pl & m,f* 1 *(complemento directo)* you: **os llevo al aeropuerto,** I'll take you to the airport 2 *(con verbo reflexivo)* yourselves: **os vais a hacer daño,** you're going to hurt yourselves 3 *(con verbo recíproco)* each other: **siempre os estáis fastidiando,** you're always bothering each other

osadía *f* 1 *(falta de temor)* daring 2 *(falta de respeto)* impudence

osar *vi* to dare

oscilación *f* 1 *(movimiento)* oscillation 2 *(cambio en un valor)* fluctuation

oscilar *vi* 1 *Fís* to oscillate, swing; *(la luz de una vela)* to flicker 2 *(variar)* to vary, fluctuate

oscuras (a) *loc adv* in darkness

oscurecer I *vi impers (el día)* to get dark

II *vtr* 1 *(un material)* to darken, make darker 2 *(la comprensión, la razón)* to obscure

■ **oscurecerse** *vr* to get darker

oscuridad *f* 1 *(falta de luz)* darkness, dark 2 *(falta de información)* obscurity, obscureness

oscuro,-a *adj* 1 *(el día, un color)* dark 2 *(un asunto, una idea)* obscure

óseo,-a *adj* bony

oso,-a *m,f* bear; **oso de peluche,** teddy bear; **oso hormiguero,** anteater

ostentación *f* ostentation

ostentar *vtr* 1 *(exhibir)* to flaunt 2 *(un cargo, un título)* to hold

ostentoso,-a *adj* ostentatious

ostra *f* oyster

otitis *f inv Med* otitis

otoñal *adj* autumnal

otoño *m* autumn, fall

otorgar *vtr* 1 *(un reconocimiento, un premio)* to award [**a,** to] 2 *(un derecho, una petición)* to grant

otorrinolaringólogo,-a *m,f* ear, nose and throat specialist, *frml* othorhinolaryngologist

otro,-a I *adj indef* 1 *(adicional, añadido)* another: **había otra muñeca,** there was another doll; *(distinto, diferente)* **no veo otra solución,** I can see no other solution 2 *(con artículo definido)* other: **la otra hermana es rubia,** the other sister is blonde

II *pron indef* 1 *(adicional, extra)* another (one): **me tomaría otra,** I'll have another one; *(distinto, diferente)* **no quiero otra,** I don't want any other one 2 *(con artículo definido)* *(sing)* the other (one); *(pl)* *(personas, cosas)* the others, the other ones

ovación *f* ovation

oval, ovalado,-a *adj* oval

ovario *m* ovary

oveja *f* sheep

ovillo *m* ball (of wool)

ovni *m* *(abr de objeto volador no identificado)* unidentified flying object, UFO

ovular I *adj* ovular
II *vi* to ovulate
óvulo *m Bot* ovule; *Zool* ovum
oxidado,-a *adj* rusty
oxidar *vtr* 1 *Quím* to oxidize 2 *(herrumbrar)* to rust
■ **oxidarse** *vr* 1 *Quím* to oxidize 2 *(herrumbrarse)* to rust, go *o* get rusty
óxido *m* 1 *Quím* oxide 2 *(herrumbre)* rust
oxigenado,-a *adj* oxygenated; **agua oxigenada,** (hydrogen) peroxide
oxígeno *m* oxygen
oyente *mf* 1 *Rad* listener 2 *Univ* occasional student
ozono *m* ozone

P

P, p *f (letra)* P, p
pabellón *m (de una feria, exposición)* stand, pavilion; *(de un edificio)* wing; *Dep* sports hall
pacer *vtr & vi* to graze
paciencia *f* patience`
paciente *adj & mf* patient
pacificación *f* pacification
pacificar *vtr* 1 *(una zona en conflicto, etc)* to pacify 2 *(los ánimos, personas)* to appease, calm
■ **pacificarse** *vr* to calm down
pacífico,-a *adj* peaceful
Pacífico *m* el **(océano) Pacífico,** the Pacific (Ocean)
pacifista *adj & mf* pacifist
pactar I *vtr* to agree
II *vi* to come to an agreement
pacto *m* pact, agreement
padecer *vtr* 1 *(una enfermedad)* to suffer from 2 *(soportar)* to endure
II *vi* to suffer
padrastro *m* 1 stepfather 2 *(de un dedo)* hangnail
padrazo *m* loving father
padre *m* father
padrenuestro *m* Lord's Prayer
padrino *m* 1 *(de bautizo)* godfather; *(de boda)* best man; **padrinos,** godparents 2 *(protector)* benefactor, guarantor
padrón *m* census
paella *f Culin* paella
paga *f* wages; *(de un niño)* pocket money
pagano,-a *adj & m,f* pagan
pagar *vtr* 1 *(abonar)* to pay 2 *(recompensar)* to repay 3 *(expiar)* to pay for; *fig* **¡me las pagarás!,** you'll pay for this!
II *vi* to pay
pagaré *m Fin* promissory note, IOU
página *f* page
pago *m* payment
país *m* country, land: **País Valenciano,** Valencia; **País Vasco,** Basque Country; **Países Bajos,** Netherlands *pl*

paisaje *m* landscape, scenery
paisano,-a I *adj* 1 of the same country 2 *(local, campesino)* village
II *m,f* 1 *(compatriota: hombre)* countryman, (: mujer) countrywoman 2 *(campesino, lugareño)* villager
III *m (no militar)* civil
paja *f* 1 straw 2 *fam (relleno, palabrería)* waffle
pajar *m* barn
pajarita *f* 1 *Indum* bow tie 2 *(de papel)* paper bird
pájaro *m* 1 *Zool* bird 2 *(granuja)* crook
pala *f* 1 *(cóncava)* shovel; *(plana)* spade 2 *(para servir alimentos)* slice; *(para el pescado)* fish slice 3 *(palada)* shovelful 4 *Dep (de tenis de mesa, etc)* bat 5 *(de remo, hélice, etc)* blade
palabra *f* 1 word 2 *(turno para hablar)* right to speak; **tener la palabra,** to have the floor
♦ |LOC: **dirigir la palabra a alguien,** to address sb
palabrota *f* swearword
palacio *m* palace
paladar *m* palate
palanca *f* 1 lever; **hacer palanca,** to lever 2 *(de un aparato, de un control de mandos)* handle, stick 3 *(influencia)* leverage
palangana *f* washbasin
palco *m Teat Cine* box
paleolítico,-a *adj* paleolithic
paleontología *f* paleontology
paleta *f* 1 *(de albañilería)* trowel 2 *(de artista)* palette 3 *Dep (de pimpón)* bat
paletilla *f* 1 *Anat* shoulder blade 2 *Culin* shoulder
paliar *vtr* to alleviate
palidecer *vi* 1 *(persona)* to turn pale 2 *(mermar su importancia, brillo)* to pale
palidez *f* paleness, pallor
pálido,-a *adj* pale
palillo I *m* 1 stick; *(para los dientes)* toothpick 2 *Mús* drumstick
II *mpl* 1 *(para la comida oriental)* chopsticks 2 *(castañuelas)* castanets
paliza *f* 1 beating 2 *(esfuerzo físico o mental)* slog 3 *(tostón, rollo)* drag
palma *f* 1 *(de la mano)* palm 2 *(palmera)* palm tree 3 **palmas,** clapping
palmada *f* clap
palmera *f* palm tree
palmo *m* span, handspan; *fig* few inches
palo *m* 1 stick 2 *(estacazo)* blow 3 *fam (disgusto, golpe)* blow; *(decepción)* disappointment; *(rollo)* drag 4 *(madera)* **una cuchara/pata de palo,** a wooden spoon/ leg 5 *Náut (mástil)* mast 6 *Dep (de portería)* woodwork 7 *Golf* club 8 *Naipes* suit
paloma *f* 1 *Zool* pigeon 2 *Lit Arte Rel* dove; **paloma de la paz,** dove of peace
palomitas *fpl* popcorn *sing*
palpar *vtr* 1 *(con las manos)* to touch, feel; *Med* to palpate 2 *fig (sentir, notar)* to feel

palpitación I *f* throbbing; *(del corazón)* beating

II *fpl* **palpitaciones**, palpitations *pl*

palpitar *vi* to throb; *(corazón)* to beat

pálpito *m* hunch, feeling

pamela *f* broad-brimmed hat

pampa *f* pampas *pl*

pan *m* 1 *(alimento, sustento)* bread; *(hogaza)* loaf; *(barra)* French bread; **pan rallado,** breadcrumbs *pl* 2 *Arte* **pan de oro/plata,** gold/silver leaf

pana *f Tex* corduroy

panadería *f* baker's (shop), bakery

panadero,-a *m,f* baker

panal *m* honeycomb

panamá *m* Panamá hat

Panamá *m* Panama

panameño,-a *adj* & *m,f* Panamanian

pancarta *f* *(reivindicativa)* banner; *(anunciadora)* placard, sign

páncreas *m inv Anat* pancreas

panda[1] *m Zool* panda

panda[2] *f* 1 *(de criminales)* gang 2 *(de amigos)* group, gang

pandereta *f Mús* tambourine

pandilla *f* gang

panecillo *m* bread roll

panel *m* panel

panfleto *m* pamphlet

pánico *m* panic

panorama *m* 1 *(paisaje)* panorama, view 2 *(visión, aspecto)* scene 3 *(situación general, previsión)* outlook

panorámico,-a *adj* panoramic

pantalón *m (usu pl)* trousers *pl*; **pantalón vaquero,** jeans *pl*

pantalla *f* 1 *Cine TV Inform* screen 2 *(de una lámpara)* shade

pantano *m* 1 *(ciénaga)* marsh, bog 2 *(presa, embalse)* reservoir

pantera *f* panther

pantis *m* tights *pl*

pantorrilla *f Anat* calf

pañal *m* diaper

paño *m* 1 *Tex* cloth material; *(de lana)* woolen cloth 2 *(trapo)* cloth; *(para limpiar)* duster, rag; *(de cocina)* tea towel

pañuelo *m* 1 *(de mano)* handkerchief 2 *(de cabeza)* shawl

papa[1] *f LAm* potato

papa[2] *m* 1 *Rel* **el Papa,** the Pope 2 *fam* dad, daddy

papá *m fam* dad, daddy

papada *f* double chin

papagayo *m* parrot

papel *m* 1 paper; **papel de aluminio,** aluminium foil; **papel de fumar,** cigarette paper; **papel higiénico,** toilet paper; *Fin* **papel moneda,** paper money, banknotes *pl* 2 *(trozo, hoja)* piece *o* sheet of paper 3 *(documento)* document 4 *Cine Teat* role,

part 5 *(función, cometido)* role 6 **papeles,** *(documentación)* documents, identification papers

papelera *f* *(de oficina, casa)* wastepaper basket; *(en la calle)* litter bin

papelería *f* stationer's

papeleta *f* 1 *(de un sorteo)* ticket; *(electoral)* ballot paper; *(de resultados)* report 2 *fam (situación complicada)* tricky problem, difficult job

paperas *fpl Med* mumps

papilla *f* pap, mush; *(de niños)* baby food

paquete *m* 1 package, parcel; *(de café, cereales, folios, etc)* pack 2 *(conjunto, grupo)* set, package; **paquete de medidas,** package of measures 3 *Inform* software package

par I *adj Mat* even

II *m* 1 *(conjunto de dos)* pair; **un par de calcetines,** a pair of socks; *(número reducido, dos)* couple: **bebimos un par de copas,** we had a couple of drinks 2 *Mat* even number; **pares y nones,** odds and evens 3 *(noble)* peer 4 *Golf* par; **cinco bajo par,** five under par ◆ | LOC: **a la par,** *(a la vez)* at the same time; **de par en par,** wide open

para *prep* 1 *(utilidad, aptitud)* for: **¿para qué tanto esfuerzo?,** what's all this effort for? 2 *(finalidad, motivo)* to, in order to: **lo hace para que te fijes en él,** he does it so that you notice him 3 *(destinatario)* for: **es para mamá,** it's for mom 4 *(opinión)* **para Paco todas las mujeres son guapas,** in Paco's opinion, all women are pretty 5 *(comparación, concesión)* for: **para ser tan joven tiene ideas muy sensatas,** he has very sensible ideas for his age 6 *(tiempo)* by: **estará listo para las cinco,** it'll be ready by five; **para entonces,** by then 7 *(a punto de)* **está para salir,** it's about to leave 8 *(dirección)* **el tren para Burgos acaba de salir,** the train for Burgos has just left

parábola *f* 1 *Geom* parabola 2 *Rel* parable

parabrisas *m inv Auto* windshield

paracaídas *m inv* parachute

paracaidista *mf Dep* parachutist; *Mil* paratrooper

parachoques *m inv* bumper, fender

parada *f* 1 stop; **parada de autobús,** bus stop; **parada de taxis,** taxi stand 2 *Ftb* save, stop 3 *Mil* parade

paradero *m* 1 *(lugar)* whereabouts *pl* 2 *LAm Ferroc (apeadero)* halt

parado,-a I *adj* 1 *(máquina, vehículo, etc)* stopped, stationary; *(persona)* still 2 *(sin trabajo)* unemployed, out of work 3 *fig (sin iniciativa)* slow 4 *LAm (de pie)* standing

II *m,f* unemployed person

paradójico,-a *adj* paradoxical

parador *m* roadside inn; **parador nacional,** state-run hotel

paraguas *m inv* umbrella
paragüero *m* umbrella stand
paraíso *m* paradise
paraje *m* spot, place
paralelo,-a *adj* & *m,f* parallel
parálisis *f inv* paralysis
paralítico,-a *adj* & *m,f* paralytic
paralizar *vtr* to paralyze; (*tráfico, etc*) to stop
■ **paralizarse** *vr* (*un miembro, órgano*) to become paralyzed; (*obra, proyecto*) to come to a standstill
paramilitar *adj* paramilitary
páramo *m* moor
paranoico,-a I *adj* paranoid
II *m,f* paranoic
parapléjico,-a *adj* & *m,f* paraplegic
parar I *vi* 1 to stop 2 (*alojarse*) to stay 3 (*finalizar, terminar*) **el cuadro fue a parar al rastro,** the painting ended up in the flea market
II *vtr* 1 to stop 2 *Dep* to save 3 *LAm* to stand up
■ **pararse** *vtr* 1 to stop 2 *LAm* (*ponerse en pie*) to stand up
pararrayos *m inv* lightning conductor
parásito,-a *adj* & *m* parasite
parcela *f* 1 (*de tierra*) plot 2 (*de influencia, poder*) area
parche *m* patch
parchís *m* ludo
parcial I *adj* 1 (*no ecuánime, no justo*) biased 2 (*no completo*) partial; **un contrato a tiempo parcial,** a part-time contract
II *m* mid-term exam
pardo,-a *adj* brown
parecer[1] *m* opinion
parecer[2] *vi* 1 (*tener un parecido*) to look like; (*tener un aspecto*) to look 2 (*causar una impresión*) to seem 3 (*al emitir un juicio*) **le pareces un engreído,** he thinks you are spoiled
■ **parecerse** *vr* 1 (*asemejarse, tener afinidad*) to be alike 2 (*tener parecido físico*) to look like, resemble
parecido,-a *adj* alike, similar
II *m* likeness, resemblance
pared *f* wall
parejo,-a I *adj* same, similar
II *f* 1 (*de objetos*) pair 2 (*hombre y mujer*) couple 3 (*compañero*) partner
parentesco *m* relationship, kinship
paréntesis *m inv* 1 parenthesis, bracket 2 (*digresión*) digression 3 (*descanso, pausa*) break, interruption
pariente *mf* relative
parir *vtr* & *vi* to give birth (to)
parking *m* parking lot
paro *m* 1 (*desempleo*) unemployment 2 (*huelga*) strike, stoppage 3 **paro cardíaco,** heart failure
parodia *f* parody

parpadear *vi* 1 (*pestañear*) to blink 2 *fig* (*una bombilla, las estrellas*) to flicker
párpado *m* eyelid
parque *m* 1 (*terreno verde*) park; **parque de atracciones,** funfair 2 (*de un servicio público*) station; **parque de bomberos,** fire station 3 (*corral de niños*) playpen
parqué *m* parquet
parra *f Bot* grapevine
párrafo *m* paragraph
parrilla *f Culin* grill
párroco *m* parish priest
parroquia *f* parish; (*iglesia*) parish church
parte I *f* 1 (*porción, trozo*) part 2 (*de dinero, herencia, etc*) share 3 (*lado, sitio*) place, spot: **en cualquier parte,** anywhere 4 (*en un enfrentamiento, discusión*) side: **¿de qué parte estás?,** whose side are you on? 5 *Jur* party
II *m* 1 (*informe*) report: **parte médico/meteorológico,** medical/weather report 2 *Rad Tel* news
◆ | LOC: **de parte de...,** on behalf of...; *Tel* **¿de parte de quién?,** who's calling?; **por otra parte,** on the other hand
participación *f* 1 participation 2 (*de un décimo de lotería*) part of a lottery ticket 3 *Fin* share, stock 4 (*comunicación formal*) notice, notification
participante I *adj* participating
II *mf* participant
participar I *vi* 1 to take part, participate [**en, in**] 2 *Fin* to have shares [**en, in**] 3 (*compartir*) **participar de,** to share
II *vtr* (*comunicar*) to notify
partícipe *mf* participant
participio *m Ling* participle
partícula *f* particle
particular I *adj* 1 (*concreto, singular*) particular 2 (*privado*) private, personal 3 (*raro, extraordinario*) peculiar
II *m* 1 (*persona*) private individual 2 (*asunto, tema*) subject, matter
partida *f* 1 (*del tren, de una persona*) departure 2 *Com* (*cargamento, lote*) batch, consignment 3 (*de ajedrez*) game 4 *Jur* (*documento oficial*) certificate 5 *Fin* (*de un presupuesto*) item
partido,-a *m* 1 *Pol* party 2 *Dep* match, game 3 (*beneficio, oportunidades, jugo*) advantage, benefit 4 **ser un buen partido,** to be a good catch
partir I *vtr* 1 (*romper, quebrar*) to break 2 (*dividir*) to split, divide; (*con un cuchillo*) to cut
II *vi* (*irse*) to leave, set out o off
◆ | LOC: **a partir de aquí/ahora,** from here on/now on
■ **partirse** *vr* to break (up)
partitura *f* score
parto *m* childbirth, labor
parvulario *m* nursery school
pasa *f Culin* raisin; **pasa de Corinto,** currant

pasada *f* 1 *(repaso, retoque: de la lección, trabajo)* revision; *(: de pintura)* coat; *(: para limpiar)* wipe 2 **mala pasada,** dirty trick ◆ | LOC: **de pasada,** in passing

pasadizo *m* passage

pasado,-a I *adj* 1 *(último)* last 2 *(sin actualidad, trasnochado)* old-fashioned 3 *(estropeado, podrido)* bad 4 *Culin* cooked 5 **pasado mañana,** the day after tomorrow
II *m* past

pasador *m* 1 *(de corbata)* pin; *(del pelo)* (hair) slide 2 *(de una puerta)* bolt

pasaje *m* 1 passage 2 *(pasajeros)* passengers *pl* 3 *(billete)* ticket

pasajero,-a I *adj* passing, temporary
II *m,f* passenger

pasamanos *m inv* handrail; *(de una escalera)* banister

pasamontañas *m inv* balaclava

pasaporte *m* passport

pasar I *vtr* 1 to pass 2 *(trasladar)* to move 3 *(dar)* to pass, give 4 *(hojas de libro)* to turn 5 *(el tiempo, la vida)* to spend, pass 6 *(soportar, sufrir)* to suffer, endure 7 *(río, calle, frontera)* to cross 8 *(tragar)* to swallow 9 *(tolerar, aguantar)* to bear 10 *(introducir)* to insert, put through 11 *(un examen, una eliminatoria)* to pass
II *vi* 1 to pass 2 *(entrar)* to come in 3 *(ser tolerable)* to be acceptable 4 *(exceder)* to surpass 5 *(a otro asunto)* to go on to 6 *(tiempo)* to pass, go by 7 *(arreglarse, apañarse)* **pasar sin,** to do without 8 *(suceder)* to happen: ¿qué pasa?, what's going on?; **pase lo que pase,** whatever happens *o* come what may
◆ | LOC: **pasarlo bien/mal,** to have a good/difficult time
■ **pasarse** *vr* 1 *(perder)* **se le pasó el turno,** she missed her turn 2 *(el momento, tiempo, etc)* to spend *o* pass time 3 *(un alimento)* to go off 4 *fam (excederse)* to go too far 5 **pásate por mi casa,** come by my place

pasarela *f* 1 *(puente pequeño)* footbridge; *(para embarcar)* gangway 2 *(de desfile de moda)* catwalk

pasatiempo *m* pastime, hobby

pascua *f* 1 Easter 2 **pascuas,** Christmas *sing*

pase *m* 1 pass, permit 2 *Cine* showing

pasear I *vi* to go for a walk
II *vtr* to take for a walk
■ **pasearse** *vr* to loaf about

paseo *m* 1 *(caminando)* walk; *(en caballo, vehículo)* ride 2 *(calle ancha)* avenue

pasillo *m* corridor

pasión *f* passion

pasividad *f* passivity

pasivo,-a I *adj* passive
II *m Com* liabilities *pl*

pasmado,-a *adj* amazed

paso *m* 1 *(sonido de pisadas)* footstep; *(de un baile)* step 2 *(camino, pasillo)* passage, way; *Auto* **ceda el paso,** give way; **paso a nivel,**

grade crossing; **paso de cebra,** zebra crossing; **paso de peatones,** crosswalk; **paso subterráneo,** *(para peatones)* subway; *(para vehículos)* underpass; **prohibido el paso,** no entry 3 *(acción)* passage, passing: **estamos de paso en la ciudad,** we are just passing through the town 4 *Tel* unit ◆ | LOC: **abrirse paso,** *(entre la multitud, maleza)* to make one's way, *(en la vida)* to get ahead

pasta *f* 1 paste; **pasta de dientes,** toothpaste 2 *(italiana)* pasta 3 *(de pastelería)* pastry 4 *fam (dinero)* dough, cash

pastar *vtr & vi* to graze

pastel *m* 1 cake; *(relleno de carne, compota, etc)* pie 2 *Arte* pastel

pastelería *f* 1 *(establecimiento)* *frml* confectioner's (shop), cake shop 2 *(productos)* cakes

pastilla *f* 1 *Med* tablet, pill 2 *(de jabón)* bar; *(de chocolate)* piece

pasto *m* 1 *(pastizal, pradera)* pasture; *(hierba)* grass 2 *(alimento)* fodder

pastor,-ora *m,f* 1 *(hombre)* shepherd; *(mujer)* shepherdess; **perro pastor,** sheepdog
II *m Rel* pastor, minister

pata *f* leg ◆ | LOC: **meter la pata,** to put one's foot in it; **patas arriba,** *(desordenado)* in a mess

patada *f* kick, *(pisotón)* stamp

patalear *vi* to stamp one's feet

paté *m* pâté

patear I *vtr* 1 *(dar patada)* to kick 2 *(recorrer a pie)* to walk
II *vi* *(en señal de protesta)* to stamp

patentar *vtr* to patent

patente I *adj* patent, obvious
II *f* patent

paternal *adj* paternal, fatherly

paternidad *f* paternity, fatherhood

paterno,-a *adj* paternal

patético,-a *adj* moving

patilla *f* 1 *(de unas gafas)* arm 2 **patillas,** *(de una persona)* sideburns

patín *m* 1 *(para ponerse en el pie)* skate; *(de ruedas)* roller skate; *(de hielo)* ice skate 2 *Náut* pedal boat

patinaje *m* skating; **patinaje artístico,** figure skating

patinar *vi* 1 to skate 2 *(resbalar)* to slip; *(vehículo)* to skid 3 *fam (equivocarse, meter la pata)* to put one's foot in it

patinete *m* scooter

patio *m* 1 *(de una casa)* yard, patio; *(de un colegio)* playground 2 *Teat Cine* **patio de butacas,** stalls

pato *m* duck

patoso,-a *adj* clumsy

patria *f* native country

patrimonio *m* wealth; **patrimonio cultural,** cultural heritage

patriota *m,f* patriot

patrocinador,-ora I *adj* sponsoring
II *m,f* sponsor
patrocinar *vtr* to sponsor
patrón,-ona I *m,f* **1** *(de una empresa, negocio)* employer; *fam (jefe)* boss **2** *Rel* patron saint **3** *(de un barco)* skipper **4** *(de una pensión) (hombre)* landlord; *(mujer)* landlady
II *m* **1** *(modelo)* pattern **2** *(medida)* standard
patronal I *adj* employers'
II *f (empresarios)* employers; *(dirección de empresa)* management
patrulla *f* **1** *Mil* patrol **2** *(grupo de personas)* **patrulla de rescate/vigilancia,** rescue/surveillance party
patrullar I *vtr* to patrol
II *vi* to be on patrol
paulatino,-a *adj* gradual
pausa *f* **1** *(descanso)* pause, break **2** *Mús* rest **3** *(botón)* pause button
pauta *f* **1** *(directrices)* guidelines *pl* **2** *(líneas sobre papel)* lines
pavimento *m* *(de la calle)* paving; *(de la carretera)* road surface
pavo *m* *Zool* turkey; **pavo real,** peacock
pavor *m* terror, dread
payaso *m* clown
paz *f* **1** *(concordia)* peace **2** *(tranquilidad, apacibilidad)* peacefulness ◆ | LOC: **¡déjame en paz!,** leave me alone!
peaje *m* **1** *(pago, importe)* toll **2** *(lugar)* toll gate
peatón,-ona *m, f* pedestrian
peatonal *adj* pedestrian; **paso peatonal,** pedestrian crossing
peca *f* freckle
pecado *m* sin
pecador,-ora *m,f* sinner
pecar *vi* **1** *Rel* to sin **2** *(excederse en una cualidad)* **mi hermana peca de ingenua,** my sister is too naive
pecera *f* fishbowl, fishtank
pecho *m* **1** chest; *(de animal)* breast; *(de mujer)* breast, bust; **dar el pecho (a un bebé),** to breast-feed (a baby) **2** *fig* heart, deep down
pechuga *f* *(de ave)* breast
peculiar *adj* **1** *(inusual, raro)* peculiar, odd **2** *(que es propio de algo/alguien)* characteristic, distinctive
pedagogía *f* pedagogy, teaching
pedagógico,-a *adj* pedagogical
pedal *m* pedal
pedalear *vi* to pedal
pedante I *adj* pedantic
II *mf* pedant
pedazo *m* piece
pedestal *m* pedestal
pediatra *mf* pediatrician
pediatría *f* pediatrics *sing*
pedicura *f* pedicure
pedido *m* order

pedir *vtr* **1** to ask for **2** *(en la tienda, en el bar, etc)* to order **3** *(limosna)* to beg **4** *(requerir, necesitar)* to need
pedo *m* *fam* **1** fart **2** *fam (borrachera)* drunkenness; **estar pedo,** to be drunk
pega *f* objection, drawback
pegadizo,-a *adj* catchy
pegajoso,-a *adj* **1** *(una cosa)* sticky **2** *fam (una persona)* clingy
pegamento *m* glue
pegar I *vtr* **1** *(adherir)* to stick; *(con pegamento)* to glue **2** *(coser)* to sew on **3** *(arrimar)* lean against **4** *(un susto, una enfermedad)* to give **5** *(maltratar)* to hit
II *vi* **1** *(combinar)* to match: **ese jersey no pega con esos pantalones,** that sweater doesn't go with those trousers **2** *(sol)* to beat down
■ **pegarse** *vr* **1** *(adherirse)* to stick **2** *(una persona a otra)* to latch on to somebody **3** *(comida)* to get burnt **4** *(pelearse)* to fight **5** *(una enfermedad, una manía)* to catch
pegatina *f* sticker
peinado,-a *m (de una persona)* hairstyle, *fam* hairdo
peinar *vtr* to comb
■ **peinarse** *vr* to comb one's hair
peine *m* comb
pelar *vtr* **1** *(piel, fruta)* to peel **2** *(un ave)* to pluck **3** *fam (cortar el pelo a)* to cut the hair of
■ **pelarse** *vr* **1** *fam (cortarse el pelo)* to get one's hair cut **2** *(caérsele a uno la piel)* to peel
peldaño *m* step, stair; *(en una escalera de mano)* rung
pelea *f* **1** *(lucha)* fight **2** *(discusión)* row, quarrel
pelear *vi* **1** *(luchar)* to fight **2** *(discutir)* to quarrel, argue
■ **pelearse** *vr* **1** *(luchar)* to fight **2** *(discutir)* to quarrel **3** *(enemistarse)* to fall out
peletería *f* **1** *(tienda)* furrier's **2** *(industria, oficio)* fur trade
peletero,-a *m,f* furrier
peliagudo,-a *adj* tricky, difficult
pelícano *m* pelican
película *f* **1** *Cine* film, movie **2** *(carrete, bobina)* film **3** *(capa fina)* film, thin layer
peligrar *vi* to be in danger, to be threatened
peligro *m* **1** *(situación)* danger, risk **2** *(persona)* menace **3** *(amenaza, riesgo)* hazard; **peligro de incendio,** fire hazard
peligroso,-a *adj* dangerous, risky
pelirrojo,-a I *adj* red-haired, ginger
II *m,f* redhead
pellizcar *vtr* **1** *(a una persona)* to pinch, nip **2** *(alimentos)* to nibble
pellizco *m* pinch, nip
pelo *m* **1** *(de una persona)* hair **2** *(de un animal)* coat, fur
pelota I *f* ball
II *mf* *fam* crawler

pelotón m 1 Mil squad 2 Dep (en ciclismo, atletismo) pack, bunch 3 (tropel) crowd, knot

peluca f wig

peluche m felt, plush; **muñeco de peluche,** cuddly toy

peludo,-a adj 1 (una persona) hairy 2 (un animal) furry

peluquería f 1 (establecimiento) hairdresser's 2 (oficio) hairdressing

peluquero,-a m,f hairdresser

peluquín m toupee

pelusa, pelusilla f 1 (de polvo) fluff 2 (en la fruta, en las plantas) down 3 (en las personas) fuzz 4 fam (envidia) jealousy; **tener pelusa,** to be jealous

pelvis f inv pelvis

pena f 1 (castigo) punishment, penalty 2 (tristeza) grief, sorrow, sadness 3 (dificultad) hardships pl, trouble ♦ LOC: **merecer** o **valer la pena,** to be worth; **a duras penas,** hardly

penal I adj penal, criminal

II m prison

penalizar vtr to penalize

penalti, penalty m Dep penalty

pendiente I adj 1 (sin resolver) unresolved, pending 2 (dinero) unpaid, outstanding 3 (estar atento) **tienes que estar pendiente de la comida,** you must pay attention to the cooking 4 (esperar) to be waiting for 5 (colgante) hanging [de, from]

II m earring

III f incline, slope

péndulo m pendulum

pene m penis

penetrante adj 1 (mirada, voz) penetrating 2 (dolor) piercing 3 (olor) pungent 4 (herida) deep 5 (frío) bitter, biting 6 (mente, observación) incisive, sharp, acute

penetrar I vtr to penetrate

II vi (en un recinto) to go o get [en, in]

penicilina f penicillin

península f peninsula

penique m penny, pl pence

penitencia f Rel penance

penoso,-a adj 1 (un estado, una situación) terrible, painful 2 (un trabajo, un esfuerzo), difficult, arduous

pensamiento m 1 (una idea) thought 2 (un conjunto de ideas) thinking 3 Bot pansy

pensar I vi to think [en, of, about] [sobre, about, over]

II vtr 1 (formarse una idea) to think [de, of] 2 (examinar una idea) to think over o about 3 (tener una intención) to intend 4 (tomar una decisión) to think

pensativo,-a adj pensive, thoughtful

pensión f 1 (establecimiento) boarding house, guesthouse 2 (modo de alojamiento) board 3 (cantidad de dinero, renta) pension, allowance, maintenance

pensionista mf 1 (que cobra una pensión) pensioner 2 (que se aloja en una pensión) resident, lodger

pentagrama m Mús stave

penúltimo,-a adj & m,f penultimate, last but one

penumbra f half-light

peña f 1 rock, crag 2 (de socios, de amigos) club 3 fam (gente) people

peñón m rock; **el peñón de Gibraltar,** the Rock of Gibraltar

peón m 1 unskilled laborer 2 Ajedrez pawn

peonza f (spinning) top

peor I adj 1 (comparativo de malo) worse: **esa marca es peor que esta otra,** that brand is worse than this one 2 (superlativo de malo) worst: **es la peor película que he visto,** it's the worst film I've ever seen

II adv 1 (comparativo de mal) worse: **con estas gafas veo peor,** I see worse with these glasses 2 (superlativo de mal) worst: **esa cama es donde peor se duerme,** that is the worst bed to sleep in

pepinillo m gherkin

pepino m Bot cucumber

pepita f 1 (hueso de fruta) pip, seed 2 (de oro, etc) nugget

pequeño,-a adj 1 (de tamaño) small, little 2 (de estatura) short 3 (de edad) little, young 4 (en importancia) small, slight

pera f 1 Bot pear 2 (objeto de goma) bulb

peral m pear tree

percance m mishap

percatarse vr to realize, notice

percepción f 1 perception 2 (de dinero) payment

percha f 1 (para ropa) hanger 2 (para aves) perch

perchero m 1 (de pared) clothes rack 2 (de pie) clothes stand

percibir vtr 1 (un objeto) to perceive 2 (dinero) to receive

percusión f percussion

perdedor,-ora I adj losing

II m,f loser

perder I vtr 1 (un objeto) to lose 2 (un medio de transporte) to miss 3 (el tiempo) to waste 4 (oportunidad) to miss 5 (cualidad, costumbre, sentido) to lose 6 (agua, aceite) to leak

II vi 1 (disminuir una cualidad) to lose 2 (estropear) to ruin, go off 3 (en una competición, batalla) to lose

■ **perderse** vr 1 (extraviarse) to get lost 2 (desaparecer) to disappear 3 (pervertirse) to go to rack and ruin

pérdida f 1 loss 2 (de tiempo, etc) waste 3 (escape de agua, de gas) leak 4 (daños materiales) (usu pl) damage

perdido,-a adj 1 lost 2 (desorientado) confused 3 (perro, bala) stray

perdigón m pellet pl

perdiz *f* partridge
perdón I *m* 1 forgiveness: **me pidió perdón,** she apologized to me 2 *Jur* pardon, mercy II *excl* 1 *(al disculparse)* I'm so sorry! 2 *(al pedir permiso)* **perdón, ¿puede decirme dónde está la catedral?,** excuse me, can you tell me where the cathedral is?
perdonar *vtr* 1 to forgive: **perdonar algo a alguien,** to forgive sb for sthg 2 *(un castigo, una deuda)* to let off 3 *(absolver de un delito)* to pardon 4 *(una obligación)* to exempt
perdurar *vi* 1 *(continuar)* to remain, last 2 *(persistir)* to endure, persist
perecer *vi* to perish, die
peregrinación *f,* **peregrinaje** *m* pilgrimage
peregrino,-a I *m,f* pilgrim II *adj* 1 *(ave)* migratory 2 *(insólito, disparatado)* strange, odd
perejil *m* parsley
perenne *adj* perennial
pereza *f* laziness, idleness
perezoso,-a *adj* lazy, idle
perfección *f* perfection
perfeccionar *vtr* 1 *(mejorar)* to improve 2 *(hacer perfecto)* to perfect
perfeccionista *adj* & *mf* perfectionist
perfecto,-a *adj* perfect
perfil *m* 1 profile 2 *(contorno)* silhouette, outline, contour 3 *Geom* cross section
perfilar *vtr* 1 *(dibujo, plano, etc)* to draw the outline of 2 *(una idea)* to shape
perforación, **perforado** *m* 1 perforation 2 *(en roca, madera, pozo, etc)* drilling, boring
perforadora *f* 1 drill 2 *(de papel, sellos, etc)* punch
perforar *vtr* 1 to perforate 2 *(la tierra, un pozo, etc)* to drill, bore
perfumar *vtr* & *vi* to perfume
■ **perfumarse** *vr* to put perfume on
perfume *m* perfume, scent
perfumería *f* 1 *(tienda)* perfumery 2 *(industria)* perfume industry
pergamino *m* parchment
pericia *f* skill
periferia *f* 1 periphery 2 *(de la ciudad)* outskirts *pl*
periférico,-a *adj* 1 peripheral 2 *(barrio)* outlying
perímetro *m* perimeter
periódico,-a I *adj* periodic, periodical II *m* newspaper
periodismo *m* journalism
periodista *mf* journalist
periodo, **período** *m* period
periquito *m* budgerigar; *fam* parakeet
perito,-a I *adj* expert, skilled II *m,f* qualified person, expert
perjudicar *vtr* to damage, harm
perjuicio *m* harm, damage
perjurio *m* perjury
perla *f* pearl

permanecer *vi* to remain
permanente I *adj* permanent, constant II *f* perm
permisivo,-a *adj* permissive
permiso *m* 1 *(autorización)* permission 2 *(documento)* licence, permit; **permiso de conducir,** driving licence 3 *(días libres)* leave: **estoy de permiso,** I'm on leave
permitir *vtr* 1 to allow, permit: **no le permitas ir,** don't let him go 2 *(consentir, tolerar)* **¿me permite hablar?,** may I speak? 3 *(hacer posible)* to make possible
■ **permitirse** *vr* 1 to permit *o* allow oneself 2 to be allowed: **no se permite cantar,** singing is not allowed *o* **(un gasto)** to afford
pero I *conj* but II *m* objection: **¡no hay peros que valgan!,** I don't want any excuses!
perpendicular *adj* & *f* perpendicular
perpetuar *vtr* to perpetuate
perpetuo,-a *adj* perpetual, everlasting
perplejo,-a *adj* bewildered, perplexed
perra *f* 1 *Zool* bitch 2 *fam (rabieta, disgusto)* tantrum
perro,-a *m,f* dog; **perro callejero,** stray dog; **perro de compañía,** pet dog
persecución *f* 1 pursuit 2 *(por ideología, política)* persecution
perseguir *vtr* 1 *(ir detrás de alguien)* to chase 2 *(por ideas)* to persecute 3 *(un objetivo)* to pursue
perseverar *vi* to persevere, persist
persiana *f* blind
persignarse *vr* to cross oneself
persistente *adj* persistent
persistir *vi* 1 *(perdurar, durar)* to persist 2 *(perseverar)* to persist [en, in]
persona *f* 1 *(individuo)* person, people *pl*: **había demasiadas personas,** there were too many people 2 *Ling* person
personaje *m* 1 *(de cine, teatro, etc)* character 2 *(persona importante o conocida)* celebrity, important figure
personal I *adj* personal II *m* staff, personnel
personalidad *f* personality
personificar *vtr (encarnar)* to personify, embody
perspectiva *f* 1 perspective 2 *(apreciación)* point of view 3 *(porvenir)* prospect, outlook
perspicacia *f* perceptiveness, shrewdness
perspicaz *adj* perceptive, sharp
persuadir *vtr* to persuade, convince
■ **persuadirse** *vr (convencerse)* to become convinced [de, of]
persuasivo,-a *adj* persuasive
pertenecer *vi* to belong [a, to]
perteneciente *adj* belonging
pertenencia *f* 1 *(propiedad)* property, possessions *pl* **pertenencias,** belongings
pértiga *f* pole

pertinaz *adj* 1 *(tos, lluvia, etc)* persistent, prolonged 2 *(persona)* obstinate

pertinente *adj* 1 *(relevante)* pertinent, relevant 2 *(adecuado, oportuno)* appropriate

perturbar *vtr* 1 *(el orden)* to disturb, disrupt 2 *(inquietar)* to upset 3 *(enloquecer)* to drive mad

perversión *f* perversion

perverso,-a I *adj* evil, wicked
II *m,f* wicked person

pervertir *vtr* 1 to pervert, corrupt 2 *(alterar, distorsionar)* to distort
■ **pervertirse** *vr* to become corrupted

pesa *f Dep* weight; *(pequeña)* dumbbell

pesadilla *f* nightmare, bad dream

pesado,-a I *adj* 1 *(un objeto)* heavy 2 *(trabajo)* hard 3 *(viaje)* tiring 4 *(aburrido, molesto)* boring
II *m,f* pain, pest

pésame *m* condolences *(en pl)*

pesar I *vi* 1 to weigh 2 *(causar arrepentimiento, dolor)* to grieve
II *vtr (determinar un peso)* to weigh
III *m* 1 *(pena, pesadumbre)* sorrow, grief 2 *(remordimiento)* regret
◆ | LOC: **a pesar de,** in spite of

pesca *f* fishing

pescadería *f* fishmonger's

pescadero,-a *m,f* fishmonger

pescadilla *f* young hake

pescado *m* fish

pescador,-ora *m,f (hombre)* fisherman; *(mujer)* fisherwoman

pescar *vtr* 1 to fish 2 *fam (una enfermedad, a una persona)* to catch 3 *(una idea, una broma)* to get

pescuezo *m* neck

pesebre *m* 1 *Agr* manger 2 *(de Navidad)* crib

peseta *f* peseta

pesimista I *adj* pessimistic
II *mf* pessimist

pésimo,-a *adj* dreadful, terrible

peso *m* 1 *(carne)* weight; **ganar/perder peso,** to put on/lose weight 2 *(carga, preocupación)* weight, burden 3 *(influencia)* importance 4 *(utensilio)* scales

pesquero,-a I *adj* fishing
II *m* fishing boat

pestaña *f* eyelash

pestañear *vi* to blink

peste *f* 1 *(mal olor)* stench, stink 2 *Med* plague

pesticida *m* pesticide

pestillo *m* 1 *(cerrojo, pasador)* bolt 2 *(de una cerradura)* latch

pétalo *m* petal

petardo *m* 1 *(de una traca, para fiestas)* firecracker 2 *Mil* petard 3 *fam (aburrido, pesado)* bore

petición *f* 1 *(acción)* request 2 *(escrito, solicitud)* petition

peto *m* 1 *(de un babero, delantal)* bib 2 *Indum* **pantalones de peto,** dungarees *pl*

petrificar *vtr* to petrify
■ **petrificarse** *vr* to petrify

petróleo *m* petroleum, oil

petrolero,-a I *adj* oil; **compañía petrolera,** oil company
II *m* oil tanker

petunia *f* petunia

peyorativo,-a *adj* pejorative

pez *m* 1 *Zool* fish 2 *fam* **pez gordo,** bigwig, big shot

pezón *m* nipple

pezuña *f* hoof

piadoso,-a *adj* 1 devout, pious 2 **mentira piadosa,** white lie

pianista *mf* pianist

piano *m* piano; **piano de cola,** grand piano

piar *vi* to chirp, cheep, tweet

picado,-a *adj* 1 *(ajo, cebolla, etc)* chopped 2 *(carne)* minced 3 *(fruta)* bad 4 *(diente)* decayed 5 *(mar)* choppy 6 *fam (ofendido, enojado)* offended, put out

picador *m* picador

picadora *f* mincer

picadura *f* 1 *(de insecto, serpiente)* bite 2 *(de avispa, abeja)* sting

picante I *adj* hot, spicy
II *m* 1 *(alimentos)* hot spices *pl* 2 *(sabor)* hot taste

picaporte *m* 1 *(pomo, tirador)* door handle 2 *(aldaba)* door knocker

picar I *vtr* 1 *(carne)* to mince 2 *(cebolla, ajo, etc)* to chop up 3 *(hielo)* to crush 4 *(una avispa, abeja)* to sting 5 *(una serpiente, un mosquito)* to bite 6 *(tarjeta, billete)* to punch 7 *(piedra)* to chip 8 *(comer: las aves)* to peck; *(:una persona)* to nibble 9 *fam (incitar)* to incite 10 *fam (molestar)* to annoy 11 *(curiosidad)* **me picó la curiosidad,** it aroused my curiosity
II *vi* 1 *(pez)* to bite 2 *(comida)* to be hot 3 *(escocer, irritar)* to itch
■ **picarse** *vr* 1 *(fruta)* to rot 2 *(vino)* to go sour 3 *(dientes)* to decay 4 *(el mar)* to become choppy 5 *fam (enfadarse)* to get annoyed

picardía *f* 1 *(astucia)* craftiness 2 *(dicho, acción)* mischievous comment *o* act

pichón *m* young pigeon

pico *m* 1 *(de ave)* beak 2 *fam (boca)* mouth 3 *Geog* peak 4 *(herramienta)* pick 5 *(de una jarra)* spout 6 *(de una mesa, etc)* corner

picor *m* itch

picotear I *vtr (un ave)* to peck
II *vi & vtr (una persona)* to nibble

pictórico,-a *adj* pictorial

pie *m* 1 *(de una persona)* foot; **ponerse de pie,** to stand up; **pies planos,** flat feet 2 *(de una columna, lámpara, etc)* base 3 *(de una copa)* stem 4 *(de una fotografía)* caption 5 *(de un texto)* foot; **una nota a pie de página,** a footnote 6 *(medida)* foot

piedad *f* 1 (*fervor religioso*) devotion, piety 2 (*lástima*) mercy 3 *Arte* Pietà

piedra *f* 1 stone 2 (*de mechero*) flint

piel *f* 1 skin 2 (*de frutas, etc*) skin, peel 3 (*cuero curtido*) leather 4 (*con pelo*) fur

pienso *m* fodder, feed

pierna *f* leg

pieza *f* 1 piece, part; **una pieza de repuesto,** a spare part 2 (*en una casa*) room

pigmento *m* pigment

pijama *m* pajamas *pl*

pijo,-a *fam, pey* I *adj* posh, snooty II *m,f* rich kid

pila *f* 1 *Elec* battery 2 (*de fregar*) sink 3 (*de lavabo*) basin 4 (*montón de cosas*) pile, heap 5 (*cantidad grande*) loads

pilar *m* pillar

píldora *f* pill, tablet; (*anticonceptiva*) pill

pillar *vtr* 1 (*una cosa, enfermedad*) to catch 2 (*atropellar*) to run over 3 (*sorprender*) to catch 4 (*un chiste, una idea*) to get

■ **pillarse** *vr* to catch

pilotar *vtr* 1 to pilot 2 (*un coche*) to drive 3 (*una moto*) to ride

piloto I *m,f* 1 (*de un avión, una nave*) pilot 2 (*de un coche*) driver 3 (*de una moto*) rider II *m* (*luz*) pilot lamp, light III *adj* pilot

pimentón *m* 1 (*dulce*) paprika 2 (*picante*) cayenne *o* red pepper

pimienta *f* pepper

pimiento *m* (*fruto*) pepper; **pimiento morrón/ verde,** sweet/green pepper

pinacoteca *f* art gallery

pinar *m* pine wood *o* forest

pincel *m* 1 *Arte* paintbrush 2 (*de maquillaje*) brush

pinchadiscos *mf inv fam* disc jockey, DJ

pinchar I *vtr* 1 (*con algo punzante*) to prick 2 (*un balón, globo, etc*) to burst 3 (*una rueda*) to puncture 4 *Med* to give an injection [to] 5 (*un teléfono, etc*) to bug, tap 6 (*discos*) to play 7 (*provocar*) to needle, egg sb on II *vi* 1 (*una planta, espina, etc*) to prickle 2 *Auto* to get a flat tire

pinchazo *m* 1 (*con algo punzante*) prick 2 (*de una rueda*) puncture, flat tire 3 (*de dolor*) sharp pain

pinche *m* kitchen assistant

pincho *m* 1 (*de una planta*) prickle 2 (*de un animal*) spine 3 (*de un objeto*) spike 4 (*de comida*) small portion

pingüino *m* penguin

pino *m* pine

pinta *f* 1 *fam* (*aspecto*) look 2 (*mancha, mota*) dot, spot 3 (*medida*) pint

pintada *f* graffiti

pintado,-a *adj* painted; **papel pintado,** wallpaper

pintar I *vtr* 1 (*una superficie*) to paint 2 (*dibujar*) to draw, sketch

II *vi* 1 (*un bolígrafo, etc*) to write 2 (*ser importante*) to count 3 (*en juegos de naipes*) to be trumps

■ **pintarse** *vr* (*con cosméticos*) to put make-up on; **pintarse las uñas,** to paint one's nails

pintor,-ora *m,f* painter

pintoresco,-a *adj* 1 (*lugar*) picturesque, quaint 2 (*persona*) bizarre

pintura I *f* 1 (*material*) paint 2 (*arte, representación*) painting 3 (*cosmética*) makeup

pinza *f* 1 (*para ropa*) clothes peg 2 (*para el pelo*) clip, hairgrip 3 (*de langosta, cangrejo*), *etc* claw 4 (*en ropa*) dart; **pantalón de pinzas,** pleated trousers

II *fpl* **pinzas** 1 (*para hielo, azúcar*) tongs *pl* 2 (*para depilar*) tweezers *pl*

piña *f* 1 (*fruto tropical*) pineapple 2 (*de pino*) pine cone

piñón *m* pine nut

pío,-a *adj* pious

piojo *m* louse

pionero,-a *m,f* pioneer

pipa *f* 1 (*de fumar*) pipe 2 (*de fruta*) pip, seed; (*de girasol*) sunflower seed

pique *m* 1 *fam* (*rivalidad*) rivalry, needle 2 *fam* (*resentimiento, enfado*) resentment, grudge

piquete *m* 1 (*de soldados*) squad 2 (*de huelga*) picket

piragua *f* canoe

piragüismo *m* canoeing

piragüista *mf* canoeist

pirámide *f* pyramid

piraña *f* piranha

pirarse *vr fam* ♦ | LOC: **pirárselas,** to make oneself scarce, clear off

pirata *m,f* pirate; **pirata aéreo,** hijacker; **pirata informático,** hacker

pirómano,-a *m,f* pyromaniac, arsonist

piropo *m* compliment

pirulí *m* lollipop

pis *m fam* pee

pisada *f* 1 footstep 2 (*huella*) footprint **pisar** I *vtr* 1 to tread on, step on: **le pisé el vestido,** I stepped on her dress 2 (*avasallar, humillar*) to walk all over sb II *vi* to tread, step

piscina *f* swimming pool; **piscina climatizada,** heated swimming-pool, **piscina cubierta,** indoor pool

Piscis *m Astrol* Pisces

piso *m* 1 apartment; **piso piloto,** model apartment 2 (*planta*) floor: **vive en el tercer piso,** he lives on the third floor

pisotear *vtr* to stamp on, trample on

pisotón *m* **dar un pisotón a alguien,** (*accidentalmente*) to tread on sb's foot; (*intencionadamente*) to stand on sb's foot

pista *f* 1 (*indicio*) clue 2 (*rastro*) track, trail 3 (*de casete, vídeo, etc*) track 4 *Dep* (*de carreras*) track; **pista de hielo/ patinaje,** ice/skating rink; **pista de hierba,** grass court 5 **pista de**

baile, dance floor **6 pista de aterrizaje/ despegue,** landing strip/runway

pistacho *m* pistachio nut

pistola *f* 1 pistol, gun **2** *(para pintar)* spray gun

pistolero *m* gunman

pitar I *vtr Dep (una falta, etc)* **el árbitro no pitó la falta,** the referee didn't give the foul **II** *vi* 1 *(una olla, un tren)* to whistle **2** *(tocar el pito)* to blow one's whistle, *(la bocina)* to toot one's horn **3** *(abuchear, protestar)* to boo

pitido *m* 1 *(de silbato)* whistle **2** *(de claxon)* hoot **3** *(de una alarma, etc)* beep

pitillera *f* cigarette case

pitillo *m* cigarette

pito *m* 1 *(de silbato)* whistle **2** *(de claxon)* hooter, horn **3** *fam (pene)* willy

pitón¹ *mf (serpiente)* python

pitón² *m* 1 *(de toro)* horn **2** *(de tetera, jarra)* spout **3** *Bot* shoot

pivot *m* pivot

pizarra *f* 1 blackboard **2** *Min* slate

pizca *f* bit, tiny amount

pizza *f Culin* pizza

placa *f* 1 *(de metal)* plate **2** *(con una inscripción)* plaque **3** *(matrícula de un vehículo)* number plate **4** *(de identificación personal)* badge **5** *(dental)* plaque

placer *m* pleasure

plaga *f* 1 plague, pest **2** *(desgracia, azote)* curse, menace

plagio *m* plagiarism

plan *m* 1 *(intención)* plan **2** *(conjunto de ideas, etc)* scheme, program; **plan de estudios,** curriculum **3** *fam (cita)* date

plana *f* 1 page **2** *Mil* **plana mayor,** staff

plancha *f* 1 *(para ropa)* iron **2** *(para alimentos)* grill, griddle

planchar *vtr* to iron

planeador *m* glider

planear I *vtr (tramar, urdir)* to plot; *(preparar, pensar)* to plan **II** *vi* to glide

planeta *m* planet

planetario,-a I *adj* planetary **II** *m* planetarium

planificación *f* planning

planificar *vtr* to plan

plano,-a I *m* 1 *(de una ciudad)* map **2** *(de un edificio, de calles)* plan, draft **3** *Cine* shot; **primer plano,** close-up **4** *(nivel, aspecto)* level **II** *adj* flat, even

planta *f* 1 *Bot* plant **2** *(piso)* floor: **está en la tercera planta,** it's on the third floor **3** *(del pie)* sole

plantación *f* plantation

plantar *vtr* 1 to plant **2** *(una cosa)* to put, place **3** *(los estudios, un trabajo)* to quit, give up **4** *(a una persona)* to dump, ditch

■ **plantarse** *vr (quedarse)* to stand **2** *(llegar)* to arrive

planteamiento *m* 1 *(enfoque)* approach **2** *(exposición, desarrollo)* posing, raising

plantear *vtr* 1 *(una duda, un problema)* to pose, raise **2** *(hacer una sugerencia)* to suggest, propose **3** *(causar)* to create, cause

■ **plantearse** *vtr & vr* to consider, think about

plantilla *f* 1 *(de una empresa)* staff **2** *(de calzado)* insole **3** *(guía, modelo)* pattern; *(para dibujar)* template, stencil **4** *Dep* team

plástico,-a I *adj* plastic **II** *m* plastic

plastificar *vtr* to laminate

plastilina® *f* Plasticine®

plata *f* 1 silver **2** *LAm (dinero)* money

plataforma *f* platform

plátano *m* 1 *Bot (fruta)* banana **2** *(árbol frutal)* banana tree **3** *(árbol ornamental)* plane tree

plateado,-a *adj* 1 *(color)* silver **2** *(con baño de plata)* silverplated

platillo *m* 1 saucer **2** *Mús* cymbal **3 platillo volante,** flying saucer

platino *m (metal)* platinum

plato *m* 1 *(pieza de vajilla)* plate, dish **2** *(contenido)* plateful, dish **3** *(parte de una comida)* course; **primer plato,** starter, first course **4** *(receta)* dish **5** *(de balanza)* pan, tray **6** *(de tocadiscos)* turntable

plató *m Cine TV* set

playa *f* beach

playeras *fpl* sneakers

plaza *f* 1 *(espacio abierto)* square **2** *(mercado)* market, marketplace **3** *(de toros)* bullring **4** *(asiento)* seat **5** *(laboral)* post **6** *Mil* garrison *o* fortified town

plazo *m* 1 *(de tiempo)* term **2** *(cuota)* installment

plegable *adj* folding

plegar *vtr* to fold

■ **plegarse** *vr (silla, mesa, etc)* to fold up **2** *(acomodarse, ceder)* to submit [**a,** to]

pleito *m Jur* lawsuit

pleno,-a I *adj* 1 full **2** *(para intensificar)* **a pleno sol,** in the full sun, **en pleno invierno,** in the depths of winter **II** *m* 1 *(reunión)* plenary *o* full session **2** *(en quinielas)* maximum correct prediction

pliegue *m* 1 fold **2** *(en tela, ropa)* pleat

plisar *vtr* to pleat

plomizo,-a *adj* 1 leaden **2** *(color)* lead-colored **3** *(cielo)* grey, gray

plomo *m* 1 *(metal)* lead **2** *(plomada)* plumb line **3** *(en electricidad)* fuses *pl* **4** *fam (aburrido, pesado)* **ser un plomo,** to be a pain in the neck *o* to be deadly boring

pluma *f* 1 *(de ave)* feather **2** *(para escribir)* pen, fountain pen

plumaje *m* plumage

plumero *m* feather duster

plural *adj & m* plural

pluriempleo *m* having more than one job; *fam* moonlighting

plus *m* bonus, extra pay

plusmarquista *mf* record holder *o* breaker

Plutón *m* Pluto

población *f* 1 *(habitantes)* population; **población activa,** working population 2 *(ciudad)* town; *(pueblo)* village

poblado,-a I *adj* 1 *(ciudad, área)* populated 2 *(barba, cejas)* bushy, thick

II *m* settlement

pobre I *adj* poor

II *mf* poor person; **los pobres,** the poor

pobreza *f* poverty

pocilga *f* pigsty

poco,-a I *adj* 1 *(con el sustantivo en singular)* not much, little: **tengo poco apetito,** I haven't got much appetite 2 *(con el sustantivo en plural)* not many, few: **conozco pocos lugares de Italia,** I don't know many places in Italy

II *pron (singular)* little, not much; *(plural) (objetos)* few, not many; *(personas)* few people, not many people

III *adv* 1 *(con verbo)* not (very) much, little: **entiendo poco del tema,** I don't understand much about the issue 2 *(con adjetivo)* not very: **está poco claro,** it's not very clear 3 *(de tiempo)* **hace poco que nos conocemos,** we met a short time ago

IV *m* **un poco,** a little

podar *vtr* to prune

poder[1] *m* power

poder[2] I *vtr* 1 *(tener capacidad)* to be able to, can: **no puedo evitarlo,** I can't help it 2 *(tener derecho o autorización)* may, might, can; **¿puedo repetir?,** may I have a second helping? 3 *(uso impers)* may, might: **puede que sí, puede que no,** maybe, maybe not

II *vi* 1 to cope [con, with] 2 *(vencer, tener más fuerza)* to be stronger than

poderoso,-a *adj* powerful

poema *m* poem

poesía *f* 1 *(poema)* poem 2 *(género, arte)* poetry

poeta *mf* poet

poetisa *f* poet

polaco,-a I *adj* Polish

II *m,f* Pole

III *m (idioma)* Polish

polea *f* pulley

polémica *f* controversy

polémico,-a *adj* controversial

polen *m* pollen

poli *fam* I *mf* cop

II *f* **la poli,** the fuzz *pl*

policía I *f* police (force); **policía nacional,** national police force

II *mf (hombre)* policeman; *(mujer)* policewoman

policiaco,-a, policíaco,-a *adj* police

polideportivo *m* sports center

polifacético,-a *adj* versatile, many-sided

poligamia *f* polygamy

polígono *m* 1 *Mat* polygon 2 *(terreno)* area; **polígono industrial,** industrial estate

polilla *f* moth

politécnico,-a *adj* & *m,f* polytechnic

política *f* 1 politics *sing* 2 *(forma de actuar)* policy

político,-a I *adj* 1 political 2 *(parentesco)* in-law

II *m,f* politician

póliza *f* 1 *(documento)* póliza de seguros, insurance policy 2 *(sello)* stamp

pollo *m* chicken

polo[1] *m* 1 *Elec Geog* pole; **Polo Norte/Sur,** North/ South Pole 2 *(helado de hielo)* Popsicle 3 *(jersey)* polo shirt

polo[2] *Dep* polo

Polonia *f* Poland

polución *f* pollution

polvo *m* 1 *(de suciedad, tierra)* dust 2 *(de una sustancia)* powder

pólvora *f* gunpowder

polvoriento,-a *adj* dusty

pomada *f* ointment

pomelo *m* grapefruit

pomo *m* knob

pompa *f* 1 *(de jabón, etc)* bubble 2 *(esplendor)* pomp

pompis *m inv fam* bottom

pómulo *m* cheekbone

ponche *m* punch

poncho *m* poncho

ponencia *f* paper, address

ponente *mf* reader of a paper, speaker

poner *vtr* 1 *(en un lugar, una situación)* to put: **me puso en un aprieto,** he put me in a tight corner; *(seguido de adjetivo)* to make: **me pone contento,** he makes me happy 2 *(hacer funcionar)* to turn *o* switch on 3 *(un fax, telegrama)* to send; **poner una conferencia,** to make a long-distance call 4 *(una multa, un castigo)* to impose 5 *(abrir un negocio)* to set up 6 *(vestir)* to put on 7 *(aportar)* **yo puse mil pesos,** I contributed a thousand pesos 8 *(estar escrito)* **lo pone aquí,** it's written here 9 *Tel* **ponme con él,** put me through to him 10 *(un nombre)* **le pondremos Tadeo,** we are going to call him Tadeo

■ **ponerse** *vr* I to put oneself 2 *(vestirse)* to put on, wear 3 *(con adjetivo)* to become: **se puso enfermo,** he felt ill 4 *(sol)* to set 5 *Tel* **ponerse al teléfono,** to answer the phone 6 *(empezar)* **ponerse a,** to start

poni *m* pony

poniente *m* 1 *(oeste)* West 2 *(viento)* westerly (wind)

pontífice *m* Pontiff; **el Sumo Pontífice,** the Pope

popa *f* Náut stern

popular *adj* 1 *(folclórico)* folk 2 *(humilde)* **las clases populares,** the people, the working class 3 *(bien aceptado)* popular 4 *(conocido, famoso)* well-known

popularidad *f* popularity

por *prep* 1 *(autoría)* by: **está escrito por mí,** it was written by me 2 *(camino, lugar)* through: **viajamos por Yucatán,** we traveled round Yucatan 3 *(medio)* **lo enviaron por avión,** they sent it by plane 4 *(motivo, causa)* because of; **por tu culpa,** because of you; *(en favor de)* for: **hazlo por ellos,** do it for their sake 5 *(en torno a)* **por San Juan,** near Saint John's Day 6 *(durante)* **por la mañana/ noche,** in the morning/at night; **por el momento,** for the time being 7 *(delante de)* **paso todos los días por tu casa,** I go by your house every day 8 *(en una distribución, cálculo)* **por cabeza,** a head, per person 9 *(en una multiplicación)* **dos por dos, cuatro,** two times two is four; **un diez por ciento,** ten percent 10 *(con infinitivo)* in order to, so as to

porcelana *f* porcelain; **una taza de porcelana,** a china cup

porcentaje *m* percentage

porción *f* portion, part

porche *m* porch

pornografía *f* pornography

pornográfico,-a *adj* pornographic

poro *m* pore

porque *conj causal* because

porqué *m* reason

porquería *f* 1 *(mugre, suciedad)* dirt, filth 2 *(birria)* garbage

porra *f* 1 *(de policía)* truncheon 2 *Culin* fritter ♦ | LOC: **mandar a alguien a la porra,** to send sb packing; **¡porras!,** damn!

porro *m argot* joint

portaaviones *m inv* aircraft carrier

portada *f (de un libro)* cover; *(de un periódico)* front page; *(de un disco)* sleeve **portador,- ora** *m,f* 1 *Com* bearer 2 *Med* carrier

portaequipajes *m inv* Auto *(maletero)* trunk; *(baca)* roof rack

portafolios *m inv* briefcase

portal *m* 1 *(puerta de la calle)* main door; *(de una finca)* gateway 2 *(recinto de entrada)* entrance hall

portaminas *m inv* mechanical pencil

portarse *vr* to behave: **pórtate bien,** behave yourself

portátil *adj* portable

portavoz *mf* spokesperson

portazo *m* slam (of a door)

porte *m* 1 *(presencia, apariencia)* bearing, appearance 2 *(transporte)* carriage, freight

portería *f* 1 *(de un edificio)* porter's lodge, superintendent's office 2 *Dep* goal

portero,-a *m,f* 1 *(de una vivienda)* porter, caretaker; *(de un edificio público)* doorman; **portero automático,** entry-phone 2 *Dep* goalkeeper

pórtico *m* 1 *(portal)* portico, porch 2 *(soportal)* arcade

portorriqueño,-a *adj & m,f* Puerto Rican

Portugal *m* Portugal

portugués,-esa I *adj & m,f* Portuguese **II** *m (idioma)* Portuguese

porvenir *m* future

posada *f* inn

posadero,-a *m,f* innkeeper

posar I *vi* to pose **II** *vtr* to put *o* lay down ■ **posarse** *vr* 1 *(aves)* to alight, land [**en, on**] 2 *(polvo, posos, etc)* to settle [**en, on**]

posavasos *m* coaster

posdata *f* postscript

pose *f* pose

poseedor,-ora *m,f* holder

poseer *vtr* to possess, own

posesión *f* possession

posesivo,-a *adj* possessive

poseso,-a *adj & m,f* possessed

posgraduado,-a *adj & m,f* postgraduate

posguerra *f* postwar period

posibilidad I *f* possibility **II** *mpl* means

posible *adj* possible

posición *f* position

positivo,-a *adj* positive

poso *m* dregs *pl*

posponer *vtr* 1 *(una decisión, un viaje)* to postpone, put off 2 *(poner en segundo plano)* to put in second place *o* behind

postal I *adj* postal **II** *f* postcard

poste *m* 1 *(palo)* pole 2 Dep *(de una portería)* post

póster *m* poster

posteridad *f* posterity

posterior *adj* 1 *(lugar)* back, rear 2 *(tiempo)* later [**a, than**], subsequent [**a, to**]

postizo,-a I *adj* false, artificial **II** *m* hairpiece

postre *m* dessert

póstumo,-a *adj* posthumous

postura *f* 1 *(física)* position, posture 2 *(intelectual)* attitude

potable *adj* drinkable

potaje *m* vegetable stew

potencia *f* power

potente *adj* powerful

potestad *f* authority, power

potro *m* 1 Zool colt 2 *(de gimnasia)* horse

pozo *m* 1 well 2 *(de una mina)* shaft, pit

práctica *f* 1 practice 2 **prácticas,** teaching practice

practicante I *adj* Rel practicing **II** *mf* Med medical assistant, nurse

practicar *vtr* 1 *(una profesión)* to practice 2 *(una actividad)* to play, practice 3 *(una operación, etc)* to carry out, do, perform **II** *vi* to practice

práctico,-a adj 1 *(un objeto)* handy, useful 2 *(una persona, disciplina)* practical
pradera f grassland
prado m meadow
pragmático,-a I adj pragmatic
II m,f pragmatist
precalentamiento m warm-up
precalentar vtr to preheat
precario,-a adj 1 *(circunstancias)* precarious, unstable 2 *(medios)* poor, scarce, meager
precaución f 1 *(prudencia)* caution 2 *(prevención)* precaution
precavido,-a adj cautious, prudent
precedente I adj previous
II m precedent
preceder vtr to precede
precepto m rule
preciado,-a adj valuable, esteemed
preciarse vr to pride oneself [de, on]
precintar vtr 1 *(un objeto)* to seal 2 *(un establecimiento)* to close down
precinto m seal
precio m price, cost: ¿qué precio tiene este abrigo?, how much is this coat?
preciosidad f gorgeous, lovely
precioso,-a adj 1 *(de gran belleza)* lovely, beautiful 2 *(de gran valor)* precious
precipicio m precipice
precipitación f 1 *(prisa)* hurry, haste 2 *Meteor (de lluvia)* rainfall, *(de nieve)* snowfall 3 *Quím* precipitation
precipitado,-a I adj 1 *(con prisa)* hasty, hurried 2 *(sin pensar)* rash
II m *Quím* precipitate
precipitarse vr 1 *(con prisa)* to hurry 2 *(sin pensar)* to rush 3 *(en una caída)* to plunge, hurl oneself
precisar vtr 1 *(determinar)* to specify 2 *(necesitar)* to require, need
precisión f precision
preciso,-a adj 1 *(exacto)* precise 2 *(necesario)* necessary, essential: **no es preciso que vayas,** there's no need for you to go
precocinado,-a adj precooked
precoz adj 1 *(una persona)* precocious 2 *(un diagnóstico, una cosecha, etc)* early
precursor,-ora m,f precursor
predecesor,-ora m,f predecessor
predecir vtr to predict
predestinado,-a adj predestined
predicado m predicate
predicador,-ora m,f preacher
predicar vtr to preach
predisposición f predisposition
predominar vi to predominate
predominio m predominance
preescolar I adj preschool; **educación preescolar,** nursery education, pre-school
II m nursery (school)
prefabricado,-a adj prefabricated
prefacio m preface

preferencia f preference
preferente adj preferential
preferible adj preferable
preferido,-a adj & m,f favorite
preferir vtr to prefer
prefijo m 1 *Tel* (dialing) area code 2 *Ling* prefix
pregonar vtr 1 *(un bando)* to proclaim, announce 2 *(una mercancía)* to cry, hawk 3 *(una noticia)* to make public, reveal
pregunta f question
preguntar vtr to ask
■ **preguntarse** vr to wonder
prehistoria f prehistory
prehistórico,-a adj prehistoric
prejuicio m prejudice
preliminar adj & m preliminary
prematrimonial adj premarital
prematuro,-a adj premature, soon
premeditación f premeditation
premeditado,-a adj premeditated, deliberate
premiado,-a adj 1 prize-winning 2 *(número)* winning
premiar vtr 1 *(dar un premio)* to award o give a prize [a, to] 2 *(recompensar un esfuerzo, sacrificio)* to reward
premio m 1 *(sorteo, competición, galardón)* prize, award 2 *(recompensa a esfuerzo, sacrificio)* reward, recompense
premonición f premonition
prenatal adj prenatal
prenda f 1 *(de vestir)* garment 2 *(garantía)* security, pledge 3 *(en juegos)* forfeit
prender vtr 1 *(a una persona)* to catch, capture 2 *(sujetar)* to fasten, attach; *(con alfileres)* to pin 3 *(una cerilla, un cigarro)* to light
II vi 1 to catch 2 *(planta)* to take root
■ **prenderse** vr to catch fire
prensa f 1 press; **prensa hidráulica,** hidraulic press 2 *(periódicos)* newspapers pl 3 *(periodismo)* press; **prensa amarilla,** gutter o yellow press
prensar vtr to press
preñado,-a adj pregnant
preocupación f worry, concern
preocupado,-a adj worried, concerned
preocupar vtr to worry, bother
■ **preocuparse** vr 1 to worry, get worried [por, about] 2 *(encargarse)* **tienes que preocuparte de tus cosas,** you should look after your own things
preparación f 1 preparation 2 *(formación)* training
preparado,-a I adj 1 *(dispuesto, listo)* ready 2 *(para ser consumido)* **comida preparada,** ready-cooked meal 3 *(capacitado, experto)* trained, qualified
II m *Farm* preparation
preparar vtr 1 to prepare 2 *Dep* to train, coach

■ **prepararse** *vr* 1 to prepare oneself, get ready 2 *Dep* to train

preparativos *m* preparations

preposición *f Ling* preposition

prepotente *adj* overbearing, arrogant

presa *f* 1 *(de caza)* prey 2 *(dique, embalse)* dam

presagio *m* 1 *(anuncio)* omen 2 *(premonición, intuición)* premonition

prescindir *vi* 1 *(arreglárselas sin)* to do without 2 *(deshacerse de)* to dispense with 3 *(no hacer caso)* to disregard

prescripción *f* prescription

presencia *m* 1 *(en un lugar)* presence 2 *(aspecto exterior)* appearance

presenciar *vtr* 1 *(un accidente, etc)* to witness 2 *(un espectáculo, etc)* to attend

presentación *f* 1 presentation 2 *(de un producto)* launch 3 *(de personas)* introduction

presentador,-ora *m,f* 1 presenter 2 *(de un informativo)* newsreader

presentar *vtr* 1 *(un programa, pruebas, etc)* to present 2 *(un producto)* to launch 3 *(a una persona)* to introduce 4 *(síntomas, características, etc)* to have, show 5 *(disculpas)* to give, present; *(condolencias)* to give, pay 6 *(la dimisión)* to hand in 7 *(una queja)* to file, make

■ **presentarse** *vr* 1 *(para un cargo)* to stand for 2 *(en un lugar)* to turn up, appear 3 *(a un examen, una prueba)* to sit, take 4 *(la ocasión, un problema)* to arise, come up 5 *(a uno mismo)* to introduce oneself

presente I *adj* present

II *m* 1 *(regalo)* gift, present 2 *Ling* present tense

presentimiento *m* feeling

presentir *vtr* to have a feeling

preservativo *m* condom

presidencia *f* 1 *Pol* presidency 2 *(en una empresa, reunión)* chairmanship

presidencial *adj* presidential

presidente,-a *m,f* 1 *Pol* president; **presidente del Gobierno,** president 2 *(de una empresa, reunión)* *(hombre)* chairman, *(mujer)* chairwoman

presidiario,-a *m,f* prisoner, convict

presidio *m* prison

presidir *vtr* 1 *Pol* to be president of 2 *(una empresa, reunión)* to chair 3 *(un tribunal)* to preside over 4 *(una característica)* to prevail 5 *(una cosa)* to be the dominant element in

presión *f* pressure

presionar *vtr* 1 *(un timbre, etc)* to press 2 *(a una persona)* to put pressure on

preso,-a I *adj* imprisoned

II *m,f* prisoner, convict

prestación *f* 1 *(de un servicio, ayuda)* provision, assistance; **prestación por desempleo,** unemployment benefit 2 **prestaciones,** *(de un coche)* performance, features *pl*

préstamo *m* loan

prestar *vtr* 1 *(un objeto, dinero)* to lend; *(pedir prestado)* to borrow 2 *(auxilio, colaboración)* to give 3 *(servicio)* to render ◆ | LOC: **prestar atención,** to pay attention

■ **prestarse** *vr* 1 *(ofrecerse)* to offer oneself [a, to] 2 *(inducir)* to cause, be open to 3 *(ser idóneo)* to be suitable

prestigio *m* prestige

prestigioso,-a *adj* prestigious

presumido,-a *adj* vain

II *m,f* vain person, *fam* poser

presumir *vi* 1 *(de una cualidad)* to imagine oneself as 2 *(de una posesión)* to boast

presunto,-a *adj* 1 supposed 2 *(un delincuente, criminal)* alleged

presupuesto *m* 1 *Fin* budget 2 *(cálculo aproximado)* estimate, *(más detallado)* quote 3 *(presuposición)* supposition, assumption

pretencioso,-a *adj* pretentious

pretender *vtr* 1 *(aspirar, intentar)* to expect, try to: **pretendía que le diera la razón,** he was trying to make me agree with him 2 *(simular)* to try: **pretendió no habernos visto,** he pretended he hadn't seen us

pretendiente,-a I *m,f* 1 *(a un cargo)* applicant 2 *(al trono)* pretender

II *m* *(de una mujer)* suitor

pretensión *f* 1 *(deseo)* hope, wish 2 *(objetivo)* aim, aspiration 3 *(al trono)* claim 4 **pretensiones,** pretention

pretérito,-a *m* preterite (tense)

pretexto *m* pretext, excuse

prevalecer *vi* to prevail

prevención *f* 1 *(de enfermedades, etc)* prevention 2 *(medidas)* precaution

prevenir *vtr* 1 *(enfermedades, etc)* to prevent 2 *(advertir, alertar)* to warn

preventivo,-a *adj* preventive

prever *vtr* to foresee, predict

previo,-a *adj* previous, prior

previsible *adj* predictable

previsión *f* 1 *(predicción)* forecast 2 *(precaución)* precaution

previsor,-ora *adj* far-sighted

prima *f* 1 *(pago suplementario)* bonus 2 *(cuota de seguro)* premium 3 *(persona)* ➙ **primo,-a**

primario,-a *adj* primary

primavera *f* spring

primer *adj* *(delante de m)* ➙ **primero,-a**

primera *f* 1 *(en viajes)* first class 2 *(en vehículos)* first gear ◆ | LOC: **a la primera,** at the first attempt

primero,-a I *adj* 1 first; **en los primeros años,** in the early years 2 *(en importancia)* basic, primary; **un artículo de primera necesidad,** an essential item

II *adv* first

◆ | LOC: **a primeros,** at the beginning of

primitivo,-a *adj* 1 primitive 2 *(estado originario)* original

primo,-a I *m,f* 1 *(pariente)* cousin; **primo**

carnal, first cousin **2** *fam (ingenuo)* fool, sucker
II *adj (número)* prime
primogénito,-a *adj* & *m,f* first-born
primordial *adj* essential, fundamental
princesa *f* princess
principal *adj* main, principal
príncipe *m* prince
principiante *m/f* beginner
principio *m* **1** *(comienzo)* beginning, start **2** *(causa, origen)* premise, origin **3** *(idea fundamental, norma)* principle **4** **principios,** *(nociones)* rudiments, basics ◆ | LOC: **al principio,** at first; **en principio,** in principle
pringoso,-a *adj* **1** *(de grasa)* greasy **2** *(pegajoso)* sticky, dirty
prioridad *f* priority
prisa *f* hurry, rush: **tengo mucha prisa,** I'm in a hurry
prisión *f* **1** *(lugar)* prison, jail **2** *(condena)* imprisonment
prisionero,-a *m,f* prisoner
prismáticos *mpl* binoculars *pl*
privación *f* **1** *(de libertad, cariño, etc)* deprivation **2** *(escasez)* lack, hardship
privado,-a *adj* private
privar *vt* **1** *(despojar)* to deprive [**de,** of] **2** *fam (gustar mucho)* **me priva la fruta,** I love fruit
privilegiado,-a *adj* **1** privileged **2** *(excepcional)* exceptional
privilegio *m* privilege
pro I *prep* for; **campaña pro amnistía,** campaign for amnesty
II *m* advantage; **los pros y los contras,** the pros and cons ◆ | LOC: **en pro de,** in favor of
proa *f Náut* bow(s)
probabilidad *f* probability
probable *adj* **1** likely; probable **2** *(demostrable)* provable
probador *m* changing *o* fitting room
probar *vt* **1** *(una teoría, un hecho)* to prove **2** *(una máquina, un aparato, etc)* to test **3** *(comida, bebida)* to try; *(sabor, etc)* to taste
II *vi (intentar)* to try
■ **probarse** *vr* to try on
problema *m* problem
procedencia *f* **1** origin, source **2** *Ferroc Av* **con procedencia de,** (arriving) from
procedente *adj* **1** coming [**de,** from], arriving [**de,** from]; **el vuelo procedente de Nueva York,** the flight from New York **2** *(pertinente)* appropriate
proceder *vi* **1** *(provenir)* **proceder de,** to come from **2** *(actuar)* to act, proceed **3** *(ser pertinente)* to be appropriate *o* right
procedimiento *m* **1** *(método)* procedure, method **2** *Jur (trámites)* proceedings *pl*
procesado,-a *m,f* accused, defendant
procesador *m* processor; **procesador de**

datos/ textos, data/word processor
procesamiento *m* **1** *Jur* prosecution, trial **2** *Inform* processing
procesar *vtr* **1** *Jur* to prosecute **2** *(información, productos)* to process
procesión *f* procession
proceso *m* **1** process **2** *Jur* trial, proceedings
proclamar *vtr* to proclaim
procreación *f* procreation
procrear *vtr* to procreate
procurador,-ora *m,f Jur* attorney, solicitor
procurar *vtr* **1** *(intentar)* to try **2** *(proporcionar)* to secure, get
prodigio *m* **1** *(una persona, animal o cosa)* wonder, prodigy **2** *(un suceso)* miracle
producción *f* production
producir *vtr* **1** to produce **2** *(sensaciones, efectos)* to cause, generate
■ **producirse** *vr (un suceso)* to take place, happen
productividad *f* productivity
producto *m* product
productor,-ora I *adj* producing
II *m,f* producer
productora *f* production company
profanar *vtr* to desecrate
profano,-a I *adj* profane
II *m,f* layperson
profecía *f* prophecy
profesión *f* profession, occupation
profesional *adj* & *mf* professional
profesor,-ora *m,f* **1** teacher **2** *Univ* lecturer
profeta *m* prophet
profiláctico,-a I *adj* prophylactic
II *m* condom, prophylactic
profundidad *f* depth
profundizar *vtr* & *vi (en un asunto)* to study in depth
profundo,-a *adj* **1** *(cavidad, recipiente)* deep **2** *(conocimientos)* in-depth
progenitor,-ora *m,f (padre)* father; *(madre)* mother
programa *m* **1** *(de radio, televisión)* program; **programa concurso,** quiz show **2** *(plan, proyecto)* program, schedule **3** *(de estudios)* curriculum **4** *Inform* program
programación *f* **1** *(de radio, televisión)* programs **2** *(planificación)* planning, organization **3** *Inform* programming
programador,-ora *m,f* programmer
programar *vtr* **1** *(actividades, eventos)* to program **2** *(un aparato)* to set, program **3** *(radio, televisión)* to schedule; *(medios de transporte, entradas/salidas)* to schedule, timetable **4** *Inform* to program
progresar *vi* to progress
progresivo,-a *adj* progressive
progreso *m* progress
prohibición *f* **1** *(acción)* prohibition **2** *(efecto)* ban
prohibido,-a *adj* forbidden, prohibited

prohibir *vtr* 1 to forbid, prohibit 2 *(legalmente)* to ban

prójimo *m* fellow man, neighbor

proletario,-a *adj & m,f* proletarian

prólogo *m* foreword, prologue

prolongar *vtr* 1 *(duración)* to prolong, extend 2 *(longitud)* to extend

■ **prolongarse** *vr* 1 *(duración)* to carry on, go on 2 *(longitud)* to extend

promedio *m* average

promesa *f* promise

prometedor,-ora *adj* promising

prometer I *vtr* to promise
II *vi* to be promising

■ **prometerse** *vr* to get engaged

prominente *adj* prominent

promiscuo,-a *adj* promiscuous

promoción *f* 1 *(de una persona)* promotion 2 *(de estudios, etc)* year, class

promocionar *vtr* to promote

promover *vtr* 1 to promote 2 *(disturbios, etc)* to instigate, give rise to

pronombre *m* pronoun

pronosticar *vtr* to predict, forecast

pronóstico *m* 1 forecast, prediction 2 *Med* prognosis

pronto,-a I *adj* prompt, speedy
II *adv* 1 *(en poco tiempo)* soon, quickly 2 *(temprano)* early
◆ | LOC: **de pronto**, suddenly; **tan pronto como**, as soon as

pronunciación *f* pronunciation

pronunciar *vtr* 1 *(de fonema)* to pronounce 2 *(un discurso)* to deliver, give

■ **pronunciarse** *vr* 1 *(opinión)* to declare oneself 2 *Mil* to rebel, revolt

propaganda *f* 1 *(política)* propaganda 2 *(comercial)* advertising

propagar *vtr* to propagate, spread

■ **propagarse** *vr* to spread

propasarse *vr* to go too far

propenso,-a *adj* prone [a, to]

propiedad *f* 1 *(de bienes)* ownership, property; **propiedad intelectual**, copyright 2 *(de lenguaje, comportamiento)* correctness

propietario,-a *m,f* owner

propina *f* tip

propio,-a *adj* 1 *(posesión)* own 2 *(adecuado)* suitable, appropriate 3 *(característico)* typical, peculiar 4 *(intensificador) (hombre)* himself; *(mujer)* herself; *(animal, cosa)* itself: **se lo dijo el propio presidente**, the President himself told her so

proponer *vtr* 1 *(una idea, etc)* to propose, suggest 2 *(a una persona)* to nominate

■ **proponerse** *vr* to intend, decide

proporción *f* 1 proportion 2 **proporciones**, *(tamaño)* size *sing* 3 *Mat* ratio

proporcionado,-a *adj* proportionate

proporcional *adj* proportional

proporcionar *vtr* 1 *(comida, etc)* to provide

with 2 *(placer, preocupaciones, etc)* to give

proposición *f* 1 proposal, proposition 2 *Ling* clause

propósito *m* purpose ◆ | LOC: **a propósito**, *(por cierto)* by the way; *(adrede)* on purpose

propuesta *f* proposal, offer

propulsión *f* propulsion

propulsor,-ora *m,f* 1 *(de una idea, etc)* promoter 2 *(de un mecanismo)* propellant

prórroga *f* 1 *(de un plazo de tiempo)* extension 2 *Dep* overtime 3 *(de una decisión, pago, etc)* deferral 4 *Mil* deferment

prorrumpir *vi* to burst [en, into]

prosa *f* prose

proseguir *vtr & vi* to carry on, continue

prospecto *m* 1 *(de medicamento)* patient information leaflet 2 *(de propaganda)* leaflet 3 *Fin* prospectus

prosperar *vi* 1 to prosper 2 *(una idea, etc)* to be accepted *o* successful

prosperidad *f* prosperity

próspero,-a *adj* prosperous

prostíbulo *m* brothel

prostitución *f* prostitution

prostituir *vtr* to prostitute

■ **prostituirse** *vr* to prostitute oneself

prostituta *f* prostitute

protagonista *mf* 1 *(personaje)* main character 2 *(actor)* leading actor, *(actriz)* leading actress 3 *(en una velada, etc)* main protagonist

protagonizar *vtr* to star in

protección *f* protection

protector,-ora *m,f* patron, protector

proteger *vtr* 1 to protect 2 *(a un artista)* to act as patron to

■ **protegerse** *vr* to protect oneself

proteína *f* protein

prótesis *f inv* prosthesis

protesta *f* 1 protest 2 *Jur* objection

protestante *adj & mf Rel* Protestant

protestar *vi* 1 *(manifestar desacuerdo)* to protest 2 *(quejarse)* to complain 3 *Jur* to object

prototipo *m* 1 *(primer modelo)* prototype 2 *(paradigma)* archetype

provecho *m* benefit

proveedor,-ora *m,f* supplier

proveer *vtr* 1 *(suministrar, aportar)* to supply 2 *(cubrir una vacante)* to fill

provenir *vi* **provenir de algo/alguien**, to come from sthg/sb

proverbio *m* proverb

provincia *f* 1 *(territorio)* province 2 **provincias**, *(opuesto a la capital)* provinces

provinciano,-a *adj & m,f* provincial

provisión *f* provision, supply

provisional *adj* provisional

provocación *f* provocation

provocador,-ora I *adj* provocative
II *m,f* instigator, agitator

provocar *vtr* 1 *(causar)* to cause 2 *(un parto, etc)* to induce 3 *(irritar, enfadar)* to provoke 4 *(la ira, etc)* to rouse 5 *(excitar el deseo sexual)* to arouse, provoke

provocativo,-a *adj* provocative

proximidad I *f (cercanía)* nearness, proximity

II *fpl* **proximidades,** *(alrededores)* vicinity

próximo,-a *adj* 1 *(cercano)* near, close 2 *(siguiente)* next

proyección *f* projection

proyectar *vtr* 1 *(luz)* to project, throw 2 *(un chorro, etc)* to send out, give out [hacia, at] 3 *(una película)* to show 4 *(planear)* to plan

proyectil *m* missile, projectile

proyecto *m* 1 *(idea)* plan 2 *(de trabajo)* project 3 *(escrito, dibujo)* designs 4 *(de una ley)* bill

proyector *m* 1 *(de película)* projector; **proyector de diapositivas,** slide projector 2 *Teat (foco de luz)* spotlight

prudencia *f* 1 prudence 2 *(precaución, moderación)* care, caution

prudente *adj* 1 prudent, sensible 2 *(actitud)* careful

prueba *f* 1 proof 2 *(experimento, examen, etc)* test, trial 3 *(competición)* event 4 *Jur* piece of evidence

psicoanálisis *m inv* psychoanalysis

psicología *f* psychology

psicólogo,-a *m,f* psychologist

psicotécnico,-a *adj* psychometric; **prueba/test psicotécnico,** aptitude test

psicoterapia *f* psychotherapy

psiquiatra *mf* psychiatrist

psiquiatría *f* psychiatry

psiquiátrico,-a I *adj* psychiatric

II *m* psychiatric hospital

psíquico,-a *adj* psychic

púa *f* 1 *(de planta)* thorn 2 *(de animal)* quill, spine 3 *(de peine)* tooth 4 *(de alambre)* barb 5 *(para guitarra, etc)* plectrum

pub *m* pub

pubertad *f* puberty

pubis *m* pubis

publicación *f* publication

publicar *vtr* to publish

publicidad *f* 1 publicity 2 *(propaganda)* advertising 3 *(anuncios)* advertisements *pl*

público,-a I *adj* 1 public 2 *(de control estatal)* public; **una biblioteca pública,** a public library

II *m* 1 public 2 *Cine Teat* audience 3 *(en deporte)* crowd, spectators *pl*

puchero *m* 1 *(recipiente)* cooking-pot 2 *(guiso)* stew ◆ LOC: **hacer pucheros,** to pout

■ **pudrirse** *vr* to rot, decay

pudor *m* shame

pueblo *m* 1 village, small town 2 *(comunidad, nación)* people 3 *(clase popular)* common people

puente *m* 1 bridge; *(de un castillo)* drawbridge 2 *Av* **puente aéreo,** shuttle service 3 *(entre dos fiestas)* long weekend

puerco,-a I *m,f* pig; **puerco espín,** porcupine

puericultura *f* childcare

puerro *m* leek

puerta *f* door; *(en una valla, de una ciudad)* gate; **puerta de embarque,** (boarding) gate; **puerta principal (de edificio),** main entrance

puerto *m* 1 *(de mar o río)* port, harbor 2 *(de montaña)* (mountain) pass 3 *Inform* gate, port

pues *conj* 1 *(puesto que)* since, as: **no lo hagas, pues no lo necesitas,** don't do it, since you don't need it 2 *(en consecuencia)* then 3 *(vacilación)* well 4 *(como pregunta)* **¿y pues?,** and so?

puesta *f* 1 **puesta a punto,** tuning 2 **puesta al día,** updating 3 **puesta de Sol,** sunset 4 *Teat* **puesta en escena,** staging

puesto,-a I *adj* 1 *(la mesa)* set, laid 2 *(prenda de vestir)* to have on; **con el abrigo puesto,** with one's coat on

II *m* 1 *(lugar)* place 2 *(empleo)* position, post: **es un puesto fijo,** it's a permanent job 3 *(tienda)* stall, stand 4 *Mil* post

III *conj* **puesto que,** since, as

púgil *m* boxer

pulcro,-a *adj* 1 *(aseado)* neat, tidy 2 *(trabajo)* meticulous

pulga *f* flea

pulgada *f* inch

pulgar *m* thumb; *(del pie)* big toe

pulir *vtr* 1 *(metal, madera, etc)* to polish 2 *(perfeccionar)* to polish up

pulmón *m* lung

pulmonía *f* pneumonia

pulpa *f* pulp

púlpito *m* pulpit

pulpo *m* *Zool* octopus

pulsación *f* 1 *(latido, etc)* pulsation, beat 2 *(en mecanografía)* keystroke

pulsar *vtr* 1 *(timbre)* to ring; *(botón)* to press 2 *Mús (una tecla)* to press; *(una cuerda)* to pluck

pulsera *f* 1 *(aro)* bracelet 2 *(de reloj)* strap

pulso *m* 1 pulse 2 *(mano firme)* steady hand; **un dibujo a pulso,** a freehand drawing

pulverizador *m* spray, atomizer

pulverizar *vtr* 1 *(hacer polvo)* to pulverize, crush to pieces 2 *(esparcir líquido)* to spray, atomize

puma *m* puma

punta *f* 1 *(extremo puntiagudo)* point; *(extremo)* end, tip 2 *(de un sitio)* **trabaja en la otra punta del país,** he works at the other side of the country 3 *(del pelo)* **puntas,** ends *pl*

puntapié *m* kick

puntería *f* aim

puntero,-a I *adj* leading

II *m* pointer

puntiagudo,-a *adj* pointed; *(afilado)* sharp

puntilla *f* lace edging

punto *m* 1 point; **punto de vista**, point of view; *Auto* neutral 2 *(lugar)* place, point 3 *(pintado, dibujado)* dot; **línea de puntos**, dotted line 4 *(en una competición)* point 5 *(en un examen)* mark 6 *Cost Med* stitch 7 *(grado, medida)* point: **hasta cierto punto**, to a certain extent 8 *Ling* full stop; **dos puntos**, colon; **punto y aparte**, full stop, new paragraph; **punto y coma**, semicolon; **puntos suspensivos**, dots ♦ | LOC: **hacer punto**, to knit; **a punto**, ready; **a punto de**, on the point of; **en punto**, sharp, on the dot: **a las seis en punto**, at six o'clock sharp

puntuación *f* 1 *(de un escrito)* punctuation 2 *Educ (acción)* marking; *(nota)* mark 3 *(en deportes)* score

puntual I *adj* 1 *(una persona)* punctual 2 *(concreto)* specific
II *adv* punctually, on time

puntualidad *f* punctuality

puntuar I *vtr* 1 *(un texto)* to punctuate 2 *(exámenes, pruebas)* to mark
II *vi Dep* to score

punzada *f* sharp pain

punzante *adj* 1 *(dolor)* sharp, stabbing 2 *(objeto)* sharp

puñado *m* handful

puñal *m* dagger

puñalada *f* stab

puñetazo *m* punch

puño *m* 1 *(mano cerrada)* fist 2 *(de camisa, etc)* cuff 3 *(de herramienta, bastón, etc)* handle 4 *(de espada)* hilt

pupila *f Anat* pupil

pupitre *m* desk

puré *m* purée, thick soup

pureza *f* purity

purgatorio *m* purgatory

purificación *f* purification

purificar *vtr* to purify

purista *mf* purist

puritano,-a I *adj* puritanical
II *m,f* puritan

puro,-a I *adj* 1 pure 2 *(uso enfático)* sheer, mere
II *m* cigar

púrpura *adj inv* purple

pus *m* pus

puta *f pey* whore

puzzle *m* jigsaw puzzle

PVP *m (abr de precio de venta al público)* retail price

Q

Q, q *f (letra)* Q, q

que 1 *pron rel* 1 *(de persona) (como sujeto)* who: **la mujer que vendió el coche**, the woman who sold the car; *(como objeto de relativo)* who, *frml* whom: **el hombre del que hablé**, the man of whom I spoke 2 *(de cosa) (como sujeto)* that, which; **lo que**, that which **se incendió**, the house (which *o* that) was burned down; *(como complemento)* **la casa en la que vive ahora**, the house where he lives now

II *conj* 1 *(introducción de sujeto o complemento) (se omite o* that*)* **creo que va a llover**, I think (that) it's going to rain 2 *(expresión de deseo, mandato, etc) (se omite* that*)* have a nice day 3 *(consecución) (se omite o* that*)* **hacía tanto frío que me quedé en casa**, it was so cold (that) I stayed at home 4 *(comparación)* than: **su coche es mejor que el mío**, his car is better than mine

qué I *adj* 1 *(pron interrogativo)* what, which: **¿qué has comprado?**, what have you bought? 2 *(pron excl)* what, how: **¡qué de gente!**, what a lot of people!
II *adv excl* so: **¡qué buenas que son!**, they are so good!

quebrado *m Mat* fraction

quebrar I *vtr* to break
II *vi Fin* to go bankrupt
■ **quebrarse** *vr* to break

quechua I *adj* Quechua
II *mf* Quechua
III *m (idioma)* Quechua

quedar *vi* 1 *(en un estado)* **quedar bien**, *(una persona)* to make a good impression; *(un objeto)* to look nice; **quedar en ridículo**, to make a fool of oneself 2 *(en un lugar)* to be: **mi casa no queda lejos**, my house is not far from here 3 *(sobrar)* to be left: **¿queda más té?**, is there any tea left? 4 *(faltar) (tiempo)* to go: **quedan dos días para las vacaciones**, there are two days to go till the holidays 5 *(convenir)* to agree 6 *(citarse)* to meet 7 *(una ropa, un peinado, etc)* to suit: **te queda grande**, it's too big for you
■ **quedarse** *vr* 1 *(en un estado)* to remain: **me quedé sorprendida**, I was astonished 2 *(en un lugar)* to stay 3 *(sin algo)* to run out of sthg; **quedarse sin trabajo**, to lose one's job 4 *(con algo)* to keep, take 5 *(en la memoria)* to remember

quehacer *m* task, work

queja *f* 1 *(reproche, protesta)* complaint 2 *(de dolor)* groan, moan

quejarse *vr* 1 to complain [**de**, about] 2 *(de dolor)* to groan, moan

quejido *m* groan, moan

quemador *m* burner

quemadura *f* 1 *(de fuego, etc)* burn 2 *(de líquido)* scald 3 *(de sol)* sunburn

quemar I *vtr* 1 *(con el sol, fuego, etc)* to burn 2 *(con líquido)* to scald 3 *fam (psíquicamente)* to burn out
II *vi (una bebida, etc)* to be boiling hot
■ **quemarse** *vr* 1 *(una persona) (con fuego, etc)* to burn oneself 2 *(con líquido)* to scald

oneself 3 *(con el sol)* to get burned 4 *(una cosa)* to get burned, burn down 5 *fam (psíquicamente)* to burn oneself out

querella *f* 1 *Jur* lawsuit 2 *(conflicto)* dispute

querer I *vtr* 1 *(a alguien)* to love 2 *(algo)* to want, wish 3 *(intención, ruego, ofrecimiento)* to like: ¿**quieres otra taza de té?**, would you like another cup of tea?
II *m* love, affection
■ **quererse** *vr* to love each other

querido,-a I *adj* dear, beloved
II *m,f* 1 darling 2 *pey (hombre)* lover; *(mujer)* mistress

queso *m* cheese

quicio *m* jamb

quid *m* crux

quiebra *f* 1 *(de valores)* breakdown 2 *(económica)* bankruptcy

quien *pron rel* 1 *(sujeto)* who 2 *(complemento)* who, whom; *(como negativa)* nobody: **no hay quien soporte este calor,** nobody can stand this heat 3 *(indefinido)* whoever, anyone who: **quien lo haya visto, que lo diga,** anyone who has seen him should tell us

quién *pron* 1 *(interrogativo) (sujeto)* who?: ¿**quién es?**, who is it?; *(complemento)* who; ¿**con quién fuiste?**, who did you go with? 2 *(posesivo)* de quién, whose: ¿**de quién es ese libro?** whose book is that? 3 *(en exclamaciones)* ¡**quién sabe!**, who knows!

quienquiera *pron indef* whoever

quieto,-a *adj* 1 *(sin movimiento)* still 2 *(tranquilo, pacífico)* placid, calm

quijada *f* jaw (bone)

quilate *m* carat

quilla *f* keel

quimera *f* pipe dream, wishful thinking

química *f* chemistry

químico,-a I *adj* chemical
II *m,f* chemist

quimioterapia *f* chemotherapy

quince *adj & m inv* fifteen

quinceañero,-a *adj & m,f* 1 fifteen-year-old 2 *fam (adolescente)* teenager

quincena *f* fortnight

quiniela *f (football)* pools *pl*

quinientos,-as *adj & m,f* five hundred

quinina *f* quinine

quinqué *m* oil lamp

quinta *f* 1 *(casa)* country house, country estate 2 *Mil* draft

quinteto *m* quintet

quinto,-a I *adj* fifth
II *m* 1 *Mat* fifth 2 *Mil (recluta)* conscript

quiosco *m* kiosk

quirófano *m* operating theatre *o* room

quirúrgico,-a *adj* surgical

quisquilloso,-a *adj & m,f* 1 *(meticuloso)* fussy 2 *(suspicaz)* touchy

quiste *m* cyst

quitaesmalte *m* nail polish remover

quitamanchas *m inv* stain remover

quitanieves *m (máquina)* quitanieves, snowplough

quitar *vtr* 1 *(retirar, separar)* to remove: **quitar la mesa,** to clear the table 2 *(ropa, gafas, etc)* to take off 3 *(eliminar) (la sed)* to quench; *(el hambre)* to take away 4 *(el dolor)* to relieve 5 *(arrebatar, privar de)* **le quitó el lápiz,** he took the pencil away from him; *(robar)* to steal 6 *Mat (restar)* to substract; *fig* **quitar las ganas a alguien,** to put sb off
■ **quitarse** *vr* 1 *(la ropa, las gafas, un postizo)* to take off 2 *(apartarse, retirarse)* to get out 3 *(un dolor)* to go away 4 *(mancha)* to come out

quizá(s) *adv* perhaps, maybe

R

R, r *f (letra)* R, r

rábano *m* radish

rabia *f* 1 *(fastidio)* ¡**qué rabia!**, how annoying! 2 *(ira)* fury, anger 3 *Med* rabies *sing* 4 *fam (manía)* dislike; **tenerle rabia a alguien,** to have it in for sb

rabieta *f fam* tantrum

rabino *m* rabbi

rabioso,-a *adj* 1 *Med* rabid 2 *fam (de enfado)* furious

rabo *m* 1 *(de un animal)* tail 2 *(de una hoja, fruto)* stalk

rácano,-a I *adj fam pey* stingy, mean
II *m,f* scrooge, miser

racimo *m* bunch, cluster

ración *f* portion

racional *adj* rational

racionar *vtr* to ration

racista *adj & m/f* racist

radar *m Téc* radar

radiactividad *f* radioactivity

radiador *m* radiator

radiante *adj* radiant

radical I *adj* radical

radicar *vi* to lie

radio I *f* 1 *(transmisión)* radio 2 *(aparato receptor)* radio (set)
II *m* 1 *Geom* radius 2 *Quím* radium 3 *Anat* radius 4 *(de rueda)* spoke 5 *(en el espacio)* radius, area

radioaficionado,-a *m,f* radio ham

radiocasete *m* radio cassette player

radiografía *f (placa)* X-ray

radiología *f* radiology

radioyente *mf* listener

ráfaga *f* 1 *(de viento)* gust 2 *(de luz)* flash 3 *(de disparos)* burst

raído,-a *adj* worn (out)

raíl *m* rail

raíz *f* root

raja *f* 1 *(de fruta, embutido)* slice 2 *(herida)* cut 3 *(en un objeto)* crack 4 *(en confección)* split

rajar I *vtr* 1 *(una fruta, un embutido)* to slice

2 (*un objeto*) to crack, split; (*un neumático*) to slash **3** *argot* (*a una persona*) to knife, stab
II *vi fam* to chat
rajatabla (a) ◆ | LOC: strictly, to the letter
rallador *m Culin* grater
rallar *vtr* to grate
rama *f* branch
ramaje *m* branches *pl*
ramificación *f* ramification, branch
ramificarse *vr* to ramify, branch
ramillete *m* posy
ramo *m* **1** (*de flores*) bunch, bouquet **2** (*de árbol*) branch **3** (*de ciencia, actividad*) branch, industry
rampa *f* ramp
rana *f* **1** *Zool* frog **2** (*hombre*) **rana**, frogman
rancho *m* **1** (*en el campo*) ranch **2** *Mil & fam* mess, communal meal; *pey* bad food
rancio,-a *adj* **1** (*un alimento*) stale, rancid **2** (*linaje, tradición*) ancient **3** (*una persona*) *pey* unpleasant
rango *m* **1** rank **2** (*social*) status
ranura *f* slot
rapar *vtr* to shave
rapaz *adj* predatory
rape *m* monkfish
rápido,-a I *adj* quick, fast, rapid
II *adv* quickly, fast
III *m* **rápidos**, (*de un río*) rapids *pl*
rapiña *f* robbery, pillage
raptar *vtr* to kidnap
rapto *m* **1** (*de un rehén*) kidnapping, abduction **2** (*impulso*) fit
raqueta *f* **1** (*de tenis*) racket; (*de pimpón*) paddle **2** (*para caminar sobre nieve*) snowshoe
raquítico,-a *adj* **1** *f* (*persona*) skinny, emaciated **2** *Med* rachitic
raquitismo *m Med* rickets *pl*
rareza *f* **1** (*objeto*) rarity **2** (*cualidad*) rareness **3** (*manía*) peculiarity
raro,-a *adj* **1** (*no frecuente*) rare **2** (*poco común*) odd, strange
ras *m* **1** (*nivel*) level ◆ | LOC: **a ras de**, level with; **a ras de tierra**, at ground level
rascacielos *m inv* skyscraper
rascar I *vtr* **1** (*la piel, etc*) to scratch; (*la pintura, suciedad*) to scrape (off)
II *vi* to be scratchy
■ **rascarse** *vr* to scratch
rasgado,-a *adj* (*ojos*) almond-shaped
rasgar *vtr* **1** (*una tela, un papel*) to tear, rip **2** (*una guitarra, etc*) to strum
rasgo *m* **1** (*trazo*) stroke **2** (*aspecto distintivo*) characteristic, feature **3** (*del rostro*) feature
rasguño *m* scratch, graze
raso,-a I *adj* **1** level **2** (*cielo*) clear **3** (*vuelo*) low **4 soldado raso**, private
II *m* satin
raspa *f* backbone
raspar I *vtr* to scrape
II *vi* to be rough

rastrear *vtr* **1** (*seguir la pista*) to trail, track **2** (*una zona*) to comb **3** (*los orígenes, las raíces, una pista*) to search for
rastrillo *m* **1** *Agr* rake **2** (*mercadillo*) flea market; (*de objetos usados*) second-hand market
rastro *m* **1** (*de un animal, etc*) trail, track **2** (*vestigio*) trace, sign **3** (*mercado callejero*) flea market
rastrojo *m* **1** (*hierba seca*) stubble **2** (*mala hierba*) weeds *pl*
rata I *f* rat
II *mf fam* miser
III *adj fam* mean, stingy
ratero,-a *m,f* petty thief
raticida *m* rat poison
ratificar *vtr* (*un tratado*) to ratify; (*una decisión, opinión*) to confirm
rato *m* (*porción de tiempo*) while, time: **al poco rato llegó Juan**, shortly after Juan came; **ratos libres**, spare time *sing*
ratón *m* mouse
ratonera *f* **1** (*para cazar ratones*) mousetrap **2** (*antro*) dive, dump
raudal *m* **1** torrent, flood **2** (*oleada, gran afluencia*) flow, stream
raya *f* **1** line; (*del pelo*) parting; (*en un pantalón*) crease **2** *Zool* skate, ray
rayar *vtr* to scratch
rayo *m* **1** (*de una tormenta*) lightning **2** (*haz de luz*) ray, beam; **rayo láser**, laser beam; **rayos X**, X-rays
raza *f* **1** (*humana*) race **2** (*de un animal*) breed
razón *f* **1** (*facultad*) reason **2** (*verdad, acierto*) rightness; **tiene razón**, he's right **3** (*motivo*) reason: **no tienes razón alguna para enfadarte**, there is no reason to get angry **4** (*argumento*) argument, reason **5** *Mat* ratio
razonable *adj* reasonable
razonamiento *m* reasoning
razonar *vi* to reason
re *m Mús* D; **re bemol**, D-flat
reacción *f* reaction
reaccionar *vi* to react
reaccionario,-a *adj & m,f Pol* reactionary
reacio,-a *adj* reluctant
reactor *m* (*motor de reacción*) jet engine; (*avión*) jet (plane)
reajuste *m* readjustment
real¹ *adj* (*no ficticio*) real
real² *adj* (*relativo a la realeza*) royal
realeza *f* royalty
realidad *f* **1** reality **2** (*hecho cierto, circunstancia clave*) fact, truth ◆ | LOC: **en realidad**, in fact, actually
realista I *adj* realistic
II *mf* realist
realización *f* **1** (*ejecución, elaboración*) carrying out; (*consecución*) achievement **2** *TV* production; *Cine* direction

realizar *vtr* 1 *(llevar a cabo)* to carry out 2 *(un sueño, deseo)* to achieve 3 *Cine* to direct; *TV* to produce

■ **realizarse** *vr* 1 *(un proyecto, una idea)* to come true 2 *(sentirse satisfecho como persona)* to fulfill oneself

realzar *vtr* 1 to enhance 2 *(destacar)* to bring out

reanimar *vtr* 1 to revive 2 *(devolver a la consciencia)* to bring sb round 3 *(animar)* to cheer up

■ **reanimarse** *vr* 1 to revive 2 *(recuperar la consciencia)* to come round

reanudar *vtr* to resume, renew

■ **reanudarse** *vr* to start again, resume

reavivar *vtr* to revive

rebaja *f Com* 1 reduction, discount 2 rebajas, sales

rebajar *vtr* 1 *(una superficie)* to lower 2 *(un precio)* to cut, reduce 3 *(una sustancia)* to dilute; *(con agua)* to water; *(un color, tono)* to soften 4 *(hacer disminuir)* to diminish 5 *(humillar)* to humiliate 6 *(una pena, multa)* to reduce

■ **rebajarse** *vr* to lower oneself

rebanada *f* slice

rebañar *vtr* to wipe clean, mop up

rebaño *m* flock; *(de vacas, etc)* herd

rebasar *vtr* 1 to exceed, go beyond 2 *Auto* to overtake

rebatir *vtr* to refute

rebelarse *vr* to rebel, revolt

rebelde I *adj* 1 rebellious 2 *(persistente)* stubborn

II *mf* rebel

rebelión *f* rebellion, revolt

reblandecer *vtr*, **reblandecerse** *vr* to soften

rebobinar *vtr Téc* to rewind

rebosante *adj* overflowing

rebosar I *vi* *(un líquido)* to overflow, brim over; *(un recipiente)* to be overflowing

II *vtr* *(rezumar, desbordar)* to ooze, exude

rebotar *vi* *(una pelota, rueda, etc)* to bounce, rebound; *(una bala)* to ricochet

rebote *m* 1 *(de una pelota)* rebound; *(de bala)* ricochet 2 *fam* *(enfado, mosqueo)* anger

rebozar *vtr* *(en pan rallado)* to coat in breadcrumbs; *(en huevo y harina)* to coat in batter

rebuscado,-a *adj* 1 *(complicado)* round-about 2 *(con afectación)* stilted, recherché

rebuznar *vi* to bray

recado *m* 1 *(aviso)* message 2 *(encargo, gestión)* errand

recaer *vi* 1 to relapse 2 *(culpa, sospechas, responsabilidad)* to fall [**sobre,** on] 3 *(premio)* to go to

recaída *f* relapse

recalcar *vtr* to stress

recalentar *vtr* 1 *(calentar en exceso)* to overheat 2 *(volver a calentar)* to reheat

recambio *m* 1 refill 2 *(de una máquina)* spare (part)

recapacitar *vi* to think over

recargable *adj* *(con recambio)* refillable; *(con combustible)* rechargeable

recargar *vtr* 1 *(un decorado, una habitación)* to overelaborate 2 *(una pila, un mechero)* to recharge

recargo *m Fin* surcharge, extra charge

recaudación *f* 1 *(de un comercio, del cine, teatro)* takings *pl* 2 *(de impuestos, de una colecta, etc)* collection

recaudar *vtr* to collect

recelo *m* distrust, mistrust

recepción *f* reception

recepcionista *mf* receptionist

receptivo,-a *adj* receptive

receptor,-ora I *m,f* *(persona)* recipient

III *m Tel Rad* TV receiver

recesión *f Econ* recession

receta *f* 1 *Culin* recipe 2 *Med* prescription

recetar *vtr* to prescribe

rechazar *vtr* 1 to reject; *(oferta, contrato)* to turn down

rechazo *m* rejection

rechinar *vtr* to grind

rechistar *vi fam* **aguantó el dolor sin rechistar,** she bore the pain without saying a word

rechoncho,-a *adj fam* chubby, dumpy

recibidor *m* *(entrance)* hall

recibimiento *m* welcome, reception

recibir I *vtr* 1 to receive; *(un premio)* to win 2 *(acoger)* to welcome; *(en un aeropuerto, etc)* to meet

II *vi* to receive, see visitors

recibo *m* 1 *(de una transacción comercial)* receipt 2 *(factura)* bill; **recibo del gas,** gas bill

reciclado,-a I *adj* recycled

II *m* *(acción)* recycling

reciclar *vtr* 1 *(materiales)* to recycle 2 *(profesionales)* to retrain

recién *adv* 1 *(antecediendo a un participio pasado)* **estoy recién afeitado,** I've just shaved; **recién nacido,** newborn baby 2 *LAm* *(tan pronto como)* as soon as 3 *LAm* *(hace poco)* recently

reciente *adj* recent

recinto *m* precincts; **recinto ferial,** fairground

recio,-a *adj* *(vigoroso)* strong, vigorous; *(de complexión robusta)* sturdy

recipiente *m* receptacle, container

recíproco,-a *adj* reciprocal

recital *m* recital

recitar *vtr* to recite

reclamación *f* 1 *(queja)* complaint 2 *(petición)* claim, demand

reclamar I *vtr* 1 *(un derecho, una propiedad)* to claim, demand 2 *(requerir)* to call

II *vi* to complain

reclinar *vtr* **1** *(un asiento)* to fold down **2** *(la cabeza, el cuerpo)* to lean

■ **reclinarse** *vr* to lean back, recline

recluir *vtr* **1** to shut away, confine **2** *(en una cárcel)* to imprison **3** *(en un hospital, etc)* to intern

■ **recluirse** *vr* to shut oneself away

recluso,-a *m,f* prisoner, inmate

recluta *mf* **1** *(voluntario)* recruit **2** *(forzoso)* conscript

reclutamiento *m* **1** *(voluntario)* recruitment **2** *(obligatorio)* conscription

recobrar *vtr* to recover, retrieve

■ **recobrarse** *vr* to recover

recodo *m* twist, bend

recogedor *m* dustpan

recoger *vtr* **1** *(un objeto caído)* to pick up **2** *(información, dinero, basura, etc)* to gather, collect **3** *(una casa)* to tidy up **4** *(en un sitio a alguien o algo)* to pick up, fetch, collect **5** *(a una persona o animal necesitados)* to take in **6** *(cosecha)* to harvest **7** *(fruta)* to pick

■ **recogerse** *vr* **1** *(en casa)* to go home **2** *(en un lugar tranquilo)* to withdraw **3** *(pelo)* to put up, tie back

recogida *f* **1** *(de información, dinero, basura, etc)* collection **2** *Agr* harvest **3** *(de una persona)* withdrawal, retirement

recolección *f* **1** *(de datos, dinero, etc)* collection **2** *Agr* (acción) harvest; *(temporada)* harvest time

recolectar *vtr* **1** *(cosecha)* to harvest, gather in **2** *(fruta)* to pick **3** *(datos, dinero, etc)* to collect

recomendable *adj* advisable

recomendación *f* **1** *(consejo)* recommendation, advice **2** *(para un empleo)* reference, recommendation

recomendar *vtr* to recommend

recompensa *f* reward

recompensar *vtr* to reward

reconciliación *f* reconciliation

reconciliar *vtr* to reconcile

■ **reconciliarse** *vr* to be reconciled, to make it up

reconfortante *adj* comforting

reconfortar *vtr* to comfort

reconocer *vtr* **1** to recognize **2** *(un error, etc)* to admit **3** *(a un paciente)* to examine **4** *(un territorio)* to reconnoitre

reconocimiento *m* **1** *(de un hecho)* recognition, acknowledgement **2** *(de un paciente)* examination, checkup **3** *(de un territorio)* reconnaissance **4** *(gratitud)* appreciation

reconquista *f* **1** recapture, reconquest **2** *Hist* the Reconquest

reconsiderar *vtr* to reconsider

reconstituyente *m* tonic

reconstruir *vtr* **1** *(un edificio)* to rebuild **2** *(un suceso)* to reconstruct

reconversión *f* restructuring, rationalization; *(de un trabajador)* retraining

recopilar *vtr* to compile, gather together

récord *m* record

recordar *vtr* **1** *(acordarse)* to remember, recall **2** *(hacer recordar)* to remind: **me recuerda a su madre,** she reminds me of her mother

II *vi* to remember

recorrer *vtr* **1** *(una distancia)* to cover, travel **2** *(un territorio)* to travel across **3** *(un museo, etc)* to visit, go round **4** *(con la vista)* *(una sala, etc)* to look around

recorrido *m* **1** *(trayecto)* route **2** *(viaje)* trip, tour

recortable *adj* & *m* cutout

recortar *vtr* **1** *(una foto, un texto)* to cut out **2** *(bordes, puntas del pelo)* to trim **3** *(gastos)* to reduce, cut

recorte *m* **1** *(de prensa)* cutting, clipping **2** *(de gastos)* reduction, cut

recostar *vtr* to lean, rest

■ **recostarse** *vr* **1** *(en una cama)* to lie down **2** *(en un asiento)* to lie back, recline

recoveco *m* **1** *(en un camino, río, etc)* turn, bend **2** *(en un lugar)* nook **3 recovecos,** ins and outs

recrear *vtr* **1** to recreate **2** *(deleitar)* to give pleasure, entertain

■ **recrearse** *vr* to enjoy oneself, take pleasure in

recreativo,-a *adj* recreational

recreo *m* **1** *(diversión)* entertainment, pleasure **2** *(en la escuela)* break

recriminar *vtr* to reproach

recrudecer(se) *vtr* & *vr* to worsen

recta *f* **1** *Geom* straight line **2** *(de una carretera, un circuito, etc)* straight, stretch

rectangular *adj* rectangular

rectángulo *m* rectangle

rectificar *vtr* **1** *(un error, un defecto)* to rectify, correct **2** *(una conducta)* to change, reform **3** *(una declaración)* to modify

rectitud *f* rectitude, honesty

recto,-a I *adj* **1** straight **2** *(un ángulo)* right **3** *(una persona)* upright, honest

II *m Anat* rectum

rector,-ora *m,f Univ* vice-chancellor

recubrir *vtr* to cover, coat

recuento *m* count

recuerdo *m* **1** *(en la mente)* memory **2** *(objeto)* *(para recordar a alguien)* keepsake; *(para recordar un lugar)* souvenir **3 recuerdos,** *(saludo)* regards

recuperación *f* **1** recovery **2** *(de una asignatura)* resit, retake

recuperar *vtr* **1** to recover **2** *(el tiempo)* to make up **3** *(una asignatura)* to retake

■ **recuperarse** *vr* to recover, get over

recurrir I *vi* **1** *(a una persona)* to turn to **2** *(a una cosa)* to resort to **3** *Jur* to appeal

II vtr Jur to appeal against
recurso m 1 resort 2 Jur appeal
red f 1 network; (eléctrica) mains pl 2 (comercio, empresa) chain; **red hotelera,** hotel chain
redacción f 1 (acción) writing; (de un borrador) drafting 2 (escrito) composition, essay 3 Prensa (redactores) editorial staff
redactar vtr to write; (contrato, etc) to draw up
redactor,-ora m,f editor; **redactor jefe,** editor in chief
redada f raid
redil m fold, sheepfold
redimir vtr to redeem
redoble m drumroll
redomado,-a adj utter
redonda f Mús semibreve ♦ | LOC: **a la redonda,** around
redondear vtr 1 (un objeto) to make round 2 Mat (cantidad por exceso) to round up; (por defecto) to round down
redondel m fam (círculo) circle
redondo,-a adj 1 (cosa, forma, número) round 2 (perfecto) perfect, complete
reducción f reduction
reducir **I** vtr 1 (disminuir) to reduce; (gastos, consumo, etc) to cut (down), minimize 2 (subyugar) to subdue
II vi Auto to downshift
■ **reducirse** vr 1 (mermar, disminuir) to be reduced 2 (limitarse) to be limited
redundar vi eso redundará en su beneficio, that will benefit him
reelegir vtr to re-elect
reembolsar vtr 1 to reimburse, refund 2 Fin (préstamo, deuda) to repay
reembolso m 1 reimbursement, refund 2 (pago de un envío) entrega contra reembolso, cash on delivery, COD
reemplazar vtr 1 to replace 2 (por tiempo limitado) to substitute for
reestructurar vtr to restructure, reorganize
referencia f reference
referéndum m referendum
referente adj referente a, concerning
referirse vr 1 (aludir) **referirse a algo o alguien,** to refer to sb/sthg
refinado,-a adj refined
refinar vtr to refine
refinería f refinery
reflejar vtr & vi to reflect
■ **reflejarse** vr to be reflected
reflejo m 1 (imagen) reflection 2 (destello) gleam 3 reflejos, (movimiento) reflexes pl; (en el pelo) highlights
reflexión f reflection
reflexionar vi to reflect
reflexivo,-a adj 1 (persona, actitud) reflective, thoughtful 2 Ling reflexive
reforma f 1 (de leyes, etc) reform 2 (en un edificio) alteration, repair

reformar vtr 1 (una ley, empresa, etc) to reform, change 2 (edificio, casa) to make improvements, to refurbish
■ **reformarse** vr to mend one's ways, reform oneself
reformatorio m reformatory
reforzar vtr 1 (fortalecer) to reinforce 2 (incrementar) **han reforzado la vigilancia,** vigilance has been stepped up
refrán m proverb, saying
refrescante adj refreshing
refrescar **I** vtr 1 to refresh
II vi to get cooler
■ **refrescarse** vr to cool down
refresco m soft drink
refrigeración f 1 refrigeration 2 (sistema técnico) cooling (system); (aire acondicionado) air conditioning
refrigerador,-ora m 1 refrigerator, fridge 2 Téc cooling unit
refrigerar vtr 1 (alimentos, bebidas) to refrigerate 2 (una sala) to air-condition 3 Téc to cool
refuerzo m 1 reinforcement 2 (de vitaminas, etc) supplement
refugiado,-a adj & m,f refugee
refugiarse vr to take refuge, take shelter
refugio m refuge, shelter
refunfuñar vi to grumble, grouch
refutar vtr to refute
regadera f watering can
regadío m irrigation
regalar vtr 1 to give (as a present); (en general, a nadie en concreto) to give away
regaliz m licorice
regalo m gift, present
regañar **I** vtr to scold, tell off
II vi to argue, quarrel
regar vtr 1 to water 2 (un terreno) to irrigate 3 (una calle, un suelo, etc) to hose down
regata f Dep boat race
regatear **I** vi 1 (al comprar algo) to haggle, bargain 2 Dep to dribble; Náut to participate in a boat-race
II vtr 1 (un precio) to haggle over 2 (esfuerzos, etc) to spare
regazo m lap
regenerar vtr to regenerate
regentar vtr 1 (un negocio) to run, manage 2 (un cargo) to hold
regente mf Pol regent
régimen m 1 Med diet; **a régimen,** on a diet 2 Pol regime
regimiento m 1 Mil regiment 2 fam (multitud) crowd
región f region
regir **I** vtr 1 to govern, rule 2 (un negocio) to manage, run
II vi to be valid o in force, apply
■ **regirse** vr to be ruled, be guided
registrar vtr 1 (la policía una casa, a una

persona, etc) to search **2** *(un nacimiento, una firma, marca)* to register **3** *(información, datos, etc)* to include **4** *(una imagen, un sonido)* to be recorded, happen
■ **registrarse** *vr* **1** *(una persona en un hotel, etc)* to register, check in **2** *(un suceso, fenómeno)* to be recorded, happen
registro *m* **1** *(inspección policial, etc)* search **2** *(de nacimientos, firmas, marcas)* register **3** *(oficina)* registry office
regla *f* **1** *(de medir)* ruler **2** *(norma)* rule **3** *fam (menstruación)* period
reglamento *m* regulations *pl*, rules *pl*
regocijarse *vr* to be delighted, rejoice
regocijo *m* delight, joy
regodearse *vr fam* to (take) delight
regordete,-a *adj fam* chubby
regresar *vi* to return
regreso *m* return
reguero *m* **1** *(rastro)* trail **2** *Agr* irrigation channel **3** *(regato)* small stream
regular I *adj* **1** regular **2** *(mediano)* average
II *adv* so-so
III *vtr* to regulate, control
regularizar *vtr* to regularize
rehabilitación *f* **1** *(de un criminal, enfermo)* rehabilitation **2** *(de un edificio)* restoration **3** *(a un cargo, puesto de trabajo)* reinstatement
rehabilitar *vtr* **1** *(a un enfermo, preso)* to rehabilitate **2** *(a un trabajador)* to reinstate **3** *(una casa, un edificio)* to restore
rehacer *vtr* to redo
■ **rehacerse** *vr* to recover
rehén *m* hostage
rehogar *vtr* to fry lightly
rehuir *vtr* to shun, avoid
rehusar *vtr* to refuse
reina *f* queen
reinar *vi* to reign
reincidente *adj & mf* recidivist, reoffender
reincidir *vi* **1** *Jur* to reoffend **2** *(en un comportamiento)* to relapse
reincorporarse *vr* to return, go back
reino *m* **1** kingdom **2** *frml* realm
reinserción *f* reintegration
reintegrar *vtr* to refund, repay
■ **reintegrarse** *vr* to return, go back
reintegro *m* **1** *(devolución de un pago previo)* repayment, refund; *(en el banco)* withdrawal **2** *(en lotería)* refund (of the ticket o stake price)
reír *vi* to laugh: **echarse a reír,** to burst out laughing
II *vt* to laugh at
■ **reírse** *vr* **1** to laugh **2** *(tomar a risa, mofarse)* to laugh off, make fun of o laugh at sb
reiterar *vtr* to reiterate
reivindicación *f* claim, demand
reivindicar *vtr* **1** to claim, demand **2** *(atribuirse)* to claim responsibility for

reja *f* grille, bars
rejuvenecer *vtr* to rejuvenate
relación *f* **1** *(entre personas)* relationship: **tener relaciones influyentes,** to have good contacts **2** *(entre ideas o cosas)* connection, relation; **con relación a su pregunta,** regarding your question **3** *(de nombres, elementos, etc)* list **4** *(de un hecho o situación)* account **5** *Mat* ratio, proportion
relacionar *vtr* **1** *(una cosa, persona, etc, con otra)* to relate, link **2** *(hacer un listado)* to list
■ **relacionarse** *vr* **1** to be related to, be connected with **2** *(una persona con otra)* to mix, meet
relajación *f* **1** *(de músculos, mente)* relaxation **2** *(moral)* laxity
relajante *adj* relaxing
relajar *vtr* to relax
■ **relajarse** *vr* **1** *(físicamente, mentalmente)* to relax **2** *(la moral, las costumbres, etc)* to decline, become lax
relamido,-a *adj fam pey* affected, hoity-toity
relámpago *m* flash of lightning
relanzar *vtr* to relaunch
relatar *vtr* to relate
relatividad *f* relativity
relativo,-a *adj* **1** relative **2** *(que se refiere a algo o alguien)* relating to, regarding
relato *m* **1** *(de ficción)* tale, story **2** *(de un hecho real)* account
relax *m* relaxation
relegar *vtr* to relegate
relevancia *f* importance
relevante *adj* **1** *(una persona)* prominent **2** *(un asunto, trabajo)* important, outstanding
relevar *vtr* **1** *(de una carga u obligación)* to exempt from, let off **2** *(de un puesto o cargo)* to remove, relieve **3** take over from **4** *Dep* to substitute, replace
■ **relevarse** *vr* to take turns
relevo *m* **1** *(acción)* changing **2** *(persona o grupo)* relief **3** *Dep* **(carrera de) relevos,** relay (race)
relieve *m* **1** relief **2** *(en importancia o valor)* prominence, importance
religión *f* religion
religioso,-a I *adj* religious
II *m,f* member of a religious order
relinchar *vi* to neigh, whinny
reliquia *f* relic
rellano *m* **1** *(de la escalera)* landing **2** *(explanada, llano en una pendiente)* flat area
rellenar *vtr* **1** *(un recipiente, hueco)* to fill; *(volver a llenar)* to refill **2** *(un cojín, muñeco)* to stuff **3** *Culin (un ave, pimiento, etc)* to stuff; *(un pastel, una tarta)* to fill **4** *(un impreso)* to fill in
relleno,-a I *m* **1** *Culin (de ave, pimiento etc)* stuffing **2** *(de cojín, muñeco)* stuffing **3** *(de agujero, grieta)* filler
II *adj* **1** *Culin (un ave)* stuffed; *(un pastel, una*

159

reojo

tarta) filled **2** *fam (una persona)* plump
reloj m **1** *(de pared, de pie)* clock **2** *(de pulsera, de bolsillo)* watch **3** *(de arena)* hourglass **4** *(de sol)* sundial
relojería f **1** *(tienda)* clock and watch shop **2** *(taller)* watchmaker's, clockmaker's
relojero,-a m,f watchmaker, clockmaker
reluciente adj **1** shining **2** *(joyas, oro)* glittering **3** *(el suelo, un coche)* sparkling, gleaming
remachar vtr *(un clavo)* to clinch, hammer home; *(unir con remaches)* to rivet
remache m rivet
remangar(se) vtr & vr *(mangas, pantalones)* to roll up, tuck up; *(falda, vestido)* to hitch up
remar vi to row
remarcar vtr to emphasize, underline
rematar I vtr **1** to finish off, kill off **2** Com *(liquidar)* to sell off
II vi & vi Dep to shoot; *(en tenis)* to smash
remediar vtr **1** *(un daño, un perjuicio)* to repair, put right **2** *(una necesidad, urgencia)* to find a remedy for, solve **3** *(evitar)* to avoid
remedio m remedy, solution; **como último remedio,** as a last resort
remendar vtr **1** *(zapatos, etc)* to mend **2** *(pantalones, etc)* to patch **3** *(calcetines)* to darn
remesa f delivery, consignment
remilgado,-a adj pey *(repipi, afectado)* fussy; *(con la comida)* picky
reminiscencia f reminiscence
remite m sender's name and address, return address
remitente mf sender
remitir I vtr **1** *(una cosa a alguien)* to send **2** *(una condena)* to remit
II vi **1** *(la intensidad de algo)* to subside, drop, go down **2** *(un texto a otro texto)* to refer
■ **remitirse** vr to refer to
remo m **1** *(largo)* oar; *(corto)* paddle **2** Dep rowing
remodelación f **1** Arquit remodeling, redesigning **2** *(de un organismo)* reorganization, restructuring **3** Pol reshuffle
remojar vtr to soak
remolacha f Bot beetroot; **remolacha azucarera,** sugar beet
remolcar vtr to tow
remolino m **1** *(de agua)* whirlpool **2** *(de aire)* whirlwind **3** *(de polvo)* swirl **4** *(en el pelo)* cowlick
remolque m **1** *(acción)* towing **2** *(vehículo)* trailer **3** Náut *(soga, cabo)* towrope
remontar I vtr **1** *(una pendiente)* to go up, climb **2** *(un río)* to go upriver **3** *(en el aire) (un avión, una cometa)* to gain height **4** *(un problema, una dificultad)* to overcome, surmount, get over **5** *(puestos, posiciones)* to move up
■ **remontarse** vr **1** *(en el aire)* to gain height **2** *(a una época pasada)* to go back, date back **[a, to]**

remordimiento m remorse
remoto,-a adj remote
remover vtr **1** *(objetos)* to move round, change over **2** *(la tierra)* to turn over, dig up **3** *(las brasas, cenizas)* to poke, stir **4** *(un líquido)* to stir **5** *(una ensalada)* to toss **6** *(un asunto)* to bring up again, stir up
■ **removerse** vr to shift
renacer vi **1** to be reborn **2** *(tras un accidente)* to revive
renacimiento m **1** revival, rebirth **2** Arte Hist **el Renacimiento,** the Renaissance
renacuajo m **1** Zool tadpole **2** fam *(niño pequeño)* shrimp
renal adj kidney, renal
rencor m resentment
rencoroso,-a adj resentful
rendición f surrender
rendido,-a adj exhausted
rendija f **1** *(de ventana, puerta, etc)* gap **2** *(una pared, roca, etc)* crack, crevice
rendimiento m **1** performance **2** Fin yield, return
rendir I vtr **1** Mil to conquer **2** *(en señal de homenaje o respeto)* to lower **3** *(de cansancio)* to exhaust, tire out **4** Fin to yield
II vi **1** *(en el trabajo, etc)* to make headway **2** *(un negocio)* to be profitable ◆ | LOC: **rendir culto,** to worship; **rendir homenaje,** to pay homage; **rendir tributo,** to pay tribute
■ **rendirse** vr **1** to surrender **2** *(desistir)* to give up
renegar vi **1** *(de creencias, ideología, etc)* to renounce **2** *(repudiar)* to disown **3** fam *(refunfuñar)* **renegar de algo,** to grumble about sthg
renglón m line
reno m Zool reindeer
renombre m renown, fame
renovación f **1** *(de un documento)* renewal **2** *(de una casa, un edificio, etc)* renovation **3** Pol restructuring, reorganization **4** *(de equipamientos, sistemas)* updating
renovar vtr **1** to renew **2** *(un edificio, etc)* to renovate; *(sistemas, maquinaria, etc)* to update; *(modernizar)* to transform, reform
renta f **1** *(ingresos)* income; *(por trabajo)* earned income **2** *(alquiler)* rent
rentable adj profitable
renuncia f **1** renunciation **2** *(a un cargo)* resignation; *(documento)* letter of resignation
renunciar vi **1** to renounce **2** *(a un vicio, placer, proyecto)* to give up **3** *(no aceptar)* to decline **4** *(a un cargo)* to resign
reñir I vi *(tener una discusión)* to quarrel, argue; *(enfadarse, dejar de hablarse)* to fall out
II vtr **1** to tell off **2** *(una batalla)* to fight
reo mf **1** *(acusado de un delito)* defendant, accused **2** *(declarado culpable)* guilty person, convicted criminal
reojo (de) loc adv **la miraba de reojo,** he was

looking at her out of the corner of his eye

reparación f 1 (*arreglo*) repair 2 (*por un insulto, daño, perjuicio*) amends pl

reparar I vtr 1 (*una máquina, etc*) to repair, mend 2 (*un daño, error, una pérdida*) to make good; (*una ofensa*) to make amends for 3 (*fuerzas, energías*) **necesitas reparar fuerzas**, you need to get your strength back II vi 1 (*darse cuenta de*) to notice

reparo m 1 (*escrúpulo, duda*) qualm 2 (*vergüenza*) shame; (*timidez*) embarrassment

repartidor,-ora m,f (*hombre*) delivery man, (*mujer*) delivery woman

repartir vtr 1 (*una tarta, los beneficios*) to divide up (*distribuir*) to give out: **repartían golosinas entre los niños**, they were sharing out sweets amongst the children; (*un pedido, el correo*) to deliver 3 (*extender*) to spread 4 *Naipes* to deal

reparto m 1 distribution, sharing out 2 (*de regalos, etc*) sharing; (*de pedidos, encargos, correo*) delivery 3 *Cine Teat* cast

repasar I vtr 1 (*un trabajo*) to check, go over 2 to review II vi 1 to revise

repaso m 1 check, going over 2 *Educ* review

repecho m short steep slope

repelente I m (*para insectos*) repellent II adj 1 (*repugnante*) repulsive, repellent 2 (*redicho*) affected

repeler vtr to repel

repente m fam fit, burst ◆ | LOC: **de repente**, suddenly, all of a sudden

repentino,-a adj sudden

repercusión f 1 repercussion 2 (*resonancia, trascendencia*) impact

repercutir vi to affect

repertorio m repertoire, repertory

repetición f 1 repetition 2 *TV* (*de una escena deportiva*) replay

repetido,-a adj 1 **tengo este libro repetido**, (*dos ejemplares*) I've got two copies of this book 2 (*varios*) several: **nos hemos visto en repetidas ocasiones**, we have met several times

repetir I vtr 1 to repeat 2 (*un trabajo*) to do again 3 *Educ* to repeat II vi 1 *Educ* to repeat a year 2 (*volver a servirse el plato*) to have a second helping 3 (*un alimento*) **el ajo me repite**, garlic repeats on me

■ **repetirse** vr 1 (*una persona al hablar*) to repeat oneself 2 (*un suceso, evento, sueño*) to recur

repicar vi to peal

repipi I adj fam (*ñoño*) fussy; (*cursi*) affected II mf (*ñoño*) fussy person; (*cursi*) affected person

repique m peal

repisa f ledge

replantear vtr to reconsider

■ **replantearse** vr to reconsider, rethink

repleto,-a adj 1 full (up) 2 fam (*de gente*) jam-packed

réplica f 1 (*a un discurso o escrito*) answer, reply 2 (*imitación exacta*) replica 3 *Jur* answer to a charge

replicar vi 1 (*a una afirmación*) to reply, retort 2 (*a una orden*) to answer back

repoblación f 1 (*de personas*) repopulation 2 (*de animales*) restocking 3 **repoblación forestal,** reforestation

repoblar vtr 1 (*con personas*) to repopulate 2 (*con animales*) to restock 3 (*con especies vegetales*) to reforest

repollo m *Bot* cabbage

reponer vtr 1 to put back, replace; **reponer existencias,** to restock; **reponer fuerzas,** to get one's strength back 2 (*a una afirmación*) to reply 3 (*una obra: de teatro*) to put on again, revive; (*: cinematográfica*) to rerun; (*: de TV*) to repeat

■ **reponerse** vr to recover from

reportaje m 1 (*de prensa*) article 2 (*de radio o TV*) report, item

reportero,-a m,f reporter

reposar I vi 1 to rest 2 (*un alimento, un líquido*) to settle, stand II vtr to rest, lay

reposición f 1 (*de objetos o productos*) replacement 2 (*de una obra: de teatro*) revival; (*: cinematográfica*) rerun, reshowing; (*: de TV*) repeat

reposo m 1 rest: **guardar reposo**, to rest 2 (*de un alimento o líquido*) **dejar en reposo**, leave to stand

repostar vtr 1 (*provisiones*) to stock up 2 (*combustible: un automóvil*) to fill up with; (*: un avión, una embarcación*) to refuel

repostería f 1 confectionery 2 (*establecimiento*) confectioner's (shop), bakery

reprender vtr to reprimand, tell off

represalia f reprisal, retaliation

representación f 1 (*de una imagen, idea, etc*) representation, illustration 2 (*de personas*) delegation 3 *Teat* performance 4 *Com* dealership

representante mf 1 representative 2 (*de un artista*) agent, manager 3 *Com* sales representative

representar vtr 1 to represent 2 (*un cuadro, fotografía*) to depict 3 (*una edad*) to look 4 (*en la imaginación*) to imagine 5 (*en valor, importancia*) to mean, represent 6 *Teat* (*una obra*) to perform; (*un papel*) to play

represión f repression

represivo,-a adj repressive

reprimenda f reprimand, telling-off

reprimir vtr 1 (*un impulso*) to suppress 2 (*un sentimiento*) to repress 3 (*una rebelión, protesta*) to put down, suppress

■ **reprimirse** *vr* to control oneself
reprobar *vtr* to condemn, disapprove
reprochar *vtr* to reproach
reproche *m* reproach
reproducción *f* reproduction
reproducir *vtr* 1 to reproduce 2 *(unas palabras)* to repeat
■ **reproducirse** *vr* 1 *(las especies)* to reproduce, breed 2 *(una situación, un fenómeno)* to occur *o* happen again
reproductor,-ora *adj* reproductive
reptar *vi* to crawl; *(una serpiente)* to slither
reptil *m Zool* reptile
república *f* republic
republicano,-a *adj & m,f* republican
repuesto *m Auto* spare part
repugnancia *f* repugnance
repugnante *adj* 1 *(físicamente)* disgusting, revolting 2 *(moralmente)* repugnant
repugnar *vi* 1 *(físicamente)* to disgust, revolt 2 *(moralmente)* to find repugnant *o* abhorrent
repulsa *f* condemnation, rejection
repulsión *f* repulsion
repulsivo,-a *adj* 1 *(físicamente)* repulsive, revolting 2 *(moralmente)* repugnant
reputación *f* reputation
requerir *vtr* to require
requesón *m* cottage cheese
requisito *m* requirement, requisite
res *f* animal
resabiado,-a *adj (desconfiado)* distrustful; *(taimado)* crafty
resaca *f* 1 *Náut* undertow, undercurrent 2 *fam (por culpa del alcohol)* hangover
resaltar I *vi* 1 *(destacar)* to stand out 2 *(en una construcción)* to project, jut out
II *vtr* 1 *(realzar)* to enhance, bring out 2 *(acentuar, hacer más visible)* to emphasize
resbaladizo,-a *adj* 1 slippery 2 *(comprometido)* difficult, delicate
resbalar *vi* 1 *(patinar)* to slip 2 *(caer lentamente)* to roll: **la lluvia resbala por el cristal,** the rain trickles down the windowpane 3 *(ser deslizante)* **este suelo no resbala,** this floor isn't slippery 4 *Auto* to skid 5 *(meter la pata, equivocarse)* to slip up
rescate *m* 1 *(liberación)* rescue 2 *(pago exigido por un secuestrador)* ransom
rescindir *vtr* to cancel
rescoldo *m* embers *pl*
resecarse *vr* to dry out
reseco,-a *adj (terreno, boca, tela)* parched; *(piel)* dry; *(el pelo, el pan)* dried up
resentido,-a *adj* resentful
resentimiento *m* resentment
resentirse *vr* 1 *(volver a sentir dolor)* to suffer [**de,** from] 2 *(debilitarse)* to weaken 3 *(ofenderse)* to feel offended
reseña *f* 1 *Prensa* review 2 *(breve relato)* summary, quick account

reserva I *f* 1 *(en un hotel, restaurante, vuelo, etc)* reservation, booking 2 *(depósito)* reserve, stock: *Auto* **el depósito del coche está en reserva,** the tank is almost empty 3 *(prudencia, discreción)* reserve, discretion 4 *(objeción, duda, recelo)* reserve, discretion 5 *(territorio acotado)* reserve 6 *Mil* reserve, reserves *pl*
II *m (vino)* vintage wine
III *mf Dep* reserve, substitute
reservado,-a I *adj* 1 *(información, etc)* confidential 2 *(callado, discreto)* reserved
II *m* private room
reservar *vtr* 1 *(algo para más tarde)* to keep back; *(guardar para alguien)* to keep (aside) 2 *(en un hotel, restaurante, etc)* to book, reserve
■ **reservarse** *vr* 1 *(abstenerse para otra ocasión)* to save oneself 2 *(un comentario, secreto, etc)* to reserve, keep to oneself
resfriado,-a I *adj* **está resfriado,** he has a cold
II *m (catarro, enfriamiento)* cold
resfriarse *vr* to catch (a) cold
resguardar *vtr* to protect, shelter
resguardo *m* 1 *(documento)* receipt 2 *(refugio, abrigo)* shelter
residencia *f* 1 residence 2 *(en hostelería)* boarding house 3 **residencia de ancianos** *o* **de la tercera edad,** old people's home; **residencia de estudiantes,** dorm
residencial *adj* residential
residente *adj & mf* resident
residir *vi* to reside
residuo *m* 1 residue 2 **residuos,** waste *sing*
resignación *f* resignation
resignarse *vr* to resign oneself
resina *f* resin
resistencia *f* 1 *(aguante de una persona)* endurance: **tiene mucha resistencia física,** he has a lot of stamina 2 *(oposición a una fuerza, medida)* resistance 3 *Elec* element 4 *Hist Pol* **la Resistencia,** the Resistance
resistente *adj* 1 resistant: **resistente al agua,** water-resistant; *(duradero, fuerte)* strong, tough 2 *(persona)* tough, resilient; *(planta)* hardy
resistir I *vtr* 1 *(soportar, tener paciencia)* to put up with 2 to resist
II *vi* 1 *(mantenerse en pie, aguantar)* to hold (out) 2 to resist
■ **resistirse** *vr* 1 *(a hacer algo)* to be reluctant 2 to resist 3 *(a la autoridad)* to offer resistance
resolución *f* 1 resolution 2 *(de un problema, acertijo, etc)* solution
resolver *vtr* 1 *(tomar una determinación)* to resolve 2 *(un asunto, problema)* to solve, resolve 3 *(zanjar)* to settle
■ **resolverse** *vr* 1 *(determinarse)* to resolve 2 *(solucionarse)* to be solved
resonancia *f* 1 resonance; *(eco)* echo 2 *(de un suceso, noticia, etc)* impact, repercussions *pl*

resoplar *vi* 1 *(por cansancio)* to puff, gasp 2 *(por disgusto)* to snort

resorte *m* 1 *Mec* spring 2 *(para lograr un fin)* means *pl*

respaldar *vtr* to support, back

respaldo *m* 1 back 2 *(económico, moral)* support, backing

respectar *v impers* to concern

respectivo,-a *adj* respective

respecto *m* ♦ | LOC: **al respecto,** on the subject *o* matter; **(con) respecto a/de,** with regard to, regarding

respetable *adj* 1 *(por edad, ideas, etc)* respectable 2 *(por tamaño, cantidad, etc)* considerable

respetar *vtr* 1 to respect 2 *(una orden, ley)* to observe, obey

respeto *m* 1 respect; **faltar al respeto,** to be disrespectful

respetuoso,-a *adj* respectful

respingón,-ona *adj* turned-up

respiración *f* 1 breathing: **contener la respiración,** to hold one's breath; **respiración artificial,** artificial respiration; **respiración boca a boca,** mouth-to-mouth resuscitation *o* the kiss of life

respirar *vi* to breathe

respiratorio,-a *adj* respiratory

respiro *m* 1 breath 2 *(en un trabajo o actividad)* break, breather 3 *(en una situación de angustia)* respite

resplandecer *vi* 1 to shine 2 *(un objeto de metal, cristal)* to gleam, glitter

resplandeciente *adj* 1 *(por luminoso)* shining, gleaming 2 *(por limpio)* sparkling 3 *(una persona)*, radiant, glowing

resplandor *m* 1 *(de luz)* brightness 2 *(de fuego)* glow 3 *(de un metal, cristal)* gleam, glitter

responder I *vtr* to answer, reply
II *vi* 1 *(a una acción, pregunta, etc)* to answer, reply 2 *(a un tratamiento, estímulo, etc)* to respond 3 *(de un error o falta)* to pay for 4 *(por una persona)* to vouch for 5 *(de un acto, de una cosa)* to be responsible for, answer for

responsabilidad *f* responsibility

responsabilizar *vtr* to hold responsible
■ **responsabilizarse** *vr* to accept *o* take responsibility

responsable I *adj* responsible
II *m/f* 1 *(en un establecimiento, una oficina, etc)* the person in charge 2 *(de otra persona, de una acción)* responsible person

respuesta *f* 1 answer, reply 2 *(a un tratamiento, estímulo)* response

resquebrajarse *vr* to crack

resquicio *m* 1 chink, gap 2 *fig (posibilidad)* chance

resta *f* subtraction

restablecer *vtr* to reestablish, restore; *(la calma, el orden, etc)* to restore

■ **restablecerse** *vr Med* to recover

restante *adj* remaining

restar I *vtr* 1 *Mat* to subtract, take away 2 *(quitar)* to minimize 3 *(en tenis)* to return
II *vi (quedar)* to be left, remain

restauración *f* restoration

restaurante *m* restaurant

restaurar *vtr* to restore

restituir *vtr* to restore

resto *m* 1 rest, remainder 2 *Mat* remainder 3 *Tenis* return 4 **restos,** remains; *(de alimento)* leftovers

restregar *vtr* 1 *(con un paño)* to rub, scrub 2 *fig fam (refregar)* to rub in

restricción *f* restriction

restrictivo,-a *adj* restrictive

restringir *vtr* to restrict

resucitar I *vtr* 1 to resurrect 2 *(una tradición, costumbre)* to revive 3 *(reanimar, dar nuevas energías)* to revive
II *vi* to resurrect

resuelto,-a *adj* 1 *(determinado)* resolute, determined 2 *(solucionado)* solved

resultado *m* result; *(de un experimento)* outcome

resultar *vi* 1 *(originarse, ser consecuencia)* to result, come 2 *(ser, mostrarse)* to turn out, work out 3 *(tener éxito, funcionar)* to be successful 4 *fam (suceder)* **resulta que…,** the thing is…

resumen *m* summary ♦ | LOC: **en resumen,** in short

resumir *vtr (una situación)* to sum up; *(un texto, informe, una noticia)* to summarize
■ **resumirse** *vr* 1 *(condensarse, sintetizarse)* to be summed up 2 *(reducirse)* to be reduced to

resurgir *vi* to reappear, reemerge

retablo *m Arte* altarpiece

retaguardia *f* rearguard

retal *m* remnant

retar *vtr* to challenge

retención *f* 1 retention 2 *(de sueldo, capital)* deduction, withholding 3 *(de vehículos)* holdup, delay 4 *Med* retention

retener *vtr* 1 to retain 2 *(en un lugar)* to keep; *(en una comisaría)* to detain, keep in custody 3 *(en la memoria)* to remember 4 *(un sentimiento, impulso, etc)* to restrain, hold back 5 *(un sueldo, capital)* to deduct, withhold

reticencia *f* reticence, reluctance

reticente *adj* reticent, reluctant

retina *f Anat* retina

retirada *f* 1 withdrawal 2 *(de una actividad)* retirement, withdrawal 3 *Mil* retreat

retirado,-a *adj* 1 *(en un lugar apartado)* remote, secluded 2 *(de una actividad)* retired

retirar *vtr* 1 *(de un lugar)* to remove, move away 2 *(de una actividad)* to retire from 3 *(una ayuda, dinero)* to withdraw 4 *(el pasaporte, carné)* to take away
■ **retirarse** *vr* 1 *(de la vida social, de una*

actividad) to retire, withdraw **2** *(de un lugar)* to move away, leave **3** *(a casa, a dormir)* to retire, go to bed **4** *Mil* to retreat
retiro *m* **1** retirement **2** *(pensión)* (retirement) pension **3** *(lugar)* retreat **reto** *m* challenge
retocar *vtr* to touch up
retomar *vtr* to take up again
retoño *m* sprout
retoque *m* retouching, touching up
retorcer *vtr* **1** to twist **2** *(ropa)* to wring (out)
■ **retorcerse** *vr* **1** *(un cable, etc)* to twist up, become tangled (up) **2** *(una persona de dolor)* to writhe in pain
retórica *f* rhetoric
retórico,-a *adj* rhetorical
retornar I *vtr* to return, give back
II *vi* to return
retorno *m* return
retortijón *m fam* stomach cramp
retozar *vi* to frolic, gambol
retractarse *vr* to retract, withdraw
retraído,-a *adj* shy, reserved
retransmisión *f* broadcast
retransmitir *vtr* to broadcast
retrasado,-a I *adj* **1** *(en el desarrollo físico)* underdeveloped, immature **2** *(en el desarrollo mental)* retarded, backward
II *m,f* **retrasado (mental)**, mentally handicapped *o* retarded person
retrasar I *vtr* **1** to slow down **2** *(posponer)* to delay, postpone **3** *(un reloj)* to put back
■ **retrasarse** *vr* **1** *(ir más lento)* to fall behind **2** *(llegar más tarde)* to be late **3** *(suceder más tarde)* to be delayed, be postponed **4** *(un reloj)* to be slow
retraso *m* **1** *(en el tiempo)* delay: **llegó con retraso**, he was late **2** *(con el trabajo, etc)* behind schedule: **llevamos dos meses de retraso**, we are two months behind **3** *(en el desarrollo físico o mental)* subnormality
retratar I *vtr* **1** *Fot* to take a photograph of; *(en un cuadro, dibujo)* to paint a portrait of **2** *(hacer una descripción fiel)* to describe
■ **retratarse** *vr* **1** *Arte* to have one's portrait painted; *Fot* to have one's photograph taken **2** *(describirse)* to depict oneself
retrato *m* **1** *Arte* portrait; *Fot* photograph **2** *(descripción)*
retrete *m* **1** *(cuarto de baño)* bathroom, restroom **2** *(taza del baño)* bowl, toilet
retribuir *vtr* **1** *(pagar)* to pay for **2** *(recompensar)* to reward
retroceder *vi* to move back, back away
retroceso *m* **1** backward movement **2** *Med* deterioration, worsening **3** *Econ* recession
retrógrado,-a *adj & m,f* reactionary
retrovisor *m Auto* rear-view mirror
retumbar *vi (hacer mucho ruido)* to thunder, boom; to resound

reuma, reumatismo *m* rheumatism
reunión *f* **1** *(de negocios, etc)* meeting **2** *(de conocidos, familiares)* reunion
reunir *vtr* **1** *(juntar)* to collect; *(información)* to gather; *(valor, fuerza)* to muster (up) **2** *(congregar)* to gather together **3** *(cualidades, características)* to have, possess; *(requisitos)* to fulfill
■ **reunirse** *vr* to meet, gather
revalorizarse *vr* to go up in value
revancha *f* **1** revenge **2** *fam Dep* return match
revelación *f* revelation
revelado *m* developing
revelar *vtr* **1** to reveal **2** *Fot (un carrete)* to develop
■ **revelarse** *vr* to show oneself to be
reventa *f* scalping
reventar I *vi* **1** to burst **2** *(una situación)* to blow up, *(una persona)* to explode **3** *fam (de deseos, ganas)* to be dying
II *vtr* **1** *(a un caballo)* to ride to death **2** *(una propuesta, huelga)* to break **3** *(molestar mucho, enfadar)* to annoy, bother **4** to burst **5** *(con explosivos)* to blow open
■ **reventarse** *vr* to burst
reventón *m* blowout, flat tire
reverencia *f* **1** *(sentimiento)* reverence **2** *(física: de un varón)* bow; *(: de una mujer)* curtsy **3** *(tratamiento)* **Su Reverencia,** Your/His Reverence
reversible *adj* reversible
reverso *m* **1** *(de una moneda, medalla)* reverse **2** *(de un sobre, folleto, etc)* back
revés *m* **1** *(de una materia u objeto)* back; *(de una prenda de vestir)* wrong side **2** *(con la mano)* slap **3** *(en juegos de raqueta)* backhand **4** *(económico, sentimental, etc)* setback, misfortune ◆ | LOC: **al revés,** *(al contrario)* the other way round; **al revés/del revés,** *(con lo de delante atrás)* backwards; *(con lo de dentro fuera)* inside out; *(boca abajo)* upside down
revestimiento *m* **1** covering, coating **2** *(de un cable)* sheathing **3** *(de madera)* (wooden) paneling **4** *(de azulejos)* tile **revestir** *vtr* **1** *(como protección o adorno)* to cover [**de,** with] **2** *(presentar un aspecto, cualidad, carácter)* to have **3** *(encubrir)* to disguise [**de, in**]
revisar *vtr* **1** *Téc* to check, overhaul; *(un coche)* to service **2** *(la corrección de algo)* to check, revise
revisión *f* **1** *Téc* check, overhaul; *(de coche)* service **2** *(la corrección de algo)* checking **3** *(de un texto)* checking **3** *(de una cuenta)* audit **4** *Med* checkup
revisor,-ora *m,f* inspector
revista *f* **1** magazine; *(publicación técnica o especializada)* journal **2** *Teat* revue, variety show ◆ | LOC: **pasar revista,** to review
revivir I *vi* to revive
II *vtr* to relive
revocar *vtr* to revoke

revolcar *vtr* to knock down
■ **revolcarse** *vr* to roll around, roll over
revolotear *vi* to flutter
revoltijo *m* 1 *(de cosas)* jumble, clutter 2 *(situación)* chaos, mess
revoltoso,-a *adj* & *m,f* naughty
revolución *f* revolution
revolucionario,-a *adj* & *m,f* revolutionary
revolver I *vtr* 1 *(dando vueltas)* to stir 2 *(disgustar, causar desagrado)* to make sick, upset 3 *(un asunto)* to think over 4 *(los cajones, una casa, etc)* to turn upside down II *vi* to rummage through, dig around in
■ **revolverse** *vr* 1 *(agitadamente)* to fidget; *(en la cama)* to toss and turn 2 *(contra algo o alguien)* to turn on *o* against sb *o* sthg
revólver *m* revolver
revuelo *m* commotion
revuelta *f* revolt, riot
revuelto,-a I *adj* 1 *(una cosa)* in a mess 2 *(una persona)* restless 3 *(el tiempo)* unsettled 4 *(el mar)* rough
II *m Culin* un revuelto de (espárragos, etc), scrambled eggs with (asparagus, etc)
revulsivo,-a *adj Med* revulsive
II *m Med* revulsive
rey *m* 1 king 2 *Rel* (el día de) Reyes, Epiphany *o* Twelfth Night *o* 6 January; los Reyes Magos, the (Three) Wise Men
rezagarse *vr* to linger behind
rezar I *vi* 1 to pray 2 *(una lápida, un párrafo)* to say: la dedicatoria reza así:..., the dedication goes as follows:...
II *vtr* to say
rezumar *vtr* to ooze
ría *f Geog* ria
riachuelo *m* stream, brook
riada *f* flood
ribera *f* 1 *(de río)* bank; *(del mar)* shore 2 *(franja de tierra a orillas de un río)* riverside; *(del mar)* seaside 3 *(vega)* fertile plain
rico,-a I *adj* 1 *(suntuoso)* sumptuous 2 *(acaudalado)* wealthy 3 *(sabroso)* delicious 4 *(un niño, bebé, una mascota)* lovely, adorable 5 rich
II *m,f* rich *o* wealthy person; los ricos, the wealthy
ridiculez *f* 1 *(cualidad)* ridiculousness; *(objeto o idea absurda)* ridiculous thing 2 *(cantidad despreciable, minúscula)* pittance
ridiculizar *vtr* to ridicule
ridículo,-a I *adj* ridiculous
II *m* ridicule
riego *m* 1 *Agr (de una zona de cultivo)* irrigation; *(de un jardín, parque, etc)* watering 2 *Med* riego (sanguíneo), (blood) circulation
riel *m* 1 *(de cortinas)* rail 2 *(de una puerta corredera)* slide
rienda *f* 1 *(de un caballo)* rein 2 riendas, direction, control

riesgo *m* risk ♦ | LOC: correr el riesgo de, to run the risk of; seguro a todo riesgo, fully-comprehensive insurance
rifa *f* raffle
rifar *vtr* to raffle (off)
rifle *m* rifle
rigidez *f* 1 *(de un material)* rigidity; *Anat* stiffness 2 *(inflexibilidad: de una persona)* strictness, *(: de un horario, una costumbre, etc)* inflexibility
rígido,-a *adj* 1 *(un material)* rigid; *Anat* stiff 2 *(inflexible: persona)* strict, intolerant; *(horario, costumbre)* inflexible
rigor *m* 1 *(dureza, inflexibilidad)* severity 2 *(precisión, fundamento)* rigor
riguroso,-a *adj* 1 *(inflexible)* severe, strict 2 *(trabajo, investigador)* rigorous
rima *f* 1 rhyme 2 rimas, poems
rimar *vtr* & *vi* to rhyme
rímel *m* mascara
rincón *m* 1 *(ángulo de una estancia)* corner 2 *(espacio pequeño)* small space 3 *(lugar apartado)* spot 4 *(espacio privado)* corner
rinoceronte *m Zool* rhinoceros
riña *f* 1 *(pelea, discusión)* quarrel, argument 2 *(reprimenda)* telling-off
riñón *m* 1 *Anat* kidney; riñón artificial, artificial kidney 2 riñones, *fam (parte baja de la espalda)* me duelen los riñones, my back aches
río *m* river; río abajo, downstream; río arriba, upstream
riqueza *f* 1 *(caudal, bienes)* wealth 2 *(suntuosidad, concentración)* richness
risa *f* 1 *(sonido)* laughter: se oía su risa desde el portal, you could hear their laughter from the entrance; *(modo de reír)* laugh: tiene una risa muy contagiosa, she has a very infectious laugh 2 *(persona o cosa divertida)* (good) laugh; *(risible)* el argumento es de risa, the argument is laughable
ristra *f* string
risueño,-a *adj* smiling
ritmo *m* 1 *Mús Ling* rhythm 2 *(marcha)* rate: hazlo a tu ritmo, do it at your own pace
rito *m* 1 *Rel* rite 2 ceremony: se casaron por el rito judío, they got married in a Jewish ceremony 3 *(ritual)* ritual
ritual *adj* & *m* ritual
rival *adj* & *mf* rival
rivalidad *f* rivalry
rivalizar *vi* to rival [en, in]
rizado,-a *adj* 1 *(pelo)* curly 2 *(mar)* choppy
rizar *vtr* 1 *(el pelo)* to curl 2 *(una cinta)* to curl, loop
■ **rizarse** *vr* 1 *(el pelo)* to curl, go curly 2 *(el mar)* to ripple
rizo *m* curl
robar *vtr* 1 *(cosas materiales)* to steal: robar algo a alguien, to steal sthg from sb; *(a una persona,*

un banco) to rob: **me robaron en la calle,** I was robbed in the street; *(en una casa)* to break into: **anoche robaron en casa de mi vecino,** my neighbor's house was broken into last night **2** *(el tiempo)* to take up **3** *(metros de un espacio)* to take off **4** *Naipes* to draw, pick up

roble *m* oak (tree)

robo *m* **1** *(de cosas materiales)* theft; *(en un banco, etc)* robbery; *(en una casa)* burglary **2** *(cosa robada)* stolen article **3** *fam (de precios)* daylight robbery

robot *m* robot

robótica *f* robotics *sing*

robustecer *vtr* to strengthen

■ **robustecerse** *vr* to become stronger

robusto,-a *adj* **1** *(una persona)* robust, sturdy **2** *(una cosa)* strong, solid

roca *f* rock

roce *m* **1** *(acción)* rubbing, friction **2** *(en la piel)* graze; *(en una superficie)* rub, scuff mark **3** *(trato)* regular contact; *(: discusión)* friction, brush

rociar *vtr* to spray, sprinkle

rocío *m* dew

rocoso,-a *adj* rocky

rodaballo *m* *Zool* turbot

rodaja *f* slice

rodaje *m* **1** *(de una película)* filming, shooting **2** *Auto (de un vehículo)* running in

rodamiento *m* *Auto* bearing

rodapié *m* baseboard

rodar I *vtr* **1** *(una película)* to film, shoot **2** *(un vehículo)* to run in
II *vi* **1** to roll **3** *(alrededor de un eje)* to turn **4** *(de un sitio a otro)* to go around

rodear *vtr* to surround

■ **rodearse** *vr* to surround oneself

rodeo *m* **1** *(en el camino)* detour **2** *pl (al hablar)* circumlocution: **déjate de rodeos,** stop beating about the bush; **hablar sin rodeos,** to speak out plainly **3** *(de animales)* rodeo

rodilla *f* knee ◆ | LOC: **de rodillas,** *(en el suelo)* kneeling, on one's knees

rodillera *f* **1** *(de remiendo)* knee patch **2** *(de protección)* knee pad

rodillo *m* roller; **rodillo de cocina,** rolling pin

roedor *m* *Zool* rodent

roer *vtr* **1** *(un hueso, una cosa)* to gnaw **2** *(una galleta, queso)* to nibble

rogar *vtr* **1** *(formalmente)* to request, ask: **se ruega confirmación,** please confirm **2** *(con súplicas o humildad)* to beg ◆ | LOC: **hacerse de rogar,** to play hard to get

rojo,-a I *adj* **1** *(de color)* red; *Fin* **estar en números rojos,** to be in the red **2** *(en ideología)* red
II *m (color)* red
III *m,f (en ideología)* red
◆ | LOC: **ponerse rojo,** to go *o* turn red

rol *m* role

rollizo,-a *adj* chubby, plump

rollo *m* **1** *(de papel, tela, etc)* roll **2** *(de alambre, cuerda, etc)* coil, reel **3** *Culin (para amasar)* rolling pin; *(para comer)* roll **4** *fam (una persona, una cosa)* drag, bore **5** *fam (asunto)* affair, matter

romance I *m* **1** *Lit* ballad **2** *(idilio)* romance **3** *Ling* Romance language
II *adj* *Ling* Romance

románico,-a I *adj* **1** *Arte Arquit* Romanesque **2** *Ling* Romance
II *m* *Arte Arquit* Romanesque

romano,-a I *adj* Roman
II *m,f* Roman

romántico,-a *adj & m,f* romantic

rombo *m* rhombus

romería *f* **1** *(fiesta popular) (celebration of a saint's day held close to a country church or shrine* **2** *Rel* pilgrimage

romero,-a I *m,f* pilgrim
II *m* *Bot Culin* rosemary

romo,-a *adj* blunt

rompecabezas *m inv* **1** *(juego para encajar piezas)* puzzle, jigsaw; *(para crear una figura geométrica, dividir un espacio, un laberinto, etc)* brain-teaser, puzzle **2** *(problema, acertijo)* riddle, puzzle

rompeolas *m inv* breakwater

romper I *vtr* **1** to break; *(un cristal, una pieza de loza)* to smash, shatter; *(una tela, un papel)* to tear (up) **2** *(relaciones, una negociación)* to break off **3** *(una norma)* to fail to fulfill, break
II *vi* to break

■ **romperse** *vr* **1** to break; *(una falda, un documento)* to tear **2** *(una negociación, relación)* to break down: **se ha roto la tregua,** the truce has been broken

ron *m* rum

roncar *vi* to snore

roncha *f* swelling

ronco,-a *adj* hoarse

ronda *f* **1** *(de muchachos, pretendientes)* group of serenaders **2** *(grupo de vigilancia nocturna)* patrol; **hacer la ronda,** *(una enfermera, un vigilante)* to do one's rounds; *(una pareja de policías)* to walk the beat; *(una patrulla del ejército)* to patrol **3** *(carretera)* ring road; *(paseo)* avenue **4** *(de bebidas, negociaciones)* round

rondar I *vtr* **1** *(a una mujer)* to court *frml*; *(a alguien con algún fin)* to be after sb **2** *(vagar, pasear de noche con un fin poco claro)* to loiter, prowl around **3** *(vigilar)* to patrol **4** *(estar en torno a, aproximarse a)* to be about: **el precio ron 5** *(gripe, sueño, enfermedad)* to approach: **me está rondando la gripe,** I think I'm coming down with flu; *(una idea)* to think about
II *vi* **1** *(un vigilante, etc)* to do the rounds **2**

(un delincuente, alguien sospechoso) to loiter, prowl around

ronquera *f* hoarseness

ronquido *m* snore

ronronear *vi* to purr

roña *f* filth, dirt

roñoso,-a *adj* 1 *(muy sucio)* filthy, dirty 2 *(oxidado)* rusty 3 *fam (tacaño, avariento)* stingy

ropa *f* clothes *pl*, clothing; **ropa blanca**, household linen; **ropa interior**, underwear

ropero *m* closet

rosa I *adj inv* pink
II *f* rose
III *m* pink

rosado,-a I *adj* pink 1 *(piel)* rosy 2 *(vino)* rosé
II *m (vino)* rosé

rosal *m Bot* rosebush

rosaleda *f* rose garden

rosca *f* 1 *Culin* ring-shaped cake *o* bread roll 2 *(de un tornillo, tuerca, etc)* thread

rosco *m Culin* ring-shaped cake *o* bread roll

rosetón *m* 1 *(en iglesias)* rose window 2 *(en el techo)* ceiling rose

rosquilla *f* ring-shaped pastry

rostro *m* face

rotación *f* rotation

rotar I *vi* 1 *(alrededor de un eje)* to rotate 2 *(en un trabajo o función)* to take it in turns
II *vtr Agr* to rotate

roto,-a I *adj* 1 broken; *(una camisa, un papel)* torn 2 *(una persona)* worn-out
II *m* tear, hole

rotonda *f* 1 roundabout, traffic circle 2 *Arquit* rotunda, circular gallery

rótula *f* 1 *Anat* kneecap 2 *Téc* ball-and-socket joint

rotulador *m* felt-tip pen; *(de punta gruesa)* marker

rótulo *m* 1 *(en carretera, etc)* sign; *(en museos, etc)* label 2 *Arte* title, heading

rotundo,-a *adj* 1 emphatic, categorical 2 *(una voz, un lenguaje)* expressive, well-rounded

rotura *f* 1 *(de un objeto)* breakage; *(de un hueso)* fracture; **rotura de ligamentos**, torn ligaments 2 *(en un objeto)* break, crack; *(en una prenda)* tear, rip

rozadura *f* 1 *(en la piel)* mark of rubbing, chafing 2 *(en un objeto)* scratch; *(en una camisa, etc)* mark of wear

rozamiento *m* 1 rubbing 2 *Fís* friction

rozar I *vtr* 1 *(una cosa o persona a otra)* to touch, brush 2 *(produciendo daño)* to graze 3 *(una cualidad o defecto, una cifra)* to border on, verge on 4 *(por el uso)* to wear out
II *vi* 1 *(una cosa o persona a otra)* to touch, brush; **pasar rozando**, to brush past 2 *(produciendo daño)* to rub 3 *(una cualidad o defecto, una cifra)* to border on, verge on
■ **rozarse** *vr* 1 *(una cosa por el uso)* to wear

out 2 *fam (entre personas)* to come into contact, to rub shoulders

rubéola, rubeola *f Med* German measles *pl*, rubella

rubí *m* ruby

rubio,-a I *adj* 1 *(pelo)* fair, blond 2 *(una persona)* fair-haired; *(hombre)* blond, *(mujer)* blonde 3 *(tabaco)* Virginia
II *m,f (hombre)* blond, *(mujer)* blonde

rubor *m* blush, flush

ruborizarse *vr* to blush, go *o* turn red

rúbrica *f* 1 signature 2 rubric

rudeza *f* roughness, coarseness

rudimentario,-a *adj* rudimentary

rudimento *m* rudiment

rudo,-a *adj* 1 *(una persona, un material)* rough, coarse 2 *(un golpe, trabajo, etc)* hard

rueda *f* 1 *Auto* wheel 2 *(en un mueble)* roller, caster 3 *(de personas o cosas)* ring, circle 4 **rueda de prensa**, press conference

ruedo *m* bullring

ruego *m* request; *(en una reunión)* **ruegos y preguntas**, any other business

rugby *m* rugby

rugido *m* 1 *(de un animal, persona, multitud)* roar 2 *(del viento, etc)* howl, roaring

rugir *vi* 1 *(un animal)* to roar 2 *(el viento, etc)* to howl, roar

ruibarbo *m* rhubarb

ruido *m* 1 noise; **sin ruido**, quietly 2 *(jaleo)* fuss, row 3 *fam* stir, commotion

ruidoso,-a *adj* noisy, loud

ruin *adj* 1 mean, despicable 2 *(avariento, tacaño)* stingy, miserly

ruina *f* 1 ruin: **la empresa está en la ruina**, the company has collapsed *o* gone bankrupt 3 *(de una persona)* downfall, ruin: **el juego fue su ruina**, gambling was his downfall 4 **en ruinas**, in ruins

ruiseñor *m* nightingale

ruleta *f* roulette

rulo *m* curler, roller; **ponerse los rulos**, to set *o* curl one's hair

Rumania *f* Rumania, Romania

rumano,-a I *adj* Rumanian, Romanian
II *m,f (persona)* Rumanian, Romanian
III *m (idioma)* Rumanian, Romanian

rumba *f* rumba

rumbo *m* 1 *(dirección)* direction, course; **poner rumbo a**, to head *o* be bound for; *Náut* course 2 *(conducta, tendencia)* course; **perder el rumbo**, to lose one's way

rumiante *adj & m* ruminant

rumiar *vtr* to ruminate, chew one's cud

rumor *m* 1 *(noticia imprecisa)* rumor 2 *(sonido)* murmur

rumorearse *v impers* to be rumored

rupestre *adj* cave; **pintura rupestre**, cave painting

ruptura *f (de relaciones)* breaking-off; *(de amistad, matrimonio, etc)* break-up

rural *adj* rural
Rusia *f* Russia
ruso,-a I *adj* & *m,f* Russian
II *m* (*idioma*) Russian
rústico,-a I *adj* 1 rustic, country, rural 2 (*tosco*) coarse
II *m,f pey* rustic, country person
ruta *f* route
rutina *f* routine; **por rutina,** as a matter of course
rutinario,-a *adj* routine

S

S, s *f* (*letra*) S, s
S. 1 (*abr de san o santo*) Saint, St 2 (*abr de Sur*) South, S
sábado *m* Saturday
sabana *f* savannah
sábana *f* sheet
sabañón *m* chilblain
sabático,-a *adj* sabbatical
sabelotodo *adj* & *m,f inv* know-it-all
saber *m* knowledge
saber I *vtr* 1 (*una cosa*) to know 2 (*hacer algo*) to know how to: **no sabe nadar,** he can't swim 3 (*comportarse, reaccionar*) can: **no sabe aguantar una broma,** she can't take a joke 4 (*enterarse*) to learn, find out 5 (*imaginar*) **no sabes qué frío hacía,** you can't imagine how cold it was
II *vi* 1 (*sobre una materia*) to know 2 (*tener noticias*) (*de alguien por él mismo*) to hear from sb; (*de alguien por otros*) to have news of sb; (*de un asunto*) to hear about sthg 3 (*tener sabor*) to taste [**a,** of]: **este guiso sabe a quemado,** this stew tastes burnt
sabiduría *f* wisdom
sabio,-a I *adj* wise
II *m,f* wise person
sable *m* saber
sabor *m* taste, flavor
saborear *vtr* to savor
sabotaje *m* sabotage
sabotear *vtr* to sabotage
sabroso,-a *adj* tasty
sabueso *m* 1 *Zool* bloodhound 2 *fig* (*una persona*) sleuth
sacacorchos *m inv* corkscrew
sacamuelas *m inv fam* dentist
sacapuntas *m inv* pencil sharpener
sacar I *vtr* 1 (*de un sitio*) to take out; **sacar dinero del banco,** to withdraw money from the bank 2 (*un beneficio, etc*) to get 3 (*extraer una cosa de otra*) to extract, get 4 (*una solución*) to work out; **sacar conclusiones,** to draw conclusions 5 (*un documento*) to get 6 (*una entrada, un billete*) to buy, get 7 (*poner en circulación*) to bring out, release 8 (*una fotografía*) to take 9 (*un jugador una carta o una ficha*) to draw 10 *Cost* (*de largo*) to

let down; (*de ancho*) to let out
II *vi Dep* (*en tenis*) to serve; (*en fútbol, baloncesto, etc*) to kick off
sacarina *f* saccharin
sacerdote *m* priest
saciar *vtr* 1 (*el hambre*) to satisfy 2 (*la sed*) to quench 3 (*una ambición, un deseo, una necesidad*) to fulfill, satisfy
saciedad *f* satiety
saco *m* sack; **saco de dormir,** sleeping bag
sacramento *m* sacrament
sacrificar *vtr* 1 (*a un animal*) (*como ofrenda*) to sacrifice 2 (*para su consumo*) to slaughter 3 (*por enfermedad*) to put down
■ **sacrificarse** *vr* to make sacrifices [**por,** for]
sacrificio *m* sacrifice
sacrilegio *m* sacrilege
sacristán *m* sacristan, verger
sacristía *f* vestry, sacristy
sacro,-a I *adj* 1 *Rel* sacred
II *m Anat* sacrum
sacudir *vtr* 1 (*de un lado a otro*) to shake 2 (*para limpiar*) to shake off; (*una alfombra*) to beat 3 (*algo molesto*) to brush off 4 *fam* (*pegar a alguien*) to wallop, beat sb up 5 (*con una emoción intensa*) to shock, shake
sádico,-a I *adj* sadistic
II *m,f* sadist
sadomasoquista I *adj* sadomasochistic
II *mf* sadomasochist
saeta *f* 1 (*flecha*) dart, arrow 2 (*copla devota flamenca*) *devotional song sung in Holy Week in Andalusia*
safari *m* safari
sagacidad *f* shrewdness, astuteness
sagaz *adj* shrewd, astute
Sagitario *m Astrol* Sagittarius
sagrado,-a *adj Rel* holy, sacred; **las Sagradas Escrituras,** the Holy Scriptures *pl*
sagrario *m Rel* tabernacle
Sahara *m* Sahara
saharaui *adj* & *mf* Saharan
sainete *m Teat* one-act farce, comic sketch
sajón,-ona *adj* & *m,f* Saxon
sal *f* salt; **sal fina** *o* **de mesa,** table salt; **sal gruesa** *o* **gorda,** cooking salt; **sales de baño,** bath salts
sala *f* 1 room; **sala de espera,** waiting room 2 **sala** *o* **salita de estar,** lounge, living room 3 (*para espectáculos, actos públicos, etc*) **sala de conferencias,** conference *o* lecture hall 4 (*de cine, teatro, música*) auditorium 5 **un cine con seis salas,** a six-screen cinema 6 **sala de exposiciones,** exhibition hall, gallery 7 **sala de fiestas,** night club
salado,-a *adj* 1 *Culin* salted; (*con mucha sal*) salty 2 (*no dulce*) savory 3 *fig fam* (*divertido, jovial*) amusing, witty
salamandra *f Zool* salamander
salami *m* salami

salar vtr 1 (echar sal a una comida) to add salt to 2 (poner en salazón) to salt

salarial adj wage, salary

salario m pay, wage; (sueldo mensual) salary

salazón f 1 (producto) salted meat o fish 2 (operación de salar) salting

salchicha f sausage

salchichón m (salami-type) spiced sausage

saldar vtr to settle

saldo m 1 Fin (de una cuenta) balance 2 (de una deuda, una factura) settlement 3 Com **saldos**, sales; **precios de saldo**, sale prices; (resto, remanente) remainder, leftover

salero m salt shaker

salida f 1 exit, way out; **callejón sin salida**, dead end; (de una tubería, desagüe) outlet, outflow; Inform output 2 (acción de salir) leaving; **a la salida del trabajo**, on leaving work; (de un tren, un avión) departure; (del Sol, de la Luna, etc) rising; (viaje corto, excursión) trip 3 Dep start 4 (solución) option, solution 5 Lab prospect 6 fig (agudeza, ocurrencia) witty remark

salina f 1 (yacimiento, mina) salt mine; (instalación) saltworks pl 2 (laguna salada) salt marsh

salino,-a adj saline

salir vi 1 (de un lugar) to go out; (si el hablante está fuera) to come out; **¡sal de la habitación, por favor!** please, come out of the room! 2 Inform to exit; (de un sistema) to log off 3 (partir) to leave: **salí de casa a mediodía**, I left home at noon 4 (para divertirse) to go out 5 (tener una relación) to go out: **está saliendo con Ana**, he's going out with Ana 6 Dep to start; (en juegos) to lead 7 (manifestarse, emerger) **le ha salido un grano en la cara**, he has got a spot on his face; (un astro) to rise; (retoñar, germinar) to sprout 8 (surgir) **la idea salió de ti**, it was your idea 9 (aparecer) **mi hermana salía en (la) televisión**, my sister appeared on television; (un libro, un disco, etc) to come out 10 **salir a** (parecerse) **ha salido a su hermano**, he takes after his brother 11 (resultar) **salió premiado el número 5.566**, the winning number was 5,566; (una operación matemática) **a él le da 20, pero a mí me sale 25**, he gets 20, but I make it 25 12 (costar) **nos sale barato**, it works out cheap 13 (superar una situación, una gran dificultad) to come through, get over

■ **salirse** vr 1 (irse) to leave 2 (de un límite) **el coche se salió de la calzada**, the car went off the road; (desbordarse, rebosar) to overflow; (al hervir) to boil over 3 (escaparse un gas o un líquido por una grieta) to leak (out) 4 (no encajar bien, soltarse) **se salió una pieza del motor**, a part of the engine came off

saliva f saliva

salmo m psalm

salmón I m Zool salmon

II adj inv & m,f salmon

salmonete m Zool red mullet

salón m 1 (de una casa) lounge, living o sitting room 2 (de un edificio para diversos usos) hall; **salón de actos**, assembly hall, auditorium; **salón de conferencias**, conference room 3 (establecimiento) **salón de belleza**, beauty salon o parlor; **salón de té**, tearoom, teashop 4 (exposición) exhibition

salpicadero m Auto dashboard

salpicar vtr 1 (con un líquido, barro, etc) to splash, spatter 2 (con especias, etc) to sprinkle

salpicón m Culin **salpicón de marisco**, seafood cocktail

salpimentar vtr to season, spice

salsa f 1 sauce 2 Mús salsa

saltamontes m inv grasshopper

saltar I vi 1 to jump, leap; **saltar con una pierna**, to hop 2 (el aceite, etc) to spit 3 (una alarma, etc) to go off 4 (con una explosión o estallido) to explode, blow up 5 (con una frase) to retort

II vtr 1 (por encima de algo) to jump (over)

■ **saltarse** vr 1 (una página, una comida, etc) to skip, miss out 2 (una obligación, una norma) to ignore; **saltarse el semáforo**, to jump the lights

saltimbanqui mf fam acrobat, tumbler

salto m 1 jump, leap; **dar un salto de alegría**, to jump for joy 2 Dep jump; **salto con pértiga**, pole vault; **salto mortal**, somersault; (en el agua) dive 3 (por omisión, diferencia, vacío) gap 4 **salto de agua**, waterfall 5 **salto de cama**, negligée

salud f 1 health 2 excl **¡salud!**, (al brindar) cheers!; (al estornudar) bless you!

saludable adj healthy

saludar vtr 1 (a alguien directamente) (de palabra) to say hello to, greet; (con la mano) to wave to 2 (a alguien a través de otros) to send regards to: **salúdales de nuestra parte**, give them our regards 3 (a alguien en una carta) **le saluda atentamente**, yours faithfully o sincerely 4 Mil to salute

■ **saludarse** vr to say hello to each other

saludo m 1 (de palabra) greeting 2 (con la mano) wave 3 Mil salute

salva f salvo, salute

salvación f salvation

salvado m bran

salvador,-ora I m,f savior

II m Geog **El Salvador**, El Salvador

salvadoreño,-a adj & m,f Salvadorean, Salvadoran

salvaguardar vtr to safeguard

salvajada f 1 (acción violenta) atrocity 2 fam (actitud insensata) stupid thing to do

salvaje I adj 1 Bot Zool wild 2 (terreno) uncultivated 3 (cultura, tribu) savage 4 (comportamiento) cruel, brutal

II *m, f* savage
salvamanteles *m inv* (table) mat
salvar *vtr* **1** to save **2** (*pasar un obstáculo*) to cross **3** (*superar una dificultad, un apuro*) to overcome
■ **salvarse** *vr* **1** to survive **2** (*librarse de algo*) **se salvó del castigo**, she escaped punishment **3** *Rel* to be saved
salvavidas *m inv* life belt; **bote salvavidas**, lifeboat
salvo,-a *adj* (*ileso*) safe, unharmed
II salvo *prep* not including, except
♦ | LOC: **a salvo**, out of danger; **salvo que**, unless, except that
san *adj* saint; **San Pedro**, Saint Peter → **santo,-a**
sanar I *vtr* to cure
II *vi* **1** (*recobrar la salud*) to recover, get well **2** (*una herida*) to heal
sanatorio *m* sanitarium
sanción *f* **1** (*castigo*) punishment, sanction; (*multa*) fine **2** (*confirmación, validación*) sanction, *frml* approval
sandalia *f* sandal
sándalo *m* sandalwood
sandez *f fam* stupid thing
sandía *f* watermelon
sándwich *m* sandwich
sanear *vtr* **1** to clean up **2** (*un río, un terreno*) to drain **3** *fig* (*una empresa*) to reorganise *o* reorganize
sangrar I *vtr* **1** *Med* to bleed **2** (*un párrafo*) to indent **3** *fam* (*aprovecharse, abusar*) to bleed dry
II *vi* to bleed
sangre *f* blood
sangría *f* (*bebida*) sangria
sangriento,-a *adj* bloody
sanguijuela *f* leech
sanguinario,-a *adj* bloodthirsty
sanguíneo,-a *adj* blood
sanitario,-a I *adj* **1** health; **asistencia sanitaria**, medical care **2** (*instalaciones*) **condiciones sanitarias**, sanitary conditions
II *m,f* (*persona*) paramedic, health worker **2** *sanitarios*, bathroom fittings
sano,-a *adj* **1** healthy **2** (*indemne*) undamaged
♦ | LOC: **sano y salvo**, safe and sound
San Salvador *m* San Salvador
Santa Sede *f* **la Santa Sede**, the Holy See, the Vatican
santiamén *m fam* **en un santiamén**, in no time at all
santificar *vtr* to sanctify
santiguarse *vr Rel* to cross oneself
santo,-a I *adj* **1** *Rel* (*lugar, hecho, vida, etc*) holy **2** (*persona canonizada*) Saint; **Santo Tomás**, Saint Thomas **3** *fam* **todo el santo día**, the whole blessed day
II *m,f* saint
III *m* saint's day

santuario *m* shrine, sanctuary
sapo *m* toad
saque *m Dep* (*en tenis, bádminton, voleibol, etc*) service; *Ftb* kick-off; **saque de banda,** throw-in; **saque de puerta**, goal-kick
saquear *vtr* **1** *Hist* (*una población*) to sack, plunder **2** *fig* (*una tienda, una casa*) to loot, rifle
sarampión *m* measles
sarcasmo *m* sarcasm
sarcástico,-a *adj* sarcastic
sarcófago *m* sarcophagus
sardina *f Zool* sardine
sargento *mf* sergeant
sarna *f* **1** (*en animales*) mange **2** (*en personas*) scabies
sarpullido *m* rash
sarro *m* tartar
sarta *f* string
sartén *f* frying pan
sastre *mf* tailor
Satán, Satanás *m* Satan
satélite *m* satellite
satén *m* satin
sátira *f* satire
satirizar *vtr* to satirize
satisfacción *f* satisfaction
satisfacer *vtr* **1** to satisfy; **satisfacer la curiosidad,** to satisfy one's curiosity **2** (*gustar, complacer*) **to** please **3** (*reunir condiciones, requisitos*) to satisfy, meet
satisfecho,-a *adj* satisfied
saturar *vtr* to saturate
Saturno *m Astron* Saturn
sauce *m Bot* willow; **sauce llorón**, weeping willow
saudí, saudita *adj & mf* Saudi
sauna *f* sauna
savia *f* sap
saxo *m* sax, saxophone
saxofón *m* saxophone
saxofonista *mf* saxophonist
sazonar *vtr* to season
se *pron pers* **1** (*reflexivo*) 3ª *pers sing (objeto directo) (a sí mismo)* himself; (*a sí misma*) herself; (*un animal a sí mismo*) itself; *plural (a sí mismos)* themselves **2** *frml* 2.ª *pers sing (a usted mismo)* yourself **3** (*recíproco*) each other, one another **4** (*impersonal*) **se puede ir en tren,** you can go by train **4** (*pasiva*) **la casa se construyó en 1780,** the house was built in 1780
se *pron pers* **1** (*objeto indirecto*) 3.ª *persona sing (masculino)* (to *o* for) him; (*femenino*) (to *o* for) her; (*plural*) (to *o* for) them **2** 2.ª *persona (a usted o ustedes)* (to *o* for) you
SE (*abr de sudeste o sureste*) southeast, SE
sebo *m* fat
secado *m* drying
secador,-ora 1 *m* **secador de manos**, hand-dryer; **secador de pelo**, hairdryer **2** *f* (*de ropa*) tumble dryer

secano *m* unirrigated land

secar *vtr* to dry

■ **secarse** *vr* 1 *(una planta, un río)* to dry up 2 *(una persona)* to dry oneself

sección *f* section; Com **sección de bisutería,** costume jewelery department

seco,-a *adj* 1 dry 2 *(planta)* dried up 3 *(poco afable)* curt, sharp; *(contestación)* crisp, terse 4 *(golpe, ruido)* sharp 5 *(delgado, con poca carne)* skinny

secretaría *f* secretary's office

secretario,-a *m,f* secretary

secreto,-a I *adj* secret

II *m* secret

secta *f* Rel sect

sectario,-a I *adj* sectarian

II *m,f* sectarian, sectary

sector *m* 1 *(de una ciudad, edificio, etc)* area 2 sector

secuela *f* effect, consequence

secuencia *f* sequence

secuestrador,-ora *m,f* 1 *(raptor)* kidnapper 2 *(de un vehículo)* hijacker

secuestrar *vtr* 1 *(a una persona)* to kidnap 2 *(un vehículo)* to hijack

secuestro *m* 1 *(de una persona)* kidnapping 2 *(de un vehículo)* hijacking

secundar *vtr* to back, support

secundario,-a *adj* secondary

secuoya *f* Bot sequoia

sed *f* 1 thirst: **tengo mucha sed,** I'm thirsty

seda *f* silk; **seda dental,** dental floss

sedal *m* fishing line

sedante *adj & m* sedative

sede *f* 1 *(de una organización, negocio)* headquarters, head office 2 *(de un acontecimiento)* venue 3 *(de gobierno)* seat

sediento,-a *adj* thirsty

sedimentarse *vr* to settle

sedimento *m* sediment, deposit

sedoso,-a *adj* silky

seducción *f* seduction

seducir *vtr* 1 *(físicamente)* to seduce 2 *(tentar, atraer)* to tempt 3 *(arrastrar, embaucar)* to take in

seductor,-ora I *adj* seductive

II *m,f* seducer

sefardí, sefardita I *adj* Sephardic

II *mf* Sephardi; **los sefardí(e)s,** the Sephardim

segador,-ora *m,f* harvester

segadora *f* Agr reaper

segar *vtr* to reap, cut

seglar I *adj* secular, lay

II *m* (hombre) layman, (mujer) laywoman

segmento *m* segment

segregación *f* 1 *(de una sustancia, un jugo gástrico, etc)* secretion 2 *(separación)* segregation; *(marginación)* **segregación racial,** racial segregation

segregar *vtr* 1 *(una sustancia, un jugo)* to secrete 2 *(separar)* to segregate

seguido,-a I *adj* 1 *(sin interrupción)* continuous 2 *(uno tras otro)* consecutive

II **seguido** *adv* straight; **todo seguido,** straight on, straight ahead

seguir I *vtr* 1 to follow: **me sigue a todas partes,** he follows me wherever I go 2 *(comprender)* to understand, follow 3 *(el ritmo, la moda)* to keep 4 *(el rastro, las huellas)* to track

II *vi* 1 *(continuar)* to keep (on), go on: **seguiremos mañana,** we'll continue tomorrow 2 *(extenderse, llegar hasta)* to stretch (out)

■ **seguirse** *vr* to follow, ensue

según I *prep* *(de acuerdo con)* according to; **según mis cálculos,** according to my calculations

II *adv* 1 *(tal como)* just as: **cóselo según indica el patrón,** sew it just as the pattern shows 2 *(a medida que)* as: **según nos íbamos acercando...,** as we were coming closer...

segundo,-a I *adj* second

II *pron* second (one): **viajaremos en segunda,** we'll travel second class

III *m* second

seguridad *f* 1 *(confianza)* confidence: **hablaba con mucha seguridad,** he spoke with great self-confidence 2 *(certeza)* sureness: **con toda seguridad,** surely 3 *(garantía)* **no me dan la seguridad de que me vayan a contratar,** they won't guarantee that they'll hire me 4 *(contra accidentes)* safety; **cinturón de seguridad,** safety belt 5 *(contra robos, etc)* security; **cerradura de seguridad,** security lock 6 **Seguridad Social,** Social Security

seguro,-a I *adj* 1 **es una persona muy segura (de sí misma),** he's very self-confident 2 *(convencido, sin dudas)* sure, definite: **estaba segura de que vendrías,** I was sure you would come 3 *(garantizado, cierto)* assured: **su dimisión es prácticamente segura,** his resignation is almost certain 4 *(sin peligro)* safe; **un lugar seguro,** a safe place 5 *(sin temor, riesgo)* secure: **no se siente seguro,** he doesn't feel secure 6 *(paso, voz)* steady, firm

II *m* 1 Com insurance; **seguro a todo riesgo,** fully comprehensive insurance; **seguro de vida,** life insurance 2 *(de un arma)* safety catch o device

III *adv* for sure, definitely

seis *adj & pron & m inv* six; **el seis de diciembre,** the sixth of December

seiscientos,-as *adj & pron & m,f* six hundred

seísmo *m* *(temblor de tierra)* (earth) tremor; *(de gran intensidad)* earthquake

selección *f* 1 selection 2 Dep team

seleccionar *vtr* to select

selectividad *f* *(prueba de)* selectivity, university entrance examination

selectivo,-a *adj* selective

selector,-ora *m,f* selector

selva *f* jungle; **selva tropical**, rainforest

sellar *vtr* 1 to stamp 2 *(cerrar un acuerdo)* to seal 3 *(un recipiente, una entrada)* to seal

sello *m* 1 stamp 2 *(precinto)* seal 3 *(impronta)* mark, stamp

semáforo *m* 1 *Auto* traffic lights *pl* 2 *Ferroc* semaphore, signal

semana *f* week: **hace dos semanas que nos conocemos**, we met two weeks ago; **Semana Santa**, Holy Week ♦ | LOC: **entre semana**, during the week

semanal *adj* weekly

semanario *m* *(prensa)* weekly magazine *o* newpaper

sembrado,-a *m* *Agr* sown field

sembrar *vtr* 1 *Agr* to sow 2 *fig (esparcir)* to scatter; *(dar inicio, causar)* to spread; **sembrar un rumor**, to spread a rumor

semejante I *adj* 1 *(parecido)* similar 2 *(tal)* such: **¿de dónde sacó semejante idea?**, where did he get such an idea? II *m* fellow man

semejanza *f* likeness, resemblance

semen *m* *Med* semen

semental *adj* & *m* stud

semestral *adj* half-yearly

semestre *m* semester

semicírculo *m* *Geom* semicircle

semifinal *f* semifinal

semifinalista *mf* semifinalist

semilla *f* seed

semillero *m* seedbed

seminario *m* 1 *Rel* seminary 2 *Univ* seminar

semisótano *m* semibasement

sémola *f* semolina

senado *m* senate

senador,-ora *m,f* senator

sencillez *f* 1 *(de un problema, de un diseño)* simplicity 2 *(de una persona)* naturalness

sencillo,-a I *adj* 1 *(una solución, un problema)* simple 2 *(persona)* natural, unassuming 4 *(habitación, billete)* single II *m* single

senda *f*, **sendero** *m* path

senil *adj* senile

seno *m* 1 breast 2 *Mat Geom* sine 3 *fig (interior)* bosom, heart: **nació en el seno de una familia humilde**, he was born into a humble family

sensación *f* 1 feeling 2 *(emoción, impacto)* sensation: **la noticia ha causado sensación**, the news has caused a sensation

sensacional *adj* sensational

sensacionalista *adj* & *mf* sensationalist

sensatez *f* good sense

sensato,-a *adj* sensible

sensibilidad *f* 1 *(percepción sensorial)* feeling 2 *(delicadeza, afectividad)* sensitivity, sensibility 3 *(de un aparato)* sensitivity

sensibilizar *vtr* to make aware

sensible *adj* 1 *(persona, aparato)* sensitive

2 *(notable, evidente)* clear

sensiblería *f* *pey (de una persona)* mawkishness; *(de una obra, novela)* sentimentality

sensiblero,-a *adj* *pey (persona)* mawkish; *(obra, novela)* mushy

sensitivo,-a *adj* sense

sensorial *adj* sensory

sensual *adj* sensual

sensualidad *f* sensuality

sentada *f* 1 *fam (modo de manifestarse, protestar)* sit-in (demonstration), sit-down ♦ | LOC: **de/en una sentada**, in one sitting

sentar I *vtr* 1 *(en una silla)* to sit 2 *(establecer)* **sentar las bases**, to lay the foundations; **sentar precedente**, to establish a precedent II *vi* 1 **sentar bien/mal algo a alguien**, *(un peinado, vestido)* to suit sb/not to suit sb; *(una comida, bebida, clima)* to agree/disagree with sb 2 *(un comentario, una broma)* **le sentó fatal**, he took it badly

■ **sentarse** *vr* to sit (down)

sentencia *f* sentence

sentenciar *vtr* 1 to sentence [a, to] 2 *(culpar, condenar)* to condemn

sentido,-a I *adj* 1 deeply felt: **su muerte ha sido muy sentida**, his death has been deeply felt 2 *(susceptible)* sensitive II *m* 1 sense; **sentido del gusto/olfato**, sense of taste/smell 2 *(conocimiento, consciencia)* consciousness 3 *(significado)* meaning 4 *Auto* direction; **de doble sentido**, two-way; **(de) sentido único**, one-way

sentimental I *adj* sentimental II *mf* sentimental person

sentimiento *m* 1 feeling 2 *(pena, aflicción)* grief, sorrow

sentir I *m* feeling II *vtr* 1 to feel 2 *(oír, percibir)* to hear 3 *(lamentar)* to regret, be sorry about

■ **sentirse** *vr* to feel

seña *f* 1 *(con la mano, el rostro)* sign 2 **señas**, *(dirección)* address *sing*; *(descripción)* description

señal *f* 1 *(muestra)* sign; **en señal de respeto/duelo**, as a sign/token of respect/mourning 2 *(con la mano, el rostro)* sign; **hacer señales a alguien**, to signal to sb 3 *(huella, indicio)* trace, sign 4 *Tel* tone; **señal de llamada**, dial tone 5 *Com (anticipo)* deposit 6 *Auto* **señal de tráfico**, road sign

señalar *vtr* 1 to point out 2 *(señalizar)* to indicate 3 *(una fecha)* to fix

señalizar *vtr* to signpost

señor *m* 1 *(hombre)* man, gentleman 2 sir *(en inglés británico indica una posición social inferior)* señor, excuse me, you have dropped your wallet 3 **señoras y señores**, ladies and gentlemen 4 *(tratamiento)* Mr: **ha llegado el Sr. Gómez**, Mr Gómez is here 5 *(en*

correspondencia) **estimado señor,** Dear Sir 6 *Hist* lord 7 *Rel* **El Señor,** the Lord
señora /1 *(mujer)* woman, lady 2 *(directo, sin apellido)* madam 3 *(tratamiento)* **la Sra. Pérez,** Mrs Pérez 4 *(en correspondencia)* **estimada señora,** *(en carta)* Dear Madam 5 *(esposa)* wife *Rel* **Nuestra Señora,** Our Lady
señorita /1 *(joven)* young woman 2 *(tratamiento)* Miss: **han ascendido a la señorita Menéndez,** Miss Menéndez has been promoted 3 *Educ fam* **la señorita,** the teacher
separación /1 separation 2 *(distancia, espacio)* space
separado,-a *adj* 1 separate 2 *(persona casada)* separated ◆ | LOC: **por separado,** separately, individually
separar *vtr* 1 *(aumentar la distancia física)* to move apart 2 *(poner aparte)* to separate 3 *(reservar)* to save *(algo pegado, grapado)* to detach 5 *(distanciar, disgregar)* to divide
■ **separarse** *vr* 1 *(aumentar la distancia)* to move away **[de,** from] 2 *(una banda, un grupo, un partido)* to split up 3 *(un matrimonio)* to separate
separatista *adj & mf Pol* separatist
sepia I /*Zool* cuttlefish
II *adj & m (color)* sepia
septentrional *adj* northern
septiembre *m* September
séptimo,-a *adj & m,f* seventh
sepulcro *m* sepulcher
sepultura /grave
sepulturero,-a *m,f* gravedigger
sequía /drought
ser I *m* 1 being: **ser humano,** human being; **ser vivo,** living being 2 *(esencia)* essence
II *vi* 1 to be: **eres muy modesto,** you are very modest 2 *(fecha)* to be: **hoy es lunes,** today is Monday 3 *(cantidad)* ¿**cuánto es?,** how much is it?; **son doscientos pesos,** it is two hundred pesos; *Mat* **dos y tres son cinco,** two and three make five 4 *(oficio)* to be a(n): **Elvira es enfermera,** Elvira is a nurse 5 *(pertenencia)* **esto es mío,** that's mine; **es de Pedro,** it is Pedro's 6 *(afiliación)* to belong: **es del partido,** he's a member of the party 7 *(origen)* **es de Málaga,** she is from Málaga 8 *(composición, material)* to be made of: **este jersey no es de lana,** this sweater is not (made of) wool 9 *(suceder)* ¿**qué fue de ella?,** what became of her? 10 *(finalidad)* to be for 11 *(auxiliar en pasiva)* to be: **fuimos rescatados por la patrulla de la Cruz Roja,** we were rescued by the Red Cross patrol 12 **ser de** (+ *infinitivo*) **era de esperar que se marchase,** it was to be expected that she would leave
◆ | LOC: **a no ser que,** unless; **como sea,** anyhow; **de no ser por…,** had it not been for; **es más,** furthermore; **es que…,** it's just that…; **lo que sea,** whatever; **o sea,** that is (to say); **sea como sea,** in any case

Serbia /Serbia
serbio,-a I *adj* Serbian
II *mt* 1 *(persona)* Serb 2 *m (idioma)* Serbian
serbocroata *adj & mf* Serbo-Croat
serenar *vt* to calm, soothe
serenidad /serenity
sereno,-a I *adj* 1 *(tranquilo)* calm 2 *(sobrio)* sober
II *m* night watchman
serie /1 series *sing:* **asesino en serie,** serial killer 2 *(de sellos, billetes)* issue; **número de serie,** serial number 3 *(grupo)* **una serie de parlamentarios decidieron oponerse,** a group of M.P.'s decided to object 4 *Rad TV* series *sing* ◆ | LOC: **en serie: los fabrican en serie,** they are mass-produced
seriedad /1 seriousness 2 *(de una persona, empresa)* reliability
serio,-a *adj* 1 serious 2 *(comprometido, de confianza)* reliable ◆ | LOC: **en serio,** seriously
sermón *m* 1 *Rel* sermon 2 *fam pey (reprimenda, monserga)* lecture
sermonear *vi & vtr fam* to lecture
seropositivo,-a *adj* HIV-positive
serpentina /(*para fiestas)* streamer
serpiente /*Zool* snake, serpent; **serpiente de cascabel,** rattlesnake; **serpiente pitón,** python
serranía /mountainous region
serrar *vtr* to saw
serrín *m* sawdust
serrucho *m* handsaw
servicial *adj* helpful, obliging
servicio *m* 1 service: **estar de servicio,** to be on duty; **servicio a domicilio,** delivery service; **servicio doméstico,** domestic service; **servicio militar,** military service; **fuera de servicio,** out of order 2 *(conjunto)* **en esta mesa falta un servicio,** we need to set another place at the table 3 *(cuarto de baño)* toilet *sing,* restroom *sing*
servidor,-ora I *m,f* servant, server
servil *adj* servile
servilleta /napkin, serviette
servilletero *m* napkin ring
servir I *vi* 1 to serve 2 *(ser útil)* to be useful, be suitable 3 *(ropa, objetos)* **los pantalones ya no le sirven,** the pants don't fit him now 4 *(tener capacidad)* **este muchacho sirve para estudiar,** this boy is good at studying
II *vtr* 1 to serve: ¿**en qué puedo servirle?,** what can I do for you? *o* may I help you? 2 *(comida)* to serve; *(bebida)* to pour
■ **servirse** *vr* 1 *(utilizar, valerse)* to use 2 *(un plato de comida)* to help oneself
sésamo *m* sesame
sesenta *adj & m inv* sixty
sesgo *m* 1 *(cariz, rumbo)* turn 2 *(enfoque)* slant
sesión /1 session; **sesión plenaria,** plenary session 2 *Cine* showing

seso *m* 1 *Anat* brain 2 *(juicio, prudencia)* wit, prudence 3 *Culin* **sesos**, brains

set *m* Ten set

seta *f* mushroom

setecientos,-as *adj & pron & m* seven hundred

setenta *adj & pron & m* seventy; **los años setenta,** the seventies

seto *m* 1 *Bot* hedge 2 *(cerca, valla)* fence

seudónimo,-a *m* pseudonym

severo,-a *adj* 1 *(actitud, carácter)* strict; *(gesto)* stern 2 *(juicio, castigo, crítica)* severe 3 *(clima)* harsh

sexi *adj* sexy

sexista *adj & m,f* sexist

sexo *m* 1 sex; **sexo masculino/ femenino,** male/ female sex; *(órganos sexuales)* sexual organs

sexólogo,-a *m,f* sexologist

sexto,-a *adj & pron* sixth; **el sexto hijo,** the sixth son; **una sexta parte,** a sixth
II *m (fracción)* **un sexto,** one sixth

sexual *adj* sexual; **acoso/ discriminación sexual,** sexual harassment/ discrimination

sexualidad *f* sexuality

show *m* show

si *conj* 1 *(expresando una condición)* if: **si vienes te lo cuento,** if you come I will tell you 2 *fam (uso enfático)* **¡si ya te lo decía yo!,** but I told you!; *(expresando deseo)* if only: **¡si tuviera más tiempo!,** if only I had more time! 3 *(en interrogativas indirectas)* if, whether: **me pregunto si llegará pronto,** I wonder if *o* whether she'll come soon; *(disyuntiva)* whether: **quisiera saber si te gusta o no,** I'd like to know whether you like it or not 4 **si no,** otherwise, if not ◆ | LOC: **como si,** as if; **por si acaso,** just in case

si *m* Mús *(nota)* B; *(en solfeo)* te, ti

sí *pron pers reflexivo* 1 *(3ª persona de singular) (masculino)* himself; *(femenino)* herself: **lo dijo para sí,** she said it to herself; *(3ª persona de plural)* themselves 2 *(referido a uno mismo)* oneself 3 *(usted)* **compruébelo por sí mismo,** see for yourself; *(ustedes)* yourselves

sí I *adv* yes: **¿te gusta?, – sí,** do you like it?, yes *o* – yes, I do; **¿estás seguro?, – sí,** are you sure?, – yes *o* –yes, I am; **ellos no irán, pero yo sí,** they will not go, but I will; **creo que sí,** I think so; **dijo que sí,** he said yes *o* he accepted; **me temo que sí,** I'm afraid so; **¡sí que la has hecho buena!,** you've really done it!; **es un actor famoso, – ¿sí?,** he's a famous actor, – really?; **un día sí y otro no,** every other day
II **sí** yes

siamés,-esa *adj & m,f* Siamese

sida, SIDA *m (abr de síndrome de inmunodeficiencia adquirida)* acquired immune deficiency syndrome, AIDS, Aids

sidecar *m* sidecar

siderúrgico,-a *adj* iron and steel; **sector siderúrgico,** iron and steel sector

sidra *f* hard cider

siembra *f* Agr *(acción)* sowing; *(temporada)* sowing time/ season

siempre *adv* always: **llega tarde, como siempre,** he's late, as usual; **para siempre,** for ever; **por siempre jamás,** for ever and ever ◆ | LOC: **siempre que,** *(en cada ocasión)* whenever; *(a condición de que)* as long as, provided (that)

sien *f* Anat temple

sierra *f* 1 *Geog (cadena de montañas)* mountain range; *(región montañosa)* the mountains *pl* 2 *Téc* saw

siervo,-a *m,f* slave, serf

siesta *f* nap, siesta

siete *adj & pron & m* seven; *(en fechas)* seventh

sietemesino,-a I *adj* premature, two months premature
II *m,f* premature baby, two-month-premature baby

sífilis *f inv* syphilis

sifón *m (botella para soda)* soda siphon; *(agua carbónica)* soda (water)

sigilo *m* 1 *(silencio)* stealth: **el gato salió con mucho sigilo,** the cat went out very stealthily 2 *(reserva)* **con gran sigilo,** in great secrecy

sigiloso,-a *adj* stealthy

sigla *f* abbreviation

siglo *m* century: **a comienzos del siglo XV,** at the beginning of the 15th century; *fam (mucho tiempo)* **hacía siglos que no la veía,** I had not seen her for ages

significado *m* meaning

significar I *vtr (querer decir)* to mean: **¿qué significa *sextante*?,** what does *sextante* mean?
II *vi (importar, valer)* **sus palabras significan mucho para mí,** his words are very important to me

significativo,-a *adj (sintomático)* meaningful; **una mirada significativa,** a meaningful look; *(notorio, destacable)* significant, noteworthy

signo *m* 1 sign 2 *Mat* sign; **signo (de) más/ (de) menos/ (de) igual,** plus/minus/ equals sign 3 *Ling* mark; **signo de exclamación/de admiración,** exclamation point

siguiente I *adj* following, next
II *m,f* next person, next one

sílaba *f* syllable

silbar I *vtr* to whistle at
II *vi* to whistle

silbato *m* whistle

silbido *m* whistle; *(del viento)* whistling

silenciador *m* 1 *Auto* muffler 2 *(de arma de fuego)* silencer

silenciar *vtr* 1 to silence 2 *(ocultar un hecho, una noticia)* to keep quiet about: **los infor-**

mativos silenciaron la manifestación, the news hushed up the demonstration

silencio *m* 1 silence; **¡silencio, por favor!,** quiet, please! 2 *Mús* rest

silencioso,-a *adj* silent, quiet

silicona *f* silicone

silla *f* chair; **silla de montar,** saddle; **silla de ruedas,** wheelchair; **silla giratoria,** swivel chair; **silla plegable,** folding chair

sillín *m* saddle

sillón *m* armchair

silueta *f* 1 *(contorno, perfil)* silhouette 2 *(tipo, cuerpo)* figure

silvestre *adj* wild

simbólico,-a *adj* symbolic; **una cantidad simbólica,** a token sum

simbolizar *vtr* to symbolize

símbolo *m* symbol

simetría *f* symmetry

simétrico,-a *adj* symmetrical

simiente *f* seed

similar *adj* similar

simio,-a *m,f* *Zool* ape

simpatía *f* 1 *(aprecio)* affection, liking 2 *(atractivo)* charm 3 *Fís Med* sympathy

simpático,-a *adj* 1 *(agradable)* pleasant, nice 2 *(divertido)* amusing

simpatizante *mf* *Pol* sympathizer, supporter

simpatizar *vi* *(con alguien)* to get on [con, with]; *(con unas ideas)* to sympathize [con, with]

simple I *adj* 1 *(aprecio)* simple 2 *(mero, tan solo)* mere, pure: **somos simples espectadores,** we are mere observers 3 *(cándido, sin malicia)* naive, innocent; *pey (tonto)* simple-minded, half-witted, foolish

II *m* 1 *(ingenuo, inocente)* innocent, naive person; *pey (simplón, tonto)* simpleton, half-wit

simplificar *vtr* to simplify

simposio *m* symposium

simulacro *m* sham, pretense

simular *vtr* *(aparentar, fingir)* to feign, sham: **simuló un accidente,** he pretended to have an accident; *(un decorado)* to represent

simultáneo,-a *adj* simultaneous

sin *prep* without

sinagoga *f* synagogue

sincero,-a *adj* sincere

sincronizar *vtr* to synchronize

sindical *adj* trade union, labor union

sindicalista I *adj* *(relativo al sindicalismo)* syndicalist

II *m,f* trade unionist, labor unionist

sindicato *m* trade union, labor union

síndrome *m* syndrome; **síndrome de abstinencia,** withdrawal symptoms *pl*; **síndrome premenstrual,** premenstrual syndrome *o* tense

sinfín *m* **un sinfín de,** a great many *o* no end of

sinfonía *f* symphony

sinfónico,-a *adj* symphonic; **orquesta sinfónica,** symphony orchestra

singular I *adj* 1 *(raro, excepcional)* peculiar, odd 2 *frml (único, inigualable)* outstanding

II *adj & m* *Ling* singular

siniestro,-a I *adj* sinister, evil

II *m* disaster, catastrophe

sino[1] *m* destiny, fate

sino[2] *conj* but

sinónimo,-a I *adj* synonymous

II *m* synonym

sintético,-a *adj* synthetic

sintetizador *m* synthesizer

sintetizar *vtr* to synthesize

síntoma *m* 1 *Med* symptom 2 *(indicio, señal)* sign

sintonizar I *vtr* 1 *Rad* to tune in to 2 *Elec* to tune

II *vi* 1 *Rad* to tune in 2 *(congeniar)* to be in tune

sinvergüenza *mf* 1 *(inmoral, sin escrúpulos)* crook 2 *(pillo, descarado)* rogue

siquiera I *adv* 1 *(al menos)* at least 2 *(con negativas)* even: **no me saludó siquiera,** she didn't even greet me

II *conj* *frml* *(aunque)*: **hazlo siquiera sea por contentarla,** do it, if only to please her

sirena *f* 1 *Mit* mermaid 2 *(de una fábrica, un barco)* siren

siroco *m* sirocco

sirviente,-a *m,f* servant

sisa *f* armhole

sísmico,-a *adj* seismic

sismógrafo *m* seismograph

sistema *m* system; **sistema circulatorio,** circulatory system; **sistema operativo,** operating system

sistemático,-a *adj* systematic

sitiar *vtr* to besiege

sitio[1] *m* 1 *(espacio)* room: **no hay sitio para tres,** there is no room for three 2 *(lugar)* place: **en algún sitio,** somewhere; **en cualquier sitio,** anywhere; **en todos los sitios,** everywhere

sitio[2] *m* *Mil* siege

situación *f* 1 situation 2 *(emplazamiento)* location 3 *(condiciones, disposición)* state

situar *vtr* to locate

■ **situarse** *vr* 1 *(una persona)* to place oneself, position oneself 2 *(una casa, un castillo)* to be situated *o* located 3 *(alcanzar una posición social)* to achieve a good position

s/n *(abr de sin número)* unnumbered (in an address)

SO *(abr de sudoeste)* southwest, SW

sobaco *m* armpit

sobar *vtr* 1 *(manosear)* to handle, touch 2 *(a una persona)* to paw, grope

soberano,-a I *adj* 1 *adj & m (pueblo, estado)* sovereign 2 *fam (enorme)* huge, tremendous

II m,f sovereign
soberbia f pride
soberbio,-a adj 1 (altivo) haughty 2 (espléndido, insuperable) superb, splendid
sobornar vtr to bribe
soborno m (cohecho) bribery; (dinero, favor aceptado) bribe
sobra f 1 (excedente) surplus 2 (remanente) remainder; (de comida) **sobras,** leftovers
sobrar vi 1 (quedar) to be left (over) 2 (haber en exceso) to be more than enough 3 (estar de más, ser innecesario) **sobran las disculpas,** there is no need for you to apologize
sobrasada f soft spicy sausage
sobre[1] m 1 (excedente) envelope 2 (para sopa) packet; (para medicina, etc) sachet
sobre[2] prep 1 on, upon: **toda la responsabilidad recae sobre él,** the entire responsibility falls on him 2 (por encima) over, above 3 (a propósito de) about, on: **hablaremos sobre ello,** we'll talk about it 4 (además de) upon ◆ | LOC: **sobre todo,** above all
sobrecarga f overload
sobrecargar vtr to overload
sobrecogedor,-ora adj eerie, awesome
sobrecubierta f 1 (de un libro) jacket 2 Náut upper deck
sobredosis f inv overdose
sobrehumano,-a adj superhuman
sobrellevar vtr to bear, endure
sobremesa f **la sobremesa duró hasta las cinco,** we were talking (round the table) after lunch until five o'clock
sobrenatural adj supernatural
sobrentender vt to understand
■ **sobrentenderse** vr **se sobrentiende que una opción excluye la otra,** it is understood that one option excludes the other
sobrepasar vtr 1 (un límite) to exceed 2 (aventajar) to be ahead of
sobreponerse vr 1 (a un sentimiento) to overcome: **se sobrepuso a su timidez,** she overcame her shyness 2 (recobrarse, superar) to recover
sobresaliente I adj outstanding, excellent **II** m Educ A
sobresalir vi 1 (asomar) to protrude [de, from], stick out [de, from]; (de una superficie horizontal, suelo) to stand out; (de un plano vertical, fachada) to project [de, from] 2 (distinguirse, destacar) to stand out
sobresaltar vtr to startle
■ **sobresaltarse** vr to start, be startled
sobresalto m start
sobresueldo m extra money
sobretodo m overcoat
sobrevalorar vtr to overestimate
sobrevivir vi to survive
sobrevolar vtr to fly over
sobriedad f 1 (austeridad) sobriety 2 (ausencia de embriaguez) soberness

sobrina f niece
sobrino m nephew
sobrio,-a adj sober
socarrón,-ona adj mocking, ironic
socavar vtr to undermine
socavón m (large) hole
sociable adj sociable, friendly
social adj social
socialdemócrata I adj social democratic **II** mf Social Democrat
socialismo m socialism
socialista adj & mf socialist
sociedad f 1 society 2 Fin company; **sociedad anónima,** public limited company; **sociedad limitada,** limited company 3 **alta sociedad,** (high) society
socio,-a m,f 1 (de una empresa) partner 2 (de un club) member
socioeconómico,-a adj socioeconomic
sociología f sociology
sociólogo,-a m,f sociologist
socorrer vtr to help, aid
socorrista mf lifeguard, lifesaver
socorro m help, aid; **pedir socorro,** to ask for help
soda f soda (water)
soez adj crude, coarse
sofá m sofa
sofisticado,-a adj sophisticated
sofocante adj suffocating, stifling
sofocar vtr 1 (un incendio) to extinguish, smother; (una rebelión) to put out; (una protesta) to stifle 2 (asfixiar) to suffocate
■ **sofocarse** vr 1 (por falta de aire, por calor) to stifle 2 fam (enardecerse, alterarse) to get upset
sofocón m, **sofoquina** f fam **se llevó un sofocón,** he got very upset
sofreír vtr to stirfry
sofrito m Culin chopped onion and garlic fried in oil
software m software
soga f rope
soja f soy
sol[1] m 1 (estrella) sun 2 (luz) sunlight 3 (luz y calor) sunshine 4 (unidad monetaria de Perú) sol 5 fam **eres un sol,** you are an angel ◆ | LOC: **tomar el sol,** to sunbathe
sol[2] m Mús (en la escala diatónica) G
solamente adv only
solapa f 1 (de una chaqueta, abrigo) lapel 2 (de un libro, carpeta, etc) flap
solapado,-a adj underhand
solaparse vr to overlap
solar[1] m plot
solar[2] adj solar; **energía solar,** solar energy
soldado m soldier; **soldado raso,** private
soldador,-ora 1 m,f welder 2 m soldering iron
soldar vtr to weld
soleado,-a adj sunny

soledad f 1 (tristeza, melancolía) loneliness 2 (aislamiento) solitude

solemne adj solemn

soler vi defect 1 (en presente) to be in the habit of: **solemos ir en coche,** we usually go by car; **sueles equivocarte,** you are usually wrong 2 (en pasado) **solía pasear por aquí,** he used to walk round here

solera f tradition

solfeo m Mús singing of scales

solicitar vtr to request

solícito,-a adj obliging, solicitous

solicitud f 1 (formulario) application 2 (diligencia) diligence

solidaridad f solidarity

solidarizarse vr to show one's solidarity

sólido,-a I adj solid
II m solid

soliloquio m soliloquy

solista mf soloist

solitario,-a I adj 1 (paraje, calle) solitary 2 (sin compañía) alone; (al que le gusta la soledad) loner
II m solitaire

sollozar vi to sob

sollozo m sob

solo,-a I adj 1 (único) only, single 2 (sin compañía) alone: **me gusta estar sola,** I like to be alone 3 (sin protección, apoyo) lonely 4 (sin añadidos) **un whisky solo,** a whisky on its own 5 (sin ayuda, sin intervención) **se desconecta solo,** it switches itself off automatically; **podemos resolverlo (nosotros) solos,** we can solve it by ourselves
II m 1 Mús solo 2 Esp black (coffee)

solomillo m sirloin

soltar vtr 1 (dejar en libertad) to release 2 (desasir) to let go off 3 (despedir) to give off: **suelta un olor pestilente,** it stinks; (un líquido) to ooze 4 (decir inopinadamente) **soltó una tontería,** he made a silly remark 5 (una carcajada, un estornudo) to let out
■ **soltarse** vr 1 (un perro, etc) to get loose 2 (una cuerda, un tornillo, etc) to come loose 3 (adquirir desenvoltura) to gain in confidence 4 (desprenderse, caerse) to come off

soltero,-a I m (hombre) bachelor, single man
II adj single: **es madre soltera,** she is a single mother

solterón,-ona pey **I** m (hombre) confirmed bachelor
II f (mujer) old maid

soltura f 1 (agilidad) agility 2 (en un idioma, discurso) fluency

soluble adj soluble; (sopa, café) instant

solución f solution

solucionar vtr to solve

solvencia f 1 (crédito, responsabilidad) reliability; (capacidad, competencia) competence 2 Fin solvency

solventar vtr 1 (liquidar una deuda) to settle, clear 2 (resolver un problema) to solve: **tenemos que solventar este asunto de una vez por todas,** we have to settle this matter once and for all

solvente adj 1 Fin solvent 2 (capaz, competente) competent 3 (digno de crédito, responsable) reliable

sombra f 1 (ausencia de sol) shade 2 (proyección de una silueta) shadow 3 Cosm **sombra de ojos,** eyeshadow 6 (clandestinidad, desconocimiento público) **dirige la empresa en la sombra,** he manages the company behind the scenes

sombrero m hat

sombrilla f 1 (de paseo) parasol, sunshade 2 (de playa, terraza) (beach) umbrella

sombrío,-a adj 1 (umbrío, sin sol) shadowy 2 (tétrico, desesperanzador) sombre, bleak, gloomy 3 fig (preocupado, triste, abatido) sullen, gloomy

someter vtr 1 (subyugar, sojuzgar) to subdue, put down 2 (a votación, opinión, juicio) **lo sometió a nuestro juicio,** he left it to us to judge 3 (a una prueba, un experimento, interrogatorio, etc) to subject [a, to]
■ **someterse** vr 1 (a un poder, una ley, voluntad) to submit 2 (a una acción física, tratamiento) **se sometió a un régimen,** he went on a diet

somier m (de metal) spring mattress; (de lamas, madera forrada) bed base

somnífero m sleeping pill

somnoliento,-a adj drowsy, sleepy

son m (sonido) sound

sonajero m baby's rattle

sonámbulo,-a m,f sleepwalker

sonar vi 1 to sound; (un despertador) to ring, buzz 2 (ser familiar) **ese nombre no me suena de nada,** that name is completely unknown to me
■ **sonarse** vr sonarse (la nariz), to blow one's nose

sonda f 1 Med (para explorar) probe; (para eliminar fluidos, etc) catheter, tube 2 Náut sounding line

sondeo m 1 Náut sounding 2 Estad (de opinión) poll

soneto m Lit sonnet

sonido m sound

sonoro,-a adj 1 (audible) audible 2 (que suena bien) sonorous, rich 3 (que suena con fuerza) loud

sonotone, m hearing aid

sonreír vi, **sonreírse** vr to smile

sonriente adj smiling

sonrisa f smile

sonrojarse vr to blush

sonrosado,-a adj rosy, pink

sonsacar vtr to winkle out

soñador,-ora m,f dreamer

soñar I vtr to dream

II *vi (imaginar)* **deja de soñar (despierto),** stop daydreaming

soñoliento,-a *adj* drowsy, sleepy

sopa *f* soup

sopesar *vtr* to weigh up

soplar I *vi* to blow

II *vtr* **1** *(algo caliente)* to blow on **2** *(una vela)* to blow out **3** *(apartar con un soplo)* to blow away **4** *(una respuesta, un cotilleo)* to whisper: **me sopló el resultado,** he passed the result on to me

soplete *m* blowlamp, blowtorch

soplo *m* **1** *(de persona)* blow, puff; *(de viento)* blow **2** *(instante breve)* flash **3** *fam (delación, chivatazo)* tip-off **4** *Med* murmur

soplón,-ona *m,f fam (chivato)* grass, informer; *(acusica)* telltale

soportal I *m* porch

II *mpl* **soportales,** arcade *sing*

soportar *vtr* **1** *(una carga, un peso)* to support, bear, carry **2** *fig (sufrir, tolerar)* to bear

soporte *m* **1** support **2** *(objeto en el que se apoya otro)* **un sorpte para los discos,** a record stand **3** *Inform* medium

soprano *mf* soprano

sorber *vtr (beber aspirando)* to sip; *(haciendo ruido)* to slurp

sorbo *m* sip

sordera, sordez *f* deafness

sórdido,-a *adj* sordid

sordo,-a I *adj* **1** *(que no puede oír)* deaf **2** *(golpe, ruido)* dull

II *m,f* deaf person; **los sordos,** the deaf *pl*

sordomudo,-a *adj, m,f* deaf-mute

soroche *m LAm* altitude sickness

sorprendente *adj* surprising, amazing

sorprender *vtr* **1** *(conmover, maravillar)* to wonder, marvel **2** *(extrañar)* to surprise **3** *(coger desprevenido)* to catch unaware

sorpresa *f* surprise

sortear *vtr* to avoid; to get round, overcome

sorteo *m* draw; *(rifa)* raffle

sortija *f* ring

sosa *f* soda

sosegado,-a *adj* calm

sosegar *vtr* to calm

■ **sosegarse** *vr* to calm down

soslayo *loc adv* **de soslayo,** sideways

soso,-a I *adj* **1** *(sin sal)* lacking in salt; *(sin sabor)* flavorless, tasteless **2** *fig (sin gracia)* insipid, dull

II *m,f* bore

sospecha *f* suspicion

sospechar I *vtr (conjeturar, intuir)* to suspect **II** *vi (recelar)* to suspect

sospechoso,-a I *m,f* suspect

II *adj* suspicious

sostén *m* **1** *(prenda femenina)* bra, brassiere **2** *(apoyo, pilar)* support

sostener *vtr* **1** to hold **2** *(una teoría)* to

maintain **3** *(a la familia)* to support **4** *(negociaciones, una conversación)* to have

■ **sostenerse** *vr* **1** *(en pie)* to support oneself **2** *(descansar, permanecer)* to stay, remain

sota *f* jack, knave

sotana *f* cassock

sótano *m* cellar, basement

soviético,-a *adj & m,f* Soviet

spray *m* spray

Sr. *(abr de señor)* Mister, Mr

Sra. *(abr de señora)* Mrs

Sres. *(abr de señores)* **Sres. de Rodríguez,** Mr and Mrs Rodríguez; *(en correspondencia comercial)* Messrs

Srta. *(abr de señorita)* Miss

SS *f (abr de Seguridad Social)* National Health Service, NHS

Sta. *(abr de Santa)* Saint, St

stand *m* stand

standard *adj & nm* → **estándar**

status *m inv* status

stock *m (pl stocks)* stock

stop *m* stop sign

su *adj pos (de él)* his; *(de ella)* her; *(de ellos, de ellas)* their; *(de cosa, animal)* its; *(de usted, ustedes)* your

suave *adj* **1** *(liso, terso)* smooth, soft **2** *(tenue, poco fuerte)* soft; *(color)* pale; *(música, tono, luz)* soft; *(clima)* mild **3** *(actitud agradable, poco severa)* mild, gentle

suavidad *f* smoothness, softness

suavizante *m (para tejidos)* fabric softener; *(para el cabello)* conditioner

suavizar *vtr* **1** *(la piel, el pelo, etc)* to make soft, make smooth **2** *(un sabor)* to make less strong **3** *(el trato, el carácter)* to soften, temper

■ **suavizarse** *vr* **1** *(el clima)* to get milder **2** *(el carácter)* to mellow

subalterno,-a *adj & m,f* subordinate

subarrendar *vtr* to sublet

subasta *f* **1** *(venta)* auction **2** *(oferta de servicios, de obras públicas)* tender

subastar *vtr* **1** *(vender)* to auction (off), to sell at auction **2** *(sacar a concurso un contrato)* to put out to tender

subcampeón,-ona *m,f Dep* runner-up

subconsciente *adj & m* subconscious

subdesarrollado,-a *adj* underdeveloped

subdirector,-ora *m,f* assistant director *o* manager; *(en un colegio)* assistant principal; *(en una empresa: hombre)* vice-chairman; *(: mujer)* vice-president

súbdito,-a *adj & m,f* subject

subdividir *vtr* to subdivide

subestimar *vtr* to underestimate

subida *f* **1** *(incremento de precios, temperatura, etc)* rise, increase **2** *(cuesta, pendiente)* slope, hill **3** *(a una montaña)* ascent

subir I *vtr* **1** *(una pendiente, las escaleras)* to go up; *(hacia el hablante)* to come up; *(una* *montaña)* to climb **2** *(llevar arriba)* to take up; *(hacia el hablante)* to bring up **3** *(elevar)* to raise: **sube la mano izquierda,** lift your left hand; *(el sueldo, la temperatura, la voz, etc)* to raise

II *vi* **1** *(ascender)* to go up; *(acercándose al hablante)* to come up **2** *(a un avión, tren, autobús)* to get on *o* onto; *(a un coche)* to get into *o* in **3** *(la marea, las aguas, el sueldo, etc)* to rise **4** *(de categoría)* to go up

■ **subirse** *vr* **1** *(ascender, trepar)* to climb up **2** *(a un tren, autobús, avión)* to board, to get on *o* onto; *(a un coche)* to get into **3** *(los pantalones, los calcetines)* to pull up; *(la cremallera)* to do up; *(las mangas)* to roll up

subjetivo,-a *adj* subjective

subjuntivo *adj &* m *Ling* subjunctive

sublevación *f* rebellion, uprising

sublevar *vtr* **1** *(incitar a revolt)* to **2** *fig (enojar, indignar)* to infuriate

■ **sublevarse** *vr* to rise up, revolt

sublime *adj* sublime

submarinismo *m* skin-diving; *Dep* scuba diving

submarinista *mf* **1** skin-diver; *Dep* scuba diver **2** *(tripulante de submarino)* submariner

submarino,-a I *adj* underwater; **pesca submarina,** underwater fishing

II *m* submarine

subnormal I *adj* subnormal, mentally handicapped

II *mf* mentally handicapped person

suboficial *m, f* **1** noncommissioned officer **2** *Náut* petty officer

subordinado,-a *adj &* m,f subordinate

subordinar *vtr* to subordinate

subproducto *m* by-product, derivative, spin-off

subrayar *vtr* **1** *(una palabra, frase, etc)* to underline **2** *(poner énfasis, destacar)* to emphasize, underline

subrepticio,-a *adj* surreptitious

subsecretario,-a m,f undersecretary

subsidio *m* allowance, benefit

subsistir *vi* **1** to live, subsist **2** *(una costumbre, creencia, un sistema, etc)* to remain, survive

subterráneo,-a I *adj* underground, subterranean

II *m* tunnel, underground passage

subtítulo *m* subtitle

suburbano,-a I *adj* suburban

II *adj &* m tren **suburbano,** suburban train

suburbio *m* slum

subvención *f* subsidy, subvention

subvencionar *vtr* to subsidize

subversivo,-a *adj* subversive

subyugar *vtr* **1** *(someter)* to subjugate **2** *(cautivar, fascinar)* to enthrall, captivate

succionar *vtr* to suck up *o* in

sucedáneo,-a *adj &* m substitute

suceder I *vi* **1** *(acontecer, pasar)* to happen:

¿qué sucede?, what's the matter?; **suceda lo que suceda...,** whatever happens... **2** *(seguir, ir después)* to follow

II *vtr* to succeed

■ **sucederse** *vr* to follow one another

sucesión *f* **1** succession **2** *(herederos, descendencia)* heirs *pl*, issue

sucesivamente *adv* successively ♦ |LOC: **y así sucesivamente,** and so on *o* and so forth

suceso *m* **1** *(hecho)* happening, event **2** *Prensa* **sucesos,** accident and crime reports

sucesor,-ora m,f **1** *(a un cargo, al trono)* successor **2** *(heredero)* heir

suciedad *f* **1** *(basura)* dirt, filth **2** *(estado)* dirtiness

sucio,-a I *adj* dirty; **juego sucio,** foul play; **una jugada sucia,** a dirty trick; **negocio sucio,** shady business *o* deal

II *adv* unfairly; **jugar sucio,** to play unfairly

sucre *m* *(unidad monetaria de Ecuador)* sucre

suculento,-a *adj* succulent

sucumbir *vi* **1** *(ante el enemigo)* to succumb, surrender, yield **2** *frml (perecer)* to die

sucursal *f* *Com* branch

sudadera *f* sweatshirt

Sudáfrica *f* South Africa

sudafricano,-a *adj &* m,f South African

Sudamérica *f* South America

sudamericano,-a *adj &* m,f South American

sudar *vtr &* vi to sweat, perspire

sudeste *m* southeast

sudoeste *m* southwest

sudor *m* sweat, perspiration

sudoroso,-a *adj* sweaty

Suecia *f* Sweden

sueco,-a I *adj* Swedish

II m,f **1** *(persona)* Swede **2** *(idioma)* Swedish

suegra *f* mother-in-law

suegro *m* father-in-law; **sus suegros,** her in-laws

suela *f* sole

sueldo *m* pay, wages *pl;* *(mensual)* salary

suelo *m* **1** *(tierra)* ground **2** *Agr* land; *(de cultivo)* soil **3** *(de una casa)* floor; *(de la calle, carretera)* surface, road **4** *(país, territorio)* soil **5** *(edificable)* building land

suelto,-a I *adj* **1** loose; **lleva el pelo suelto,** she wears her hair loose **2** **dinero suelto,** loose *o* small change **3** *(por separado)* separate: **se venden sueltos,** they are sold separately

II *m* loose *o* small change

sueño *m* **1** *(estado de dormir)* sleep **2** *(necesidad de dormir)* sleepiness: **tenía sueño,** she felt *o* was sleepy **3** *(lo soñado)* dream: **se cumplieron sus sueños,** her dreams came true

suero *m* **1** *Med* serum **2** *(alimenticio, fisiológico)* saline solution; *(de la leche)* whey

suerte *f* **1** *(fortuna)* luck: **es un hombre de suerte,** he's a lucky man; **tuviste mala**

suerte, you were unlucky; **por suerte,** fortunately o luckily **2** (casualidad, azar) chance: **depende de la suerte,** it depends on chance **3** (sino, destino) fate, destiny **4** frml (tipo, género) sort, type: **es una suerte de,** it's a kind of

suéter m sweater

suficiencia f arrogance, smugness, complacency

suficiente I adj **1** enough **2** (presuntuoso) smug, complacent
II m Educ pass, pass-mark

sufijo m suffix

sufragar I vtr to defray
II vi LAm to vote [por, for]

sufragio m Pol suffrage; **sufragio universal,** universal suffrage

sufrido,-a adj **1** (resignado, conforme) long-suffering **2** (ropa) hard-wearing

sufrimiento m suffering

sufrir I vi to suffer: **sufre de reumatismo,** he suffers from rheumatism
II vtr **1** (un daño, un perjuicio) to suffer: **sufría una extraña enfermedad,** he had a rare illness; (un accidente) to have; (una derrota) to suffer; (una operación) to undergo **2** (cambios) to undergo **3** (soportar, aguantar) to bear

sugerencia f suggestion

sugerente adj suggestive

sugerir vtr to suggest

sugestión f (acción de sugestionarse) **no creo que sea un fantasma, es pura sugestión,** I don't think it can be a ghost, it's all in your mind

sugestionar vtr to influence

■ **sugestionarse** vr to get ideas into one's head, to convince oneself

sugestivo,-a adj **1** suggestive **2** (atractivo, apetecible) attractive

suicida I mf suicide
II adj suicidal

suicidarse vr to commit suicide

suicidio m suicide

suite f suite

Suiza f Switzerland

suizo,-a adj & m,f Swiss

sujetador m bra, brassiere

sujetar vtr **1** (coger, agarrar) to hold: **sujétalo fuerte,** hold it tight; (retener) to hold down; (fijar) to fasten, fix **2** (controlar, someter) to restrain, keep in check

■ **sujetarse** vr **1** (agarrarse) to hold on [a, to]; (sostener) to be held **2** (a unas reglas) to abide by

sujeto,-a I adj **1** (fijo) secure **2** (expuesto, sometido) **sujeto a,** subject to: **sujeto a cambios,** subject to change
II m **1** (individuo) individual, person **2** Ling subject

sulfato m sulfate

sulfurar vtr fam to infuriate

■ **sulfurarse** vr fam (enojarse) to blow one's top, to lose one's temper

sultán m sultan

suma f **1** Mat addition **2** (cantidad) sum: **la suma total,** the total amount

sumamente adv extremely

sumar vtr **1** Mat to add (up): **seis y dos suman ocho,** six plus two equals o is eight **2** (la cuenta, la factura) **la factura suma tres mil pesos,** the bill comes to three thousand pesos

■ **sumarse** vr to join, subscribe

sumario,-a I adj **1** (resumido, breve) concise, brief **2** Jur (juicio) summary
II m **1** (índice) contents pl **2** Jur indictment

sumarísimo,-a adj swift; Jur **juicio sumarísimo,** summary trial

sumergible I adj **1** (nave) submersible **2** (reloj, cámara) waterproof
II m submarine

sumergir vtr to immerse, submerge, submerse

■ **sumergirse** vr **1** to submerge, dive **2** fig (sumirse) to become absorbed

sumidero m drain

suministrar vtr to supply

suministro m supply, provision

sumir vtr **1** (sumergir) to submerge, sink **2** fig **la noticia le sumió en la tristeza,** the news plunged him into sadness

sumiso,-a adj submissive, docile, obedient

sumo,-a adj **1** (muy grande) extreme; **de suma importancia,** extremely important **2** (máximo en una jerarquía) supreme ◆ | LOC: **a lo sumo,** at the most

suntuoso,-a adj sumptuous

supeditar vtr to subordinate

súper I adj **1** fam super, fantastic, great **2** adj & f (gasolina) super
II m fam supermarket

superar vtr **1** (estar por encima de) to exceed: **la temperatura superó los treinta grados,** the temperature rose above thirty degrees; (expectativas) **esto supera todo lo imaginado,** this defies the imagination; (un récord, una marca) to beat, break **2** (pasar, sobreponerse) to overcome; (un examen) to pass, get through

■ **superarse** vr to improve o better oneself

superávit m surplus

superdotado,-a I adj exceptionally o highly gifted
II m,f exceptionally o highly gifted person

superficial adj superficial

superficialidad f superficiality

superficie f **1** surface: **el delfín salió a la superficie,** the dolphin surfaced **2** (extensión, área) area; Mat Geom area

superfluo,-a adj superfluous

superior I adj **1** (que está más alto) top, upper; **el piso superior,** the upper floor **2**

(que es mejor) superior, better: **su sueldo es superior al mío,** his salary is higher than mine **3** *(en número)* **un número superior a 10,** a number greater *o* higher *o* more than 10 **4** *(indicando grado: en enseñanza)* higher; *(:en el ejército, la policía)* superior
II *m* superior

superioridad *f* superiority

supermercado *m* supermarket

superponer *vtr* to superimpose, put on top

superproducción /1 *Econ* overproduction **2** *Cine* blockbuster, lavish production

supersónico,-a *adj* supersonic

superstición *f* superstition

supersticioso,-a *adj* superstitious

supervisar *vtr* to supervise, oversee

supervisor,-ora *m,f* supervisor

superviviente I *adj* surviving
II *mf* survivor

supino,-a *adj* **1** *(posición)* supine, face up **2** *(enorme)* **tontería/ignorancia supina,** crass stupidity/ ignorance

suplantar *vtr* **1** *(sustituir)* to replace **2** supplant **3** *(hacerse pasar por otro)* to impersonate

suplementario,-a *adj* supplementary, additional

suplemento *m* **1** *(cantidad extra)* surcharge, extra charge **2** *(de un diario)* supplement

suplente I *adj* substitute
II *m, f* substitute; *(en enseñanza)*substitute teacher; *Dep* reserve, substitute; *Teat* understudy

supletorio,-a *adj* extra, additional; **teléfono supletorio,** extension

súplica *f* entreaty, plea

suplicar *vtr* to beg, implore

suplicio *m* torture

suplir *vtr* **1** *(reemplazar a una persona)* to replace, substitute **2** *(sustituir, compensar)* to make up for

suponer *vtr* **1** to suppose: **supongamos que...,** let's assume *o* suppose that...; **supongo que sí,** I suppose so; **se supone que acaba a las seis,** it's supposed to finish at six **2** *(conllevar, significar)* to mean, involve: **no supone ningún riesgo,** it doesn't involve any risk; *(la amistad, el aprecio)* to mean

suposición *f* supposition

supositorio *m* suppository

supremacía *f* supremacy

supremo,-a *adj* supreme

supresión *f* suppression; *(de una ley, un impuesto, etc)* abolition; *(de un servicio)* withdrawal; *(en un texto)* deletion

suprimir *vtr* **1** to supress; *(un derecho, una ley, etc)* to abolish; *(un servicio)* to withdraw; *(gastos)* to eliminate, cut out; *(en un texto)* to delete **2** *(omitir, pasar por alto)* to omit

supuesto,-a I *adj (presumiendo: falsedad)* ese **supuesto artista,** that so-called artist; *(:*

inocencia) alleged; **el supuesto asesino,** the alleged murderer
II *m (conjetura)* assumption; **en el supuesto de que,** on the assumption that: **en el supuesto de que te pregunten,** supposing you are asked

supurar *vi* to suppurate, fester

sur I *adj* south, southern
II *m* south

Suráfrica /South Africa

surafricano,-a *adj* & *m,f* South African

Suramérica /South America

suramericano,-a *adj* & *m,f* South American

surcar *vtr* **1** *Agr* to plow **2** *(la piel, el rostro)* to furrow, crease **3** *fig (el mar, las aguas)* to cross

surco *m (en la tierra)* furrow; *(en un disco)* groove; *(en la piel)* wrinkle

sureño,-a I *adj* southern
II *m,f* southerner

sureste *adj* & *m* → sudeste

surfista *m,f* surfer

surgir *vi* to arise, come up

suroeste *adj* & *m* → sudoeste

surrealista *adj* & *mf* surrealist

surtido,-a I *adj* **1** *(bien provisto)* **una papelería bien/mal surtida,** a well stocked/poorly stocked stationer's **2** *(variado)* assorted
II *m (de caramelos, galletas, etc)* assortment; *(de ropa, muebles, etc)* range, selection

surtidor *m* **1** *(de gasolina)* gas pump **2** *(chorro de agua)* jet

surtir *vtr* **1** *(aprovisionar)* to supply, provide **2** *(producir)* **surtir efecto,** to take effect

suscitar *vtr* to cause, arouse

suscribir *vtr* **1** *(una propuesta, una opinión)* to endorse, subscribe to **2** *Fin (acciones)* to subscribe for **3** *frml (un acuerdo, un tratado, un contrato)* to sign
■ **suscribirse** *vr* to subscribe [**a,** to]

suscripción *f* subscription

susodicho,-a *adj* & *m,f* above-mentioned, aforesaid

suspender I *vtr* **1** *(poner en alto, colgar)* to hang [**de,** from] **2** *(interrumpir, cancelar)* to cancel, call off; *(una reunión)* to adjourn; *(leyes, derechos)* to suspend **3** *(un examen)* to fail **4** *(en un cargo)* to suspend
II *vi Educ* to fail

suspense *m* suspense

suspensión *f* **1** *(en el aire)* hanging, suspension **2** *(interrupción)* cancelation, halting **3** *(en un cargo, un trabajo)* suspension; **suspensión de empleo y sueldo,** suspension without pay **4** *Auto* suspension **5** **suspensión de pagos,** temporary receivership

suspensivo,-a *adj* **puntos suspensivos,**

suspension points, dots (...)
suspenso,-a I *adj Educ* fail
II *m* **suspenso** *Educ* fail
suspicacia *f* suspiciousness, distrust
suspicaz *adj* suspicious, distrustful
suspirar *vi* to sigh
suspiro *m* sigh
sustancia *f* substance
sustancioso,-a *adj (beneficios)* substantial; *(alimentos)* nourishing, wholesome
sustantivo,-a *m Ling* noun
sustentar *vtr* 1 *(mantener)* to support, maintain 2 *(una opinión, una teoría)* to uphold, maintain 3 *(sujetar, soportar un peso)* to support, hold up
sustitución *f* replacement; *(temporal)* substitution
sustituir *vtr* 1 to replace; *(a una persona)* to replace 2 *(temporalmente)* to stand in for
sustituto,-a *m, f* replacement; *(temporal)* substitute
susto *m* fright, scare
sustraer *vtr* 1 *(hurtar)* to steal 2 *(papeletas)* to remove 3 *Mat (restar)* to subtract
susurrar I *vi (una persona)* to whisper; *fig (el agua)* to murmur; *(el viento, las hojas)* to rustle
II *vtr* to whisper
susurro *m* whisper; *fig (del agua)* murmuring; *(del viento)* sighing, whispering; *(de las hojas)* rustling
sutil *adj* 1 *(insinuación, argumento, diferencia)* subtle; *(inteligencia)* sharp; **una sutil observación,** a subtle remark 2 *(un tejido)* thin, fine 3 *(una fragancia)* delicate, subtle
sutileza, sutilidad *f* subtlety
suyo,-a I *adj (de él)* his; *(de ella)* hers; *(de usted, ustedes)* yours: **hablé con un hermano suyo,** I spoke with a brother of yours; *(de ellos, ellas)* theirs
II *pron (de él)* his: **éste no es el suyo,** this is not his; *(de ella)* hers: **me dejó el suyo,** she lent me hers; *(de usted, ustedes)* yours; *(de ellos, ellas)* theirs

T

T, t *f (letra)* T, t
tabaco *m* 1 *Bot* tobacco 2 *(cigarrillos)* cigarettes *pl;* **tabaco negro/rubio,** dark/Virginia tobacco
tábano *m Ent* horsefly
tabarra *f fam pey* pest, bore
tabasco®, *m Culin* Tabasco
taberna *f* tavern, bar
tabique *m* 1 *(pared)* partition wall 2 *(de la nariz)* septum
tabla *f* 1 board; *(más gruesa)* plank; **tabla de planchar,** ironing board 2 *(para nadar)* float; *(de surf)* surfboard; *(de windsurf)* sailboard 3 *(de una falda)* pleat 4 *(lista, índice)* table;

tabla periódica, periodic table 5 *Mat* table; **la tabla del 4,** the 4 times table 6 *(en ajedrez)* **tablas,** draw *sing,* stalemate *sing*
tablado *m* 1 *(entarimado)* platform 2 *(escenario)* stage
tablao *m* 1 flamenco bar *o* club 2 *(espectáculo)* flamenco show
tablero *m* 1 *(tabla)* board, plank; *(de una mesa)* top; *(panel)* panel 2 *(de juegos de mesa)* board; **tablero de ajedrez,** chessboard 3 **tablero de mandos,** instrument panel 4 *Dep (de baloncesto)* backboard
tableta *f* 1 *(de turrón, chocolate)* bar 2 *Farm* tablet
tablón *m* 1 *(de madera)* plank 2 *(informativo)* **tablón de anuncios,** bulletin board
tabú *adj & mpl* taboo
taburete *m* stool
tacaño,-a I *adj* mean, stingy
II *m, f* miser, scrooge
tacatá, tacataca *m* baby-walker
tachar *vtr* 1 *(en un escrito)* to cross out 2
tachar de *(tildar, acusar)* to brand
tachuela *f (clavo corto)* tack; *(en cinturón, botas, etc)* stud
tácito,-a *adj* tacit
taciturno,-a *adj* 1 *(melancólico, triste)* gloom, gloomy 2 *(silencioso, reservado)* silent, uncommunicative, taciturn
taco *m* 1 *(de billetes, papeles)* wad; *(de entradas)* book 2 *Dep (de bota)* cleat 3 *(de billar)* cue 4 *(de tortilla, jamón, etc)* cube 5 *LAm (comida mejicana)* taco 6 *fam (jaleo, follón)* hubbub, racket 7 *fam (palabra malsonante)* swearword
tacón *m* heel: **zapatos de tacón alto,** high-heeled shoes
táctico,-a I *adj* tactical
II *m, f* tactician
táctil *adj* tactile
tacto *m* 1 touch; **al tacto,** by touch 2 *(cualidad del objeto)* feel: **esta tela tiene un tacto áspero,** this cloth feels rough 3 *fig (tiento, cuidado)* tact: **no tuvieron mucho tacto,** they weren't very tactful
tailandés,-esa I *adj & m, f* Thai
II *m (idioma)* Thai
Tailandia *f* Thailand
taimado,-a *adj* astute, cunning
tajada *f* slice, piece
tajante *adj (contundente)* categorical; *(brusco)* sharp
tajo *m* 1 *(corte)* cut 2 *fam (trabajo)* grind, drudgery
tal *adj* 1 *(dicho, semejante)* such: **no dije tal cosa,** I never said such a thing; **de tal madre, tal hija,** like mother, like daughter; **de tal manera,** in such a way; **en tales condiciones,** in such conditions; *(uso enfático)* **tenía tal dolor de cabeza...,** I had such a headache... 2 *(valor indeterminado)*

such and such; **tal día, en tal sitio,** such and such a day at such and such a place
II *pron* **él es el jefe, y como tal es el culpable,** he's the boss and, as such, he's to blame
III *adv (en expresiones)* **1** *¿qué tal tu familia?,* how is your family? **2** *tal vez,* perhaps, maybe **3** *tal cual,* just as it is **4** *con tal (de) que,* so long as, provided
taladradora *f* drill
taladrar *vtr* to drill, bore
taladro *m* **1** *(instrumento)* drill **2** *(agujero)* hole
talante *m* **1** *(estado de ánimo, carácter)* temper, mood: **está de buen talante,** she's in a good mood **2** *(disposición, gana)* willingness
talar *vtr* to fell, cut down
talco *m* talc; **polvos de talco,** talcum powder
talego *m* sack
talento *m* talent
talismán *m* lucky charm, talisman
talla *f* **1** *(de ropa)* size; **¿cuál es tu talla?,** what size are you? **2** *(altura)* height, stature **3** *(categoría, importancia)* standing **4** *(acción de tallar: piedras preciosas)* cutting; *(: madera)* carving; *(: metal)* engraving **5** *(escultura tallada)* sculpture, (wood) carving
tallar *vtr* **1** *(dar forma, esculpir)* to sculpt; *(piedras preciosas)* to cut; *(la madera)* to carve; *(el metal)* to engrave **2** *(medir a una persona)* to measure the height of
tallarines *mpl Culin (italianos)* tagliatelle *sing; (chinos)* noodles *pl*
talle *m* **1** *(cintura)* waist **2** *(figura, planta)* figure, shape
taller *m* **1** workshop; *(de un artista)* studio; *Educ* workshop **2** *Auto* repair shop
tallo *m* stem, stalk
talón *m* **1** *(del pie, del calzado)* heel **2** *(cheque)* check
talonario *m* checkbook
tamaño,-a *m* size
tambalearse *vr (persona)* to totter, stagger; *(un objeto)* to wobble
también *adv (por añadidura)* too, as well; *(como respuesta)* **él sabe italiano, – yo también,** he knows Italian, – so do I
tambor *m* drum
Támesis *m* **el Támesis,** the (River) Thames
tamiz *m* sieve
tamizar *vtr* to sieve, sift
tampoco *adv* **1** neither, not... either **2** *(aislado en una respuesta)* neither, nor: **no he visto esa película, – yo tampoco,** I haven't seen that film, - neither o nor have I
tampón *m* tampon
tan *adv* **1** *(para intensificar)* so, such, such a: **¡es tan sensible!,** he's so sensitive! **2** *(en comparaciones)* **es tan inteligente como su hermano,** he's as intelligent as his brother **3** **tan solo,** only

tanda *f* **1** *(grupo)* batch **2** *(serie ininterrumpida)* series *pl*
tándem *m* tandem
tangente *adj & f* tangent
tango *m* tango
tanque *m* tank
tantear *vtr* **1** *(considerar, examinar: una situación)* to size up; *(: a una persona)* to sound out **2** *(orientarse con el tacto)* to feel
tanteo *m Dep* score
tanto,-a I *adj & pron* **1** *(mucho) (con singular)* so much; *(con plural)* so many: **¿cómo puedes ahorrar tanto (dinero)?,** how are you able to save so much money? **no necesito tantos folios,** I don't need so many sheets of paper **2** *(cantidad imprecisa)* **le costó cuarenta y tantos dólares,** it cost her forty-odd dollars **3** *(en comparaciones: con singular)* as much; *(: en plural)* as many
II *adv* **tanto 1** *(hasta tal punto)* so much **2** *(referido a tiempo)* so long: **tardé un mes en escribirlo, – ¿tanto?,** I spent one month writing it, – so long?; *(a menudo)* **ya no sale tanto,** nowadays he doesn't go out so often
III *m* **tanto 1** *Dep* point; *Ftb* goal **2** *(una cantidad determinada)* a certain amount
♦ LOC: estar al tanto, to be up-to-date; **me llamó a las tantas de la madrugada/ de la noche,** she phoned me in the early hours of the morning/very late at night; **entre tanto,** meanwhile; **por lo tanto,** therefore; **tanto Pedro como María,** both Pedro and María **tanto por ciento,** percentage
tapa *f* **1** *(de una cazuela, del piano, etc)* lid; *Aut (del depósito, del radiador)* cap **2** *(de un libro)* cover **3** *(del tacón)* heelpiece **4** *(en los bares)* tapa, savory snack, appetizer
tapadera *f* **1** *(de un recipiente)* lid, cover **2** *fig (de una actividad ilegal)* cover, front
tapar *vtr* **1** *(cubrir) (una botella)* to put the top on; *(un frasco, una caja, etc)* to put the lid on **2** *(un orificio)* to plug, fill; *(obstruir)* to block **3** *(abrigar, arropar)* to wrap up; *(en la cama)* to tuck in
■ taparse *vr* **1** *(abrigarse)* to wrap up; *(en la cama)* to cover oneself **2** *(los ojos, oídos, etc)* to cover
taparrabos *m inv* loincloth
tapete *m (protective)* table cloth
tapia *f* wall
tapiar *vtr* **1** to wall in **2** *(tapar un hueco)* to brick up, block off
tapicería *f* **1** *(de un sofá, un coche, etc)* upholstery **2** *(taller, tienda)* upholsterer's
tapiz *m* tapestry
tapizar *vtr* to upholster
tapón *m* **1** *(de una botella)* cap, top; *(de corcho)* cork; *(de un desagüe)* plug; *(de goma)* stopper; *(para los oídos)* earplug; **tapón de rosca,** screw-on cap **2** *(obstrucción)* blockage

3 *Auto fam (atasco)* traffic jam, tailback **4** *(en baloncesto)* block
taponar *vtr* to plug, block
■ **taponarse** *vr* to get blocked
taquigrafía *f* shorthand, stenography
taquígrafo,-a *m,f* stenographer
taquilla *f* **1** ticket office, box office **2** *(dinero recaudado)* takings *pl* **3** *(armario individual)* locker **4** *(casillero en un hotel, etc)* pigeonholes *pl*
tara *f* **1** defect, fault **2** *Auto (peso sin carga)* tare
tarántula *f Zool* tarantula
tararear *vtr* to sing to oneself; *(con la boca cerrada)* to hum
tardar *vi* **1** *(un tiempo determinado)* to take time: ¿cuánto se tarda de aquí a Bogotá?, how long does it take from here to Bogota?; **no tardó mucho**, it didn't take long **2** *(demasiado tiempo)* to take a long time: **tardaron en abrir la puerta**, they took a long time to open the door
II *adv* late: **no llegues tarde**, don't be late
◆ LOC: **de tarde en tarde**, from time to time; **(más) tarde o (más) temprano** o **más pronto o más tarde**, sooner or later
tardío,-a *adj* late
tarea *f* job, task; **tarea escolar**, homework, assignments *pl*
tarifa *f* **1** *(lista de precios)* tariff, price list **2** *(precio unitario: en suministros)* price, rate; *(: del autobús, metro, etc)* fare
tarima *f* *(plataforma, estrado)* dais, platform
tarjeta *f* card; **tarjeta de crédito**, credit card; **tarjeta de embarque**, boarding pass o card; **tarjeta postal**, postcard; **tarjeta telefónica**, phonecard; *Inform* **tarjeta de sonido**, sound card
tarro *m* **1** *(de barro, de vidrio)* jar, pot **2** *LAm (bote de hojalata)* can
tarta *f* **1** tart; *(pastel)* cake; **tarta de cumpleaños**, birthday cake
tartamudear *vi* to stammer, stutter
tartamudo,-a I *adj* stammering, stuttering
II *m,f* stutterer, stammerer
tartera *f* lunch box, lunch pail
tasa *f* **1** *(proporción)* rate; **tasa de desempleo**, rate of unemployment **2** *(precio establecido)* fee; **tasas académicas**, course fees **3** *Econ (impuesto)* tax **4** *(valoración)* valuation
tasar *vtr* to value
tasca *f fam* cheap bar
tatarabuelo,-a *m,f* **tatarabuelos**, great-great grandparents; *(hombre)* great-great-grandfather; *(mujer)* great-great-grandmother
tataranieto,-a *m,f* **tataranietos**, great-great-grandchildren; *(hombre)* great-great-grandson; *(mujer)* great-great-granddaughter

tatuaje *m* tattoo
taurino,-a *adj* bullfighting
Tauro *m Astrol* Taurus
tauromaquia *f (art of)* bullfighting
taxi *m* taxi, *fam* cab
taxímetro *m* taximeter, meter
taxista *mf* taxi driver, *fam* cab driver
taza *f* **1** *(recipiente)* cup; *(medida, contenido)* cupful **2** *(del retrete)* bowl
tazón *m* bowl
te *pron pers* **1** *(objeto directo)* you: **te quiero**, I love you **2** *(objeto indirecto)* you, to you, for you: **te lo guardaré**, I'll keep it for you **3** *(con verbos reflexivos, a ti mismo)* yourself: **cuídate mucho**, look after yourself **4** *(sin traducción en verbos pronominales)* **no te preocupes**, don't worry
té *m* tea
tea *f* torch
teatral *adj* **1** theater **2** *(efectista)* theatrical
teatro *m* theater
tebeo *m* (children's) comic
techo *m (tejado)* roof; *(de una estancia)* ceiling
tecla *f* key
teclado *m* keyboard
técnica *f* **1** *(método)* technique **2** *(tecnología)* technology
técnico,-a I *adj* technical
II *m,f* technician, technical expert
tecnócrata *mf Pol* technocrat
tecnología *f* technology
tecnológico,-a *adj* technological
tedioso,-a *adj* boring, tedious
teja I *f Arquit* tile
II *m (color)* russet
tejado *m* roof
tejano,-a I *adj & m,f* Texan
II *mpl* jeans
tejer *vtr* **1** to weave **2** *(calcetar)* to knit **3** *(maquinar, urdir)* to plot, scheme
tejido *m* **1** *(tela, paño)* fabric **2** *Anat Bot* tissue
tejón *m* badger
tel. *(abr de teléfono)* telephone, tel.
tela *f Tex* cloth; *(en sastrería, tapicería)* fabric
telar *m* loom
telaraña *f* spider's web
tele *f fam* TV
telecomunicaciones *fpl* telecommunications
telediario *m TV* television news bulletin
teledirigido,-a *adj* remote-controlled
teleférico *m* cable car o railway
telefonazo *m fam* ring
telefonear *vtr & vi* to telephone, phone
telefónico,-a *adj* telephone
telefonillo *m (en el portal)* Entryphone®; *(entre dos pisos, habitaciones)* intercom
telefonista *mf* telephonist, operator
teléfono *m* telephone, phone; **teléfono inalámbrico**, cordless phone; **teléfono móvil**, mobile

telegráfico,-a *adj* telegraphic **telégrafo** *m* telegraph

telegrama *m* telegram

telemando *m* remote control

telenovela *f* serial, soap opera

teleobjetivo *m* zoom lens *sing*

telepatía *f* telepathy

telescopio *m* telescope

teleserie *f* television series

telesilla *f* chair lift

telespectador,-ora *m,f* TV viewer

telesquí *m* ski lift

teletexto *m* teletext

teletipo *m* teleprinter

televisar *vtr* to televise

televisión *f* **1** television **2** *(receptor de televisión)* television (set)

televisor *m* television (set)

telón *m* curtain

tema *m* **1** *(de un libro, una conversación)* subject, topic **2** *(de una tesis, clase, conferencia)* topic **3** *Mús* theme

temario *m* *(de estudios)* syllabus; *(de oposición, examen)* list of topics

temático,-a *adj* thematic

temblar *vi* **1** *(de emoción: la voz)* to quiver; *(: el pulso)* to shake **2** *(de miedo, temor)* to tremble **3** *(de frío)* to shiver **4** *(la tierra, un edificio)* to shake

temblor *m* **1** *(de miedo, temor)* tremor, shudder; *(de frío)* shiver **2** *Geol (de baja intensidad)* earth tremor; *(de gran intensidad)* earthquake

temer I *vtr* to fear, be afraid
II *vi* to be afraid
■ **temerse** *vr* to be afraid

temerario,-a *adj (acción)* reckless, *(comentario, acusación)* rash

temible *adj* fearsome

temor *m* fear

témpera *f* tempera

temperamental *adj* temperamental

temperamento *m* temperament

temperatura *f* temperature

tempestad *f* storm, tempest

tempestuoso,-a *adj* stormy

templado,-a *adj* **1** warm: **agua templada**, lukewarm water **2** *Meteor* mild, temperate

templo *m* *Rel* temple

temporada *f* **1** *(espacio de tiempo)* time **2** *(época propicia)* season; **temporada alta**, high *o* peak season; **temporada baja**, low *o* off season

temporal I *adj* temporary, provisional
II *m* storm

temprano,-a *adj & adv* early; **por la mañana temprano,** early in the morning

tenaz *adj* **1** *(persona)* tenacious **2** *(constipado, sequía)* persistent

tenaza *f*, **tenazas** *fpl (de electricista)* pliers; *(de carpintero, albañil)* pincers; *(de herrero, chimenea)* tongs

tendedero *m* **1** *(lugar donde se tiende ropa)* drying area **2** *(conjunto de cuerdas)* clothes line; *(portátil)* clothes horse

tendencia *f* **1** tendency **2** *(del mercado, moda, etc)* trend

tendencioso,-a *adj* tendentious

tender I *vtr* **1** *(la ropa)* to hang out **2** *(tumbar)* to lay **3** *(extender, desplegar)* to spread **4** *(cables, una vía)* to lay; *(puente)* to build **5** *(ofrecer)* to hold out; *(alargar, aproximar)* to pass, hand **6** *(una emboscada, trampa)* to set
II *vi* to tend [a, to]
■ **tenderse** *vr* to lie down

tenderete *m* stall

tendero,-a *m,f* shopkeeper

tendido,-a I *m* **1** *(un cable, una vía)* laying **2 tendido eléctrico,** electrical installation **3** *Taur (graderío)* terraces

tendón *m Anat* tendon, sinew

tenebroso,-a *adj* **1** *(oscuro, sombrío)* dark, gloomy **2** *(perverso, malvado)* sinister

tenedor *m* fork

tener I *vtr* **1** to have, have got: **tiene dos hermanas,** he has two sisters; *(ser dueño de)* to own **2** *(contener)* to contain **3** *(asir, sujetar)* to hold: **la tenía en brazos,** she was carrying her in her arms **4** *(padecer, sentir)* **tiene celos,** he's jealous; **tengo hambre/sed,** I'm hungry/thirsty **5** *(años, tiempo)* to be: **el bebé tiene ocho días,** the baby is eight days old **6** *(mantener)* to keep: **no sabe tener la boca cerrada,** she can't keep her mouth shut
■ **tenerse** *vr* **1 tenerse en pie,** to stand (up) **2** *(valorarse, estimarse)* to consider oneself

teniente *m* lieutenant

tenis *m* tennis

tenista *mf* tennis player

tenor *m* tenor

tensar *vtr* **1** *(una cuerda, un cable, etc)* to tighten; *(un arco)* to draw **2** *(un músculo)* to tense

tensión *f* **1** *Fís* strain **2** *Med (arterial)* blood pressure: **tiene la tensión baja,** she has low blood pressure; *(nerviosa)* strain, stress **3** *Elec* tension, voltage

tenso,-a *adj* **1** *(persona)* tense **2** *(negociaciones, relaciones, etc)* strained **3** *(cuerda, cable)* tight, taut

tentación *f* temptation

tentáculo *m* tentacle

tentador,-ora *adj* tempting

tentar *vtr* **1** *(incitar)* to tempt **2** *(palpar con las manos)* to feel, touch

tentativa *f* attempt, try

tentempié *m fam* snack, bite

tenue *adj* **1** *(tejido, humo, niebla)* thin, light **2** *(débil, apagado)* faint

teñir *vtr* to dye
■ **teñirse** *vr* **1** to dye *o* to tint one's hair **2** *(colorearse, volverse)* **el cielo se tiñó de rojo,** the sky turned red

teología f theology

teorema m theorem

teoría f theory

teórico,-a adj theoretical

tequila m o f tequila

terapeuta mf therapist

terapia f therapy

tercer adj third; **el tercer mundo,** the third world

tercermundista adj third world

tercero,-a I adj third; **la tercera parte,** a third
II m,f (en una competición, serie, etc) third
III m **1** (mediador) mediator: **pidamos opinión a un tercero,** let's ask someone else's opinion **2** Jur third party

terceto m trio

terciarse vr **si se tercia les hacemos una visita,** we can visit them if the chance arises

tercio m **1** (tercera parte) (one) third **2** Taur stage, part (of a bullfight) **3** (de cerveza) **un tercio,** medium-size bottle of beer

terciopelo m Tex velvet

terco,-a adj stubborn

tergiversar vtr to distort

termas fpl hot baths o springs pl

térmico,-a adj thermal

terminación f **1** (de un verbo, número) ending **2** (acabamiento, finalización) completion

terminal I m Elec Inform terminal
II f Av terminal; (de autobús) terminus
III adj terminal

terminar I vtr to finish
II vi **1** (cesar, poner fin) to finish, end: **mi trabajo termina a las seis,** I finish work at six o'clock; (acabar la vida, carrera, etc) to end up: **terminó amargada,** she ended up being embittered **2** (eliminar, acabar) **tenemos que terminar con esta situación,** we have to put an end to this situation; **3** (estar rematado) to end: **termina en vocal,** it ends with a vowel
■ **terminarse** vr **1** to finish, end, be over **2** (consumirse toda la reserva) to run out: **se terminó el azúcar,** we have run out of sugar

término m **1** term, word **2** (fin, extremo) end **3** (territorio) **el término municipal de Arganda,** Arganda municipal district **4** (plazo) **contéstame en el término de una semana,** give me an answer within a week **5** **términos** mpl (de un contrato, etc) terms **6 por término medio,** on average

termo m flask, Thermos® (flask)

termómetro m thermometer

termostato m thermostat

ternera f **1** Zool calf **2** Culin veal

ternero m calf

ternilla f cartilage

ternura f tenderness

terraplén m embankment

terrateniente mf landowner

terraza f **1** (azotea) flat roof; (balcón grande, mirador) balcony, terrace **2** (de un bar, café) terrace, sidewalk café

terremoto m earthquake

terreno,-a m **1** Geol terrain **2** (extensión de tierra) (piece of) land, ground **3** fig (campo de acción, investigación) field, sphere **4** Dep **terreno (de juego),** field, ground

terrestre adj **1** Geol terrestrial; **la corteza terrestre,** the earth's crust **2** (tierra firme) land; **animal terrestre,** a land animal

terrible adj terrible

territorio m territory; **territorio nacional,** country

terrón m lump

terror m terror

terrorista adj & mf terrorist

terso,-a adj smooth

tertulia f get-together, gathering

tesauro m thesaurus

tesina f (first degree) dissertation

tesis f inv **1** (opinión) theory **2** Univ thesis

tesón m tenacity, perseverance

tesorero,-a m,f treasurer

tesoro m treasure

test m test

testaferro m front man

testamento m **1** will **2** Rel **Antiguo/ Nuevo Testamento,** Old/New Testament

testarudo,-a adj stubborn, pigheaded

testículo m Anat testicle

testificar vtr to testify

testigo m/f **1** witness; **testigo presencial,** eyewitness **2** Rel **Testigos de Jehová,** Jehovah's Witnesses

testimonio m Jur testimony; Jur **falso testimonio,** perjury

teta f fam **1** boob **2** (de animal) teat

tétano, tétanos m inv tetanus

tetera f teapot

tetina f teat

tétrico,-a adj gloomy, grim, dismal

textil adj & m textile

texto m text; **libro de texto,** textbook

textura f texture

tez f skin, complexion

ti pron pers you: **esos libros son para ti,** those books are for you; (reflexivo) yourself

tía f **1** aunt; **tía abuela,** great-aunt **2** fam (mujer) woman, girl

tibio,-a adj lukewarm

tiburón m shark

tic m **1** (movimiento involuntario) tic, twitch **2** (manía, gesto peculiar) mannerism

tictac, tic-tac m tick-tock, ticking

tiempo m **1** time: **hace mucho tiempo,** a long time ago; **me llevó mucho tiempo,** it took me a long time; **¿cuánto tiempo tienes para acabarlo?,** how long have you got to finish it?; **tómate tu tiempo,** take your time; **no puedo quedarme más tiempo,** I can't stay any longer; **a un tiempo/al mismo tiempo,** at the same time; **tiempo libre,** free time 2 (de un bebé) age: **¿cuánto o qué tiempo tiene?,** how old is she? 3 (época) **en mis tiempos de estudiante,** in my student days; **nació en tiempos de Luis XIV,** he was born in the time of Louis XIV 4 Meteor weather; **hace buen tiempo,** the weather is good 5 Dep half; **primer tiempo,** first half; **tiempo muerto,** time out 6 Ling tense

tienda f 1 Com shop, store: **tienda de comestibles o ultramarinos,** grocery store; **tienda libre de impuestos,** dutyfree shop 2 **tienda de campaña,** tent

tierno,-a adj 1 (carne, hortaliza, etc) tender; (pan) fresh 2 (cariñoso, afectuoso) affectionate; (gesto, mirada) tender

tierra f 1 earth 2 (medio terrestre, terreno) land; **viajar por tierra,** to travel by land; **tierra adentro,** inland 3 (país, lugar de origen) homeland 4 (superficie terrestre, suelo) ground; **bajo tierra,** below ground; (materia) soil, earth; **un puñado de tierra,** a handful of earth o soil 5 Elec earth; **toma de tierra,** ground

tieso,-a adj 1 (erguido) upright, erect 2 (rígido) stiff

tiesto m flowerpot, plant pot

tifón m typhoon

tifus m Med typhus; (fiebre) typhus o typhoid fever

tigresa f tigress

tigre mf tiger

tijeras f (pair of) scissors pl

tijereta f 1 Zool earwig 2 (salto) scissors kick

tila f lime tea

tilde mf written accent

tilo m lime tree

timar vtr to cheat, swindle; fam rip off

timbal m kettledrum

timbre m 1 timbre, tone 2 (para llamar, avisar) bell 3 (en documento oficial) fiscal stamp

timidez f shyness

tímido,-a adj shy

timo m f swindle, rip-off

timón m 1 rudder, helm 2 LAm (volante) steering wheel

timonel m helmsman

tímpano m 1 Anat eardrum 2 Arquit tympanum

tinaja f (large) earthenware jar

tinglado m 1 fam fig (enredo, lío) mess 2 fam fig (negocio sucio) business

tiniebla f darkness sing

tino m 1 (prudencia, sensatez) good sense, sound judgement 2 (puntería) aim

tinta f ink; **tinta china,** Indian ink

tinte m 1 (tintorería) dry cleaner's 2 (teñido) dyeing 3 (sustancia) dye

tintero m inkpot, inkwell

tinto m red wine

tintorería f dry-cleaner's

tío m 1 uncle: **es mi tío-abuelo,** he's my great-uncle 2 **tíos** (hombres y mujeres) aunts and uncles; (solo hombres) uncles

tiovivo m merry-go-round, carousel

típico,-a adj 1 (característico) typical 2 (tradicional) traditional

tipo m 1 (modelo, clase) type, kind, sort 2 fam (individuo) guy, fellow 3 (constitución física) build, physique; (de mujer) figure 4 Econ rate; **tipo de cambio,** exchange rate

tipográfico,-a adj typographic; **error tipográfico,** misprint

tique, tíquet m 1 (entrada, billete) ticket 2 (recibo, comprobante) receipt

tiquismiquis fam I adj (melindroso, escrupuloso) fussy, finicky

II mf fussyperson, fam fuss-pot

tira f 1 (de tela, papel, adhesiva, etc) strip 2 (en periódico, revista) strip cartoon, comic strip

tirabuzón m ringlet

tirachinas m inv slingshot

tirada f 1 (en el juego) throw 2 (de un libro, un periódico) print run

tirado,-a adj fam 1 (muy barato) dirt cheap 2 (muy sencillo) very easy, dead easy

tirador m knob, handle

tiralíneas m inv drawing o ruling pen

tiranía f tyranny

tiránico,-a adj tyrannical

tiranizar vtr to tyrannize

tirano m,f tyrant

tirante I adj 1 (una cuerda) tight, taut 2 (una situación) tense

II m 1 (de una prenda) strap 2 (para sujetar el pantalón) **tirantes,** suspenders pl 3 Téc (abrazadera) brace

tirar I vtr 1 (arrojar, echar) to throw: **lo tiró al agua,** he threw it into the water 2 (deshacerse de) to throw out o away; **tiré mis zapatos viejos,** I threw my old shoes away 3 (hacer caer) to knock over: **tiré el vaso,** I knocked the glass over 4 (derribar a alguien) to knock o push over; **tirar abajo** (una pared, una puerta) to knock down; (demoler) to pull down 5 (una bomba) to drop; (un tiro, un cohete) to fire 6 (una foto) to take 7 Impr to print

II vi 1 (hacer fuerza hacia sí) to pull 2 (disparar) to shoot; Dep to shoot; (dados, dardos) to throw 3 fam (gustar) **le tira mucho el baloncesto,** he's very keen on basketball 4 fam (arreglárselas) **ir tirando,** to get by, manage 5 (ir) **tira a la derecha,** turn right

■ **tirarse** vr 1 (saltar, arrojarse) to throw o hurl oneself; **se tiró al agua,** she dived o jumped into the water 2 (tenderse, dejarse caer) **se tiró en el sillón,** he flung himself into the armchair; (tumbarse) to lie down 3 fam (pasar un tiempo) to spend

tonel

tirita f (sticking) Band-Aid®

tiritar vi to shiver

tiro m 1 shot; **tiro al blanco,** target shooting; **tiro al plato,** skeet shooting; **tiro libre,** free shot 2 (de la chimenea) flue, draft 3 **animal de tiro,** draft animal

tirón m 1 tug; **un tirón fuerte,** a hard pull o tug 2 (sacudida de un vehículo) jerk 3 (de un músculo) **le dio un tirón,** he pulled a muscle 4 (robo) **dar el tirón a alguien,** to snatch sb's bag

tiroteo m shooting, shoot-out

tirria f fam grudge

tisis f inv tuberculosis, consumption

títere m 1 puppet 2 (espectáculo) **títeres,** puppet show sing

titilar vi to twinkle

titiritero,-a m,f 1 (de títeres) puppeteer 2 (acróbata) acrobat

titubeo m (vacilación) hesitation, hesitancy

titulación f Educ qualifications pl

titulado,-a I adj Educ with a university degree

II m, f graduate

titular¹ I adj Dep first-team player; Educ permanent; **médico titular,** permanent doctor

II m mf (de una cuenta, un cargo) holder; (de una propiedad, casa, etc) owner

III m Prensa headline; (en televisión) **titulares,** main stories

titular² vtr to call, title

■ **titularse** vr 1 (película, etc) to be called, be entitled 2 Educ to get one's degree, graduate

título m 1 (de una obra, una ley) title 2 Educ (cualificación) qualification; (universitario) degree 3 **título nobiliario,** title

tiza f chalk

toalla f towel

toallero m towel rail

tobillera f ankle support

tobillo m ankle

tobogán m slide

toca f wimple

tocadiscos m inv record player, phonograph

tocado,-a adj fam (loco) nuts, crazy

tocador m 1 (cómoda) dressing table 2 (cuarto) dressing room

tocar I vtr 1 to touch; (manipular, manejar) to handle; (sentir al tacto) to feel 2 (hacer alusión) to touch on 3 (un instrumento) to play 4 (el timbre, la campana) to ring

II vi 1 (corresponder) **a ti te toca decírselo,** you're the one who has to tell him; (por turno) **me toca,** it's my turn 2 (en el juego, en un concurso) to win: **le tocaron dos millones,** he won two million pesetas 3 (sonar) **tocan las campanas,** the bells are ringing

■ **tocarse** vr to touch

tocayo,-a m, f namesake

tocino m fat; **tocino de cielo,** sweet made with egg yolk and sugar

tocólogo,-a m, f obstetrician

todavía adv 1 (en afirmativas e interrogativas) still: **todavía viven en Puebla,** they're still living in Puebla; (en negativas) yet: **todavía no he acabado,** I haven't finished yet 2 (en comparaciones) **todavía más/menos,** even more/less

todo,-a I adj 1 (la totalidad: singular) all, whole; **toda la semana,** the whole week o all week 2 (: plural) all: **todos sus hermanos,** all his brothers; **todos lo sabíamos,** we all knew 3 (todo el mundo) **todos están riendo,** everybody is laughing 4 (cada, cualquier) every: **viene todos los meses,** he comes every month; **todo el que desee...,** anyone who wishes to... 5 fam (intensificador) through and through: **es toda una atleta,** she is every inch an athlete

II pron (sin excepciones, sin exclusiones) everything: **lo perdió todo,** he lost everything; **eso es todo,** that's all; (todo el mundo) **nos invitó a todos,** he invited all of us; **todos y cada uno,** each and every one

III m todo (total, suma) whole

todopoderoso,-a I adj all-powerful

II m Rel **el Todopoderoso,** the Almighty

todoterreno m all-terrain vehicle

toga f gown, robe

toldo m awning

tolerancia f tolerance

tolerante adj tolerant

tolerar vtr to tolerate; (comida) **no tolera las hamburguesas,** hamburgers don't agree with her

toma f 1 (acción de tomar) taking; (de datos) gathering; Mil capture; **toma de posesión,** investiture 2 Cine Fot shot; (secuencia) take 3 (dosis) dose 4 Elec **toma de corriente,** socket; **toma de tierra,** ground

tomar vtr 1 to take 2 (autobús, taxi, etc) to take, catch 3 (alimentos) to have; (bebidas) to drink; (medicinas) to take 4 (adoptar) to take, adopt: **tomaron medidas desesperadas,** they took desperate measures 5 (tener cierta reacción) **no lo tomes a broma,** don't take it as a joke 6 (juzgar) **no me tomes por idiota,** don't think I'm stupid; (confundirse) **le tomaron por Robert Redford,** they mistook him for Robert Redford 7 (el aire, el fresco, etc) to get; **tomar el sol,** to sunbathe 8 Av **tomar tierra,** to land, touch down

■ **tomarse** vr 1 (alimentos) to have; (bebida) to drink 2 to take: **me tomé el día libre,** I took the day off

tomate m 1 tomato 2 (salsa) tomato sauce

tomillo m thyme

tomo m volume

tonalidad f tonality

tonel m barrel, cask

tonelada *f* ton; **tonelada métrica**, metric ton, tonne

tonelaje *m* tonnage

tónico,-a I *adj* 1 *Ling* tonic, stressed 2 *Mús Med* tonic

II *m Med* tonic

tono *m* 1 *(de la voz)* tone, pitch; **un tono alto/bajo,** a high/low pitch 2 *(de un color)* shade, tone; **diferentes tonos de verde,** different shades of green 3 *Mús* key 4 *(del teléfono)* tone

tontear *vi* 1 *(hacer tonterías)* to play the fool, to fool about 2 *(coquetear)* to flirt

tontería *f* silly thing: **¡deja de decir tonterías!,** stop talking nonsense!; *(cosa sin importancia)* trifle, small thing

tonto,-a I *adj* silly, *fam* dumb

II *m,f* fool, idiot, *fam* dummy: **hacer el tonto,** to play dumb

topacio *m* topaz

toparse *vr* **toparse con,** to bump *o* run into

tope *m* 1 *(límite, extremo)* limit; **fecha tope,** deadline 2 *(pieza: en las puertas)* doorstop ◆ | LOC: *fig (lleno a rebosar)* **estar a tope** *o* **hasta los topes,** to be full to bursting; *(un estadio, el autobús, etc)* to be packed (out), to be jam-packed

tópico,-a *m* commonplace, cliché

topo *m* 1 *Zool* mole 2 *fig (infiltrado)* mole

topografía *f* topography

topónimo *m* place name

toque *m* 1 *(golpe suave)* rap 2 *(matiz, detalle)* touch 3 *(aviso)* **un toque de atención,** warning; *(llamada)* call 4 *Mil* **toque de queda,** curfew

toquilla *f* shawl

tórax *m* thorax

torbellino *m* 1 *(remolino de viento)* twister 2 *fig (agitación)* whirl; *(de sentimientos)* turmoil

torcer I *vtr* to twist

II *vtr & vi* to turn

■ **torcerse** *vr* 1 *(curvarse)* to bend 2 *(el tobillo, etc)* to twist 3 *(los planes)* to fall through, go wrong

torcido,-a *adj* 1 *(curvo)* bent 2 *(un cuadro, la corbata, etc)* crooked

tordo,-a *m* thrush

torear *vtr & vi* to fight

toreo *m* bullfighting

torero,-a *m,f* bullfighter

tormenta *f* storm

tormento *m* torture

tormentoso,-a *adj* stormy

tornado *m* tornado

torneo *m* tournament

tornillo *m* screw

torniquete *m* tourniquet

torno *m* 1 *(de dentista)* drill 2 *(de carpintero)* lathe; *(de alfarero)* potter's wheel ◆ | LOC: **en torno a,** around

toro I *m Zool* bull

II *mpl* **los toros,** bullfighting

torpe *adj* 1 clumsy 2 *pey* dim, dense, thick

torpedo *m* torpedo

torre *f* 1 tower 2 *(pieza de ajedrez)* rook, castle 3 *(edificio)* apartment block, high rise

torrencial *adj* torrential

torrente *m* torrent

tórrido,-a *adj* torrid

torta *f* 1 *Culin* flat cake, *LAm* cake, tart 2 *fam (bofetada)* slap 3 *fam (golpe fuerte)* blow, thump; *(de coche, moto, etc)* crash, smash

tortazo *m fam* 1 *(golpe fuerte)* blow, thump; *(accidente)* crash, smash 2 *(bofetada)* slap

tortícolis *f inv* stiff neck

tortilla *f Culin* omelette, omelet; **tortilla de papas** *o* **española,** Spanish omelette; **tortilla francesa,** plain omelette

tórtola *f* turtledove

tortuga *f (terrestre)* tortoise, turtle; *(marina)* turtle

tortuoso,-a *adj* tortuous

tortura *f* torture

torturar *vtr* to torture

tos *f* cough

tosco,-a *adj* rough, coarse

toser *vi* to cough

tostada *f (piece o slice of)* toast

tostado,-a *adj* 1 *(pan)* toasted; *(café)* roasted 2 *(color)* tan, brown

tostador *m*, **tostadora** *f* toaster

tostar *vtr* 1 to toast 2 *(café)* to roast

tostón *m fam* boring

total I *adj* total

II *m* total; **el total de la población,** the whole population; **el total de los trabajadores,** all the workers; **en total costó unos dos mil pesos,** altogether it cost over two thousand pesos

III *adv (en resumen)* so; *fam (con indiferencia)* anyway: **total, a mí no me gustaba,** I didn't like it anyway

totalidad *f* whole; *(con plural)* all

totalitario,-a *adj* totalitarian

tóxico,-a *adj* toxic

toxicología *f* toxicology

toxicólogo,-a *m,f* toxicologist

toxicómano,-a I *adj* addicted to drugs

II *m* drug addict

tozudo,-a *adj* stubborn, obstinate

traba *f* hindrance, obstacle

trabajador,-ora I *adj* hard-working

II *m,f* worker

trabajar I *vi* 1 to work: **trabaja de secretaria,** she works as a secretary 2 *Cine (actuar)* to act

II *vtr* 1 to work on 2 to work 3 *(comerciar)* to trade, sell: **nosotros no trabajamos ese artículo,** we don't stock that item

trabajo *m* 1 work: **hoy tengo poco trabajo,** I have little work today 2 *(empleo)* job: **no tiene trabajo,** he is unemployed 3 *Educ*

(sobre un tema) paper; *(de manualidades)* craft
work **4** *(tarea)* task

trabajoso,-a *adj* laborious, arduous

trabalenguas *m inv* tongue twister

trabarse *vr fig* **se me traba la lengua,** I get
tongue-tied

trabilla *f (de un pantalón)* belt loop; *(de un abrigo)* half-belt

tracción *f* traction; *Auto* drive; **tracción
delantera/ trasera,** front-/rear-wheel drive

tractor *m* tractor

tradición *f* tradition

tradicional *adj* traditional

traducción *f* translation

traducir *vtr* to translate [a, into]

traductor,-ora *m,f* translator

traer *vtr* **1** to bring **2** *(causar, producir)* to cause:
me trae recuerdos, it brings back old memories
3 *(tener)* to have; *(llevar puesto)* to wear
■ **traerse** *vr (a una amiga, etc)* to bring
along; *(un objeto)* to bring: **no se trajeron la
cámara,** they didn't bring the camera

traficante *m,f* trafficker; *(de drogas)* dealer,
pusher; *(de armas)* dealer

traficar *vi* to traffic

tráfico *m* traffic

tragaperras *f inv* slot machine

tragar *vtr* **1** to swallow **2** *fam (comer muy
deprisa)* to gobble up, tuck away **3** *(en
desagüe)* to drain off **4** *(transigir, tolerar)* to
put up with
■ **tragarse** *vr* **1** to swallow **2** *fig (soportar,
tolerar)* to put up with

tragedia *f* tragedy

trágico,-a *adj* tragic

trago *m* **1** gulp, swallow **2** *(bebida alcohólica)*
nip, drink **3** *(situación)* **fue un trago muy
amargo,** it was a bitter pill to swallow

traición *f* **1** betrayal, treachery **2** *(al Estado,
patria)* treason, betrayal **3 a traición,**
treacherously; **alta traición,** high treason

traicionar *vtr* to betray

traicionero,-a *adj* treacherous

traidor,-ora **I** *adj* treacherous
II *m,f* traitor

traje *m* **1** *(regional, de época)* costume; **traje
de luces,** bullfighter's costume **2** *(de hombre)*
suit; *(de mujer)* dress; **traje de baño,** bathing
suit, swimsuit; **traje de novia,** wedding dress

trajín *m fam* **1** *(movimiento)* comings and
goings *pl* **2** *(trabajo)* work

trajinar *vi* to be busy

trama *f* **1** *Lit Cine* plot **2** *Tex* weft

tramar *vtr* to plot: **¿qué estará tramando?**
what is he up to?

tramitar *vtr* to process

trámite *m* **1** *(gestión)* step; *(procedimiento administrativo)* procedure **2** *(formalidad)*
formality

tramo *m* **1** *(de suelo, autopista)* stretch **2** *(de
una escalera)* flight

tramoya *f* stage machinery

trampa *f* **1** trap; **caer en la trampa,** to fall
into the trap; **tender una trampa,** to set a
trap **2** *(puerta en el suelo, techo, trampilla)* trap
door **3** *(fullería, fraude)* fiddle: **eso es hacer
trampa,** that's cheating **4** *(deuda)* debt

trampilla *f* trap door

trampolín *m (natación)* diving board; *Gim*
springboard, trampoline; *(esquí)* ski jump

tramposo,-a I *adj* deceitful
II *m,f* cheat

tranca *f* **1** *(palo grueso, garrote)* cudgel **2**
(para una puerta, ventana) bar

trance *m* **1** *(situación, circunstancia crítica)*
critical moment, difficult situation **2** *(éxtasis)*
trance; **entrar en trance,** to go into a trance

tranquilidad *f* **1** *(sosiego, quietud)* stillness,
tranquillity **2** *(serenidad)* calmness,
tranquility **3** *(despreocupación)* **se lo toma con
una tranquilidad pasmosa,** he takes it
incredibly calmly

tranquilizante I *adj* calming
II *m Med* tranquilizer

tranquilizar *vtr* **1** *(calmar)* to calm down **2**
(eliminar el desasosiego) to reassure
■ **tranquilizarse** *vr* to calm down

tranquilo,-a *adj* **1** *(sosegado, sereno)* calm; *(sin
turbulencias)* still **2** *(sin nervios, preocupación)*
dile que se esté tranquilo, tell her to not
worry; *(conciencia)* clear **3** *(despreocupado, con
pachorra)* laid-back

tranquillo *m fig* knack: **ya le cogerás el
tranquillo,** you'll get the knack of it

transacción *f Fin* transaction, deal

transatlántico,-a I *adj* transatlantic
II *m* (ocean) liner

transbordador *m* ferry; **transbordador
espacial,** space shuttle

transbordar I *vi Ferroc* to change trains
II *vtr* to transfer; *(a otro barco)* to transship

transbordo *m* **1** *Ferroc* transfer; **hacer
transbordo,** to change o transfer **2** *Náut (de
mercancías)* transshipment

transcribir *vtr* to transcribe

transcripción *f* transcription

transcurrir *vi* **1** *(tiempo)* to pass, go by **2**
(una época, un suceso) to pass

transcurso *m* **1** course of time) **2** *(plazo)*
**deberá presentarse en comisaría en el
transcurso de la semana,** he has to report to
the police within a week

transeúnte *m,f* **1** *(viandante, peatón)* passer-
by **2** *(habitante temporal)* temporary resident,
transient

transferencia *f* transfer

transferir *vtr* to transfer

transformación *f* transformation

transformador,-ora *m* transformer

transformar *vtr* **1** to transform, change **2**
(convertir, mudar) to change
■ **transformarse** *vr* **1** to change, to turn

[en, into] **2** *(convertirse)* to convert

tránsfuga *m/f* **1** deserter **2** *Pol* turncoat

transfusión *f* transfusion

transgredir *vtr* to break

transgresión *f* breaking

transgresor,-ora *m,f* transgressor, lawbreaker

transición *f* transition

transigente *adj* tolerant: **eres demasiado transigente,** you are too lenient

transigir *vi* to compromise

transistor *m* transistor

transitable *adj* passable

transitado,-a *adj* busy

transitar *vi* to pass

transitivo,-a *adj* transitive

tránsito *m* **1** *(paso de un lugar a otro, proceso)* transition **2** *(de personas)* movement, passage; *Auto* traffic

transitorio,-a *adj* transitory, temporary

translucir *vi* → **traslucir**

transmisión *f* **1** transmission **2** *(de bienes)* transfer **3** *Rad TV* broadcast, transmission

transmisor,-ora *m* transmitter

transmitir *vtr* **1** to transmit, pass on: **transmitir una orden,** to give an order **2** *(comunicar)* **me transmitieron la noticia por teléfono,** I was informed of the news by phone **3** *Rad TV* to broadcast **4** *(un virus, una enfermedad)* to pass on **5** *Jur* to transfer

transparencia *f* **1** transparency **2** *Fot* slide

transparentar I *vtr* to reveal

■ **transparentarse** *vr* **1** *(una prenda)* to show through **2** *(una intención, la educación, etc)* to be apparent

transparente *adj* **1** *(un cristal, las aguas, etc)* transparent **2** *(gestión, información)* open, clear **3** *(intención, mentira, etc)* clear

transpiración *f* perspiration

transpirar *vi* to perspire

transponer *vtr* → **trasponer**

transportador,-ora I *adj* transporting; **cinta transportadora,** conveyor belt

II *m Arte Téc* protractor

transportar *vtr* to transport: **el avión transporta a doscientas personas,** the plane carries two hundred people

transporte *m* **1** transport **2** *Com (porte de mercancías)* freight

transportista *mf* carrier

transvasar *vtr* → **trasvasar**

transvase *m* → **trasvase**

transversal *adj* transverse, cross

tranvía *m* streetcar

trapecio *m* **1** *Geom* trapezium **2** *(en el circo)* trapeze

trapecista *mf* trapeze artiste

trapo *m* **1** *(para limpiar)* cloth; **trapo de cocina,** dishcloth; **trapo del polvo,** duster, dust cloth **2** *(para tirar, andrajo)* rag **3** *Náut*

sails **4** *fam* **trapos,** clothes

tráquea *f* trachea, windpipe

traqueteo *m* clatter

tras *prep* **1** *(detrás de)* behind: **cuélgalo tras la puerta,** hang it behind the door **2** *(después de)* after; **tras largos años de espera,** after years of waiting **3** *(en busca de)* after: **iba tras sus pasos,** he was after him

trasatlántico,-a *adj & m* → **transatlántico,-a**

trasbordador *m* → **transbordador**

trasbordar *vtr & vi* → **transbordar**

trasbordo *m* → **transbordo**

trascendencia *f* significance, importance

trascendental, trascendente *adj* **1** significant, very important **2** *Fil* transcendental

trascender I *vi* to become known, get out **II** *vtr* to go beyond: **el problema trasciende los límites de mis competencias,** the problem is outside my area of responsibility

trascribir *vtr* → **transcribir**

trascripción *f* → **transcripción**

trascurrir *vi* → **transcurrir**

trascurso *m* → **transcurso**

trasero,-a I *adj* back, rear; **en la parte trasera de la casa,** at the rear of the house **II** *m* bottom, behind

trasferencia *f* → **transferencia**

trasferir *vtr* → **transferir**

trasfondo *m* background

trasformación *f* → **transformación**

trasformador,-a *adj & m* → **transformador,-ora**

trasformar *vtr* → **transformar**

trasfusión *f* → **transfusión**

trasgredir *vtr* → **transgredir**

trasgresión *f* → **transgresión**

trasgresor,-ora *m,f* → **transgresor,-ora**

trashumancia *f* seasonal migration of livestock

trashumante *adj* migrating

trasiego *m* activity, hustle and bustle

trasladar *vtr* **1** *(cambiar de lugar)* to move **2** *(a un empleado)* to transfer; *(a un enfermo)* to move **3** *(una fecha, evento)* to move

■ **trasladarse** *vr* to go, move

traslado *m* **1** *(de vivienda, oficina)* move **2** *(de un trabajador)* transfer; *(de un enfermo)* move **3** *(de un documento)* transfer

traslucir *vtr* to reveal, show

■ **traslucirse** *vr* to show (through)

trasluz *m* **mirar algo al trasluz,** to hold sthg against the light

trasmano a trasmano, out of reach: **la papelería me queda muy a trasmano,** the stationer's is well out of my way

trasmisión *f* → **transmisión**

trasmitir *vtr* → **transmitir**

trasnochado,-a *adj* out, old-fashioned

trasnochador,-ora I *adj* given to staying up late

II *m,f* night-owl

trasnochar *vi* to stay up (very) late *o* all night

traspapelar *vtr* to mislay

■ **traspapelarse** *vr* to get mislaid, go astray

trasparencia *f* → transparencia

trasparentar *vtr* → transparentar

trasparente *adj* & *m* → transparente

traspasar *vtr* 1 *(un muro, una madera, etc)* to go through 2 *(una frontera, un río)* to cross (over) 3 *(una barrera, un límite)* to go beyond: **traspasó la barrera del sonido,** it broke the sound barrier 4 *Com* to transfer, sell

traspaso *m* 1 *(cesión)* transfer 2 *Com (de negocio)* transfer, sale

traspié *m (tropezón)* stumble, slip; *(desliz, error)* blunder, slip-up

traspiración *f* → transpiración

traspirar *vi* → transpirar

trasplantar *vt* to transplant

trasplante *m* transplant

trasponer *vtr* to pass through, surpass

trasportador,-ora *adj* & *m* → transportador,-ora

trasportar *vtr* → transportar

trasporte *m* → transporte

traspuesto,-a *adj* **quedarse traspuesto,** to doze off

trasquilar *vtr* 1 *(a una oveja)* to shear 2 *(a una persona)* to crop, *fam* to scalp

trastabillar *vi* to stagger, stumble

trastada *f fam* 1 *(de un niño, travesura)* prank 2 *(faena, mala pasada)* dirty trick

trastazo *m fam* bump: **se dio un trastazo contra la puerta,** she bumped against the door

traste *m* fret ◆ | LOC: **aquello dio al traste con mis planes,** that spoiled my plans; **el negocio se fue al traste,** the business collapsed

trastero *m* boxroom, storage room, junk room

trastienda *f* back shop

trasto *m* 1 *(cosa vieja, inútil)* piece of junk: **este coche es un trasto,** this car is a pile of junk 2 *(niño travieso)* naughty boy, little monkey

trastocar *vtr* to change around; **trastocar el orden,** to mix up

trastornar *vtr* 1 *(volver loco)* to drive mad 2 *(causar molestias)* to trouble 3 *(alterar, desbartar)* to disrupt

trastorno *m* 1 *(molestia)* trouble, nuisance 2 *Med* disorder

trasvasar *vtr* to transfer

trasvase *m* transfer

trasversal *adj* → transversal

tratable *adj* amiable, congenial

tratado *m* 1 *(ensayo, libro)* treatise 2 *(acuerdo, pacto)* treaty

tratamiento *m* 1 *Med* treatment 2 *(al dirigirse a una persona)* form of address 3 *(de basuras, de un material)* processing 1 *Inform* processing

tratar I *vtr* 1 *(portarse)* to treat 2 *(cuidar)* to look after, care: **trátame el libro bien,** look after my book 3 *(dirigirse a una persona)* address: **nos tratamos de tú,** we call each other «tú» *o* we're on first name terms 4 *(tener relación social)* **la he tratado muy poco,** I don't know her very well 5 *(considerar, discutir)* to deal with: **no hemos tratado la cuestión,** we haven't discussed that subject II *vi* 1 tratar de, *(un libro, una película)* to be about: **¿de qué trata?,** what is it about? 2 *(intentar)* to try [**de,** to] 3 tratar con, *(negociar)* to negotiate with

■ **tratarse** *vr* 1 *(tener contacto o relación)* to be on speaking terms [**con,** with] 2 *(referirse)* **se trata de Juan,** it is about Juan

trato *m* 1 *(pacto)* treaty 2 *Com* deal 3 *(relación, carácter)* **es una persona de trato muy agradable,** he's very pleasant; **no quiero tener trato con ellos,** I don't want anything to do with them

trauma *m* trauma

traumático,-a *adj* traumatic

traumatizar *vtr,* **traumatizarse** *vr Med* to traumatize

través *m* ◆ | LOC: **a través de,** *(pasando por en medio)* through: **lo escuché a través de la puerta,** I heard it through the door; *(por vía de)* from, through: **me enteré a través del periódico,** I learned it from the paper; **de través,** crosswise

travesaño *m* 1 *(de una escalera)* rung; *(de una puerta, ventana, silla)* crosspiece 2 *(de una portería de fútbol)* crossbar

travesía *f (en un barco)* crossing; *(en avión)* flight

travestí *m,* travesti *mf* transvestite

travesura *f* prank, mischief

travieso,-a *adj* mischievous

trayecto *m* 1 *(distancia)* distance 2 *(viaje, recorrido)* way 3 *(de un autobús, metro)* route

trayectoria *f* 1 *(de un proyectil)* path, trajectory 2 *fig (de una vida, carrera, etc)* course, path

traza I *f Arquit* plan, design II **trazas** *fpl (apariencia, facha, aspecto)* looks *pl,* appearance

trazado *m* 1 *(de una carretera)* route; *(de un oleoducto, canal)* course 2 *Arquit (diseño, plano)* design, layout

trazar *vtr* 1 *(una línea, un dibujo)* to draw 2 *(un plan)* to draw up 3 *(describir a grandes rasgos)* to sketch, outline

trazo *m* 1 *(línea, dibujo)* line 2 *(de letra manuscrita)* stroke

trébol *m* 1 *Bot* clover, trefoil 2 *Naipes* club

trece *inv* I *adj* 1 *(cardenal)* thirteen 2 *(ordinal)* thirteenth: **vive en el piso trece,** he

lives on the thirteenth floor
II _m_ thirteen
treceavo,-a _adj_ & _m_ thirteenth
trecho _m_ way, distance
tregua _f_ **1** _Pol Mil_ truce **2** _fig (respiro, descanso)_ rest, break
treinta _adj_ & _m inv_ thirty
treintañero,-a I _adj_ in one's thirties
II _m,f_ person in his/her thirties
treintavo,-a _adj_ & _m_ thirtieth
treintena _f (de objetos)_ set of (about) thirty; _(de personas)_ a group of (about) thirty
tremendo,-a _adj_ **1** _(muy grande, excesivo)_ tremendous **2** _(terrible)_ terrible **3** _(el colmo)_ limit
trémulo,-a _adj_ **1** _(pulso, voz)_ quivering **2** _(luz)_ flickering
tren _m_ **1** _Ferroc_ train **2** _Av_ **tren de aterrizaje,** landing gear
trenca _f_ duffle coat, hooded coat
trenza _f_ braid
trenzar _vtr_ to braid
trepa I _adj_ social-climbing
II _mf fam_ social climber
trepador,-ora _adj Bot_ climbing
trepar _vtr_ & _vi_ to climb
tres I _adj inv (cardinal)_ three; _(ordinal)_ third
II _m_ three
♦ | LOC: _(juego)_ **tres en raya,** tick-tack-toe
trescientos,-as _adj_ & _m,f (cardinal)_ three hundred; _(ordinal)_ three hundredth
tresillo _m_ three seater settee, three-seat sofa
treta _f_ ruse
triangular _adj_ triangular
triángulo _m_ triangle
tribal _adj_ tribal
tribu _f_ tribe
tribulación _f_ difficulty, tribulation
tribuna _f_ **1** _(de un orador)_ rostrum **2** _Teat_ stalls; _Dep_ grandstand, stand
tribunal _m_ **1** _Jur (órgano, edificio)_ court; **Tribunal Supremo,** Supreme Court, _GB_ High Court **2** _(de una oposición, concurso)_ board
tributar _vtr_ **1** _(impuestos)_ to pay (tax) **2** _(profesar, sentir)_ to have
tributo _m_ **1** _(impuesto)_ tax **2** _fig (precio, contrapartida)_ price **3** _(homenaje)_ **rendir tributo a,** to pay tribute to
triciclo _m_ tricycle
tricornio _m_ three-cornered hat
tridente _m_ trident
tridimensional _adj_ three-dimensional
trienio _m (periodo)_ three-year period
trifulca _f_ row
trigésimo,-a _adj_ & _m,f_ thirtieth; **trigésimo primero,** thirty-first
trigo _m Bot Agr_ wheat
trigonometría _f_ trigonometry
trilogía _f_ trilogy
trilla _f Agr_ threshing

trilladora _f_ threshing machine
trillar _vtr_ to thresh
trillizo,-a _m,f_ triplet
trimestral _adj_ quarterly, three-monthly
trimestre _m_ quarter; _Educ_ term
trinar _vi_ **1** _(un pájaro)_ to warble, sing **2** _fam_ to rage, fume
trinchar _vtr_ to carve
trinchera _f_ trench
trineo _m (para jugar)_ sled; _(tirado por perros)_ dog sled
trinidad _f Rel_ **la Santísima Trinidad,** the Holy Trinity
trino _m_ trill
trío _m_ trio
tripa _f_ **1** _Anat_ gut, intestine; _fam (barriga)_ tummy **2** _fam fpl_ **tripas,** innards, guts
tripartito,-a _adj_ tripartite
triple I _adj_ triple
II _m_ triple: **me costó el triple que a él,** I paid three times as much as he
triplicado,-a _adj_ triplicate; **por triplicado,** in triplicate
triplicar _vtr_ to triple, treble
trípode _m_ tripod
tríptico _m_ **1** _Arte_ triptych **2** _Impr (de publicidad)_ leaflet
tripulación _f_ crew
tripulante _mf_ crewmember
tripular _vtr_ to man, crew
triquiñuela _f fam_ dodge, ruse
triste _adj_ **1** sad **2** _(paisaje, habitación, etc)_ gloomy, dismal **3** _(insignificante, simple)_ single: **no tenemos ni un triste limón en la nevera,** we haven't got a single lemon in the fridge
tristeza _f_ **1** sadness **2** _(penas, desdichas)_ woes
triturar _vtr_ to grind (up)
triunfador,-ora I _adj_ winning
II _m,f_ winner
triunfal _adj_ triumphant
triunfar _vi_ to triumph
triunfo _m_ triumph, victory
trivial _adj_ trivial
trivialidad _f_ triviality
trivializar _vtr_ to trivialize, minimize
triza _f_ **el jarrón se hizo trizas,** the vase shattered; **está hecho trizas,** _(anímicamente)_ he is devastated; _(físicamente)_ he's worn out
trocear _vtr_ to cut up (into pieces)
trofeo _m_ trophy
trola _f fam_ fib
tromba _f_ downpour
trombón _m_ trombone
trombosis _f inv_ thrombosis
trompa _f_ **1** _(de un elefante)_ trunk; _(de un mosquito, insecto)_ proboscis **2** _Anat_ tube **3** _Mús_ horn
trompazo _m fam (golpe fuerte)_ bump; _(con un coche)_ crash, smash: **me di un trompazo contra la puerta,** I bumped into the door

trompeta *f* trumpet

trompetista *mf* trumpet (player), trumpeter

tronar *v impers* to thunder

tronchar *vtr* to break off

■ **troncharse** *vr* to break ◆ | LOC: **troncharse de risa,** to die laughing *o* to laugh one's head off

tronco I *m* 1 *(de un árbol)* trunk 2 *(para la chimenea)* log 3 *Anat* trunk

II *m,f argot* buddy

tronera *f* 1 *(de un barco, fortaleza)* loophole 2 *(ventanuco)* small window 3 *(de una mesa de billar)* pocket

trono *m* throne; **subir al trono,** to come to the throne

tropa *f* 1 *Mil* troop; **tropa de asalto,** assault troops 2 *fam (de niños, etc)* mob, troop

tropel *m (de personas)* mob; *(de cosas)* heap

tropezar *vi (dar un traspié)* to trip, stumble; *(chocar)* to bump

■ **tropezarse** *vr (encontrar casualmente)* to bump *o* run into: **me tropecé con tu madre en la librería,** I bumped *o* ran into your mother in the bookshop

tropezón *m* trip, stumble; **dar un tropezón,** to stumble, trip

tropical *adj* tropical

trópico *m* tropic; *Geog* **trópico de Cáncer/ Capricornio,** Tropic of Cancer/Capricorn

tropiezo *m* 1 *(traspié)* trip 2 *(contratiempo)* hindrance; **sin tropiezos,** without obstacles 3 *(equivocación)* mistake, blunder

trotar *vi* to trot

trote *m* 1 trot 2 *fam (fatiga, trabajo)* **yo ya no estoy para estos trotes,** I'm not up to this sort of thing any more

trozo *m* piece

trucar *vtr* 1 *(una fotografía)* to touch up 2 *(un contador, etc)* to fix, to rig 3 *Auto* to soup up

truco *m* 1 *(maña, magia, etc)* trick: **¿tienes algún truco para quitar las manchas de vino?,** do you know any trick to remove wine stains? 2 *(tranquillo)* knack: **ya le cogerás el truco,** you'll get the knack

truculento,-a *adj (sangriento)* cruel, bloodthirsty; *(sórdido)* squalid

trucha *f* trout

trueno *m* thunder

trueque *m* barter

trufa *f* truffle

truncado,-a *adj* truncated

truncar *vtr* 1 *(una pirámide, un cono)* to truncate 2 *(una ilusión, esperanza)* to shatter; *(una vida, carrera profesional, etc)* to cut short

tu *adj pos* your; **tu hermana,** your sister; **tus hermanas,** your sisters

tú *pron* you ◆ | LOC: **hablar de tú a tú,** to speak on equal terms; **tratar a alguien de tú,** to address sb using the familiar «tú» form

tuba *f* tuba

tubérculo *m* tuber

tuberculosis *f inv* tuberculosis

tubería *f* 1 *(conducto)* pipe 2 *(conjunto de tubos)* piping

tubo *m* tube; **tubo de escape,** exhaust pipe

tucán *m* toucan

tuerca *f* nut

tuerto,-a I *adj* one-eyed

II *m,f* one-eyed person

tuétano *m* bone marrow

tufo *m* 1 *(de un tubo de escape)* fumes *pl; (mal olor)* stink

tugurio *m pey* dive

tul *m* tulle

tulipa *f* lampshade

tulipán *m* tulip

tullido,-a I *adj* crippled

II *m,f* cripple

tumba *f* grave, tomb

tumbar *vtr* 1 *(hacer caer de un golpe)* to knock down 2 *(acostar)* to lie down 3 *fam (suspender)* **me tumbaron en matemáticas,** I failed math

■ **tumbarse** *vr* to lie down

tumbo *m (vaivén)* **aquel hombre iba dando tumbos,** that man was staggering along; *(un vehículo)* jolt

tumbona *f* deck chair

tumor *m Med* tumor; **tumor benigno/ maligno,** benign/malignant tumor

tumulto *m* tumult, uproar

tumultuoso,-a *adj* tumultuous, uproarious

tuna *f music group made up of university student minstrels*

tunante,-a *m,f* 1 *(afectivo)* rascal 2 *(peyorativo)* rogue

túnel *m* tunnel

túnica *f* tunic

tuno,-a 1 *m,f (pillo)* rascal 2 *m* member of a tuna

tuntún (al) *m* ◆ | LOC: **al (buen) tuntún,** *(al azar)* at random; *(sin pensar, de cualquier manera)* thoughtlessly, anyhow

tupido,-a *adj (alfombra, tela)* close-woven; *(bosque, vegetación)* dense

turba *f* 1 *Min (carbón natural)* peat 2 *pey (multitud agitada)* herd, crowd

turbante *m* turban

turbar *vtr* 1 *(confundir, desconcertar)* to baffle, shock; *(causar torpeza, timidez)* to embarrass 2 *(perturbar)* to unsettle; **turbar la calma,** to disturb peace

■ **turbarse** *vr* 1 *(azorarse)* to feel embarrassed; *(desconcertarse)* to become baffled 2 *(alterarse)* to be altered; *(el silencio, la paz)* to be disturbed

turbina *f* turbine

turbio,-a *adj* 1 *(agua: del grifo)* cloudy; *(: de un charco)* muddy 2 *pey (negocio)* shady

turbulencia *f* 1 *Av Meteor* turbulence 2 *Soc* disorder

turbulento,-a *adj* 1 *Meteor* turbulent 2 *(pasión, actividad)* stormy 3 *(persona, carácter)* stormy

turco,-a I *adj* 1 Turkish 2 **cama turca,** divan II *m,f* 1 *(idioma)* Turkish 2 *(persona)* Turk; *fig* **cabeza de turco,** scapegoat

turismo *m* 1 tourism; **turismo rural,** country holidays; *(industria)* tourism trade 2 *Auto* (saloon) car

turista *mf* 1 tourist 2 *Ferroc Av* economy class

turístico,-a *adj* tourist

turnarse *vr* to take turns

turno *m* 1 *(en una cola, un juego, etc)* turn 2 *(de trabajo)* shift

turquesa *adj & f* turquoise

Turquía *f* Turkey

turrón *m* nougat candy

tute *m* 1 *Naipes* card game 2 *fam (esfuerzo muy intenso, paliza)* exhausting job; **darse un tute,** to work oneself to a standstill

tutear *vtr* to address as «tú»

■ **tutearse** *vr* to be on first-name terms

tutela *f* 1 *Jur* guardianship, tutelage 2 *fig (protección, supervisión)* guidance

tuteo *m* use of the «tú» form of address

tutor,-ora *m,f* 1 *Jur* guardian 2 *Educ* tutor

tuyo,-a I *adj pos* yours: **este dinero es tuyo,** this money is yours; **tengo un libro tuyo,** I've got a book of yours II *pron pos* yours; **el tuyo es el verde,** the green one is yours

TV *(abr de televisión)* television, TV

U

U, u *f (letra)* U, u

u *conj* or; **siete u ocho,** seven or eight

ubicación *f* location, position

ubicar *vtr* to locate

■ **ubicarse** *vr* 1 to be located 2 *(orientarse)* to find one's way

ubre *f* udder

UCI *f (abr de Unidad de Cuidados Intensivos)* Intensive Care Unit, ICU

Ucrania *f* Ukraine

ucraniano,-a *adj & m,f* Ukrainian

ud. *(abr de usted)* you

uds. *(abr de ustedes)* you

UE *(abr de Unión Europea)* EU

ufano,-a *adj (contento)* cheerful; *(satisfecho, orgulloso)* proud

ufología *f* study of UFO's

ujier *m* 1 *(de un juzgado, palacio)* usher 2 *(de una administración)* attendant

ukelele *m* Mús ukulele

úlcera *f Méd* ulcer

ulcerar *vtr,* **ulcerarse** *vr* to ulcerate

ulterior *adj* subsequent

últimamente *adv* lately, recently

ultimar *vtr* 1 *(un proyecto, una tarea)* to

finalize 2 *LAm (rematar, asesinar)* to kill, finish off

ultimátum *m* ultimatum

último,-a I *adj* 1 last 2 *(más reciente)* latest; **última moda,** latest fashion 3 *(más remoto)* farther 4 *(más alto)* top; **el último piso,** the top floor 5 *(definitivo)* last, final: **era su última oferta,** it was his final offer II *pron* last one

◆ LOC: **por último,** finally

ultra *mf fam* 1 *Pol* right-wing extremist 2 *Ftb* extremist supporter, hooligan

ultraderecha *f Pol* extreme right

ultrajar *vtr* to outrage

ultraje *m* outrage, insult

ultramar *m* overseas (countries)

ultramarinos *m* groceries; **una tienda de ultramarinos,** a grocey store

ultranza (a) *loc adv* defendió su postura a **ultranza,** he fought tooth and nail to defend his position

umbral *m* 1 threshold 2 *fig (inicio, despertar)* beginning

umbrío,-a *adj* shady

un, una I *art indet* 1 a; *(antes de vocal)* an; **un paraguas,** an umbrella 2 **unos,-as,** some: **unos días,** some days II *adj* one: **solo queda una,** there is only one; → *tb* **uno,-a**

unánime *adj* unanimous

unanimidad *f* unanimity

undécimo,-a *adj* eleventh

Unicef *f (abr de United Nations International Children's Emergency Fund)* UNICEF

único,-a *adj* 1 only; **talla única,** one size 2 *(fuera de lo común, extraordinario)* unique

unidad *f* unit

unido,-a *adj* 1 *(federado, asociado, etc)* united 2 *(vinculado sentimentalmente)* close, attached 3 *(pegado, comunicado)* linked, jointed

unifamiliar *adj* single-family; **vivienda unifamiliar,** house

unificación *f* unification

unificar *vtr* to unify

uniforme I *adj* 1 uniform 2 *(sin variaciones, cambios, rugosidades)* even 3 *(común para todos)* standardized II *m Indum* uniform

uniformidad *f* 1 uniformity 2 *(de un color, una superficie)* evenness

unilateral *adj* unilateral

unión *f* 1 union 2 *(asociación)* association; **unión de consumidores,** consumers' association 3 *(cohesión)* unity 4 *(juntura)* joint

unir *vtr* 1 to join, unite 2 *(esfuerzos, intereses)* to join 3 *(comunicar)* to link

■ **unirse** *vr (juntarse)* to join

unisex *adj inv* unisex

unísono *m* unison

universal *adj* universal; **Declaración**

Universal de los Derechos Humanos, Universal Declaration of Human Rights
universidad *f* university
universitario,-a I *adj* university
II *m,f (estudiante)* university student, undergraduate; *(licenciado)* graduate
universo *m* universe
uno,-a I *adj* 1 *(cardinal)* one; **una manzana y dos limones,** one apple and two lemons 2 *(ordinal)* first; **el uno de cada mes,** the first of every month
II *pron* one: **uno de ellos,** one of them; **unos cuantos,** a few; **el uno al otro,** each other
III *m Mat* one
untar *vtr (el pan, la tostada)* to spread; *(un molde, una bandeja, etc)* to grease
uña *f* 1 *(de una persona)* nail; *(de la mano)* fingernail; *(del pie)* toenail 2 *(de animal: en la garra, la zarpa)* claw; *(casco, pezuña)* hoof
uperizado,-a *adj* **leche uperisada/uperizada,** UHT milk
uranio *m* uranium
Urano *m Astron* Uranus
urbanismo *m* town planning
urbanización *f* 1 *(construcción)* development, urbanization 2 *(zona residencial)* estate, (housing) development
urbanizar *vtr* to develop
urbano,-a *adj* urban
urbe *f* large o major city
urdir *vtr* to devise, scheme for
urgencia *f* 1 urgency 2 *(en medicina)* emergency; *(departamento de hospital)* **urgencias,** emergency room
urgente *adj* 1 urgent 2 *(correo)* express
urgir *vi* to be urgent
urna *f* 1 *(para depositar el voto)* ballot box 2 *(vasija antigua)* urn 3 *(para exhibir objetos)* glass case, display case
urólogo,-a *m,f Med* urologist
urraca *f Orn* magpie
urticaria *f* hives *pl*
Uruguay *m* **(el)** Uruguay, Uruguay
uruguayo,-a *adj & m,f* Uruguayan
usado,-a *adj* 1 used 2 *(viejo)* worn
usar *vtr* 1 to use 2 *(llevar ropa, perfume, etc)* to wear
II *vi (utilizar)* to use
■ **usarse** *vr* to be used o in fashion
uso *m* 1 use; **instrucciones de uso,** instructions for use; **uso externo/tópico,** external/local application 2 *(costumbre)* custom
usted, *pl* **ustedes** *pron pers frml* you
usual *adj* usual, common
usuario,-a *m,f* user
usura *f* usury
usurero,-a *m,f* usurer
usurpar *vtr* 1 to usurp 2 *(una propiedad)* to misappropriate
utensilio *m (herramienta)* tool; *(de uso frecuente)* utensil

útero *m* uterus, womb
útil I *adj* useful
II *m* tool
utilidad *f* usefulness, utility
utilitario,-a *m* small (economical) car
utilización *f* use, utilization
utilizar *vtr* to use, utilize
utopía *f* utopia
utópico,-a *adj & m,f* utopian
uva *f* 1 *Bot* grape; **uva pasa,** raisin 2 *fam* **mala uva,** *(mala intención)* ill will; *(mal genio)* bad temper
UVI *f (abr de Unidad de Vigilancia Intensiva)* intensive care unit, ICU

V

V, v *f (letra)* V, v
vaca *f* 1 *Zool* cow 2 *Culin* beef
vacaciones *fpl* vacation: **me tomé una semana de vacaciones,** I took a week off
vacante I *adj* vacant
II *f* vacancy
vaciar *vtr* 1 to empty 2 *Arte (una escultura, etc)* to mold
■ **vaciarse** *vr* to empty
vacilante *adj (al decidir)* hesitant, irresolute; *(al caminar)* unsteady
vacilar *vi* 1 *(titubear, dudar)* to hesitate 2 *argot (hacer burla)* to tease 3 *argot (presumir)* to boast, show off
vacío,-a I *adj* 1 empty; *(hueco)* hollow 2 *(sin ocupante)* vacant: **el apartamento está vacío,** the apartment is unoccupied 3 *(superficial)* shallow
II *m* 1 *Fís* vacuum; **envasado al vacío,** vacuum-packed 2 *(espacio, aire)* emptiness, void 3 *(hueco)* gap
vacuna *f Med* vaccine
vacuo,-a *adj* vacuous, empty
vacunación *f* vaccination
vacunar *vtr* to vaccinate
■ **vacunarse** *vr* to get oneself vaccinated
vacuno,-a *adj* bovine; **ganado vacuno,** cattle
vadear *vtr* to ford
vado *m* 1 *(de un río)* ford 2 *(para entrada de vehículos)* dropped curb; «**vado permanente**», «keep clear»
vagabundo,-a *m,f* tramp
vagar *vi* to wander, roam
vagina *f* vagina
vago,-a I *adj* 1 *pey (holgazán)* lazy 2 *(difuso)* slight, vague
II *m,f* layabout
vagón *m* carriage, coach; *(de mercancías, correo)* wagon; **vagón restaurante,** dining car
vaho *m* steam, vapor
vaina *f* 1 *(funda de espada, puñal, etc)* scabbard, sheath 2 *LAm fam (fastidio)* bother
vainilla *f* vanilla
vaivén *m* 1 *(movimiento oscilante: de un cuerpo*

suspendido) swinging; *(de una cuna, de un tren)* rocking; *(de un barco)* rolling; *(de una persona)* swing 2 *(cambio inesperado)* swing; **los vaivenes de la fortuna,** the ups and downs of fortune

vajilla *f* crockery

vale I *m* 1 *(bono, papeleta canjeable)* voucher 2 *(compromiso de pago, pagaré)* promissory note, IOU

II *excl* all right, OK

valedero,-a *adj* valid

valentía *f* bravery

valer I *vtr* 1 *(costar)* to cost 2 *(tener valor)* to be worth 3 *(ser causa o motivo de)* to earn 4 *(merecer)* to be worth: **vale la pena leerlo,** it is worth reading

II *vi* 1 *(ser meritorio)* **es una mujer que vale mucho,** she is a fine woman 2 *(ser útil, capaz)* **no vale para estudiar,** he is no good at studying 3 *(ropa, zapatos)* to fit

■ **valerse** *vr* 1 *(desenvolverse)* to be able to manage on one's own 2 *(utilizar)* to use, make use

valeroso,-a *adj* brave, courageous

validez *f* validity

válido,-a *adj* valid

valiente *adj* brave, courageous

valija *f* mailbag; **valija diplomática,** diplomatic bag

valioso,-a *adj* valuable

valor *m* 1 *(valentía, arrojo)* courage, bravery 2 *(precio)* price 3 *(vigencia, validez legal)* validity 4 *fam (jeta, caradura)* nervy 5 *Fin* **valores** securities, bond

valorar *vtr* to value

vals *m* waltz

válvula *f* valve; **válvula de seguridad,** safety valve

valla *f* 1 fence 2 *(en atletismo)* hurdle; **los 400 metros vallas,** the 400 meters hurdles 3 *(para anuncios)* **valla publicitaria,** billboard

vallado *m* fence

vallar *vtr* to fence in

valle *m* valley

vampiro *m* 1 *Zool* vampire bat 2 *(criatura imaginaria)* vampire

vanagloriarse *vr* to boast

vándalo,-a *m,f* vandal

vanguardia *f* vanguard, avant-garde

vanguardista I *adj* avant-garde; **el movimiento vanguardista,** the avant-garde movement

II *m,f* member of the avant-garde

vanidad *f* vanity

vanidoso,-a *adj* conceited

vano,-a I *adj* vain

II *m Arquit* opening

◆ LOC: **en vano,** in vain

vapor *m* steam, vapor

vaporizador *m* atomizer, spray

vaporoso,-a *adj* light, sheer

vapulear *vtr* 1 *(golpear)* to beat 2 *fam (criticar con dureza)* to slate, pan

vaquero,-a I *adj Indum* denim

II *m* 1 *(oficio)* cowboy 2 *Indum* jeans, pair *sing* of jeans

vara *f* rod, stick

variable I *adj* variable; **un tiempo variable,** changeable weather; *(humor, carácter)* moody, changeable

II *f Mat* variable

variación *f* variation

variado,-a *adj* *(que tiene variedad)* varied; *(surtido)* assorted

variante *f* 1 *(de una palabra, un problema)* variant 2 *(diferencia)* variation, change 3 *Auto (desviación)* detour, link road

variar *vtr* & *vi* to vary, change

varicela *f* chickenpox

variedad *f* 1 variety 2 *(espectáculo)* **variedades,** variety show, vaudeville

varilla *f* stick; *(de un abanico, paraguas, etc)* rib

varios,-as *adj* 1 *(más de dos, algunos)* several 2 *(distintos, diversos)* **me enseñó vestidos de varios colores,** he showed me dresses de different colors

varita *f* **varita mágica,** magic wand

variz *f* varicose vein

varón *m* *(hombre)* male; *(chico, niño)* male child, boy

varonil *adj* virile, manly

vasallo,-a *m,f* vassal

vasco,-a I *adj* & *m,f* Basque; **País Vasco,** Basque Country

II *m* *(idioma)* Basque

vaselina, *f* Vaseline

vasija *f* 1 *Arte Arqueol* vessel 2 *(de barro, para cocinar)* pot

vaso *m* 1 glass 2 *Anat* vessel

vasto,-a *adj* vast

vaticinio *m* prediction

vatio *m Elec* watt

Vd.,Vds. *(abr de usted, ustedes)* you

Vda. *(abr de viuda)* widow

vecinal *adj* local

vecindario *m* 1 *(barrio)* neighborhood 2 *(conjunto de residentes de una zona, casa)* residents *pl,* neighbors *pl*

vecino,-a I *m,f* 1 *(de una casa, barrio)* neighbor 2 *(de una población)* resident

II *adj* neighboring

veda *f* closed season

vedar *vtr* to forbid, prohibit

vegetación I *f Bot* vegetation

II *fpl Med* **vegetaciones,** adenoids

vegetal I *m* vegetable

II *m* vegetable

vegetar *vi fig* to vegetate

vegetariano,-a *adj* & *m,f* vegetarian

vehemente *adj* vehement

vehículo *m* vehicle

veinte *adj & m inv* twenty

veintena *f* twenty, score

vejación *f frml* humiliation

vejatorio,-a *adj* humiliating

vejez *f* old age

vejiga *f Anat* bladder

vela[1] *Náut* sail; *Dep* sailing **2** (*cirio*) candle **3** (*vigilia*) wakefulness: **se pasó la noche en vela,** he had a sleepless night

velada *f* evening

velador *m* **1** (*mesa pequeña*) (pedestal) table **2** *LAm* (*mesilla de noche*) bedside table

velar[1] I *vi* **1** (*cuidar, vigilar*) to watch **2** (*permanecer despierto*) to stay awake
II *vtr* (*a un enfermo*) to keep watch; (*a un muerto*) to hold a wake for

velar[2] *Fot vtr* to blur

■ **velarse** *vr* to become blurred

velatorio *m* vigil, wake

velero *m* sailing boat *o* ship

veleta *f* weathervane, weathercock

velo *m* **1** veil **2** *Anat* **velo del paladar,** soft palate

velocidad *f* **1** (*rapidez, prontitud*) speed: **no puedo escribir a esa velocidad,** I can't write so quickly **2** *Fis* velocity **3** *Auto* (*marcha*) gear

velocista *mf Dep* sprinter

veloz *adj* fast

vello *m* hair

vena *f* vein

venado *m* **1** *Zool* deer, stag **2** *Culin* venison

vencedor,-ora I *m,f* **1** (*competidor, ganador*) winner **2** (*ejército*) victor: **en esta guerra no hay vencedores ni vencidos,** there are no winners or losers in this war
II *adj* **1** (*persona, propuesta*) winning **2** (*ejército, bando*) victorious

vencer I *vtr* **1** *Mil* to defeat; *Dep* to beat **2** (*superar*) **vencer un obstáculo/una dificultad,** to surmount an obstacle/a difficulty **3** (*ser dominado por*) **nos venció el sueño,** we were overcome by sleep
II *vi* **1** (*una letra, factura*) to fall due **2** (*un plazo, contrato*) to expire **3** *Mil Dep* to win

■ **vencerse** *vr* to warp

vencido,-a I *adj* **1** *Mil* defeated; *Dep* beaten **2** (*plazo*) expired, out-of-date **3** (*letra, deuda*) due, payable
II *m,f* defeated person

vencimiento *m* **1** (*de una letra, pagaré*) maturity **2** (*de un plazo*) expiry

venda *f* bandage

vendaje *m* dressing

vendar *vtr* to bandage

vendaval *m* gale, strong wind

vendedor,-ora *m,f* **1** (*hombre*) salesman; (*mujer*) saleswoman **3** (*en un contrato, relación*) seller

vender *vtr* **1** (*un objeto*) to sell; **vender al por mayor/menor,** to (sell) wholesale/ retail **2** (*traicionar*) to sell out, to betray

■ **venderse** *vr* **1** to sell **2** (*traicionar los propios principios*) to sell out; (*aceptar un soborno*) to take a bribe

vendimia *f* vintage, grape harvest

vendimiar *vtr & vi* to pick, harvest

Venecia *f* Venice

veneno *m* poison; (*de culebra, serpiente*) venom

venenoso,-a *adj* poisonous, venomous

venerable *adj* venerable

veneración *f* veneration

venerar *vtr* **1** (*a una persona*) to adore, worship **2** *Rel* (*rendir culto*) to venerate

venéreo,-a *adj* venereal

venezolano,-a *adj & m,f* Venezuelan

Venezuela *f* Venezuela

venga *excl fam* come on!

venganza *f* revenge, vengeance

vengar *vtr* to avenge

■ **vengarse** *vr* to take *o* get revenge

vengativo,-a *adj* vindictive, vengeful

venida *f* (*retorno*) return; (*llegada*) arrival

venir *vi* **1** to come **2** (*volver*) to come back: **vengo en un minuto,** I'll be back in a minute **3** (*surgir, sobrevenir*) **me vino la gripe,** I went down with flu; (*suceder*) **entonces vino la guerra civil,** then came the civil war **4** (*quedar*) **este jersey me viene grande,** this sweater is too big for me **5** (*aparecer, presentarse*) to come: **¿viene algo del terremoto?,** is there anything about the earthquake? **6** (*indicando aproximación*) **este libro viene a tener unos cien años,** this book must be about a hundred years old ◆ | LOC: **venir al mundo,** to be born

■ **venirse** *vr* to come; **venirse abajo,** (*derrumbarse*) to collapse; (*fracasar*) to fall through

venta *f* sale: **no está en venta,** it's not for sale; **venta a plazos,** installment plan; **venta al contado,** cash sale

ventaja *f* **1** advantage **2** *Dep* (*en carrera*) **les lleva treinta segundos de ventaja,** he's thirty seconds ahead of them

ventana *f* **1** window **2** *Anat* (*de la nariz*) nostril

ventanal *m* large window

ventanilla *f* (*de coche, banco, tren, etc*) window; (*taquilla*) box *o* ticket office

ventilación *f* ventilation

ventilador *m* (electric) fan, ventilator

ventilar *vtr* **1** (*un lugar*) to air, ventilate **2** *fam* (*solucionar*) to clear up

■ **ventilarse** *vr* **1** (*un lugar, ropa, etc*) to air **2** *fam* (*terminar deprisa*) to finish off

ventisca *f* blizzard

ventosa *f* sucker

ventoso,-a *adj* windy

ventrílocuo,-a *m,f* ventriloquist

ventura *f* **1** (*fortuna, suerte*) fortune **2** (*alegría, dicha*) happiness

Venus m *Astron* Venus

ver I *vtr* **1** to see: **no veo nada,** I can't see anything; *(mirar la televisión)* to watch: **estamos viendo las noticias de las tres,** we are watching the three o'clock news; *(cine)* **me gustaría ver esa película,** I'd like to see that film **2** *(entender)* **no veo por qué no te gusta,** I can't see why you don't like it; *(considerar)* **a mi modo de ver,** as far as I can see **o** as I see it; *(parecer)* **se te ve nervioso,** you look nervous **3** *fam (uso enfático)* **¡no veas qué sitio tan bonito!,** you wouldn't believe what a beautiful place! **4 a ver,** let's see **5** *(visitar)* to see, visit: **le fui a ver al hospital,** I visited him in hospital

II *vi* **1** to see: **no ve bien de lejos,** he's nearsighted **2** *(tener relación)* **no tengo nada que ver con ese asunto,** I have nothing to do with that business

■ **verse** *vr* **1** *(con alguien)* to meet **2** *(en un problema, una tesitura)* to find oneself

veracidad f veracity, truthfulness

veraneante m,f (summer) vacationer

veranear *vi* to spend one's summer vacation

veraneo m summer vacation

veraniego,-a *adj* summery

verano m summer

veras *fpl* **de veras,** really

verbal *adj* verbal

verbo m verb

verborrea f verbal diarrhea

verdad f **1** *(buscando asentimiento)* **es una gran soprano, ¿verdad?,** she's a great soprano, isn't she?; **no eres racista, ¿verdad?,** you're not racist, are you? ◆ | LOC: **a decir verdad,** to tell the truth, **de verdad,** *(ciertamente)* really: **de verdad que lo lamento,** I really am sorry; *(auténtico)* **un amigo de verdad,** a real friend

verdadero,-a *adj* **1** *(cierto)* true **2** *(auténtico)* real

verde I m **1** green; **verde esmeralda,** emerald

II m,f *Pol* **los Verdes,** the Greens

III *adj* **1** green; **verdes campos,** green fields **2** *(fruto inmaduro)* unripe, green **3** *fam (impúdico)* dirty; *pey* **viejo verde,** dirty old man

verdugo,-a m executioner

verdulería f greengrocer's, fruit and vegetable store

verdulero,-a m,f greengrocer

verdura f vegetable

vereda f **1** *(sendero, camino)* lane, path **2** *LAm (acera de una calle)* sidewalk

veredicto m verdict

vergonzoso,-a *adj* **1** *(que siente vergüenza)* shy, timid **2** *(que causa vergüenza)* shameful, disgraceful

vergüenza f **1** embarrassment; **estaba rojo** *a* **colorado de vergüenza,** he was red with embarrassment **2** *(dignidad, autoestima)* shame **3** *(escándalo)* disgrace: **es una vergüenza para su familia,** he's a disgrace to his family ◆ | LOC: **sentir vergüenza ajena,** to feel embarrassed for sb

verídico,-a *adj* true

verificar *vtr* to verify, check

■ **verificarse** *vr* *(un acuerdo, etc)* to take place; *(una previsión)* to come true

verja f railings pl

vermú, vermut m vermouth

verosímil *adj* credible, plausible

verruga f wart

versalita f small capital

versar *vi* **versar sobre,** to be about

versátil *adj* versatile

versículo m verse

versión f **1** version **2** *(traducción)* translation **3** *(de una obra, película, canción, etc)* version; **una película en versión original,** a film in the original language

verso m **1** verse; **en verso,** in verse **2** *(cada línea del poema)* line

vértebra f vertebra

vertebrado,-a *adj* & m,f vertebrate

vertebral *adj* vertebral, spinal

vertedero m tip, garbage dump

verter *vtr* **1** *(pasar de un recipiente a otro)* to pour **2** *(basura, escombros)* tip, dump **3** *(dejar caer, derramar)* to spill

vertical *adj* & f vertical

vértice m vertex

vertiente f **1** slope **2** *(consideración, aspecto)* aspect, side

vertiginoso,-a *adj* vertiginous, giddy, dizzy

vértigo m vertigo

vesícula f *Anat* vesicle; **vesícula biliar,** gall bladder

vespertino,-a *adj* evening; **diario vespertino,** evening newspaper

vestíbulo m hall; *(en un edificio público)* lobby; *(en el cine, el teatro)* foyer

vestido,-a I *adj* dressed

II m **1** *(prenda femenina)* dress **2** *(vestimenta)* clothes pl

vestigio m trace, vestige

vestimenta f clothes pl, clothing

vestir I *vtr* **1** *(poner la ropa a alguien)* to dress **2** *(llevar puesto)* to wear

II *vi (llevar)* to dress; *(ser apropiado, elegante)* to look smart

■ **vestirse** *vr* **1** *(ponerse ropa)* to get dressed, dress **2** *(comprarse la ropa)* **se viste en mercadillos,** she buys her clothes in markets

vestuario m **1** *(conjunto de ropa de alguien)* wardrobe **2** *Dep* changing room *sing; Teat (camerino)* dressing room

veta f **1** *Min Geol (filón)* vein, seam **2** *(en la carne)* streak; *(en la madera)* grain

vetar *vtr* to veto

veterano,-a *adj* & *m,f* veteran

veterinario,-a I *adj* veterinarian
II *m,f* vet, veterinarian

veto *m* veto; **poner veto,** to veto

vez *f* 1 time; **una vez,** once; **dos veces,** twice; **tres veces,** three times; **a veces/ algunas veces,** sometimes; **a la vez,** at the same time; **cada vez,** every *o* each time; **cada vez más/cada vez menos,** more and more/less and less; **de vez en cuando/ alguna que otra vez,** from time to time; **de una vez,** in one go; **de una vez por todas/ de una vez para siempre,** once and for all; **en vez de,** instead of; **otra vez,** again; **rara vez,** seldom, rarely; **érase o había una vez...,** once upon a time there was...; **tal vez,** perhaps, maybe 2 *(funcionar como algo)* **hacer las veces de,** to act as, serve as 3 *(turno en una cola, etc)* turn **v.gr.** *(abr de verbigracia o verbi gratia)* e.g.

vía I *f* 1 *(camino, ruta)* route, way 2 *Ferroc (raíles)* line, track; **vía férrea,** railroad track; *(en la estación)* **el tren entra por la vía dos,** the train arrives at platform *o* track two 3 *(modo de transporte)* **por vía aérea/terrestre/ marítima,** by air/by land/by sea; *(correo)* **por vía aérea,** airmail 4 *Anat (conducto)* tract 5 *Med* **vía oral,** orally 6 *(procedimiento, sistema)* channel, means
II *prep* via; **vía satélite,** via satellite

viable *adj* viable

viajante *m,f* commercial traveler *o* representative, traveling salesman *o* saleswoman

viajar *vi* to travel

viaje *m* journey, trip; **viaje de novios,** honeymoon; **viaje organizado,** package tour

viajero,-a *m,f* 1 traveler 2 passenger

vial *adj* road

víbora *f* viper

vibración *f* vibration

vibrar *vi (objetos)* to vibrate; *(la voz)* to tremble; *(por la emoción)* to vibrate, quiver

vicario *m* vicar

vicepresidente,-a *m,f* 1 *Pol* vice-president 2 *(en una empresa: hombre)* deputy chairman; *(mujer)* vice-president

vicesecretario,-a *m,f* assistant secretary

viceversa *adv* vice versa

vicio *m* 1 vice 2 *(costumbre censurable)* bad habit

vicioso,-a I *adj* 1 depraved 2 **círculo vicioso,** vicious circle
II *m,f* depraved person, dissolute person

vicisitud *f (usu pl)* 1 *(contrariedades)* vicissitude, difficulty 2 *(avatares, altibajos)* ups and downs

víctima *f* victim

victoria *f* victory

victorioso,-a *adj* victorious

vid *f* vine

vida *f* 1 life; **toda una vida,** a lifetime; **ganarse la vida,** to earn one's living

vídeo *m* video

videocámara *f* video camera

videoclub *m* video club, video shop

videojuego *m* video game

videoteca *f* video library

vidriera *f* stained-glass window

vidrio *m* glass

vieira *f* scallop

viejo,-a I *adj* old
II *m,f* old person; *(hombre)* old man; *fam (padre)* dad; *(mujer)* old woman; *fam (madre)* mom; *fam (los padres)* **los viejos,** the parents *o* folks

viento *m* 1 wind; **hacer viento,** to be windy 2 *Mús (de la orquesta)* wind section

vientre *m* abdomen; *(estómago)* stomach, *fam* belly; *(de una mujer embarazada)* womb

viernes *m inv* Friday

viga *f (de madera)* beam, joist; *(de hierro)* beam, girder

vigente *adj (argumento, costumbre, etc)* valid; *(ley, decreto)* **estar vigente,** to be in force

vigésimo,-a *adj* & *m,f* twentieth

vigía *m,f* lookout

vigilancia *f* vigilance, watchfulness

vigilante *m,f* watchman, guard; **vigilante jurado,** security guard

vigilar I *vtr* to watch, keep an eye on; *(un lugar, un preso, una frontera)* to guard
II *vi* 1 *(gen)* to keep watch 2 *(en un examen)* to proctor

vigilia *f* 1 *(vela)* wakefulness 2 *Rel* abstinence; *(víspera de festividad)* vigil

vigor *m* 1 *(fortaleza)* vigor, energy 2 *(una ley, decreto)* **entrar en vigor,** to come into force *o* effect

vigoroso,-a *adj* vigorous

VIH *(abr de Virus de Inmunodeficiencia Humana)* Human Immunodeficiency Virus, HIV

vil *adj* despicable, vile

vilo *loc adv* **en vilo** *(suspendido en el aire)* up in the air; *(inquieto, expectante)* on tenterhooks

villa *f* 1 *(población)* town 2 *(casa en el campo)* villa

villancico *m* (Christmas) carol

vinagre *m* vinegar

vinagrera I *f* vinegar bottle
II *fpl* **vinagreras,** cruet *sing*

vinagreta *f* vinaigrette

vinculante *adj* binding

vincular *vtr* 1 *(unir, relacionar)* to link, connect 2 *(comprometer)* to bind

vínculo *m* link

vinícola *adj* wine; *(zona, región)* wine-producing

vinicultura *f* wine production, viniculture

vinilo *m* vinyl

vino *m* wine; **vino tinto/blanco/ dulce,** red/white/sweet wine

viña *f* vineyard

viñedo *m* vineyard
viñeta *f* cartoon
viola *f* viola
violación *f* 1 violation 2 *(delito sexual)* rape
violador *m* rapist
violar *vtr* 1 to violate, infringe 2 *(a una persona)* to rape
violencia *f* violence
violento,-a *adj* 1 violent 2 *(una situación)* embarrassing
violeta *adj & mf* violet
violín *m* violin
violinista *mf* violinist
violón *m* double bass
violoncelista, violonchelista *mf* cellist
violoncelo, violonchelo *m* violoncello, cello
virar *vi* 1 to turn; *(con brusquedad)* to swerve; *(un barco)* to tack, veer 2 *(en las ideas)* to change, shift
virgen I *adj* 1 virgin 2 *(cinta)* blank
II *m,f (persona)* virgin
III *f Rel* **la Virgen**, the Virgin
virginidad *f* virginity
virgo *m* hymen
Virgo *m Astrol* Virgo
vírico,-a *adj* viral
viril *adj* virile, manly
virtual *adj* virtual
virtud *f* 1 virtue 2 *(capacidad, propiedad)* property, power; **virtudes curativas,** curative *o* healing properties
viruela *f* smallpox
virulencia *f* virulence
virus *m inv* virus
visa *f LAm (visado)* visa
visado *m* visa
víscera I *f Anat* internal organ
II *fpl* **vísceras,** viscera *pl*, entrails *pl*
viscoso,-a *adj* viscous
visera *f* visor; *(de una gorra)* peak
visibilidad *f* visibility
visillo *m* net curtain, lace curtain
visión *f* 1 vision 2 *(opinión)* viewpoint, view 3 *(capacidad de anticipación)* sense
visionario,-a *m,f* visionary
visita *f* 1 visit 2 *(el invitado)* visitor: **tienen visita,** they have visitors
visitante *m,f* visitor
II *adj Dep* **el equipo visitante,** the visiting team
visitar *vtr* to visit
vislumbrar *vtr* to glimpse
viso *m* 1 *(reflejos)* sheen, overtones 2 *(apariencia)* **tiene visos de ser importante,** it seems to be important
visón *m* mink
visor *m* viewfinder
víspera I *f* day before, eve
II *fpl (poco antes de)* **en vísperas de,** on the eve of; *Rel* vespers *pl*
vista *f* 1 sight; **de vista,** by sight; **tienes**

buena vista, you have good eyesight; **corto de vista,** nearsighted; *(los ojos)* **me hace daño a la vista,** it hurts my eyes 2 *(perspectiva, panorama)* view; **con vistas a la calle,** overlooking the street 3 *Jur* hearing, trial
vistazo *m* **echar/dar un vistazo a algo,** to have a (quick) look at sthg
visto,-a I *adj* 1 **estar bien visto,** to be considered correct *o* acceptable; **estar mal visto,** to be frowned upon/on 2 *(común, poco original)* **common** 3 *fam (obvio)* **estar visto,** to be obvious *o* clear 4 *(al parecer)* **por lo visto,** apparently 5 *Jur* **visto para sentencia,** ready for judgement
II *m* **visto bueno,** approval
visual *adj* visual
visualizar *vtr* to visualize
vital *adj* 1 vital; **ciclo vital,** life cycle 2 *(persona dinámica)* full of life, lively
vitalicio,-a *adj* life, for life; **un cargo vitalicio,** a post held for life
vitalidad *f* vitality
vitamina *f* vitamin
viticultura *f* vine growing
vitorear *vtr* to cheer
vitrina *f* 1 *(mueble)* glass *o* display cabinet; *Com (para exponer productos)* showcase 2 *LAm (escaparate)* shop window
vituperar *vtr* to condemn
viudo,-a I *adj* widowed
II *m,f (hombre)* widower; *(mujer)* widow
viva I *m* cheer
II *excl* hurray: **¡viva Zapata!,** long live Zapata!
vivacidad *f* vivacity
vivaz *adj* lively, vivacious
vivencia *f* experience
víveres *mpl* supplies, provisions
vivero *m (de peces, moluscos)* hatchery, fish farm; *(de plantas)* nursery
vividor,-ora *m,f* 1 *fam pey* one who enjoys life, bon viveur 2 *fam pey (gorrón)* sponger, scrounger
vivienda *f* housing; **han perdido su vivienda,** they've lost their home; *(domicilio)* dwelling; *(piso)* apartment
vivir *vi* 1 to live: **¡aún vive!,** he's still alive! 2 *(subsistir)* **no es suficiente para vivir,** it's not enough to live on
II *vtr* to live through
vivo,-a *adj* 1 alive 2 *(vital, alegre)* vivacious; *(astuta)* sharp 3 *(intenso, brillante)* bright 4 *(un relato, descripción)* lively, graphic; *(un sentimiento)* intense, deep
◆ | LOC: **al rojo vivo,** red-hot
VO *Cine (abr de versión original)* VO **subtitulada,** subtitled version
vocabulario *m* vocabulary
vocación *f* vocation
vocacional *adj* vocational
vocal I *m,f* member

II *f Ling* vowel

III *adj* vocal

vocalizar *vtr & vi* to vocalize

vocerío *m* shouting, outcry

vocero,-a *m,f LAm* spokesperson; *(hombre)* spokesman; *(mujer)* spokeswoman

vociferar *vi* to shout, vociferate

vodka *m,f* vodka

vol. *(abr de volumen)* vol., volume

volandas (en) *loc adv* in the air

volante I *adj* flying

II *m* 1 *(de automóvil)* steering wheel 2 *Cost* ruffle, flounce, frill 3 *(para el médico)* referral note

volar I *vi* 1 to fly 2 volando, in a flash, in a hurry: **nos fuimos volando**, we rushed off 3 *fam (terminarse, desaparecer)* to disappear, vanish

II *vtr* to blow up; *(una caja blindada, etc)* to blow open

■ **volarse** *vr* to blow away

volátil *adj* volatile

volcán *m* volcano

volcánico,-a *adj* volcanic

volcar I *vtr* 1 to knock over 2 *(vaciar)* to empty (out) 3 *(descargar)* to dump 4 *Inform* to dump

II *vi* to turn over, overturn

■ **volcarse** *vr fam (poner gran empeño)* **volcarse en algo,** to throw oneself into sthg; *(para ayudar, agradar)* to bend over backwards

voleibol *m* volleyball

voleo *m fam* at random

voltaje *m Elec* voltage

voltear I *vtr* 1 *(en el aire)* to toss; *(la tortilla, la tierra)* to turn over 2 *LAm (la cabeza)* to turn

II *vi* to tumble

voltereta *f* somersault

voltio *m Elec* volt

volumen *m* volume: **sube el volumen**, turn the volume up

voluminoso,-a *adj* voluminous, bulky, large

voluntad *f* 1 will; **fuerza de voluntad,** willpower 2 *(deseo)* wish 3 *(intención)* **con su mejor voluntad,** with the best of intentions

voluntario,-a I *adj* voluntary

II *m,f* volunteer

voluntarioso,-a *adj* willing, determined

voluptuoso,-a *adj* voluptuous

volver I *vi* (*retornar, regresar: hacia el hablante)* to come back: **volveremos mañana,** we'll come back tomorrow; *(a otro sitio)* to go back 2 *(una acción, situación, etc)* **volveremos sobre ese asunto esta tarde,** we'll come back to that subject this afternoon; *(expresando repetición)* **lo volvió a hacer,** he did it again; **volver a empezar,** to start again *o* over

II *vtr (dar la vuelta: a una tortilla, etc)* to turn over; *(a un calcetín, etc)* to turn inside out; *(la esquina, la página)* to turn; *(la mirada, etc)* to turn

♦ | LOC: **volver en sí,** to come round; **volver la vista atrás,** to look back

■ **volverse** *vr* 1 *(girar el cuerpo)* to turn round 2 *(regresar: hacia el hablante)* to come back; *(ir)* to go back, return 3 *(cambiar de carácter)* to become

vomitar I *vi* to vomit

II *vtr* to vomit

vómito *m* 1 *(acción de devolver)* vomiting 2 *(lo devuelto)* vomit

voraz *adj* voracious

vos *pron pers* 1 *LAm* you 2 *arc (usted)* ye, you

vosotros,-as *pron pers pl* you; **con vosotros,** with you; **entre vosotros,** among yourselves

votación *f* vote, ballot; **someter a votación,** to be put to the vote

votante *mf* voter

votar I *vi* to vote

II *vtr* to vote: **votó al partido X,** he voted for the X party

voto *m* 1 *Pol* vote; **derecho de voto,** right to vote; **voto en blanco,** blank ballot-paper; **voto nulo,** spoiled ballot-paper; **voto secreto,** secret ballot *o* vote 2 *Rel* vow

voz *f* 1 *(sonido)* voice; **a media voz,** in a low voice, softly; **de viva voz,** verbally; **en voz alta,** aloud, out loud; **en voz baja,** in a low voice, quietly 2 *(grito)* shout: **dales una voz,** give them a shout; **a voces,** shouting 3 *(opinión)* **no tener ni voz ni voto,** to have no say in the matter 4 *Ling* Mús voice

vox populi *loc adj* **ser vox populi,** to be common knowledge

vudú *m* voodoo

vuelco *m* 1 **dar un vuelco,** *(un coche, camión)* to turn over, overturn; *(un barco)* to capsize 2 *(las circunstancias)* to change drastically: **le dio un vuelco el corazón,** his heart missed *o* skipped a beat

vuelo *m* 1 flight; **vuelo chárter,** charter flight; **vuelo espacial,** spaceflight; **vuelo regular,** scheduled flight; **vuelo sin motor,** gliding 2 *Cost (amplitud de una falda)* **tiene mucho vuelo,** it's very full

vuelta *f* 1 return: **ya estamos de vuelta,** we are back already 2 *(giro, circunvolución)* turn; *(volverse)* **dar la vuelta,** *(a un disco, una página)* to turn over; **dar la vuelta al mundo,** to go around the world; **dar media vuelta,** to turn round; **dar vueltas sobre su eje,** to spin on its axis; **a la vuelta de la esquina,** just around the corner; **vuelta de campana,** somersault 3 *Dep (ciclista)* tour; *(en carreras)* lap 4 *Com (cambio)* change

vuestro,-a I *adj pos (delante del sustantivo)* your; **vuestro perro,** your dog; *(después del sustantivo)* of yours; **un obsequio vuestro,** a present of yours; **este libro es vuestro,** this book is yours

II *pron pos* yours: **éste es el vuestro,** this is yours

vulgar *adj* **1** *(corriente, común)* common **2** *(falto de elegancia)* vulgar

vulgaridad *f* **1** vulgarity **2** *(comentario, etc)* vulgar remark/act

vulnerable *adj* vulnerable

vulnerar *vtr* **1** *(incumplir una ley, acuerdo)* to infringe, violate **2** *(la intimidad, etc)* to hurt, damage

vulva *f Anat* vulva

W

W, w *f (letra)* W, w

waterpolo *m Dep* water polo

western *m Cine (película o género cinematográfico)* western

whisky *m* whiskey

windsurf *m* windsurfing

windsurfista *mf* windsurfer

wolframio *m Quím* wolfram

X

X, x *f (letra)* X, x

xenofobia *f* xenophobia

xenófobo,-a I *adj* xenophobic
II *m,f* xenophobe

xerografía *f* xerography

xilofonista *mf* xylophonist

xilófono *m Mús* xylophone

Y

Y, y *f (letra)* Y, y

y *conj* **1** and; *(al dar una hora)* past: **son las cinco y diez,** it's ten past five **2** *(en preguntas)* **¿y bien?,** well?; **¿y eso?,** how come?; **¿y qué?,** so what? **→ e**

ya I *adv* **1** already **2** *(presente)* now: **decídelo ya,** decide right now **3** *(pasado)* already: **ya entonces nos conocíamos,** we already knew each other **4** *(futuro)* **ya veré lo que hago,** I'll see; **ya tendremos tiempo para hacerlo,** we'll have time to do it later **5** *(con frases negativas)* **ya no lo soporto más,** I can't bear him any more; **ya no trabaja aquí,** she no longer works here **6** *(uso enfático)* **ya era hora,** it was about time; **¡ya está bien!,** enough is enough!
II *conj* **ya que,** since

yacaré *m* alligator, cayman (from South America)

yacer *vi* to lie

yacimiento *m (minero)* bed, deposit; *(arqueológico)* site; **yacimiento petrolífero,** oil field

yaguar *m* jaguar

yanqui I *adj* Yankee
II *mf* Yankee, Yank

yarda *f (91,4 cm)* yard

yate *m* yacht

yayo *m fam (abuelo, bisabuelo)* grandpa

yedra *f Bot* **→ hiedra**

yegua *f* mare

yema *f* **1** *(de un huevo)* yolk **2** *Culin* sweet made from egg yolks and sugar **3** *Bot* bud **4** *(de un dedo)* fingertip

yen *m Fin* yen

yerba *f* **→ hierba**

yermo,-a I *adj* **1** *(sin cultivar)* uncultivated, waste **2** *(estéril)* barren **3** *(deshabitado)* uninhabited
II *m* wasteland

yerno *m* son-in-law

yeso *m* **1** *Geol (mineral)* gypsum **2** *Constr Med* plaster **3** *Arte* plaster cast

yiddish *m* Yiddish

yo *pron pers* I: **¿quién está ahí?, – soy yo,** who is there?, – it's me; **no hay nada entre Paco y yo,** there's nothing between Paco and me; **yo mismo,** I myself

yodo *m* iodine

yoga *m* yoga

yogur, yogurt *m* yogurt

yonqui *mf argot* junkie

yoyó *m* yo-yo

yuca *f Bot* yucca; *(en general)* manioc

Yucatán *m* Yucatan

yudo *m* judo

yudoca *mf* judoka

yugo *m Agr & fig* yoke

Yugoslavia *f* Yugoslavia

yugo(e)slavo,-a *adj & m,f* Yugoslav, Yugoslavian

yugular *f Anat* jugular

yunque *m* anvil

yunta *f* yoke *o* pair of oxen, mules

yuxtaponer *vtr* to juxtapose

yuxtaposición *f* juxtaposition

Z

Z, z *f (letra)* Z, z

zacate *m LAm* **1** *(hierba, pasto)* grass, feed; *(forraje)* fodder **2** *(estropajo)* scourer

zafarse *vr* **1** *(de un peligro)* to get away, escape **2** *(de una persona)* to get rid of; *(de una tarea, castigo)* to get out: **no intentes zafarte,** don't try to get out of it **3** *LAm (un hueso)* to dislocate

zafio,-a *adj* coarse, uncouth

zafiro *m* sapphire

zaguán *m* hall, hallway

zalamero,-a I *m,f* flatterer, fawner
II *adj* flattering, fawning

zamarra *f,* **zamarro** *m Indum* sheepskin jacket

zambo,-a I *adj* knock-kneed
II *m,f* **1** knock-kneed person **2** *LAm person who is half Amerindian and half African*

zambullirse *vr* 1 *(en el agua)* to dive, plunge 2 *fig (en una actividad)* to immerse oneself

zamparse *vr fam* to gobble up, to wolf down

zanahoria *f Agr Bot* carrot

zancada *f* stride

zancadilla *f* **ponerle la zancadilla a alguien,** *(con el pie)* to trip sb (up), *fig (con un ardid, plan, etc)* to hinder

zanco *m* stilt

zancudo,-a I *adj* 1 long-legged 2 *ave* **zancuda,** wading bird, wader

II *m LAm* mosquito

zángano,-a I *m* drone

II *m,f fam* idler, slacker, lazybones *inv*

zanja *f* ditch, trench

zanjar *vtr* to settle

zapata *f* brake shoe

zapatear *vi* to tap one's feet

zapatería *f* shoe shop

zapatero,-a *m,f (reparador)* shoe repairer, cobbler; *(fabricante)* shoemaker; *(vendedor)* shoe seller

II *adj* shoemaking

zapatilla *f* 1 *(de casa)* slipper 2 **zapatillas de deporte,** tennis shoes

zapato *m* shoe

zar *m* czar, tsar

zarandajas *fpl* nonsense

zarandear *vtr* to shake

zarcillo *m* earring

zarina *f* czarina, tsarina

zarpa *f* paw

zarpar *vi* to set sail

zarpazo *m* clawing

zarza *f Bot* blackberry bush, bramble

zarzal *m* bramble patch

zarzamora *f Bot (arbusto)* blackberry bush; *(fruto)* blackberry

zarzuela *f* 1 *Mús* Spanish operetta 2 *Culin* seafood casserole

zigzag *m* zigzag

zigzaguear *vi* to zigzag

zinc *m* zinc

zócalo *m* skirting board

Zodiaco, Zodíaco *m* zodiac

zombi *mf* zombie

zona *f* 1 zone 2 *(de un territorio, gran extensión)* area, region; **zona verde,** park, green space

zoo *m* zoo

zoología *f* zoology

zoológico,-a I *adj* zoological; **parque zoológico,** zoo

II *m* zoo

zoom *m* zoom

zopilote *m* buzzard

zoquete *mf fam* blockhead

zorro,-a *m* 1 fox 2 *(hombre taimado, astuto)* cunning man

zozobrar *vi* to capsize

zueco *m* clog

zumbado,-a *adj fam* crazy, mad

zumbar I *vi* to buzz, hum

II *vtr fam* to thrash

zumbido *m* buzzing, humming

zumo *m* juice

zurcir *vtr* to darn

zurdo,-a I *m,f (persona)* left-handed person

II *adj* left-handed

zurrar *vtr fam (pegar)* to beat, flog

zurrón *m* pouch

A

A, a [eɪ] n 1 *(letra)* A, a 2 *Mús* la

AA [eɪ'eɪ] *(abr de Alcoholics Anonymous)* Alcohólicos Anónimos

A.A. [eɪ'eɪ] *(abr de Associate of Arts)* diploma universitario que se otorga después de dos años de estudio

a [eɪ, *forma débil* ə] *art indef (delante de vocal o h muda an)* un, una **a man/a woman,** un hombre/una mujer; **he is a man,** es un hombre; **he has a loud voice,** tiene una voz fuerte 2 *(profesión)* **my brother is a doctor,** mi hermano es médico 3 *(se omite en español)* **have you got a dog?,** ¿tienes perro?; **what a lovely day!,** ¡qué día más bonito!; **a hundred dollars,** cien dólares; **half an hour,** media hora 4 *(cada)* **once a day,** una vez al día; **two dollars a pound,** dos dólares el libra

aback [ə'bæk] *adv* **to be taken aback,** quedarse desconcertado

abandon [ə'bændən] **I** *n* despreocupación
II *vtr* abandonar, dejar, renunciar a

abandoned [ə'bændənd] *adj* abandonado,-a

abate [ə'beɪt] *vi* 1 *(cólera)* apaciguarse 2 *(tormenta)* amainar

abbey ['æbɪ] *n* abadía

abbreviate [ə'briːvɪeɪt] *vtr* abreviar

abbreviation [əbriːvɪ'eɪʃən] *n* abreviatura

abdication [æbdɪ'keɪʃən] *n* abdicación

abdomen ['æbdəmən] *n* abdomen

abduct [əb'dʌkt] *vtr* raptar, secuestrar

aberration [æbər'eɪʃən] *n* aberración

abhor [əb'hɔːr] *vtr* aborrecer

abide [ə'baɪd] *vtr frml (con can en frases negativas)* soportar, aguantar

ability [ə'bɪlɪdʒɪ] *n* 1 capacidad: 2 aptitud, talento

ablaze [ə'bleɪz] *adj* en llamas, ardiendo

able ['eɪbl] *adj* capaz **I wasn't able to say goobye,** no pude despedirme

abnormal [æb'nɔːrməl] *adj* anómalo,-a, anormal

aboard [ə'bɔːrd] *adv* a bordo
◆ LOC: **all aboard!,** ¡viajeros al tren!

abolish [ə'bɒlɪʃ] *vtr* abolir

abolition [æbə'lɪʃən] *n* abolición

aborigine [æbə'rɪdʒɪnɪ] *n* aborigen australiano,-a

abortion [ə'bɔːrʃən] *n Med* aborto

abortive [ə'bɔːrtɪv] *adj (plan)* fracasado,-a; *(intento)* frustrado,-a

about [ə'baʊt] *adv & prep* 1 *(presenta un tema o un asunto)* acerca de, sobre; **a book about Cervantes,** un libro sobre Cervantes; **to be about** *(película, etc)* tratar de; **to speak about sthg,** hablar de algo 2 *(presenta un motivo, una causa)* por, **to be worried about sthg,** estar preocupado,-a por algo 3 *(aquí y allá = around)* por todas partes; **to look about,** mirar alrededor;

don't leave things lying about, no dejes las cosas por el medio; **to rush about,** correr de un lado para otro; **we went for a walk about the town,** dimos una vuelta por el pueblo 4 *(aproximadamente)* más o menos; **at about eight o'clock,** a eso de las ocho; 5 *(casi)* **it's just about finished,** está casi terminado 6 *(acción inmediata)* **I was about to ring you,** estaba a punto de llamarte

above-board [ə'bʌvbɔːrd] *adj* honrado, legal

above-mentioned [ə'bʌvmentʃənd] *adj* mencionado,-a, susodicho,-a

abrasive [ə'breɪsɪv] **I** *adj* abrasivo,-a, cáustico,-a, mordaz
II *n* abrasivo

abreast [ə'brest] *adv* 1 **to march three abreast,** marchar en columna de a tres 2 **to keep abreast of things,** mantenerse al día: **we'll keep you abreast of things,** te mantendremos al corriente

abridged [ə'brɪdʒd] *adj* abreviado,-a

abroad [ə'brɔːd] *adv* en el extranjero

abrupt [ə'brʌpt] *adj* 1 brusco,-a; *(tono)* áspero,-a, 2 *(cambio)* súbito,-a

abruptly [ə'brʌptˈlɪ] *adv* 1 *(actuar)* bruscamente 2 *(hablar)* con aspereza 2 *(cambiar)* repentinamente

abscess ['æbses] *n Med* absceso; *(en la boca)* flemón

absence ['æbsəns] *n* falta, ausencia

absent I *adj* ['æbsənt] ausente
II *vt* [æb'sənt] ausentarse

absent-minded [æbsənt'maɪndɪd] *adj* distraído,-a, despistado,-a

absolute ['æbsəluːt] *adj* absoluto,-a

absolutely [æbsə'luːtˈlɪ] *adv* completamente

absolve [əb'zʌlv] *vtr* absolver

absorb [əb'zɔːrb] *vtr* 1 *(líquido)* absorber 2 *(sonido, golpe)* amortiguar

absorbed [əb'zɔːrbd] *adj* absorto,-a

absorption [əb'zɔːrpʃən] *n* absorción

abstain [əb'steɪn] *vi* abstenerse

abstemious [əb'stiːmɪəs] *adj* abstemio,-a

abstention [əb'stenʃən] *n* abstención

abstinence ['æbstɪnəns] *n* abstinencia

abstract ['æbstrækt] **I** *adj* abstracto,-a
II *n (de tesis, artículo)* resumen

abundance [ə'bʌndəns] *n* abundancia

abundant [ə'bʌndənt] *adj* abundante, rico,-a **[in, en]**

abuse [ə'bjuːs] **I** *n* mal trato, abuso, insulto, injuria
II [ə'bjuːz] *vtr* 1 maltratar 2 insultar, injuriar 3 abusar de

abusive [əb'juːsɪv] *adj* insultante, ofensivo,-a

abyss [ə'bɪs] *n* 1 *Geog* abismo 2 *fig* extremo

AC *n* 1 *(abr de alternating current)* corriente alterna 2 *(abr de air conditioning)* aire acondicionado

academic [ækə'dɛmɪk] adj académico,-a

academy [ə'kædəmi] n academia

accede [ək'siːd] vi acceder

accelerate [ək'sɛləreit] vtr & vi acelerar

acceleration [əksɛlə'reiʃən] n aceleración

accelerator [ək'sɛləreidər] n acelerador

accent ['æksənt] n acento

accept [ək'sɛpt] vtr aceptar, admitir, reconocer

acceptable [ək'sɛptəbəl] adj aceptable

acceptance [ək'sɛptəns] n aceptación, aprobación, reconocimiento

access ['æksɛs] I n acceso, entrada
II vtr Inform entrar, acceder

accessible [ək'sɛsɪbəl] adj (sitio) accesible; (persona) asequible

accessory [ək'sɛsəri] n Jur cómplice

accident ['æksɪdənt] n accidente

accidental [æksɪ'dɛntəl] adj 1 fortuito,-a 2 accidental

accidentally [æksɪ'dɛntli] adv (muerto, etc) por accidente

acclaim [ə'kleim] I n aclamación
II vtr aclamar, aplaudir, vitorear

acclimatize [ə'klaimətaiz] vtr aclimatar

accommodate [ə'kəmədeit] vtr 1 (personas) alojar 2 (cosas) contener, tener espacio para 3 complacer a alguien

accommodation [əkəmə'deiʃən] n alojamiento

accompaniment [ə'kʌmpənimənt] n Mús acompañamiento

accompany [ə'kʌmpəni] vtr acompañar

accomplice [ə'kʌmplɪs] n cómplice

accomplish [ə'kʌmplɪʃ] vtr (objetivo) conseguir, llevar a cabo

accomplished [ə'kʌmplɪʃt] adj dotado,-a, experto,-a:

accomplishment [ə'kʌmplɪʃmənt] n 1 (de una tarea) realización, conclusión; (del deber) cumplimiento 2 (de un objetivo) logro, éxito 3 (proeza) hazaña

accord [ə'kɔːrd] n (convenio) acuerdo

accordance [ə'kɔːrdəns] n in accordance with, de acuerdo con

according [ə'kɔːrdɪŋ] prep according to, según

accordingly [ə'kɔːrdɪŋli] adv 1 (adecuadamente) como corresponde 2 (como consecuencia) por consiguiente

accordion [ə'kɔːrdiən] n acordeón

account [ə'kaunt] n 1 informe, relato: 2 Fin cuenta
■ **account for** vtr 1 responder de, rendir cuentas 2 explicar, justificar

accountable [ə'kaunəbəl] adj ser responsable ante alguien de algo

accountant [ə'kauntənt] n contador, contable

accountancy [ə'kauntənsi] n contabilidad

accountant [ə'kauntənt] n contador

accumulate [ə'kjuːmjəleit] vtr acumular; (una fortuna) amasar

accumulation [əkjuːmjə'leiʃən] n 1 acumulación, montón

accuracy ['ækjərəsi] n 1 (de cifras) exactitud 2 (de un arma) precisión

accurate ['ækjərɪt] adj exacto,-a, certero,-a; correcto,-a; acertado,-a

accusation [ækjuː'zeiʃən] n acusación, denuncia

accuse [ə'kjuːz] vtr acusar

accused [ə'kjuːzd] n the accused, (singular) el/la acusado,-a

accustom [ə'kʌstəm] vtr frml acostumbrar; estar acostumbrado,-a

acetate ['æsɪteit] n acetato

acetone ['æsɪtoun] n acetona

ache [eik] I n dolor; **headache**, dolor de cabeza; **toothache**, dolor de muelas; **aches and pains**, achaques
II vi doler

achieve [ə'tʃiːv] vtr (lograr) conseguir, alcanzar

achievement [ə'tʃiːvmənt] n realización, éxito, logro

Achilles heel n talón de Aquiles

acid ['æsɪd] adj 1 Quím ácido,-a 2 (sabor) ácido,-a, agrio,-a

acid test n fig prueba de fuego

acknowledge [ək'nɒlɪdʒ] vtr reconocer, admitir, acusar recibo de

acknowledgement [ək'nɒlɪdʒmənt] n reconocimiento

acne ['ækni] n acné

acorn ['eikɔːrn] n Bot bellota

acoustic [ə'kuːstɪk] adj acústico,-a

acquaintance [ə'kweintəns] n 1 conocimiento; conocer a alguien 2 (persona) conocido,-a

acquiescent [ækwi'ɛsənt] adj frml aquiescente

acquire [ə'kwaiər] vtr adquirir

acquisition [ækwɪ'zɪʃən] n adquisición

acquit [ə'kwɪt] vtr, Jur absolver a alguien de algo

acrid ['ækrɪd] adj (sabor, olor) acre

acrobat ['ækrəbæt] n acróbata

across [ə'krɒs] adv a través, de un extremo a otro

act [ækt] I n acto, acción
II vtr Teat actuar, interpretar; representar
■ **act out** vtr (pensamientos) exteriorizar
■ **act up** vi fam 1 (máquina) funcionar mal 2 (persona) dar guerra

action ['ækʃən] n (hecho) acción

activate ['æktɪveit] vtr activar

active ['æktɪv] adj activo,-a

activist ['æktɪvɪst] n activista

activity [æk'tɪvɪdi] n actividad

actor ['æktər] n actor

actress ['æktrɪs] n actriz

actual ['ækʃʊəl] *adj* real, verdadero, a

actually ['ækʃʊəli] *adv* en efecto, de hecho

acupuncture ['ækjupʌŋkt∫ər] *n* acupuntura

acute [ə'kju:t] *adj* **1** *(acento, ángulo, enfermedad, dolor)* agudo,-a **2** *(oído, vista)* agudo,-a **3** *(carencia)* grave

ad [æd] *n fam* anuncio

AD [eɪ'di:] *(abr de Anno Domini)* después de Cristo, d. C.

adamant ['ædəmənt] *adj* firme, inflexible

adapt [ə'dæpt] *vtr* adaptar

adaptation [ædəp'teɪʃən] *n* adaptación

adapter, adaptor [ə'dæptər] *n Elec* adaptador

add [æd] *vtr* sumar, añadir, agregar

adder ['ædər] *n Zool* víbora

addict ['ædɪkt] *n* adicto,-a

addiction [ə'dɪkʃən] *n* dependencia, adicción

addictive [ə'dɪktɪv] *adj* adictivo,-a

additional [ə'dɪʃənəl] *adj* adicional

additive ['ædɪtɪv] *n* aditivo

address [ə'dres] **I** *n* **1** *(de casa, etc)* dirección, señas **2** conferencia, discurso **II** *vtr* **1** *(carta)* dirigir **2** *(a una persona, al público)* dirigirse

adenoids ['ædɪnɔɪdz] *npl Med* vegetaciones (adenoideas)

adept [ə'dept] *adj* experto,-a

adequate ['ædɪkwɪt] *adj* adecuado,-a

adhere [əd'hɪər] *vi* adherirse, pegarse

adhesive [əd'hi:sɪv] *adj* pegajoso,-a, adhesivo,-a

adhesive tape *n* cinta adhesiva

adjacent [ə'dʒeɪsənt] *adj* contiguo,-a, colindante

adjective ['ædʒɪktɪv] *n* adjetivo

adjoining [ə'dʒɔɪnɪŋ] *adj (habitación)* contiguo,-a; *(tierra)* colindante

adjourn [ə'dʒɜrn] *vtr* **1** *(un proyecto, una acción)* posponer, aplazar **2** *Jur (una sesión)* levantar; *(un juicio)* aplazar

adjust [ə'dʒʌst] **I** *vtr* ajustar, regular, arreglar, variar, modificar **II** *vi* adaptarse

adjustment [ə'dʒʌstmənt] *n* **1** *(de una máquina, etc)* ajuste; *(de una persona)* adaptación **2** *(cambio)* modificación

administer [əd'mɪnɪstər] *vtr* gobernar, administrar

administration [ədmɪnɪ'streɪʃən] *n* gobierno, administración, dirección

administrative [əd'mɪnɪstreɪdɪv] *adj* administrati-vo,-a

administrator [əd'mɪnɪstreɪdər] *n* administrador,-ora

admirable ['ædmərəbəl] *adj* admirable

admiral ['ædmərəl] *n* almirante

admiration [ædmə'reɪʃən] *n* admiración

admire [əd'maɪər] *vtr* admirar

admissible [əd'mɪsəbəl] *adj* admisible

admission [əd'mɪʃən] *n* **1** ingreso, entrada **2** reconocimiento

admit [əd'mɪt] *vtr* **1** *(a una persona)* dejar entrar, ingresar (en un hospital), **2** *(un hecho)* reconocer; *(crimen, culpabilidad, pecado)* confesar

admittance [əd'mɪtns] *n* entrada

admittedly [əd'mɪdɪli] *adv* la verdad es que...

admonish [əd'mɑnɪʃ] *vtr* amonestar

ado [ə'du:] *n* without further ado, sin más ◆ | LOC: **much ado about nothing,** mucho ruido y pocas nueces

adolescence [ædə'lesənts] *n* adolescencia

adolescent [ædə'lesənt] *n* adolescente

adopt [ə'dɑpt] *vtr* adoptar

adopted [ə'dɑptɪd] *adj* adoptivo,-a

adoption [ə'dɑpʃən] *n* adopción

adore [ə'dɔːr] *vtr* adorar

adorn [ə'dɔrn] *vtr* adornar

adornment [ə'dɔrnmənt] *n* adorno

adrenalin [ə'drenəlɪn] *n* adrenalina

adrift [ə'drɪft] *adj Naút* a la deriva

adult [ə'dʌlt] *adj (persona)* adulto,-a

adulterate [ə'dʌltəreɪt] *vtr* adulterar

adultery [ə'dʌltəri] *n* adulterio

advance [æd'væns] **I** *n* **1** *Mil* avance; *fig* progreso, adelanto **2** anticipo **3** to do sthg **in advance,** hacer algo con antelación: **we prepared our questions in advance of the meeting,** preparamos nuestras preguntas antes de la reunión **II** *adj* adelantado,-a **III** *vtr Mil (tropas)* avanzar; *(tiempo, fecha)* adelantar

advantage [æd'væntɪdʒ] *n* ventaja

adventure [əd'ventʃər] *n* aventura

adventurous [əd'ventʃərəs] *adj* aventurero,-a

adverb ['ædvɜrb] *n* adverbio

adversary ['ædvɜrseri] *n* adversario,-a

adverse ['ædvɜrs] *adj* **1** desfavorable, hostil **2** adverso,-a, negativo,-a

adversity [əd'vɜrsɪdʒi] *n* adversidad

advertise ['ædvɜrtaɪz] **I** *vtr* anunciar **II** *vi (anunciarse)* hacer publicidad

advertisement [æd'vɜrtaɪzmənt] *n* anuncio

advertiser ['ædvɜrtaɪzər] *n* anunciante

advertising ['ædvɜrtaɪzɪŋ] *n* publicidad, propaganda

advertising agency *n* agencia de publicidad

advice [əd'vaɪs] *n* **1** consejos **2** notificación, aviso

advisable [əd'vaɪzəbəl] *adj* aconsejable

advise [əd'vaɪz] *vtr* **1** aconsejar, asesorar **2** informar, notificar

adviser [əd'vaɪzər] *n* consejero,-a; *(un profesional)* asesor,-ora

advocacy ['ædvəkəsi] *n* apoyo
advocate ['ædvəkɪt] **I** *n* 1 *Jur* abogado,-a 2 *(partidario)* defensor,-ora
II ['ædvəkeɪt] *vtr* abogar por
aerial ['erɪəl] *adj* aéreo,-a
aerobics [ə'rɔːbɪks] *n* aerobic
aerodrome ['ərɔdroum] *n* aeródromo
aerodynamics [eroudə'næmɪks] *n* aerodinámica
aerosol ['erɔsɒl] *n* aerosol
aerospace ['erouspeɪs] *n* aeroespacial
aesthetic [əs'θedɪk] *adj* estético,-a
affair [ə'fer] *n* 1 *(tema)* asunto 2 aventura amorosa
affect [ə'fekt] *vtr* 1 afectar, influir, conmover
affected [ə'fektɪd] *adj* amanerado,-a, afectado,-a, conmovido,-a
affection [ə'fekʃən] *n* afecto, cariño
affectionate [ə'fekʃənɪt] *adj* cariñoso,-a
affiliated [ə'fɪliːeɪdɪd] *adj* afiliado,-a;
affinity [ə'fɪnɪdi] *n* afinidad
affirm [ə'fərm] *vtr* afirmar, aseverar
affirmation [æfər'meɪʃən] *n* afirmación
affirmative [ə'fɑːrmədɪv] *adj* afirmativo,-a
affix [ə'fɪks] *vtr (sello)* pegar
afflict [ə'flɪkt] *vtr* afligir
affluence ['æfluəns] *n* opulencia
affluent ['æfluənt] *adj* 1 *(sociedad)* opulento,-a 2 *(persona)* rico,-a
afford [ə'fɔrd] *vtr* poder pagar, permitirse el lujo de
affront [ə'frʌnt] *n* afrenta, ofensa
Afghanistan [æf'gænɪstæn] *n* Afganistán
aforementioned [ə'fɔːrmenʃənld] *adj*
aforesaid [ə'fɔːrsed] *adj* susodicho,-a, mencionado,-a
afraid [ə'freɪd] *adj* **to be afraid** tener miedo
afresh [ə'freʃ] *adv* de nuevo
Africa ['æfrɪkə] *n* África
African ['æfrɪkən] *adj* & *n* africano,-a
after ['æftər] *prep* después
after-care ['æftərker] *n* tratamiento posoperatorio
aftereffect ['æːftərɪfekt] *n* efecto secundario
afterlife ['æftərlaɪf] *n* vida eterna, vida después de la muerte
aftermath ['æːftətmæθ] *n* secuelas
afternoon [æftər'nuːn] *n* tarde
aftershave (lotion) ['æftərʃeɪv ('louʃən)] *n* loción para después del afeitado
afterwards ['æftərwɔrdz] *adv* después, más tarde
again [ə'gen] *adv* otra vez, de nuevo
against [ə'genst] *prep* contra
age [eɪdʒ] *n* edad, época
agency ['eɪdʒənsi] *n Com* agencia
agenda [ə'dʒendə] *n* orden del día
agent ['eɪdʒənt] *n* agente

aggravate ['ægrəveɪt] *vtr* empeorar, agravar
aggravating ['ægrəveɪdɪŋ] *adj Jur* **aggravating circumstance,** circunstancia agravante
aggression [ə'greʃən] *n* agresión
aggressive [ə'gresɪv] *adj* agresivo,-a, violento,-a
aggrieved [ə'griːvd] *adj* apenado,-a
aghast [ə'gæst] *adj* horrorizado,-a
agile ['ædʒaɪl] *adj* ágil
agitate ['ædʒɪteɪt] *vtr* 1 *(sacudir)* agitar 2 *fig (preocupar)* perturbar
agitator ['ædʒɪteɪdər] *n Pol* agitador,-ora
agnostic [æg'nɒstɪk] *n* agnóstico,-a
ago [ə'gou] *adv* hace: **how long ago?**, ¿hace cuánto tiempo?; **ages ago,** hace mucho tiempo; **ten years ago,** hace diez años
agonizing ['ægənaɪzɪŋ] *adj* 1 *(dolor)* atroz 2 *(decisión)* desesperante
agony ['ægəni] *n* 1 dolor muy fuerte 2 angustia 3 *frml* agonía
agree [ə'griː] **I** *vi* estar de acuerdo
II *vtr* acordar
agreeable [ə'griːəbəl] *adj (ambiente, masaje)* agradable; *(persona)* simpático,-a:
agreement [ə'griːmənt] *n* acuerdo; *Com* contrato
agricultural [ægrɪ'kʌltʃərəl] *adj* agrícola
agriculture ['ægrɪkʌltʃər] *n* agricultura
ah! [ɑː] *excl* ¡ah!, ¡ay!
ahead [ə'hed] *adv* delante
aid [eɪd] **I** *n* ayuda, auxilio
II *vtr* ayudar
aide [eɪd] *n* ayudante
AIDS [eɪdz] *n (abr de Acquired Immune Deficiency Syndrome)* síndrome de inmunodeficiencia adquirida, sida
ailing ['eɪlɪŋ] *adj* achacoso,-a, debilitado,-a
ailment ['eɪlmənt] *n* enfermedad (leve), achaque
aim [eɪm] **I** *n (con arma)* puntería
II *vtr (arma)* apuntar
aimless ['eɪmlɪs] *adj* sin rumbo, sin propósito
ain't [eɪnt] *fam* 1 is not 2 are not 3 has not 4 have not
air [er] *n (elemento)* aire
airbag [erbæg] *n* airbag, bolsa de aire
air base *n* base aérea
airborne ['erbɔrn] *adj (avión)* en vuelo, en el aire
air-conditioned [erkən'dɪʃənd] *adj* climatizado,-a
air conditioning [erkən'dɪʃənɪŋ] *n* aire acondicionado
aircraft ['erkræft] *n inv* avión
aircraft carrier *n* porta(a)viones
air force *n* fuerzas aéreas
air freshener *n* ambientador
air hostess *n* azafata

airlift ['ɛrlɪft] *n* puente aéreo
airline ['ɛrlaɪn] *n* línea aérea
airmail ['ɛrmeɪl] *n* correo aéreo
airplane ['ɛrpleɪn] *n* avión
airport ['ɛrpɔrt] *n* aeropuerto
air pressure *n* presión atmosférica
air raid *n* ataque aéreo
airsick ['ɛrsɪk] *adj* marearse en el avión
airstrip ['ɛrstrɪp] *n* pista de aterrizaje
air terminal *n* terminal aérea
airtight ['ɛrtaɪt] *adj* hermético,-a
air traffic control *n* control de tráfico aéreo
air traffic controller *n* controlador,-ora aéreo,-a
airy ['ɛri] *adj* bien ventilado,-a
aisle ['aɪl] *n (en la iglesia)* nave; *(en el teatro)* pasillo
ajar [ə'dʒɑːr] *adj* entreabierto,-a
AK *(abr de Alaska)* abreviatura, estado de Alaska
a.k.a. *(abr de "also known as")* abreviatura de "también conocido como"; se usa cuando se da el nombre real de una persona, acompañado del nombre por el que es conocido: *Mario Moreno, a.k.a. Cantinflas*
AL *(abr de Alabama)* abreviatura, estado de Alabama
alarm [ə'lɑrm] **I** *n* alarma
II *vtr* alarmar
alarm clock *n* despertador
alarming [ə'lɑrmɪŋ] *adj* alarmante
alas [ə'læs] **I** *excl* alas!, ¡ay!, ¡ay de mí!
II *adv frml* desgraciadamente
Albania [æl'beɪniə] *n* Albania
albatross ['ælbatrɑs] *n Orn* albatros
albeit [ɑl'biːt] *conj frml* aunque, no obstante
album ['ælbəm] *n* álbum
alcohol ['ælkəhɑl] *n* alcohol
alcoholic [ælkə'hɑlɪk] *adj & n* alcohólico,-a
alert [ə'lɜrt] *adj* alerta
algae ['ældʒiː] *npl Bot* algas
algebra ['ældʒɪbrə] *n* álgebra
Algeria [æl'dʒɪəriə] *n* Argelia
Algiers [æl'dʒɪərz] *n* Argel
alibi ['ælɪbaɪ] *n* coartada
alien ['eɪliən] **I** *adj* **1** *frml (de otro país)* extranjero,-a **2** *(de otro planeta)* extraterrestre **3** ajeno a
II *n* **1** *frml* extranjero,-a **2** extraterrestre
alienate ['eɪliəneɪt] *vtr* **I** ganarse la antipatía de alguien **2** *Jur Pol* enajenar
align [ə'laɪn] *vtr* alinear
alike [ə'laɪk] **I** *adj (semejante)* parecido,-a
II *adv* del mismo modo, igualmente
alimony ['ælɪmoːni] *n Jur* pensión alimenticia
alive [ə'laɪv] *adj* vivo,-a
alkaline ['ælkəlaɪn] *adj* alcalino
all [ɑːl] *adj* todo,-a, todos,-as, entero,-a

Allah ['ɑlə] *n Rel* Alá
all-American *adj* **1** típico norteamericano **2** escogido o seleccionado para representar o jugar en una selección de los Estados Unidos
all-around [ɑːl'əraund] *adj* versátil, polifacético,-a
allegation [ælɪ'geɪʃən] *n* alegato, alegación
allege [ə'lɛdʒ] *vtr* sostener, pretender
alleged [ə'lɛdʒd] *adj* presunto,-a
allegiance [ə'liːdʒəns] *n* lealtad
allergic [ə'lɜrdʒɪk] *adj* alérgico,-a **[to, a]**
allergy ['ælərdʒi] *n* alergia
alleviate ['ælɪveɪt] *vtr* aliviar
alley ['æliː] *n* callejón
alliance [ə'laɪəns] *n* alianza
allied ['ælaɪd] *adj* aliado,-a
alligator ['ælɪgeɪtər] *n* caimán
allocate ['æləkeɪt] *vtr* destinar
allocation [ælə'keɪʃən] *n* asignación
allot [ə'lɑt] *vtr* asignar, adjudicar
allotment [ə'lɑtmənt] *n* **1** asignación **2** *(tierra)* parcela
allow [ə'laʊ] *vtr* permitir, dejar
allowable [ə'laʊəbəl] *adj* permisible
allowance [ə'laʊəns] *n (pago)* pensión, subvención
alloy ['ælɔɪ] *n* aleación
all right [ɑːl'raɪt] **I** *adj* bien
II *adv* **1** bien **2** *(sí)* de acuerdo, vale
all-time ['ɑːltaɪm] *adj* sin precedentes
allusion [ə'luːʒən] *n* alusión
ally ['ælaɪ] *n* aliado,-a
almighty [ɑl'maɪti] *adj* todopoderoso,-a
II *n Rel* **the Almighty**, El Todopoderoso
almond ['ɑːmənd] *n* **1** *Bot* **1** *(fruto)* almendra **2** *(árbol)* almendro
almost ['ɑːlmoːst] *adv* casi
alms [ɑːlmz] *npl* limosna
aloft [ə'lɔft] *adv* arriba; *Av* en vuelo
alone [ə'loʊn] *adj* solo,-a:
along [ə'lɑŋ] *adv* junto con, a lo largo de
alongside [ə'lɑŋsaɪd] *prep* al lado de
aloof [ə'luːf] *adj (persona)* frío,-a, distante
aloud [ə'laʊd] *adv* en voz alta
alphabet ['ælfəbɛt] *n* alfabeto
alphabetical [ælfə'bɛdɪkəl] *adj* alfabético,-a
alpine ['ælpaɪn] *adj* alpino,-a
Alps [ælps] *n* **the Alps**, los Alpes
already [ɑːl'rɛdi] *adv* ya
alright [ɑːl'raɪt] *adj & adv* → **all right**
also ['ɑːlsoʊ] *adv* también, además
altar ['ɑːltər] *n* altar
alter ['ɑːltər] *vtr* cambiar, modificar
alteration [ɑːltə'reɪʃən] *n* cambio, modificación
alternate [ɑːl'tɜrnət] **I** *adj* alterno,-a
II ['ɑːltərneɪt] *vtr* alternar
alternative [ɑːl'tɜrnədɪv] *adj* alternativo,-a
alternative medicine *n* medicina alternativa

although [ɑːlˈðou] *conj* aunque
altitude [ˈæltɪtuːd] *n* altitud
alto [ˈæltou] *adj* Mús contralto
altogether [ɑːltəˈɡeðər] *adv* en conjunto, en total
altruism [ˈæltruːɪzəm] *n* altruismo
aluminum [əˈluːmɪnəm] *n* aluminio
alumna [əˈlʌmnə] *n* ex-alumna
alumnus [əˈlʌmnəs] *n* ex-alumno
always [ˈɑːlweɪz] *adv* siempre, en todo caso
am [æm] *1.ᵃ persona sing pres →* be
a.m. [ˈeɪˈɛm] (*abr de* ante meridiem) de la mañana
AMA (*abr de* **American Medical Association**) Asociación Médica Americana
amalgam [əˈmælɡəm] *n* amalgama
amass [əˈmæs] *vtr* amasar, acumular
amateur [ˈæmətʃər] *n* aficionado,-a, amateur
amateurish [ˈæmətʃərɪʃ] *adj* chapucero,-a, de aficionado,-a
amaze [əˈmeɪz] *vtr* asombrar, pasmar
amazement [əˈmeɪzmənt] *n* asombro, sorpresa
amazing [əˈmeɪzɪŋ] *adj* asombroso,-a, increíble
Amazon [ˈæməzəːn] *n* 1 Mit amazona 2 the Amazon, el (río) Amazonas
ambassador [æmˈbæsədər] *n* embajador,-ora
amber [ˈæmbər] **I** *n* ámbar
ambiguity [æmbɪˈɡjuːɪdʒi] *n* ambigüedad
ambiguous [æmˈbɪɡjuəs] *adj* ambiguo,-a
ambition [æmˈbɪʃən] *n* ambición
ambitious [æmˈbɪʃəs] *adj* ambicioso,-a
ambivalent [æmˈbɪvələnt] *adj* ambivalente
amble [ˈæmbəl] *vi* deambular
ambulance [ˈæmbjələns] *n* ambulancia
ambulatory [ˈæmbjulətəri] *adj* Med móvil
ambush [ˈæmbuʃ] *n* emboscada
amen [ɑːˈmɛn] *excl* amén
amenable [əˈmiːnəbəl] *adj* susceptible; estar dispuesto,-a
amend [əˈmɛnd] *vtr* 1 Jur enmendar 2 (*error*) subsanar, corregir
amendment [əˈmɛnmənt] *n* enmienda
amenities [əˈmɛnɪdʒiːz] *npl* comodidades, servicios, instalaciones
America [əˈmɛrɪkə] *n* 1 (*país*) Estados Unidos 2 (*continente*) América; **Central America,** América Central, **Latin America,** América Latina, **South America,** América del Sur, Sudamérica
American [əˈmɛrɪkən] *adj & n* americano,-a; (*de EE.UU.*) norteamericano,-a, estadounidense
American Dream *n* (el) sueño americano
American Indian *n* (el) nativo norteamericano
Americana [əmɛrɪˈkɑːnə] *n* objetos relacionados con la cultura norteamericana
amethyst [ˈæmɪθɪst] *n* amatista
AMEX (*abr de* **American (Stock) Exchange**) mercado americano de valores

amiable [ˈeɪmɪəbəl] *adj* amable, afable
amicable [ˈæmɪkəbəl] *adj* amistoso,-a:
ammunition [æmjəˈnɪʃən] *n* munición
amnesia [æmˈniːʒə] *n* amnesia
amnesty [ˈæmnɪsti] *n* amnistía
among(st) [əmʌŋɡ(st)] *prep* entre
amoral [eɪˈmɔːrəl] *adj* amoral
amorphous [əˈmɔːrfəs] *adj* amorfo,-a
amount [əˈmaunt] *n* 1 cantidad 2 (*dinero*) suma; (*factura*) importe
■ **amount to** *vi* 1 ascender a; *fig* equivaler a 2 llegar a ser
amp [æmp] *n* amperio
ampere [ˈæmpɪr] *n* amperio
amphetamine [æmˈfɛdəmiːn] *n* anfetamina
amphibian [æmˈfɪbiən] *adj & n* anfibio,-a
amphibious [æmˈfɪbiəs] *adj* anfibio,-a
amphitheatre [ˈæmfɪθiədər] *n* anfiteatro
ample [ˈæmpəl] *adj* 1 (*más que suficiente*) abundante 2 (*grande*) amplio,-a, extenso,-a
amplifier [ˈæmplɪfaɪər] *n* amplificador
amputate [ˈæmpjuteɪt] *vtr* Med amputar
Amtrak [ˈæmtræk] (*abr de* **American Travel on Track**) *sistema ferroviario público norteamericano*
amulet [ˈæmjəlɛt] *n* amuleto, talismán
amuse [əˈmjuːz] *vtr* divertir, entretener
amusement [əˈmjuːzmənt] *n* diversión
amusement park *n* parque de atracciones
amusing [əˈmjuːzɪŋ] *adj* divertido,-a:
an [æn, *forma débil* ən] *art indef →* a
analgesic [ænəldʒiːzɪk] *n* analgésico
analog(ue) [ˈænəlɑɡ] *adj* analógico,-a
analogy [əˈnælədʒi] *n* analogía
analyse [ˈænəlaɪz] *vtr* analizar
analysis [əˈnælɪsɪs] *n* (*pl* **analyses** [əˈnælisiːz]) análisis
analyst [ˈænəlɪst] *n* 1 analista 2 psicoanalista
anarchist [ˈænərkɪst] *n* anarquista
anarchy [ˈænərki] *n* anarquía
anathema [əˈnæθəmə] *n* alguien o algo odioso
anatomical [ænəˈtɑmɪkəl] *adj* anatómico,-a
anatomy [əˈnædəmi] *n* anatomía
ancestor [ˈænsɛstər] *n* antepasado,-a
ancestral [ænˈsɛstrəl] *adj* ancestral
ancestry [ˈænsɛstri] *n* ascendencia, abolengo
anchor [ˈæŋkər] *n* Náut ancla
anchorage [ˈæŋkərɪdʒ] *n* anclaje
anchovy [ˈænʧoːvi] *n* anchoa; (*fresco*) boquerón
ancient [ˈeɪntʃənt] *adj* antiguo,-a
ancillary [ænˈsɪlɛri] *adj* auxiliar, complementario
android [ˈændrɔɪd] *n* androide
anecdote [ˈænɪkdout] *n* anécdota
anemia [əˈniːmiə] *n* anemia
anemic [əˈniːmɪk] *adj* Med anémico,-a; *fig* débil

anesthetic [ænɪsˈθɛdɪk] *n* anestesia

anesthetist [əˈnɛsθɪtɪst] *n* anestesista

aneurysm [ˈænjuˈrɪzm] *n Med* aneurisma

anew [əˈnjuː] *adv* de nuevo, otra vez

angel [ˈeɪndʒəl] *n* ángel

anger [ˈæŋɡər] **I** *n* enfado, ira
II *vtr* enfadar, enojar

angina [ænˈdʒaɪnə] *n Med frml* angina (de pecho)

angiogram [ˈændʒioʊɡræm] *n* angiograma

angle [ˈæŋɡəl] *n* **1** *Mat* ángulo **2** *fig* punto de vista

Anglican [ˈæŋɡlɪkən] *adj & n Rel* anglicano,-a

Anglo-Saxon [ˈæŋɡloʊˈsæksən] *adj & n* anglosajón,-ona

angry [ˈæŋɡri] *adj (angrier, angriest) (persona)* enfadado,-a

anguish [ˈæŋɡwɪʃ] *n* angustia

animal [ˈænɪməl] **I** *adj* animal
II *n* animal; *fig* bestia

animate [ˈænɪmɪt] **I** *adj* vivo,-a
II [ˈænɪmeɪt] *vtr* animar; *fig* estimular

aniseed [ˈænɪsiːd] *n* anís

ankle [ˈæŋkəl] *n Anat* tobillo; **ankle sock**, calcetín corto

annex [ˈænɛks] **I** *vtr Pol (territorio)* anexionar
II *n* **1** *(edificio)* anexo **2** *(documento)* apéndice

annihilate [əˈnaɪəleɪt] *vtr* aniquilar, cancelar

anniversary [ænɪˈvɜrsəri] *n* aniversario

announce [əˈnaʊns] *vtr* anunciar, declarar, comunicar, dar a conocer

announcement [əˈnaʊnsmənt] *n* anuncio, declaración, comunicado

annoy [əˈnɔɪ] *vtr* molestar, fastidiar

annoyance [əˈnɔɪəns] *n* enojo, disgusto

annoying [əˈnɔɪɪŋ] *adj* molesto,-a, fastidioso,-a

annual [ˈænjuəl] *adj* anual

annul [əˈnʌl] *vtr* anular, derogar, declarar nulo,-a

anomaly [əˈnɑməli] *n* anomalía

anonymous [əˈnɑnɪməs] *adj* anónimo,-a

anorak [ˈænəræk] *n* anorak

anorexia [ænəˈrɛksiə] *n* anorexia

another [əˈnʌðər] *adj* otro,-a

answer [ˈæːnsər] **I** *n* contestación, respuesta
II *vi* contestar, responder

answering machine *n Tel* contestador automático

ant [ænt] *n* hormiga

antagonism [ænˈtæɡənɪzəm] *n* antagonismo

Antarctic [ænˈtɑrktɪk] *adj* antártico,-a

Antarctica [ænˈtɑrktɪkə] *n* Antártida

Antarctic Ocean *n* océano Antártico

antecedent [æntɪˈsiːdənt] *n & adj* antecedente

antelope [ˈæntɪloʊp] *n* antílope

antenna [ænˈtɛnə] *n* antena

anthem [ˈænθəm] *n* himno nacional

anthology [ænˈθɑlədʒi] *n* antología

anthropology [ænθrəˈpɑlədʒi] *n*

antiaircraft [æntaɪˈɛrkræft] *adj* antiaéreo,-a

antiallergenic [æntaɪəˈlɜrdʒənɪk] *adj* antialérgico,-a

antibacterial [æntaɪbækˈtiːriəl] *adj* antibacteriano,-a

antibiotic [æntɪbaɪˈɑdɪk] *n* antibiótico

antibody [ˈæntɪbɑdi] *n* anticuerpo

Antichrist [ˈæntɪkraɪst] *n* anticristo

anticipate [ænˈtɪsɪpeɪt] *vtr* esperar, anticiparse a

anticipation [æntɪsɪˈpeɪʃən] *n* expectación, ilusión

anticlimax [æntɪˈklaɪmæks] *n (contrario a lo esperado)* decepción

anticyclone [æntɪˈsaɪkloʊn] *n* anticiclón

antidepressant [æntɪdəˈprɛsnt] *n & adj Med* antidepresivo

antifreeze [ˈæntɪfriːz] *n* anticongelante

antihistamine [æntɪˈhɪstəmɪn] *n* antihistamínico

Antilles [ænˈtɪliːz] *n* Antillas

antilock braking system (ABS) *n* sistema de frenos antibloqueo

antinuclear [æntɪˈnuːkliər] *adj* antinuclear

antioxidant [æntɪˈɑksɪdənt] *n & adj* antioxidante

antiperspirant [æntɪˈpɜrspərənt] *n* antitranspirante

antiquated [ˈæntɪkweɪdɪd] *adj* anticuado,-a

antique [ænˈtiːk] *adj* **1** antiguo,-a **2** *(mobiliario)* de época

antiquity [ænˈtɪkwɪdi] *n* antigüedad

anti-Semitism [æntɪˈsɛmɪtɪzəm] *n* antisemitismo

antiseptic [æntɪˈsɛptɪk] *adj & n* antiséptico,-a

antisocial [æntaɪˈsoʊʃəl] *adj* antisocial, insociable

antithesis [ænˈtɪθɪsɪs] *n* antítesis

anti-trust [æntɪˈtrʌst] *adj* antimonopolios

anus [ˈeɪnəs] *n* ano

anvil [ˈænvɪl] *n* yunque

anxiety [æŋˈzaɪɪdi] *n* inquietud, preocupación, ansiedad

anxious [ˈæŋkʃəs] *adj* inquieto,-a, preocupado,-a

any [ˈɛni] **I** *adj* **1** *(en preguntas, frases condicionales)* algún,-una, algo de:**2** *(en frases negativas)* ningún,-una **3** *(no importa cuál)* cualquier
II *pron* **1** *(en preguntas)* alguno,-a **2** *(en frases negativas)* ninguno,-a **3** *(no importa cuál)* cualquiera:

anybody [ˈɛnibɑdi] *pron (en preguntas, frases condicionales)* alguien, alguno,-a

anyhow ['ɛnɪhaʊ] *adv* *(sin embargo)* en todo caso, de todas maneras

anyone [ɛnɪwʌn] *pron* is anyone home?, ¿hay alguien en casa? → anybody

anyplace ['ɛnɪpleɪs] *adv* → anywhere

anything ['ɛnɪθɪŋ] *pron* *(en preguntas, frases condicionales)* algo, alguna cosa

anyway ['ɛnɪweɪ] *adv* → anyhow

anywhere ['ɛnɪwɛr] *adv* *(en preguntas, frases condicionales) (situación)* en alguna parte

apart [ə'pɑrt] *adv* aparte

apartheid [ə'pɑrtheɪd] *n* apartheid

apartment [ə'pɑrtmənt] *n* piso, departamento, apartamento

apathetic [æpə'θɛdɪk] *adj* apático,-a

apathy ['æpəθɪ] *n* apatía

ape [eɪp] *n* *Zool* mono, simio

aperture ['æpərtʃər] *n* abertura; *(grieta)* rendija, ranura

apex ['eɪpɛks] *n* ápice, cumbre

aphrodisiac [æfroʊ'dɪziæk] *n & adj* afrodisíaco,-a, afrodisíaco,-a

apiece [ə'piːs] *adv* cada uno,-a

aplomb [ə'plɑm] *n* aplomo

apocalypse [ə'pɑkəlɪps] *n* apocalipsis

apolitical [eɪpə'lɪdɪkəl] *adj* apolítico,-a

apologetic [əpɑlə'dʒɛdɪk] *adj* de disculpa

apologize [ə'pɑlədʒaɪz] *vi* disculparse

apostle [ə'pɑsəl] *n* apóstol

apostrophe [ə'pɑstrəfi] *n* 1 *(signo gráfico)* apóstrofo 2 *(figura retórica)* apóstrofe

appall [ə'pɑːl] *vtr* horrorizar

apparatus [æpə'rædəs] *n* 1 aparato 2 equipo

apparent [ə'pɛrənt] *adj* *(obvio)* evidente, claro,-a

apparently [ə'pɛrənt̬li] *adv* 1 por lo visto 2 *(supuestamente)* aparentemente

apparition [æpə'rɪʃən] *n* 1 *(acción)* aparición 2 fantasma

appeal [ə'piːl] I *n* 1 *(cuestación)* llamamiento, solicitud, súplica 2 *(encanto)* atractivo 3 *Jur* apelación
II *vi* 1 pedir, rogar, suplicar 2 *(al sentido común, etc)* apelar a 3 atraer, interesar 4 *Jur* apelar, recurrir

appealing [ə'piːlɪŋ] *adj* *(persona)* atractivo,-a, atrayente; *(idea)* interesante

appear [ə'piːr] *vi* 1 *(hacerse visible)* aparecer 2 *(en público)* presentarse, salir, actuar 3 comparecer ante un tribunal 4 *(semejar)* parecer

appearance [ə'pɪrəns] *n* 1 *(acción)* aparición, hacer acto de presencia 2 *(en público)* presentación, actuación; *(de libro)* publicación 3 *(ante un tribunal)* comparecencia 4 apariencia, aspecto

appendicitis [əpɛndɪ'saɪdɪs] *n* apendicitis

appendix [ə'pɛndɪks] *n* *(pl appendices* [ə'pɛndɪsiːz]*)* apéndice

appetite ['æpɪtaɪt] *n* apetito; *fig* deseo

appetizer ['æpɪtaɪzər] *n* aperitivo

applaud [ə'plɑːd] *vtr & vi* aplaudir

apple ['æpəl] *n* manzana

appliance [ə'plaɪəns] *n* 1 dispositivo 2 electrodoméstico

applicant ['æplɪkənt] *n* *(a un puesto)* candidato,-a, solicitante

application [æplɪ'keɪʃən] *n* 1 *(de maquillaje, pomada, pintura, etc)* aplicación 2 *Inform* aplicación 3 *(para un trabajo, una beca)* solicitud

applicator ['æplɪkeɪdər] *n* aplicador

applied [ə'plaɪd] *adj* aplicado,-a

appliqué [æ'plikeɪ] *n* ornamento, adorno

apply [ə'plaɪ] *vtr* 1 *(maquillaje, pomada, pintura, etc)* aplicar 2 *Auto (freno)* poner 3 *(la ley)* imponer; *(fuerza)* usa, dedicarse a, solicitar

appoint [ə'pɔɪnt] *vtr* 1 *(persona)* nombrar, designar 2 *(hora)* fijar, señalar

appointment [ə'pɔɪnt̬mənt] *n* cita; nombramiento, cargo

appraisal [ə'preɪzəl] *n* evaluación

appreciate [ə'priːʃieɪt] I *vtr* apreciar, valorar, entender, agradecer
II *vi Fin* apreciarse, valorarse, aumentar en valor

appreciation [əpriːʃi'eɪʃən] *n* agradecimiento

appreciative [ə'priːʃɪdɪv] *adj* agradecido,-a

apprehend [æprɪ'hɛnd] *vtr* *(arrestar)* detener

apprehension [æprɪ'hɛnʃən] *n* *(arresto)* detención

apprehensive [æprɪ'hɛnsɪv] *adj* aprensivo,-a

apprentice [ə'prɛntɪs] *n* aprendiz,-iza

approach [ə'proʊtʃ] I *n* 1 *(movimiento)* acercamiento 2 *(a un sitio)* acceso 3 *(de un problema)* enfoque 4 *(oferta)* propuesta
II *vtr* 1 *(movimiento)* acercarse a 2 *fig (asunto)* abordar

appropriate[1] [ə'proʊpriɪt] *adj* apropiado,-a, adecuado,-a

appropriate[2] [ə'proʊprieɪt] *vtr* *(partida de dinero)* asignar, destinar

approval [ə'pruːvəl] *n* aprobación

approve [ə'pruːv] I *vtr* aprobar
II *vi* estar de acuerdo

approximate [ə'prɑksɪmɪt] I *adj* aproximado,-a
II [ə'prɑksɪmeɪt] *vtr* aproximarse a

appt. *(abr de appointment)* cita

APR *(abr de Annual Percentage Rate)* Tasa Anual Equivalente, TAE

apricot ['eɪprɪkɑt] *n ESP* albaricoque; chabacana

April Fools' Day *n* primero de abril, día en que se gastan bromas similares al día de los Santos Inocentes (28 de diciembre)

arsenal

apron ['eɪprən] n delantal

apt. (abr de **apartment**) apartamento

apt [æpt] adj 1 (nombre, apodo) apropiado,-a; (comentario) acertado,-a, oportuno,-a, pertinente 2 propenso,-a 3 capaz, competente

aptitude ['æptɪtuːd] n (habilidad) aptitud, capacidad

aqualung® ['akwəlʌŋ] n escafandra autónoma

aquamarine [akwʌmə'riːn] **I** n Min aguamarina
II adj de color aguamarina

aquarium [ə'kweriəm] n acuario

Aquarius [ə'kweriəs] n Astrol Acuario

aquatic [ə'kwædɪk] adj acuático,-a

aqueduct ['ækwɪdʌkt] n acueducto

AR (abr de **Arkansas**) abreviatura, estado de Arkansas

Arab ['ærəb] adj & n árabe

Arabian [ə'reɪbiən] adj & n árabe

Arabic ['ærəbɪk] **I** adj árabe, arábigo,-a
II n (idioma) árabe

arbitrary ['ɑːrbɪtrəri] adj arbitrario,-a

arbitrate ['ɑːrbɪtreɪt] vtr & vi arbitrar

arc [ɑrk] n arco

arcade [ɑr'keɪd] n 1 Arquit arcada, soportales 2 **shopping arcade,** galería comercial

archaeologist [arki'ɑlədʒɪst] n arqueólogo,-a

archaic [ɑr'keɪɪk] adj arcaico,-a

archbishop [ɑrtʃ'bɪʃəp] n arzobispo

archeology [arki'ɑlədʒi] n arqueología

archer ['ɑrtʃər] n arquero,-a

archery ['ɑrtʃəri] n tiro con arco

archetypal [ɑrkɪ'taɪpəl] adj arquetípico,-a

archipelago [ɑrkɪ'pelɪgoʊ] n archipiélago

architect ['ɑrkɪtekt] n arquitecto,-a

architecture ['ɑrkɪtektʃər] n arquitectura

archives ['ɑrkaɪvz] npl archivos

arctic ['ɑrktɪk] **I** adj ártico,-a
II n the Arctic, el Ártico

Arctic Circle n Círculo Polar Ártico

Arctic Ocean n el océano Ártico

ardent ['ɑrdənt] adj 1 (amante, partidario) apasionado,-a 2 (deseo, súplica) ferviente, ardiente

ardor ['ɑrdər] n Lit pasión, ardor

arduous ['ɑrdjuəs] adj arduo,-a, penoso,-a, difícil, laborioso,-a

are [ɑːr] → **be**

area ['eriə] n 1 área, superficie, extensión 2 Geog región, zona

area code n Tel prefijo local

arena [ə'riːnə] n Dep estadio; Taur plaza; (circo) pista

Argentina [ardʒən'tiːnə] n Argentina

Argentinian [ardʒən'tɪniən] adj & n argentino,-a

arguable [argjuəbəl] adj (en sentido negativo) discutible

argue ['argjuː] **I** vtr 1 (un caso) exponer 2 (opinión) defender, sostener 3 (debatir) discutir, razonar (acerca de)

argument ['argjumənt] n (debate) argumento

arid ['erɪd] adj árido,-a

Aries ['eriːz] n Astrol Aries

arise [ə'raɪz] vi (ps **arose**; pp **arisen** [ə'rɪzən]) 1 frml levantarse 2 (aparecer) surgir, presentarse

aristocracy [erɪ'stɑkrəsi] n aristocracia

aristocrat [ə'rɪstəkræt] n aristócrata

arithmetic [ə'rɪθmətɪk] n aritmética

ark [ɑrk] n arca

arm [ɑrm] **I** n Anat brazo
II vtr armar

Armageddon [armə'gedən] n gran batalla final mencionada en la Biblia que precede al fin del mundo

armband ['armbænd] n brazalete de tela

armchair ['armtʃer] n sillón, butaca

armed [armd] adj armado,-a

armed forces n fuerzas armadas

Armenia [ar'miːnjə] n Armenia

Armenian [ar'miːnjən] m,f Armenian

armful ['armfəl] n brazada

armistice ['armɪstɪs] n armisticio

armor ['armər] **I** n 1 (de vehículo) blindaje 2 (de persona) armadura
II vtr blindar

armored car [armərd'kɑːr] n carro blindado, tanqueta

armory ['arməri] n armería

armpit ['armpɪt] n axila, sobaco

armrest ['armrest] n brazo (del sillón, butaca, etc)

arms control n control de armamentos

arm wrestle vi echar un pulso

army ['armi] n ejército

aroma [ə'roumə] n aroma

arose [ə'rouz] ps → **arise**

around [ə'raund] adv alrededor, por todas partes, cerca, aproximadamente

around-the-clock adj las veinticuatro horas

arouse [ə'rouz] vtr frml despertar, excitar

arraign [ə'reɪn] vtr Jur procesar

arrange [ə'reɪndʒ] vtr ordenar

arrangement [ə'reɪndʒmənt] n 1 arreglo, colocación 2 Mús adaptación, arreglo 3 (trato) acuerdo, convenio

array [ə'reɪ] n colección, selección

arrears [ə'rɪrz] npl atrasos

arrest [ər'est] n detención, arresto

arrival [ə'raɪvəl] n llegada

arrive [ə'raɪv] vi llegar

arrogance ['erəgəns] n arrogancia

arrogant ['erəgənt] adj arrogante

arrow ['erou] n flecha

arrowroot ['erouruːt] n arrurruz

arse ['ɑːrs] n vulgar culo

arsenal ['ɑrsənəl] n arsenal

arsenic ['ɑrsənɪk] n arsénico
arson ['ɑrsən] n incendio provocado
art [ɑrt] n arte
artery ['ɑrdəri] n arteria
artful ['ɑrtfəl] adj astuto,-a, ladino,-a
arthritis [ɑr'θraɪdɪs] n artritis
artichoke ['ɑrdɪtʃoʊk] n Bot alcachofa
article ['ɑrdɪkəl] n (objeto) artículo
articulate [ɑr'tɪkjuleɪt] 1 vtr articular 2 articular, pronunciar 3 expresar
artifact ['ɑrdɪfækt] n artefacto
artificial [ɑrdɪ'fɪʃəl] adj artificial
artillery [ɑr'tɪləri] n artillería
artisan ['ɑrtɪzən] n artesano,-a
artist ['ɑrdɪst] n artista, pintor,-ora
artistic [ɑr'tɪstɪk] adj artístico,-a
artistry ['ɑrtɪstri] n arte, maestría
a.s.a.p. (abr de as soon as possible) cuanto antes
as [æz, forma débil əz] adv & conj 1 (comparación) as... as..., tan... como...: he's not as clever as you, no es tan listo como tú; as far as, hasta; as good as gold, tan bueno como el pan; as many as, tantos,-as como; as much as, tanto,-a como; as soon as possible, cuanto antes; just as good, igual de bueno,-a; the same as, igual que; twice as expensive, dos veces más caro,-a 2 (modo) como: he's working as a builder, está trabajando de albañil; as you like/wish, como quieras; as I said, como dije; as a rule, por regla general; a; as usual, como siempre; as yet, aún, todavía 3 (tiempo) cuando, a; as a youth, de joven 4 (concesión) no obstante, aunque; be that as it may, por mucho que así sea 5 (causa) como, ya que: as it's so hot you can go home, ya que hace tanto calor podéis iros a casa 6 (de la misma manera) igual que: as do I, igual que yo; as well, también 7 (resultado) para; so as to do sthg, para hacer algo 8 to act as if, actuar como si: he acted as if he were drunk, actuaba como si estuviera borracho; 9 as long as, (solo si) siempre que: as long as you're happy, siempre que seas feliz
ascend [ə'send] vi subir, ascender
ascent [ə'sent] n subida
ash[1] [æʃ] n Bot fresno
ash[2] [æʃ] n ceniza
ashamed [ə'feɪmd] adj avergonzado,-a
ashore [ə'ʃɔr] vit desembarcar
ashtray ['æʃtreɪ] n cenicero
Ash Wednesday n Rel Miércoles de Ceniza
Asia ['eɪʒə] n Asia
Asia Minor n Asia Menor
Asian ['eɪʒən] adj & n asiático,-a
aside [ə'saɪd] I adv al lado, aparte
ask [æsk] vtr 1 preguntar; to ask sb a question, preguntar algo a alguien 2 (un favor, etc) pedir; to ask sb to do sthg, pedirle a alguien que haga algo
■ **ask back** vtr volver a invitar

■ **ask for** vtr (ayuda, dinero, etc) pedir, solicitar
■ **ask in** vtr to ask sb in, invitar a alguien a pasar
■ **ask out** vtr to ask sb out, invitar a alguien a salir
■ **ask over** vtr to ask sb home, invitar a alguien a casa
asking price n precio de venta
asleep [ə'sliːp] adj dormido,-a
asparagus [ə'spærəgəs] n inv Bot espárragos
aspect ['æspekt] n aspecto
asphalt ['æsfælt] n asfalto
asphyxiate [æs'fɪksieɪt] I vtr asfixiar
II vi asfixiarse
aspire [ə'spaɪər] vi aspirar
aspirin® ['æsprɪn] n aspirina®
ass[1] [æs] n 1 Zool asno,-a 2 fam (persona) burro,-a
ass[2] [æs] n vulgar culo
assailant [ə'seɪlənt] n agresor,-ora
assassin [ə'sæsɪn] n asesino,-a
assassinate [ə'sæsɪneɪt] vtr asesinar
assault [ə'sɔːlt] I n Mil asalto, ataque
II vtr 1 Mil asaltar, atacar 2 Jur agredir; (sexualmente) acosar
assemble [ə'sembəl] I vtr 1 (a personas) reunir, juntar 2 (una máquina, un mueble) montar
II vi (personas) reunirse, juntarse
assembly [ə'sembli] n reunión, asamblea
assembly line n cadena de montaje
assent [ə'sent] I n (acuerdo) asentimiento; (permiso) consentimiento; (visto bueno) aprobación
II vi asentir, consentir
assert [ə'sərt] vtr afirmar, declarar
assertive [ə'sərdɪv] adj enérgico,-a, firme
assess [ə'ses] vtr (el valor de algo) valorar, tasar
assessment [ə'sesmənt] n tasación, valoración
assessor [ə'sesər] n tasador,-ora
asset ['æset] n 1 ventaja, recurso 2 Fin
assets pl, activo
assiduous [ə'sɪdjuəs] adj asiduo,-a
assign [ə'saɪn] vtr (una tarea) asignar
assignment [ə'saɪnmənt] n (acción) asignación (trabajo) tarea, misión
assimilate [ə'sɪmɪleɪt] vtr asimilar
assist [ə'sɪst] vtr & vi ayudar
assistance [ə'sɪstəns] n ayuda, auxilio
assistant[1] [ə'sɪstənt] n ayudante
associate[1] [ə'soʊʃieɪt] I vtr 1 (hechos, ideas) relacionar, asociar 2 (empresas) asociar 3 vincular
II vi to associate with sb, tratar o relacionarse con alguien
associate[2] [ə'soʊʃiɪt] I adj asociado,-a
II n 1 (colega) compañero,-a, socio,-a 2 Jur (de un crimen) cómplice

Associate of Arts Degree *n* diploma universitario que se otorga después de dos años de estudio

association [əsəusɪˈeɪʃən] *n* 1 (*conexión*) asociación, relación 2 (*empresa*) sociedad

assorted [əˈsɔːdɪd] *adj* variado,-a

assortment [əˈsɔːtˈmənt] *n* surtido, variedad

assume [əˈsuːm] *vtr* suponer, asumir:

assumption [əˈsʌmpʃən] *n* (*idea*) suposición, supuesto

assure [əˈʃuːr] *vtr* asegurar

asterisk [ˈæstərɪsk] *n* asterisco

asteroid [ˈæstərɔːɪd] *n* asteroide

asthma [ˈæsmə] *n* asma

astonish [əˈstɒnɪʃ] *vtr* asombrar, pasmar

astonishing [əˈstɒnɪʃɪŋ] *adj* asombroso,-a

astonishment [əˈstɒnɪʃmənt] *n* asombro

astray [əˈstreɪ] *adv* **to go astray,** perderse, extraviarse

astride [əˈstraɪd] *prep* a horcajadas en

astrology [əˈstrɒlədʒɪ] *n* astrología

astronaut [ˈæstrənɔt] *n* astronauta

astronomer [əˈstrɒnəmər] *n* astrónomo,-a

astronomical [æstrəˈnɒmɪkəl] *adj* astronómico,-a

astronomy [əˈstrɒnəmɪ] *n* astronomía

astute [əˈstuːt] *adj* 1 (*persona*) listo,-a, astuto,-a 2 (*decisión*) inteligente

asylum [əˈsaɪləm] *n* (*protección*) asilo

at [æt] *prep* 1 (*posición*) a, en; **at the airport,** en el aeropuerto 2 (*hacia*) a; **to laugh at sb,** reírse de alguien; **to look at sthg/sb,** mirar algo/a alguien; **to throw sthg at sb,** tirarle algo a alguien 3 (*tiempo*) a, en; **at Christmas,** en Navidad; **at first,** al principio; **at last,** por fin; **at once,** en seguida; **at the moment,** ahora

ate [eɪt] *ps →* **eat**

atheism [ˈeɪθɪɪzəm] *n* ateísmo

atheist [ˈeɪθɪɪst] *n* ateo,-a

athlete [ˈæθliːt] *n* atleta

athletic [æˈθlɛtɪk] *adj* atlético,-a

Atlantic [ətˈlæntɪk] *adj* **the Atlantic (Ocean),** el (océano) Atlántico

atlas [ˈætləs] *n* atlas

ATM (*abr de Automated-Teller Machine*) cajero automático

atmosphere [ˈætməsfɪər] *n* 1 *Meteor* atmósfera 2 (*entorno*) ambiente

atmospheric [ætməsˈfirɪk] *adj* atmosférico,-a

atom [ˈædəm] *n* átomo

atomic [əˈtɒmɪk] *adj* atómico,-a

atomic weapons *npl* armas nucleares

atrocity [əˈtrɒsɪdʒɪ] *n* atrocidad

atrophy [ˈætrəfɪ] *n* atrofia

attach [əˈtætʃ] *vtr* 1 (*asegurar*) sujetar, atar 2 (*documento*) adjuntar

attaché [əˈtæʃeɪ] *n* agregado,-a

attaché case *n* portafolios

attached [əˈtætʃt] *adj* 1 (*documento*) adjunto

2 *fig* (*querer*) tener cariño a

attachment [əˈtætʃmənt] *n* 1 *Téc* accesorio 2 (*acción*) acoplamiento 3 (*apego*) cariño

attack [əˈtæk] **I** *n* 1 (*físico*) ataque, asalto 2 (*terrorista*) atentado 3 *Med* ataque
II *vtr* (*físicamente*) atacar, asaltar

attacker [əˈtækər] *n* asaltante, agresor,-ora

attain [əˈteɪn] *vtr* (*un objetivo*) lograr, conseguir

attainment [əˈteɪnmənt] *n* logro

attempt [əˈtempt] **I** *n* intento, tentativa
II *vtr* ensayar, intentar

attend [əˈtend] **I** *vtr* 1 (*una reunión, etc*) asistir a 2 (*la mesa*) servir 3 *Med, etc* atender, cuidar
II *vi* 1 (*estar presente*) asistir 2 prestar atención

attendance [əˈtendəns] *n* asistencia

attendant [əˈtendənt] *n* *Cine Teat* acomodador, -ora

attention [əˈtenʃən] *n* atención

attentive [əˈtendɪv] *adj* 1 (*oyente*) atento,-a 2 cortés, solícito,-a

attic [ˈædɪk] *n* ático, desván

attitude [ˈædɪtuːd] *n* 1 (*pensamientos*) actitud 2 (*del cuerpo*) postura

attorney [əˈtɜːnɪ] *n* abogado,-a

Attorney General *n* ≈ Ministro,-a de Justicia, procurador general

attract [əˈtrækt] *vtr* atraer

attraction [əˈtrækʃən] *n* atracción

attractive [əˈtrækdɪv] *adj* 1 (*persona*) atractivo,-a; (*físicamente*) guapo,-a 2 (*plan*) atractivo,-a, tentador, -ora

attribute[1] [ˈætrɪbjuːt] *n* atributos

attribute[2] [əˈtrɪbjuːt] *vtr* atribuir

auburn [ˈɔːbərn] *adj* (*color*) caoba

auction [ˈɔːkʃən] *n* subasta

audacious [ɑːˈdeɪʃəs] *adj* audaz, atrevido,-a

audience [ˈɔːdɪəns] *n* público; audiencia

audio [ɑːdɪoʊ] *adj* audio

audit [ˈɑːdɪt] *n* auditoría

audition [ɑːˈdɪʃən] *n* prueba, audición

auditor [ˈɑːdɪdər] *n* revisor,-ora de cuentas, auditor,-ora

auditorium [ɑːdɪˈtɔːrɪəm] *n* auditorio

augment [ɔːɡˈment] *vtr frml* aumentar

August [ˈɔːɡəst] *n* agosto

aunt [ɑːnt] *n* (*también fam* **auntie, aunty** [ˈæːntɪ]) tía

au pair [oʊˈper] *n* au pair

aura [ˈɔːrə] *n frml* aura

auspice [ˈɑːspɪs] **auspices** *pl*, auspicios

auspicious [ɑːˈspɪʃəs] *adj* favorable

austere [ɑːˈstɪər] *adj* austero,-a

austerity [ɑːˈsterɪdɪ] *n* austeridad

Australia [ɑːˈstreɪlɪə] *n* Australia

Australian [ɑːˈstreɪlɪən] *adj & n* australiano,-a

Austria [ˈɒstrɪə] *n* Austria

Austrian [ˈɒstrɪən] *adj & n* austriaco,-a, austríaco,-a

authentic [ɑ:'θentɪk] *adj* auténtico,-a

authenticity [ɑ:θen'tɪsɪdɪ] *n* autenticidad

author ['ɑ:θər] *n* autor,-ora

authoritarian [ɑ:θɒrɪ'teərɪən] *adj* autoritario,-a

authoritative [ɑ:'θɒrɪteɪdɪv] *adj* **1** (*de confianza, oficial*) autorizado,-a **2** *Pol, etc* autoritario,-a

authority [ɑ:'θɒrɪdɪ] *n* **1** autoridad **2** experto

authorize ['ɑ:θəraɪz] *vtr* autorizar

auto ['ɑ:dou] *n* coche

autobiographical [ɑ:dɒubaɪə'græfɪkəl] *adj* autobiográfico,-a

autobiography [ɑ:dɒubaɪ'ɑgrəfɪ] *n* autobiografía

autograph ['ɑ:dəgræf] *n* autógrafo

automated-teller machine *n* cajero automático

automatic [ɑ:də'mædɪk] **I** *adj* automático,-a **II** *n* **1** *Auto* coche automático **2** (*arma*) pistola automática

automation [ɑ:də'meɪʃən] *n* automatización

automaton [ɑ:'təmətə:n] *n* (*pl* **automata** [ɔ:'tɒmətə]) autómata

automobile [ɑ:dəmoubi:l] *n* coche, automóvil, carro

autonomous [ɑ:'tɒnəməs] *adj* autónomo,-a

autonomy [ɑ:'tɒnəmɪ] *n* autonomía

autopsy ['ɑ:tɒpsɪ] *n* autopsia

autumn ['ɑ:dəm] *n* otoño

auxiliary [ɑ:g'zɪlɪərɪ] *adj* auxiliar

Av, Ave (*abr de Avenue*) avenida, Avda

available [ə'veɪləbəl] *adj* (*cosa*) disponible

avalanche ['ævəlæntʃ] *n* avalancha

avant-garde [ævæŋ'gɑrd] **I** *n Arte* vanguardia **II** *adj* vanguardista, de vanguardia

avarice ['ævərɪs] *n* avaricia

avenge [ə'vendʒ] *vtr* vengar

avenue ['ævɪnu:] *n* **1** avenida **2** *fig* vía, posibilidad

average ['ævrɪdʒ] *n* promedio

averse [ə'vərs] *adj* **to be averse to**, sentir rechazo por

aversion [ə'vərʒən] *n* (*sentimiento*) aversión

avert [ə'vərt] *vtr* **1** (*los ojos, el pensamiento*) apartar **2** (*un accidente, peligro*) prevenir, evitar **3** (*un golpe*) desviar

avid ['ævɪd] *adj* ávido,-a; (*lector*) voraz

avocado [ævə'kɑ:dou] *n Bot* (*tb* **avocado pear, alligator pear**) aguacate

avoid [ə'vɔɪd] *vtr* evitar, eludir

avoidable [ə'vɔɪdəbəl] *adj* evitable

await [ə'weɪt] *vtr* esperar, aguardar

awake [ə'weɪk] *adj* **1** despierto,-a **2** *fig* consciente

awaken [ə'weɪkən] *vtr & vi* (*ps* **awakened**; *pp* **awoken**) → **awake**

awakening [ə'weɪkənɪŋ] *n* despertar

award [ə'wɔrd] **I** *n* **1** galardón, premio **2**

(*medalla*) condecoración **3** *Jur* indemnización **4** (*para estudiar*) beca

II *vtr* **1** (*un premio*) conceder, otorgar **2** *Jur* adjudicar

aware [ə'wer] *adj* consciente, enterado,-a

awareness [ə'wernɪs] *n* conciencia [of, de]

awash [ə'wɑʃ] *adj* inundado,-a [with, de]

away [ə'weɪ] *adv* **1** (*posición*) lejos: **it's 20 kilometers away from here**, está a 20 kilómetros de aquí; **to be away**, estar ausente *o* estar fuera; **to keep away from sthg**, apartarse de algo; *Dep* **to play away**, jugar fuera **2** (*movimiento*) **to go away**, irse: **go away!**, ¡lárgate!; **to look away**, apartar la vista; **right away**, en seguida **3** (*como parte de verbos compuestos*) **to give sthg away**, regalar algo; (*secreto*) revelar algo; **to run away**, irse corriendo

awe [ɑ:] *n* sobrecogimiento

awe-inspiring ['ɑ:ɪnspaɪərɪŋ] *adj* impresionante, imponente

awesome ['ɑ:səm] *adj* impresionante; *slang* maravilloso, increíble

awful ['ɑ:fəl] *adj* **1** (*cantidad grande*) tremendo,-a **2** horrible, fatal

awkward ['ɑ:kwərd] *adj* **1** (*persona*) torpe, desmañado,-a **2** (*child, pesado,-a*; **don't be so awkward!**, ¡no seas tan pesado! **3** (*cosa*) incómodo,-a **4** (*momento*) inoportuno,-a **5** (*situación*) embarazoso,-a

awning ['ɑ:nɪŋ] *n* toldo, marquesina

awoke [ə'wouk] *ps* → **awake**

awoken [ə'woukən] *pp* → **awake**

AWOL (*abr de absent without leave*) *Mil* ausente sin permiso; **to go AWOL**, desertar

axe, ax [æks] **I** *n* hacha

II *vtr* **1** (*los gastos*) recortar/reducir drásticamente **2** *fam* (*a una persona*) despedir

axiom ['æksɪəm] *n* axioma

axle ['æksəl] *n* eje (giratorio)

AZ (*abr de Arizona*) abreviatura, estado de Arizona

Azores ['eɪzɔ:rz] *n* **the Azores**, las (islas) Azores

Aztec ['æztek] *adj & n* azteca

azure ['æʒər] *adj* azul celeste

B

B, b [bi:] *n* **1** (*letra*) B, b; *Auto* B **2** *Mús* si; **B flat**, si bemol; **B sharp**, si sostenido

B.A. [bi'eɪ] (*abr de Bachelor of Arts*) diploma universitario que se otorga en estudios académicos tales como historia, geografía y literatura

babble ['bæbəl] **I** *vi* **1** (*hablar sin murar*

II *n* (*de voces*) parloteo

baby ['beɪbɪ] *n* **1** bebé; (*persona muy joven*) niño,-a **2** (*animal*) cría **3** *US fam* (*término cariñoso*) querido,-a

babysit ['beɪbɪsɪt] *vi* cuidar niños

babysitter ['beɪbɪsɪd̩ər] *n* canguro

bachelor ['bætʃlər] *n* **1** soltero **2** *Univ* ≈ licenciado,-a

back [bæk] **I** *n* **1** espalda; *(de animal)* lomo; **back to back,** espalda con espalda; **back to front,** al revés **2** *(de libro)* final **3** *(de silla)* respaldo **4** *(de moneda)* reverso **5** *(de mano)* dorso **6** *(de casa, coche)* parte de atrás **7** *(de plató, armario)* fondo **8** *Ftb* defensa

II *adj* **1** trasero,-a, de atrás; **back door,** puerta de atrás; **back seat,** asiento de detrás; *Auto* **back wheel,** rueda trasera **2** **back pay,** atrasos **3** *Prensa* **back number,** número atrasado

III *adv* **1** *(sitio)* atrás; *(dirección)* hacia atrás; **back and forth,** de acá para allá **2** **some years back,** hace unos años: **he thought back to when he was a child,** se remontó a su niñez **3** *(de nuevo)* de vuelta: **when will you be back?,** ¿cuándo volverás?; **give it back!** ¡devuélvelo!; **flared trousers are back,** los pantalones de campana vuelven a estar de moda

IV *vtr* **1** *(ayudar)* apoyar, respaldar **2** *Fin* financiar **3** *(juegos)* apostar por **4** *(coche, etc)* dar marcha atrás a

V *vi* **1** *(ir hacia atrás)* retroceder **2** *(coche, etc)* dar marcha atrás

◆ | LOC: **I know this town like the back of my hand,** conozco esta ciudad como la palma de mi mano; *fig* **to get sb's back up,** sacar de quicio a alguien; *fig* **to have one's back to the wall,** estar contra las cuerdas

■ **back away** *vi* retirarse

■ **back down** *vi* echarse atrás

■ **back off** *vi* desistir

■ **back out** *vi (salir de un compromiso)* retractarse, volverse atrás

■ **back up I** *vtr* apoyar

II *vi Auto* ir marcha atrás

backache ['bækeɪk] *n* dolor de espalda

backbiting ['bækbaɪtɪŋ] *n* murmuraciones

backbone ['bækboʊn] *n* **1** *Anat* columna **2** la parte fuerte de algo

backdrop ['bækdrɒp] *n* **1** *Teat y fig* telón de fondo **2** la situación en general

backfire [bæk'faɪər] *vi* **1** *Auto* petardear **2** *fig* fracasar

background ['bækgraʊnd] *n* **1** *(de una escena)* fondo **2** *(de persona)* origen, procedencia; *(educación)* formación **3** *(circunstancias)* antecedentes **4** *(sonidos, música)* de fondo

backing ['bækɪŋ] *n* **1** *(ayuda)* apoyo; *Com Fin* respaldo, patrocinio **2** *Mús* acompañamiento

backlash ['bæklæʃ] *n* reacción violenta, contragolpe

backlog ['bæklɒg] *n* trabajo atrasado

backpack ['bækpæk] *n* mochila

backside [bæk'saɪd] *n fam* trasero, culo

backstage [bæk'steɪdʒ] *adj & adv Teat* entre bastidores

backstroke ['bækstroʊk] *n Natación (estilo)* espalda

backup ['bækʌp] *n* **1** apoyo, respaldo **2** *Inform* copia de seguridad

backward ['bækwərd] *adj* **1** *(mirada, movimiento)* hacia atrás **2** *(país, etc)* subdesarrollado,-a **3** *(persona)* retrasado,-a

backwards ['bækwərds] *adv* **1** hacia atrás **2** al revés

backyard [bæk'jɑrd] *n* patio trasero

bacon ['beɪkən] *n* bacon, *LAm* tocino

bacteria [bæk'tiːriə] *npl* bacterias

bad [bæd] **I** *adj (worse, worst)* **1** malo,-a *(dañino)* **smoking is bad for you,** fumar te hace daño **2** *(inepto)* **he's very bad at languages,** es muy malo en idiomas **4** *(en mal estado)* podrido,-a **5** *(moralmente)* malo,-a **6** *(accidente)* grave; *(dolor de cabeza, etc)* fuerte **7** *(de salud)* enfermo,-a **8 I feel bad,** me siento mal **9** *(lenguaje)* **she was told off for using bad language,** le echaron la bronca por ser mal hablada

II *n* lo malo

◆ | LOC: **too bad,** mala suerte

badge [bædʒ] *n* **1** insignia **2** *(disco de metal)* chapa

badly ['bædli] *adv* **1** mal **2** *(enfermo, etc)* gravemente **3** mucho ◆ | LOC: **to be badly off,** andar mal de dinero

badminton ['bædmɪntən] *n* bádminton

bad-mannered [bæd'mænərd] *adj* maleducado,-a

bad-tempered [bæd'tempərd] *adj* **1** *(temperamento)* **he is bad-tempered,** tiene mal genio **2** *(estado transitorio)* **he is bad-tempered,** está de mal humor

baffle ['bæfəl] *vtr* desconcertar

bag [bæg] **I** *n* **1** *(grande)* bolsa; *(de señora)* bolso **2** ojeras ◆ | LOC: *fam* **bags of,** montones de

baggage ['bægɪdʒ] *n* **1** equipaje

baggage claim *n Av* recogida de equipajes

baggy ['bægi] *adj (baggier, baggiest) (ropa)* holgado,-a, suelto,-a, grande

bagpipes ['bægpaɪps] *npl* gaita

baguette [bæg'ɛt] *n* baguette, barra de pan

bail [beɪl] *n fur* fianza

■ **bail out I** *vtr* **1** pagar la fianza a alguien **2** *fig* sacar a alguien de un apuro

II *vi* **1** *Av* saltar en paracaídas **2** *Náut* achicar

bailiff ['beɪlɪf] *n fur* alguacil

bait [beɪt] **I** *n* cebo; *fig* **he didn't swallow the bait,** no se tragó el anzuelo

II *vtr* **1** *(al pescar)* cebar **2** *(a una persona)* provocar

bake [beɪk] **I** *vtr* cocer al horno; *(patatas, carne)* asar

baked potato *n* papa asada

baker ['beɪkər] *n* panadero,-a

bakery ['beɪkəri] n panadería
balance ['bæləns] I n 1 equilibrio 2 (aparato) balanza 3 Fin (de una cuenta bancaria) saldo
II vtr 1 mantener en equilibrio [on, sobre]2 (presupuesto) equilibrar 3 sopesar
III vi 1 mantener el equilibrio 2 Fin (las cuentas) cuadrar
♦ | LOC: fig it hangs in the balance, pende de un hilo; on balance, bien pensado o tras pensarlo mucho; off balance: the strong wind knocked him off balance, el fuerte viento le hizo perder el equilibrio
balanced ['bælənst] adj equilibrado,-a
balcony ['bælkəni] n 1 balcón, terraza 2 Teat galería
bald [bɔːld] adj 1 (persona) calvo,-a 2 (neumático) desgastado,-a
baldness [bɔːldnɪs] n calvicie
ball [bɔːl] n 1 (tenis) pelota; Ftb balón; (billar, golf, etc) bola 2 (de papel) bota; (de hilo, lana) ovillo 2 US béisbol 4 vulgar ofens balls pl, pelotas
ballad ['bæləd] n balada
ballet ['bæleɪ] n ballet
ballistics [bə'lɪstɪks] n balística
balloon [bə'luːn] I n 1 globo 2 (en un dibujo) bocadillo
II vi hincharse, inflarse
ballot ['bælət] I n Pol votación; to hold a ballot on sthg, someter algo a votación
II vtr convocar una votación secreta
ballroom ['bɔːlruːm] n salón de baile
ballroom dancing n baile de salón
balm [bɑːlm] n bálsamo
balmy ['bɑːlmi] adj (balmier, balmiest) (clima) suave
balustrade ['bæləstreɪd] n barandilla
bamboo [bæm'buː] n Bot bambú
ban [bæn] I n prohibición
II vtr 1 (no permitir) prohibir 2 (a una persona) excluir [from, de]; (de una profesión) inhabilitar
banal [bə'nɑːl] adj banal
banana [bə'nænə] n 1 plátano, LAm banana
band [bænd] n 1 Mús banda, orquesta 2 grupo; (de amigos) cuadrilla, pandilla; (de criminales) banda 3 (de tela) tira, cinta 4 (de color) lista, raya 5 Rad banda, frecuencia
II vtr vendar
bandage ['bændɪdʒ] I n venda
Band-Aid® ['bændeɪd] n tirita®
B & B [biː ən'biː] n (abr de bed and breakfast) habitación y desayuno
bandit ['bændɪt] n bandido,-a
bang [bæŋ] I n 1 (en una pelea, un choque) golpe violento 2 (sonido) ruido fuerte, estruendo; (explosión) estallido; Astron the Big Bang theory, la teoría del Big Bang
II vtr golpear; she banged the box shut, cerró la caja de un golpe

III vi golpear; (puerta) to bang shut, cerrarse de un golpe; sb is banging on the door, alguien está aporreando la puerta
IV adv fam justo; bang on time, a la hora exacta
♦ | LOC: excl (golpe) ¡zas!; bang, bang!, (arma) ¡pum, pum!
banged-up adj (informal) golpeado, -a, lesionado, -a,chocado, -a
bangle ['bæŋgəl] n brazalete
bangs ['bæŋgz] n, pl flequillo
banish ['bænɪʃ] vtr desterrar
banister ['bænɪstər] n pasamanos, barandilla
banjo ['bændʒəʊ] n banjo
bank [bæŋk] I n 1 Com Fin banco 2 (en juegos) banca 3 (de río) ribera, orilla 4 (pequeña colina) loma; (artificial) terraplén
II vtr Com Fin depositar, ingresar
III vi 1 Com Fin I bank with the County Bank, tengo una cuenta en el Banco County 2 Av ladearse
■ bank on vtr contar con: I am banking on you coming, cuento con que vas a venir
bankbook ['bæŋkbʊk] n libreta de ahorros
banker ['bæŋkər] n banquero,-a; an investment banker, un agente financiero
banknote ['bæŋknəʊt] n billete de banco
bankrupt ['bæŋkrʌpt] I adj Fin en bancarrota, insolvente; to go bankrupt, quebrar
II vtr llevar a la bancarrota
bankruptcy ['bæŋkrʌpsi] n quiebra, bancarrota
banner ['bænər] n 1 (en manifestación, etc) pancarta 2 (símbolo) bandera
banning ['bænɪŋ] n prohibición
banquet ['bæŋkwɪt] n banquete
baptism ['bæptɪzəm] n bautismo
baptize [bæp'taɪz] vtr bautizar
bar [bɑːr] I n 1 (taberna) bar, cantina; (mostrador) barra 2 barra; (de oro, plata) lingote; (de chocolate) tableta; (de jabón) pastilla;(de jaula) barrote; (de puerta) tranca; Dep listón 3 (impedimento) obstáculo 4 Jur (donde se sienta el acusado) banquillo; (sala de justicia) tribunal 5 Jur the Bar, (profesión) abogacía; (cuerpo profesional) colegio de abogados 6 Mús compás
II vtr 1 (puerta) atrancar; (el paso) bloquear, cortar 2 (impedir la entrada) excluir [from, de] 3 (no permitir) prohibir
III prep salvo
barbarian [bɑr'beriən] adj & n bárbaro,-a
barbaric [bɑr'berɪk] adj bárbaro,-a
barbecue ['bɑrbɪkjuː] I n barbacoa
II vtr asar a la parrilla
barbed [bɑrbd] adj 1 (anzuelo) con lengüeta 2 fig (comentario) mordaz
barber ['bɑrbər] n barbero,-a
barbiturate [bɑr'bɪtjʊrɪt] n barbitúrico

bare [beɪr] I *adj* 1 desnudo,-a; *(cabeza)* descubierto,-a; *(pie)* descalzo,-a; *(árboles)* sin hojas 2 *(habitación)* con pocos muebles; *(armario)* vacío,-a 3 escueto,-a; **the bare necessities,** lo mínimo
II *vtr* 2 *(revelar)* descubrir
barefoot ['beɪfʊt] *adj* & *adv* descalzo,-a
barely ['beɪli] *adv* apenas
bargain ['bɑːgɪn] I *n* 1 trato, pacto; **to make a bargain,** cerrar un trato; 2 ganga, chollo; **bargain price,** precio de oferta
II *vi* 1 negociar 2 *(al negociar)* regatear
barge [bɑːdʒ] I *n* barcaza
■ **barge in** *vi* 1 *(irrumpir)* entrar sin permiso 2 *(involucrarse)* entrometerse
■ **barge into** *vtr* 1 *(habitación)* irrumpir en 2 *(persona)* dar/chocar contra
baritone ['berɪtəʊn] *adj* & *n* barítono
bark [bɑːk] I *n* 1 ladrido 2 *Bot* corteza
II *vi (el perro)* ladrar
barley ['bɑːli] *n* Bot cebada
barmaid ['bɑːmeɪd] *n* camarera
barman ['bɑːmæn] *n* camarero, barman
barmy ['bɑːmi] *adj fam* lelo-a, chiflado,-a: **it's a barmy idea,** es una idea descabellada
barn [bɑːn] *n* granero; *(para animales)* establo
barnacle ['bɑːnəkl] *n* Zool percebe
barometer [bə'rɒmɪdər] *n* barómetro
baron ['berən] *n* 1 *(noble)* barón 2 *fig* magnate
baroness ['berənɪs] *n* baronesa
baroque [bə'rɒk] *adj* barroco,-a
barracks ['berəks] *n* Mil cuartel
barrage ['berɑːdʒ] *n* 1 *(en un río)* presa 2 Mil descarga de artillería 3 *fig (de preguntas)* aluvión
barrel ['berəl] *n* 1 *(de cerveza, petróleo)* barril; *(de vino)* tonel 2 *(de arma de fuego)* cañón
barren ['berən] *adj* baldío
barricade [berɪ'keɪd] I *n* barricada
barrier ['berɪər] *n* 1 barrera; 2 obstáculo
barrow ['berəʊ] *n* carretilla
bartender ['bɑːtendər] *n* camarero, barman
base [beɪs] I *n* 1 base;
II *vtr* basar, fundar [**on, en**]
III *adj (persona)* vil, infame
baseball ['beɪsbɔːl] *n* béisbol
basement ['beɪsmənt] *n* sótano
bash [bæʃ] I *n* 1 *(golpe fuerte)* golpetazo 2 *(resultado de un golpe)* bollo, abolladura
II *vtr* golpear
bashful ['bæʃfəl] *adj* tímido,-a
basic ['beɪsɪk] I *adj* 1 *(concepto, necesidad)* básico,-a 2 *Jur Pol (derecho)* fundamental 3 *(sin lujo)* sencillo,-a 4 *(imprescindible)* básico
II *npl* **basics,** lo fundamental
basil ['beɪzəl] *n* Bot albahaca
basin ['beɪsən] *n* 1 *(recipiente)* cuenco 2 *(para*

lavarse)* palangana; *(para fregar)* barreño; *(en cuarto de baño)* lavabo 3 *Geog* cuenca
basis ['beɪsɪs] *n* (pl bases ['beɪsiːz]) base; **on the basis of,** sobre la base de
basket ['bæskɪt] *n* cesta, cesto
basketball ['bæskɪtbɔːl] *n* baloncesto
Basque ['bæsk] I *adj* vasco,-a
II *n* 1 *(persona)* vasco,-a 2 *(idioma)* vasco, euskera
Basque Country *n* País Vasco, Euskadi
bass[1] [bæs] *n inv Zool (de mar)* lubina
bass[2] [beɪs] I *n* 1 *Mús (cantante)* bajo 2 *Mús (instrumento)* **(double) bass,** contrabajo
II *adj Mús* bajo,-a
bassinet [bæsɪ'net] *n* cuna para bebé recién nacido
bassoon [bə'suːn] *n (Mús)* fagot
bastard ['bæstərd] *n* 1 bastardo, -a
bat [bæt] I *n* 1 *Dep (en críquet, béisbol)* bate; *(en pimpón)* pala 2 *Zool* murciélago
II *vi (críquet, béisbol)* batear
batch [bætʃ] *n* 1 *(de gente, de pan)* tanda 2 *(de mercancías)* lote
bath [bæːθ] I *n* 1 *(proceso)* baño; **to have o take a bath,** bañarse (en la bañera) 2 *(tina)* bañera
II *vtr* bañar
III *vi* bañarse
bathe [beɪð] I *vi* bañarse (en el mar, la piscina)
II *vtr (una herida)* lavar
bathrobe ['bæːθrəʊb] *n* albornoz
bathroom ['bæːθruːm] *n* cuarto de baño
battalion [bə'tæljən] *n* batallón
batter ['bædər] I *vtr* 1 apalear, golpear; *(a una mujer, un niño)* maltratar 2 *Culin* rebozar
II *n* 1 *Culin* pasta *(para rebozar)* 2 *Dep (en béisbol)* bateador,-ora
battered ['bædərd] *adj* 1 *(coche)* abollado,-a 2 *(persona)* maltratado,-a 3 *Culin* rebozado,-a
battery ['bædəri] *n (para linterna, radio)* pila; *Auto* batería
battle ['bædəl] I *n* Mil batalla
II *vi* luchar
battlecry ['bædəlkraɪ] *n* 1 grito de guerra 2 *fig* lema
battlefield ['bædəlfiːld] *n* campo de batalla
battleship ['bædəlʃɪp] *n* acorazado
bawl [bɔːl] *vi* gritar, chillar
bay [beɪ] I *n* 1 *Geog* bahía; *(grande)* golfo 2 *Arquit* hueco, entrante 3 *(espacio reservado)* **loading bay,** muelle de carga; **parking bay,** plaza de aparcamiento 4 *Bot* laurel
BBC [biːbiːˈsiː] *(abr de British Broadcasting Corporation)* compañía británica de radiodifusión, BBC
BC [biːˈsiː] *(abr de before Christ)* antes de Cristo, a. C.

be [biː] I *vi* 1 ser: **she is (she's) very smart,** es muy lista; **this book is very good,** este libro es buenísimo 2 *(con la fecha, hora)* **it's the 10ᵗʰ of February,** es el 10 de febrero; **it's six o'clock,** son las seis 3 *(profesión)* ser: **he's a doctor,** es médico 4 *(nacionalidad, origen, propiedad)* ser: **I'm English,** soy inglés; **this is mine,** esto es mío; **this book is by Dickens,** este libro es de Dickens 5 costar, ser: **how much is a newspaper?,** ¿cuánto cuesta un periódico?; **how much is it?,** ¿cuánto es? 6 *(condición)* estar: **how are you?,** ¿cómo estás?; **he was angry,** estaba enfadado; **this room is dirty,** esta habitación está sucia; **my wife is ill,** mi mujer está enferma 7 *(lugar)* estar: **Seattle is five thousand kilometers from Boston,** Seattle está a cinco mil kilómetros de Boston 8 tener: **she is twenty (years old),** tiene veinte años; **to be cold/afraid/hungry/ lucky,** tener frío/miedo/hambre/suerte; **to be in a hurry,** tener prisa: **I can't stop, I'm in a hurry,** no puedo entretenerme, tengo prisa 9 tardar: **I won't be long,** no tardaré mucho 10 *(en tiempos perfectos)* ir, estar: **have you ever been to Rome?,** ¿has estado alguna vez en Roma? 11 *(existir)* haber: **there were ten of them,** eran diez 12 *(tiempo)* **it's cold/hot,** hace frío/calor; **it's sunny,** hay sol
II *v aux* 1 *(con participio presente)* estar: **they are waiting for a friend,** están esperando a un amigo; **I was eating,** estaba comiendo, comía; *(referente al futuro)* **we are coming back tomorrow,** volvemos mañana; **have you been waiting for long?,** ¿hace mucho que estáis esperando? 2 *(en voz pasiva)* ser: **the house was demolished,** la casa fue derribada; **the company was founded in 1856,** la empresa se fundó en 1856 3 *(obligación)* **nobody is to leave until the police arrive,** nadie puede salir hasta que llegue la policía 4 *(en las coletillas)* **this isn't yours, is it?,** esto no es tuyo, ¿verdad?; **look, it's snowing!, – so it is!,** ¡mira, está nevando!, – ¡sí, es verdad!

beach [biːtʃ] I *n* playa

bead [biːd] *n* 1 cuenta, abalorio

beak [biːk] *n* 1 *(de pájaro)* pico

beam [biːm] I *n* 1 *Arquit* viga 2 *(de luz)* rayo 3 *Gimn* barra fija
II *vi* 1 *(Sol)* brillar 2 sonreír (abiertamente)

bean [biːn] *n* 1 *Bot Culin* 1 *(secas)* alubia, judía, *LAm* frijol 2 *(frescas, en vaina)* **broad bean,** haba; **green bean,** judía verde, *LAm* ejote, habichuela 3 *(de café)* grano

beansprouts [biːnspraʊt] *npl Culin* brotes de soja

bear¹ [ber] *(ps* **bore,** *pp* **borne)** I *vtr* 1 *frml* portar, llevar; **to bear sthg in mind,** tener algo presente 2 tener, llevar; **to bear a**

resemblance to, parecerse a 3 *(peso)* aguantar 4 aguantar 5 *(fruta)* dar 6 *(gastos)* correr con 7 *Fin (interés)* devengar 8 *(pp born)* (solo en voz pasiva) to be born, nacer [of, de]
II *vi* torcer, girar; **to bear left/right,** girar a la izquierda/derecha
■ **bear out** *vtr* corroborar

bear² [ber] *n Zool* oso

beard [bɪərd] *n* barba

bearer ['berər] *n* 1 *(de noticias, de un cheque)* portador,-ora 2 *(de pasaporte, puesto)* titular

bearing ['berɪŋ] *n* 1 relación; **to have a bearing on sthg,** tener relación con algo 2 *(aspecto, prestancia)* porte 3 *Náut fig (usu pl)* marcación; **to get one's bearings,** orientarse

beast [biːst] *n* 1 bestia

beat [biːt] I *vtr (ps* **beat;** *pp* **beaten** ['biːtən]) 1 *(persona)* pegar, golpear; *(lluvia)* golpear; *(una alfombra)* sacudir; *(tambor)* tocar 2 *Mil Dep* ganarle a, batir; *(un récord)* superar 3 *Culin* batir 4 *Mús (compás)* marcar
II *vi* 1 *(corazón)* latir 2 dar golpes
III *n* 1 *(de corazón)* latido 2 *Mús* ritmo, compás 3 *(de policía)* ronda
IV *adj fam* agotado,-a: **I'm beat,** estoy hecho polvo
■ **beat down** I *vi (sol)* pegar fuerte
II *vtr* 1 *(lluvia)* pegar fuerte 2 *(el precio)* regatear
■ **beat up** *vtr* dar una paliza a

beating ['biːtɪŋ] *n (golpes, derrota)* paliza

beautician [bjuːˈtɪʃən] *n* esteticista

beautiful ['bjuːtɪfəl] *adj* 1 hermoso,-a, bello,-a, guapo,-a 2 *(comida)* delicioso,-a 3 *(tiempo)* estupendo,-a

beauty ['bjuːdɪ] *n* 1 *(atributo)* belleza, hermosura 2 *(mujer)* belleza 3 *fam* lo bueno

beauty spot *n (en el cuerpo)* lunar; *(lugar)* sitio pintoresco

beaver ['biːvər] *n Zool* castor

bebop [bibap] *n Mús* estilo de jazz muy rítmico

became [bɪˈkeɪm] *ps →* **become**

because [bɪˈkɒz] I *conj* porque
II *prep* **because of,** a causa de, debido a

beckon ['bekən] *vtr & vi* llamar por señas [to, a]

become [bɪˈkʌm] *vi* 1 *(profesiones, etc)* hacerse 2 *(cosas)* convertirse en 3 *(con adjetivo)* volverse, ponerse

becoming [bɪˈkʌmɪŋ] *adj (ropa)* favorecedor,-ora

bed [bed] *n* 1 *(mueble)* cama; **to go to bed,** acostarse 1 *(ir a la cama)*; **to make the bed,** hacer la cama 2 **bed and breakfast (B & B),** *(servicio)* cama y desayuno; *(casa)* ≈ pensión 3 *(de río)* cauce, lecho; *(de mar)* fondo 4 *(de jardín)* macizo

bedbug ['bedbʌg] *n Zool* chinche

bedclothes ['bedklɔːz] *npl*, **bedding** ['bedɪŋ] *n* ropa de cama

bedroom ['bedruːm] *n* dormitorio

bedside ['bedsaɪd] *n fig* cabecera

bedside lamp *n* lámpara de noche

bedside table *n* mesilla de noche

bedspread ['bedspred] *n* colcha, cubrecama

bedtime ['bedtaɪm] *n* hora de acostarse

bee [biː] *n* Zool abeja

beech [biːtʃ] *n* Bot haya

beef [biːf] *n* Culin carne de vaca

beehive ['biːhaɪv] *n* colmena

been [bɪn] *pp* → **be**

beep [biːp] *n* pitido

beer [bɪər] *n* cerveza

beeswax ['biːzwæks] *n* cera de abejas

beet [biːt] *n* Bot remolacha azucarera

beetle ['biːdəl] *n* Zool escarabajo

beetroot ['biːtruːt] *n* → **beet**

before [bɪ'fɔːr] **I** *prep (tiempo)* antes de, antes que
II *conj* 1 *(tiempo)* antes de (que) 2 *anterior*
III *adv* 1 antes 2 anterior

beforehand [bɪ'fɔːrhænd] *adv* antes, de antemano

befriend [bɪ'frend] *vtr* hacerse amigo de

beg [beg] **I** *vtr* 1 *(comida, dinero)* pedir 2 *(favores, etc)* rogar, suplicar
II *vi (dinero, limosna)* mendigar, pedir; *(perro)* pedir

began [bɪ'gæn] *ps* → **begin**

beggar ['begər] *n* mendigo,-a

begin [bɪ'gɪn] *vtr & vi (pt began; pp begun)* 1 empezar, comenzar, empezar a hacer algo; **to begin with...**, *(al principio)* para empezar...

beginner [bɪ'gɪnər] *n* 1 principiante

beginning [bɪ'gɪnɪŋ] *n* 1 principio, comienzo; **in the beginning,** al principio 2 origen, inicio

begonia [bɪ'goʊnjə] *n* Bot begonia

begrudge [bɪ'grʌdʒ] *vtr* tener envidia a

begun [bɪ'gʌn] *pp* > **begin**

behalf [bɪ'hæːf] *n* **on behalf of,** en nombre de, de parte de

behave [bɪ'heɪv] **I** *vi* 1 *(persona)* portarse **[to, towards,** de], comportarse 2 *(máquina)* funcionar
II *vtr* **to behave oneself,** (com)portarse bien

behavior [bɪ'heɪvjər] *n* 1 *(de persona)* comportamiento, conducta 2 *(de máquina)* funcionamiento

behead [bɪ'hed] *vtr* decapitar

behind [bɪ'haɪnd] **I** *prep* 1 detrás de 2 estar atrasado a en/con algo
II *adv (sitio)* detrás, atrás
III *n fam* trasero

beige [beɪʒ] *adj & n* beige

being ['biːɪŋ] *n* 1 ser; **a human being,** un ser humano 2 existencia

belated [bɪ'leɪtɪd] *adj* tardío,-a

belch [beltʃ] **I** *vi (persona)* eructar
II *vtr (humo, llamas)* echar, arrojar
III *n* eructo

belfry ['belfrɪ] *n* campanario

Belgian ['beldʒən] *adj & n* belga

Belgium ['beldʒəm] *n* Bélgica

belief [bɪ'liːf] *n* 1 creencia, opinión: **it was beyond belief,** fue increíble 2 *Rel (creencia)* fe 3 *(en algo, alguien)* confianza [**in,** en]

believe [bɪ'liːv] **I** *vtr* creer
II *vi* Rel creer

believer [bɪ'liːvər] *n* 1 *Rel* creyente 2 partidario,-a [**in,** de]

belittle ['bɪlɪdəl] *vtr* subestimar, infravalorar: **don't belittle yourself,** no te minusvalores

bell [bel] *n* 1 *(de iglesia)* campana; *(pequeña)* campanilla 2 *(eléctrico, de bicicleta)* timbre

belligerent [bɪ'lɪdʒərənt] *adj* agresivo,-a, beligerante

bellow ['beloʊ] *vi* 1 *(animal)* bramar 2 *(persona)* rugir, gritar

bellows ['beloʊz] *npl* fuelle

belly ['belɪ] *n* 1 vientre; *pey (de persona)* barriga 2 *(de animal)* panza

belly button *n fam* ombligo

belong [bɪ'lɒŋ] *vi* 1 pertenecer [**to,** a] 2 *(de un club, etc)* ser socio,-a [**to,** de] 3 *(tener su sitio)* corresponder

belongings [bɪ'lɒŋɪŋz] *npl* pertenencias

beloved [bɪ'lʌvɪd] *adj & n* amado,-a

below [bɪ'loʊ] **I** *prep* 1 *(sitio)* debajo de 2 *(inferior)* **below normal,** por debajo de lo normal
II *adv* abajo: **see below,** véase más abajo

belt [belt] *n* 1 cinturón 2 Téc correa, cinta 3 *(área)* zona

bemused [bɪ'mjuːzd] *adj* perplejo,-a

bench [bentʃ] *n* 1 *(para sentarse)* banco 2 Pol escaño 3 Jur **the Bench,** *(los jueces)* el tribunal 4 Dep banquillo

benchmark ['bentʃmɑːrk] *n* punto de referencia

bend [bend] **I** *vtr (ps & pp bent)* 1 *(metal, madera)* curvar, doblar, torcer; *(espalda, pierna)* doblar; *(cabeza)* inclinar 2 *(pensamientos)* dirigir 3 *fig (la verdad)* **to bend the truth,** distorsionar la verdad; **to bend the rules,** forzar las normas
II *vi* 1 doblarse 2 **to bend (over),** inclinarse
III *n (de carretera, río)* curva; *(de tubería)* codo
■ **bend down** *vi* inclinarse, agacharse

beneath [bɪ'niːθ] **I** *prep frml* bajo, debajo de
II *adv frml* debajo

beneficial [benɪ'fɪʃəl] *adj* beneficioso,-a [**to, para**]

benefit ['benɪfɪt] **I** *vtr* beneficiar
II *vi* beneficiarse, sacar provecho [**by/from,** de]
III *n* 1 ventaja, beneficio 2 prestación social, subsidio 3 *(acto)* función benéfica

benevolence [bɪˈnevələns] n benevolencia

benevolent [bɪˈnevələnt] adj benévolo,-a

benign [bɪˈnaɪn] adj benigno,-a

bent [bent] adj (no recto) curvado-a, torcido-a

bereaved [bɪˈriːvd] npl frml afligido,-a

beret [ˈbereɪ] n boina

berry [ˈberɪ] n Bot baya

berserk [bəˈzɜːk] adj to go berserk, volverse loco,-a

berth [bɜːθ] I n 1 Náut amarradero 2 (camastro) litera
II vi amarrar, atracar

beside [bɪˈsaɪd] prep 1 (próximo a) al lado de, junto a 2 comparado con 3 to be beside oneself, (de rabia) estar fuera de sí

besides [bɪˈsaɪdz] I prep 1 (amén de) además de 2 (salvo) excepto, menos
II adv además

besiege [bɪˈsiːdʒ] vtr sitiar, asediar: the village was besieged for thirty days, el pueblo estuvo sitiado durante treinta días

best [best] I adj (superlativo de good) mejor; **best man** ≈ padrino de boda, (en carta) un saludo; (en un alimento) **best before**, consumir preferentemente antes de
II adv (superlativo de well) mejor
III n lo mejor: **I'll do my best**, haré todo lo posible

bestow [bɪˈstəʊ] vtr frml conceder, otorgar [on, a]

bestseller [besˈselər] n éxito editorial

bestselling [besˈselɪŋ] adj **a best-selling author**, un autor de éxito

bet [bet] I n apuesta
II vtr & (ps & pp bet o betted) apostar
III vi apostar [on, por]

betray [bɪˈtreɪ] vtr 1 (persona, país) traicionar 2 (ser infiel a) engañar 3 (un secreto) revelar, delatar

betrayal [bɪˈtreɪəl] n traición

better [ˈbedər] I adj (comparativo de good) mejor
II adv (comparativo de well) 1 mejor 2 **you had better go home**, deberías irte a casa;
III n, pron 1 mejor (de dos): **the better of the two**, el mejor de los dos 2 **for the better**, para bien: **things changed for the better**, las cosas dieron un giro positivo
◆ LOC: **better off**, mejor: **I'd be better off staying at home**, fro mejor sería que me quedase en casa; **so much the better**, tanto mejor; **the sooner the better**, cuanto antes, mejor

between [bɪˈtwiːn] I prep entre
II adv **in between**, (posición) en medio

beverage [ˈbevərɪdʒ] n bebida

beware [bɪˈwer] vi (sólo en imperativo e infinitivo) tener cuidado [of, con]

bewildered [bɪˈwɪldəd] adj desconcertado,-a

bewitch [bɪˈwɪtʃ] vtr hechizar

beyond [bɪˈjɒnd] I prep 1 (en el espacio) más allá 2 (en el tiempo) **después de**
II adv más allá, más lejos

bias [ˈbaɪəs] n 1 predisposición, tendencia [towards, hacia] 2 prejuicio [against, contra]

biased [ˈbaɪəst] adj parcial, predispuesto,-a [in favor of o towards, a favor de] [against, en contra de]

bib [bɪb] n (para bebé) babero

Bible [ˈbaɪbəl] n Biblia

bibliography [bɪblɪˈɒɡrəfɪ] n bibliografía

bicarbonate [baɪˈkɑːbənɪt] n Quím bicarbonato; Culin Med **bicarbonate of soda**, bicarbonato sódico

biceps [ˈbaɪseps] n bíceps

bicker [ˈbɪkər] vi (como niños) reñir, discutir

bicycle [ˈbaɪsɪkəl] n bicicleta

bid [bɪd] I (ps bid; pp bid) vtr & vi (en subasta) pujar [for, por]
II n 1 (en subasta, etc) oferta, puja 2 intento

bidet [ˈbiːdeɪ] n bidé

bifocals [baɪˈfəʊkəls] npl gafas bifocales

big [bɪɡ] adj (bigger, biggest) 1 gran, grande 2 fam mayor 3 importante 4 famoso

bighead [ˈbɪɡhed] n fam creído,-a

bigot [ˈbɪɡət] n intolerante

bigotry [ˈbɪɡətrɪ] n intolerancia

bike [baɪk] n fam (abr de **bicycle** o **motorbike**) 1 bici 2 moto

bikini [bɪˈkiːnɪ] n bikini

bilateral [baɪˈlætərəl] adj bilateral

bile [baɪl] n Anat bilis

bilingual [baɪˈlɪŋɡwəl] adj bilingüe

bill [bɪl] I n 1 esp (en restaurante) cuenta, nota 2 Com factura, recibo 3 US Fin billete (de banco)
II vtr Com facturar

billboard [ˈbɪlbɔːd] n valla, cartelera

billfold [ˈbɪlfəʊld] n cartera, billetero

billiards [ˈbɪljədz] n billar

billion [ˈbɪljən] n mil millones (10^9)

billionaire [bɪljəˈner] n billonario,-a

bin [ˈbɪn] n 1 (para la basura) cubo; **litter bin**, papelera 2 (para el pan) panera

binary [ˈbaɪnərɪ] adj Mat binario

bind [baɪnd] vtr (ps & pp bound) 1 (con cuerda, etc) atar 2 Med vendar 3 (un libro) encuadernar 4 (contrato) obligar

binder [ˈbaɪndər] n (para archivar) carpeta

binding [ˈbaɪndɪŋ] I adj (contrato) vinculante
II n encuadernación

bingo [ˈbɪŋɡəʊ] n bingo

binoculars [bɪˈnɒkjələrz] npl prismáticos, gemelos

biochemical [baɪəʊˈkemɪkəl] adj bioquímico,-a

biochemist [baɪəʊˈkemɪst] n bioquímico,-a

biochemistry [baɪəʊˈkemɪstrɪ] n bioquímica

biodegradable [baɪəʊdɪˈɡreɪdəbəl] adj biodegradable

biographical [baɪəˈgræfɪkəl] *adj*
biográfico,-a
biography [baɪˈɑgrəfi] *n* biografía
biological [baɪəˈlɑdʒɪkəl] *adj* biológico,-a
biologist [baɪˈɑlədʒɪst] *n* biólogo,-a
biology [baɪˈɑlədʒi] *n* biología
biorhythm [ˈbaɪəʊrɪðəm] *n* biorritmo
biosphere [ˈbaɪəsfɪər] *n* biosfera
bird [bɜrd] *n* pájaro, ave
birdcage [ˈbɜrdkeɪdʒ] *n* jaula
birdseed [ˈbɜrdsiːd] *n* alpiste, comida de
pájaros
bird's eye view [bɜrdzaɪˈvjuː] *n* vista de
pájaro
bird watcher [ˈbɜrdwɑtʃər] *n* ornitólogo,-a
Biro [ˈbaɪrəʊ] *n fam* boli
birth [bɜrθ] *n* 1 nacimiento; *Med* parto; **to
give birth to,** dar a luz a 2 *fig* nacimiento,
origen
birth certificate *n* partida de nacimiento
birth control *n* control de la natalidad
birthday [ˈbɜrθdeɪ] *n* cumpleaños; **happy
birthday!,** ¡feliz cumpleaños!
birthmark [ˈbɜrθmɑrk] *n* antojo
birthplace [ˈbɜrθpleɪs] *n* lugar de
nacimiento
biscuit [ˈbɪskɪt] *n* galleta
bisexual [baɪˈsekʃuəl] *adj* bisexual
bishop [ˈbɪʃəp] *n* 1 *Rel* obispo 2 *Ajedrez* alfil
bison [ˈbaɪsən] *n inv Zool* bisonte
bit¹ [bɪt] *n* 1 trozo, pedazo 2 **a bit of a,**
algo de 3 **bits and pieces,** trastos, cosas 4
(de taladro) broca 5 *Inform* bit 6 *(para un
caballo)* bocado
II *adv* 1 **bit by bit,** poco a poco 2 **a bit,** *(algo
más, ligeramente)* un poco
bit² [bɪt] *ps → bite*
bitch [bɪtʃ] *n* 1 *Zool* perra 2 *vulgar* (mujer
malévola) bruja
bitchy [ˈbɪtʃi] *adj fam* malintencionado,-a
bite [baɪt] I *n* 1 *(acción)* mordisco 2 *(de
animal)* mordisco; *(de insecto, serpiente)*
picadura 3 *(de comida)* bocado, piscolabis 4
(de estilo) mordacidad
II *vtr (ps bit; pp bitten)* morder; *(insecto)*
picar; *(ácido)* corroer
III *vi* 1 morder; *(insecto)* picar 2 *fig (medidas,
etc)* surtir efecto 3 *Pesca* picar
biting [ˈbaɪtɪŋ] *adj* 1 *(viento)* cortante 2
(comentario) mordaz
bitten [ˈbɪtən] *pp → bite*
bitter [ˈbɪtər] *adj* 1 *(sabor, sentimiento)*
amargo,-a 2 *(persona)* amargado,-a,
rencoroso,-a 3 *(enemigo, odio)* implacable 4
(batalla) encarnizado,-a 5 *(tiempo)* glacial 6
(viento) cortante
II *n (bebida)* cerveza amarga
bitterness [ˈbɪtərnɪs] *n* 1 amargura 2 *(de
persona)* rencor 3 *(de batalla)* saña
bittersweet [bɪtərˈswiːt] *adj* agridulce
bitumen [ˈbɪtjʊmɪn] *n* betún

bizarre [bɪˈzɑːr] *adj* 1 rarísimo,-a, extraño,-
a 2 *(persona)* estrafalario,-a, estrambótico,-a
black [blæk] I *adj* 1 *(color)* negro,-a; *(café)*
solo,-a; *(ojo)* morado,-a; 2 *(de raza)* negro,-a
3 oscuro,-a
II *n* 1 *(color)* negro 2 *(persona)* negro,-a
III *adj* 1 ennegrecer 2 *(zapatos)* lustrar 3 *Pol*
boicotear
■ **black out** I *vtr* 1 dejar a oscuras 2
(suprimir) censurar
II *vi (perder el conocimiento)* desmayarse
blackberry [ˈblækbəri] *n Bot* zarzamora
blackboard [ˈblækbɔrd] *n* pizarra
blackcurrant [blækˈkərənt] *n Bot* grosella
negra
blacken [ˈblækən] *vtr* 1 ennegrecer 2 *fig
(difamar)* manchar
blackhead [ˈblækhed] *n (en la piel)* espinilla,
punto negro
blacklist [ˈblæklɪst] *n* lista negra
blackmail [ˈblækmeɪl] I *n* chantaje
II *vtr* chantajear
blackout [ˈblækaʊt] *n* 1 *(de luces)* apagón 2 *TV*
censura 3 desmayo, pérdida de conocimiento
blacksmith [ˈblæksmɪθ] *n* herrero
bladder [ˈblædər] *n Anat* vejiga
blade [bleɪd] *n* 1 *(de cuchillo)* hoja 2 *(de
máquina)* cuchilla 3 *(de hierba)* brizna 4 *Lit*
espada
blame [bleɪm] I *n* culpa; **to bear** *o* **take the
blame,** asumir la responsabilidad [**for,** de];
to lay *o* **put the blame on sb,** culpar a
alguien [**for,** de]
II *vtr* echar la culpa
blameless [ˈbleɪmlɪs] *adj* 1 *(persona)*
inocente 2 *(acción)* intachable
blank [blæŋk] I *adj* 1 *(papel)* en blanco 2
(cinta) virgen
blanket [ˈblæŋkɪt] I *n* 1 manta 2 *fig* capa
II *adj* general
blare [bler] *vi* sonar muy fuerte
blasphemous [ˈblæsfɪməs] *adj* blasfemo,-a
blasphemy [ˈblæsfɪmi] *n* blasfemia
blast [blæst] I *n* 1 explosión 2 onda
expansiva
II *vtr* 1 *(hacer saltar)* volar 2 arremeter contra
blasted [ˈblæstɪd] *adj* maldito,-a
blast-furnace [ˈblæstfɜrnɪs] *n* alto horno
blast-off [ˈblæstɒf] *n Astronáut* despegue
blatant [ˈbleɪtnt] *adj* 1 *(incompetencia)*
evidente 2 *(mentira, corrupción)* descarado,-a
blaze [bleɪz] *n* incendio, llamarada
II *vi* 1 *(incendio)* arder 2 *(Sol, luz)* brillar
blazer [ˈbleɪzər] *n* americana, chaqueta
bleach [bliːtʃ] I *n* lejía
II *vtr* 1 *(quitar color)* blanquear 2 *(pelo)*
aclarar, teñir de rubio
III *vi* decolorarse, blanquearse
bleak [bliːk] *adj* 1 *(paisaje)* inhóspito,-a 2
(casa) lóbrego,-a 3 *(futuro)* deprimente 4
(futuro) sombrío,-a

bleary ['bliəri] adj (blearier, bleariest) (ojos) legañoso,-a

bleary-eyed ['bliəri'aid] adj con los ojos legañosos o llorosos

bleat [bli:t] I n balido
II vi (oveja, cabra) balar

bled [bled] ps & pp → **bleed**

bleed [bli:d] vi (ps & pp **bled**) sangrar

bleeding ['bli:diŋ] I n (sangría) pérdida de sangre
II adj Med sangrante

bleep [bli:p] I n bip, pitido
II vi pitar

bleeper ['bli:pər] n fam busca, buscapersonas

blemish ['blemiʃ] n (en la piel) imperfección, mancha

blend [blend] I n mezcla
II vtr combinar, mezclar
III vi (colores, sabores) armonizar, encajar

blender ['blendər] n Culin batidora

bless [bles] vtr (ps & pp **blessed** o **blest**) bendecir ◆ LOC: excl bless you!, (al estornudar) ¡Jesús!

blessing ['blesiŋ] n bendición

blew [blu:] ps → **blow**

blind ['blaind] I adj 1 (invidente) ciego,-a; to go blind, quedarse ciego,-a; blind in one eye, tuerto,-a fig (incondicional fe, rabia) ciego,-a
II n 1 persiana, toldo 2 the blind pl, los ciegos
III vtr 1 Med cegar

blind alley n callejón sin salida

blindfold ['blaindfold] I n venda
II vtr vendar los ojos a

blinding ['blaindiŋ] adj cegador,-ora, deslumbrante

blindly ['blaindli] adv a ciegas, ciegamente

blindness ['blaindnis] n ceguera

blink [bliŋk] I vi 1 (ojos) parpadear 2 (luces) parpadear, titilar
II vi guiñar
III n parpadeo

blinkers ['bliŋkərz] npl 1 (para caballo) anteojeras 2 Auto intermitentes

bliss [blis] n felicidad, éxtasis

blister ['blistər] n ampolla

blistering ['blistəriŋ] adj (calor) abrasador,-ora

blitz [blits] I n bombardeo aéreo
II vtr bombardear

blizzard ['blizərd] n ventisca

bloated ['bloudid] adj hinchado,-a [with, de]

blob [blɒb] n 1 (de líquido viscoso) gota 2 (en la reputación, etc) mancha, tacha

bloc [blɒk] n Pol bloque

block [blɒk] I n 1 bloque 2 (de pisos) bloque, edificio 3 (de edificios) manzana 4 obstáculo, bloqueo 5 Fin (de acciones) paquete
II vtr 1 (bloquear) obstruir 2 Dep obstaculizar 3 Fin Pol bloquear

block up vtr obstruir

blockade [blɒ'keid] n bloqueo

blockage ['blɒkidʒ] n bloqueo, obstrucción

blockbuster ['blɒkbʌstər] n fam 1 (película) gran éxito de taquilla 2 (libro) éxito de ventas

blond, blonde [blɒnd] adj & n rubio, rubia

blood [blʌd] n sangre; bad blood, mala uva; in cold blood, a sangre fría

blood bank n banco de sangre

bloodbath ['blʌdbæːθ] n fig carnicería, baño de sangre

bloodcurdling ['blʌdkərdliŋ] adj espeluznante

bloodhound ['blʌdhaund] n sabueso

bloodshed ['blʌdʃed] n derramamiento de sangre

bloodshot ['blʌdʃɒt] adj inyectado,-a de sangre

bloody ['blʌdi] I adj (bloodier, bloodiest) 1 manchado,-a de sangre 2 (batalla) sangriento,-a 3 vulgar maldito,-a, puñetero,-a
II adv vulgar extremadamente

bloom [blu:m] I n frml flor; in full bloom, en flor
II vi (plantas) florecer

blooming ['blu:miŋ] adj (en plena flor) floreciente

blossom ['blɒsəm] I n Bot flor de árbol frutal
II vi Bot florecer

blot [blɒt] I n mancha
II vtr emborronar

blot out vtr 1 (una vista) ocultar, tapar 2 (un recuerdo) borrar

blotch [blɒtʃ] n mancha, rojez

blotchy ['blɒtʃi] adj (piel, etc) enrojecido,-a 2 (superficie) con manchas

blouse [blaus] n Indum 1 (de mujer) blusa 2 (de trabajo) guardapolvo

blow [blou] I n 1 golpe; to strike a blow, asestar un golpe (tb fig); a blow-by-blow account, una narración pormenorizada 2 desgracia; a terrible blow, un duro golpe [to, para]
II vi (ps **blew**, pp **blown**) 1 (viento) soplar 2 Elec (los plomos) fundirse 3 Auto (un neumático) reventar 4 (una sirena) sonar
III vtr 1 (un barco, las hojas) llevar 2 (instrumento, bocina) tocar 3 (un beso) mandar 4 (la nariz) sonarse 5 Elec (los plomos) fundir 6 fam (el dinero) despilfarrar 7 fam (una oportunidad) desperdiciar 8 (a causa de una explosión) volar

blow away → **blow off**

blow down vtr derribar: the strong winds blew down the palm trees, el vendaval derribó las palmeras

blow in vtr, visitar inadvertidamente, aparecerse de visita

blow off I vtr (por el viento) llevarse

II *vi (un sombrero, etc)* salir volando
■ **blow out** I *vtr* apagar
■ **blow over** I *vtr (por la fuerza del viento)* derribar
II *vi* calmarse
■ **blow up** I *vtr* 1 *(un edificio)* volar 2 *(un neumático, etc)* inflar 3 *Fot* ampliar
II *vi* estallar, explotar

blowlamp ['bloʊlæmp] *n* soplete

blown [bloʊn] *pp* → **blow**

blowout ['bloʊaʊt] *n Auto* reventón

blowup ['bloʊʌp] *n* 1 *Fot* ampliación 2 discusión violenta, explosión

blue [bluː] I *adj* 1 *(color)* azul 2 *(melancólico)* *fam* triste, deprimido,-a 3 *(obsceno)* verde; **blue joke,** chiste verde; **blue film,** película pornográfica
II *n (color)* azul

blueberry ['bluːberɪ] *n Bot* arándano

blueprint ['bluːprɪnt] *n* anteproyecto [for, de]

blues [bluːz] *n* 1 *Mús* **the blues,** el blues 2 *fam* tristeza, melancolía

bluff [blʌf] I *n (trampa)* farol
II *adj (persona)* directo,-a
III *vi* tirarse un farol

blunder ['blʌndər] I *n* error garrafal
II *vi* 1 meter la pata, equivocarse [into, con] 2 tropezar [into, con]

blunt [blʌnt] I *adj* 1 *(cuchillo)* sin filo, desafilado,-a; *(lápiz)* despuntado,-a 2 *(persona)* abrupto,-a, directo,-a 3 *(declaración)* brusco,-a, tajante; **to be blunt,** hablar con franqueza, sin rodeos
II *vtr (un lápiz)* despuntar; *(un cuchillo)* desafilar

bluntly ['blʌntlɪ] *adv* francamente, sin rodeos

blur [blɜr] I *n* imagen borrosa
II *vtr & vi (una imagen)* hacer/poner borroso,-a

blurred [blɜrd] *adj* borroso,-a

blush [blʌʃ] I *n* rubor
II *vi* ruborizarse

blusher ['blʌʃər] *n* colorete

boar [bɔːr] *n* verraco; **wild boar,** jabalí

board [bɔrd] I *n* 1 *(de madera)* tabla, tablero; *Culin* **chopping board,** tabla de cortar 2 **notice board,** tablón de anuncios 3 *(del colegio)* pizarra 4 *Dep* trampolín; **scoreboard,** marcador; **surfboard,** tabla de surf; *(para juegos)* tablero 5 *(alojamiento)* pensión; **room and board,** alojamiento y comidas; 6 *Com* junta, consejo 7 *Náut* **on board,** a bordo 8 *fig* **above board,** en regla
II *vtr (barco, avión, etc)* embarcarse en, subir a
III *vi* 1 embarcar 2 *(vivir)* alojarse [with, con] 3 *(en un colegio)* estar interno,-a

boarder ['bɔrdər] *n* 1 *(en pensión)* huésped(a) 2 *(en un colegio)* interno,-a

boarding ['bɔrdɪŋ] *n* 1 *Náut Av* embarque 2 *(vivienda)* alojamiento, pensión

boarding card/pass *n Náut Av* tarjeta de embarque

boarding house *n* pensión, casa de huéspedes

boarding school *n* internado

boast [boʊst] I *n* presunción, alarde
II *vi* presumir, jactarse [about, de]
III *vtr* ostentar, disponer de

boastful ['boʊstfəl] *adj* fanfarrón,-ona

boat [boʊt] *n* 1 barco; *(pequeño)* barca

boatyard ['boʊtjɑrd] *n* astillero

bodily ['bɑdɪlɪ] *adj* físico,-a; **bodily needs,** necesidades físicas

body ['bɑdɪ] *n* 1 cuerpo 2 *(muerto)* cadáver 3 parte principal 4 *Auto* carrocería 5 *Com (ente)* organismo, entidad

bodybuilding ['bɑdɪbɪldɪŋ] *n* culturismo

bodyguard ['bɑdɪgɑrd] *n* guardaespaldas

bodywork ['bɑdɪwɜrk] *n Auto* carrocería

bog [bɑg] *n* ciénaga

bogus ['boʊgəs] *adj* falso,-a

bohemian [boʊˈhiːmɪən] *adj* bohemio

boil ['bɔɪl] I *n* **to bring to the boil,** llevar a ebullición
II *vtr (agua)* hervir; *(alimentos)* cocer
III *vi* 1 hervir 2 *fig* **to boil with anger,** estar furioso,-a
■ **boil down** *vi* reducirse [to, a]
■ **boil over** *vi (leche)* salirse

boiler ['bɔɪlər] *n* caldera

boiling ['bɔɪlɪŋ] *adj* 1 hirviendo 2 muy caliente

boiling point *n* punto de ebullición

boisterous ['bɔɪstərəs] *adj (persona, reunión, etc)* bullicioso,-a

bold [boʊld] *adj* 1 valiente 2 audaz 3 *pey* descara- do,-a

boldness ['boʊldnɪs] *n* audacia, osadía

Bolivia [bəˈlɪvɪə] *n* Bolivia

Bolivian [bəˈlɪvɪən] *adj & n* boliviano,-a

bolster ['boʊlstər] I *n* almohada, cabezal
II *vtr* 1 *(dar fuerza)* reforzar 2 *(sostener)* apoyar

bolt [boʊlt] I *n* 1 *(de una puerta)* cerrojo 2 *Téc* perno, tornillo 3 **bolt of lightning,** rayo, relámpago 4 fuga precipitada
II *vtr* 1 *(una puerta, etc)* cerrar con cerrojo 2 *Téc* atornillar
III *vi* 1 *(una persona)* irse corriendo 2 *(un caballo)* desbocarse

bomb [bɑːm] I *n* 1 bomba
II *vtr (una ciudad, etc)* bombardear

bombardment [bʌmˈbɑrdmənt] *n* bombardeo

bombastic [bʌmˈbæstɪk] *adj* rimbombante

bomber ['bɑmər] *n* 1 *Av* bombardero 2 persona que coloca bombas

bombing ['bɑmɪŋ] *n* bombardeo

bombshell ['bɑmʃel] *n* 1 *Mil* obús 2 sorpresa

bond [bɑnd] I *n (entre personas, cosas)* lazo, vínculo

II *vtr* (*unir*) pegar

bondage ['bɒndɪdʒ] *n* esclavitud

bone ['boʊn] *n* 1 hueso; (*de pescado*) espina 2 *fig* **the bare bones**, el meollo

bone-dry [boʊn'draɪ] *adj* totalmente seco,-a

bonfire ['bɒnfaɪər] *n* hoguera, fogata

bonnet ['bɒnɪt] *n* (*de niño*) gorro, capota

bonus ['boʊnəs] *n* 1 (*sueldo*) prima 2 ventaja 3 *Com* oferta especial

bony ['boʊni] *adj* (*bonier, boniest*) 1 (*persona*) huesudo,-a

boo [buː] I *excl* ¡bu!
II *n* abucheo
III *vtr* abuchear

booby trap *n* trampa, bomba trampa

book [bʊk] I *n* 1 libro; **note book, savings book**, cuaderno, libreta de ahorros 2 reglas; **according to** *o* **by the book**, al pie de la letra 3 *Com* **the books** *pl*, las cuentas
II *vtr* 1 (*una mesa, un hotel, vuelo*) reservar 2 (*persona*) contratar 3 *fam* (*por infracciones de tráfico*) multar 4 *Dep* amonestar 5 contabilizar
III *vi* reservar

bookcase ['bʊkkeɪs] *n* librería, estantería

booking ['bʊkɪŋ] *n* *esp* 1 (*hotel, viaje, etc*) reserva 2 (*en una estación*) **booking office**, taquilla 3 *Dep* amonestación 4 (*actuación*) compromiso

booklet ['bʊklɪt] *n* folleto

bookmaker ['bʊkmeɪkər] *n* corredor,-ora de apuestas

bookseller ['bʊksɛlər] *n* librero,-a

bookshelf ['bʊkʃɛlf] *n* estante

bookshop ['bʊkʃɒp] *n* librería

bookstore ['bʊkstɔːr] *n* *US* librería

bookworm ['bʊkwɜːrm] *n* *fam* ratón de biblioteca

boom [buːm] I *n* 1 *Econ* boom, prosperidad repentina 2 (*ruido*) estruendo, trueno
II *vi* 1 estar en auge 2 (*sonido*) retumbar

boomerang ['buːməræŋ] *n* bumerán

boost [buːst] I *n* estímulo, empuje
II *vtr* 1 empujar hacia arriba; (*los beneficios, precios*) aumentar 2 (*la moral*) levantar 3 (*el turismo, las exportaciones, etc*) fomentar

boot [buːt] I *n* 1 *Inform* arranque 2 *Indum* bota
II *vtr* *fam* 1 *Ftb* (*balón*) chutar 2 *Inform* arrancar

booth [buːθ] *n* 1 (*de votación, teléfono, etc*) cabina; **photo booth**, fotomatón 2 (*en una verbena*) caseta

booze [buːz] *fam* I *n* *fam* (*en general*) bebida alcohólica
II *vi* beber mucho

border ['bɔːrdər] I *n* 1 borde 2 *Cos* ribete 3 (*jardín*) arriate 4 *Pol* frontera
II *vtr* 1 rodear 2 *Cos* ribetear
■ **border on** *vtr Geog* lindar con

borderline ['bɔːrdərlaɪn] I *n* 1 línea divisoria 2 *Pol* línea fronteriza

II *adj* (*en la frontera*) fronterizo,-a

bore[^1] [bɔːr] I *vtr* 1 aburrir
II *n* 1 (*persona*) pesado,-a, pelma 2 (*cosa*) lata, rollo 3 *Téc* (*agujero*) taladro

bore[^2] [bɔːr] *ps* → **bear**[^1]

bored [bɔːrd] *adj* aburrido,-a; **to be bored (stiff)**, aburrirse *o* estar aburrido,-a

boredom ['bɔːrdəm] *n* aburrimiento

boring[^1] ['bɔːrɪŋ] *adj* (*libro, película*) aburrido,-a; **to be boring**, ser aburrido,-a

born [bɔːrn] I *pp* → **bear**[^1]; **to be born**, nacer
II *adj* (*con una habilidad natural*) nato,-a; **he's a born leader**, es un líder nato

borough ['bʌroʊ] *n* municipio

borrow ['bɒroʊ] *vtr* 1 pedir *o* tomar prestado [**from,** a] 2 (*ideas, etc*) adoptar, apropiarse

bosom ['bʊzəm] *n* 1 *frml* (*general*) pecho 2 *fig* seno

boss [bɒs] *n fam* 1 jefe,-a
■ **boss around** *vtr* dar órdenes a

bossy ['bɒsi] *adj* (*bossier, bossiest*) *fam* mandón,-ona

botanical [bə'tænɪk(ə)l] *adj Bot* botánico,-a

botany ['bɒtəni] *n Bot* botánica

botch [bɒtʃ] *fam* I *n* chapuza, chapucería
II *vtr* (*trabajo*) chapucear

both [boʊθ] I *adj* ambos,-as, los/las dos
II *pron* ambos,-as
III *conj* 1 **both David and his wife speak Spanish**, tanto David como su mujer hablan español

bother ['bɒðər] I *vtr* 1 (*incomodar*) molestar 2 (*causar molestias a*) dar la lata a 3 preocupar
II *vi* 1 preocuparse [**about,** por] 2 molestarse
III *n* molestia, lata

bottle ['bɒt(ə)l] I *n* botella; (*de medicina, perfume, tinta*) frasco; (*vacío*) envase; (*para bebé*) biberón
II *vtr* 1 (*vino*) embotellar 2 (*fruta*) envasar

bottle bank *n* contenedor de vidrio

bottled ['bɒt(ə)ld] *adj* (*vino, cerveza*) embotellado,-a

bottle-fed ['bɒt(ə)lfɛd] *adj* alimentado,-a con biberón

bottle-green ['bɒt(ə)lgriːn] *adj* verde botella

bottom ['bɒtəm] I *n* 1 parte inferior 2 (*de un río, una calle, caja, escenario, etc*) fondo 3 (*de una escalera, colina, página*) pie 4 *fam* (*de una persona*) trasero, nalgas 5 **at the bottom of the list**, al final de la lista
II *adj* 1 (*posición*) más bajo,-a, de abajo 2 (*en orden*) último,-a
■ **bottom out** *vi Fin* tocar fondo

bottomless ['bɒtəmlɪs] *adj* 1 (*pozo*) sin fondo 2 (*misterio*) insondable

bottom line *n Fin fig*, resultado final

bough [baʊ] *n* rama

bought [bɔːt] *ps & pp* → **buy**

boulder ['boʊldər] *n* pedrusco

bounce [bauns] **I** *vi* **1** *(un balón)* rebotar **2** *fam (un cheque)* ser incobrable

bouncer ['baunsər] *n fam (de una discoteca, un club)* gorila

bound ['baund] **I 1** *ps & pp* → **bind 2** *(con cuerdas)* atado,-a **3 bound (up)**, vinculado,-a [**with**, a] **4** *(libro)* encuadernado,-a **5** obligado,-a **6** destinado,-a: **they were bound to lose**, estaban destinados a perder; *fig* **it's bound to rain**, seguro que va a llover **II** *n* **1** salto, brinco **2 bounds** *pl*, límites; *(letrero)* **out of bounds**, prohibida la entrada **III** *vi* dar un salto

boundary ['baundri] *n* **1** límite **2** frontera

boundless ['baundlis] *adj* ilimitado,-a

bouquet [buː'kei, bou'kei] *n* **1** *(de flores)* ramillete **2** [buː'kei] *(de vino)* aroma, buqué

bourgeois ['buərʒwaː] *adj & n* burgués,-esa

bourgeoisie ['buərʒwaː'ʒiː] *n* burguesía

bout [baut] *n* **1** *Boxeo* combate **2** *(enfermedad)* ataque

bow¹ [bau] **I** *vi* **1** inclinarse; *Teat* saludar **2** *fig* **to bow to sb/sthg**, reconocer la superioridad de alguien/ algo **II** *vtr (la cabeza)* inclinar; *(por vergüenza)* bajar **III** *n* **1** *(con la cabeza, el cuerpo)* reverencia, saludo: **take a bow!**, ¡sal a recibir los aplausos! **2** *Náut (a menudo pl)* proa
■ **bow out** *vi* retirarse [**of**, de]: **he bowed out of politics when he reached 70**, se retiró de la política cuando cumplió los setenta

bow² [bou] *n* **1** *Dep Mús* arco **2** *(nudo)* lazo

bowel ['bauəl] *n Anat* **1** intestino **2** *fig* **bowels** *pl*, entrañas

bowl¹ ['boul] *n* **1** *Culin* bol, cuenco, tazón **2** *(para lavar)* palangana, barreño **1** *(de WC)* taza **2** *Geol* cuenca

bowl² ['boul] **I** *n Dep* bola **II** *vi Dep* jugar a los bolos

bowler ['boulər] *n (sombrero)* bombín

bowling ['boulıŋ] *n Dep* bolos

bowling alley *n* bolera

bow tie *n* pajarita

box¹ [baks] *n* **1** caja; *(grande)* cajón; **musical box**, caja de música **2** *(en un formulario)* casilla, recuadro **3** *Jur* (witness) **box**, estrado de los testigos **4** *Teat* palco **5 II** *vtr (poner en una caja)* embalar

box² [baks] *Dep vi* boxear

boxer ['baksər] *n* **1** *Dep* boxeador **2** *(perro)* bóxer

boxing ['baksıŋ] *n* boxeo

box office *n* taquilla

boxroom ['baksruːm] *n* trastero

boy [bɔi] *n* **1** *(muy joven)* niño; *(chico)* joven **2** hijo **3 the boys** *pl*, los amigos, la pandilla **4** *excl* **(oh) boy!**, ¡madre mía!

boycott ['bɔikat] **I** *n* boicot **II** *vtr* boicotear

boyfriend ['bɔifrend] *n* amigo, novio

boyhood ['bɔihud] *n* niñez, juventud

boyish ['bɔiiʃ] *adj* **1** *(por edad)* juvenil **2** *(por sexo)* de muchacho: **he has a boyish grin**, tiene una sonrisa de un chiquillo

bracelet ['breislit] *n* pulsera, brazalete

bracket ['brækit] **I** *n* **1** *Tip* paréntesis **in brackets**, entre paréntesis **2** soporte; *(para estantes)* repisa **3** *(división)* grupo, sector **II** *vtr* **1** *Tip* poner entre paréntesis **2** agrupar [**with**, con]

brag ['bræg] *vi* jactarse, presumir [**about**, de]

braid [breid] **I** *vtr* trenzar **II** *n* **1** *Cos* galón **2** *esp US (pelo)* trenza

brain ['brein] *n* **1** *Anat* cerebro **2** *fam* **brains** *pl*, inteligencia; cerebro **3** *Culin* **brains** *pl*, sesos

brainchild ['breintʃaild] *n* invento, creación

brainless ['breinlis] *adj* descerebrado,-a

brainwash ['breinwaʃ] *vtr* lavarle el cerebro a

brainwashing ['breinwaʃıŋ] *n* lavado de cerebro

brake [breik] **I** *n Auto (tb pl)* freno; **hand brake**, freno de mano **II** *vi* frenar, echar el freno

bramble ['bræmbəl] *n* zarza, zarzamora

bran [bræn] *n* salvado

branch [bræntʃ] *n* **1** *(de un árbol, la ciencia)* rama **2** *Ferroc* ramal; *(carretera)* bifurcación **3** *Com* sucursal
II *vi (carretera)* bifurcarse
■ **branch off** *vi* desviarse
■ **branch out** *vi* **1** *(empresa)* diversificarse **2** *(persona)* **to branch out on one's own**, empezar a trabajar por cuenta propia

brand [brænd] **I** *n* **1** *Com* marca **2** *(clase)* tipo **II** *vtr* **1** *(al ganado)* marcar **2** *(a una persona)* tildar

brandish ['brændiʃ] *vtr* blandir

brand-new [brænd'nuː] *adj* completamente nuevo,-a

brandy ['brændi] *n* coñac, brandy

brash [bræʃ] *adj* **1** descarado,-a **2** hortera, chillón, -ona

brass [bræs] *n* **1** latón **2** *Mús* instrumentos de metal

brass band *n* banda de música

brassiere ['bræziər] *n (prenda interior)* sostén, sujetador

brat [bræt] *n fam* mocoso,-a

bravado [brə'vaːdou] *n* bravuconería

brave ['breiv] **I** *adj* valiente **II** *vtr (un peligro)* desafiar

bravery ['breivəri] *n* valentía, valor

bravo [braː'vou] *excl* ¡bravo!

brawl [brɔːl] **I** *n* reyerta **II** *vi* pelearse

brawn [brɔːn] *n* **1** fuerza física

bray [brei] **I** *n* rebuzno **II** *vi* rebuznar

brazen ['breɪzən] adj descarado,-a

Brazil [brə'zɪl] n Brasil

Brazilian [brə'zɪlɪən] adj brasileño,-a

breach ['briːtʃ] I n 1 brecha, grieta 2 *(de la ley)* incumplimiento
II *vtr* incumplir

bread ['bred] n 1 pan; **a loaf of bread,** una barra de pan; **a slice of bread,** una rebanada de pan; **white/brown bread,** pan blanco/integral

breadcrumbs ['bredkrʌmz] *npl* 1 migas 2 *Culin* pan rallado

breadth ['bredθ] n 1 *frml (de un lado a otro)* anchura; **a mile in breadth,** una milla de ancho 2 *(superficie)* amplitud

breadwinner ['bredwɪnər] n sostén de familia

break [breɪk] I n 1 rotura, grieta 2 *Med* fractura 3 pausa, interrupció 4 descanso, vacaciones 5 *(de relaciones)* ruptura 6 **break of day,** amanecer 7 oportunidad; **give me a break,** dame un respiro
II *vi (ps broke; pp broken)* 1 romperse 2 *(máquina, etc)* averiarse, estropearse 3 descansar, parar 4 *(voz) (por la pubertad)* mudar; *(por la emoción)* quebrar 5 *(noticias)* hacerse público 6 *(día)* amanecer 7 *(tormenta)* desatarse 8 *(ola)* romper
III *vtr* 1 romper 2 *(una máquina)* estropear, romper 3 *(una promesa, ley)* incumplir 4 *(un récord)* batir 5 *(un código)* descifrar 6 *(un caballo)* domar

■ **break away** *vi* 1 desprenderse, separarse [**from,** de] 2 escaparse [**from,** de]

■ **break down** I *vtr* analizar detalladamente , pormenorizar

■ **break down** II *vtr* descomponerse, estropearse

■ **break down** III *vtr* enfermarse mental o emocionalmente

■ **break in** I *vtr* domar, amoldar algo

■ **break in** II *vtr* interrumpir

■ **break in** III *vi* entrar por fuerza

■ **break in on** *vtr* interrumpir

■ **break into** I *vtr* entrar por fuerza

■ **break into** II *vtr* interrumpir

■ **break into** III *vtr* **to break into tears,** romper a llorar

■ **break off** I *vtr* 1 *(relaciones)* romper 2 partir
II *vi* 1 *(dejar de hablar)* interrumpirse 2 desprenderse

■ **break out** *vi* 1 evadirse *(de la cárcel)* 2 *(la violencia)* estallar

■ **break through** I *vtr* atravesar

■ **break up** I *vi* 1 hacerse pedazos 2 *(una reunión, un matrimonio)* terminar
II *vtr* 1 romper, quebrar 2 *(el chocolate, pan)* partir 3 *(un coche)* desguazar 4 *(una multitud)* disolver

breakable ['breɪkəbəl] adj frágil

breakage ['breɪkɪdʒ] n rotura

breakaway ['breɪkəweɪ] adj disidente; **breakaway group,** un grupo disidente

breakdown ['breɪkdaʊn] n 1 *Auto* avería 2 **(nervous) breakdown,** crisis nerviosa

breakfast ['brekfəst] I n desayuno; **to have breakfast,** desayunar
II *vi* desayunar

break-in ['breɪkɪn] n robo (con allanamiento de morada)

breakthrough ['breɪkθruː] n *(avance)* gran paso adelante

breast [brest] n 1 *(general)* pecho; *(de mujer)* pecho, seno 2 *Culin (de pollo, etc)* pechuga

breast-feed ['brestfiːd] *vtr* amamantar a

breaststroke ['breststrəʊk] n *Natación* braza

breath [breθ] n 1 aliento; **to be out of breath,** estar sin aliento; **to hold one's breath,** contener la respiración; **to speak under one's breath,** hablar en voz baja

Breathalyzer® ['breθəlaɪzər] n alcoholímetro

breathe [briːð] I *vtr* 1 respirar 2 hablar en voz baja
II *vi* respirar; **to breathe in/out,** aspirar/espirar

breathless ['breθlɪs] adj sin aliento, jadeante

breathtaking ['breθteɪkɪŋ] adj impresionante

breeches ['briːtʃɪz] n *pl* pantalones bombachos, calzones

breed [briːd] I n 1 *(de animal)* raza 2 *fig (de persona)* clase 3 *(de ordenadores, etc)* generación
II *vtr (ps & pp bred)* 1 *(animales)* criar 2 *fig* engendrar, producir
III *vi (animales)* procrear

breeder ['briːdər] n criador,-ora; *(de ganado)* ganadero,-a

breeding ['briːdɪŋ] n 1 reproducción 2 *(de animales)* cría 3 *(de persona)* educación, cultura

breeze [briːz] n *Meteor* brisa

breezy ['briːzi] adj *(breezier, breeziest) (tiempo)* **it's breeze,** hace aire

brevity ['brevɪdʒi] n brevedad

brew [bruː] I *vtr (cerveza)* elaborar; *(café, infusión, etc)* preparar
II n 1 poción, brebaje 2 *(té, etc)* infusión 3 *fam (cerveza)* birra

brewer ['bruːər] n cervecero,-a

brewery ['bruːəri] n fábrica de cerveza

brewing ['bruːɪŋ] I adj cervecero,-a
II n *(cerveza)* elaboración de la cerveza

bribe [braɪb] I *vtr* sobornar
II n soborno

bribery ['braɪbəri] n soborno

brick [brɪk] n ladrillo

bricklayer ['brɪkleɪər] n albañil

bridal ['braɪdəl] adj nupcial

bride [braɪd] n novia; **the bride and groom,** los novios

bridegroom ['braɪdgruːm] n novio

bridesmaid ['braɪdzmeɪd] n (en una boda) dama de honor

bridge ['brɪdʒ] **I** n **1** puente **2** Naipes bridge **3** (de barco) puente de mando
II vtr (río) tender un puente sobre

bridle ['braɪdl] **I** n brida
II vi molestarse [at, por]

brief [briːf] **I** adj (de duración) breve
II n (noticia) informe
III vtr (dar información) informar

briefcase ['briːfkeɪs] n maletín, portafolios

briefing ['briːfɪŋ] n **1** sesión informativa **2** información

briefly ['briːfli] adv brevemente

bright [braɪt] adj **1** (luz, Sol) brillante **2** (color) vivo,-a **3** (día) soleado,-a **4** inteligente, listo,-a **5** (cara, sonrisa) feliz, alegre

brighten ['braɪtn] vi **1** (futuro) mejorarse **2** (cara) iluminarse

■ **brighten up I** vtr (una habitación) alegrar
II vi **1** (el tiempo) despejarse **2** (una persona) animarse

brightness ['braɪtnɪs] n **1** (del Sol) claridad, luminosidad **3** (de un color) viveza **4** (de una persona) inteligencia

brilliance ['brɪljəns] n **1** (de la luz) resplandor **2** (de un color) viveza **3** (de una persona) brillantez

brilliant ['brɪljənt] adj (con brillo) brillante

brim [brɪm] **I** n (de sombrero) ala **1** (de un recipiente) borde
II vi rebosar [with, de]

■ **brim over** vi rebosar [with, de]

brine [braɪn] n Culin salmuera

bring [brɪŋ] vtr (ps & pp brought) traer

■ **bring about** vtr provocar, ocasionar

■ **bring along** vtr traer: bring a friend along!, ¡tráete a un amigo!

■ **bring back** vtr devolver

■ **bring forward** vtr **1** adelantar **2** (una idea, un tema) presentar

■ **bring in** vtr ganar

■ **bring off** vtr lograr, conseguir

■ **bring on** vtr provocar

■ **bring out** vtr **1** sacar **2** (un libro) publicar

■ **bring up** vtr **1** (a un niño) educar **2** (un asunto) plantear

brink ['brɪŋk] n borde; fig on the brink of, al borde de

brisk ['brɪsk] adj **1** enérgico,-a **2** (comercio) activo,-a **3** (tiempo) fresco,-a **4** (persona) dinámico,-a

bristle ['brɪsl] **I** n cerda
II vi (pelo) erizarse

Brit [brɪt] n fam británico,-a

Britain ['brɪtn] n (Great) Britain, Gran Bretaña

British ['brɪtɪʃ] **I** adj británico,-a; **the British Isles,** las Islas Británicas
II npl **the British,** los británicos

brittle ['brɪtl] adj (cosa) quebradizo,-a, frágil

bro [brəʊ] n Slang (abr de brother) hermano

broach [brəʊtʃ] vtr (un asunto) abordar

broad [brɔːd] adj **1** ancho,-a, extenso,-a **2** fig (mentalidad) tolerante

broadcast ['brɔːdkɑːst] Rad TV **I** n emisión
II vtr (ps & pp broadcast) emitir, transmitir

broadcasting ['brɔːdkɑːstɪŋ] n Rad radiodifusión; TV transmisión

broaden ['brɔːdn] vtr & vi ensanchar

broadly ['brɔːdli] adv en términos generales

broad-minded [brɔːd'maɪndɪd] adj liberal, tolerante

broccoli ['brɒkli] n Bot brécol

brochure ['brəʊʃər] n folleto

broil [brɔɪl] vtr US asar a la parrilla

broke [brəʊk] **I** adj fam to be broke, estar sin un duro

broken ['brəʊkən] **I** pp → break
II adj **1** roto,-a **2** (máquina) averiado,-a, roto,-3** (persona) arruinado,-a

brokenhearted [brəʊkən'hɑːdɪd] adj fig desolado, -a

broker ['brəʊkər] n corredor,-ora o agente de Bolsa

bronchitis [brɒŋ'kaɪdɪs] n Med bronquitis

bronze [brɒnz] **I** n bronce
II adj **1** (material) de bronce **2** (color) bronceado,-a

bronzed [brɒnzd] adj (por el sol) bronceado,-a

brooch ['brəʊtʃ] n broche

brood [bruːd] **I** n rumiar, meditar melancólicamente; **to brood over sthg,** obsesionarse con algo

brook [brʊk] n arroyo

broom [bruːm] n escoba

broomstick ['bruːmstɪk] n palo de escoba

broth [brɒθ] n caldo

brothel ['brɒθəl] n burdel

brother ['brʌðər] n **1** hermano **2** Pol compañero

brotherhood ['brʌðərhʊd] n **1** hermandad **2** fraternidad

brother-in-law ['brʌðərɪnlɑː] n cuñado

brotherly ['brʌðəli] adj fraternal

brought ['brɔːt] ps & pp → bring

brow [braʊ] n **1** Anat frml frente **2** (eye) brow, ceja **3** (de colina) cima

brown [braʊn] **I** adj **1** marrón,-a; (piel, ojos) castaño,-a **2** (al sol) bronceado,-a, moreno,-a; **to get brown,** ponerse moreno,-a
II n (color) marrón
III vtr **1** Culin dorar **2** (al sol) broncear

brownie ['braʊni] n bizcocho de chocolate y nueces

brownish ['braʊnɪʃ] *adj* parduzco,-a

browse ['braʊz] *vi* 1 *(en una tienda)* mirar, echar un vistazo 2 *(libro)* hojear

bruise [bruːz] I *n Med* moratón, cardenal, hematoma
II *vtr (un cuerpo)* magullar

brunch [brʌntʃ] *n (esp US) combinación de desayuno y almuerzo*

brunette [bruːˈnet] *adj & n (mujer)* morena

brunt [brʌnt] *n* **to bear/take the brunt of sthg,** sufrir (lo peor de) algo

brush[1] [brʌʃ] I *n* 1 *(para el pelo, los dientes)* cepillo 2 *(para limpiar)* escoba 3 *Arte* pincel; *(grande)* brocha 4 encontronazo
II *vtr* cepillar
■ **brush aside** *vtr* dejar de lado
■ **brush up** *vtr* repasar

brushwood ['brʌʃwʊd] *n* maleza

brusque ['brʌsk] *adj* brusco,-a

brutal ['bruːtəl] *adj* brutal, cruel

brute [bruːt] I *adj* bruto,-a
II *n (animal)* pey bestia

bs ['biːes] *n vulgar (abr de bullshit)* mierda, mentiras

B.S. *(abr de Bachelor of Science)* diploma universitario que se otorga en estudios académicos científicos

bubble ['bʌbəl] I *n* 1 *(en un líquido)* burbuja 2 *(de jabón)* pompa; **to blow bubbles,** hacer pompas
II *vi (líquido)* burbujear

bubble gum *n* chicle

bubbly ['bʌbli] *adj (bubblier, bubbliest)* efervescente

buck [bʌk] I *n* 1 *US fam* dólar 2 *Zool (general)* macho
II *vi (caballo)* corcovear
■ **buck up** I *vtr fam* animar
II *vi* 1 *(una persona)* animarse 2 esforzarse más 3 darse prisa

bucket ['bʌkɪt] *n* cubo

buckle ['bʌkəl] I *n* hebilla
II *vtr* 1 abrochar con hebilla 2 torcer, combar
III *vi* combarse, torcerse

bud [bʌd] I *n Bot (de hoja)* brote
II *vi* echar brotes

Buddhism ['bʊdɪzəm] *n* budismo

Buddhist ['bʊdɪst] *n* budista

budding ['bʌdɪŋ] *adj* en ciernes

buddy ['bʌdi] *n fam* amigote, compinche

budge ['bʌdʒ] I *vi* 1 moverse 2 ceder

budgerigar ['bʌdʒərɪgɑːr] *n Orn* periquito

budget ['bʌdʒɪt] I *n* presupuesto
II *vi* hacer un presupuesto **[for,** para]

buff [bʌf] I *adj (color)* beige
II *n fam* aficionado,-a
III *vtr* dar brillo a

buffalo ['bʌfələʊ] *n (pl buffaloes o buffalo) Zool* búfalo

buffer ['bʌfər] I *n* amortiguador

buffet ['bʌfeɪ] *n (autoservicio)* bufet libre

buffoon [bəˈfuːn] *n* bufón, payaso

bug [bʌg] I *n* 1 bicho 2 *fig* manía, obsesión 3 *(espionaje, etc)* micrófono oculto 4 *Inform* error, virus
II *vtr fam* 1 **to bug a phone,** pinchar un teléfono 2 *US fam* molestar

buggy ['bʌgi] *n* cochecito de niño

build [bɪld] I *vtr & vi (ps & pp built)* construir
II *n (de persona)* tipo, físico
■ **build on** *vtr (edificio)* agregar
■ **build up** I *vtr* 1 *(experiencia, una fortuna)* acumular 2 *(una reputación)* labrarse, forjarse 3 *(los músculos)* fortalecer
II *vi* 1 *(suciedad, etc)* acumularse 2 *(tensión)* aumentar

builder ['bɪldər] *n* 1 *(empresa)* constructora 2 *(empresario)* constructor,-ora 3 *(obrero)* albañil

building ['bɪldɪŋ] *n* 1 edificio, inmueble 2 construcción

build-up ['bɪldʌp] *n* 1 *(de la tensión)* aumento 2 *(de un gas)* acumulación 3 propaganda, bombo

built [bɪlt] *ps & pp* → **build**

built-in [bɪltˈɪn] *adj (armario)* empotrado,-a; *(aparato)* incorporado,-a

built-up [bɪltˈʌp] *adj* urbanizado,-a

bulb [bʌlb] *n* 1 *Bot* bulbo 2 *Elec* bombilla

Bulgaria [bʌlˈgeəriə] *n* Bulgaria

Bulgarian [bʌlˈgeriən] I *adj* búlgaro,-o
II *n* 1 *(persona)* búlgaro,-a 2 *(idioma)* búlgaro

bulge [bʌldʒ] *n* protuberancia

bulk [bʌlk] *n* 1 *(atributo)* masa, volumen 2 *(cosa grande)* mole 3 *Com* **in bulk,** a granel, al por mayor 4 mayoría

bulky ['bʌlki] *adj (bulkier, bulkiest)* voluminoso,-a

bull [bʊl] *n* toro

bulldog ['bʊldɒg] *n* buldog

bulldoze ['bʊldəʊz] *vtr (un edificio)* derribar, arrasar

bulldozer ['bʊldəʊzər] *n* maquina excavadora, buldozer

bullet ['bʊlɪt] *n* bala

bulletin ['bʊlɪtɪn] *n (periódico)* boletín

bulletproof ['bʊlɪtpruːf] *adj* antibalas

bullfight ['bʊlfaɪt] *n* corrida de toros

bullfighter ['bʊlfaɪdər] *n* torero,-a

bullfighting ['bʊlfaɪdɪŋ] *n* los toros, toreo

bullock ['bʊlək] *n* buey

bullring ['bʊlrɪŋ] *n* plaza de toros

bully ['bʊli] I *n* matón
II *vtr (meter miedo)* intimidar

bum [bʌm] I *n fam* vagabundo,-a
II *vi fam* gorronear
■ **bum around** *vi fam* vaguear

bumblebee ['bʌmbəlbiː] *n Zool* abejorro

bump [bʌmp] I *n* 1 *(impacto)* choque, golpe

2 protuberancia; *(en la cabeza, etc)* chichón; *(de la carretera)* bache

II *vtr* golpear

■ **bump into** *vtr* **1** chocar contra **2** toparse con

■ **bump off** *vtr fam* liquidar

bumper ['bʌmpər] *n Auto* parachoques

bumptious ['bʌmpʃəs] *adj* presuntuoso,-a

bumpy ['bʌmpi] *adj (bumpier, bumpiest)* **1** *(carretera)* lleno,-a de baches **2** *(vuelo)* agitado,-a

bun [bʌn] *n* **1** *(pan)* panecillo; *(dulce)* bollo **2** *(de pelo)* moño, rodete

bunch [bʌntʃ] *n* **1** *(de flores)* ramo; *(de plátanos, uvas)* racimo; *(de llaves)* manojo **2** *(de personas)* grupo

■ **bunch together/up** *vi* juntarse, agruparse

bundle ['bʌndəl] **I** *n* **1** *(de leña)* haz **2** *(de papeles o dinero)* fajo **3** *(de ropa)* bulto, fardo

II *vtr (hacer un fardo, fajo, etc)* liar, atar

bung [bʌŋ] *n* tapón

bungalow ['bʌŋgələu] *n* chalé, bungalow

bunk [bʌŋk] *n (cama)* litera

bunk bed *n* litera

bunker ['bʌŋkər] *n* **1** carbonera **2** *Mil Golf* búnker

buoy ['bui] *n Náut* boya

buoyant ['bɔiənt] *adj* **1** *(objeto)* flotante **2** *Fin (mercado)* alcista

burble ['bɜːbəl] *vi (un bebé)* balbucear

burden ['bɜːdən] **I** *n* carga

II *vtr* cargar **[with,** con**]**

bureau ['bjuərəu] *n (pl bureaux)* **1** *(mueble)* cómoda **2** agencia, oficina

bureaucracy [bju'rɒkrəsi] *n* burocracia

bureaucrat ['bjuərəkræt] *n* burócrata

bureaucratic [bjuərə'krætɪk] *adj* burocrático,-a

burger ['bɜːgər] *n fam (abr de hamburger)*

burglar ['bɜːglər] *n* ladrón,-ona

burglar alarm *n* alarma antirrobo

burglary ['bɜːgləri] *n* robo (en una casa)

burgle ['bɜːgəl] *vtr & vi* robar, desvalijar

burgundy ['bɜːgəndi] *n* **1** vino de Borgoña **2** *(color)* burdeos

burial ['berɪəl] *n* entierro

burlap ['bɜːlæp] *n* arpillera

burly ['bɜːli] *adj (burlier, burliest)* fornido

burn [bɜːn] **I** *n* quemadura

II *vtr (ps & pp* **burnt** *o* **burned)** quemar

III *vi (un edificio, fuego)* arder

■ **burn down I** *vtr* incendiar

II *vi* incendiarse

■ **burn up** *vtr (calorías)* quemar

burner ['bɜːnər] *n* quemador

burning ['bɜːnɪŋ] *adj* **1** en llamas **2** candente

burnt [bɜːnt] *adj* quemado,-a

burp [bɜːp] *n* eructo

II *vi* eructar

burst [bɜːst] **I** *n* **1** *(explosión)* estallido **2** *(de neumático, tubería)* reventón **3** *(de cólera, energía, velocidad)* arranque **4** *(de tiros)* ráfaga **5** *(de risa)* carcajada

II *vtr (ps & pp* **burst)** *(globo, pompa)* reventar

III *vi (un neumático, globo)* reventar(se)

■ **burst in** *vi* irrumpir

■ **burst into** *vi* **1** irrumpir en

bursting ['bɜːstɪŋ] *adj (sitio)* atestado,-a **[with,** de**]**

bury ['beri] *vtr* enterrar, sepultar

bus [bʌs] *n (de ciudad)* autobús, bus; *(de largo recorrido)* autocar

bush [buʃ] *n Bot* arbusto

bushy ['buʃi] *adj* espeso,-a, tupido,-a

busily ['bɪzɪli] *adv* enérgicamente

business ['bɪznɪs] *n* **1** comercio, negocios; **to do business with,** comerciar con; **to go out of business,** quebrar; **to travel on business,** hacer un viaje de negocios; **business hours,** horas de oficina **2** empresa; **a family business,** una empresa familiar **3** responsabilidad, asunto: **it's not my business to ask,** no me corresponde preguntar; **mind your own business,** no te metas en lo que no te incumbe **4** situación, asunto

II *adj* **1** *(actividad, dirección)* comercial **2** económico,-a

businessman ['bɪznɪsmæn] *n* hombre de negocios

businesswoman ['bɪznɪswʊmən] *n* mujer de negocios

bus station *n* estación de autobuses

bus stop *n* parada de autobús

bust [bʌst] **I** *n (de mujer)* busto

II *vtr* **1** *fam* romper **2** *(un sitio)* registrar, hacer una redada en

III *adj fam* roto,-a

bustle ['bʌsəl] **I** *n* ajetreo, bullicio

II *vi (persona)* andar, trabajar con prisas: **they bustled about cleaning the house,** andaban muy ajetreados con la limpieza de la casa

bustling ['bʌslɪŋ] *adj* bullicioso,-a

bust-up ['bʌstʌp] *n fam* **1** ruptura **2** pelea, bronca

busy ['bɪzi] *adj* **1** *(persona)* ocupado,-a, atareado,-a; *(vida)* ajetreado,-a **2** *(sitio)* animado,-a, concurrido,-a **3** *Tel* ocupado,-a, comunicando

but [bʌt] **I** *conj* **1** pero **2** *(después de negativo)* sino

II *adv frml* sólo

III *prep* salvo, menos

butane ['bjuːteɪn] *n* butano; **butane gas,** gas butano

butcher ['bʊtʃər] **I** *n* carnicero,-a; **butcher's (shop),** carnicería

II *vtr* **1** *(ganado)* matar **2** *(personas)* masacrar

butler ['bʌtlər] *n* mayordomo

butt [bʌt] **I** *n* **1** extremo **2** *(de rifle)* culata **3** *(de cigarrillo)* colilla

butter ['bʌdər] **I** *n* **1** mantequilla

II *vtr* **1** untar con mantequilla
butterfly ['bʌɾərflaɪ] *n* mariposa
buttock ['bʌdək] *n* nalga
button ['bʌt'n] I *n* botón
II *vtr* **to button (up)**, abrochar(se), abotonar(se)
buttonhole ['bʌt'nhoʊl] *n* ojal
buy [baɪ] I *n* compra
II *vtr* (*ps & pp* **bought**) **1** comprar
buyer ['baɪər] *n* comprador,-ora
buzz [bʌz] I *n* **1** (*sonido, de abeja*) zumbido **2** (*de conversación*) rumor
II *vi* zumbar
buzzer ['bʌzər] *n* timbre
by [baɪ] I *prep* **1** (*agente*) por: **a poster by Picasso**, un póster de Picasso **2** (*manera*) by **bus/car/train**, en autobús/coche/ tren; **to pay by check**, pagar con talón; **made by hand**, hecho,-a a mano **3** (*vía*) **he went in by the front door**, entró por la puerta principal **4** (*resultado*) **he got his job by bribing the boss**, consiguió el trabajo sobornando al jefe; **by accident**, por accidente; **by chance**, por casualidad **5** (*cantidad, ritmo*) **eggs are sold by the dozen**, los huevos se venden por docenas; **day by day**, día a día; **6** (*espacio*) al lado de, junto,-a: **she sat by my side**, se sentó a mi lado **7** (*movimiento*) **he passed by the church**, pasó delante o al lado de la iglesia **8** (*tiempo*) para: **I need it by six**, lo necesito para las seis **9** (*tiempo*) **by day/night**, de día/noche **10** según: **do it by the rules**, hazlo según las reglas **11** by the way, por cierto
II *adv* cerca, al lado; **as time goes by**, con el paso del tiempo; **to walk by**, pasar de largo
bye [baɪ], **bye-bye** ['baɪbaɪ] *n fam* ¡adiós!, ¡hasta luego!
by-law ['baɪlɔː] *n* ordenanza municipal
BYOB [biwaɪoʊ'biː] (*abr de* **Bring your own bottle or bring your own beer**) Traiga su propia botella o traiga su propia cerveza, anuncio que se hace en invitaciones a fiestas informales
bypass ['baɪpæs] I *n* **1** carretera de circunvalación **2** *Med* bypass
II *vtr* **1** (*problema*) evitar **2** (*ciudad*) circunvalar
by-product ['baɪprɒdʌkt] *n Quím Ind* subproducto
byroad ['baɪroʊd] *n* carretera secundaria
bystander ['baɪstændər] *n* **1** transeúnte **2** mirón
byte [baɪt] *n Inform* byte
byway ['baɪweɪ] *n* camino apartado o menos frecuentado, desvío

C

C, c [siː] *n* **1** (*letra*) C, c **2** *Mús* do; **C-flat**, do bemol; **C-sharp**, do sostenido **3** (*abr de Celsius*) C **4** (*abr de Centigrade*) C
C&W *n* (*abr de* **Country and Western**)

relativo al estilo regional del Oeste de los Estados Unidos, generalmente relacionado con la moda y sobre todo con la música
CA (*abr de California*) abreviatura, estado de California
cab [kæb] *n* **1** *US* taxi **2** (*de camión*) cabina
cabbage ['kæbɪdʒ] *n* **1** *Bot* col, repollo **2** *fam fig pey* (*persona*) vegetal
cabin ['kæbɪn] *n* **1** cabaña **2** *Náut* camarote **3** (*de camión, avión*) cabina
cabinet ['kæbɪnɪt] *n* **1** (*mueble*) armario **2** *Pol* consejo de ministros, gabinete
cable ['keɪbəl] I *n* cable
II *vtr* telegrafiar, cablegrafiar
cackle ['kækəl] *vi* cacarear
cactus ['kæktəs] *n* (*pl cacti* ['kæktaɪ]) *Bot* cactus
café ['kæfeɪ] *n* café
cafeteria [kæfɪ'tɪriə] *n* cafetería
caffeine ['kæfiːn] *n* cafeína
cage [keɪdʒ] I *n* jaula
II *vtr* enjaular
cagey ['keɪdʒi] *adj* (*cagier, cagiest*) *fam* cauteloso,-a, reservado,-a
cahoots [kə'huːts] *n informal* **to be working in cahoots with somebody**, estar en acuerdos secretos y deshonestos
cajole [kə'dʒoʊl] *v* conseguir algo de alguien o persuadir a alguien a hacer algo mediante halagos, engatusar
Cajun ['keɪʒən] *n* miembro de un grupo étnico del Sur de Louisiana de origen francocanadiense, también se puede usar como adjetivo
cake [keɪk] *n* **1** pastel, tarta; **cake shop**, pastelería **2** (*de jabón*) pastilla
calcium ['kælsiəm] *n* calcio
calculate ['kælkjəleɪt] *vtr* calcular
calculated ['kælkjəleɪdɪd] *adj* intencionado,-a
calculating ['kælkjəleɪdɪŋ] *adj pey* (*persona*) calculador,-ora **calculation** [kælkjə'leɪʃən] *n* cálculo
calculator ['kælkjəleɪdər] *n* calculadora
calendar ['kælɪndər] *n* calendario
calf [kæːf] *n* (*pl calves* [kæːvz]) **1** (*vacuno*) becerro,-a, ternero,-a; (*otros animales*) cría **2** *Anat* pantorrilla
caliber ['kælɪbər] *n* calibre
call [kɔːl] I *vtr* **1** llamar: **are you calling me an idiot?**, ¿me estás llamando imbécil? **call the fire station!**, ¡llame a los bomberos!; **my daughter's called Alison**, mi hija se llama Alison; **to call sb names**, insultar a alguien **2** gritar: **desperately he called her name**, desesperadamente gritó su nombre **3** (*una reunión, huelga, etc*) convocar **4** **to call sb's attention to sthg**, llamar la atención de alguien sobre algo
II *vi* **1** gritar, dar voces **2** *Tel* llamar: **who's calling?**, ¿de parte de quién? **3** **to call at sb's**

(house), pasar por casa de alguien; **to call for sthg/sb,** pasar a recoger algo/a alguien 4 *(tren, autobús)* parar: **the next train calls at Croydon and Gatwick,** el próximo tren para en Croydon and Gatwick

III *n* 1 llamada, grito 2 visita; **to pay a call,** visitar [**on,** a] 3 llamamiento 4 *Tel* llamada 5 *Med* **to be on call,** estar de guardia 6 motivo

■ **call back** *vi* 1 devolver la llamada 2 *(visitar de nuevo)* volver

■ **call for** *vtr* 1 exigir 2 recoger

■ **call off** *vtr* suspender

■ **call on** *vtr* 1 visitar 2 apelar a

■ **call out** I *vtr* 1 *(a la policía, al médico)* llamar, hacer venir 2 *(palabras)* gritar 3 *Pol (a los obreros)* convocar a la huelga

■ **call up** *vtr* 1 *Tel* llamar 2 evocar 3 *Mil* llamar a filas, reclutar

caller ['kɔ:lər] *n* 1 *(en una casa)* visita; *(en una tienda)* cliente 2 *Tel* persona que llama

callous ['kæləs] *adj* insensible, cruel

calm [kɑːm,kɑlm] I *adj* 1 *(tiempo, mar)* en calma 2 *(persona)* tranquilo,-a

II *n* 1 calma, silencio 2 *(de una persona)* tranquilidad

III *vtr* calmar, tranquilizar

IV *vi* **to calm (down),** calmarse, tranquilizarse

calorie ['kælɔri] *n* caloría

calves [kæːvz] *npl* → **calf**

came [keɪm] *ps* → **come**

camel ['kæməl] *n Zool* camello

camera ['kæmrə] *n* cámara

cameraman ['kæmrəmæn] *n (persona)* cámara

camisole ['kæmɪsəl] *n* prenda de ropa interior ligera que se lleva debajo de la blusa

camomile ['kæməmɪl] *n Bot* camomila

camouflage ['kæməflɑːʒ] I *n* camuflaje

II *vtr* camuflar; *fig* disfrazar

camp [kæmp] I *n* campamento

II *vi* acampar

campaign [kæm'peɪn] I *n* campaña

II *vi* **to campaign for/against sthg,** hacer una campaña a favor/en contra de algo

camper ['kæmpər] *n* 1 *(persona)* campista 2 *US Auto* caravana

camping ['kæmpɪŋ] *n* **to go camping,** ir de camping

camp site *n* camping

campus ['kæmpəs] *n* campus, ciudad universitaria

can¹ [kæn] *v aux (ps could)* 1 *(ser capaz de)* poder: **he can't do it,** no puede hacerlo 2 saber: **can you play the guitar?,** ¿sabes tocar la guitarra? 3 *(permiso)* poder: **can Jimmy come out to play?,** ¿puede Jimmy salir a jugar?

can² [kæn] I *n* lata, bote

II *vtr (pescado, fruta, etc)* envasar, enlatar

Canada ['kænədə] *n* Canadá

Canadian [kə'neɪdɪən] *adj & n* canadiense

canal [kə'næl] *n* canal

canary [kə'neəri] *n Orn* canario

Canary Islands *n* islas Canarias

cancel ['kænsəl] *vtr* 1 *(un vuelo, contrato, una reunión)* cancelar 2 *(partido, espectáculo)* suspender

cancellation [kænsɪ'leɪʃən] *n* cancelación

cancer ['kænsər] *n* 1 *Med* cáncer 2 *Astrol* **Cancer,** Cáncer

candid ['kændɪd] *adj* franco,-a, sincero,-a

candidate ['kændɪdeɪt,'kændɪdeɪt] *n* candidato,-a

candle ['kændəl] *n* vela

candlelight ['kændəlaɪt] *n* **by candlelight,** a la luz de una vela

candlestick ['kændəlstɪk] *n* candelero

candor ['kændər] *n* franqueza

candy ['kændi] *n* caramelo

cane [keɪn] I *n* 1 *Bot* caña mimbre 3 *(para castigos)* palmeta, vara

II *vtr* castigar con la palmeta

cane sugar *n* azúcar de caña

canine ['keɪnaɪn] I *adj* Zool canino,-a

II *n Anat* **canine (tooth),** colmillo

canister ['kænɪstər] *n* bote

canned [kænd] *adj (comida)* enlatado,-a

cannibal ['kænɪbəl] *adj & n* caníbal

cannon ['kænən] I *n (pl cannons o cannon)* cañón

II *vi* chocar violentamente [**into,** contra]

cannot ['kænɒt, kæ'nɒt] *v aux* → **can¹**

canoe [kə'nuː] *n* canoa, piragua

canopy ['kænəpi] *n* 1 *(encima de trono, etc)* dosel 2 toldo

can't [kæːnt] *v aux* → **can¹**

canteen [kæn'tiːn] *n* 1 cantina, comedor 2 juego de cubiertos 3 *(para agua)* cantimplora

Cantonese [kæntəniːz] *adj & n* cantonés

canvas ['kænvəs] *n* 1 *Tex* lona 2 *Náut* velamen 3 *(de un cuadro)* lienzo

canvass ['kænvəs] *vi* 1 *Pol* hacer campaña electoral 2 *Com* hacer encuestas

canyon ['kænjən] *n Geol* cañón

cap [kæp] *n* 1 gorra 2 *(de botella)* chapa 3 *(de pluma)* capuchón 4 *Auto* **gas cap,** tapa del depósito

II *vtr* tapar

capability [keɪpə'bɪlɪdʒi] *n* habilidad

capable ['keɪpəbəl] *adj* 1 capaz [**of,** de] 2 hábil

capacity [kə'pæsɪdʒi] *n* 1 capacidad 2 *Auto* cilindrada 3 trabajo, puesto

cape [keɪp] *n* 1 *(prenda)* capa 2 *Geol* cabo, promontorio

caper ['keɪpər] *n Bot* alcaparra

capital ['kæpɪdəl] I *n* 1 *Pol* capital 2 *Fin* capital 3 **in capitals,** en letra mayúscula

II *adj* 1 *Pol Jur* capital 2 *frml* primordial 3 *Tip* **capital (letter),** mayúscula

capitalism ['kæpɪdəlɪzəm] n capitalismo

capitalist ['kæpɪdəlɪst] adj & n capitalista

capitalize ['kæpɪdəlaɪz] vi 1 Fin capitalizar 2 fig **to capitalize**, sacar provecho [**on,** de]

capital punishment n Jur pena capital

capitulate [kə'pɪtʃəleɪt] vi capitular

capricious [kə'prɪʃəs] adj caprichoso,-a

Capricorn ['kæprɪkɔrn] n Astrol Capricornio

capsize [kæp'saɪz] Náut vi zozobrar, volcar(se)

capsule ['kæpsəl] n cápsula

captain ['kæptɪn] **I** n capitán

II vtr capitanear

caption ['kæpʃən] n 1 leyenda, pie de foto 2 Cine subtítulo

captivate ['kæptɪveɪt] vtr encantar, seducir

captive ['kæptɪv] **I** n cautivo,-a

II adj cautivo,-a

captivity [kæp'tɪvɪdɪ] n cautiverio

captor ['kæptər] n captor,-ora

capture ['kæptʃər] **I** vtr 1 capturar, apresar 2 Mil tomar 3 (interés) captar

II n 1 (de una persona) captura 2 (de un sitio) toma

car [kɑr] n 1 Auto coche, LAm carro 2 Ferroc coche, vagón; **dining car,** coche restaurante, **sleeping car,** coche-cama

carafe [kə'ræf] n garrafa

caramel ['kærməl] n caramelo

carat['kerət] n kilate, quilate

caravan ['kerəvæn] n caravana

carbohydrate [kɑrbou'haɪdreɪt] n Quím hidrato de carbono, carbohidrato

carbon ['kɑrbən] n Quím carbono

carbon dioxide n dióxido de carbono (CO_2)

carburetor ['kɑːrbəreɪdər] n carburador

carcass ['kɑrkəs] n 1 res muerta 2 fig fam cadáver

card [kɑrd] n 1 (de crédito, de visita) tarjeta; **post card,** tarjeta postal 2 ficha 3 (de identidad) carné 4 (**playing) card,** naipe, carta

cardamom ['kɑrdəməm] n Bot cardamomo

cardboard ['kɑrdbɔrd] n cartón, cartulina

cardholder ['kɑrdhəldər] n 1 (de tarjeta de crédito) titular 2 (de sindicato, partido) militante

cardiac ['kɑrdiæk] adj Med cardiaco,-a

cardigan ['kɑrdɪgən] n chaqueta (de punto); (de mujer) rebeca

cardinal ['kɑrdɪnəl] **I** adj cardinal

II n Rel cardenal

card index n fichero

care [ker] **I** n 1 cuidado, atención 2 **to take care of,** cuidar 3 cuidado, atención: **take care with that knife,** ten cuidado con ese cuchillo; (letrero) **handle with care,** frágil 4 preocupación

II vi 1 preocuparse [**about,** por]; **I don't care,** me da igual 2 frml (usu en frases interrogativas o negativas) **would you care to join me?,** ¿le gustaría acompañarme?

III vtr importar

■ **care for** vtr 1 (a una persona, un animal) cuidar 2 sentir cariño hacia 3 frml (usu en frases interrogativas o negativas) gustar, interesar

career [kə'riːər] **I** n carrera, profesión

II vi ir a toda velocidad

carefree ['kerfriː] adj despreocupado,-a

careful ['kerfəl] adj cuidadoso,-a

carefully ['kerfəli] adv 1 cuidadosamente

careless ['kerlɪs] adj (persona) poco atento,-a, descuidado,-a

carelessness ['kerlɪsnɪs] n descuido

caress [kə'res] **I** n caricia

II vtr acariciar

caretaker ['kerteɪkər] n portero,-a

cargo ['kɑrgou] n (pl **cargoes** o **cargos**) 1 carga 2 cargamento

Caribbean [kə'rɪbiən, kærɪ'biːən] **I** adj caribe, caribeño,-a; **a Caribbean island,** una isla caribeña

II n el Caribe; **the Caribbean (Sea),** el (Mar) Caribe

caricature ['kerɪkətʃər] n caricatura

caring ['kerɪŋ] adj 1 solidario,-a 2 comprensivo,-a, cariñoso,-a

carnal ['kɑrnəl] adj carnal

carnation [kɑr'neɪʃən] n Bot clavel

carnival ['kɑrnɪvəl] n carnaval

carnivore ['kɑrnɪvɔːr] adj carnívoro,-a

carol ['kerəl] n villancico

carp [kɑrp] n Zool (pez) carpa

carpenter ['kɑrpɪntər] n carpintero,-a

carpentry ['kɑrpɪntri] n carpintería

carpet ['kɑrpɪt] n moqueta, alfombra

carriage ['kerɪdʒ] n carruaje

carrier ['keriər] n 1 transportista 2 Med (de enfermedad) portador,-ora 3 empresa de transportes

carrot ['kerət] n Bot zanahoria

carry ['keri] **I** vtr 1 llevar; (mercancías) transportar 2 (responsabilidad, pena) conllevar, implicar 3 (ley, moción) aprobar 4 (enfermedad) ser portador,-ora de

II vi (sonido) oírse

■ **carry away** vtr llevar(se); **to get carried away,** dejarse llevar

■ **carry off** vtr 1 (premio, botín) llevarse 2 llevar a cabo

■ **carry on I** vtr 1 continuar, seguir 2 (la conversación) mantener

II vi continuar, seguir adelante

■ **carry on with** vtr continuar con

■ **carry out** vtr 1 (un proyecto) llevar a cabo, realizar 2 (el deber) cumplir

carsick ['kɑrsɪk] adj mareado,-a (en el coche)

cart [kɑrt] n 1 (de caballos) carro 2 (de mano) carretilla

carton ['kɑrt'n] n cartón

cartoon [kɑr'tu:n] n 1 caricatura 2 (en periódico, etc) chiste, viñeta 3 tira cómica, historieta 4 Cine TV dibujos animados

cartoonist [kɑr'tu:nɪst] n dibujante

cartridge ['kɑrtrɪdʒ] n cartucho

carve [kɑrv] vtr 1 (la madera) tallar; (una piedra, un metal) cincelar, esculpir 2 (la carne) trinchar

■ **carve up** vt repartir, dividir

carving [kɑrvɪŋ] n escultura

cascade [kæs'keɪd] n cascada

case [keɪs] n 1 Med caso; **a case of smallpox**, un caso de viruela 2 Jur caso; **to present a case**, exponer un argumento; **a case of fraud**, un caso de fraude; **the case for the prosecution**, (los argumentos de) la acusación 3 situación; **in any case**, en cualquier caso; **in case of**, en caso de; **in that case**, en ese caso; **(just) in case**, por si acaso 4 Ling caso 5 (de vino, etc) caja 6 maleta 7 estuche; **cigarette case**, pitillera; **pencil case**, lapicero; **pillow case**, funda de almohada 8 Tip **lower case**, minúscula; **upper case**, mayúscula

cash [kæʃ] I n 1 dinero en efectivo
II vtr (un cheque) cobrar

cash dispenser/machine n cajero automático

cashier [kæ'ʃɪər] n cajero,-a

cashmere ['kæʒmɪər] n cachemira

casino [kə'si:nəʊ] n casino

cask [kæsk] n barril

casket ['kæskɪt] n 1 cofre 2 ataúd

casserole ['kæsərəʊl] n 1 cazuela 2 Culin guiso

cassette [kə'set] n cinta, casete

cassette player/recorder n magnetófono

cast [kæst] I n 1 Téc molde 2 Med escayola 3 Teat reparto, elenco
II vtr (ps & pp **cast**) 1 (el ancla, la culpa, red, un hechizo) echar 2 (una piedra) arrojar, tirar 3 (la luz) arrojar 4 (una sombra) proyectar 5 (una mirada) lanzar; 6 (el voto) emitir 7 (el metal) moldear
III vi Pesca lanzar

■ **cast aside** vtr abandonar, desechar

■ **cast off** vi Náut soltar (las) amarras

castanets [kæstə'nets] npl castañuelas

castaway ['kæstəweɪ] n náufrago,-a

caste [kæst] n casta

Castile [kæ'sti:l] n Castilla

Castilian [kæ'stɪljən] I adj castellano,-a
II n **Castilian** (Spanish), (idioma) castellano

casting ['kæstɪŋ] n Cine Teat reparto, casting

cast-iron ['kæstaɪrn] adj de hierro fundido

castle ['kæsəl] I n 1 castillo 2 Ajedrez torre
II vi Ajedrez enrocar

castor ['kæstər] n **castor oil**, aceite de ricino

castrate [kæ'streɪt] vtr castrar

casual ['kæʒʊəl] adj 1 (encuentro) fortuito,-a 2 (persona) despreocupado,-a, tranquilo,-a 3 (trabajo) eventual 4 (ropa) (de) sport, informal

casually ['kæʒʊəli] adv 1 de modo informal 2 con indiferencia

casualty ['kæʒʊəlti] n 1 Mil baja 2 (persona) herido,-a

cat [kæt] n gato

Catalan ['kætəlæn] I adj catalán,-ana
II n 1 (persona) catalán,-ana 2 (idioma) catalán

catalogue, catalog ['kædəlɒg] I n catálogo
II vtr catalogar

Catalonia [kædə'ləʊnɪə] n Cataluña

catalyst ['kædəlɪst] n catalizador

catapult ['kædəpʌlt] n tirachinas

catarrh [kə'tɑːr] n catarro

catastrophe [kə'tæstrəfi] n catástrofe

catch [kætʃ] I vtr (ps & pp **caught**) 1 (la pelota) agarrar, coger 2 asir, agarrar: **he caught me by the arm**, me agarró del brazo 3 (Med) contagiarse 4 pillar, sorprender: **they caught him selling drugs**, le sorprendieron vendiendo drog 5 (la atención) atraer 6 (la imaginación, el ambiente) captar
II vi engancharse [on, en]
III n 1 (de pelota, balón) parada 2 (caza, pescao) captura 3 (de caja, puerta) pestillo

■ **catch on** vi fam 1 ganar popularidad 2 darse cuenta

■ **catch up** vi 1 **to catch up with (one's) work**, ponerse al día con el trabajo

catching ['kætʃɪŋ] adj (enfermedad, risa, etc) contagioso,-a

catch-phrase ['kætʃfreɪz] n eslogan

catchy ['kætʃi] adj (catchier, catchiest) fam (música) pegadizo,-a

categorize ['kætɪgəraɪz] vtr clasificar

category ['kætɪgəri] n categoría

cater ['keɪdər] vi 1 **to cater for**, (boda, etc) proveer comida para 2 **to cater for** o **to**, (gustos) atender a

caterer ['keɪdərər] n proveedor,-ora (de comida)

catering ['keɪdərɪŋ] n abastecimiento (de comidas por encargo), catering

caterpillar ['kædəpɪlər] n Ent oruga

cathedral [kə'θi:drəl] n catedral

Catholic ['kæθlɪk] adj & n católico,-a

Catholicism [kə'θɒlɪsɪzəm] n catolicismo

cattle ['kædəl] npl ganado (vacuno)

catty ['kædi] adj (cattier, cattiest) fam 1 (comentario) sarcástico,-a 2 (persona) malicioso,-a

catwalk ['kætwɔ:k] n pasarela

caught [kɑ:t] ps & pp → **catch**

cauliflower ['kɒlɪflaʊər] n Bot coliflor
cause [kɔːz] **I** n 1 (de un suceso) causa 2 (de una acción) motivo
II vtr (un accidente, etc) causar, provocar
caustic ['kɔːstɪk] adj cáustico,-a; fig mordaz
caution ['kɔːʃən] **I** n 1 cautela, prudencia 2 Dep Jur amonestación
II vtr advertir, amonestar
cautious ['kɔːʃəs] adj cauteloso,-a, prudente
cavalier [kævə'lɪər] adj arrogante
cavalry ['kævəlrɪ] n caballería
cave [keɪv] n cueva
■ **cave in** vi (techo) derrumbarse, hundirse
cavern ['kævərn] n caverna
caviar ['kævɪɑːr] n caviar
cavity ['kævɪdɪ] n 1 cavidad 2 (en un diente) caries
CD n (abr de compact disc) CD
cease [siːs] vtr frml cesar
ceasefire [siːs'faɪər] n alto el fuego
ceaseless ['siːslɪs] adj incesante
cedar ['siːdər] n Bot cedro
ceiling ['siːlɪŋ] n techo
celebrate ['selɪbreɪt] vtr celebra
celebrated ['selɪbreɪdɪd] adj célebre
celebration [selɪ'breɪʃən] n celebración
celery ['selərɪ] n Bot apio
celibate ['selɪbət] adj & n célibe
cell [sel] n 1 (de cárcel, convento) celda 2 Biol Pol célula 3 Elec pila
cellar ['selər] n sótano; (para vino) bodega
cello ['tʃeloʊ] n violonchelo
Cellophane® ['seləfeɪn] n celofán
cellular ['seljələr] adj celular
cellular phone n Tel teléfono móvil
Celt ['kelt] n celta
Celtic ['keltɪk] **I** adj celta
II n (idioma) celta
cement [sɪ'ment] **I** n cemento
II vtr 1 Constr unir con cemento 2 fig (la amistad, relaciones) consolidar
cemetery ['semɪterɪ] n cementerio
cement mixer n hormigonera
censor ['sensər] **I** n censor,-ora
II vtr censurar
censorship ['sensərʃɪp] n censura
censure ['senʃər] **I** n censura
II vtr censurar
census ['sensəs] n censo
cent [sent] n centavo, céntimo; **per cent**, por ciento
centenary [sen'tiːnərɪ] n centenario
center ['sentər] n & vtr 1 centro, punto medio entre dos lugares 2 lugar o edificio con función especial 3 baloncesto jugador que juega en el centro 4 fútbol americano jugador que pone el balón en movimiento 5 v mover algo a una posición al centro de algo
center field [sentər'fiːld] n béisbol jardín central

centigrade ['sentɪɡreɪd] adj centígrado,-a
centiliter ['sentɪliːdər] n centilitro
centimeter ['sentɪmiːdər] n centímetro
centipede ['sentɪpiːd] n Zool ciempiés
central ['sentrəl] adj 1 (problema, tema) principal 2 (piso, etc) céntrico,-a
centralize ['sentrəlaɪz] vtr centralizar
century ['sentʃrɪ] n siglo; **the eleventh century**, el siglo once
ceramic [se'ræmɪk] **I** n cerámica
II adj de cerámica
ceramics [se'ræmɪks] n sing cerámica
cereal ['sɪrɪəl] n 1 Bot cereal 2 Culin (breakfast) cereal, cereales
cerebral ['serɪbrəl] adj cerebral
ceremony ['serɪmənɪ] n ceremonia
certain ['sərtən] adj 1 seguro,-a 2 **for certain**, con certeza; **to know for certain**, saber a ciencia cierta 3 cierto,-a, (determinado) **I have certain reasons to believe that...**, tengo ciertos motivos para creer que...; **to a certain extent**, hasta cierto punto; 4 frml **a certain Ms. Podd called**, llamó una tal señorita Podd
certainly ['sərtnlɪ] adv 1 ciertamente: **it certainly is hot today**, hoy sí que hace calor 2 (respuesta afirmativa) desde luego 3 (respuesta negativa) **certainly not**, de ninguna manera
certainty ['sərtntɪ] n 1 certeza, seguridad 2 cosa segura
certificate [sər'tɪfɪkɪt] n certificado
certify ['sərdɪfaɪ] vtr 1 certificar 2 Med declarar demente 3 (copia) compulsar
cervix ['sərvɪks] n Anat cuello del útero
chain [tʃeɪn] **I** n 1 (de cadena; fig (de acontecimientos) serie
II vtr encadenar
chair [tʃer] **I** n 1 silla; (con brazos) sillón, butaca 2 (puesto) presidencia 3 Univ cátedra
II vtr 1 (un comité) presidir 2 (una reunión) moderar
chairman ['tʃermən] n presidente
chairperson ['tʃerpərsən] n presidente,-a
chairwoman ['tʃerwʊmən] n presidenta
chalet ['ʃæleɪ] n chalet
chalk [tʃɔːk] n 1 (para escribir) tiza 2 (piedra) creta
challenge ['tʃælɪndʒ] **I** vtr 1 retar, desafiar 2 (autoridad) desafiar 3 (hecho) cuestionar
II n reto, desafío
challenging ['tʃælɪndʒɪŋ] adj 1 (manera) desafiante 2 (tarea) que exige mucho esfuerzo
chamber ['tʃeɪmbər] n cámara,
chambermaid ['tʃeɪmbərmeɪd] n camarera
chameleon [kə'miːlɪən] n camaleón
champagne [ʃæm'peɪn] n (vino francés) champán
champion ['tʃæmpɪən] **I** n 1 Dep campeón,-ona 2 defensor,-ora

II vtr apoyar, abogar por

championship ['tʃæmpiənʃip] n campeonato

chance [tʃæns] **I** n **1** azar, casualidad; **game of chance**, juego de azar **2** posibilidad: **there's a chance of rain**, cabe la posibilidad de que llueva **3** oportunidad: **this is your last chance**, esta es tu última oportunidad **4** riesgo: **don't take chances**, no tientes la suerte
II vtr arriesgarse

chancellor ['tʃænslər] n **1** canciller

chandelier [ʃændi'liər] n araña (de luces)

change [tʃeindʒ] **I** vi **1** cambiar(se) **2** (transportes) cambiar, hacer transbordo
II vtr **1** cambiar [**for**, por] **2** (color, dirección, dueño, idea, opinión, ropa, tema) cambiar de
III n **1** cambio, transformación; **for a change**, para variar **2** (de texto) modificación **3** (de ropa) muda **4** (transporte) transbordo **5** (de dinero) cambio, vuelta; **(small) change**, monedas sueltas, calderilla
■ **change around** vtr cambiar de sitio

changeable ['tʃeindʒəbəl] adj **1** (clima) variable **2** (persona) inconstante

changeover ['tʃeindʒouvər] n conversión

changing room n vestuario

channel ['tʃænəl] **I** n **1** Geog canal, estrecho **2** (de río) cauce **3** (para riego) acequia **4** TV canal, cadena **5** (administrativo) vía
II vtr fig (ideas, etc) encauzar, canalizar

chant [tʃænt] **I** n canto
II vtr & vi cantar

Chanukah ['hɑːnəkə] **Hanukkah** n Hanuca, fiesta hebrea, Fiesta de las luces

chaos ['keiɑs] n caos

chapel ['tʃæpəl] n capilla

chaplain ['tʃæplin] n capellán

chapped [tʃæpt] adj agrietado,-a

chaps [tʃæps] n chaparreras

chapter ['tʃæptər] n (de un libro, etc) capítulo

char [tʃɑːr] vtr chamuscar, carbonizar

character ['kærɪktər] n **1** carácter **2** fam personaje **3** Teat personaje

characteristic [kærɪktə'rɪstɪk] **I** n característica
II adj característico,-a

characterize ['kærɪktəraɪz] vtr caracterizar

charcoal ['tʃɑːrkoul] n **1** Min carbón vegetal **2** Arte carboncillo

charge [tʃɑːrdʒ] **I** n **1** precio; (de un banco) comisión; (de un servicio) tarifa; (de un abogado) honorarios **2** responsabilidad, cargo: **I'm in charge**, yo mando **3** Jur acusación, cargo **4** Mil ataque, carga **5** (de electricidad, explosivo) carga
II vtr **1** Fin cobrar [**for**, por]: **charge it to my account**, cárguelo a mi cuenta **2** Jur acusar [**of**, de] **3** frml encomendar **4** Mil atacar, cargar contra **5** (un toro) embestir contra **6** (una pila, batería) cargar

III vi **1** cobrar **2** correr **3** embestir [**at**, contra]

charge account n cuenta de crédito

charge card n tarjeta de crédito

charisma [kə'rɪzmə] n carisma

charitable ['tʃerɪdʒəbəl] adj **1** (persona) caritativo,-a **2** (obra, organización) benéfico,-a

charity ['tʃerɪdʒi] n **1** caridad **2** organización benéfica

charlatan ['ʃɑːrlətən] n charlatán,-ana;

charm [tʃɑːrm] **I** n encanto
II vtr encantar

charming ['tʃɑːrmɪŋ] adj encantador,-ora

chart [tʃɑːrt] **I** n **1** (de información) cuadro, gráfico, tabla **2** Náut carta de navegación
II vtr Av Náut (la trayectoria) trazar

charter ['tʃɑːrdʒər] **I** n **1** (de institución) estatutos **2** (de derechos) carta, fuero **3** fletamento
II vtr Av Náut fletar

charter flight n Av vuelo chárter

chase [tʃeis] **I** vtr perseguir, cazar
II n persecución, caza

chasm ['kæzəm] n abismo

chassis ['ʃæsi] n chasis

chaste [tʃeist] adj casto,-a

chat [tʃæt] **I** n charla
II vi charlar

chatter ['tʃædər] **I** vi **1** (persona) parlotear **2** (pájaro) trinar **3** (dientes) castañetear
II n **1** (de persona) parloteo **2** (de pájaro) trino **3** (de dientes) castañeteo

chatterbox ['tʃædərbɑks] n fam parlanchín,-ina

chatty ['tʃædi] adj (chattier, chattiest) hablador,-ora

chauffeur ['ʃoufər] n chófer

chauvinist ['ʃouvɪnɪst] adj & n chovinista; **male chauvinist**, machista

cheap [tʃiːp] adj **1** barato,-a **2** (chiste) de mal gusto **3** (calidad) de mala calidad

cheapen ['tʃiːpən] vtr abaratar

cheaply ['tʃiːpli] adv barato

cheat [tʃiːt] **I** n **1** tramposo,-a **2** estafador,-ora **3** estafa, fraude
II vtr **1** engañar, timar **2** evitar, burlar
III vi **1** (en un juego) hacer trampa **2** (en un examen) copiar **3** (a un esposo) engañar [**on**, a]

check [tʃek] **I** n **1** (de coche, frenos) inspección, revisión **2** (de aduana, policía) control; **security check**, control de seguridad **3** Ajedrez jaque **4** (diseño) cuadro **5** US (recibo) cuenta, nota → **cheque**
II vtr **1** (una cantidad, calidad) comprobar **2** (cifras, documentos, frenos, un motor) revisar **3** asegurarse de **4** (un impulso, movimiento) frenar
III vi comprobar
■ **check in** vi Av facturar; (al llegar al hotel) registrarse [**at**, en]
■ **check out** vi (al salir del hotel) pagar y marcharse

■ **check out of** *vtr* pagar la cuenta y salir

check [tʃek] *n* cheque, talón

checked [tʃekt] *adj (diseño)* a cuadros

checker [tʃekər] *n* cajero,-a

checkers [tʃekərz] *n US (juego)* damas

check-in [tʃekɪn] *n Av* facturación

checklist [tʃeklɪst] *n* lista

checkmate [tʃekmeɪt] **I** *n Ajedrez* jaque mate
II *vtr Ajedrez* dar jaque mate a

checkout [tʃekaʊt] *n* caja

checkpoint [tʃekpɔɪnt] *n* puesto de control

checkup [tʃekʌp] *n Med* revisión médica, chequeo

cheek [tʃiːk] *n* **1** mejilla **2** *fam (audacia)* cara

cheekbone [tʃiːkbəʊn] *n* pómulo

cheeky [tʃiːki] *adj (cheekier, cheekiest) fam* fresco,-a, descarado,-a

cheer [tʃɪər] **I** *vi* aplaudir, aclamar
II *vtr* **1** *(con aplausos)* vitorear, aclamar **2** *frml (dar esperanza)* animar
III *n* ovación
♦ | LOC: *excl* **cheers!**, *fam* ¡gracias!; *fam* ¡hasta luego!; *(como brindis)* ¡salud!

■ **cheer up I** *vi* animarse: **cheer up!**, ¡anímate!
II *vtr* **to cheer sb up**, animar a alguien

cheerful [tʃɪərfəl] *adj* alegre

cheese [tʃiːz] *n* queso

cheetah [tʃiːdə] *n Zool* guepardo

chef [ʃef] *n* chef, cocinero,-a

chemical [kemɪkəl] **I** *n* sustancia química
II *adj* químico,-a

chemist [kemɪst] *n* químico,-a

chemistry [kemɪstri] *n* química

cherish [tʃerɪʃ] *vtr* **1** *(a una persona)* querer **2** *(una tradición)* mantener **3** *fig (esperanza)* abrigar

cherry [tʃeri] *n Bot* **1** *(fruto)* cereza **2** *(árbol)* cerezo

chess [tʃes] *n* ajedrez

chessboard [tʃesbɔːd] *n* tablero de ajedrez

chest [tʃest] *n* **1** *Anat* pecho **2** arca, cofre; **chest of drawers**, cómoda

chestnut [tʃesnʌt] *n Bot* **1** *(árbol, color)* castaño **2** *(fruto)* castaña **3** **horse chestnut**, castaño de Indias

chew [tʃuː] *vtr* **1** masticar, mascar **2** *(las uñas)* morder

chewing gum *n* chicle

chic [ʃiːk] *adj* elegante

chick [tʃɪk] *n* **1** pollito **2** *US fam* chica, chavala

chicken [tʃɪkɪn] *n* **1** pollo **2** *fam (cobarde)* gallina

■ **chicken out** *vi fam* acobardarse **[of,** de**]**

chickenpox [tʃɪkɪnpɒks] *n Med* varicela

chickpea [tʃɪkpiː] *n Bot* garbanzo

chicory [tʃɪkəri] *n Bot* achicoria

chief [tʃiːf] **I** *n* jefe,-a
II *adj* principal

child [tʃaɪld] *n (pl children)* niño,-a, hijo,-a

childbirth [tʃaɪldbɜːθ] *n* parto

childhood [tʃaɪldhʊd] *n* infancia, niñez

childish [tʃaɪldɪʃ] *adj* infantil

childlike [tʃaɪldlaɪk] *adj (inocencia)* infantil

children [tʃɪldrən] *npl →* **child**

Chile [tʃɪli] *n* Chile

Chilean [tʃɪliən] *adj & n* chileno,-a

chill [tʃɪl] *n* **1** *Med* resfriado **2** *(sensación de frío)* fresco
II *adj* frío,-a
III *vtr* **1** *(la carne)* refrigerar; *(el vino)* enfriar: **serve chilled**, sírvase frío

chili [tʃɪli] *n Culin* chile, *LAm* ají

chilly [tʃɪli] *adj (chillier, chilliest)* frío,-a, fresquito,-a

chime [tʃaɪm] **I** *n* campanada, repique
II *vi* sonar, repicar

chimney [tʃɪmni] *n* chimenea

chimpanzee [tʃɪmpænˈziː] *n Zool* chimpancé

chin [tʃɪn] *n* barbilla, mentón

china [tʃaɪnə] *n* loza, porcelana

chinatown [tʃaɪnətaʊn] *n* barrio chino

chink [tʃɪŋk] **I** *vi* tintinear
II *n* **1** *(sonido)* tintineo **2** *(de puerta)* resquicio **3** *(en pared)* grieta

chip [tʃɪp] *n* **1** *Culin* patata frita *(en bolsa)* **2** *(de madera)* astilla **3** *(en taza)* desportilladura, desconchado **4** *Inform* chip **5** *(en un casino)* ficha
II *vtr* **1** *(la madera)* astillar **2** *(la pintura, vajilla)* desconchar
III *vi* **1** *(madera)* astillarse **2** *(pintura, vajilla)* desconcharse

■ **chip in** *vi fam* **1** *(dinero)* contribuir **2** *(en una conversación)* meterse, interrumpir

chirp [tʃɜːp] *vi (los pájaros)* gorjear

chisel [tʃɪzəl] **I** *n* **1** *(para madera)* formón, escoplo **2** *(para metal, piedra)* cincel
II *vtr* cincelar, tallar

chivalry [ʃɪvəlri] *n* caballerosidad

chives [tʃaɪvz] *npl Bot* cebollino

chlorine [klɔːriːn] *n Quím* cloro

chock-a-block [tʃɒkəˈblɒk] *adj fam* abarrotado,-a, lleno,-a

chock-full [tʃɒkˈfʊl] *adj fam* abarrotado,-a, lleno,-a

chocolate [tʃɒklɪt] **I** *n* **1** chocolate **2** **chocolates** *pl*, bombones
II *adj* de chocolate

chocolate chip(s) [tʃɒklɪtˈtʃɪp(s)] *n* pepita(s) de chocolate

choice [tʃɔɪs] **I** *n* **1** elección **2** surtido
II *adj frml* selecto,-a

choir [kwaɪər] *n* coro

choke [tʃəʊk] **I** *vtr* **1** *(a una persona)* ahogar, estrangular **2** *(un canal)* obstruir
II *vi* asfixiarse

III *n Auto* estárter

cholesterol [kə'lestərəl] *n* colesterol

choose [tʃuːz] **I** *vtr (ps chose; pp chosen)* **1** elegir, escoger **[between,** entre] **2** decidir, optar por

II *vi* escoger, elegir

chop [tʃɒp] **I** *vtr* **1** *(leña)* cortar **2** *Culin* cortar en pedacitos, picar

II *n* **1** *Culin* chuleta **2** hachazo

■ **chop down** *vtr* talar

chopper ['tʃɒpər] *n* **1** *Culin* tajadera **2** *fam* helicóptero

choppy ['tʃɒpi] *adj (choppier, choppiest) (mar)* picado,-a

chopsticks ['tʃɒpstɪks] *npl* palillos

choral ['kɔːræl] *adj* coral

chord ['kɔːd] *n Mús* acorde; **to strike the right chord,** acertar el tono

chore ['tʃɔːr] *n* faena, tarea

choreography [kɔːriː'ɒgrəfi] *n* coreografía

chorus ['kɔːrəs] *n* **1** *Mús Teat (personas)* coro **2** *(de canción)* estribillo

chose [tʃəʊz] *ps* → **choose**

chosen ['tʃəʊzən] *pp* → **choose**

chowder ['tʃaʊdər] *n* sopa espesa o guisado hecha a base de almejas u otros mariscos

Christ ['kraɪst] *n* Cristo, Jesucristo

christen ['krɪsən] *vtr* bautizar

christening ['krɪsənɪŋ] *n* bautizo

Christian ['krɪstʃən] **I** *n* cristiano,-a

II *adj* cristiano,-a

Christianity [krɪstʃiː'ænɪdʒi] *n* cristianismo

Christian Science ['krɪstʃənsaɪəns] *n* secta religiosa cree que en el poder mental, en lugar de las medicinas, para curar las enfermedades

Christmas ['krɪsməs] *n* Navidad; **Merry Christmas,** Feliz Navidad

Christmas card *n* tarjeta de Navidad

Christmas Day *n* (día de) Navidad

Christmas Eve *n* Nochebuena

chrome [krəʊm], **chromium** ['krəʊmiəm] *n (metal)* cromo

chromosome ['krəʊməsəʊm] *n* cromosoma

chronic ['krɒnɪk] *adj Med* crónico,-a

chronicle ['krɒnɪkəl] *n* crónica

chronological [krɒnə'lɒdʒɪkəl] *adj* cronológico,-a

chrysanthemum [krɪ'sænθəməm] *n Bot* crisantemo

chubby ['tʃʌbi] *adj (chubbier, chubbiest)* gordinflón,-ona

chuck [tʃʌk] *vtr fam* tirar

■ **chuck away/out** *vt fam* tirar algo

chuckle ['tʃʌkəl] **I** *vi* reír entre dientes

II *n* risita

chum ['tʃʌm] *n* amigo,-a, compinche

chunk ['tʃʌŋk] *n fam* cacho, pedazo

church ['tʃɜːtʃ] *n* iglesia

churchyard ['tʃɜːtʃjɑːd] *n* cementerio

churn ['tʃɜːn] *n* **1** lechera **2** *(para la mantequilla)* mantequera

■ **churn out** *vtr fam* producir en serie

chute ['ʃuːt] *n* **1** *(para carga, descarga, etc)* rampa **2** *(para niños, etc)* tobogán

chutney ['tʃʌtni] *n Culin* conserva agridulce de frutas o vegetales

CIA *(abr de Central Intelligence Agency)*, Agencia Central de Información, CIA

cider ['saɪdər] *n* sidra

cigar [sɪ'gɑːr] *n* puro, cigarro

cigarette [sɪgə'ret] *n* cigarrillo

cinder ['sɪndər] *n* ceniza

cinema ['sɪnɪmə] *n* cine

cinnamon ['sɪnəmən] *n* canela

circle ['sɜːkəl] **I** *n* **1** *(forma)* círculo **2** *(de gente agarrada de la mano)* corro

II *vtr* rodear, dar vueltas a

III *vi* dar vueltas

circuit ['sɜːkɪt] *n* **1** *Elec* circuito; **short circuit,** cortocircuito **2** *(de un viaje)* recorrido

circular ['sɜːkjələr] *adj & n* circular

circulate ['sɜːkjəleɪt] **I** *vtr (una información)* hacer circular

II *vi (rumor, sangre, tráfico)* circular

circulation [sɜːkjə'leɪʃən] *n (de sangre)* circulación

circumcise ['sɜːkəmsaɪz] *vtr* circuncidar

circumcision [sɜːkəm'sɪʒən] *n* circuncisión

circumference [sɜː'kʌmfərəns] *n* circunferencia

circumstance ['sɜːkəmstæns] *n (usu pl)* circunstancia; **under no circumstances,** en ningún caso

circus ['sɜːkəs] *n* circo

cirrhosis [sɪ'rəʊsɪs] *n Med* cirrosis

cistern ['sɪstərn] *n* cisterna

cite [saɪt] *vtr* citar

citizen ['sɪdɪzən] *n* ciudadano,-a

citizenship ['sɪdɪzənʃɪp] *n* ciudadanía

citrus ['sɪtrəs] *adj* cítrico

city [sɪdi] *n* ciudad

city hall *n* ayuntamiento

civic ['sɪvɪk] *adj* **1** *(deber, sentido)* cívico,-a **2** *(instalaciones)* municipal

civil ['sɪvəl] *adj* **1** civil; **civil unrest,** malestar social **2** cortés, educado,-a

civilian [sɪ'vɪljən] *n (no militar)* civil

civilization [sɪvɪlɪ'zeɪʃən] *n* civilización

civilized ['sɪvɪlaɪzd] *adj* civilizado,-a

claim ['kleɪm] **I** *n* **1** reivindicación, reclamación; *(por daños)* demanda

II *vtr* **1** *(un derecho)* reclamar, reivindicar **2** afirmar

clairvoyant [kler'vɔɪənt] *n* clarividente

clam [klæm] *n Zool* almeja

clammy ['klæmi] *adj (clammier, clammiest)* bochornoso,-a

clamor ['klæmər] **I** *n* clamor

II *vi* **to clamour for,** pedir a gritos

clamp [klæmp] **I** *n* **1** grapa **2** *Téc* abrazadera **3** cepo

clan [klæn] *n* clan

clandestine [klæn'dɛstɪn] *adj* clandestino,-a

clang [klæŋ] **I** *vi* sonar
II *n* sonido metálico

clap [klæp] **I** *vi & vtr* aplaudir
II *n* aplauso

clapping ['klæpɪŋ] *n* aplausos

clarify ['klerɪfaɪ] *vtr* aclarar

clarinet [klerɪ'nɛt] *n Med* clarinete

clarity ['klerɪdʒi] *n* claridad

clash [klæʃ] **I** *n* **1** *(de intereses)* conflicto **2** *(entre personas)* enfrentamiento **3** *(contra un obstáculo sólido)* choque
II *vi* **1** estar en conflicto **2** *(personas)* enfrentarse; *(con violencia)* chocar

clasp [klæsp] **I** *n* **1** *(de un collar)* broche, cierre; *(de un cinturón)* hebilla **2** *(de manos)* apretón
II *vtr* **1** abrochar **2** sujetar

class [klæs] **I** *n* clase; **middle/ upper/working class,** clase media/alta/ obrera; **first class ticket,** billete de primera *(clase)*
II *vtr* clasificar, considerar [**as,** como]

classic ['klæsɪk] **I** *adj* **1** clásico,-a **2** *fig* memorable
II *n* clásico

classical ['klæsɪkəl] *adj* clásico,-a

classification [klæsɪfɪ'keɪʃən] *n* clasificación

classified ['klæsɪfaɪd] *adj* **1** *(información)* secreto,-a **2** clasificado,-a; **classified advertisements,** anuncios por palabras

classify ['klæsɪfaɪ] *vtr* clasificar

classmate ['klæsmeɪt] *n* compañero,-a de clase

classroom ['klæsruːm] *n* aula, clase

classy ['klæsi] *adj fam* con clase, elegante

clatter ['klædər] **I** *n* estrépito
II *vi* hacer ruido estrepitoso

clause [klɔːz] *n* **1** *Jur* cláusula **2** *Ling* oración

claw [klɔː] **I** *n* **1** *(de un águila, tigre, etc)* garra; *(de una mascota)* uña **2** *(de un centollo)* pinza
II *vtr* arañar

clay [kleɪ] *n* arcilla

clean [kliːn] **I** *adj* **1** *(manos, ropa)* limpio,-a **2** *(humor, vida)* decente, inocente **3** *Jur* **he has a clean record,** no tiene antecedentes penales
II *adv* **to play clean,** jugar limpio
III *vtr* *(una habitación, etc)* limpiar
■ **clean out** *vtr* **1** *(una habitación)* limpiar a fondo **2** *(un cajón)* vaciar **3** *fam (a una persona)* desplumar
■ **clean up** *vtr & vi* limpiar

clean-cut ['kliːnkʌt] *adj (decisión)* claro,-a

cleaner ['kliːnər] *n* limpiador,-ora

cleaning ['kliːnɪŋ] *n* limpieza; **to do the cleaning,** limpiar

cleanliness ['klɛnlɪnɪs] *n* **1** limpieza **2** aseo personal

cleanse [klɛnz] *vtr* limpiar

cleanser ['klɛnzər] *n* producto para la limpieza

clean-shaven ['kliːnʃeɪvən] *adj* bien afeitado

cleansing ['klɛnzɪŋ] *n* **1** limpieza **2** *Pol* **ethnic cleansing,** limpieza étnica

clean-up ['kliːnʌp] *n* limpieza

clear [klɪr] **I** *adj* **1** claro,-a **2** *(agua, aire, cristal)* transparente **3** *(mente)* lúcido,-a, despejado,-a **4** *(conciencia)* tranquilo,-a **5** *(carretera, cielo, día)* despejado,-a
II *adv* **keep clear of the doors,** no se acerquen a las puertas; **to stay clear of,** evitar
III *vi* despejarse
IV *vtr* **1** *(la mesa)* quitar; *(una superficie)* despejar **2** *(la carretera)* despejar, desbloquear **3** *(un edificio)* evacuar **4** *(aduana)* pasar **5** *(un obstáculo)* salvar **6** *(una deuda)* liquidar
■ **clear away** *vtr* quitar
II *vi* recoger
■ **clear off** *vi fam* largarse
■ **clear out** *vtr* **1** *(una habitación)* limpiar a fondo **2** *(un armario)* vaciar
■ **clear up** *vtr* **1** recoger, ordenar **2** *(un misterio)* esclarecer
II *vi (tiempo)* despejarse

clearance ['klɪrəns] *n* **1** *(de zona)* despeje **2** *(de edificio)* evacuación **3** autorización

clearance sale *n Com* liquidación

clear-cut [klɪr'kʌt] *adj* claro,-a

clear-headed ['klɪr'hɛdɪd] *adj* lúcido,-a

clearing ['klɪrɪŋ] *n* claro

clearly ['klɪrli] *adv* **1** claramente **2** evidentemente

clear-sighted ['klɪr'saɪdɪd] *adj* perspicaz

cleavage ['kliːvɪdʒ] *n* escote

clef [klɛf] *n Mús* clave

clench [klɛntʃ] *vtr (dientes, puño)* apretar

clergy ['klɜːrdʒi] *n* clero *(usu protestante)*

clergyman ['klɜːrdʒimən] *n* **1** clérigo **2** pastor protestante

clerical ['klɛrɪkəl] *adj* clerical

clerk [klɜːrk] *n* **1** oficinista **2** *US Com* dependiente,-ta, vendedor,-ora **3** *(en hotel)* recepcionista

clever ['klɛvər] *adj* **1** *(persona)* listo,-a **2** *(argumento)* ingenioso,-a

cliché ['kliːʃeɪ] *n* cliché, tópico,-a

click [klɪk] **I** *n (sonido)* clic
II *vtr (dedos, lengua)* chasquear

client ['klaɪənt] *n* cliente,-a

cliff [klɪf] *n* acantilado

climate ['klaɪmɪt] *n* clima

climax ['klaɪmæks] *n* clímax

climb [klaɪm] **I** *n* ascensión

II *vtr (un árbol)* trepar a; *(una escalera)* subir (por); *(una montaña)* escalar

climber ['klaɪmər] *n* alpinista

climbing ['klaɪmɪŋ] *n* Dep montañismo, alpinismo

clinch [klɪntʃ] **I** *vtr* **1** *(un trato)* cerrar **2** *(una duda)* resolver

cling [klɪŋ] *vi* **1** *(ps & pp* **clung***) (una persona a otra)* agarrarse, aferrarse **2** *(ropa)* ajustarse **3** *(olor)* pegarse

clinic ['klɪnɪk] *n (público)* consultorio; *(privado)* clínica

clinical ['klɪnɪkəl] *adj* clínico,-a

clink [klɪŋk] **I** *vi* tintinear

II *n* tintineo

clip [klɪp] **I** *vtr* **1** cortar **2** sujetar

II *n* **1** *(de película)* extracto **2** *(para papel)* clip

clippers ['klɪpərz] *npl* **hair clippers**, maquinilla para rapar; **hedge clippers**, tijeras de podar; **nail clippers**, cortaúñas

clipping ['klɪpɪŋ] *n* recorte de prensa **cloak** [kloʊk] **I** *n* **1** capa **2** *fig* tapadera

II *vtr* encubrir

cloakroom ['kloʊkruːm] *n* guardarropa

clock [klɑk] **I** *n* reloj

II *vtr (una carrera)* cronometrar

■ **clock in** *vi* fichar a la llegada

■ **clock out** *vi* fichar a la salida

clockwise ['klɑkwaɪz] *adj & adv* en el sentido de las agujas del reloj

clockwork ['klɑkwərk] **I** *n* **1** mecanismo de relojería

II *adj* de cuerda

clog [klɑg] **I** *vtr* atascar

II *n* zueco

cloister ['klɔɪstər] *n* claustro

clone [kloʊn] *n* clon

close[1] [kloʊs] **I** *adj* **1** *(nunca antes del sustantivo)* cercano,-a **2** *(relación, conexión)* íntimo,-a, estrecho,-a **3** *(solo antes del sustantivo)* cuidadoso,-a **4** *(carácter)* reservado,-a

II *adv* cerca: **she lives close by**, vive cerca

close[2] [kloʊz] **I** *vtr* **1** cerrar **2** concluir, terminar

II *vi* **1** *(puerta, etc)* cerrarse

III *n* fin, final

■ **close down** *vtr & vi (un negocio)* cerrar (para siempre)

closed [kloʊzd] *adj* cerrado,-a

close-knit [kloʊs'nɪt] *adj fig* unido,-a

closely ['kloʊsli] *adv* **1** estrechamente, muy **2** con atención

closet ['klɑzɪt] *n* armario

close-up ['kloʊsʌp] *n* primer plano

closing ['kloʊzɪŋ] *n* cierre

closure ['kloʊʒər] *n* cierre

clot [klɑt] **I** *n* Med *(de sangre)* coágulo **II** *vi* **1** *(sangre)* coagularse **2** *(leche)* cuajar

cloth [klɑθ] *n* **1** tela, paño **2** *(table)* **cloth**, mantel

clothe [kloʊð] *vtr* **1** vestir [**in, with, de**] **2** revestir, cubrir [**in, with, de**]

clothes [kloʊz] *npl* ropa

clothes hanger *n* percha

clothes line *n* tendedero

clothes peg *n* pinza (para tender la ropa)

clothing ['kloʊðɪŋ] *n* ropa; **an item of clothing**, una prenda de vestir

cloud [klaʊd] **I** *n* **1** nube

II *vtr* **1** *(la visión)* nublar **2** *(un líquido)* enturbiar **3** *(un asunto)* embrollar

cloudy ['klaʊdi] *adj (cloudier, cloudiest)* nublado,-a

clout [klaʊt] *fam* **I** *n* tortazo

II *vtr* dar un tortazo a

clove [kloʊv] *n* **1** *(especia)* clavo **2** *(de ajo)* diente

clover ['kloʊvər] *n* Bot trébol

clown [klaʊn] *n* payaso

club [klʌb] **I** *n* **1** *(sociedad)* club; **tennis club**, club de tenis **2** garrote, porra; Golf palo **3** Naipes trébol

II *vtr* aporrear

clubhouse ['klʌbhaʊs] *n* sede de un club

cluck [klʌk] **I** *n* cloqueo

II *vi* cloquear

clue [kluː] *n* **1** indicio; *(para resolver un misterio)* pista **2** *(de un crucigrama)* clave, pista

♦ | LOC.: *fam* **he hasn't a clue**, no tiene ni la menor idea

clump [klʌmp] *n* grupo

clumsy ['klʌmzi] *adj (clumsier, clumsiest)* patoso,-a, torpe

clung [klʌŋ] *ps & pp* → **cling**

cluster ['klʌstər] **I** *n* **1** grupo **2** Inform clúster

II *vi* agruparse

clutch [klʌtʃ] **I** *n* Auto embrague: **to engage/disengage the clutch**, embragar/ desembragar

II *vtr* agarrar

clutter ['klʌtər] **I** *n (de papeles, etc)* revoltijo, desorden

II *vtr* **to clutter (up)**, abarrotar, atestar

CO *(abr de Colorado)* abreviatura, estado de Colorado

Co. Com *(abr de Company)*, C., C.ª, Cía

coach [koʊtʃ] **I** *n* **1** carruaje, coche de caballos **2** Auto autocar **3** Ferroc coche, vagón **4** Dep entrenador,-ora **5** profesor,-ora *(particular)*

II *vtr* entrenar

coagulate [koʊ'ægjʊleɪt] *vi* coagularse

coal [koʊl] *n* carbón, hulla

coalfield ['koʊlfiːld] *n* cuenca minera

coalition [koʊə'lɪʃən] *n* coalición

coarse [kɔrs] *adj* **1** áspero,-a **2** *(modales, lenguaje)* grose-ro,-a, ordinario,-a

coast [koʊst] *n* costa, litoral

coastal ['koʊstəl] *adj* costero,-a

coaster ['koʊstər] *n* posavasos

coastguard ['koustgard] n guardacosta

coastline ['koustlaın] n litoral, costa

coat [kout] I n 1 (largo) abrigo; (corto) chaquetón; **coat hanger,** percha 2 (de médico) bata 3 (de animal) pelo, lana 4 (de grasa, polvo) capa 5 (de pintura) mano
II vtr cubrir [**with,** de]

coat of arms n escudo de armas

cobweb ['kɑbwɛb] n telaraña

cocaine [kou'keın] n cocaína

cock [kɑk] n gallo

cockle ['kɑkəl] n Zool berberecho

cockpit ['kɑkpıt] n cabina del piloto

cockroach ['kɑkərout ʃ] n Zool cucaracha

cocktail ['kɑkteıl] n cóctel

cocky ['kɑki] adj (cockier, cockiest) fam chulo,-a

cocoa ['koukou] n cacao

coconut ['koukənʌt] n Bot coco

cocoon [kə'kuːn] n capullo

cod [kɑd] n Zool bacalao

code [koud] I n código; Tel prefijo
II vtr 1 (un mensaje) cifrar, poner en clave 2 Inform codificar

coerce [kou'ɜrs] vtr coaccionar

coercion [kou'ɜrʃən] n coacción

coexist [kouıg'zıst] vi coexistir, convivir [**with,** con]

coexistence [kouıg'zıstəns] n coexistencia

coffee ['kɑfi] n café; **black coffee,** café solo

coffee bean n grano de café

coffee grinder n molinillo de café

coffeepot ['kɑfipɑt] n cafetera

coffin ['kɑfın] n ataúd

cog [kɑg] n mecánica 1 diente integrante de una rueda dentada 2 un trabajador o miembro importante en una organización

cogent ['koudʒənt] adj convincente

cognac ['kɑnjæk] n coñac

coherent [kou'hiːrənt] adj coherente

coil [kɔıl] I n 1 (de cuerda) rollo 2 (de humo) espiral 3 Med (anticonceptivo) DIU 4 Elec bobina, carrete
II vtr to coil (up), enrollar

coin [kɔın] I n moneda
II vtr (una moneda) acuñar

coincide [kouın'said] vi coincidir [**with,** con]

coincidence [kou'ınsıdəns] n coincidencia

Coke® ['kouk] n fam (abr de Coca-Cola®) Coca-Cola®

COLA (abr de Cost of Living Adjustment) aumento de sueldo o de beneficios de seguro social para ajustarlos al aumento del costo de vida

colander ['kɑləndər] n escurridor

cold [kould] I n 1 frío 2 Med catarro, constipado, resfriado; **to catch/get a cold,** resfriarse
II adj (temperatura) frío,-a; **in cold blood,** a sangre fría

coleslaw ['koləlɑı] n ensalada de col

collaborate [kə'læbəreıt] vi colaborar [**with,** con]

collaborator [kə'læbəreıdər] n Pol colaboracionista

collapse [kə'læps] I vi 1 (edificio) derrumbarse, hundirse 2 Med sufrir un colapso 3 Fin (precios) desplomarse
II n 1 (de edificio) derrumbamiento, hundimiento 2 Med colapso 3 Fin caída

collapsible [kə'læpsəbəl] adj plegable

collar ['kɑlər] n 1 (ropa) cuello 2 (para perro) collar

collarbone ['kɑlərboun] n clavícula

colleague ['kɑliːg] n colega

collect [kə'lɛkt] I vtr 1 (polvo) acumular 2 (información) recopilar 3 (deudas) cobrar 4 (impuestos) recaudar 5 (libros, sellos) coleccionar 6 (para obras caritativas) hacer una colecta
II vi 1 (personas) reunirse 2 (para obras caritativas) hacer una colecta [**for,** para] 3 (polvo) acumularse
III adv Tel **to call collect,** llamar a cobro revertido

collection [kə'lɛkʃən] n 1 (de basura, correos) recogida 2 (de información) recopilación 3 (de impuestos) recaudación 4 (de libros, sellos) colección 5 (para obra benéfica) colecta

collective [kə'lɛktıv] I adj colectivo,-a
II n (grupo) colectivo

collector [kə'lɛktər] n coleccionista

college ['kɑːlıdʒ] n 1 universidad 2 instituto, escuela

collide [kə'laıd] vi chocar, colisionar [**with,** con]

collision [kə'lıʒən] n choque

colloquial [kə'loukwiəl] adj coloquial

cologne [kə'loun] n (agua de) colonia

Colombia [kə'lɑmbiə] n Colombia

Colombian [kə'lɑmbiən] adj & n colombiano,-a

colon ['koulən] n 1 Anat colon 2 Tip dos puntos

colonel ['kɜrnəl] n coronel

colonize ['kɑlənaız] vtr colonizar

colony ['kɑləni] n colonia

color ['kʌlər] I n 1 color
II vtr 1 colorear 2 (opinión) influir en
III vi ponerse colorado,-a

color-blind ['kʌlərblaınd] adj daltónico,-a

colored ['kʌlərd] adj 1 (foto) en color 2 (persona) de color (insulto)

colorful ['kʌlərfəl] adj lleno,-a de color

coloring ['kʌlərıŋ] n 1 colorido 2 Culin colorante

colorless ['kʌlərlıs] adj incoloro,-a

colt [koult] n Zool potro

column ['kɑləm] n columna

columnist ['kɑləmnıst] n columnista

coma ['koumə] n Med coma

comb [koum] I n peine

II *vtr* peinar

combat ['kʌmbæt] **I** *n* combate

II *vtr* combatir

combination [kʌmbɪ'neɪʃən] *n* combinación

combine [kəm'baɪn] **I** *vtr* combinar

II *vi* combinarse

combustion [kəm'bʌstʃən] *n* combustión

come [kʌm] *vi (ps came; pp come)* **1** venir **2** llegar **3** *(hacerse)* **to come loose,** soltarse; **a dream come true,** un sueño hecho realidad **4** llegar a

■ **come about** *vi* ocurrir, suceder

■ **come across** *vtr* **1** *(una cosa)* dar con **2** *(una persona)* encontrarse con

■ **come along** *vi* **1** salir(se), apartarse **2** *(una parte de otra)* desprenderse **[from,** de]

■ **come back** *vi* volver

■ **come by I** *vi* pasar

II *vtr* adquirir, conseguir

■ **come down** *vi* **1** bajar **[from,** de] **2** *(lluvia)* caer **3** *(edificio)* derrumbarse **4** *(una enfermedad)* **to come down with,** enfermar de

■ **come forward** *vi* **1** moverse hacia adelante, avanzar **2** *(un voluntario)* ofrecerse

■ **come in** *vi* **1** entrar: **come, ¡pase!** **2** *(un tren)* llegar **3** *(la marea)* subir

■ **come off I** *vtr (de un caballo, etc)* caerse **II** *vi* **1** caerse **2** *(la suciedad)* quitarse **3** tener lugar

■ **come on** *vi* **1** progresar **2** **come on!,** *(darse prisa)* ¡date prisa!; ¡vamos!

■ **come out** *vi* **1** salir **[of,** de] **2** *(un color)* desteñir **3** *(un producto)* lanzarse

■ **come out with** *vtr* sacar al público, producir y distribuir un producto

■ **come over I** *vi* **1** venir (a visitar) **2** *fam* ponerse

■ **come to I** *vi* volver en sí

II *vtr* costar en total, ascender a

■ **come up I** *vtr* subir

II *vi* **1** acercarse **[to,** a] **2** *(un problema, una pregunta)* surgir

■ **come up against** *vtr* enfrentarse a

■ **come up with** *vtr* proponer

comeback ['kʌmbæk] *n fam* reaparición

comedian [kə'miːdɪən] *n* cómico

comedienne [kəmiːdi'ɛn] *n (actriz)* cómica

comedy ['kʌmɪdɪ] *n* comedia

comet ['kʌmɪt] *n* cometa

comfort ['kʌmfərt] **I** *n* **1** comodidad **2** *(en dolor, etc)* consuelo

II *vtr* consolar

comfortable ['kʌmftərbəl] *adj* **1** *(cama, ropa)* cómodo,-a **2** *(estado mental)* tranquilo,-a, relajado,-a, a gusto **3** *(familia, persona)* acomodado,-a

comic ['kʌmɪk] **I** *adj* cómico,-a, divertido,-a **II** *n* **2** *(persona)* cómico,-a **3** *Prensa* tebeo, cómic

coming ['kʌmɪŋ] **I** *adj (año, generación)* venidero,-a, próximo,-a

II *n* **1** llegada **2** *Rel* advenimiento

comma ['kʌmə] *n* coma

command [kə'mænd] **I** *vtr* **1** ordenar **2** *(respeto)* inspirar **3** *(precio)* venderse por

II *n* **1** orden **2** *(autoridad)* mando **3** *(de idioma)* dominio

commander [kə'mæːndər] *n* **1** comandante **2** *Mil* capitán de fragata

commandment [kə'mæːnmənt] *n Rel* mandamiento

commando [kə'mæːndou] *n* comando

commemorate [kə'mɛmɔreɪt] *vtr* conmemorar

commence [kə'mɛns] *vtr & vi frml* comenzar

commend [kə'mɛnd] *vtr* **1** *frml* elogiar **[for,** por] **2** *frml* encomendar **3** recomendar

comment ['kʌment] **I** *n* comentario

II *vi & vtr* hacer comentarios

commentary ['kʌməntɛri] *n* comentario

commentator ['kʌməntɛɪdər] *n* comentarista

commerce ['kʌmərs] *n* comercio

commercial [kə'mərʃəl] **I** *adj* comercial

II *n TV* anuncio, spot publicitario

commercial law *n* derecho mercantil

commission [kə'mɪʃən] **I** *n* **1** comisión

II *vtr* encargar

◆ LOC: **out of commission,** fuera de servicio

commissioner [kə'mɪʃənər] *n (oficial)* comisario

commit [kə'mɪt] *vtr* **1** *(un crimen, error)* cometer, perpetrar **2** comprometer **3** *(fondos, recursos)* destinar, asignar

commitment [kə'mɪtmənt] *n* compromiso

committee [kə'mɪdi] *n* comisión, comité

commodity [kə'mɒdɪdi] *n* artículo, mercancía

common ['kʌmən] **I** *adj* **1** común **2** *(persona) pey* ordinario,-a, vulgar

II *n* campo comunal

commonplace ['kʌmənpleɪs] **I** *adj* corriente, banal

II *n frml* **1** cosa frecuente **2** tópico, lugar común

commotion [kə'mouʃən] *n* alboroto

commune [kə'mjuːn] *n* comuna

communicate [kə'mjuːnɪkeɪt] **I** *vi* comunicarse **[with,** con]

II *vtr* comunicar

communication [kəmjuːnɪ'keɪʃən] *n* comunicación

communion [kə'mjuːnjən] *n Rel* comunión

communiqué [kə'mjuːnəkeɪ] *n* comunicado oficial

communism ['kʌmjunɪzəm] *n Pol* comunismo

communist ['kʌmjunɪst] *adj & n Pol* comunista

community [kə'mjuːnɪdi] n comunidad

commute [kə'mjuːt] I vi viajar cada día para ir al trabajo
II vtr fur conmutar

compact [kəm'pækt] I adj 1 compacto,-a
II ['kɒmpækt] n 1 (para maquillaje en polvo) polvera 2 Pol pacto

compact disc (CD) n disco compacto, compact disc

companion [kəm'pænjən] n compañero,-a

companionship [kəm'pænjənʃɪp] n compañerismo

company ['kʌmpəni] n compañía

comparative [kəm'pærədɪv] I adj comparativo,-a, relativo,-a
II n Ling comparativo

comparatively [kəm'pærədɪvli] adv relativamente

compare [kəm'per] I vtr comparar [to, with, con]
II vi compararse

comparison [kəm'perɪsən] n comparación; **by comparison**, en comparación

compartment [kəm'pɑːtmənt] n compartimiento

compass ['kʌmpəs] n 1 brújula 2 (para trazar círculos) (a menudo pl) compás

compassion [kəm'pæʃən] n compasión

compassionate [kəm'pæʃənət] adj compasivo,-a

compatible [kəm'pædəbəl] adj compatible

compel [kəm'pel] vtr forzar, obligar

compelling [kəm'pelɪŋ] adj irresistible

compensate ['kɒmpenseɪt] I vtr compensar
II vi compensar

compensation [kɒmpen'seɪʃən] n 1 compensación 2 (por daños) indemnización

compete [kəm'piːt] vi competir

competence ['kɒmpɪtəns] n competencia

competent ['kɒmpɪtənt] adj competente

competition [kɒmpɪ'tɪʃən] n 1 concurso 2 Com competencia

competitive [kəm'pedɪdɪv] adj competitivo,-a

competitor [kəm'pedɪdər] n competidor,-ora

compile [kəm'paɪl] vtr compilar, recopilar

complain [kəm'pleɪn] vi quejarse [of, about, de]

complaint [kəm'pleɪnt] n 1 queja; Com reclamación 2 Med dolencia

complement ['kɒmpləmənt] I n complemento
II vtr complementar

complementary [kɒmplə'mentrɪ] adj complementario,-a [to, a]

complete [kəm'pliːt] I adj (entero) completo,-a
II vtr 1 acabar, terminar 2 (un formulario) rellenar

completely [kəm'pliːt'li] adv completamente

completion [kəm'pliːʃən] n finalización, conclusión

complex ['kɒmpleks] I adj complejo,-a
II n complejo

complexion [kəm'plekʃən] n 1 tez 2 fig aspecto

compliance [kəm'plaɪəns] n conformidad

complicate ['kɒmplɪkeɪt] vtr complicar

complicated ['kɒmplɪkeɪdɪd] adj complicado,-a

complication [kɒmplɪ'keɪʃən] n complicación

complicity [kəm'plɪsɪdi] n complicidad

compliment ['kɒmplɪmənt] I n 1 cumplido 2 **compliments** pl, saludos
II ['kɒmplɪmənt] vtr felicitar [on, por]

complimentary [kɒmplɪ'mentrɪ] adj 1 (comentario) elogioso,-a 2 gratis

complimentary ticket n Teat invitación

comply [kəm'plaɪ] vi cumplir

component [kəm'pəʊnənt] n componente

compose [kəm'pəʊz] vtr 1 Mús componer 2 **to compose oneself**, serenarse

composed [kəm'pəʊzd] adj tranquilo,-a, sereno,-a

composer [kəm'pəʊzər] n compositor,-ora

composite ['kɒmpəzɪt] adj compuesto,-a

composition [kɒmpə'zɪʃən] n composición

compost ['kɒmpɒst] n abono

composure [kəm'pəʊʒər] n calma, serenidad

compound ['kɒmpaʊnd] I n 1 compuesto 2 Ling nombre compuesto 3 (zona) recinto
II adj 1 compuesto,-a 2 Med (fractura) complicado,-a
III [kəm'paʊnd] vtr (un problema) agravar

comprehend [kɒmprɪ'hend] vtr comprender

comprehension [kɒmprɪ'henʃən] n comprensión

comprehensive [kɒmprɪ'hensɪv] adj 1 (conocimiento) extenso,-a; (estudio) exhaustivo,-a 2 Com (seguro) a todo riesgo

compress [kəm'pres] vtr comprimir, condensar

comprise [kəm'praɪz] vtr 1 comprender, constar de 2 constituir, componer

compromise ['kɒmprəmaɪz] I n acuerdo
II vi (dos o más personas) llegar a un acuerdo; (una persona) ceder, transigir
III vtr comprometer

compulsion [kəm'pʌlʃən] n obligación

compulsive [kəm'pʌlsɪv] adj compulsivo,-a

compulsory [kəm'pʌlsəri] adj obligatorio,-a

computer [kəm'pjuːdər] I n computadora; **personal computer**, computadora personal

II *adj* informático,-a

computerize [kəm'pjuːtəraɪz] *vtr* informatizar

computing [kəm'pjuːdɪŋ] *n* informática

comrade ['kɒmræd] *n* **1** compañero,-a **2** *Pol* camarada

con [kɒn] *argot* **I** *vtr* estafar, timar
II *n* estafa, camelo

concave ['kɒnkeɪv] *adj* cóncavo,-a

conceal [kən'siːl] *vtr* **1** ocultar **2** disimular

concede [kən'siːd] *vtr* conceder

conceit [kən'siːt] *n* presunción

conceited [kən'siːdɪd] *adj* vanidoso,-a

conceivable [kən'siːvəbəl] *adj* concebible

conceive [kən'siːv] *vtr & vi* concebir

concentrate ['kɒnsəntreɪt] **I** *vtr* concentrar
II *vi* concentrarse

concentration [kɒnsən'treɪʃən] *n* concentración

concept ['kɒnsept] *n* concepto

conception [kən'sepʃən] *n* **1** *Med* concepción **2** concepto, idea

concern [kən'sɜːn] **I** *vtr* **1** concernir, incumbir **2** preocupar
II *n* **1** preocupación **2** *Com* negocio

concerned [kən'sɜːnd] *adj* **1** afectado,-a **2** preocupado,-a

concerning [kən'sɜːnɪŋ] *prep* acerca de, con respecto a

concert ['kɒnsət] *n* *Mús* concierto

concerto [kən'tʃɜːtoʊ] *n* *Mús* concierto

concession [kən'seʃən] *n* concesión

conciliation [kɒnsɪlɪ'eɪʃən] *n* conciliación

conciliatory [kən'sɪliətəri] *adj* conciliador-ora

concise [kən'saɪs] *adj* conciso,-a

conclude [kən'kluːd] *vtr & vi* concluir

conclusion [kən'kluːʒən] *n* conclusión

conclusive [kən'kluːsɪv] *adj* (evidencia) concluyente

concourse ['kɒŋkɔːs] *n* (de estación, aeropuerto, etc) explanada

concrete ['kɒŋkriːt] **I** *n* hormigón
II *adj* **1** (definido) concreto,-a **2** de hormigón

concur [kən'kɜː] *vi frml* estar de acuerdo, coincidir [with, con]

concurrent [kən'kɜːrənt] *adj* simultáneo,-a

concussion [kən'kʌʃən] *n* *Med* conmoción cerebral

condemn [kən'dem] *vtr* condenar

condemnation [kɒndəm'neɪʃən] *n* condena

condensation [kɒndən'seɪʃən] *n* condensación

condense [kən'dens] **I** *vtr* *Quím* condensar
II *vi* condensarse

condescend [kɒndɪ'send] *vi* **to condescend to do sthg**, dignarse a hacer algo

condescending [kɒndɪ'sendɪŋ] *adj* condescendiente

condition [kən'dɪʃən] **I** *n* **1** condición; **on condition that…**, con la condición de que…

II *vtr* **1** condicionar

conditional [kən'dɪʃənəl] *adj* condicional

conditioner [kən'dɪʃənər] *n* suavizante para el pelo

condolences [kən'doʊlənsɪz] *npl* condolencias, pésame

condom ['kɒndəm] *n* preservativo

condone [kən'doʊn] *vtr* justificar, consentir

condor [kɒn'dɔːr] *n* *Orn* cóndor

conducive [kən'duːsɪv] *adj* propicio,-a

conduct ['kɒndʌkt] **I** *n* conducta, comportamiento
II [kən'dʌkt] *vtr* **1** (a turistas) guiar, acompañar **2** (una encuesta, un experimento) llevar a cabo **3** *Mús* dirigir **4** (calor, electricidad) conducir

conductor [kən'dʌktər] *n* **1** (de autobús) cobrador **2** *Ferroc* revisor,-ora **3** *Mús* director,-ora **4** *Elec Fís* conductor

conductress [kən'dʌktrɪs] *n* (de autobús) cobradora

cone [koʊn] *n* **1** cono; (de helado) cucurucho **2** *Bot* piña

confectioner [kən'fekʃənər] *n* pastelero,-a, confitero,-a; **confectioner's (shop)**, confitería, pastelería

confectionery [kən'fekʃənəri] *n* dulces

confederation [kənfedə'reɪʃən] *n* confederación

confer [kən'fɜːr] **I** *vtr frml* otorgar
II *vi* consultar

conference ['kɒnfrəns] *n* congreso, conferencia

confess [kən'fes] **I** *vi* confesar; *Rel* confesarse
II *vtr* confesar

confession [kən'feʃən] *n* confesión

confetti [kən'feti] *n* confeti

confide [kən'faɪd] *vi* confiar

confidence ['kɒnfɪdəns] *n* **1** confianza **2** (secreto) confidencia

confident ['kɒnfɪdənt] *adj* seguro,-a

confidential [kɒnfɪ'denʃəl] *adj* **1** (secreto) confidencial **2** (persona) de confianza

confine [kən'faɪn] *vtr* **1** restringir, limitar **2** encerrar, recluir

confined [kən'faɪnd] *adj* reducido,-a

confinement [kən'faɪnmənt] *n* **1** reclusión, prisión **2** *Med* parto

confirm [kən'fɜːm] *vtr* (un hecho) confirmar

confirmation [kɒnfər'meɪʃən] *n* confirmación

confirmed [kən'fɜːmd] *adj* (fumador, jugador, etc) empedernido,-a

confiscate ['kɒnfɪskeɪt] *vtr* confiscar

conflict ['kɒnflɪkt] **I** *n* conflicto
II [kən'flɪkt] *vi* chocar

conflicting [kən'flɪktɪŋ] *adj* (evidencia) contradictorio,-a

conform [kən'fɔːm] *vi* **1** conformarse **2** ajustarse

conformist [kənˈfɔːmɪst] n & adj conformista
confound [kənˈfaʊnd] vtr confundir
confront [kənˈfrʌnt] vtr hacer frente a
confrontation [kɒnfrʌnˈteɪʃən] n confrontación
confuse [kənˈfjuːz] vtr 1 *(a una persona)* desconcertar; **to get confused,** confundirse 2 *(una situación)* complicar
confused [kənˈfjuːzd] adj 1 *(persona)* confundido,-a 2 *(idea)* confuso,-a
confusing [kənˈfjuːzɪŋ] adj confuso,-a, poco claro,-a
confusion [kənˈfjuːʒən] n confusión
congeal [kənˈdʒiːl] vi coagularse
congenital [kənˈdʒenɪtəl] adj congénito,-a
congested [kənˈdʒestɪd] adj congestionado,-a
congestion [kənˈdʒestʃən] n congestión
conglomerate [kənˈɡlɒmərət] n Com conglomerado
conglomeration [kənɡlɒməˈreɪʃən] n conglomeración
congratulate [kənˈɡrætjʊleɪt] vtr felicitar
congratulations [kənɡrætʃəˈleɪʃəns] npl 1 felicitaciones 2 excl **congratulations!,** ¡enhorabuena!
congregate [ˈkɒŋɡrɪɡeɪt] vi congregarse
congregation [kɒŋɡrɪˈɡeɪʃən] n Rel fieles, feligreses
Congress n 1 Congreso de los Estados Unidos de América, formado por las cámaras de representantes y de senadores 2 reunión de representantes de diferentes agrupaciones, países, etc. para intercambiar información o tomar decisiones adj congressional congresional
congress [ˈkɒŋɡrɪs] n congreso
conifer [ˈkɒnɪfər] n Bot conífera
conjecture [kənˈdʒektʃər] I n conjetura II vtr & vi frml hacer conjeturas
conjugal [ˈkɒndʒəɡəl] adj conyugal
conjugate [ˈkɒndʒəɡeɪt] vtr conjugar
conjunction [kənˈdʒʌŋkʃən] n conjunción
conjunctivitis [kəndʒʌŋktɪˈvaɪdɪs] n Med conjuntivitis
conjure [ˈkʌndʒər] vtr **to conjure (up),** *(mago)* hacer aparecer 2 *(memorias, una imagen)* evocar
conjurer [ˈkʌndʒərər] n prestidigitador,-ora
connect [kəˈnekt] I vtr 1 juntar, unir; *(habitaciones)* comunicar 2 instalar 3 Elec conectar 4 fig *(relacionar)* asociar
II vi unirse; *(habitaciones)* comunicarse; *(un vuelo, un tren)* enlazar
■ **connect up** vtr conectar
connected [kəˈnekɪd] adj 1 unido,-a 2 *(acontecimientos)* relaciona-do,-a
connection [kəˈnekʃən] n 1 *(de una cosa con otra)* juntura, unión 2 Elec conexión 3 Tel instalación 4 *(de tren, avión)* conexión, enlace 5 *(de ideas)* relación

connoisseur [kɒnɪˈsʊər] n conocedor,-ora
conquer [ˈkɒŋkər] vtr 1 *(a un enemigo, vicio)* vencer 2 *(un territorio)* conquistar
conqueror [ˈkɒŋkərər] n conquistador
conquest [ˈkɒŋkwest] n conquista
conscience [ˈkɒnʃəns] n conciencia
conscientious [kɒnʃɪˈenʃəs] adj 1 concienzudo,-a 2 **conscientious objector,** objetor de conciencia
conscious [ˈkɒnʃəs] adj *(estado)* consciente
consciousness [ˈkɒnʃəsnɪs] n 1 Med conocimiento 2 *(estado de la mente)* consciencia
conscript [ˈkɒnskrɪpt] n recluta
conscription [kənˈskrɪpʃən] n servicio militar obligatorio
consecrate [ˈkɒnsɪkreɪt] vtr consagrar
consecutive [kənˈsekjədɪv] adj consecutivo,-a
consensus [kənˈsensəs] n consenso
consent [kənˈsent] I n consentimiento II vi consentir
consequence [ˈkɒnsɪkwəns] n consecuencia
consequent [ˈkɒnsɪkwənt] adj consiguiente
consequently [ˈkɒnsɪkwəntlɪ] adv por consiguiente
conservation [kɒnsərˈveɪʃən] n conservación
conservationist [kɒnsərˈveɪʃənɪst] n conservacionista
conservative [kənˈsɜːvədɪv] I adj cauteloso,-a, prudente
II adj & n Pol **Conservative,** conservador,-ora
conservatory [kənˈsɜːvətɔrɪ] n 1 *(para plantas)* invernadero 2 Mús conservatorio
conserve [kənˈsɜːv] I vtr conservar II [ˈkɒnsɜːv] n conserva
consider [kənˈsɪdər] vtr 1 frml considerar 2 tener en cuenta
considerable [kənˈsɪdərəbəl] adj considerable
considerably [kənˈsɪdərəblɪ] adv bastante
considerate [kənˈsɪdərɪt] adj considerado,-a
consideration [kənsɪdəˈreɪʃən] n 1 consideración 2 factor
considering [kənˈsɪdərɪŋ] prep teniendo en cuenta
consign [kənˈsaɪn] vtr Com consignar
consignment [kənˈsaɪnmənt] n envío
consist [kənˈsɪst] vi consistir **[of,** en]
consistency [kənˈsɪstənsɪ] n 1 *(de acciones)* coherencia, consecuencia 2 *(de una sustancia)* consistencia
consistent [kənˈsɪstənt] adj consecuente
consolation [kɒnsəˈleɪʃən] n consuelo
console [kənˈsəʊl] I vtr consolar II n [ˈkɒnsəʊl] consola
consolidate [kənˈsɒlɪdeɪt] I vtr consolida II vi consolidarse
consonant [ˈkɒnsənənt] n Ling consonante

consortium [kənˈsɔːdiəm] n consorcio
conspicuous [kənˈspɪkjuəs] adj 1 llamativo,-a, visible 2 destacado,-a, sobresaliente
conspiracy [kənˈspɪrəsi] n conjura
conspire [kənˈspaɪər] vi conspirar
constable [ˈkʌnstəbəl] n policía, guardia
constant [ˈkʌnstənt] I adj 1 (que no cambia) constante 2 fiel, leal
II n Mat etc constante
consternation [kʌnstərˈneɪʃən] n consternación
constipated [ˈkʌnstɪpeɪtɪd] adj estreñido,-a
constipation [kʌnstɪˈpeɪʃən] n estreñimiento
constituency [kənˈstɪtʃjuənsi] n Pol circunscripción electoral
constituent [kənˈstɪtjuənt] I n 1 Pol elector,-ora 2 (parte) componente
II adj (componente) constituyente
constitute [ˈkʌnstɪtuːt] vtr constituir
constitution [kʌnstɪˈtuːʃən] n constitución
constraint [kənˈstreɪnt] n 1 coacción, fuerza 2 reserva, restricción
construct [kənˈstrʌkt] vtr construir
construction [kənˈstrʌkʃən] n construcción
constructive [kənˈstrʌkdɪv] adj constructivo,-a
consul [ˈkʌnsəl] n cónsul
consulate [ˈkʌnsəlɪt] n consulado
consult [kənˈsʌlt] vtr & vi consultar
consultant [kənˈsʌltənt] n 1 Med especialista 2 Fin Com Ind asesor,-ora
consultation [kʌnsəlˈteɪʃən] n consulta
consume [kənˈsuːm] vtr consumir
consumer [kənˈsuːmər] n consumidor,-ora
consummate [ˈkʌnsəmeɪt] I vtr consumar
II [ˈkʌnsəmɪt] adj (escritor, mentiroso) consumado,-a
consumption [kənˈsʌmpʃən] n (de comida, etc) consumo
contact [ˈkʌntækt] I n 1 contacto 2 pey enchufe
II vtr ponerse en contacto con
contagious [kənˈteɪdʒəs] adj contagioso,-a
contain [kənˈteɪn] vtr 1 contener
container [kənˈteɪnər] n 1 recipiente, envase 2 Transp contenedor
contaminate [kənˈtæmɪneɪt] vtr contaminar
contamination [kʌntæmɪˈneɪʃən] n contaminación
contemplate [ˈkʌntəmpleɪt] vtr 1 considerar 2 (mirar) contemplar
contemporary [kənˈtempərəri] adj & n contemporáneo,-a
contempt [kənˈtempt] n desprecio, desdén
contemptible [kənˈtemptəbəl] adj despreciable, deleznable
contemptuous [kənˈtemptʃuəs] adj despectivo,-a

contend [kənˈtend] vi 1 frml competir [with, con] [for, por] 2 (problemas, etc) enfrentarse [with, a]
II vtr sostener
contender [kənˈtendər] n contendiente
content[1] [ˈkʌntent] n 1 contenido 2 (en un libro) **contents** pl, índice de materias
content[2] [kənˈtent] I adj contento,-a, satisfecho,-a
II vtr contentar
III n contento, satisfacción
contention [kənˈtenʃən] n 1 (disputa) controversia [over, sobre] 2 punto de vista
contentious [kənˈtenʃəs] adj beligerante, argumentativo,-a
contest [ˈkʌntest] I n 1 concurso; Dep prueba 2 (liderazgo, etc) lucha
II [kənˈtest] vtr 1 (un argumento) refutar 2 (una decisión, un testamento) impugnar 3 Pol (un escaño) luchar por
contestant [kənˈtestənt] n concursante
context [ˈkʌntekst] n contexto
continent [ˈkʌntɪnənt] n continente
continental [kʌntɪˈnentəl] adj continental
contingency [kənˈtɪndʒənsi] n contingencia, eventualidad
contingent [kənˈtɪndʒənt] adj & n contingente
continual [kənˈtɪnjuəl] adj continuo,-a,
continually [kənˈtɪnjuəli] adv continuamente
continuation [kəntɪnjuˈeɪʃən] n continuación
continue [kənˈtɪnjuː] vtr & vi continuar, seguir
continuous [kənˈtɪnjuəs] adj continuo,-a
continuously [kənˈtɪnjuəsli] adv continuamente
contort [kənˈtɔːt] vtr retorcer
contortion [kənˈtɔːʃən] n contorsión
contour [ˈkʌntuːər] n contorno
contraband [ˈkʌntrəbænd] n contrabando
contraception [kʌntrəˈsepʃən] n anticoncepción
contraceptive [kʌntrəˈsepdɪv] adj & n anticonceptivo
contract [kənˈtrækt] I vi 1 Anat Fís contraerse 2 Jur hacer un contrato [to, para]
II vtr 1 (una deuda, un músculo) contraer 2 (a una persona) contratar 3 Med contraer
III [ˈkʌntrækt] n contrato
contraction [kənˈtrækʃən] n contracción
contractor [kənˈtræktər] n contratista
contradict [kʌntrəˈdɪkt] vtr contradecir
contradiction [kʌntrəˈdɪkʃən] n contradicción
contradictory [kʌntrəˈdɪktəri] adj contradictorio,-a
contrary [ˈkʌntrəri] I adj contrario,-a
II n **the contrary,** lo contrario

III *adv* contrary to, en contra de

contrast [kənˈtræst] **I** *vi* contrastar

II [ˈkɑːntræst] *n* contraste

contribute [kənˈtrɪbjuːt] *vtr (dinero)* contribuir

II *vi* **1** contribuir **(to, a)**; participar **(in, en)** **2** *Prensa* escribir **(to, para)**

contribution [kɑntrɪˈbjuːʃən] *n* **1** contribución **2** *Prensa* artículo, colaboración

contributor [kənˈtrɪbjudər] *n* **1** *(de dinero)* donante **2** *(de un periódico)* colaborador,-ora

contrive [kənˈtraɪv] **I** *vtr* **1** inventar **2** efectuar, conseguir

II *vi* to contrive to do sthg, lograr hacer algo

contrived [kənˈtraɪvd] *adj* artificial

control [kənˈtroul] **I** *n* **1** control, **out of control,** fuera de control, descontrolado,-a; **under control,** bajo control **2** *Av Auto* **controls** *pl,* mandos

II *vtr* controlar

controversial [kɑntrəˈvərʃəl] *adj* controvertido,-a, polémico,-a

controversy [ˈkɑntrəvərsi] *n* controversia, polémica

convalesce [kɑnvəˈles] *vi* convalecer

convalescence [kɑnvəˈlesəns] *n* convalecencia

convalescent [kɑnvəˈlesənt] *n & adj* convaleciente

convene [kənˈviːn] **I** *vtr* convocar **2** *vi* reunirse

convenience [kənˈviːniəns] *n* **1** conveniencia, comodidad **2** comodidad(es), facilidad

convenient [kənˈviːniənt] *adj* **1** *(hora, acuerdo)* conveniente, oportuno,-a **2** *(sitio)* bien situado,-a, cómodo,-a **3** *(cosa)* práctico,-a

convent [ˈkɑnvənt] *n* convento

convention [kənˈvenʃən] *n* convención

conventional [kənˈventʃənəl] *adj* **1** convencional

converge [kənˈvərdʒ] *vi* converger

convergence [kənˈvərdʒəns] *n* convergencia

conversation [kɑnvərseɪʃən] *n* conversación

conversational [kɑnvərseɪʃənəl] *adj* coloquial

converse [kənˈvərs] *vi* conversar

conversely [kənˈvərsli] *adv* a la inversa, en cambio

conversion [kənˈvərʒən] *n Mat Rel* conversión **(to, a) (into, en)**

convert [kənˈvərt] **I** *vtr* convertir

II *vi* convertirse

III [ˈkɑnvərt] *n* converso,-a

convertible [kənˈvərdəbəl] **I** *adj* convertible

II *n Auto* descapotable

convex [ˈkɑnveks, kɑnˈveks] *adj* convexo,-a

convey [kənˈveɪ] *vtr* **1** *(mercancías, pasajeros)* transportar **2** *(sonido)* transmitir **3** *(una idea)* comunicar

conveyor [kənˈveɪər] *n* transportador

conveyor belt *n* cinta transportadora

convict [kənˈvɪkt] **I** *vtr Jur* declarar culpable

II [ˈkɑnvɪkt] *n Jur* presidiario,-a

conviction [kənˈvɪkʃən] *n* **1** convicción **2** *Jur* condena

convince [kənˈvɪns] *vtr* convencer

convincing [kənˈvɪnsɪŋ] *adj* convincente

convulsion [kənˈvʌlʃən] *n Med* convulsión

coo [kuː] *vi (paloma)* arrullar

cook [kʊk] **I** *vtr (comida)* hacer, preparar

II *vi* **1** cocinar, guisar **2** *(alimentos)* cocerse, hacerse

III *n* cocinero,-a

cookbook [ˈkʊkbʊk] *n* libro de cocina

cookie [ˈkʊki] *n* galleta

cooking [ˈkʊkɪŋ] *n (actividad)* cocina; **home cooking,** comida casera

cool [kuːl] **I** *n* **1** fresco **2** *fam* calma

II *adj* **1** *(algo frío)* fresco,-a **2** *(agradable)* **a cool drink,** una bebida fresca **3** sereno,-a, tranquilo,-a **4** *fam* guay

III *vi* enfriarse

IV *vtr* enfriar

coolness [ˈkuːlnɪs] *n* **1** frescor **2** *fig* calma, sangre fría **3** *(enemistad)* frialdad

cooperate [kouˈɑpəreɪt] *vi* cooperar

cooperation [kouɑpəˈreɪʃən] *n* cooperación

cooperative [kouˈɑpərədɪv] **I** *adj* **1** cooperativo,-a **2** servicial

II *n* cooperativa

coordinate [kɔːˈrdɪneɪt] **I** *vtr* coordinar

II [kouˈɔːrdɪnɪt] *n Mat* coordenada

coordination [kɔːrdɪˈneɪʃən] *n* coordinación

cop [kɑp] **I** *n fam (policía)* poli

cope [koup] *vi* arreglárselas, poder

copious [ˈkoupiəs] *adj* copioso,-a, abundante

copper [ˈkɑpər] **I** *n Min* cobre

II *adj (color)* cobrizo,-a

copulate [ˈkɑpjəleɪt] *vi* copular

copy [ˈkɑpi] **I** *n* **1** *(documento)* copia; *(libro)* ejemplar **2** *Prensa* texto **3** imitación

II *vtr & vi* copiar

copycat [ˈkɑpikæt] **I** *n fam* copión,-ona **II** *adj* **a copycat crime,** un crimen que imita a otro

copyright [ˈkɑpiraɪt] *n* derechos de autor

coral [ˈkɔːrəl] **I** *n* coral

II *adj* de coral

coral reef *n* arrecife de coral

cord [kɔːrd] *n* **1** *(hilo)* cuerda; *Elec* cordón, cable **2** *Tex* pana **3** **cords** *pl,* pantalones de pana

cordon [ˈkɔːrdən] **I** *n* cordón

II *vtr* **to cordon sthg off,** acordonar algo

corduroy [ˈkɔːrdəroɪ] *n* pana; **corduroy trousers,** pantalones de pana

core [kɔːr] **I** *n* **1** *(de fruta)* corazón **2** *Elec* núcleo **3** *(de un argumento)* centro, lo esencial

II *vtr (a una fruta, etc)* quitar el corazón

coriander [kɒriˈændər] *n Bot* cilantro

cork [kɔrk] I *n* corcho

II *vtr (a una botella)* poner el corcho

corkscrew [ˈkɔrkskruː] *n* sacacorchos

corn [kɔrn] *n* 1 maíz; **corn on the cob**, mazorca de maíz 2 *Med* callo

cornea [ˈkɔrniə] *n* córnea

corner [ˈkɔrnər] I *n* 1 *(interior)* rincón 2 *(de la calle)* esquina 3 *(de carretera)* curva

II *vtr* 1 *(a un adversario)* arrinconar 2 *Com* acaparar, monopolizar

III *vi Auto* tomar una curva

cornerstone [ˈkɔrnərstoʊn] *n* piedra angular

cornet [kɔrˈnɛt] *n Mús* corneta

cornflakes [ˈkɔrnfleɪks] *npl* copos de maíz

cornflour [ˈkɔrnflaʊər] *n* harina de maíz

coronation [kɒrəˈneɪʃən] *n* coronación

coroner [ˈkɒːrənər] *n* ≈ juez de instrucción

corporal [ˈkɔːrpərəl] I *adj* corporal

II *n Mil* cabo

corporate [ˈkɔːrprɪt] *adj* corporativo,-a

corporation [kɔrpəˈreɪʃən] *n Com* sociedad anónima

corps [kɔːr] *n (pl corps* [kɔːrz]*) Mil Pol Arte* cuerpo; **diplomatic corps** cuerpo diplomático

corpse [kɔrps] *n* cadáver

correct [kəˈrɛkt] I *vtr* corregir

II *adj* correcto,-a

correction [kəˈrɛkʃən] *n* corrección

correlation [kɒrəˈleɪʃən] *n* correlación

correspond [kɒrəˈspɑnd] *vi* 1 corresponder, coincidir 2 cartearse

correspondence [kɒriˈspɑndəns] *n* correspondencia

correspondence course *n* curso por correspondencia

correspondent [kɒriˈspɑndənt] *n* corresponsal

corridor [ˈkɒrɪdər] *n* pasillo

corroborate [kəˈrɑbəreɪt] *vtr* corroborar

corrode [kəˈroʊd] I *vtr* corroer

II *vi* corroerse

corrosion [kəˈroʊʒən] *n* corrosión

corrugated [ˈkɒrəgeɪdɪd] *adj* ondulado,-a

corrupt [kəˈrʌpt] I *adj (persona)* corrupto,-a

II *vtr* 1 corromper 2 sobornar

corruption [kəˈrʌpʃən] *n* corrupción

corsage [kɔrˈsɑːʒ] *n* ramillete

corset [ˈkɔrsɪt] *n (prenda)* faja, corsé

cosmetic [kɑzˈmɛdɪk] I *n* cosmético

II *adj* cosmético,-a

cosmic [ˈkɑzmɪk] *adj* cósmico,-a

cosmonaut [ˈkɑzmənɔːt] *n* cosmonauta

cosmopolitan [kɑzməˈpɑlɪtən] *adj* cosmopolita

cost [kɑst] I *n* 1 precio, coste; **at cost, a** precio de coste 2 **costs** *pl, Fin* costes; *Jur* costas

II *vtr (ps & pp cost)* costar

III *vtr (ps & pp costed) Com* calcular el coste de

co-star [ˈkoʊstɑːr] *n Cine Teat* coprotagonista

Costa Rica [kɒstəˈriːkə] *n* Costa Rica

Costa Rican [kɒstəˈriːkən] *adj & n* costarricense, costarriqueño,-a

costly [ˈkɑstli] *adj (costlier, costliest)* costoso,-a

costume [ˈkɑstuːm] *n* disfraz

cot [kɑt] *n* camilla, catre

cottage [ˈkɑdɪdʒ] *n* casa pequeña *(usu de campo)*

cotton [ˈkɑtʰn] I *n* 1 *Tex* algodón 2 *Bot* algodonero 3 *Cost* hilo

II *vtr* coger cariño [**to, a**]

cotton candy *n* algodón de azúcar

couch [kaʊtʃ] *n* sofá

couchette [kuːˈʃɛt] *n Ferroc* litera

cough [kɑf] I *vi* toser

II *n* tos

could [kʊd] *v aux* → **can**[1]

council [ˈkaʊnsəl] *n* 1 *(administrativo)* consejo 2 **(town/city) council,** ayuntamiento

counsel [ˈkaʊnsəl] *n* 1 *frml* consejo 2 *Jur* abogado,-a

II *vtr frml* aconsejar

counselor [ˈkaʊnsələr, ˈkaʊnslər] *n* 1 asesor,-ora 2 *US Jur* abogado,-a

count [kaʊnt] I *vtr* 1 *Mat* contar 2 incluir; **not counting,** sin incluir

II *vi Mat* contar

III *n* 1 cuenta 2 *(de votos)* escrutinio 3 *Jur frml* cargo 4 *(noble)* conde

■ **count on** *vtr* contar con

■ **count up** *vtr* sumar

countdown [ˈkaʊntdaʊn] *n* cuenta atrás

counter [ˈkaʊntər] I *n* 1 *(de tienda)* mostrador 2 *(de banco)* ventanilla 3 *(de bar)* barra 4 *(de juegos, etc)* ficha 5 *Téc* contador

II *adv* en contra

III *vtr (las críticas)* rebatir

IV *vi* contestar

counteract [kaʊntərˈækt] *vtr* contrarrestar

counterattack [ˈkaʊntərətæk] *n* contraataque

counterfeit [ˈkaʊntərfɪt] I *vtr* falsificar

II *n* falsificación

III *adj (moneda, billete)* falso,-a

counterpart [ˈkaʊntərpɑrt] *n* homólogo,-a

counterproductive [kaʊntərprəˈdʌkdɪv] *adj* contraproducente

countess [ˈkaʊntɪs] *n (noble)* condesa

countless [ˈkaʊntlɪs] *adj* innumerable, incontable

country [ˈkʌntri] I *n* 1 *Pol* país, nación 2 región, zona 3 *(zona rural)* campo

II *adj* de campo

countryman [ˈkʌntrimæn] *n* 1 campesino 2 compatriota

countryside [ˈkʌntrisaɪd] *n* 1 campiña, campo 2 paisaje

county [ˈkaʊnti] *n* condado

coup [kuː] *n* golpe; **coup d'état** [kuːdeˈta] golpe de Estado

couple ['kʌpəl] I *n* 1 *(dos)* par 2 *(personas)* pareja
II *vtr* 1 unir 2 *Ferroc (vagones)* enganchar
coupon ['ku:pɒn] *n* cupón
courage ['kʌrɪdʒ] *n* coraje, valentía, valor
courageous [kə'reɪdʒəs] *adj* valeroso,-a, valiente
courier ['kʊrɪər] *n* mensajero,-a
course [kɔːs] *n* 1 dirección, ruta 2 *Av Náut* rumbo 3 *(carretera)* recorrido 4 *Culin* plato; **a five-course meal,** una comida con cinco platos 5 *Dep* golf **course,** campo de golf; **race course,** hipódromo
◆ | LOC: **of course,** por supuesto, naturalmente
court [kɔːt] *n* 1 *Jur* tribunal, juzgado 2 *(del Rey)* corte, palacio 3 *Dep* pista, cancha
II *vtr* 1 *frml* cortejar 2 *fig (un peligro, etc)* exponerse a
courteous ['kɜːdɪəs] *adj* cortés
courtesy ['kɜːdɪsɪ] *n* cortesía
courthouse ['kɔːthaʊs] *n* palacio de justicia
courtroom ['kɔːtruːm] *n* sala de justicia
courtship ['kɔːtʃɪp] *n* noviazgo
courtyard ['kɔːtjɑːd] *n* patio
cousin ['kʌzən] *n* primo,-a; **first cousin,** primo,-a hermano,-a
cove [kəʊv] *n Geog* cala, ensenada
covenant ['kʌvənənt] *n* convenio, pacto
cover ['kʌvər] I *vtr* 1 cubrir 2 *(la cara, las orejas)* tapar
II *n* 1 cubierta, tapa 2 *(de almohada, silla)* funda; *(de cama)* cobertor, colcha 3 *(de un libro)* tapa; *(de un periódico)* portada 4 abrigo 5 *(de un crimen)* tapadera 6 *Fin* cobertura
■ **cover up** *vtr* 1 tapar 2 *(un crimen)* encubrir 3 *(una emoción)* disimular
coverage ['kʌvərɪdʒ] *n* cobertura
coveralls ['kʌvərɔːlz] *npl (prenda de trabajo)* mono
covert ['kəʊvərt] *adj* disimulado,-a, secreto,-a
cover-up ['kʌvərʌp] *n* encubrimiento
covet ['kʌvɪt] *vtr* codiciar
cow [kaʊ] *n* vaca
II *vtr* intimidar
coward ['kaʊərd] *n* cobarde
cowardice ['kaʊərdɪs] *n* cobardía
cowardly ['kaʊərdlɪ] *adj* cobarde
cowboy ['kaʊbɔɪ] *n* vaquero
coy [kɔɪ] *adj* tímido,-a 2 coquetón,-ona
cozy ['kəʊzɪ] *adj (cosier, cosiest)* 1 *(ambiente)* acogedor,-ora 2 *(ropa)* calentito,-a
crab [kræb] *n Zool* cangrejo
crabby ['kræbɪ] *adj* malhumorado,-a
crack [kræk] I *n* 1 *(en loza, crista)* raja; *(en pared, tierra)* grieta; *(de hueso)* fractura 2 *(de látigo)* restallido 3 *(droga)* crack
II *vtr* 1 *(un cristal)* romper; *(una pared, el suelo)* agrietar; *(un hueso)* fracturar; **I've cracked a rib,** me he roto una costilla 2 *(una caja fuerte)* forzar; *(un fruto seco, huevo)* cascar

III *vi* 1 *(cristal, loza)* rajarse; *(hueso)* fracturarse; *(pared, pintura, suelo)* agrietarse 2 *(voz)* quebrarse 3 *(una persona)* sufrir una crisis nerviosa
■ **crack down** *vi* tomar medidas duras
■ **crack up** *vi* 1 sufrir un ataque de nervios 2 partirse de risa
cracker ['krækər] *n* 1 *Culin* galleta salada 2 *(fuego artificial)* petardo
crackle ['krækəl] *vi* 1 *(papel)* crujir 2 *(fuego)* crepitar
cradle ['kreɪdəl] *n (de bebé)* cuna
craft ['krɑːft] *n* 1 oficio 2 *(habilidad especial)* arte, destreza 3 **crafts** *pl,* manualidades, artesanía
craftsman ['krɑːfsmən] *n* artesano
craftsmanship ['krɑːfsmənʃɪp] *n* artesanía
crafty ['krɑːftɪ] *adj (craftier, craftiest)* astuto,-a
crag [kræg] *n* peñasco
craggy ['krægɪ] *adj* 1 escarpado,-a 2 *(cara)* de facciones muy marcadas
cram [kræm] I *vtr* atiborrar
II *vi Educ fam* empollar
cramp [kræmp] I *n* 1 *Med* calambre; **cramps** *pl, (de estómago)* retortijones 2 *Téc* grapa
II *vtr (el desarrollo, etc)* estorbar
cramped [kræmpt] *adj* 1 *(habitación)* estrecho,-a 2 *(letra)* apretado,-a
cranberry ['krænbərɪ] *n* arándano
crane [kreɪn] *n* 1 *Zool* grulla común 2 *Téc* grúa
crank [kræŋk] *n* 1 *Téc* manivela 2 excéntrico,-a
crap [kræp] *n fam* mierda
crash [kræʃ] I *vtr* **to crash one's car,** tener un accidente de coche
II *vi* 1 *(coche, avión)* estrellarse [**into,** contra]; *(colisionar)* chocar [**into,** con] 2 *Com* quebrar 3 *Inform* fallar, colgarse; *(la red)* caerse
III *n* 1 *(ruido)* estrépito 2 *(percance)* choque; **car/plane crash,** accidente de coche/avión 3 *Com* quiebra
crash-land [kræʃ'lænd] *vi Av* hacer un aterrizaje forzoso
crass ['kræs] *adj* 1 insensible 2 *(error)* craso,-a, garrafal
crate [kreɪt] *n* cajón *(para embalar)*
crater ['kreɪdər] *n* cráter
crave [kreɪv] *vi* ansiar
craving ['kreɪvɪŋ] *n* 1 ansia 2 *(durante el embarazo)* antojo
crawl [krɔːl] I *vi* 1 *(bebé)* gatear 2 *(insecto)* andar, reptar, trepar 3 *(coche, etc)* avanzar lentamente
II *n (natación)* crol
crayfish ['kreɪfɪʃ] *n Zool* 1 cangrejo de río 2 cigala
crayon ['kreɪən] *n* lápiz de colores

craze [kreɪz] n (tendencia) moda, locura

crazy ['kreɪzi] adj (crazier, craziest) 1 fam (persona) loco,-a 2 (idea) disparatado,-a

creak [kriːk] vi (el suelo) crujir; (una bisagra) chirriar

cream [kriːm] I n 1 (de leche) nata; whipped cream, nata montada 2 color crema 3 (en cosmética) crema

II adj crema

creamy ['kriːmi] adj (creamier, creamiest) cremoso,-a

crease [kriːs] I n 1 (no deseado) arruga 2 (de pantalón) raya 3 (de un papel, libro, etc) pliegue

II vtr 1 (la ropa) arrugar 2 (en un pantalón) hacer la raya 3 (un papel) plegar

III vi arrugarse

create [kriː'eɪt] vtr crear

creation [kriː'eɪʃən] n creación

creative [kriː'eɪdɪv] adj 1 (persona) creativo,-a 2 (obra) original

creature ['kriːtʃər] n criatura

crèche ['kreɪʃ, 'kreʃ] n Belén

credentials [krɪ'denʃəlz] npl credenciales

credible ['kredɪbəl] adj creíble

credit ['kredɪt] I n 1 Com crédito 2 honor 3 Cine TV credits pl, créditos

II vtr 1 fml creer 2 to credit sb with money o to credit money to sb, abonar dinero a la cuenta de alguien

creditable ['kredɪdəbəl] adj encomiable

credit card n tarjeta de crédito

creditor ['kredɪdər] n acreedor,-ora

creek [kriːk] n riachuelo

creep [kriːp] I vi (ps & pp crept) 1 (un animal, insecto) reptar, arrastrarse 2 (planta) trepar 3 (una hora, persona, reloj) moverse lentamente

II n fam US (persona) persona desagradable

creeper ['kriːpər] n Bot trepadora

creepy ['kriːpi] adj (creepier, creepiest) fam espeluznante

cremate [krɪ'meɪt] vtr incinerar

cremation [krɪ'meɪʃən] n incineración (de cadáveres)

crematorium [kremə'tɔːriəm] n crematorio

crepe, crêpe [kreɪp] n crepe

crept [krept] ps & pp → creep

crescent ['kresənt] n (forma) medialuna

cress [kres] n Bot mastuerzo; water cress, berro

crest [krest] n 1 (de gallo) cresta 2 (de colina) cima 3 (heráldico) blasón

crestfallen ['krestfɔːlən] adj alicaído,-a

cretin ['kriːtin] n cretino,-a

crevice ['krevɪs] n grieta, hendidura

crew [kruː] n tripulación

crib [krɪb] n 1 (for baby) cuna 2 (para examen, etc) chuleta

II vi & vtr fam 1 (hacer trampas) copiar

cricket ['krɪkɪt] n 1 Zool grillo 2 Dep críquet

crime [kraɪm] n 1 (en general) delincuencia 2 (específico) delito

criminal ['krɪmɪnəl] I n criminal

II adj criminal

criminal law n derecho penal

crimson ['krɪmzən] adj & n carmesí

cringe ['krɪndʒ] vi 1 encogerse 2 avergonzarse

crinkle ['krɪŋkəl] vtr fruncir, arrugar

cripple ['krɪpəl] I n lisiado,-a, mutilado,-a

II vtr lisiar

crisis ['kraɪsɪs] n (pl crises ['kraɪsiːz]) crisis

crisp [krɪsp] adj 1 (tostada, fritos, fruta) crujiente 2 (verduras) fresco,-a 3 (persona) seco,-a, tajante

crispy ['krɪspi] adj crujiente

criterion [kraɪ'tɪriən] n (pl criteria [kraɪ'tɪriə]) criterio

critic ['krɪtɪk] n crítico,-a

critical ['krɪtɪkəl] adj crítico,-a

critically ['krɪtɪkli] adv 1 críticamente 2 (enfermo, herido) gravemente

criticism ['krɪtɪsɪzəm] n crítica

criticize ['krɪtɪsaɪz] vtr criticar

Croat ['kroueɪt] n & adj croata

Croatia [krou'eɪʃə] n Croacia

Croatian [krou'eɪʃən] n & adj croata

croak ['krouk] vi (un cuervo) graznar; (una rana) croar; (una persona) hablar con voz ronca

crochet ['krouʃeɪ] n ganchillo

crockery ['krɑːkəri] n loza, vajilla

crocodile ['krɑːkədaɪl] n Zool cocodrilo

crocus ['kroukəs] n azafrán

crook [kruk] n 1 (de pastor) cayado 2 fam criminal

crooked ['krukɪd] adj 1 (espalda) encorvado,-a 2 (sonrisa) torcido,-a 3 (sendero) tortuoso,-a 4 (persona o acción) deshonesto,-a

crop [krɑːp] I n 1 cultivo 2 (de cereales, uvas, etc) cosecha 3 corte de pelo muy corto

II vtr (el pelo) rapar

■ **crop up** vi fam (aparecer) surgir

croquet ['kroukeɪ] n Dep croquet

cross [krɑːs] I n 1 cruz 2 Biol cruce

II vtr cruzar

III vi (ir al otro lado) cruzar

IV adj enfadado,-a

■ **cross off/out** vtr tachar, rayar

crossbar ['krɑːsbɑːr] n travesaño

cross-country [krɑːs'kʌntri] I adj campo traviesa

II adv campo a través

cross-examine [krɑːsɪg'zæmɪn] vtr interrogar

cross-eyed ['krɑːsaɪd] adj bizco,-a

crossing ['krɑːsɪŋ] n 1 (de carreteras, etc) cruce 2 paso; pedestrian crossing, paso de peatones; Ferroc level crossing, paso a nivel 3 (de mar) travesía

cross-legged [krɒs'legɪd] *adj* con las piernas cruzadas

crossroads ['krɒsrəʊdz] *n* **1** cruce **2** *fig* encrucijada

crossword ['krɒswɜːd] *n* crucigrama

crotch [krɒtʃ] *n* entrepierna

crouch [kraʊtʃ] *vi* agacharse, ponerse en cuclillas

crow [krəʊ] **I** *vi* **1** *(gallo)* cantar **2** *fig* alardear *(about/over,* de)
II *n* cuervo

crowbar ['krəʊbɑːr] *n* palanca

crowd [kraʊd] **I** *n* **1** muchedumbre **2** *Dep* público **3** *fam* grupo, pandilla
II *vtr (las calles)* llenar
III *vi* **1** agolparse **2** ir en tropel

crowded ['kraʊdɪd] *adj* atestado,-a, lleno,-a

crown [kraʊn] **I** *n* **1** corona **2** *Anat* coronilla **3** *(de árbol, sombrero)* copa **4** *(de colina)* cima **5** *(de diente)* corona
II *vtr* **1** coronar **2** *(un diente)* poner una corona a

crown prince *n* príncipe heredero

crucial ['kruːʃəl] *adj* decisivo,-a, crucial

crucifix ['kruːsɪfɪks] *n* crucifijo

crucify ['kruːsɪfaɪ] *vtr* crucificar

crude [kruːd] **I** *adj* **1** *(persona, lenguaje)* ordinario,-a, grosero,-a **2** *(ropa, refugio, utensilio)* primitivo,-a **3** *(petróleo)* crudo
II *n* crudo

cruel [kruːəl] *adj* cruel *[to,* con]

cruelty ['kruːəltɪ] *n* crueldad *[to,* hacia]

cruise [kruːz] **I** *vi* **1** *Náut* hacer un crucero **2** *Auto Av* viajar a velocidad constante
II *n* *Náut* crucero

cruiser ['kruːzər] *n* crucero

crumb [krʌm] *n* miga, migaja

crumble ['krʌmbəl] **I** *vtr* desmenuzar
II *vi* **1** *(galleta, pan, tierra)* desmenuzarse **2** *(muro, imperio, la esperanza)* desmoronarse

crumbly ['krʌmblɪ] *adj (crumblier, crumbliest)* que se desmigaja con facilidad

crumple ['krʌmpəl] *vtr* arrugar

crunch [krʌntʃ] **I** *vtr (al comer)* morder algo crujiente
II *vi* crujir
III *n* punto decisivo

crunchy ['krʌntʃɪ] *adj (crunchier, crunchiest)* crujiente

crusade [kruː'seɪd] *n* cruzada

crush [krʌʃ] *vtr* aplastar

crust [krʌst] *n* corteza

crusty ['krʌstɪ] *adj* malhumorado

crutch [krʌtʃ] *n* **1** *Med* muleta **2** *fig* apoyo, sostén

crux [krʌks] *n (de un asunto)* quid

cry [kraɪ] **I** *vi (ps & pp cried)* **1** llorar **2** gritar
II *n* **1** grito **2** llanto

crypt [krɪpt] *n* cripta

cryptic ['krɪptɪk] *adj* enigmático,-a

crystal ['krɪstəl] *n* cristal

crystal ball *n* bola de cristal

crystal-clear [krɪstəl'klɪər] *adj* claro,-a como el agua

crystallize ['krɪstəlaɪz] **I** *vtr* cristalizar
II *vi* cristalizarse

CT *(abr de Connecticut)* abreviatura, estado de Connecticut

cub [kʌb] *n (de animal)* cachorro

Cuba ['kjuːbə] *n* Cuba

Cuban ['kjuːbən] *adj & n* cubano,-a

cube [kjuːb] *n* cubo; *(de azúcar)* terrón

cubic ['kjuːbɪk] *adj* cúbico,-a

cubicle ['kjuːbɪkəl] *n* cubículo

cuckoo ['kʊkuː] **I** *n* cuco

cucumber ['kjuːkʌmbər] *n Bot* pepino

cuddle ['kʌdəl] **I** *vtr* abrazar
II *vi* abrazarse

cuddly ['kʌdlɪ] *adj (persona)* mimoso,-a

cue [kjuː] *n* **1** *Teat* entrada **2** *Dep (billar)* taco

cuff [kʌf] *n* **1** *(de manga)* puño **2** *US (de pantalón)* dobladillo
II *vtr* abofetear

cuff links *npl Indum* gemelos

cuffs *n informal de handcuffs* esposas

cuisine [kwɪ'ziːn] *n* cocina

cul-de-sac ['kʌldəsæk] *n* callejón sin salida

culinary ['kʌlɪnerɪ] *adj* culinario,-a

culminate ['kʌlmɪneɪt] *vi* culminar

culmination [kʌlmɪ'neɪʃən] *n* culminación

culottes [kuː'lɒts] *npl* falda-pantalón

culprit ['kʌlprɪt] *n* culpable

cult [kʌlt] *n* culto

cultivate ['kʌltɪveɪt] *vtr* cultivar

cultivation [kʌltɪ'veɪʃən] *n* cultivo

cultural ['kʌltʃərəl] *adj* cultural

culture ['kʌltʃər] *n* cultura

cultured ['kʌltʃəd] *adj (persona)* culto,-a

cultured pearl *n* perla cultivada

cumbersome ['kʌmbərsəm] *adj* **1** pesado,-a y voluminoso,-a **2** *fig (difícil)* incómodo,-a, engorroso,-a

cumin ['kjuːmɪn] *n Bot* comino

cunning ['kʌnɪŋ] **I** *adj* astuto,-a
II *n* astucia

cup [kʌp] *n* **1** taza **2** *Dep (premio)* copa

cupboard ['kʌbəd] *n* armario

curate ['kjʊərɪt] *n Rel* coadjutor

curative ['kjʊərədɪv] *adj* curativo,-a

curator [kjʊ'reɪdər] *n* encargado de museo o galería de arte

curb [kɜːb] **I** *n (de la acera)* bordillo
II *vtr* **1** *(la emoción)* dominar **2** *fig (gastos)* poner freno a, contener

curd [kɜːd] *n* cuajada

curdle ['kɜːdəl] *vi* cuajarse

cure [kjʊər] **I** *vtr* curar
II *n (para una enfermedad)* cura

curfew ['kɜːfjuː] *n* toque de queda

curiosity [kjʊrɪ'ɒsɪdɪ] *n* curiosidad

curious ['kjʊrɪəs] *adj* **1** *(inquisitivo)* curioso,-a

curl [kərl] **I** n **1** *(de pelo)* rizo **II** vtr *(el pelo)* rizar **III** vi **1** *(pelo)* rizarse
■ **curl up** vi enroscarse
curly ['kərli] adj *(curlier, curliest)* rizado,-a
currant ['kərənt] n **1** *Culin* (uva) pasa **2** *Bot* grosella
currency ['kərənsi] n moneda; **foreign currency,** divisa
current ['kərənt] **I** adj **1** actual, corriente; **the current year,** el año en curso **2** *(opinión)* general **3** *(palabra)* en uso
■ n corriente
current account n *Fin* cuenta corriente
currently ['kərəntli] adv actualmente
curriculum [kə'rɪkjələm] n *(pl curricula* [kə'rɪkjələ])* *Educ* plan de estudios
curriculum vitae n currículum (vitae)
curry [kʌri] n curry
curse [kərs] **I** n **1** taco, palabrota **2** maldición **II** vi & vtr maldecir
cursor ['kərsər] n cursor
cursory ['kərsəri] adj rápido,-a, superficial
curt [kərt] adj *(al hablar)* brusco,-a, seco,-a
curtail [kər'teil] vtr **1** abreviar **2** *(gastos)* reducir, acortar
curtain ['kərt'n] n **1** cortina **2** *Teat* telón
curts(e)y ['kərtsi] **I** n reverencia **II** vi *(mujer)* hacer una reverencia
curve [kərv] **I** n curva **II** vtr doblar **III** vi torcerse, doblarse, hacer/describir una curva
cushion ['kuʃən] **I** n cojín **II** vtr **1** *(la caída, el choque)* amortiguar **2** proteger
cushy [kuʃi] adj *(cushier, cushiest)* fam cómodo,-a
custard ['kʌstərd] n **1** *Culin* natillas
custard apple n *Bot* chirimoya
custody ['kʌstədi] n custodia
custom ['kʌstəm] n **1** costumbre **2** *Com* clientela
customary ['kʌstəmeri] adj habitual
customer ['kʌstəmər] n cliente
customs ['kʌstəmz] n sing o pl aduana
cut [kʌt] **I** n **1** *(acción)* corte **2** recorte, reducción **3** *(carne)* pieza, trozo **4** short cut, atajo **II** vtr *(ps & pp cut)* **1** cortar **2** *(un cristal, una piedra)* tallar **3** *(un disco)* grabar **4** *(los gastos, un precio)* reducir **III** vi *(cuchillo, etc)* cortar
■ **cut across** vtr tomar un atajo por
■ **cut down** vtr **1** *(árboles)* talar **2** *(gastos, el consumo)* reducir
■ **cut in** vi interrumpir
■ **cut off** vtr **1** *(el agua, gas)* cortar **2** *(un sitio, pueblo)* aislar, dejar incomunicado
■ **cut out** vtr **1** *(papel)* recortar **2** excluir, eliminar
■ **cut up** vtr cortar en pedazos

cutback ['kʌtbæk] n reducción [**in,** de]
cute [kjuːt] adj *(un niño, animalito)* mono,-a, rico,-a
cuticle ['kjuːdɪkəl] n cutícula
cutlery ['kʌtləri] n cubiertos, cubertería
cutlet ['kʌtlɪt] n *Culin* chuleta
cut-off ['kʌdəf] n cutoff point, punto límite
cutting ['kʌdɪŋ] **I** n **1** *Prensa* recorte **2** *Bot* esqueje **II** adj mordaz
cutting edge ['kʌdɪŋedʒ] adj *(tecnología)* punta
CV *(abr de curriculum vitae)*, currículum vitae, CV
cyanide ['saɪənaɪd] n cianuro
cyberpunk n personaje relacionado con historias creadas en un espacio generado por computadoras o ciberespacio
cycle ['saɪkəl] **I** n **1** ciclo **2** bicicleta **II** vi ir en bicicleta
cycling ['saɪklɪŋ] n ciclismo
cyclist ['saɪklɪst] n ciclista
cyclone ['saɪkloun] n ciclón
cylinder ['sɪlɪndər] n **1** cilindro **2** *(para gas)* bombona
cymbal ['sɪmbəl] n *Mús* címbalo, platillo
cynic ['sɪnɪk] n cínico,-a
cynical ['sɪnɪkəl] adj cínico,-a
cypress ['saɪprəs] n *Bot* ciprés
cyst [sɪst] n *Med* quiste
czar [zɑːr] n zar
Czech [tʃɛk] **I** adj checo,-a; **the Czech Republic,** República Checa **II** n **1** *(persona)* checo,-a **2** *(idioma)* checo

D

D, d [diː] n **1** *(letra)* D, d **2** *Mús* re
dab [dæb] **I** n *(de pintura, perfume, etc)* toque **II** vtr **1** aplicar **2** tocar ligeramente
dad [dæd], **daddy** ['dædi] n fam papá, papi
daffodil ['dæfədɪl] n *Bot* narciso
dagger ['dægər] n puñal, daga
daily ['deɪli] **I** adj diario,-a, cotidiano,-a **II** adv diariamente **III** n **1** *(periódico)* diario
dainty ['deɪnti] adj *(daintier, daintiest)* *(flor)* delicado,-a; *(comida)* exquisito,-a
dairy ['deri] n **1** *(de granja)* establo; *(tienda)* lechería
dairy farm n vaquería, granja de productos lácteos
dairy produce n productos lácteos
dais ['deɪɪs] n estrado
daisy ['deɪzi] n *Bot* margarita
dam [dæm] **I** n *(muro de contención)* dique, presa **II** vtr *(agua)* embalsar, represar
■ **dam up** vtr fig & lit *(emoción, agua)* contener

damage ['dæmɪdʒ] **I** *n* **1** daño; *(para la salud, repuación)* perjuicio; *(de una relación)* deterioro **2** *Jur* **damages,** daños y perjuicios **II** *vtr (físicamente)* dañar, hacer daño a; *(aparato, etc)* estropear

damn [dæm] **I** *vtr* condenar **II** *excl fam* **damn (it)!,** ¡maldito,-a sea! **III** *n fam* **I don't give a damn,** me importa un comino **IV** *adj fam* maldito,-a

damning ['dæmɪŋ] *adj (evidencia)* irrefutable; *(crítica)* mordaz

damp [dæmp] **I** *adj (ambiente, etc)* húmedo,-a; *(suelo, trapo)* mojado,-a **II** *n* humedad

dampen ['dæmpən] *vtr* **1** humedecer **2** *fig (entusiasmo)* aguar

dance [dæns] **I** *n* baile; *(clásico, ritual)* danza **II** *vi & vtr* bailar

dance hall *n* salón de baile

dancer ['dænsər] *n (profesional)* bailarín,-ina; *(de flamenco)* bailaor,-ora

dancing ['dænsɪŋ] *n* baile

dandelion ['dændɪlaɪən] *n Bot* diente de león

dandruff ['dændrəf] *n* caspa

Dane [deɪn] *n (persona)* danés,-esa

danger ['deɪndʒər] *n* **1** *(situación)* peligro; **to be in danger,** estar en peligro **2** riesgo

dangerous ['deɪndʒərəs] *adj* peligroso,-a

dangle ['dæŋgəl] **I** *vi* colgar, pender **II** *vtr* colgar; *(como cebo)* dejar colgado,-a

Danish ['deɪnɪʃ] **I** *adj* danés,-esa; **II** *n (idioma)* danés

Danish pastry *n* pastel de hojaldre

dank [dæŋk] *adj* húmedo y frío

dare [der] **I** *vi* atreverse {**to,** a}: **how dare you!,** ¡cómo se atreve! **II** *vtr (lanzar un reto)* desafiar **III** *n* desafío

daredevil ['derdevəl] *adj & n* atrevido,-a, temerario,-a

daring ['derɪŋ] **I** *adj* **1** *(persona, hazaña)* audaz, osado,-a **2** *(ropa, idea)* atrevido,-a **II** *n* atrevimiento, osadía

dark [dɑrk] **I** *adj* **1** *(color, sitio)* oscuro,-a; *(tez, pelo)* moreno,-a; *(ojos, pronóstico)* negro,-a **2** *fig (humor)* negro **II** *n (falta de luz)* oscuridad

darken ['dɑrkən] *vtr (cielo)* oscurecer

darkness ['dɑrknɪs] *n* oscuridad, tinieblas

darkroom ['dɑrkruːm] *n Fot* cuarto oscuro

darling ['dɑrlɪŋ] *adj & n* querido,-a

darn [dɑrn] **I** *vtr* zurcir **II** *n* zurcido

dart [dɑrt] *n* **1** *(proyectil)* dardo **2** *Dep* **darts** *sing,* dardos

dartboard ['dɑrtbɔrd] *n* diana

dash [dæʃ] **I** *n* **1** *(precipitado)* carrera **2** *Dep (carrera)* esprint **3** *(pequeña cantidad)* poquito, pizca **4** *Tip* guión **5** estilo

II *vtr* **1** *(tirar)* arrojar **2** *(romper)* estrellar **III** *vi (moverse)* correr

■ **dash off** *vi* salir corriendo

dashboard ['dæʃbɔrd] *n Auto* salpicadero

dashing ['dæʃɪŋ] *adj (apariencia)* gallardo,-a, elegante

data ['deɪdə, 'dɑːdə] *npl* datos

data base *n Inform* base de datos

date[1] ['deɪt] *n* **1** fecha: **what's the date today?,** ¿a qué día estamos? **2 out of date** *(ideas)* anticua- do,-a; *(billete)* caducado,-a; **compromiso;** *fam (con chico/a)* cita; **blind date,** cita a ciegas **4** *US fam (persona)* ligue **II** *vtr* **1** *(una carta)* fechar **2** *US (una persona,* salir con *(chicos/as)* **III** *vi (tener origen)* datar

■ **date back to/from** *vtr* remontar a, datar de

date[2] ['deɪt] *n Bot (fruta)* dátil

dated ['deɪtɪd] *adj* obsoleto,-a; *(idea, persona,* anticua-do,-a

date palm *n* datilera

daub [dɑːb] *vtr* embadurnar

daughter ['dɑːtər] *n* hija

daughter-in-law ['dɑːtərɪnlɔː] *n* nuera hija política

daunting ['dɑːntɪŋ] *adj* desalentador,-ora

dawdle ['dɑːdəl] *vi fam* perder el tiempo

dawn [dɑːn] **I** *n* alba, amanecer **II** *vi (día)* amanecer **2** *fig (época)* comenzar

day [deɪ] *n* **1** *(periodo de 24 horas)* día; **the day after tomorrow,** pasado mañana; **the day before yesterday,** anteayer; **day by day,** diariamente; **every day,** todos los días; **the next day,** al día siguiente; **once a day,** una vez al día; **one of these days,** un día de éstos; *fig* **to live from day to day,** vivir al día **2** *(periodo de trabajo)* jornada **3** *(era)* época **these days,** hoy (en) día

daybreak ['deɪbreɪk] *n* amanecer

daydream ['deɪdriːm] **I** *n* ensueño, fantasía **II** *vi* soñar despierto,-a

daylight ['deɪlaɪt] *n* luz del día

daylight savings time ['deɪlaɪtseɪvɪŋztaɪm *n* adelantamiento de la hora estandar para aprovechar la luz del día

day off *n* día libre

daytime ['deɪtaɪm] *n* día; **in the daytime** de día

day-to-day ['deɪtədeɪ] *adj* cotidiano,-a diario,-a

daze [deɪz] *n* aturdimiento

dazed [deɪzd] *adj* aturdido,-a, atontado,-a

dazzle ['dæzəl] *vtr* deslumbrar

DC ['diːsiː] *n (abr de District of Columbia* Distrito de Columbia, Ciudad de Washington, capital de los Estados Unidos

DDT ['diːdiːtiː] *n Quím* DDT, pesticida

DE *(abr de Delaware)* abreviatura, estado de Delaware

deacon ['diːkən] *n* diácono

dead [ded] **I** adj **1** (sin vida) muerto,-a **2** (máquina) averiado,-a; (teléfono) cortado,-a: **the line is dead**, no hay línea **4** (pierna) dormido,-a **5** total, absoluto; **dead silence**, silencio absoluto
II adv absolutamente
deaden ['dedən] vtr **1** (choque, sonido) amortiguar **2** (dolor) calmar, aliviar
dead end n callejón sin salida
deadline ['dedlaın] n fecha tope o límite
deadlock ['dedlɒk] n (en una conversación, acuerdo) punto muerto
dead loss n fam inútil, desastre
deadly ['dedli] **I** adj (deadlier, deadliest) mortal; (arma) mortífero,-a
deadpan ['dedpæn] adj fam (cara) inexpresivo,-a
deaf ['def] adj sordo,-a; **to go deaf**, quedarse sordo
deaf-and-dumb n sordomudo,-a (término ofensivo)
deafen ['defən] vtr ensordecer
deafness ['defnıs] n sordera
deal ['di:l] **I** n **1** Com Pol transacción **2** acuerdo; (condiciones) trato
II vtr (ps & pp **dealt**) Naipes repartir, dar
◆ | LOC: **a good deal**, mucho, bastante
■ **deal in** vtr (mercancías) comerciar en
■ **deal with** vtr **1** (persona, empresa) tratar con **2** (asunto, problema) abordar, ocuparse de **3** (libro, artículo, etc) versar, tratar sobre **4** castigar
dealer ['di:lər] n **1** Com (mercancías) comerciante; (droga) traficante **2** Naipes persona que reparte/da las cartas
dealt [delt] ps & pp → **deal**
dean [di:n] n **1** Rel deán **2** Univ decano
dear [dɪr] **I** adj **1** (amado) querido,-a (en correspondencia) Querido,-a; Estimado,-a **3** costoso, caro,-a
II n (tratamiento personal) querido,-a
III excl **oh dear!, dear me!,** (sorpresa) ¡vaya!; (desilusión, etc) ¡qué pena!
dearly ['di:rli] adv muchísimo
death ['deθ] n muerte; frml fallecimiento, defunción
deathly ['deθli] adj (deathlier, deathliest) (silencio) sepulcral
death penalty n pena de muerte
debase [dı'beıs] vtr degradar
debate [dı'beıt] **I** n debate
II vtr **1** discutir, debatir **2** (dudar) considerar
debauchery [dı'bɔtʃərı] n libertinaje
debit ['debıt] **I** n Fin débito
II vtr Fin cargar, anotar
debit balance n Fin saldo negativo
debris ['debriː] n sing escombros
debt ['det] n deuda
debtor ['detər] n deudor,-ora
debug [diː'bʌg] vtr Inform depurar, eliminar fallos

decade ['dekeıd] n década
decadence ['dekədəns] n decadencia
decadent ['dekədənt] adj decadente
decaffeinated [dı'kæfıneıdıd] fam adj descafeinado,-a
decapitate [dı'kæpıteıt] vtr decapitar
decay [dı'keı] **I** n **1** (de cuerpo, de comida) descomposición **2** (de cultura) decadencia; (de dientes) caries; (de edificios) desmoronamiento
II vi pudrirse, descomponerse; (dientes) picarse; (edificio) deteriorarse
deceased [dı'siːst] frml adj difunto,-a, fallecido,-a
deceit [dı'siːt] n engaño, mentira
deceitful [dı'siːtfəl] adj falso,-a
deceive [dı'siːv] vtr mentir a, engañar
December [dı'sembər] n diciembre
decent ['diːsənt] adj decente
deception [dı'sepʃən] n engaño
deceptive [dı'septıv] adj engañoso,-a
decide [dı'saıd] **I** vtr decidir
II vi (llegar a una decisión) decidirse
■ **decide on** vtr optar por
decided [dı'saıdıd] adj **1** claro-a, marcado,-a **2** (resuelto) decidido,-a
decimal ['desıməl] **I** adj decimal
II n decimal
decimal system n sistema decimal
decipher [dı'saıfər] vtr descifrar
decision [dı'sıʒən] n decisión
decisive [dı'saısıv] adj **1** (persona) decidido,-a **2** (batalla, trato, etc) decisivo,-a
deck ['dek] n **1** (de un barco) cubierta **2** (del autobús) piso **3** esp US Naipes baraja **4** (de equipo de música) (para discos) plato; (para cintas) pletina
declaration [deklə'reıʃən] n declaración
declare [dı'kler] vtr declarar
decline [dı'klaın] **I** n **1** disminución **2** (de calidad) deterioro
II vi **1** (tamaño) disminuir; (cantidad) bajar; (negocio) decaer **2** (perder calidad) deteriorarse; (salud) empeorar
III vtr **1** (invitación, etc) rechazar **2** Ling declinar
decode [diː'koʊd] vtr descifrar
decompose [diːkəm'poʊz] vi descomponerse
décor ['deıkɔːr, dı'kɔːr] n decoración; Teat decorado
decorate ['dekəreıt] vtr **1** (árbol, calle) decorar **2** (casa) (con pintura) pintar; (con papel pintado) empapelar
decoration [dekə'reıʃən] n decoración
decorative ['dekrədıv] adj decorativo,-a
decorator ['dekəreıdər] n decorador,-ora, pintor,-ora
decoy ['diːkɔı] n fig señuelo
decrease ['diːkriːs] **I** n disminución; reducción

II [dɪ'kriːs] *vi* disminuir

decree [dɪ'kriː] **I** *n* **1** *Pol* decreto **2** *Jur* sentencia, fallo
II *vtr Pol* decretar, pronunciar

dedicate ['dedɪkeɪt] *vtr* consagrar, dedicar

dedication [dedɪ'keɪʃən] *n* **1** *(acción)* dedicación **2** *(compromiso)* entrega **3** *(en un libro)* dedicatoria

deduce [dɪ'djuːs] *vtr* deducir

deduct [dɪ'dʌkt] *vtr* descontar

deduction [dɪ'dʌkʃən] *n* **1** deducción **2** *Fin Com* descuento; *(de impuesto)* retención

deed [diːd] *n* acto; *(heroico)* hazaña **deem** [diːm] *vtr frml* estimar

deep [diːp] **I** *adj* **1** profundo,-a **2** *(voz, nota)* grave **3** *(interés)* vivo,-a **4** *(color)* intenso y/o oscuro,-a **5** serio,-a; **to be in deep trouble,** estar en graves apuros **6** *(persona)* grave, serio,-a
deepen ['diːpən] **I** *vtr (pozo)* profundizar
II *vi (río, lago)* hacerse más hondo o profundo; *fig (conocimientos)* aumentar
deep freeze [diːp'friːz] **I** *n* congelador
II *vtr* congelar
deep-fry [diːp'fraɪ] *vtr* freír en abundante aceite
deep-rooted [diːp'ruːtɪd] *adj* arraigado,-a
deer [dɪər] *n* Zool *inv* ciervo
defamation [defə'meɪʃən] *n* difamación
default [dɪ'fɔːlt] **I** *n* **1** *(por inacción)* omisión **2** *(de pagos)* mora, impago **3** *Dep* **to win by default,** ganar por incomparecencia del adversario
default setting *n Inform* opción por defecto
II *vi* **1** *(incumplir)* faltar a un compromiso **2** *Jur* estar en rebeldía **3** *Fin* no pagar
defeat [dɪ'fiːt] *vtr* **1** *(a un adversario)* derrotar **2** *(una proposición, etc)* rechazar
defect ['diːfekt] **I** *n* defecto; *(de diamante, etc)* impureza, imperfección
II [dɪ'fekt] *vi* desertar [**from,** de]; *(de un país)* huir
defective [dɪ'fektɪv] *adj* **1** *(mercancías)* defectuo- so,-a, *(con pequeñas imperfecciones)* con desperfectos; *(carente)* incompleto,-a **2** *(persona)* anormal
defector [dɪ'fektər] *n Pol* tránsfuga
defend [dɪ'fend] *vtr* defender **defendant** [dɪ'fendənt] *n Jur* acusado,-a
defender [dɪ'fendər] *n* defensor,-ora; *Dep* defensa
defense [dɪ'fens] *n* **1** defensa; *US* **Department of Defense,** Ministerio de Defensa; **witness for the defense,** testigo de la defensa **2** *Jur* defensa
defer [dɪ'fɜːr] *vtr* aplazar
deference ['defərəns] *n frml* deferencia, respeto
defiance [dɪ'faɪəns] *n* **1** desafío **2** resistencia
defiant [dɪ'faɪənt] *adj* desafiante; *(audaz)* insolente

deficiency [dɪ'fɪʃənsɪ] *n* **1** *(de una cosa)* falta, carencia **2** *(en una cosa)* defecto
deficient [dɪ'fɪʃənt] *adj* deficiente [**in,** en]
deficit ['defɪsɪt] *n* déficit
definite ['defɪnɪt] *adj* **1** definitivo,-a **2** *(sitio, hora)* determinado,-a
definitely ['defɪnɪtlɪ] *adv* sin duda
definition [defɪ'nɪʃən] *n* definición; **by definition,** por definición
definitive [dɪ'fɪnɪtɪv] *adj* definitivo,-a
deflate [dɪ'fleɪt] *vtr* desinflar
deflect [dɪ'flekt] *vtr* desviar
deforestation [diːfɒrɪs'teɪʃən] *n* deforestación
deform [dɪ'fɔːm] *vtr* deformar
deformity [dɪ'fɔːmɪdɪ] *n* deformidad
defraud [dɪ'frɔːd] *vtr* estafar
defrost [dɪ'frɒst] **I** *vtr (comida)* descongelar
II *vi* descongelarse
defuse [dɪ'fjuːz] *vtr* **1** *(una bomba)* desactivar **2** *(una situación)* distender, calmar
defy [dɪ'faɪ] *vtr* **1** *(a una persona)* desafiar; *(a la ley)* desacatar **2** retar, desafiar **3 it defies belief,** resulta imposible creerlo
degenerate [dɪ'dʒenəreɪt] **I** *vi* degenerar [**into,** en]
II [dɪ'dʒenərɪt] *adj* & *n* degenerado,-a
degrade [dɪ'greɪd] **I** *vtr* degradar
II *vi* degenerar
degrading [dɪ'greɪdɪŋ] *adj* degradante
degree [dɪ'griː] *n* **1** *Mat Meteor, etc* grado **2** *(etapa)* grado, punto; **by degrees,** poco a poco, gradualmente; **to some degree,** hasta cierto punto **3** *Univ* título; **to have a degree in languages,** ser licenciado,-a en Filología; **bachelor's degree** ≈ diplomatura, licencia- tura; **doctor's degree,** doctorado; **master's degree** ≈ licenciatura superior
dehumanize [diː'hjuːmənaɪz] *vtr* dehumanizar
dehydrated [diːhaɪ'dreɪdɪd] *adj* deshidrata- do,-a
deity ['diːɪdɪ] *n* deidad
delay [dɪ'leɪ] **I** *vtr* **1** *(el vuelo, tren)* retrasar; *(a una persona)* entretener **2** *(posponer)* aplazar
II *vi* tardar
III *n* retraso, demora
delegate ['delɪgɪt] **I** *n* delegado,-a
II ['delɪgeɪt] *vtr* delegar [**to,** en]
delegation [delɪ'geɪʃən] *n* delegación
delete [dɪ'liːt] *vtr* suprimir, tachar, borrar
deliberate [dɪ'lɪbərɪt] **I** *adj* **1** *(a propósito)* delibera-do,-a, intencionado,-a **2** *(con cuidado)* prudente; *(sin prisas)* pausa-do,-a
II *vtr* [dɪ'lɪbəreɪt] deliberar
III *vi* deliberar [**on, about,** sobre]
delicacy ['delɪkəsɪ] *n* **1** delicadeza **2** *(comida)* manjar
delicate ['delɪkɪt] *adj* delicado,-a; *(artesanía)* fino,-a; *(sabor)* delicado,-a

delicatessen [delɪkə'tesən] *n* charcutería

delicious [dɪ'lɪʃəs] *adj* delicioso,-a

delight [dɪ'laɪt] **I** *n* placer

delighted [dɪ'laɪtɪd] *adj* encantado,-a

delinquency [dɪ'lɪŋkwɪnsɪ] *n Jur Soc* delincuencia

delirious [dɪ'lɪrɪəs] *adj* **1** *Med* delirante **2** *fam* loco,-a de alegría

deliriously [dɪ'lɪrɪəslɪ] *adv* de un modo delirante, con delirio

deliver [dɪ'lɪvər] *vtr* **1** *(mercancías, cartas)* repartir, entregar; *(un pedido)* despachar; *(un recado)* dar **2** *(un golpe)* asestar **3** *(una conferencia, un veredicto)* pronunciar **4** *Med* asistir en el parto

delivery [dɪ'lɪvərɪ] *n* **1** *(de mercancías)* reparto, entrega; **free home delivery 2** *(de bebé)* parto

delta ['deltə] *n Geog* delta

delude [dɪ'luːd] *vtr* engañar

deluge ['deljuːdʒ] *n* diluvio

delusion [dɪ'luːʒən] *n* engaño

deluxe [də'lʌks] *adj* de lujo

delve [delv] *vi* hurgar en

demand [dɪ'mænd] **I** *n* **1** demanda **2** *(solicitud urgente)* exigencia; *(de subida de sueldo)* reclamación; *(de derechos)* reivindicación **3** necesidad; **on demand**, disponible **4** *(usu npl)* **demands**, requerimientos, exigencias
II *vtr* exigir

demanding [dɪ'mændɪŋ] *adj* **1** *(persona)* exigente **2** *(trabajo)* agotador,-ora

demeaning [dɪ'miːnɪŋ] *adj frml* humillante

demeanor [dɪ'miːnər] *n frml* comportamiento, conducta

demented [dɪ'mentɪd] *adj Med* demente; *fam* loco,-a

demise [dɪ'maɪz] *n frml* fallecimiento

demo ['deməʊ] *n fam abr de* **demonstration**

democracy [dɪ'mɒkrəsɪ] *n* democracia

democrat ['deməkræt] *n* demócrata

democratic [demə'krædɪk] *adj* democrático,-a

demographic [demə'græfɪk] *adj* demográfico,-a

demolish [dɪ'mɒlɪʃ] *vtr* derribar, demoler

demolition [demə'lɪʃən] *n* demolición

demon ['diːmən] *n* demonio

demonstrate ['demənstreɪt] **I** *vtr* demostrar
II *vi Pol* manifestarse

demonstration [demən'streɪʃən] *n* **1** *(comprobación)* demostración **2** *Pol* manifestación

demonstrative [dɪ'mɒnstrədɪv] *adj* **1** expresivo,-a

demonstrator ['demənstreɪdər] *n* manifestante

demoralize [dɪ'mɒrəlaɪz] *vtr* desmoralizar

demoralizing [dɪ'mɒrəlaɪzɪŋ] *adj* desmoralizador,-ora

demure [dɪ'mjʊər] *adj* recatado,-a

den [den] *n* **1** *(de animal)* guarida, cubil **2** *fam US* estudio **3** *pey* antro

denial [dɪ'naɪəl] *n* **1** desmentido **2** negativa

denim ['denɪm] *n* tela de vaqueros; **denims**, tejanos, vaqueros

Denmark ['denmɑːk] *n* Dinamarca

denomination [dɪnɒmɪ'neɪʃən] *n* **1** *Rel* confesión **2** *Fin* *(de billetes, monedas)* denominación, valor

denominator [dɪ'nɒmɪneɪdər] *n* denominador

denote [dɪ'nəʊt] *vtr* indicar, significar

denounce [dɪ'naʊns] *vtr* denunciar

dense [dens] *adj* denso,-a

density ['densɪdɪ] *n* densidad

dent [dent] **I** *n (metal)* abolladura
II *vtr (carrocería)* abollar

dental ['dentəl] *adj* dental

dental floss *n* hilo dental

dental surgeon *n* odontólogo,-a, dentista

dental surgery *n (lugar)* clínica dental; *(tratamiento)* cirugía dental

dentist ['dentɪst] *n* dentista

dentistry ['dentɪstrɪ] *n* odontología

denture ['dentʃər] *n (usu pl)* dentadura postiza

deny [dɪ'naɪ] *vtr (afirmación)* negar; *(una noticia)* desmentir

deodorant [diː'əʊdərənt] *n* desodorante

depart [dɪ'pɑːt] *vi (de un sitio)* marcharse, irse, salir

department [dɪ'pɑːtmənt] *n (en una tienda)* sección; *(de universidad, empresa)* departamento; *(de gobierno)* ministerio, secretaría

departmental [dɪpɑːt'mentəl] *adj* departamental

department store *n* grandes almacenes

departure [dɪ'pɑːtʃər] *n* partida; *Av Ferroc* salida

departure gate *n Av* puerta de embarque

depend [dɪ'pend] *vi* **1** *(tener confianza)* contar con **2** depender

dependable [dɪ'pendəbəl] *adj (persona)* formal, fiable; *(máquina)* fiable; *(ingresos)* seguro,-a

dependence [dɪ'pendəns] *n* dependencia

dependent [dɪ'pendənt] **I** *adj* dependiente
II *n* dependiente

depict [dɪ'pɪkt] *vtr Arte* representar

deplete [dɪ'pliːt] *vtr* reducir, mermar

deplorable [dɪ'plɔːrəbəl] *adj* lamentable, deplorable

deploy [dɪ'plɔɪ] *vtr* **1** *Mil (un ejército)* desplegar **2** *fig* utilizar

depopulate [diː'pɒpjʊleɪt] *vtr* despoblar

deport [dɪ'pɔːt] *vtr* deportar, expulsar [**from, de**] [**to, a**]

deportation [diːpɔː'teɪʃən] *n* deportación

depose [dɪ'pouz] *vtr* deponer

deposit [dɪ'pɒzɪt] **I** *n* **1** *Fin* depósito **2** *Com (compra pequeña)* señal **3** *(para un alquiler)* depósito, fianza **4** sedimento; *Min* yacimiento
II *vtr* **1** depositar **2** *Fin (en cuenta bancaria)* ingresar

deposit account *n* cuenta de ahorros

depot ['di:pou] *n* almacén; *Mil* depósito; *(de autobuses, trenes)* cochera; estación de trenes

depraved [dɪ'preɪvd] *adj (persona)* depravado,-a

depreciate [dɪ'pri:ʃɪeɪt] **I** *vtr Fin* depreciar
II *vi* depreciarse

deprecate ['deprɪkeɪt] *vtr* depreciar

depreciation [dɪpri:ʃi'eɪʃən] *n* depreciación, amortización

depress [dɪ'pres] *vtr* deprimir

depressed [dɪ'prest] *adj* **1** *(persona)* deprimido,-a **2** *(superficie)* hundido,-a

depressing [dɪ'presɪŋ] *adj* deprimente

depression [dɪ'preʃən] *n* depresión

deprivation [deprɪ'veɪʃən] *n* **1** *(pobreza, etc)* privaciones **2** *(de derechos, etc)* pérdida

deprive [dɪ'praɪv] *vtr* privar [of, de]

deprived [dɪ'praɪvd] *adj* necesitado,-a

Dept *(abr de Department)* departamento, dpto

depth [depθ] *n* profundidad

deputation [depjə'teɪʃən] *n* delegación

deputy ['depjʊdɪ] *n* **1** *(que sigue al jefe principal en una jerarquía)* segundo (de a bordo); **deputy director,** subdirector,-ora **2** *(suplente)* sustituto,-a **3** **deputy (sheriff),** ayudante del sheriff **4** *Pol* diputado,-a

derail [dɪ'reɪl] **I** *vi (tren)* descarrilarse
II *vtr* hacer descarrilar

deranged [dɪ'reɪndʒd] *adj* trastornado,-a

derelict ['derɪlɪkt] *adj (edificio)* abandonado,-a, en ruinas

deride [dɪ'raɪd] *vtr* ridiculizar, burlarse de

derision [dɪ'rɪʒən] *n* irrisión

derivation [derɪ'veɪʃən] *n* derivación

derivative [de'rɪvədɪv] **I** *adj (libro)* poco original
II *n Ind* derivado

derive [dɪ'raɪv] **I** *vtr* obtener
II *vi (palabra)* derivarse

derogatory [dɪ'rɒɡətɒrɪ] *adj* despectivo,-a

descend [dɪ'send] **I** *vi* descender de
II *vtr (cuesta, escalera)* bajar

descendant [dɪ'sendənt] *n* descendiente

describe [dɪ'skraɪb] *vtr* **1** describir **2** *(línea)* trazar

description [dɪ'skrɪpʃən] *n* **1** descripción **2** *(tipo)* clase

desecrate ['desɪkreɪt] *vtr* profanar

desert[1] ['dezərt] *n* desierto

desert[2] **I** *vtr (sitio, familia)* abandonar

II *vi Mil* desertar

deserter [dɪ'zɜːdər] *n* desertor,-ora

deserve [dɪ'zɜrv] *vtr* merecer(se)

deserving [dɪ'zɜrvɪŋ] *adj* meritorio,-a

design [dɪ'zaɪn] **I** *n* **1** *Arte* diseño, dibujo **2** *(dibujo)* plano **3** *(interior)* disposición **4** *fig (plan)* intención
II *vtr* diseñar

designate ['dezɪgneɪt] **I** *vtr* designar, nombrar
II ['dezɪgnɪt] *adj* designado,-a

designer [dɪ'zaɪnər] **I** *n* **1** *Arte* diseñador,-ora **2** *(dibujo)* delineante
II *adj* de diseño

desirable [dɪ'zaɪrəbəl] *adj* deseable; *(oferta)* atractivo,-a

desire [dɪ'zaɪər] **I** *n* deseo **[for,** de] [**to +** *infinitive*, de + infinitivo]
II *vtr* desear

desist [dɪ'zɪst] *vi frml* desistir [**from,** de]

desk [desk] *n (en el colegio)* pupitre; *(en la oficina, casa)* escritorio; *Av* **check-in desk,** mostrador de facturación; **news desk,** redacción; **reception desk,** recepción

desktop ['desktɒp] *adj Inform* **desktop computer,** ordenador de mesa

desktop publishing *n* autoedición

desolate ['desəlɪt] *adj* **1** *(sitio)* desierto,-a **2** *(persona)* desconsolado,-a

despair [dɪ'sper] **I** *n* desesperación; **to be in despair,** estar desesperado,-a
II *vi* desesperar(se)

desperate ['desprɪt] *adj* **1** desesperado,-a; *(lucha)* encarnizado,-a **2** *(necesidad)* apremiante

desperation [despə'reɪʃən] *n* desesperación

despicable [dɪ'spɪkəbəl] *adj* despreciable

despise [dɪ'spaɪz] *vtr* despreciar, menospreciar

despite [dɪ'spaɪt] *prep* a pesar de

despondent [dɪ'spɒndənt] *adj* abatido,-a

dessert [dɪ'zɜrt] *n* postre

dessertspoon [dɪ'zɜrtspuːn] *n* cuchara de postre

destination [destɪ'neɪʃən] *n* destino

destined ['destɪnd] *adj* **1** predestinado,-a, [**to,** a] **2** *(transporte)* con destino [**for,** a]

destiny ['destɪnɪ] *n* destino

destitute ['destɪtuːt] *adj* indigente

destroy [dɪ'strɔɪ] *vtr* **1** destruir **2** *(la vida, reputación)* destrozar

destroyer [dɪ'strɔɪər] *n Náut* destructor

destruction [dɪ'strʌkʃən] *n* destrucción; *fig* ruina

destructive [dɪ'strʌkdɪv] *adj* **1** *(explosión, etc)* destructor,-ora **2** *(comentario, pensamiento)* destructivo,-a

detach [dɪ'tætʃ] *vtr* separar

detachable [dɪ'tætʃəbəl] *adj* separable [**from,** de], de quita y pon

detached [dɪ'tætʃt] *adj* **1** *(suelto)* separado,-a **2** *(observador, etc)* objetivo,-a, imparcial

detachment [dɪ'tætʃmənt] *n* **1** objetividad, imparcialidad **2** *(reserva)* indiferencia **3** *Mil* destacamento

detail ['diːteɪl] **I** *n* **1** detalle, pormenor; **to go into detail(s)**, entrar en detalles **2 details** *pl*, información **3** *Mil* destacamento
II *vtr* detallar, enumerar

detailed ['diːteɪld] *adj* detallado,-a, minucioso,-a

detain [dɪ'teɪn] *vtr* **1** *Jur* detener **2** *(a una persona)* retener

detect [dɪ'tekt] *vtr* detectar

detection [dɪ'tekʃən] *n* **1** descubrimiento **2** detección

detective [dɪ'tektɪv] *n* detective

detector [dɪ'tektər] *n (aparato)* detector

detention [dɪ'tenʃən] *n (de sospechoso, etc)* detención, arresto

deter [dɪ'tɜːr] *vtr* desalentar, disuadir

detergent [dɪ'tɜːdʒənt] *n* detergente

deteriorate [dɪ'tiːrɪəreɪt] *vi* deteriorarse

deterioration [dɪtiːrɪə'reɪʃən] *n* empeoramiento; deterioro

determination [dɪtɜːmɪ'neɪʃən] *n* resolución

determine [dɪ'tɜːmɪn] *vtr* determinar

determined [dɪ'tɜːmɪnd] *adj (persona)* decidido,-a, resuelto,-a **[to, a]**

deterrent [dɪ'terənt] **I** *adj* disuasivo,-a, disuasorio,-a
II *n* fuerza *o* elemento disuasorio,-a

detest [dɪ'test] *vtr* detestar

detonate ['detn'neɪt] *vtr & vi* detonar

detonation [detⁿ'neɪʃən] *n* detonación

detour ['diːtuər] *n* desvío

detract [dɪ'trækt] *vi* restar mérito *o* valor **[from, a]**

detractor [dɪ'træktər] *n* detractor,-ora

detriment ['detrɪmənt] *n* perjuicio **[to, de]**

deuce [djuːs] *n Ten* cuarenta iguales

devaluation [diːvæljuː'eɪʃən] *n* devaluación

devalue [diːˈvæljuː] **I** *vtr* **1** devaluar **2** menospreciar
II *vi* devaluarse

devastate ['devəsteɪt] *vtr* asolar, devastar

devastating ['devəsteɪdɪŋ] *adj* **1** devastador,-ora **2** *(belleza)* irresistible **3** *(argumento)* arrollador,-ora

develop [dɪ'veləp] **I** *vtr* desarrollar
II *vi* **1** *(país, industria, organismo vivo)* desarrollarse; *(sistema)* perfeccionarse; *(interés)* crecer

developer [dɪ'veləpər] *n* **1** *(empresa)* inmobiliaria **2** *(persona)* promotor,-ora inmobiliario,-a

developing [dɪ'veləpɪŋ] **I** *adj (pueblo, país)* en vías de desarrollo
II *n Fot* revelado

development [dɪ'veləpmənt] *n* **1** desarrollo **2** *(noticia) (sing o pl)* **there is no development**, no hay ninguna novedad **3** *(de recursos naturales)* explotación **4** *Constr* urbanización

deviant ['diːvɪənt] *n & adj* pervertido,-a

deviate ['diːvɪeɪt] *vi* desviarse **[from, de]**

deviation [diːvɪ'eɪʃən] *n* desviación

device [dɪ'vaɪs] *n* **1** aparato, mecanismo **2** *(artimaña)* estratagema

devil ['devəl] *n* diablo, demonio

devious ['diːvɪəs] *adj* **1** *(camino, sendero)* tortuoso,-a **2** *(plan, etc)* enrevesado **3** *pey (persona)* taimado,-a, ladino,-a

devise [dɪ'vaɪz] *vtr* idear, concebir

devoid [dɪ'vɔɪd] *adj* desprovisto,-a **[of, de]**

devolution [devə'luːʃən] *n Pol* traspaso de competencias a las regiones autónomas

devote [dɪ'vout] *vtr* dedicar; **to devote oneself to sthg**, dedicarse a algo

devoted [dɪ'voutɪd] *adj* fiel, devoto,-a

devotee [devou'tiː] *n Rel* devoto,-a

devotion [dɪ'vouʃən] *n* devoción; *(a una causa)* dedicación

devour [dɪ'vauər] *vtr* devorar

devout [dɪ'vaut] *adj* devoto,-a

dew [djuː] *n* rocío

dexterity [dek'sterɪdʒɪ] *n* destreza

diabetes [daɪə'biːdiːz] *n Med* diabetes

diabetic [daɪə'bedɪk] *adj & n* diabético,-a

diabolical [daɪə'bɒlɪk(əl)] *adj* **1** diabólico,-a **2** *fam* espantoso,-a

diagnose ['daɪəgnous] *vtr* diagnosticar

diagnosis [daɪəg'nousɪs] *n (pl diagnoses* [daɪəg'nousiːz]*)* diagnóstico

diagonal [daɪ'ægnəl] *adj & n* diagonal

diagram ['daɪəgræm] *n* diagrama

dial ['daɪəl] **I** *n* **1** *(de instrumento, radio)* cuadrante, dial; *(de teléfono)* disco; *(de reloj)* esfera
II *vi & vtr Tel* marcar

dialect ['daɪəlekt] *n* dialecto

dial tone *n Tel* señal de llamada

dialogue, dailog ['daɪəlɒg] *n* diálogo

diameter [daɪ'æmɪdər] *n* diámetro

diamond ['daɪmənd] *n* **1** *Geol* diamante **2** *(forma)* rombo **3** *Naipes* **diamonds** *pl*, diamantes

diaper ['daɪpər] *n US* pañal

diaphragm ['daɪəfræm] *n* diafragma

diarrhea [daɪə'rɪə] *n Med* diarrea

diary ['daɪərɪ] *n* **1** *(personal)* diario **2** *(libro para citas, etc)* agenda

dice [daɪs] *npl* dados

dictate [dɪk'teɪt] **I** *vtr* **1** *(palabras)* dictar **2** *(órdenes)* imponer
II *vi* **to dictate to sb**, darle órdenes a alguien

dictation [dɪk'teɪʃən] *n* dictado

dictator [dɪk'teɪdər] *n* dictador,-ora

dictatorship [dɪk'teɪdərʃɪp] *n* dictadura

dictionary [ˈdɪkʃənɛri] *n* diccionario
did [dɪd] *ps* → **do**
didactic [daɪˈdæktɪk] *adj* didáctico
didn't [ˈdɪdənt] → **did not**
die [daɪ] *vi* 1 morir(se) 2 *fig (llama, luz)* extinguirse 3 *(motor)* calarse
■ **die away** *vi (sonido)* irse apagando
■ **die down** *vi (fuego)* extinguirse; *(tormenta)* amainar; *(ruido)* disminuir
■ **die off** *vi* ir muriendo (uno tras otro)
■ **die out** *vi* 1 extinguirse 2 *(tradiciones)* caer en desuso
diesel [ˈdiːzəl] *n* 1 *(combustible)* gasoil 2 *fam (vehículo)* diesel
diet [ˈdaɪət] I *n (comida normal)* dieta; régimen
II *vi* estar a régimen
dietician [daɪəˈtɪʃən] *n* especialista en dietética
differ [ˈdɪfər] *vi* 1 *(no parecerse)* diferir 2 *(tener opinión diferente)* discrepar
difference [ˈdɪfrəns] *n* 1 *(falta de parecido)* diferencia 2 *(discrepancia)* desacuerdo, diferencia
different [ˈdɪfrənt] *adj* diferente
differentiate [dɪfəˈrenʃieɪt] I *vtr* distinguir, diferenciar [**from,** de]
II *vi* distinguir [**between,** entre]
differently [ˈdɪfrəntli] *adv* de otra manera
difficult [ˈdɪfɪkəlt] *adj* difícil
difficulty [ˈdɪfɪkəlti] *n* dificultad
diffident [ˈdɪfɪdənt] *adj* tímido,-a
diffuse [dɪˈfjuːs] I *adj* difuso,-a
II [dɪˈfjuːz] *vtr (el calor)* difundir; *(la luz)* tamizar
dig [dɪg] I *n* 1 *(empujón)* codazo 2 *fam (una indirecta)* pulla 3 *Arq* excavación 4 **digs** *pl,* *(esp de estudiantes)* alojamiento
II *vtr (ps & pp* **dug)** 1 *(la tierra)* cavar, remover; *(un túnel)* excavar 2 *(las uñas)* clavar
■ **dig in** *vi Mil & fig* atrincherarse
■ **dig out** *vtr fig (algo viejo)* sacar
■ **dig up** *vtr (plantas)* arrancar; *(algo enterrado)* desenterrar
digest [ˈdaɪdʒest] I *n* resumen
II [dɪˈdʒest] *vtr (la comida)* digerir; *fig (los hechos)* asimilar
digestion [dɪˈdʒestʃən] *n* digestión
digestive [dɪˈdʒestɪv] *adj* digestivo,-a
digger [ˈdɪgər] *n* excavadora
digit [ˈdɪdʒɪt] *n* 1 *Mat* dígito 2 *frml Anat* dedo
digital [ˈdɪdʒɪdəl] *adj* digital
dignified [ˈdɪgnɪfaɪd] *adj* 1 digno 2 *(apariencia)* majestuoso,-a
dignitary [ˈdɪgnɪteri] *n* dignatario
dignity [ˈdɪgnɪdi] *n* dignidad
digression [dɪˈgreʃən] *n* digresión
dike [daɪk] *n* 1 dique 2 *ofens argot (mujer)* tortillera

dilapidated [dɪˈlæpɪdeɪdɪd] *adj (edificio)* deteriora-do,-a, ruinoso,-a; *(vehículo)* destartalado,-a
dilemma [dɪˈlemə] *n* dilema
diligent [ˈdɪlɪdʒənt] *adj* 1 *(trabajador)* diligente 2 *(investigación)* concienzudo,-a
dilute [daɪˈluːt] I *vtr* 1 diluir 2 *fig* adulterar
II *adj* diluido,-a
dilution [daɪˈluːʃən] *n* disolución
dim [dɪm] I *adj (**dimmer, dimmest)** 1 *(habitación)* oscuro,-a; *(luz)* débil, tenue; *(memoria)* vago,-a; *(perfil)* indistinto,-a; *(vista)* turbio,-a 2 *fam* tonto,-a
II *vtr (la luz)* atenuar
III *vi (luz)* irse atenuando
dime [daɪm] moneda de diez centavos
dimension [dɪˈmenʃən] *n* dimensión
dime store [ˈdaɪmstɔr] *n* tienda de artículos baratos
diminish [dɪˈmɪnɪʃ] *vtr & vi* disminuir
diminutive [dɪˈmɪnjədɪv] I *adj* diminuto,-a, minúsculo,-a
II *n Ling* diminutivo
dimming [ˈdɪmɪŋ] *n* oscurecimiento
dimple [ˈdɪmpəl] *n* hoyuelo
din [dɪn] *n* estruendo, estrépito
dine [daɪn] *vi frml* cenar; **to dine out,** cenar fuera
diner [ˈdaɪnər] *n* 1 *(persona)* comensal 2 restaurante económico
dinghy [ˈdɪŋi] *n Náut* bote
dingy [ˈdɪndʒi] *adj (**dingier, dingiest)** 1 lúgubre 2 sucio,-a
dining car *n Ferroc* vagón restaurante
dining room *n* comedor
dinner [ˈdɪnər] *n (a mediodía) fam* comida; *(por la tarde)* cena; **to have dinner,** cenar
dinner jacket *n* esmoquin
dinosaur [ˈdaɪnəsɔr] *n* dinosaurio
diocese [ˈdaɪəsɪs] *n* diócesis
dip [dɪp] I *n* 1 *fam* baño, chapuzón 2 *(de carretera)* pendiente; *(en el suelo)* depresión 3 *Culin* salsa
II *vtr* meter
■ **dip into** *vtr (un libro)* hojear
diphthong [ˈdɪfθʌŋ] *n Ling* diptongo
diploma [dɪˈploumə] *n* diploma
diplomacy [dɪˈplouməsi] *n* diplomacia
diplomat [ˈdɪpləmæt] *n* diplomático,-a
diplomatic [dɪpləˈmædɪk] *adj* diplomático,-a
dipstick [ˈdɪpstɪk] *n* medidor de líquidos, vara que se inserta en un contenido para medir el nivel del líquido; en el motor de un coche, por ejemplo
dire [daɪər] *adj* extremo,-a, grave
direct [dɪˈrekt, ˈdaɪrekt] I *adj* 1 directo,-a 2 *(equivalente)* exacto,-a
II *adv* directamente
III *vtr* 1 *(una película, mirada, carta, un comentario, etc)* dirigir 2 *frml (dar órdenes)* mandar

direct current *n* corriente continua
direction [dai'rɛkʃən, dɪ'rɛkʃən] *n* **1** dirección **2 directions** *pl, (indicaciones)* señas; **directions for use,** modo de empleo
directly [dai'rɛktli, dɪ'rɛktli] *adv* **1** *(al lado de, etc)* exactamente, justo **2** *(hablar)* francamente **3** *(sin parar)* directamente **4** *(acudir)* en seguida, ahora mismo
directness [dɪ'rɛktnəs] *n* franqueza
director [dɪ'rɛktər, dai'rɛktər] *n* director,-ora
directory [dɪ'rɛktəri, dai'rɛktəri] *n* **1** directorio **2 telephone directory,** guía telefónica
dirt [dərt] *n* suciedad, mugre
dirt-cheap [dərt'tʃiːp] *adv & adj fam (muy barato)* tirado,-a *(de precio)*
dirty ['dərdi] **I** *adj (dirtier, dirtiest)* **1** sucio,-a **2** *(chiste)* verde; *(mente)* pervertido,-a **II** *vtr* ensuciar
disability [dɪsə'bɪlɪdɪ] *n* incapacidad, invalidez
disable [dɪ'seibəl] *vtr* **1** *(a una persona)* dejar inválido,-a **2** *(máquina, arma)* inutilizar
disabled [dɪ'seibəld] **I** *adj* minusválido,-a **II** *npl* **the disabled,** los minusválidos
disadvantage [dɪsəd'væntɪdʒ] *n* desventaja, inconveniente
disagree [dɪsə'griː] *vi* **1** no estar de acuerdo **2** *(comida)* sentar mal
disagreeable [dɪsə'griəbəl] *adj* desagradable
disagreement [dɪsə'griːmənt] *n* **1** *(diferentes opiniones)* desacuerdo **2** discusión, riña
disallow [dɪsə'lau] *vtr* **1** *Dep (gol)* anular **2** *(reivindicación)* rechazar
disappear [dɪsə'piər] *vi* desaparecer
disappearance [dɪsə'pirəns] *n* desaparición
disappoint [dɪsə'pɔint] *vtr* **1** *(a una persona)* decepcionar **2** *(un plan)* frustrar **3** *(la esperanza)* defraudar
disappointed [dɪsə'pɔinid] *adj* decepcionado,-a, desilusionado,-a
disappointing [dɪsə'pɔiniŋ] *adj* decepcionante
disappointment [dɪsə'pɔint'mənt] *n* decepción, desilusión
disapproval [dɪsə'pruːvəl] *n* desaprobación
disapprove [dɪsə'pruːv] *vi* desaprobar **[of, -]**
disarm [dɪs'ɑrm] **I** *vtr* desarmar **II** *vi* desarmarse
disarmament [dɪs'ɑrməmənt] *n Mil* desarme
disarray [dɪsə'rei] *n* desorden
disassociate [dɪsə'sousieit] → **dissociate**
disaster [dɪ'zæstər] *n* desastre
disastrous [dɪ'zæstrəs] *adj* desastroso,-a
disband [dɪs'bænd] **I** *vtr* disolver **II** *vi* disolverse

disbelief [dɪsbɪ'liːf] *n* incredulidad
disc, disk [dɪsk] *n* disco; *Inform* **floppy disc,** disquete; **hard disc,** disco duro
discard [dɪs'kɑrd] *vtr (viejos trastos)* deshacerse de; *(plan)* descartar
discern [dɪ'sərn] *vtr* percibir, distinguir
discernible [dɪ'sərnibəl] *adj* perceptible
discerning [dɪ'sərniŋ] *adj* **1** *(persona)* perspicaz, exigente **2** *(gusto)* refinado,-a
discharge [dɪs'tʃɑrdʒ] **I** *vtr* **1** *(a un preso)* liberar; *Med* dar de alta a; *(a un soldado)* licenciar; *(a un empleado)* despedir **2** *(una deuda)* liquidar; *(un compromiso)* cumplir **3** *(un barco)* descargar **4** *(humo)* emitir; *(líquido)* echar
II ['dɪstʃɑːdʒ] *n* **1** *(de preso)* liberación; *(del hospital)* alta; *(del ejército)* baja **2** *(de una deuda)* descargo **3** *(del deber)* cumplimiento **4** *(de un barco)* descarga **5** *Elec* descarga; *(de gases)* escape **6** *Med* pus
disciple [dɪ'saipəl] *n* discípulo,-a
discipline ['dɪsɪplɪn] **I** *n* disciplina **II** *vtr* disciplinar
disclose [dɪs'klouz] *vtr* revelar
disclosure [dɪs'klouʒər] *n* revelación
disco ['dɪskou] *n (abr de discotheque) fam* disco
discolor [dɪs'kʌlər] **I** *vtr* de(s)colorar **II** *vi* de(s)colorarse, desteñirse
discomfort [dɪs'kʌmfərt] *n* incomodidad, malestar
disconcert [dɪskən'sərt] *vtr* desconcertar
disconcerted [dɪskən'sərdɪd] *adj* desconcertado,-a
disconcerting [dɪskən'sərdiŋ] *adj* desconcertante
disconnect [dɪskə'nɛkt] *vtr* desconectar **[from,** de**]**; *(gas, luz, agua)* cortar
disconnected [dɪskə'nɛkdɪd] *adj* inconexo,-a
disconsolate [dɪs'kʌnsəlɪt] *adj* desconsolado,-a
discontented [dɪskən'tɛntɪd] *adj* descontento,-a
discontinue [dɪskən'tɪnjuː] *vtr frml* interrumpir, suspender
discotheque ['dɪskoutɛk] *n* discoteca
discount ['dɪskaunt] **I** *n* descuento **II** *vtr* **1** *(el precio)* rebajar **2** *(una opinión, sugerencia)* descartar, pasar por alto
discourage [dɪs'kʌrɪdʒ] *vtr* **1** *(quitar ánimos)* desanimar **2** *(desaconsejar)* **to discourage sb from doing sthg,** disuadir a alguien de hacer algo
discouraging [dɪs'kʌrɪdʒɪŋ] *adj* desalentador,-ora
discourse ['dɪskɔrs] *n* discurso, tratado
discover [dɪ'skʌvər] *vtr* **1** descubrir **2** *(un objeto perdido, etc)* encontrar
discovery [dɪ'skʌvəri] *n* descubrimiento
discredit [dɪs'krɛdɪt] **I** *n* descrédito

II *vtr* desacreditar

discreet [dɪ'skriːt] *adj* discreto,-a

discrepancy [dɪ'skrepənsɪ] *n* diferencia, discrepancia

discretion [dɪ'skreʃən] *n* discreción

discriminate [dɪ'skrɪmɪneɪt] *vi* discriminar

discriminating [dɪ'skrɪmɪneɪdɪŋ] *adj* entendido,-a, exigente

discrimination [dɪskrɪmɪ'neɪʃən] *n* discriminación

discuss [dɪs'kʌs] *vtr* **1** *(hablar)* discutir **2** *(por escrito)* tratar de

discussion [dɪs'kʌʃən] *n* discusión

disdain [dɪs'deɪn] *frml* **I** *n* desdén
II *vtr* desdeñar

disease [dɪ'ziːz] *n* enfermedad **diseased** [dɪ'ziːzd] *adj* enfermo,-a **disembark** [dɪsɪm'bɑːk] *vtr & vi* desembarcar

disenchanted [dɪsɪn'tʃæntɪd] *adj* desencantado,-a, desilusionado,-a

disentangle [dɪsɪn'tæŋɡəl] *vtr* desenredar

disfigure [dɪs'fɪɡər] *vtr* desfigurar

disgrace [dɪs'ɡreɪs] **I** *n* **1** vergüenza: **it's a disgrace!**, ¡es un escándalo! **2** desgracia
II *vtr* deshonrar, desacreditar

disgraceful [dɪs'ɡreɪsfəl] *adj* vergonzoso,-a

disgruntled [dɪs'ɡrʌntəld] *adj* contrariado,-a, disgustado,-a

disguise [dɪs'ɡaɪz] **I** *n* disfraz
II *vtr* **1** *(a una persona)* disfrazar **2** *(emociones)* disimular

disgust [dɪs'ɡʌst] **I** *n* **1** repugnancia, asco **2** indignación
II *vtr* **1** repugnar, dar asco a **2** indignar

disgusting [dɪs'ɡʌstɪŋ] *adj* asqueroso,-a, repugnante; *(comportamiento, situación)* vergonzoso,-a

dish [dɪʃ] *n* **1** *(para servir)* fuente **2** *(comida)* plato; **the main dish,** el plato fuerte
■ **dish out** *vtr fam* **1** *Culin* servir **2** *fig (consejos, cosas)* repartir

dishcloth ['dɪʃklɒθ] *n* paño de cocina

dishearten [dɪs'hɑːtn] *vtr* desanimar

dishonest [dɪs'ɒnɪst] *adj* deshonesto,-a

dishonor [dɪs'ɒnər] **I** *n frml* deshonra
II *vtr* deshonrar

dishonorable [dɪs'ɒnərəbəl] *adj* deshonroso,-a

dishtowel ['dɪʃtaʊəl] *n US* trapo de cocina

dishwasher ['dɪʃwɒʃər] *n* lavaplatos

disillusion [dɪsɪ'luːʒən] *vtr* desilusionar

disinfect [dɪsɪn'fekt] *vtr* desinfectar

disinfectant [dɪsɪn'fektənt] *n* desinfectante

disinherit [dɪsɪn'herɪt] *vtr* desheredar

disintegrate [dɪs'ɪnəɡreɪt] *vi* desintegrarse

disintegration [dɪsɪnə'ɡreɪʃən] *n* desintegración

disinterested [dɪs'ɪntrɪstɪd] *adj* desinteresado,-a

disjointed [dɪs'dʒɔɪntɪd] *adj* inconexo,-a

disk [dɪsk] *n* disco; *Inform* **floppy disk,** disquete; **hard disk,** disco duro

disk drive *n Inform* disquetera

diskette [dɪs'ket] *n Inform* disquete

dislike [dɪs'laɪk] **I** *n* antipatía, aversión [**for, to** + *ing*, a, hacia]
II *vtr* **I** dislike noise, no me gusta el ruido

dislocate ['dɪsloʊkeɪt] *vtr (una articulación)* dislocar

dislodge [dɪs'lɒdʒ] *vtr* sacar, desplazar

disloyal [dɪs'lɔɪəl] *adj* desleal

dismal ['dɪzməl] *adj* **deprimente, triste**

dismantle [dɪs'mæntəl] *vtr* desmontar

dismay [dɪs'meɪ] **I** *n* consternación
II *vtr* consternar

dismember [dɪs'membər] *vtr* descuartizar, desmembrar

dismiss [dɪs'mɪs] *vtr* **1** *(una idea)* descartar; *Jur* desestimar; *(un caso)* sobreseer **2** *(a un empleado)* despedir **3** dejar ir *o* mandar retirarse

dismissal [dɪs'mɪsəl] *n* **1** *(de reivindicación)* rechazo; *Jur* desestimación **2** *(de empleado)* despido, destitución

dismount [dɪs'maʊnt] *vi frml* apearse

disobedient [dɪsoʊ'biːdɪənt] *adj* desobediente

disobey [dɪsoʊ'beɪ] *vtr & vi* desobedecer

disorder [dɪs'ɔːdər] *n* **1** *(de casa, cosas)* desorden **2** *(de orden público)* disturbio **3** *Med* trastorno

disorderly [dɪs'ɔːdərlɪ] *adj* **1** *(persona, cosas)* desordenado,-a **2** *(gente)* turbulento,-a

disorganized [dɪs'ɔːɡənaɪzd] *adj* desorganizado,-a

disorient [dɪs'ɔːrɪənt] *vtr* desorientar

disown [dɪs'oʊn] *vtr* **1** desconocer **2** repudiar

disparaging [dɪs'perɪdʒɪŋ] *adj* despectivo,-a

dispatch [dɪs'pætʃ] **I** *n* **1** informe; *Mil* parte **2** *(de correos)* envío; *(de mercancías)* consignación
II *vtr* **1** *(correos)* enviar; *(mercancías)* expedir

dispel [dɪs'pel] *vtr* disipar

dispense [dɪs'pens] *vtr* **1** *(cosas)* repartir **2** *(la justicia)* administrar
■ **dispense with** *vtr* prescindir de

dispenser [dɪs'pensər] *n* máquina expendedora; **cash dispenser,** cajero automático

disperse [dɪs'pɜːs] *vtr* dispersar
II *vi* dispersarse; *(niebla)* disiparse

displace [dɪs'pleɪs] *vtr* **1** *(a una persona)* sustituir **2** *(mover)* desplazar

display [dɪs'pleɪ] **I** *n* **1** exposición; *(de emociones)* manifestación; *(de fuerza, habilidad, ingenio)* despliegue, exhibición; **firework display,** fuegos artificiales **2** *Inform* visualización
II *vtr* **1** *Inform* visualizar **2** mostrar; *(mercancías)* exponer; *(emociones)* manifestar

displeasure [dɪs'plɛʒər] *n* disgusto

disposable [dɪ'spoʊzəbəl] *adj* **1** *(de un solo uso)* desechable **2** *(persona, cosa)* disponible

disposal [dɪ'spoʊzəl] *n* **1** *(de basura)* eliminación **2** *(de bomba)* desactivación **3** disponibilidad; **at your disposal,** a su disposición **4** *(de bienes)* venta

dispose [dɪ'spoʊz] *vtr fml* ordenar, disponer

■ **dispose of** *vtr* **1** deshacerse de; *(bienes)* vender **2** *(asunto)* resolver

disposition [dɪspə'zɪʃən] *n* **1** temperamento, genio **2** *fml (arreglo)* disposición

disproportionate [dɪsprə'pɔrʃənɪt] *adj* desproporcionado,-a

disprove [dɪs'pruːv] *vtr* refutar, desmentir

dispute [dɪ'spjuːt] **I** *n* **1** disputa **2** conflicto **II** *vtr* **1** *(un asunto)* discutir, cuestionar **2** *(un territorio)* disputar

disqualify [dɪs'kwɑlɪfaɪ] *vtr* **1** descalifica

disregard [dɪsrɪ'gɑrd] **I** *n* indiferencia **II** *vtr* **1** descuidar **2** hacer caso omiso de

disreputable [dɪs'rɛpjədəbəl] *adj* de mala fama

disrepute [dɪsrɪ'pjuːt] *n* descrédito

disrespect [dɪsrɪ'spɛkt] *n* falta de respeto

disrespectful [dɪsrɪ'spɛktfəl] *adj* irrespetuoso,-a

disrobe [dɪs'roʊb] *vi* desvestirse, desnudar

disrupt [dɪs'rʌpt] *vtr* **1** *(una reunión, un trabajo)* interrumpir **2** *(planes)* desbaratar

disruption [dɪs'rʌpʃən] *n* interrupción

disruptive [dɪs'rʌptɪv] *adj* perjudicial, negativo,-a

dissatisfied [dɪs'sædɪsfaɪd] *adj* descontento,-a

disseminate [dɪ'sɛmɪneɪt] *vtr fml* diseminar

dissent [dɪ'sɛnt] **I** *n* disensión **II** *vi* disentir

dissertation [dɪsər'teɪʃən] *n* disertación; *Univ* tesis, tesina [**on,** sobre]

dissident ['dɪsɪdənt] *adj* & *n* disidente

dissimilar [dɪ'sɪmɪlər] *adj* distinto,-a

dissipate ['dɪsɪpeɪt] **I** *vtr fml (hacer desaparecer algo)* disipar **II** *vi (niebla, etc)* disiparse

dissociate [dɪ'soʊsieɪt] *vtr* **to dissociate oneself,** desligarse

dissolution [dɪsə'luːʃən] *n* disolución

dissolve [dɪ'zɑlv] **I** *vtr* disolver **II** *vi* disolverse

dissuade [dɪ'sweɪd] *vtr* disuadir

distance ['dɪstəns] *n* distancia; **in the distance,** a lo lejos

distant ['dɪstənt] *adj* distante

distaste [dɪs'teɪst] *n* repugnancia

distasteful [dɪs'teɪstfəl] *adj* desagradable

distend [dɪ'stɛnd] *fml* **I** *vtr* dilatar **II** *vi* dilatarse

distill [dɪs'tɪl] *vtr* destilar

distillery [dɪ'stɪləri] *n* destilería

distinct [dɪ'stɪŋkt] *adj* **1** diferente, distinto,-a **2** *(sensación, cambio)* marcado,-a

distinction [dɪ'stɪŋkʃən] *n* **1** diferencia, distinción **2** *(excelencia)* distinción **3** *Educ* sobresaliente

distinctive [dɪ'stɪŋktɪv] *adj* distintivo,-a

distinguish [dɪ'stɪŋgwɪʃ] *vtr* distinguir

distinguished [dɪ'stɪŋgwɪʃt] *adj* distinguido,-a

distinguishing [dɪ'stɪŋgwɪʃɪŋ] *adj* distintivo,-a, característico,-a

distort [dɪ'stɔrt] *vtr* **1** deformar **2** *fig* distorsionar, tergiversar

distortion [dɪ'stɔrʃən] *n* deformación; *fig* distorsión

distract [dɪ'strækt] *vtr* distraer

distraction [dɪ'strækʃən] *n (interrupción)* distracción

distraught [dɪ'strɔt] *adj (persona)* afligido,-a, angustiado,-a

distress [dɪ'strɛs] **I** *n* **1** *(mental)* angustia **2** *(físico)* dolor **II** *vtr* afligir, apenar

distressing [dɪ'strɛsɪŋ] *adj* inquietante, preocupante, angustioso,-a

distribute [dɪ'strɪbjuːt] *vtr* distribuir

distribution [dɪstrɪ'bjuːʃən] *n* distribución

distributor [dɪ'strɪbjədər] *n* **1** *Com* distribuidor,-ora **2** *Auto* delco®

district ['dɪstrɪkt] *n (de ciudad)* barrio; *(de país)* región; **District of Columbia (D.C.),** distrito federal (Washington, D.C., la capital de los EE UU)

distrust [dɪs'trʌst] **I** *n* desconfianza, recelo **II** *vtr* desconfiar de

disturb [dɪ'stərb] *vtr* **1** molestar **2** perturbar

disturbance [dɪ'stərbəns] *n* **1** *Pol* disturbio **2** *(de rutina)* alteración **3** *(ruido, etc)* alboroto

disturbed [dɪ'stərbd] *adj* **1** preocupado,-a **2** *Psic* perturbado,-a

disturbing [dɪ'stərbɪŋ] *adj* inquietante

disuse [dɪs'juːs] *n* desuso

disused [dɪs'juːzd] *adj* abandonado,-a

ditch [dɪtʃ] **I** *n* zanja; *(de carretera)* cuneta; *(para riego)* acequia **II** *vtr fam* **1** *(a una/a novio,-a)* plantar **2** *(cosa)* deshacerse de

ditto ['dɪdoʊ] *n* ídem, lo mismo

dive [daɪv] **I** *n* **1** zambullida; *(de buzo)* inmersión; *Dep* salto **2** *fam (bar)* antro **II** *vi (al agua)* tirarse de cabeza; *(buzo)* bucear; *Dep* saltar

diver ['daɪvər] *n (persona)* buceador,-ora; *(profesional)* buzo; *Dep* saltador,-ora

diverge [dɪ'vərdʒ] *vi* divergir

diverse [dɪ'vərs] *adj* diverso,-a

diversion [dɪ'vərʒən] *n* distracción

diversity [dɪ'vərsɪdʒi] *n* diversidad

divert [daɪ'vərt] *vtr* **1** *(tráfico)* desviar

2 *(entretener)* divertir

divide [dɪ'vaɪd] **I** *vtr* **1** dividir **2** separar
II *vi (carretera, río)* bifurcarse
dividend ['dɪvɪdend] *n Fin* dividendo
divine [dɪ'vaɪn] *adj* divino,-a
diving ['daɪvɪŋ] *n* **1** buceo, submarinismo **2** *(competición)* saltos
divinity [dɪ'vɪnɪtɪ] *n* **1** *(atributo)* divinidad **2** *(asignatura)* teología
division [dɪ'vɪʒən] *n* **1** *Mat Mil gen* división **2** reparto **3** *(de una empresa)* sección
divorce [dɪ'vɔːs] **I** *n* divorcio
II *vtr fur* divorciarse de
divorcé [dɪ'vɔːseɪ] *n (hombre)* divorciado
divorcée [dɪvɔː'siː] *n* divorciada
divulge [daɪ'vʌldʒ] *vtr frml* divulgar
DIY [diːaɪ'waɪ] *n (abr de do-it-yourself)* bricolaje
dizziness ['dɪzɪnɪs] *n* vértigo, mareo
dizzy ['dɪzɪ] *adj (dizzier, dizziest) (enfermo)* mareado,-a
DJ ['diːdʒeɪ] *n fam abr de disc jockey*
DNA [diːen'eɪ] *n (abr de deoxyribonucleic acid)*, ácido desoxirribonucleico, ADN
do¹ [duː] *v aux irregular (3.ª persona sing pres does; pasado did).*
1 *(preguntas)* do you live near here?, ¿vives cerca de aquí?; what did you say?, ¿qué has dicho?; **2** *(frases negativas)* (en uso corriente se suelen abreviar: do not = don't, does not = doesn't, did not = didn't): I don't want to go out, no quiero salir; she doesn't eat meat, ella no come carne **3** *(preguntas negativas)* why don't you stop smoking?, ¿por qué no dejas de fumar? **4** *(imperativo negativo)* don't be silly!, ¡no seas tonto!; don't touch that!, ¡no toques eso! **5** *(afirmativo enfático)* (se acentúa al hablar): he does talk nonsense, él sí que dice tonterías; *(también suaviza un imperativo):* do come in!, ¡pase, por favor! **6** *(sustitución del verbo principal)* do you speak English?, - yes, I do, ¿hablas inglés?, - sí, (lo hablo) **7** *(confirmación de un comentario):* you live at home, don't you?, vives en casa, ¿verdad?
do² *(3.ª persona sing pres does, ps did, pp done)* **I** *vtr irregular* **1** hacer: what does she do?, - she's a lawyer, ¿a qué se dedica?, - es abogada; I'll do my best, haré todo lo posible; what can I do for you?, ¿en qué puedo ayudarle?; **to do one's homework,** hacer los deberes; **to do one's duty,** cumplir con el deber **3** *(+ ing)* **to do the cleaning/ cooking,** limpiar/cocinar; **to do the shopping,** ir de compras **4** *Teat* representar **5** *(estudiar)* **he's doing math at university,** está estudiando matemáticas en la universidad **6** *(prepararse, arreglarse)* **do your hair,** péinate **7** *(beneficiar)* **a bit of exercise does you good,** un poco de ejercicio viene bien **8** *(vender, tener)* **that**

restaurant does a good paella, ese restaurante tiene una buena paella
II *vi* **1** *(actuar)* hacer; **do as I tell you,** haz lo que te digo **2** *(ir bien o mal)* **to do well,** tener éxito; **how are you doing?,** ¿qué tal? **3** *(ser suficiente)* **fifty dollars will do,** con cincuenta dólares será suficiente; *fam* **that will do!,** ¡basta ya! **4** *(servir de)* **this cave will do as a shelter,** esta cueva servirá de cobijo
♦ | LOC: *frml (al saludar por primera vez a alguien)* **how do you do?, - how do you do?,** ¿cómo está usted?, - mucho gusto *(la pregunta sirve a la vez de respuesta);* **a list of do's and don'ts,** algunas normas
■ **do away with** *vtr* **1** abolir; *(cosas viejas, etc)* deshacerse de **2** *fam* asesinar
■ **do for** *vtr* arruinar
■ **do up** *vtr* **1** *(el cinturón, etc)* abrochar; *(los zapatos)* atar **2** *fam (vestirse)* arreglar: **you're all done up,** vas muy vestido,-a **3** *fam (la casa)* renovar, reformar
■ **do with** *vtr* **1** I could do with a vacation, *(necesitar)* unas vacaciones no me vendrían mal **2** **to have to do with,** tener que ver con: **this has nothing to do with you,** esto no te concierne
■ **do without** *vtr* pasar sin, prescindir de
docile ['dəʊsaɪl] *adj* dócil
dock [dɒk] **I** *n* **1** *fur* banquillo (de los acusados) **2** *Náut* muelle, dársena **3** docks *pl*, puerto
II *vi Náut* atracar
docker ['dɒkər] *n* estibador
doctor ['dɒktər] *n* **1** *Med* médico,-a **2** *Univ* doctor,-ora
doctorate ['dɒktərɪt] *n* doctorado
doctrine ['dɒktrɪn] *n* doctrina
document ['dɒkjəmənt] **I** *n* documento
II *vtr* documentar
documentary [dɒkjə'mentriː] *adj & n* documental
dodge [dɒdʒ] **I** *vtr* **1** *(un golpe, una pregunta)* esquivar; *(a un perseguidor)* eludir **2** *(los impuestos, etc)* evadir
II *vi* escabullirse
III *n* **1** *(movimiento)* regate **2** *fam* truco
doe [dəʊ] *n inv* **1** *(hembra de ciervo)* cierva **2** *(hembra de conejo)* coneja
does [dʌz] → **do¹ & do²**
doesn't ['dʌzənt] **1** does not **2** → **do¹**
dog [dɒg] **I** *n* **1** perro **2** *(zorro, lobo, etc)* macho
II *vtr* perseguir
doggie, doggy [dɒgɪ] *n fam* perrito
dogmatic [dɒg'mædɪk] *adj* dogmático,-a
do-gooder ['duːgʊdər] *n* **1** altruista, abnegado, generoso **2** puede tener connotación irónica, lo cual convierte a una person al quijotismo, santurrón
dog tag *n* placa o licencia de identificación de un perro

doh [dou] *n Mús* do

doing ['du:ɪŋ] *n (acción)* obra

do-it-yourself [du:ɪtjər'sɛlf] *n* bricolaje

doll [dɑl] *n* muñeca

dollar ['dɑlər] *n* dólar

dolly ['dɑli] *n fam* muñequita

dolphin ['dɑlfɪn] *n* delfín

domain [dou'meɪn] *n* campo, ámbito

dome [doum] *n (por fuera)* cúpula; *(por dentro)* bóveda

domestic [də'mɛstɪk] *adj* 1 doméstico,-a 2 *(vuelo, noticias, producto)* nacional

domesticate [də'mɛstɪkeɪt] *vtr* domesticar

dominant ['dɑmɪnənt] *adj* dominante

dominate ['dɑmɪneɪt] *vtr & vi* dominar

domineering [dɑmɪ'nɪərɪŋ] *adj* dominante

Dominican [də'mɪnɪkən] *adj & n (de la República Dominicana)* dominicano,-a; **Dominican Republic,** República Dominicana

dominion [də'mɪnjən] *n* dominio

domino ['dɑmɪnou] *n (pl dominoes)* ficha de dominó; **dominoes** *pl, (juego)* dominó

donate [dou'neɪt] *vtr* donar

donation [dou'neɪʃən] *n* donativo

done [dʌn] *pp →* do¹ & do²

donkey ['dɑŋki] *n* burro,-a

donor ['dounər] *n* donante

don't [dount] 1 do not 2 → do¹

doodad, doohickey ['du:dæd, du:hɪki:] *n informal* chisme, cháchara, *se dice cuando no se acuerda o no sabe el nombre de algo*

doom [du:m] I *n* 1 *(terrible destino)* perdición, fatalidad 2 muerte

II *vtr usu pasivo* condenar

doomsday ['du:mzdeɪ] *n* día del Juicio Final

door [dɔ:r] *n* puerta; **out of doors,** al aire libre

doorbell ['dɔrbɛl] *n* timbre (de la puerta)

doorknob ['dɔrnɑb] *n* pomo

doorman ['dɔrmæn] *n* portero

doormat ['dɔrmæt] *n* felpudo

doorstep ['dɔrstɛp] *n* umbral

door-to-door [dɔrdə'dɔr] *adj* a domicilio

doorway ['dɔrweɪ] *n* entrada

dope [doup] I *n* 1 *argot* droga, hachís 2 *fam (persona)* imbécil

II *vtr Dep* dopar, drogar

dopey ['doupi] *adj (dopier, dopiest) fam* atontado,-a, grogui

dormant ['dɔrmənt] *adj* 1 *(volcán)* inactivo,-a 2 *(emoción, enfermedad)* latente

dormitory ['dɔrmɪtɔri] *n* 1 *(en un internado)* dormitorio 2 *(en la universidad)* colegio mayor

dosage ['dousɪdʒ] *n Med* dosis

dose [dous] *n* dosis

dossier ['dɑsieɪ] *n* expediente

double ['dʌbəl] I *n* doble

II *adv* doble; **to pay double,** pagar el doble

III *n* 1 *Cine Teat* doble 2 *fam* **at** *o* **on the** double, a toda prisa 3 *Ten* **doubles** *pl,* (partido de) dobles

IV *vtr* doblar; *fig (esfuerzos)* redoblar

■ **double back** *vi* volver uno sobre sus pasos

■ **double up** I *vtr (plegar)* doblar

II *vi* 1 *(de risa)* troncharse 2 *(de dolor)* retorcerse

double bass *n Mús* contrabajo

double-breasted ['dʌbəlbrɛstɪd] *adj* cruzado,-a

double-check [dʌbəl'tʃɛk] *vtr & vi* verificar dos veces

double date *n* salir en grupo, *cuando salen dos parejas juntas*

double-decker [dʌbəl'dɛkər] *n* **double-decker (bus),** autobús de dos pisos

double-edged [dʌbəl'ɛdʒd] *adj* de doble filo

double feature *n cinema* función doble

double header *n béisbol* doble juego, partido doble

double-park [dʌbəl'pɑrk] *v* estacionar en doble fila

doubles ['dʌbəlz] *n Ten* dobles, partido de tenis con cuatro jugadores

double-spaced [dʌbəl'speɪst] *adj* escritura con un espacio de por medio de cada línea

double standard [dʌbəl'stændərd] *n* estándar doble, criterio inconsistente de permitir libertades a ciertas personas cuando están prohibidas para todos

double take [dʌbəl'teɪk] *n* fijarse una vez más en lo que hemos visto inadvertidamente o nos ha sorprendido

double talk [dʌbəl'tɑk] *n informal* sarcasmo, ironía, algo que se dice con ambigüedad

double vision [dʌbəl'vɪʒən] *n Med* visión doble

double whammy [dʌbəl'wæmi] *n Informal* golpe doble, cuando dos males suceden simultánea o consecutivamente

doubly ['dʌbli] *adv* doblemente

doubt [daut] I *n* duda; **no doubt** *o* **without a doubt,** sin duda

II *vtr* 1 desconfiar de 2 *(no estar seguro)* dudar

doubtful ['dautfəl] *adj* 1 *(futuro, resultado)* dudoso,-a, incierto,-a 2 *(mirada, voz)* dubitativo,-a

doubtfully ['dautfəli] *adv* sin convicción

doubtless ['dautlɪs] *adv* sin duda, seguramente

dough [dou] *n* 1 *Culin* masa, pasta 2 *argot (dinero)* pasta

doughnut ['dounʌt] *n* rosquilla, dónut®

dour [dauər] *adj* severo,-a

dove [dʌv] *n* paloma

dowdy ['daudi] *adj (dowdier, dowdiest)* poco elegante

down [daun] I *prep* 1 *(a un nivel más bajo)*

to go down the stairs, bajar la escalera; **down the hill,** cuesta abajo 2 *(a lo largo de)* por; **to walk down the street,** andar por la calle

II *adv* **1** *(movimiento)* (hacia) abajo; **to bend down,** inclinarse hacia abajo **2** *(posición)* abajo; **down here,** aquí abajo **3** **profits are down by ten percent,** los beneficios han bajado un diez por ciento

III *adj* **1** *Fin* **cash down** pago al contado **2** *fam* deprimido,-a: **I feel down,** estoy deprimido,-a **3** *Inform Mec Elec* averiado,-a

IV *n* ups and downs, altibajos

downcast ['daʊnkɑːst] *adj* abatido,-a

downfall ['daʊnfɔːl] *n* **1** *(de régimen)* caída **2** *(de persona)* perdición

downgrade ['daʊngreɪd] *vtr* bajar de categoría

downhearted [daʊn'hɑːdɪd] *adj* desalentado,-a

downright ['daʊnraɪt] *adv* completamente

downstairs [daʊn'stɛːz] *adv* en una planta inferior

downstream [daʊn'striːm] *adv* río abajo

down-to-earth [daʊntə'ɜːθ] *adj* realista

downtown [daʊn'taʊn] *adj* del centro (de la ciudad)

downward ['daʊnwəd] *adj (cuesta)* descendente; *(mirada)* hacia abajo

downward(s) ['daʊnwəd(z)] *adv* hacia abajo

dowry ['daʊərɪ] *n* dote

doze [dəʊz] *vi* dormitar

■ **doze off** *vi* quedarse dormido,-a

dozen ['dʌzən] *n* docena

dozy ['dəʊzɪ] *adj* somnoliento,-a

Dr. *(abr de Doctor),* doctor,-ora, dr., dra.

drab [dræb] *adj (drabber, drabbest)* **1** monótono,-a

draft [drɑːft] **I** *n* **1** borrador, anteproyecto **2** *Com* letra de cambio, cheque

II *vtr* **1** hacer un borrador de **2** *Mil* reclutar

draftsman ['drɑːftsmæn] *n* delineante **draga**

drag [dræg] **I** *vtr* **1** *(tirar)* arrastrar **2** *(un lago, río)* rastrear, dragar

II *vi* **1** arrastrar **2** *(persona)* rezagarse **3** *fam (el tiempo)* pasar lentamente

III *n* **1** *Téc* resistencia **2** *fam (persona o cosa)* lata, pesado: **what a drag!,** ¡qué lata! **3** *fam (de cigarrillo)* calada **4** *argot* **to be in drag,** ir vestido de mujer; **drag queen,** travestí

■ **drag off** *vtr* llevar arrastrando

■ **drag out** *vtr (un discurso, chiste, etc)* alargar

dragon ['drægən] *n* dragón

dragonfly ['drægənflaɪ] *n Zool* libélula

drain [dreɪn] *n* **1** *(para agua)* desagüe; *(para aguas residuales)* alcantarilla **2** *(en la calle, etc)* sumidero **3 drains** *pl,* alcantarillado

II *vtr* **1** *(una ciénaga, etc)* avenar; *(un embalse)* desecar **2** *(la vajilla)* escurrir

drainage ['dreɪnɪdʒ] *n Agr Med* drenaje; *(de*

embalse, edificio) desagüe; *(de ciudad)* alcantarillado

drama ['drɑːmə] *n* obra de teatro

dramatic [drə'mædɪk] *adj* **1** espectacular **2** *Teat* dramático,-a, teatral

dramatically [drə'mædɪklɪ] *adv* drásticamente

dramatist ['drɑːmətɪst] *n* dramaturgo,-a

dramatization [drɑːmədɪ'zeɪʃən] *n* adaptación teatral

dramatize ['drɑːmətaɪz] *vtr* **1** *Teat* escenificar **2** exagerar, dramatizar

drank [dræŋk] *ps →* **drink**

drape [dreɪp] **I** *vtr* cubrir [**in, with,** de]

II *n* **1** *(de tela)* caída **2** *US* cortina

drastic ['dræstɪk] *adj (medidas)* drástico,-a

draw [drɔː] **I** *vtr (ps* **drew;** *pp* **drawn)** **1** *(un cuadro)* dibujar; *(una línea)* trazar **2** *(de:* *(tren, carroza)* arrastrar; *(cortinas) (abrir)* descorrer; *(cerrar)* correr; *(persianas)* bajar **3** *(la atención)* llamar **4** *(un arma, una conclusión, confesión, fuerza, un diente, dinero del banco, etc)* sacar; *(un talón)* librar; *(un sueldo)* cobrar

II *vi* **1** *Arte* dibujar **2** *(moverse)* **to draw apart (from),** separarse (de); **to draw to a stop,** parar; **to draw to an end,** acabarse **3** *Dep* **they drew three all,** empataron a tres

III *n* **1** sorteo **2** *Dep* empate **3** *fig (exposición, espectáculo)* atracción

■ **draw back** **1** *vt* retirar (algo) **2** *vi* retroceder

■ **draw on** *vtr (ahorros)* recurrir a; *(experiencia)* aprovecharse de

■ **draw out** *vtr* sacar

■ **draw up** *vtr* preparar

drawback ['drɔːbæk] *n* inconveniente, pega

drawer ['drɔːər] *n* cajón

drawing ['drɔːɪŋ] *n* dibujo

drawl [drɔːl] *vi* hablar arrastrando las palabras

drawn [drɔːn] *adj (cara)* demacrado,-a, ojeroso,-a

dread [drɛd] **I** *vtr* temer a

II *n* temor

dreadful ['drɛdfəl] *adj* espantoso,-a, atroz

dreadlocks ['drɛdlɒks] *n pl* estilo de cabello de largas trenzas tejidas en cuerdas gruesas

dream [driːm] **I** *n* **1** sueño **2** *(de día)* ensueño

II *vtr (ps & pp* **dreamed** *o* **dreamt)** soñar

dreamer ['driːmər] *n* soñador,-ora

dreamy ['driːmɪ] *adj (dreamier, dreamiest)* distraído,-a

dreary ['drɪərɪ] *adj (drearier, dreariest)* lúgubre

dredge [drɛdʒ] *vtr & vi* dragar

drench [drɛntʃ] *vtr* empapar

dress [drɛs] *n* **1** vestido **2** *(en general)* ropa, atuendo

II *adj* de vestir

III *vtr* **1** *(a una persona)* vestir **2** *(ensalada)* aliñar **3** *(una herida)* vendar

IV *vi* vestirse

■ **dress down** *vtr* dar una reprimenda, regañar

■ **dress down** *vr* vestirse casualmente

■ **dress up I** *vi* **1** disfrazarse **2** vestirse elegantemente

II *vtr fig* disfrazar

dresser ['drɛsər] *n (mueble de dormitorio)* tocador

dressing ['drɛsɪŋ] *n* **1** *Med* vendaje **2** *(de ensalada)* aliño

dressing gown *n* bata, albornoz

dressing room *n Teat* camerino

dressmaker ['drɛsmeɪkər] *n* modisto,-a

dress rehearsal *n Teat* ensayo general

dressy ['drɛsɪ] *adj (dressier, dressiest)* de vestir, elegante

drew [druː] *ps →* **draw**

dribble ['drɪbəl] **I** *vi* **1** babear **2** *(líquido)* gotear

II *vtr Dep (balón)* regatear

III *n fam (de saliva)* baba; *(de otro líquido)* hilo

dribs and drabs ['drɪbzænˈdræbz] *n pl* poco a poco, como con gotero, pago que se hace en pequeños incrementos en un período de tiempo indeterminado

dried [draɪd] *adj (flor, pescado)* seco,-a; *(leche)* en polvo

drier ['draɪər] *n →* **dryer**

drift [drɪft] **I** *vi* **1** *(barco & fig)* ir a la deriva **2** *(nieve, arena)* amontonarse

II *n* **1** *(de gente, etc)* flujo **2** *(de nieve, arena)* montón

drill [drɪl] **I** *n* **2** *(herramienta)* taladro; **drill (bit),** broca

II *vtr* **1** *(la madera, etc)* taladrar, perforar **2** *(a soldados, niños)* entrenar, instruir

III *vi* taladrar, perforar

drink [drɪŋk] **I** *vtr (ps* drank; *pp* drunk*)* beber

II *vi* beber

III *n* bebida;

drinker ['drɪŋkər] *n* bebedor,-ora

drinking ['drɪŋkɪŋ] *n* **drinking water,** agua potable

drip [drɪp] **I** *n* goteo

II *vi* gotear

drive [draɪv] **I** *vtr (ps* drove; *pp* driven*)* **1** *(un vehículo)* conducir, *LAm* manejar **2** *(a una persona)* llevar, forzar **3** *(energía)* impulsar

II *Auto* conducir, *LAm* manejar

III *n* **1** *(excursión)* paseo en coche; **to go for a drive,** dar una vuelta en coche **2** *(delante de una casa)* camino de entrada **3** *Mec* transmisión; *Auto* tracción; **front-wheel drive,** tracción delantera **4** *Golf* golpe inicial **5** *(de ventas, etc)* campaña **6** *empuje, vigor* **7** *instinto;* **sex drive,** instinto sexual **8** *Inform* disquetera

♦ | LOC: **to drive sb mad,** volver loco,-a a alguien

■ **drive back** *vtr* rechazar, hacer retroceder

■ **drive off I** *vt* repeler, ahuyentar

II *vi (persona)* irse en coche; *(coche)* alejarse

drive-in ['draɪvɪn] *n Cine* autocine

driven ['drɪvən] *pp →* **drive**

driver ['draɪvər] *n (de coche, autobús)* conductor,-ora; **driver's license,** carné de conducir

driveway ['draɪvweɪ] *n (para casa)* camino de entrada

driving ['draɪvɪŋ] **I** *n* conducción

II *adj (viento)* huracanado,-a *(lluvia)* torrencial

driving school *n* autoescuela

driving test *n* examen de conducir

drizzle ['drɪzəl] **I** *n* llovizna

II *vi* lloviznar

drone [droʊn] **I** *n (abeja & fig)* zángano

II *vi (abeja)* zumbar; *fig* hablar monótonamente

drool [druːl] *vi* babear; **to drool over sthg/sb,** caérsele la baba a uno por algo/alguien

droop [druːp] *vi (flor)* marchitarse; *(párpados)* caerse

drop [drɑp] **I** *n* **1** *(de líquido)* gota; **eye drops,** colirio **2** *Geog* desnivel **3** *(de precio)* bajada; *(de temperatura)* descenso

II *vtr* **1** *(a propósito)* dejar caer; *(por accidente)* caérsele a uno: **you've dropped your handkerchief,** se le ha caído el pañuelo; *(precios)* bajar; *(el viento)* disminuir **2** *(una bomba, observación, etc)* lanzar, soltar; **to drop a hint,** soltar una indirecta **3** *(un asunto, cargo, a una persona, etc)* abandonar, dejar

III *vi (objeto)* caerse; *(con paracaídas, etc)* tirarse; *(voz, precio, temperatura)* bajar; *(viento)* amainar; *(velocidad)* disminuir

■ **drop behind** *vi* quedarse atrás, rezagarse

■ **drop in/round** *vi fam (visitar)* pasarse [**at,** por]

■ **drop off I** *vi fam* quedarse dormido,-a

II *vtr fam* entregar, dejar: **I'll drop you off at your house,** te dejaré en casa

■ **drop out** *vi* **1** *Educ* dejar los estudios **2** *(de la sociedad)* marginarse **3** *(de un concurso)* retirarse

■ **drop over** *vtr* visitar en forma casual

dropout ['drɑpaʊt] *n* **1** *fam pey (de la sociedad)* marginado,-a **2** *Téc* pérdida de información

droppings ['drɑpɪŋz] *npl* excrementos

drown [draʊn] **I** *vtr* **1** *(a una persona)* ahogar **2** *(un sitio)* inundar

II *vi* ahogarse

drowsy ['draʊzɪ] *adj (drowsier, drowsiest)* somnoliento,-a

drudgery ['drʌdʒərɪ] *n* trabajo penoso

drug [drʌg] **I** *n* **1** fármaco, medicamento **2** droga, estupefaciente

II *vtr (a una persona)* drogar; *(alimentos)* adulterar con drogas

drug abuse *n* consumo de drogas

drug addict *n* toxicómano,-a

drug addiction *n* toxicomanía

drugstore ['drʌgstɔ:r] *n* farmacia donde también se compran periódicos, comestibles, etc

drum [drʌm] *n* tambor

drummer ['drʌmər] *n* (de orquesta) tambor; (de grupo pop) batería

drumstick ['drʌmstɪk] *n* **1** *Mús* baqueta, *fam* palillo **2** *Culin* muslo

drunk [drʌŋk] **I** *adj* borracho,-a; **to get drunk,** emborracharse
II *n* borracho,-a

drunkard ['drʌŋkərd] *n* borracho,-a

drunken ['drʌŋkən] *adj* (persona) borracho,-a, de borrachos

dry [draɪ] **I** *adj* (**drier, driest** o **dryer, dryest**) **1** seco,-a; (clima) árido,-a **2** (humor) lacónico,-a **3** sediento,-a; *fig* **to be dry,** tener sed
II *vtr* (ps & pp **dried**) secar
III *vi* **to dry (off),** secarse

dry clean [draɪ'kli:n] *vtr* limpiar en seco

dryer ['draɪər] *n* secadora

dryness ['draɪnəs] *n* sequedad

dub [dʌb] *vtr* **1** *Cine TV* doblar [**into,** a] **2** apodar

dubious ['du:bɪəs] *adj* **1** (moral, etc) dudoso,-a, sospechoso,-a **2** **to be dubious,** tener dudas [**about,** sobre, acerca de]

duchess ['dʌtʃɪs] *n* duquesa

duck¹ [dʌk] *n* *Orn* & *Culin* pato,-a

duck² [dʌk] **I** *vtr* **1** sumergir, hundir **2** (una pregunta, un deber, etc) eludir
II *vi* agacharse

duckling ['dʌklɪŋ] *n* patito

duct [dʌkt] *n* (para petróleo, etc) conducto

due [dju:] *adj* **1** *frml* (adecuado) debido,-a; **in due course,** en su debido momento; **with all due respect,** con todo respeto **3** (no se antepone al nombre) esperado,-a: **the flight is due at seven,** el vuelo se espera las siete **5** **due to,** debido a

duel ['du:əl] *n* duelo

duet [du:'et] *n* *Mús* dúo

dug [dʌg] *ps* & *pp* → **dig**

duke [dju:k] *n* duque

dull [dʌl] *adj* **1** (libro, persona, sitio) aburrido,-a **2** (luz) apagado,-a **3** (tiempo) gris, nublado,-a **4** (pintura) mate **5** (cuchillo) desafilado,-a **6** *fig* (persona) lerdo,-a, corto,-a

dumb [dʌm] **I** *adj* **1** *Med* mudo,-a **2** *fam* tonto,-a; **a dumb joke,** un chiste bobo
II *npl* **the dumb,** los mudos

dumbfounded [dʌm'faundɪd]

dumbstruck ['dʌmstrʌk] *adj* estupefacto,-a, mudo,-a de asombro

dummy ['dʌmi] *n* **1** imitación **2** (en escaparate, de modista) maniquí; (de ventrílocuo) muñeco **3** *fam* bobo,-a

dump [dʌmp] **I** *n* **1** (para basura) vertedero,

escombrera **2** (bar, casa) tugurio, pocilga **3** *Mil* depósito
II *vtr* **1** (basura) verter; (contenido de un camión) descargar **2** dejar

dumpling ['dʌmplɪŋ] *n* *Culin* bola de masa guisada

dumpy ['dʌmpi] *adj* (**dumpier, dumpiest**) *fam* rechoncho,-a

dunce [dʌns] *n* burro,-a (de la clase)

dune [du:n] *n* duna

dung [dʌŋ] *n* estiércol

dungarees [dʌŋgə'ri:z] *npl* pantalón de peto; (para trabajar) mono

dungeon ['dʌndʒən] *n* calabozo, mazmorra

duo ['du:ou] *n* *Mús* dúo; *fam* pareja

dupe [du:p] **I** *vtr* engañar, timar
II *n* ingenuo,-a

duplex ['du:pleks] *n* **1** casa de dos viviendas **2** **duplex apartment,** dúplex

duplicate [du:'plɪkeɪt] **I** *vtr* **1** (copiar) duplicar **2** (película, cinta) reproducir, grabar **3** (acción) repetir
II ['du:plɪkɪt] *n* duplicado

durable ['dərəbəl] *adj* duradero,-a

duration [də'reɪʃən] *n* duración

duress [də'res] *n* *frml* *Jur* coacción; **under duress,** por coacción

during ['dərɪŋ] *prep* durante

dusk [dʌsk] *n* crepúsculo; **at dusk,** al atardecer

dusky ['dʌski] *adj* (piel) moreno,-a; (color) oscuro,-a

dust [dʌst] **I** *n* polvo
II *vtr* **1** (la casa) quitar el polvo a **2** (talco, etc) espolvorear

dustpan ['dʌstpæn] *n* recogedor

dusty ['dʌsti] *adj* (**dustier, dustiest**) polvoriento,-a, cubierto,-a de polvo

Dutch [dʌtʃ] **I** *adj* holandés,-esa
II *n* **1** *pl* **the Dutch,** los holandeses **2** (idioma) holandés
III *adv* *fig* **to go Dutch,** pagar a escote

Dutchman ['dʌtʃmən] *n* holandés

Dutchwoman ['dʌtʃwumən] *n* holandesa

dutiful ['du:tɪfəl] *adj* obediente, sumiso,-a

duty ['du:ti] *n* **1** (moral) deber: **he was doing his duty,** cumplía con su deber **2** (trabajo) función **3** **to be on duty,** estar de servicio

duty-free ['du:tɪfri:] **I** *adj* libre de impuestos
II *n* tienda libre de impuestos

duvet ['du:veɪ] *n* edredón nórdico

dwarf [dwɔrf] *n* (*pl* **dwarves** [dwɔrvz]) (persona) enano,-a

dwell [dwel] *vi* habitar, morar
■ **dwell on** *vtr* hacer hincapié en, preocuparse por

dwelling ['dwelɪŋ] *n* *frml* & *hum* morada, vivienda

dwindle ['dwɪndəl] *vi* menguar, disminuir

dye [daɪ] **I** *n* tinte, colorante

II *vtr* (*p pres* **dyeing**; *ps* & *pp* **dyed**) teñir

dying ['daɪɪŋ] *adj* (*persona*) moribundo,-a, agonizante

dynamics [daɪ'næmɪks] *n* dinámica

dynamism ['daɪnəmɪzm] *n fig* dinamismo

dynamite ['daɪnəmaɪt] *n* dinamita

dynamo ['daɪnəmoʊ] *n* dinamo

dynasty ['daɪnəstɪ] *n* dinastía

dysentery ['dɪsəntəri] *n* disentería

dyslexia [dɪs'leksɪə] *n* dislexia

E

E, e [i:] *n* **1** (*letra*) E, e **2** *Mús* mi

E (*abr de East*) Este, E

each [i:tʃ] **I** *adj* cada

II *pron* **1** cada uno,-a **2 each other,** el uno al otro

eager ['i:gər] *adj* ansioso,-a

eagle ['i:gəl] *n Orn* águila

ear [ɪər] *n* (*órgano*) oreja; (*sentido*) oído

earl [ɜːrl] *n* conde

earlobe ['ɪərloʊb] *n Anat* lóbulo

early ['ɜːrlɪ] (*earlier, earliest*) **I** *adj* **1** (*antes de la hora prevista*) temprano,-a, anticipado,-a **2** (*en un futuro cercano*) pronto

II *adv* **1** (*antes de la hora prevista*) temprano, pronto **2** (*cerca del principio*) **early on this year,** al principio de este año; **in early summer,** a principios del verano

earmark ['ɪərmɑːrk] *vtr* destinar

earn [ɜːrn] *vtr* ganar

earnest ['ɜːrnɪst] *adj* serio,-a

earnestly ['ɜːrnɪstlɪ] *adv* con gran seriedad

earnings ['ɜːrnɪŋz] *npl* ingresos

earphones ['ɪərfoʊnz] *npl* auriculares

earring ['ɪərɪŋ] *n* pendiente

earth [ɜːrθ] **I** *n* **1** the Earth, la Tierra **2** tierra; *fig* **he is down to earth,** tiene los pies en la tierra

II *vtr Elec* conectar a tierra

◆ | LOC: *fam* **where on earth have you put it?,** ¿dónde demonios lo has puesto?

earthquake ['ɜːrθkweɪk] *n* terremoto

earthworm ['ɜːrθwɜːrm] *n Zool* lombriz de tierra

earthy ['ɜːrθi] *adj* poco sofisticado,-a

ease [i:z] **I** *n* **1** (*ausencia de preocupaciones*) tranquilidad **2** (*sin dificultades*) facilidad; **ease of use,** facilidad de empleo **3** (*bienestar económico*) desahogo

II *vtr* **1** (*dolor*) aliviar, mitigar **2** mover con cuidado

■ **ease off/up** *vi* **1** (*reducirse*) disminuir **2** (*conductor, etc*) ir más despacio

easel ['i:zəl] *n* caballete

easily ['i:zɪlɪ] *adv* fácilmente

East [i:st] **I** *n* **el este; the Middle East,** el Oriente Medio

II *adj* del este, oriental

III *adv* al *o* hacia el este

Easter ['i:stər] *n* Semana Santa, Pascua

Easter Bunny ['i:stərbʌni] *n* **1** conejo de Pascua, conejo imaginario de quien los niños creen que les trae chocolates y huevos coloreados el día de Pascua

Easter egg *n* huevo de Pascua

eastern ['i:stərn] *adj* oriental, del este

Eastern Europe *n* Europa Oriental

Easter Sunday *n* Domingo de Resurrección

eastward ['i:stwərd] *adv* hacia el este

easy ['i:zi] (*easier, easiest*) **I** *adj* **1** fácil, sencillo,-a **2** (*sin preocupaciones*) cómodo, -a, tranquilo,-a

II *adv fam* **go easy on her,** no seas demasiado duro con ella; *fam* **to take it/things easy,** tomarse las cosas con calma

easy chair *n* sillón

easy-going [i:zi'goʊɪŋ] *adj* **1** (*relajado*) tranquilo,-a **2** (*un poco vago*) despreocupado,-a **3** (*poco severo*) poco exigente

eat [i:t] (*ps ate, pp eaten*) *vtr* comer

■ **eat away** *vtr* desgastar; (*ácido*) corroer

■ **eat in** *vi* comer en casa

■ **eat into** *vtr* roer

■ **eat out** *vi* comer fuera

eaten ['i:tⁿ] *pp* → **eat**

eaves [i:vz] *npl* alero

eavesdrop ['i:vzdrɒp] *vi* escuchar a hurtadillas

ebb [eb] *n* reflujo; **ebb and flow,** flujo y reflujo

ebony ['ebəni] **I** *n* ébano

II *adj* de ébano

eccentric [ek'sentrɪk] *adj* & *nm,f* excéntrico,-a

ecclesiastic [ɪkliːziˈæstɪk] *adj* & *nm,f* eclesiástico,-a

echo ['ekoʊ] **I** *n* (*pl echoes*) eco

II *vtr* (*palabras*) repetir

III *vi* resonar, hacer eco

eclipse [ɪ'klɪps] **I** *n* eclipse

II *vtr* eclipsar

ecological [iːkəˈlɒdʒɪkəl] *adj* ecológico, -a

ecology [ɪ'kɒlədʒi] *n* ecología

economic [ɛːkə'nɒmɪk] *adj* económico, -a; (*que trae beneficios*) rentable

economical [ɛːkə'nɒmɪkəl] *adj* económico,-a

economics [ɛːkə'nɒmɪks] *n sing* (*ciencia*) economía

economist [ɪ'kɒnəmɪst] *n* economista

economize [ɪ'kɒnəmaɪz] *vi* ahorrar, economizar

economy [ɪ'kɒnəmi] *n* **1** *Pol* & *Econ* economía **2** ahorro

economy class *n* clase turista

economy size *n* tamaño familiar

ecosystem ['iːkoʊsɪstəm] *n* ecosistema

ecstasy ['ekstəsi] *n* éxtasis

ecstatic [ɛk'stædɪk] *adj* extático,-a

Ecuador ['ɛkwədɔːr] *n* Ecuador

Ecuadorean ['ɛkwə'dɔːriən] *n* & *adj* ecuatoriano,-a

eczema ['ɛgzɪmə] *n* eczema

eddy ['ɛdɪ] **I** *n* remolino

II *vi* arremolinarse

edge [ɛdʒ] **I** *n* **1** borde **2** *(de cuchillo)* filo; *(de moneda)* canto; *(del agua)* orilla; *fig* **we are on the edge of a national disaster**, estamos al borde de la catástrofe nacional

II *vi* **to edge away**, alejarse poco a poco

edginess ['ɛdʒɪnɪs] *n* irritabilidad

edgy ['ɛdʒi] *adj (edgier, edgiest)* nervioso,-a

edible ['ɛdɪbəl] *adj* comestible

edict ['iːdɪkt] *Hist n* edicto; *Jur* decreto

edit ['ɛdɪt] *vtr* **1** *(libro, periódico)* corregir, editar **2** *Cine Rad TV* montar, cortar

edition [ɪ'dɪʃən] *n* edición

editor ['ɛdɪtər] *n (de libro)* editor,-ora; *Prensa* redactor,-ora; *Cine TV* montador,-ora

educate ['ɛdʒʊkeɪt] *vtr* educar

educated ['ɛdʒʊkeɪtɪd] *adj* culto,-a

education [ɛdʒʊ'keɪʃən] *n* **1** enseñanza; **primary/secondary/higher education**, enseñanza primaria/ secundaria/ superior; **Ministry of Education**, Ministerio de Educación **2** *(universidad, etc)* estudios **3** *(general)* cultura

educational [ɛdʒʊ'keɪʃənəl] *adj* educativo,-a, pedagógico

eel [iːl] *n Zool* anguila

eerie ['ɪəri] *adj (eerier, eeriest)* espeluznante

effect [ɪ'fɛkt] **I** *n* **1** efecto; **to be of little effect**, surtir poco efecto; **in effect**, en realidad, de hecho; **to no effect**, sin resultado **2** impresión **3 effects** *pl*, enseres, efectos personales; **special effects**, efectos especiales

II *vtr frml* efectuar, llevar a cabo

effective [ɪ'fɛktɪv] *adj* **1** *(que funciona bien)* eficaz **2** *(real)* efectivo,-a **3** *(que impresiona)* impresionante

effeminate [ɪ'fɛmɪnɪt] *adj* afeminado,-a

effervescent [ɛfər'vɛsənt] *adj* efervescente

efficacy ['ɛfɪkəsi] *n* eficacia

efficiency [ɪ'fɪʃənsi] *n* **1** *(de una persona)* eficiencia **2** *(de una máquina)* eficacia, rendimiento

efficient [ɪ'fɪʃənt] *adj* eficiente, eficaz

effort ['ɛfərt] *n* **1** esfuerzo **2** intento

effusive [ɪ'fjuːsɪv] *adj* sin esfuerzo

EFL ['iːɛfɛl] *(abr de English as a Foreign Language)* inglés como lengua extranjera

e.g. *(abr de exempli gratia)* p. ej *(por ejemplo)*

egalitarian [ɪgælə'tɛriən] *adj* igualitario,-a

egg [ɛg] *n* huevo

egg cup *n* huevera

eggplant ['ɛgplænt] *n Bot* berenjena

eggshell ['ɛgʃɛl] *n* cáscara de huevo

egg white *n* clara de huevo

egg yolk *n* yema de huevo

egocentric [iːgəʊ'sɛntrɪk] *adj* egocéntrico,-a

egoism ['iːgəʊɪzəm] *n* egoísmo

Egypt ['iːdʒɪpt] *n* Egipto

eiderdown ['aɪdərdaʊn] *n* edredón

eight [eɪt] *adj* & *n (número)* ocho

eighteen [eɪ'tiːn] *adj* & *n* dieciocho

eighteenth [eɪ'tiːnθ] **I** *adj* & *n* decimoctavo

II *n Mat (fracción)* decimoctavo

eighth [eɪθ] **I** *adj* & *n* octavo,-a

II *n Mat (fracción)* octavo

eighty ['eɪti] *adj* & *n* ochenta

either ['aɪðər, 'iːðər] **I** *pron det (uno de dos)* **1** *(afirmativo)* cualquiera; **either of them**, cualquiera de los/las dos **2** *(negativo)* ninguno,-a (de los dos): **she doesn't want either (of them)**, no quiere ninguno (de los dos)

II *adj* cualquier(a), cada: **in either case**, en cualquier de los dos casos

III *conj (afirmativo)* **either ... or ...**, o... o...: **either you can go or you can stay**, puedes irte o (bien) quedarte

IV *adv (después de negativo)* tampoco: **I don't want to go, and my wife doesn't either**, yo no quiero ir y mi mujer tampoco

ejaculate [ɪ'dʒækjəleɪt] *vi* eyacular

eject [ɪ'dʒɛkt] *vtr* expulsar

elaborate [ɪ'læbəreɪt] **I** *vtr* **1** idear, elaborar **2** dar más detalles *o* explicar detalladamente

II *vi* explicarse; **to elaborate on/upon sthg**, explicar algo con mayor detalle

III [ɪ'læbərɪt] *adj* **1** *(explicación)* complicado,-a **2** *(plan)* detallado,-a **3** *(trabajo, estilo)* esmerado,-a **4** *(obra de arte, etc)* elaborado,-a, trabajado,-a

elapse [ɪ'læps] *vi* transcurrir, pasar

elastic [ɪ'læstɪk] **I** *adj* elástico,-a; **rubber band**, goma (elástica); *fig* flexible

II *n* elástico

elated [ɪ'leɪtɪd] *adj* eufórico,-a

elation [ɪ'leɪʃən] *n* euforia

elbow ['ɛlbəʊ] *n* **1** codo **2** *(en un río)* recodo

elder ['ɛldər] *adj* mayor *(de dos personas)* **she is my elder sister**, ella es mi hermana mayor

II *n* el *o* la mayor *(de dos personas)*

III *npl* **the elders**, los ancianos

elderly ['ɛldərli] **I** *adj* anciano,-a

II *npl* **the elderly**, los ancianos

eldest ['ɛldɪst] **I** *adj* mayor

II *n* el *o* la mayor

elect [ɪ'lɛkt] **I** *vtr* **1** *Pol* elegir **2 to elect to do sthg**, optar por hacer algo

II *adj* **the president elect**, el presidente electo

election [ɪ'lɛkʃən] **I** *n* elección; **general election**, elecciones generales

II *adj* electoral

elector [ɪ'lɛktər] *n* elector,-ora

electoral [ɪ'lɛktərəl] *adj* electoral

electric [ɪ'lektrɪk] *adj* eléctrico,-a

electrician [ɪlek'trɪʃən] *n* electricista

electricity [ɪlek'trɪsɪdʒi] *n* electricidad

electrify [ɪ'lektrɪfaɪ] *vtr* electrificar

electrocute [ɪ'lektrəkju:t] *vtr* electrocutar

electrode [ɪ'lektroʊd] *n* electrodo

electron [ɪ'lektrən] *n* electrón

electronic [elek'trɒnɪk] **I** *adj* electrónico,-a
II *npl* **electronics 1** *(ciencia)* electrónica **2** *(de una máquina)* sistema electrónico

elegant ['elɪgənt] *adj* elegante

element ['elɪmənt] *n* elemento

elementary [elɪ'mentri] *adj* elemental, básico

elephant ['elɪfənt] *n Zool* elefante

elevate ['elɪveɪt] *vtr* **1** elevar, subir **2** *(promover)* ascender

elevation [elɪ'veɪʃən] *n* **1** *(la acción de elevar)* elevación **2** *Arquit* alzado **3** *Geog* altitud

elevator ['elɪveɪdər] *n* ascensor

eleven [ɪ'levən] *adj & n* once

eleventh [ɪ'levənθ] **I** *adj & nm,f* undécimo,-a **II** *n (fracción)* undécimo

elicit [ɪ'lɪsɪt] *vtr* obtener

eligible ['elɪdʒəbəl] *adj* apto,-a

eliminate [ɪ'lɪmɪneɪt] *vtr* eliminar

elite [ɪ'li:t] *n* elite

elitist [ɪ'li:dɪst] *adj* elitista

elm [elm] *n Bot* olmo

elongate ['i:lɒŋgeɪt] *vtr* alargar

eloquent ['eləkwənt] *adj* elocuente

else [els] *adv (otro)* **1 anyone else,** alguien más; **anything else?,** ¿algo más?; **everything else,** todo lo demás; **no-one else,** nadie más; **someone else,** otro,-a; **something else,** otra cosa, algo más; **somewhere else,** en otra parte; **what else?,** ¿qué más?; **where else?,** ¿en qué otro sitio? **2 or else,** si no

elsewhere [els'weər] *adv* en otro lugar

elucidate [ɪ'lu:sɪdeɪt] *vtr* aclarar, dilucidar

elude [ɪ'lu:d] *vtr* eludir

elusive [ɪ'lu:sɪv] *adj* escurridizo,-a

emaciated [ɪ'meɪsɪeɪdɪd] *adj* demacrado,-a, consumido,-a

emanate ['eməneɪt] *vi* emanar, provenir **[from,** de]

emancipate [ɪ'mænsɪpeɪt] *vtr* emancipar

emancipation [ɪmænsɪ'peɪʃən] *n* emancipación

embankment [ɪm'bæŋkmənt] *n* terraplén

embargo [em'ba:rgoʊ] **I** *n (pl* **embargoes)** embargo
II *vtr (bienes)* embargar

embark [em'ba:rk] **I** *vtr (mercancías)* embarcar
II *vi* embarcar, embarcarse

embarkation [emba:r'keɪʃən] *n* embarque

embarrass [ɪm'berəs] *vtr* avergonzar

embarrassed [ɪm'berəst] *adj* avergonzado,-a

embarrassing [ɪm'berəsɪŋ] *adj* embarazoso,-a

embarrassment [ɪm'berəsmənt] *n* vergüenza

embassy ['embəsi] *n* embajada

embed [ɪm'bed] *vtr* incrustar

embellish [ɪm'belɪʃ] *vtr* **1** embellecer **2** *(una historia)* exagerar, adornar

embers ['embərz] *npl* brasas

embezzle [ɪm'bezəl] *vtr* malversar, desfalcar

embezzlement [ɪm'bezəlmənt] *n* malversación, desfalco

embitter [ɪm'bɪdər] *vtr* amargar

embittered [ɪm'bɪdərd] *adj* amargado,-a, resentido,-a

emblem ['embləm] *n* emblema

embody [ɪm'bɒdi] *vtr* **1** *(una idea)* plasmar, expresar **2** abarcar **3** personificar

embossed [ɪm'bɒst] *adj* en relieve

embrace [ɪm'breɪs] **I** *vtr* **1** abrazar **2** *(una idea)* adoptar, abrazar **3** incluir, abarcar
II *vi* abrazarse
III *n* abrazo

embroider [ɪm'brɔɪdər] *vtr* **1** *Cos* bordar **2** *(una historia, la verdad)* adornar

embroidery [ɪm'brɔɪdəri] *n* bordado

embryo ['embrioʊ] *n* embrión

emerald ['emərəld] *n* esmeralda

emerge [ɪ'mɜːrdʒ] *vi* **1** salir **2** *(problema)* surgir **3** resultar: **it emerged that...,** resultó que...

emergence [ɪ'mɜːrdʒəns] *n* aparición

emergency [ɪ'mɜːrdʒənsi] *n* emergencia

emery ['eməri] *n* **emery board,** lima de uñas

emigrant ['emɪgrənt] *n* emigrante

emigrate ['emɪgreɪt] *vi* emigrar

emigration [emɪ'greɪʃən] *n* emigración

eminent ['emɪnənt] *adj* eminente

emission [ɪ'mɪʃən] *n* emisión

emit [ɪ'mɪt] *vtr* **1** *(radiaciones: sonido, luz, calor)* emitir, producir **2** *(olor, gas)* despedir

emotion [ɪ'moʊʃən] *n* emoción

emotional [ɪ'moʊʃənəl] *adj* **1** *(persona)* sensible, emocionado,-a **2** *(relacionado con el comportamiento)* emocional, afectivo,-a **3** *(una escena, un discurso)* conmovedor,-ora

emotive [ɪ'moʊdɪv] *adj* emotivo,-a

emperor ['emprər] *n* emperador

emphasis ['emfəsɪs] *n (pl* **emphases** ['emfəsi:z]*)* énfasis

emphasize ['emfəsaɪz] *vtr* enfatizar

emphatic [ɪm'fædɪk] *adj (tono)* enfático,-a; *(aserción)* categórico,-a, tajante

empire ['empaɪər] *n* imperio

employ [ɪm'plɔɪ] *vtr* emplear

employee [em'plɔɪiː, emplɔɪ'iː] *n* empleado,-a

employer [ɪm'plɔɪər] *n* **1** empleador,-ora **2** patrón,-ona

employment [ɪm'plɔɪmənt] *n* empleo

employment agency n agencia de colocación

empress ['empris] n emperatriz

emptiness ['emptinis] n vacuidad

empty ['empti] **I** adj (**emptier, emptiest**) **1** vacío,-a, deshabitado,-a **2** (palabras, promesas) vano,-a

II vtr vaciar

III vi vaciarse

IV npl **empties**, envases vacíos

empty-handed [empti'hændid] adj con las manos vacías

EMU [iːemˈjuː] n (abr de **European Monetary Union**) Unión Monetaria Europea

emulate ['emjʊleɪt] vtr emular

emulsion [ɪˈmʌlʃən] n emulsión

enable [ɪnˈeɪbl] vtr permitir

enact [ɪnˈækt] vtr **1** (una escena, un papel) representar **2** (una ley) promulgar

enamel [ɪˈnæməl] n esmalte

enchant [ɪnˈtʃænt] vtr encantar

enchanting [ɪnˈtʃæntɪŋ] adj encantador,-ora

enchilada [entʃəˈlɑdə] n Culin enchilada

encircle [ɪnˈsɜrkəl] vtr rodear

enclave ['enkleɪv] n enclave

enclose [ɪnˈkloʊz] vtr **1** rodear, encerrar **2** (una zona con una valla) cercar **3** (en un sobre) adjuntar

enclosure [ɪnˈkloʊʒər] n **1** (para ganado) cercado **2** (en sobre) documento adjunto **3** Dep (zona para espectadores) recinto

encore ['ɑŋkɔːr] **I** excl ¡encore!, ¡otra!, ¡bis! **II** n repetición, bis

encounter [ɪnˈkaʊntər] **I** n (de personas) encuentro

II vtr encontrarse con

encourage [ɪnˈkʌrɪdʒ] vtr (a una persona) animar; **to encourage** (**sb to do sthg**), animar (a alguien a hacer algo)

encouragement [ɪnˈkʌrɪdʒmənt] n estímulo, aliento

encouraging [ɪnˈkʌrɪdʒɪŋ] adj **1** (noticia, etc) esperanzador,-ora **2** (situación) halagüeño,-a

encrusted [ɪnˈkrʌstɪd] adj incrustado,-a [with, de]

encyclopedia [ensaɪkloʊˈpiːdiə] n enciclopedia

end [end] **I** n **1** (gen) extremo; (de una cuerda, de un palo, de la nariz) punta; (de una calle) final; (de un pasillo, jardín) fondo **2** (en el tiempo) fin, final; **to bring an end to sthg**, poner fin a algo; **to come to an end**, llegar a su fin; **to put an end to**, acabar con; **in the end**, al final, finalmente **3** objetivo, fin

II vtr acabar, terminar

III vi acabarse, terminarse

■ **end up** vi terminar, acabar

endanger [ɪnˈdeɪndʒər] vtr poner en peligro

endangered [ɪnˈdeɪndʒərd] adj en peligro o en vías de extinción

endangered species [ɪnˈdeɪndʒərd ˈspiʃiz] n Ecol especies (animales o plantas) en peligro de extinción

endear [ɪnˈdɪər] vt **to endear oneself to sb**, hacerse querer por alguien

endearing [ɪnˈdɪərɪŋ] adj simpático,-a, entrañable

endeavor [ɪnˈdevər] **I** n esfuerzo

II vtr intentar, procurar

ending ['endɪŋ] n final, desenlace; **a happy ending**, un final feliz

endive ['endaɪv] n Bot **1** endibia **2** escarola

endless ['endlɪs] adj interminable

endorse [ɪnˈdɔːrs] vtr **1** Fin endosar **2** (dar el visto bueno a) aprobar **3** (respaldar) apoyar

endorsement [ɪnˈdɔːrsmənt] n **1** Fin (de un cheque) endoso; (de un documento) aval **2** (visto bueno) aprobación

endow [ɪnˈdaʊ] vtr dotar

endowment [ɪnˈdaʊmənt] n dotación

endurance [ɪnˈdʊərəns] n resistencia

endure [ɪnˈdʊər] **I** vtr aguantar, soportar

II vi perdurar

enduring [ɪnˈdʊərɪŋ] adj duradero, perdurable

enemy ['enəmi] adj & n enemigo,-a

energetic [enərˈdʒedɪk] adj enérgico,-a

energy ['enərdʒi] n energía

enforce [ɪnˈfɔrs] vtr (una ley) hacer cumplir; (disciplina, orden) imponer

enforcement [ɪnˈfɔrsmənt] n aplicación

enfranchise [ɪnˈfræntʃaɪz] v formal conceder derechos, dar franquicia

engage [ɪnˈgeɪdʒ] vtr **1** (dar empleo) contratar **2** (la atención) llamar **3** Auto (marcha) meter **4** (una conversación) entablar

■ **engage in** vt dedicarse a, tomar parte en

engaged [ɪnˈgeɪdʒd] adj **1** (para casarse) prometi-do,-a; **to get engaged**, prometerse **2** (persona) ocupado,-a [**in**, en] **3** Tel **the line's engaged**, está comunicando

engagement [ɪnˈgeɪdʒmənt] n (para casarse) compromiso; (periodo) noviazgo

engagement ring n anillo de compromiso

engaging [ɪnˈgeɪdʒɪŋ] adj atractivo,-a, agradable

engine ['endʒɪn] n motor

engineer [endʒɪˈnɪər] **I** n **1** ingeniero,-a **2** Ferroc maquinista

II vtr fig manipular, maquinar

engineering [endʒɪˈnɪərɪŋ] n ingeniería

England ['ɪŋglənd] n Inglaterra

English ['ɪŋglɪʃ] **I** adj inglés,-esa

II n **1** (idioma) inglés **2 the English** pl, los ingleses

Englishman ['ɪŋglɪʃmæn] n inglés

Englishwoman ['ɪŋglɪʃwʊmən] n inglesa

engrave [ɪnˈgreɪv] vtr grabar

engraving [ɪnˈgreɪvɪŋ] n grabado

engrossed [ɪnˈɡroʊst] *adj* absorto,-a

engulf [ɪnˈɡʌlf] *vtr* tragarse

enhance [ɪnˈhæns] *vtr* aumentar; *(la belleza)* realzar; *(posición social, prestigio, etc)* elevar

enjoy [ɪnˈdʒɔɪ] I *vtr* 1 disfrutar de 2 gozar de

enjoyable [ɪnˈdʒɔɪəbəl] *adj* agradable

enjoyment [ɪnˈdʒɔɪmənt] *n* placer

enlarge [ɪnˈlɑːdʒ] I *vtr* extender, agrandar

enlarge *vi* to enlarge on/upon a subject, extenderse sobre un tema, ampliar un tema

enlargement [ɪnˈlɑːdʒmənt] *n Fot* ampliación

enlighten [ɪnˈlaɪtən] *vtr* iluminar

enlightened [ɪnˈlaɪtənd] *adj* 1 culto,-a 2 *Hist* ilustrado,-a

enlist [ɪnˈlɪst] I *vtr Mil* reclutar

enlist II *vi Mil* alistarse

enmity [ˈɛnmɪdi] *n* enemistad

enormous [ɪˈnɔːrməs] *adj* enorme

enough [ɪˈnʌf] I *adj* bastante, suficiente

enough II *adv* bastante, suficientemente: **this house isn't big enough**, esta casa no es lo suficientemente grande 2 *(después de algunos adverbios)* **clearly enough...**, claro está que...; **interestingly enough...**, lo interesante es que...; **oddly enough...**, lo curioso es que...; **sure enough**, en efecto

enough III *pron* lo bastante, lo suficiente

◆ | LOC: **enough is enough**, ¡ya basta!; **I've had enough!**, ¡me tienes harto!

enrage [ɪnˈreɪdʒ] *vtr* enfurecer

enrich [ɪnˈrɪtʃ] *vtr* enriquecer

enroll [ɪnˈroʊl] I *vtr* matricular; *Mil* alistar

enroll II *vi* matricularse; *Mil* alistarse

enrollment [ɪnˈroʊlmənt] *n* matrícula, inscripción; *Mil* alistamiento

enslave [ɪnˈsleɪv] *vtr* esclavizar

ensue [ɪnˈsuː] *vi* 1 seguir 2 resultar

ensuing [ɪnˈsuːɪŋ] *adj* consiguiente *o* subsiguiente

ensure [ɪnˈʃʊər] *vtr* asegurars

entail [ɪnˈteɪl] *vtr* suponer

entangle [ɪnˈtæŋɡəl] *vtr* enredar

enter [ˈɛntər] I *vtr* 1 *frml* entrar en 2 ingresar en 3 apuntar, anotar 4 inscribir 5 *Inform* dar entrada a, meter

enter II *vi* entrar

■ **enter into** *vtr* 1 *(un acuerdo)* firmar; *(un trato)* cerrar 2 *(negociaciones, relaciones)* iniciar 3 *(una conversación)* entablar

enterprise [ˈɛntərpraɪz] *n* empresa

enterprising [ˈɛntərpraɪzɪŋ] *adj* emprendedor,-ora

entertain [ɛntərˈteɪn] I *vtr* 1 entretener, divertir 2 recibir 3 considerar, contemplar

entertain II *vi* tener invitados

entertainer [ɛntərˈteɪnər] *n* artista

entertaining [ɛntərˈteɪnɪŋ] *adj* divertido,-a

entertainment [ɛntərˈteɪnmənt] *n* 1 diversión 2 *Teat* espectáculo

enthusiasm [ɪnˈθuːziæzəm] *n* entusiasmo

enthusiast [ɪnˈθuːziəst] *n* entusiasta

enthusiastic [ɪnθuːziˈæstɪk] *adj* entusiasta

entice [ɪnˈtaɪs] *vtr* seducir, atraer

enticing [ɪnˈtaɪsɪŋ] *adj* tentador,-ora, atractivo,-a

entire [ɪnˈtaɪər] *adj* entero,-a

entirely [ɪnˈtaɪərli] *adv* 1 por completo, totalmente 2 únicamente, exclusivamente

entitle [ɪnˈtaɪtəl] *vtr* 1 dar derecho a, autorizar; **to be entitled to sthg**, tener derecho a algo 2 *(un libro)* titular, llamar

entity [ˈɛntɪti] *n* entidad

entrails [ˈɛntreɪlz] *npl* tripas; *fig* entrañas

entrance[1] [ˈɛntrəns] *n* 1 entrada 2 *(admisión)* ingreso

entrance[2] [ɪnˈtræns] *vtr* encantar

entrance examination *n* examen de ingreso

entrant [ˈɛntrənt] *n* *(de concurso)* participante

entrepreneur [ɑntrəprəˈnʊər] *n* empresario,-a

entrust [ɪnˈtrʌst] *vtr* encargar [**with**, de]; **to entrust sb with sthg** *o* **to entrust sthg to sb**, confiar algo a alguien

entry [ˈɛntri] *n* entrada; **no entry**, prohibida la entrada *o* dirección prohibida

enumerate [ɪˈnuːməreɪt] *vtr* enumerar

enunciate [ɪˈnʌnsieɪt] *vtr (palabras)* articular; *(ideas, planes)* formular

envelop [ɪnˈvɛləp] *vtr* envolver

envelope [ˈɛnvəloʊp] *n* sobre

enviable [ˈɛnviəbəl] *adj* envidiable

envious [ˈɛnviəs] *adj* envidioso,-a

environment [ɪnˈvaɪərmənt] *n* medio ambiente

environmental [ɪnvaɪərˈmɛntəl] *adj* medioambiental

envoy [ˈɛnvɔɪ] *n* enviado,-a

envy [ˈɛnvi] I *n* envidia

envy II *vtr* envidiar

enzyme [ˈɛnzaɪm] *n Biol Quím* enzima

epic [ˈɛpɪk] I *n* epopeya

epic II *adj* épico,-a

epidemic [ɛpɪˈdɛmɪk] I *n* epidemia

epidemic II *adj* epidémico,-a

epilepsy [ˈɛpəlɛpsi] *n Med* epilepsia

epilogue [ˈɛpəlɔɡ] *n* epílogo

episode [ˈɛpəsoʊd] *n* episodio

epitaph [ˈɛpətæf] *n* epitafio

epitome [ɪˈpɪdəmi] *n frml* personificación

epitomize [ɪˈpɪdəmaɪz] *vtr frml* personificar

equable [ˈɛkwəbəl] *adj* 1 *(tranquilo)* ecuánime 2 *(invariable)* uniforme

equal [ˈiːkwəl] I *adj (del mismo tamaño)* igual

equal II *vtr* equivaler

equality [iːˈkwɒlədi] *n* igualdad

equalize [ˈiːkwəlaɪz] I *vi Ftb* empatar

equalize II *vtr* igualar

equalizer ['i:kwəlaɪzər] *n* ecualizador
equally ['i:kwəlɪ] *adv* 1 igualmente 2 a partes iguales
equanimity [ɛkwə'nɪmɪdɪ] *n* ecuanimidad
equate [ɪ'kweɪt] *vtr* equiparar, comparar
equation [ɪ'kweɪʒən] *n Mat* ecuación
equator [ɪ'kweɪtər] *n Geog* ecuador
equatorial [ɛkwə'tɔːrɪəl] *adj* ecuatorial
equestrian [ɪ'kwɛstrɪən] *adj* ecuestre
equilibrium [i:kwɪ'lɪbrɪəm] *n* equilibrio
equinox ['i:kwɪnɑks] *n* equinoccio
equip [ɪ'kwɪp] *vtr* 1 *(de maquinaria, etc)* equipar 2 *(de alimentos)* proveer
equipment [ɪ'kwɪpmənt] *n* equipo, material
equitable ['ɛkwɪdəbəl] *adj* equitativo,-a
equivalent [ɪ'kwɪvələnt] *adj & n* equivalente
equivocal [ɪ'kwɪvəkəl] *adj* equívoco,-a, ambiguo,-a
era ['ɛrə] *n* era
eradicate [ɪ'rædɪkeɪt] *vtr* erradicar
erase [ɪ'reɪs] *vtr* borrar
eraser [ɪ'reɪsər] *n* goma de borrar
erect [ɪ'rɛkt] I *adj* erguido,-a
II *vtr (construcción)* erigir, levantar
erection [ɪ'rɛkʃən] *n* erección
erode [ɪ'roud] *vtr* erosionar
erosion [ɪ'rouʒən] *n* erosión
erotic [ɪ'rɑtɪk] *adj* erótico,-a
err [ər] *vi* errar
errand ['ɛrənd] *n* recado
erratic [ɪ'rædɪk] *adj* 1 *(comportamiento)* irregular, errático 2 *(clima)* muy variable 3 *(persona)* caprichoso,-a
erroneous [ɪ'rouniəs] *adj* erróneo,-a
error ['ɛrər] *n* error, equivocación
erupt [ɪ'rʌpt] *vi* 1 *(volcán)* entrar en erupción 2 *(violencia)* estallar
eruption [ɪ'rʌpʃən] *n* erupción
escalate ['ɛskəleɪt] *vi* 1 *(conflicto)* intensificarse 2 *(precios)* aumentar, subir
escalator ['ɛskəleɪdər] *n* escalera mecánica
escapade ['ɛskəpeɪd] *n* aventura
escape [ɪs'keɪp] I *n* 1 *(de prisión, etc)* huida, fuga 2 *(de gas, agua)* escape
II *vi* 1 *(un preso, refugiado)* escaparse, fugarse 2 *(de un accidente)* salvarse
III *vtr* 1 escapar a 2 *fig* **your name escapes me,** no recuerdo su nombre
escort ['ɛskɔrt] I *n* 1 escolta 2 *(compañero)* acompañante
II [ɪs'kɔrt] *vtr* 1 acompañar 2 *(proteger)* escoltar
especially [ɪs'pɛʃəlɪ] *adv* especialmente
espionage ['ɛspiənɑːʒ] *n* espionaje
espresso [ɛ'sprɛsou] *n* café exprés
essay ['ɛseɪ] *n* redacción, ensayo
essence ['ɛsəns] *n* esencia
essential [ɪ'sɛnʃəl] I *adj (necesario)* esencial, imprescindible
II *npl* **the essentials,** lo imprescindible
establish [ɪ'stæblɪʃ] *vtr* establecer
established [ɪ'stæblɪʃt] *adj* 1 *(costumbre)* arraigado,-a 2 *(persona, empresa)* establecido,-a, sólido,-a
establishment [ɪ'stæblɪʃmənt] *n* 1 *(tienda)* establecimiento 2 **the Establishment,** el sistema: **you can't fight the Establishment!,** ¡no se puede vencer al sistema!
estate [ɪ'steɪt] *n* 1 *(terreno)* finca 2 herencia 3 bienes, patrimonio
esteem [ɪ'stiːm] I *n* estima
II *vtr* estimar
esthetic [ɛs'θɛdɪk] *adj* estético,-a
estimate ['ɛstɪmɪt] I *n* 1 cálculo 2 *(coste probable de un proyecto)* presupuesto
II ['ɛstɪmeɪt] *vtr* calcular, estimar
estimation [ɛstɪ'meɪʃən] *n* 1 juicio, opinión 2 cálculo
estuary ['ɛstʃuerɪ] *n* estuario
etching ['ɛtʃɪŋ] *n* aguafuerte
eternal [ɪ'tərnəl] *adj* eterno,-a
eternity [ɪ'tərnədɪ] *n* eternidad
ether ['iːθər] *n* éter
ethical ['ɛθɪkəl] *adj* ético,-a
ethics ['ɛθɪks] *n Fil* ética
ethnic ['ɛθnɪk] *adj* étnico,-a
etiquette ['ɛdɪkɪt] *n* protocolo, etiqueta
eucalyptus [juːkə'lɪptəs] *n Bot* eucalipto
euphemism ['juːfəmɪzəm] *n* eufemismo
euro ['jurou] *n (moneda única europea)* euro
Europe ['jurəp] *n* Europa
European [jurə'pɪən] *adj & n* europeo,-a
euthanasia [juːθə'neɪʒə] *n* eutanasia
evacuate [ɪ'vækjuet] *vtr & vi* evacuar
evacuation [ɪvækju'eɪʃən] *n* evacuación
evacuee [ɪvækjuː'iː] *n* evacuado,-a
evade [ɪ'veɪd] *vtr* evadir
evaluate [ɪ'væljuet] *vtr* evaluar
evaluation [ɪvælju'eɪʃən] *n* evaluación
evangelist [ɪ'vændʒɪlɪst] *n* 1 *Rel* evangelista 2 predicador de una iglesia protestante
evaporate [ɪ'væpəreɪt] I *vtr* evaporar
II *vi* 1 evaporarse 2 *(esperanza, miedo, etc)* desvanecerse
evasion [ɪ'veɪʒən] *n* evasión
evasive [ɪ'veɪsɪv] *adj* evasivo,-a
eve [iːv] *n* víspera; **on the eve of,** en vísperas de
even ['iːvən] I *adj* 1 *(textura)* liso,-a 2 *(superficie)* nivelado,-a, llano,-a 3 *(color, velocidad, temperatura)* uniforme, constante 4 *(equilibrado)* igual 5 *Dep* **to be even,** ir empatados,-as 6 *Mat (número)* par 7 *(cantidad)* exacto,-a
II *adv* 1 incluso, hasta, aun 2 *(negativo)* ni siquiera: **he can't even walk,** ni siquiera puede andar 3 *(antes del comparativo)* aún, todavía: **he's even richer than I,** es aún más rico que yo
III *conj* **even as,** incluso mientras; **even if,**

incluso si; **even so,** aun así; **even though,** aunque

IV *vtr* igualar

even-handed ['i:vən hændɪd] *adj* justo, igualitario

evening ['i:vnɪŋ] *n* 1 *(a partir de las cinco o las seis de la tarde)* tarde; *(después de anochecer)* noche; **in the evening,** por la tarde 2 *(saludo)* **good evening!,** *(a partir de las cinco o las seis de la tarde)* ¡buenas tardes!; *(después de anochecer)* ¡buenas noches!

evening wear ['i:vnɪŋ wer] *n* traje formal de noche

evenly ['i:vənlɪ] *adv* 1 *(distribuido)* a partes iguales 2 uniformemente 3 *(hablar)* sin alterar la voz

event [ɪ'vent] *n* 1 suceso, acontecimiento 2 caso 3 *Dep* prueba

eventual [ɪ'ventʃʊəl] *adj* 1 final 2 consiguiente

eventuality [ɪventʃʊ'ælɪdʒ] *n* eventualidad

eventually [ɪ'ventʃʊəlɪ] *adv* finalmente

ever ['evər] *adv* 1 nunca, jamás 2 *(interrogativo o negativo)* alguna vez 3 **hardly ever,** casi nunca 4 siempre: **they lived happily ever after,** vivieron felices y comieron perdices; **for ever,** para siempre; **for ever and ever,** para siempre jamás 5 *(después de superlativos)* de todos los tiempos

evergreen ['evərgri:n] *adj Bot* de hoja perenne

everlasting [evər'læstɪŋ] *adj* eterno,-a

every ['evrɪ] *adj* 1 cada, todo,-a 2 *(indica repetición)* every day, todos los días; **every now and then,** de vez en cuando; **every other day,** cada dos días **everybody** ['evrɪbadɪ] *pron* todo el mundo, todos,-as

everyday ['evrɪdeɪ] *adj* diario,-a, cotidiano,-a

everyone ['evrɪwʌn] *pron* todo el mundo, todos,-as

everything ['evrɪθɪŋ] *pron* todo

everywhere ['evrɪwer] *adv* en todas partes

evict [ɪ'vɪkt] *vtr* desahuciar

evidence ['evədəns] **I** *n* 1 evidencia, pruebas 2 *Jur* testimonio; **to give evidence,** prestar declaración

evident ['evədənt] *adj* evidente

evil ['i:vəl] **I** *adj* malo,-a
II *n* mal

evocative [ɪ'vakədɪv] *adj* evocador,-ora

evoke [ɪ'vouk] *vtr* evocar

evolution [evə'lu:ʃən] *n* evolución

evolve [ɪ'valv] **I** *vi (especies)* evolucionar
II *vtr* desarrollar

ewe [ju] *n* oveja

ex [eks] *n* her ex, su ex marido; **his ex,** su ex mujer

exact [ɪg'zækt] *adj* exacto,-a

exacting [ɪg'zæktɪŋ] *adj* exigente

exactitude [ɪg'zæktɪtu:d] *n fml* exactitud

exactly [ɪg'zæklɪ] **I** *adv* exactamente
II *excl* exactly!, ¡exacto!

exaggerate [ɪg'zædʒəreɪt] *vi & vtr* exagerar

exaggeration [ɪgzædʒə'reɪʃən] *n* exageración

exam [ɪg'zæm] *n fam* examen

examination [ɪgzæmɪ'neɪʃən] *n* 1 *Educ* examen 2 *Med* reconocimiento 3 *Jur* interrogatorio

examine [ɪg'zæmɪn] *vtr* 1 *Educ* examinar 2 *(aduana, la policía)* registrar 3 *Med* hacer un reconocimiento médico a 4 *Jur* interrogar

examiner [ɪg'zæmɪnər] *n* examinador,-ora

example [ɪg'zæmpəl] *n* 1 ejemplo; **for example,** por ejemplo 2 *(espécimen)* ejemplar

exasperate [ɪg'zæspəreɪt] *vtr* exasperar

exasperation [ɪgzæspə'reɪʃən] *n* exasperación

excavate ['ekskəveɪt] *vtr* excavar

excavation [ekskə'veɪʃən] *n* excavación

exceed [ek'si:d] *vtr* exceder, sobrepasar

exceedingly [ek'si:dɪŋlɪ] *adv* extremadamente

excel [ɪk'sel] **I** *vi* sobresalir
II *vtr* aventajar, superar

excellency ['eksələnsɪ] *n* His/Her/ Your Excellency, Su Excelencia

excellent ['eksələnt] *adj* excelente

except [ɪk'sept] **I** *prep* excepto, salvo; **except for Wednesdays,** salvo los miércoles
II *conj* except that…, salvo que…
III *vtr* exceptuar

exception [ɪk'sepʃən] *n* excepción

exceptional [ɪk'sepʃənəl] *adj* excepcional

excerpt [ek'sɔrpt] *n* extracto

excess [ek'ses] **I** *n* 1 exceso 2 excesses *pl,* excesos
II *adj* ['ekses] excedente

excess baggage *n* exceso de equipaje

excessive [ek'sesɪv] *adj* excesivo,-a

exchange [ɪks'tʃeɪndʒ] **I** *n* intercambio
II *vtr* intercambiar

exchange rate *n Fin* tipo de cambio

excite [ɪk'saɪt] *vtr* 1 excitar, poner nervioso,-a 2 entusiasmar, emocionar

excitement [ɪk'saɪtmənt] *n* excitación, nerviosismo 1 emoción 2 agitación

exciting [ɪk'saɪdɪŋ] *adj* apasionante, emocionante

exclaim [ɪk'skleɪm] **I** *vi* exclamar
II *vtr* gritar

exclamation [eksklə'meɪʃən] *n* exclamación

exclamation point *n Ling* signo de admiración

exclude [ɪk'sklu:d] *vtr* 1 *(no incluir)* excluir 2 *(en un club)* no admitir

excluding [ɪk'sklu:dɪŋ] *prep* excepto

exclusion [ɪk'sklu:ʒən] *n* exclusión

exclusive [ɪk'sklu:sɪv] **I** *adj (derechos, propiedad)* exclusivo,-a

II *n Press* exclusiva
excommunicate [ɛkskə'mju:nɪkeɪt] *vtr* excomulgar
excrement ['ɛkskrɪmənt] *n* excremento
excruciating [ɪk'skru:ʃieɪdɪŋ] *adj (dolor, ruido)* insoportable
excursion [ɪk'skɜːʒən] *n* excursión
excusable [ɪk'skju:zəbəl] *adj* perdonable, excusable
excuse [ɪk'skju:s] **I** *n* excusa; **to make an excuse,** dar excusas
II [ɪk'skju:z] *vtr* **1** disculpar, excusar; **excuse me!,** con permiso **2** dispensar, eximir **3** justificar, excusar
execute ['ɛksɪkju:t] *vtr* **1** cumplir **2** ejecutar
execution [ɛksɪ'kju:ʃən] *n* **1** *(de una orden)* cumplimiento **2** *(de una persona)* ejecución
executioner [ɛksɪ'kju:ʃənər] *n* verdugo
executive [ɪg'zɛkjʊdɪv] **I** *adj* ejecutivo,-a
II *n* ejecutivo,-a
executor [ɛk'sɛkjʊdər] *n Jur* albacea
exemplary [ɪg'zɛmpləri] *adj* ejemplar
exemplify [ɪg'zɛmplɪfaɪ] *vtr* ilustrar, ejemplificar
exempt [ɪg'zɛmt] **I** *vtr* eximir
II *adj* exento,-a
exemption [ɪg'zɛmpʃən] *n* exención
exercise ['ɛksərsaɪz] **I** *n (físico, práctico)* ejercicio
II *vtr* **1** *(derechos, deberes)* ejercer **2** *(a un perro)* sacar de paseo
III *vi* hacer ejercicio
exercise book *n* cuaderno de ejercicios
exert [ɪg'zɜːt] *vtr* **1** *(influencia)* ejercer **2 to exert oneself,** esforzarse
exertion [ɪg'zɜːʃən] *n* esfuerzo
exhale [ɛks'heɪl] **I** *vtr* exhalar, espirar
II *vi* espirar
exhaust [ɪg'zɔːst] **I** *vtr* agotar
II *n* gases de combustión
exhausted [ɪg'zɔːstɪd] *adj* agotado,-a
exhaustive [ɪg'zɔːstɪv] *adj* exhaustivo,-a
exhibit [ɪg'zɪbɪt] **I** *n* **1** *Arte* objeto expuesto **2** *Jur* prueba instrumental
II *vtr* **1** *Arte* exponer **2** *(emoción)* mostrar, manifestar
exhibition [ɛksɪ'bɪʃən] *n* exposición
exhilarating [ɪg'zɪləreɪdɪŋ] *adj* estimulante
exile ['ɛksaɪl] **I** *n* **1** destierro, exilio **2** *(persona)* exiliado,-a
II *vtr* exiliar
exist [ɪg'zɪst] *vi* existir
existence [ɪg'zɪstəns] *n* existencia
existing [ɪg'zɪstɪŋ] *adj* existente, actual
exit ['ɛgzɪt] **I** *n* salida
II *vi* salir
exotic [ɪg'zɔdɪk] *adj* exótico,-a
expand [ɪk'spænd] **I** *vtr* **1** ampliar, extender
II *vi* **1** *(un negocio, una ciudad)* ampliarse, crecer **2** *(metal)* dilatarse

expanse [ɪk'spæns] *n* extensión
expansion [ɪk'spænʃən] *n* expansión
expansive [ɪks'pænsɪv] *adj* expansivo,-a
expatriate [ɛks'peɪtrɪɪt] **I** *adj & n* expatriado,-a
II [ɛks'peɪtrɪeɪt] *vtr* expatriar
expect [ɪk'spɛkt] **I** *vtr* **1** esperar **2** contar con, exigir **3** suponer
II *vi fam* **to be expecting,** estar embarazada
expectancy [ɪk'spɛktənsi] *n* expectación
expectant [ɪk'spɛktənt] *adj* ilusionado,-a
expectant mother *n* mujer embarazada
expectation [ɛkspɛk'teɪʃən] *n* esperanza, expectativa
expedient [ɪk'spi:dɪənt] **I** *adj* conveniente, oportuno,-a
II *n* expediente, recurso
expedition [ɛkspɪ'dɪʃən] *n* expedición
expel [ɪk'spɛl] *vtr* expulsar
expend [ɪk'spɛnd] *vtr* gastar
expendable [ɪk'spɛndəbəl] *adj* prescindible
expenditure [ɪk'spɛndɪtʃər] *n* gasto, desembolso
expense [ɪk'spɛns] *n* **1** gasto **2** dietas, gastos de viaje ♦ | LOC: **at sb's expense** *o* **at the expense of sb,** a costa de alguien
expensive [ɪk'spɛnsɪv] *adj* caro,-a
experience [ɪk'spɪrɪəns] **I** *n* experiencia
II *vtr* **1** *(placer, alivio, etc)* experimentar **2** *(una pérdida, dificultad, un retraso)* sufrir
experienced [ɪk'spɪrɪənst] *adj* experimentado,-a
experiment [ɪk'spɛrɪmənt] **I** *n* experimento
II *vi* experimentar
experimental [ɪkspɛrɪ'mɛntəl] *adj* experimental
expert ['ɛkspərt] **I** *adj* experto,-a
II *n* experto,-a, especialista
expertise [ɛkspər'ti:z] *n* pericia
expire [ɪk'spaɪər] *vi* **1** *euf (morir)* expirar **2** caducar
explain [ɪk'spleɪn] **I** *vtr* **1** explicar **2 to explain oneself,** dar explicaciones
II *vi* explicarse
explanation [ɛksplə'neɪʃən] *n* explicación
explanatory [ɪk'splænətəri] *adj* explicativo,-a
explicit [ɪk'splɪsɪt] *adj* explícito,-a
explode [ɪk'sploud] **I** *vtr (una bomba)* hacer explotar
II *vi (una bomba)* estallar, explotar
exploit ['ɛksplɔɪt] **I** *n* proeza, hazaña
II [ɛk'splɔɪt] *vtr (utilizar con motivos de lucro personal)* explotar
exploitation [ɛksplɔɪ'teɪʃən] *n* explotación
explore [ɪk'splɔːr] *vtr* explorar
explorer [ɪk'splɔːrər] *n* explorador,-ora
explosion [ɪk'splouʒən] *n* explosión
explosive [ɪk'splousɪv] **I** *adj* explosivo,-a
II *n* explosivo

exponent [ɪk'spounənt] *n* exponente

export [ɛk'spɔrt] **I** *vtr* exportar
II ['ɛkspɔrt] *n* **1** *(comercio)* exportación **2** *(mercancía)* artículo de exportación

exporter [ɛks'pɔrdər] *n* exportador,-ora

expose [ɪk'spouz] *vtr* **1** exponer **2** *(secreto)* revelar; *(corrupción)* descubrir, destapar

exposed [ɪk'spouzd] *adj* expuesto,-a

exposure [ɪk'spouʒər] *n* **1** *(a la luz, al calor, al frío, a una enfermedad)* exposición **2** *(de un secreto)* revelación **3** *(de un criminal)* descubrimiento **4** *(de un edificio)* orientación

express [ɪk'sprɛs] **I** *adj* explícito,-a, expreso,-a
II *n* Ferroc expreso
III *vtr* expresar
IV *adv* urgente

expression [ɪk'sprɛʃən] *n* expresión

expressive [ɪk'sprɛsɪv] *adj* expresivo,-a

expressly [ɪk'sprɛsli] *adv fml* expresamente

express train *n* Ferroc expreso

expulsion [ɪk'spʌlʃən] *n* expulsión

exquisite [ɪk'skwɪzɪt] *adj* exquisito,-a

extend [ɪk'stɛnd] **I** *vtr* **1** *(hacer más grande)* extender, ampliar **2** *(una carretera, línea)* alargar, prolongar **3** *(la mano, una cuerda)* tender
II *vi* **1** *(terreno, autoridad, responsabilidad)* extenderse **2** prolongarse

extension [ɪk'stɛnʃən] *n* **1** *(de espacio)* extensión **2** *(de tiempo)* prórroga **3** Constr anexo, ampliación **4** Inform extensión

extension cord *n Elec* alargador

extensive [ɪk'stɛnsɪv] *adj* extenso,-a

extent [ɪk'stɛnt] *n* **1** *(área)* extensión **2** **to a large extent**, en gran medida; **to some extent**, hasta cierto punto

exterior [ɪk'stɪriər] *adj* exterior
II *n* exterior

exterminate [ɪk'stərmɪneɪt] *vtr* exterminar

extermination [ɪkstərmɪ'neɪʃən] *n* exterminación, exterminio

external [ɛk'stərnəl] *adj* externo,-a, exterior

extinct [ɪk'stɪŋkt] *adj* extinguido,-a

extinction [ɪk'stɪŋkʃən] *n* extinción

extinguish [ɪk'stɪŋgwɪʃ] *vtr* extinguir

extinguisher [ɪk'stɪŋgwɪʃər] *n* extintor

extort [ɪk'stɔrt] *vtr* extorsionar, obtener mediante amenazas

extortion [ɪk'stɔrʃən] *n* extorsión

extortionate [ɪk'stɔrʃənɪt] *adj* abusivo,-a, desorbitado,-a

extra ['ɛkstrə] **I** *adj* **1** extra, adicional; **no extra charge**, sin recargo **2** de más, de sobra
II *adv* extra
III *n* **1** *(cobro adicional)* suplemento, recargo **2** Cine extra **3** *(periódico)* edición especial

extract ['ɛkstrækt] **I** *n* **1** *(de una sustancia)*

extracto **2** *(de un texto, libro)* fragmento
II [ɪk'strækt] *vtr* *(un diente, información)* extraer

extraction [ɪk'strækʃən] *n* extracción

extracurricular ['ɛkstrəkərɪkjələr] *n* extracurricular

extradite ['ɛkstrədaɪt] *vtr* extraditar

extraordinary [ɪk'strɔrdənəri] *adj* extraordinario,-a

extrapolate [ɪk'stræpəleɪt] *v* extrapolar

extraterrestrial [ɛkstrətə'rɛstriəl] *n & adj* extraterrestre

extravagance [ɪk'strævɪgəns] *n* **1** *(gasto de dinero)* derroche **2** *(comportamiento)* extravagancia

extravagant [ɪk'strævɪgənt] *adj* **1** *(que gasta mucho dinero)* derrochador,-ora **2** excesivo,-a, exagerado,-a **3** lujoso,-a

extreme [ɪk'stri:m] **I** *adj* extremo,-a
II *n* extremo

extremely [ɪk'stri:mli] *adv* extremadamente

extremist [ɪk'stri:mɪst] *n* extremista

extremity [ɪk'strɛmɪdʒi] *n* extremidad

extricate ['ɛkstrɪkeɪt] *vtr* sacar (con dificultad)

extrovert ['ɛkstrouvərt] *adj & n* extrovertido,-a

exude [ɪg'zu:d] *vtr & vi* **1** *(líquido, olor)* exudar **2** *(sentimiento, cualidad)* rebosar, emanar

eye [aɪ] **I** *n* **1** *(de una persona, aguja, tormenta)* ojo
II *vtr* observar, mirar: **she eyed him nervously,** le miraba con nerviosismo
♦ | LOC: **to keep an eye on sb/sthg,** echarle un ojo a algo/alguien

eyeball ['aɪbɔl] *n* globo ocular

eyebrow ['aɪbraʊ] *n* ceja

eyecatching ['aɪkætʃɪŋ] *adj* llamativo,-a

eyelash ['aɪlæʃ] *n* pestaña

eyelid ['aɪlɪd] *n* párpado

eyeliner ['aɪlaɪnər] *n* lápiz de ojos

eyeshadow ['aɪʃædoʊ] *n* sombra de ojos

eyesight ['aɪsaɪt] *n* vista

eyestrain ['aɪstreɪn] *n* vista cansada

eyewitness ['aɪwɪtnɪs] *n* testigo ocular

F

F, f [ɛf] *n* **1** *(letra)* F, f **2** Mús fa

fable ['feɪbəl] *n* fábula

fabric ['fæbrɪk] *n* **1** Tex tela, tejido **2** Constr estructura

fabricate ['fæbrɪkeɪt] *vtr* **1** *(mercancías)* fabricar **2** *(mentiras)* inventar

fabrication [fæbrɪ'keɪʃən] *n fig* fabricación, mentira

fabulous ['fæbjələs] *adj* fabuloso,-a

facade, façade [fə'sɑːd] *n* fachada

face [feɪs] **I** *n* **1** *(persona)* cara: **face down,**

boca abajo; **face up,** boca arriba **2** *(de un edificio)* fachada; *(de una moneda, naipe)* cara, *(de una montaña)* pared; *(de un reloj)* esfera
II *vtr* **1** *(una persona)* mirar hacia **2** *(orientación)* dar a; *(posición)* estar enfrente de, frente a **3** *(a una persona, un enemigo)* encararse, enfrentarse; *(la verdad)* reconocer, afrontar
III *vi* orientarse
faceless ['feɪslɪs] *adj* anónimo,-a
facet ['fæsɪt] *n* faceta
facial ['feɪʃəl] *adj* facial
facile ['fæsəl] *adj* superficial
facilitate [fə'sɪlɪteɪt] *vtr* facilitar
facility [fə'sɪlɪdʒi] **I** *n (habilidad)* facilidad
II *npl* **1** *(medidas)* facilidades; **credit facilities,** facilidades de crédito **2** *(de una casa, ciudad, etc)* instalaciones
facing ['feɪsɪŋ] *adj* **facing the sea,** orientado,-a hacia el mar
facsimile [fæk'sɪmɪli] *n* Arte *(réplica)* facsímil
fact [fækt] *n* **1** hecho: **as a matter of fact,** de hecho **2** realidad: **in fact,** en realidad
factor ['fæktər] *n* factor
factory ['fæktəri] *n* fábrica
faculty ['fækəlti] *n* **1** facultad **2** Univ profesorado
fad [fæd] *n fam* moda pasajera
fade [feɪd] *vi* **1** *(color)* perder intensidad; *(flor, gloria)* marchitarse; *(luz, sonido)* atenuarse **2** acabar
■ **fade away** *vi* apagarse lentamente
fag [fæg] *n pey ofens* marica
Fahrenheit ['færənhaɪt] *n* Fahrenheit, escala de medir temperaturas
fail [feɪl] **I** *n* **1** Educ suspenso **2 without fail,** sin falta
II *vtr (un examen)* suspender **2** fallar, decepcionar
III *vi* **1** *(película, intento)* fracasar; *(frenos)* fallar **2** *(negocio)* quebrar **3** *(ser incapaz)* no lograr **4** Educ suspender
failing ['feɪlɪŋ] *n* **1** defecto
failure ['feɪljər] *n* **1** fracaso **2** *(fallo mecánico)* avería; Med **kidney failure,** insuficiencia renal **3** Educ suspenso **4** *(persona)* fracasado,-a
faint [feɪnt] **I** *adj* **1** *(sonido, voz)* débil; *(línea)* tenue; *(color)* pálido,-a **2** *(sensación)* mareado,-a
II *n* desmayo
III *vi* desmayarse
fair[1] [fer] **I** *adj* **1** imparcial, justo,-a **2** *(considerable)* **a fair amount,** una buena cantidad **3** *(pelo)* rubio,-a
II *adv* **to play fair,** jugar limpio
fair[2] [fer] *n* **1** parque de atracciones **2 trade fair,** feria de muestras
fairground ['fergraʊnd] *n* recinto de una feria
fair-haired ['ferheərd] *adj* rubio,-a

fairly ['ferli] *adv* **1** *(con justicia)* justamente **2** bastante
fairness ['fernɪs] *n* justicia, equidad
fairy ['feri] *n* **1** hada **2** *argot ofens* marica
faith [feɪθ] *n* **1** confianza **2** Rel fe
faithful ['feɪθfəl] **I** *adj* fiel
II *npl* **the faithful,** los fieles
faithfully ['feɪθfəli] *adv* **1** fielmente, con exactitud ◆ | LOC: **yours faithfully,** *(en una carta)* atentamente
fake [feɪk] **I** *adj* falso,-a, sintético,-a
II *n* **1** *(objeto)* imitación, falsificación **2** *(persona)* farsante
III *vtr* **1** *(hacer una copia)* falsificar **2** *(simular)* fingir
IV *vi* fingir
falcon ['fɔlkən] *n* halcón
Falklands ['fɔkləndz] *npl* **the Falklands,** las (islas) Malvinas
fall [fɔːl] **I** *n* **1** caída **2** *(de nieve)* nevada; *(de tierra)* corrimiento **3** *(de precio, temperatura)* bajada, descenso **4** US otoño **6** *(usu pl)* cataratas; **Victoria Falls,** las cataratas Victoria
II *vi (ps fell; pp fallen)* **1** caer, caerse **2** dividirse **3** Mil caer **4** *(temperatura, precios)* bajar **5** *(el viento)* amainar **6** *(un cambio de estado)* **to fall asleep,** dormirse; **to fall in love,** enamorarse
■ **fall back** *vi* retroceder
■ **fall back on** *vtr* recurrir a
■ **fall behind** *vi* **1** *(en el trabajo)* retrasarse **2** *(en una carrera)* quedarse atrás
■ **fall down** *vi* **1** *(persona)* caerse **2** *(edificio)* hundirse
■ **fall for** *vtr* **1** *(persona)* enamorarse de **2** *(una mentira)* tragarse
■ **fall off** *vi* **1** desprenderse, caerse **2** *(cantidad, actividad)* decaer
II *vtr* **1** **to fall off a horse,** caerse de un caballo **2** *(una cosa de otra)* desprenderse de
■ **fall out** *vi* **1** *(pelo)* caerse **2** *(entre amigos, etc)* discutir, reñir **3** Mil romper filas
■ **fall out with** *vtr* pelear con
■ **fall through** *vi (acuerdo, plan)* fracasar
fallacious [fə'leɪʃəs] *adj* falaz, engañoso, falso
fallacy ['fæləsi] *n* falacia
fallen ['fɔːlən] *pp* → **fall**
fallout ['fɔːlaʊt] *n* lluvia radiactiva
fallout shelter *n* refugio antinuclear
false [fɔːls] *adj* **1** *(no verdadero)* falso,-a **2** *(dientes, pelo)* postizo,-a
falsify ['fɔːlsɪfaɪ] *vtr* falsificar
falter ['fɔːltər] *vi* vacilar, dudar
fame [feɪm] *n* fama
familiar [fə'mɪljər] *adj* **1** familiar, conocido,-a **2 to be familiar with,** estar familiarizado,-a con
familiarity [fəmɪlʲiˈerɪdʒi] *n* **1** familiaridad
familiarize [fə'mɪljəraɪz] *vtr* familiarizar

family ['fæmli] **I** *n* familia
II *adj (antes del sustantivo)* de familia, familiar
family doctor *n* médico de cabecera
family name *n* apellido
family planning *n* planificación familiar
family tree *n* árbol genealógico
famine ['fæmɪn] *n* hambre, hambruna
famished ['fæmɪʃt] *adj fam* hambriento
famous ['feɪməs] *adj* célebre, famoso,-a
fan [fæn] **I** *n* **1** abanico; *Elec Aut* ventilador **2** aficionado,-a; *(de un artista)* fan, admirador,-ora; *Ftb* hincha
II *vtr* abanicar **2** *(el fuego)* avivar
fanatic [fə'nædɪk] *adj & n* fanático,-a
fancy ['fænsi] **I** *adj* **1** *(fancier, fanciest) (ropa, género)* de fantasía; *(ideas, ropa)* extravagante, estrambótico,-a; *(precios)* exorbitante; *(comida)* elaborado,-a
II *n* **1** capricho, antojo **2** fantasía
III *vtr* **1** *frml* imaginarse, creer **2** *(apetecer)* tener ganas de, querer
fancy dress *n* disfraz
fanfare *n* pieza de música muy corta, generalmente interpretada por trompeta, que se utiliza para presentar un evento o a una persona importante
fang [fæŋ] *n* colmillo
fantastic [fæn'tæstɪk] *adj* fantástico,-a
fantasy ['fænəsi] *n* fantasía
far [fɑːr] *(farther o further, farthest o furthest)* **I** *adv* **1** *(distancia)* lejos: **far off,** a lo lejos **2** *(futuro)* **to go far 3** mucho **4** *fig* **in so far as…,** en la medida en que…
II *adj* **1** *(distante)* lejano,-a; **in the far distance,** a lo lejos **2** *(al otro extremo)* **the Far West,** el Lejano Oeste; **at the far end of the room,** en el otro extremo de la habitación **3** *Pol* **far right/left,** extrema derecha/izquierda
faraway ['fɑːrəweɪ] *adj* lejano,-a, remoto,-a
farce [fɑːrs] *n* farsa
farcical ['fɑːrsɪkəl] *adj* absurdo,-a
fare [feər] *n* **1** *(transporte)* tarifa, precio del billete **2** comida
farewell [feər'wel] **I** *excl* farewell!, ¡adiós!
II *n* despedida
farm [fɑːrm] **I** *n* granja, cortijo, *LAm* hacienda
II *vtr* cultivar, labrar
farmer ['fɑːrmər] *n* granjero,-a, agricultor,-ora
farmhand ['fɑːrmhænd] *n* peón, jornalero,-a
farmhouse ['fɑːrmhaʊs] *n* cortijo, granja, *LAm* hacienda
farming ['fɑːrmɪŋ] *n* **1** agricultura **2** *(de la tierra)* cultivo **3** *(de animales)* ganadería
II *adj* agrícola
farmyard ['fɑːrmjɑrd] *n* corral
far-reaching [fɑːr'riːtʃɪŋ] *adj* de gran alcance

far-sighted [fɑːr'saɪdɪd] *adj* previsor,-ora
fart [fɑːrt] *vulgar* **I** *n* pedo
II *vi* tirarse un pedo
farther ['fɑːrðər] *adj & adv comparativo* → **far**
farthest ['fɑːrðɪst] *adj & adv superlativo* → **far**
fascinate ['fæsɪneɪt] *vtr* fascinar
fascinating ['fæsɪneɪtɪŋ] *adj* fascinante
fascism ['fæʃɪzəm] *n* fascismo
fascist ['fæʃɪst] *adj & n* fascista
fashion ['fæʃən] *n* **1** *(ropa, estilo)* moda **2** manera, modo
II *vtr* crear
fashionable ['fæʃənəbəl] *adj* de moda
fast[1] [fæst] **I** *adj* **1** rápido,-a **2** *(reloj)* adelantado,-a **3** *(color)* inalterable
II *adv* **1** rápido, rápidamente **2** firmemente; **to be fast asleep,** estar profundamente dormido,-a
fast[2] [fæst] **I** *n* ayuno
II *vi* ayunar
fasten ['fæːsən] **I** *vtr* **1** sujetar, fijar **2** *(ropa, cinturón)* abrochar; *(cuerdas de los zapatos)* atar; *(una maleta)* cerrar
II *vi (un vestido)* abrocharse
fastener ['fæːsənər] *n* cierre
fastidious [fæs'tɪdiəs] *adj* meticuloso,-a, pedante
fat [fæt] **I** *adj (fatter, fattest)* **1** gordo,-a **2** *(libro, puro, etc)* grueso,-a **3** *(carne)* con mucha grasa
II *n* **1** grasa **2** *(de una persona)* carnes
fatal ['feɪtəl] *adj* **1** *(que acaba en la muerte)* mortal **2** *(con malas consecuencias)* funesto,-a, fatídico,-a, nefasto,-a
fatalistic [feɪtə'lɪstɪk] *adj* fatalista
fatality [fer'tælɪdʒi] *n* víctima mortal
fatally ['feɪtəli] *adv* mortalmente; **fatally wounded,** herido,-a de muerte
fate [feɪt] *n* destino
fateful ['feɪtfəl] *adj* fatídico,-a, aciago,-a
father ['fɑːðər] **I** *n* **1** padre **2** *Rel (Dios)* **Our Father,** Padre nuestro; *(sacerdote)* padre
II *vtr* engendrar
father-in-law ['fɑːðərɪnlɑː] *n* suegro
fatherland ['fɑːðərlænd] *n* patria
fatherly ['fɑːðərli] *adj* paternal
fathom ['fæðəm] **I** *n Náut* braza
II *vtr* descifrar
fatigue [fə'tiːg] *n* fatiga
fatten ['fætˈn] *vtr* engordar
fattening ['fætˈnɪŋ] *adj (alimento)* que engorda
fatty ['fædi] *adj Culin* graso,-a
faucet ['fɑːsɪt] *n US* grifo
fault [fɑːlt] *n* **1** *(de una persona)* defecto **2** *(responsabilidad)* culpa **3** *Geol* falla **4** *Dep (tenis)* falta
II *vtr* criticar
fauna ['fɑːnə] *n* fauna

faux pas [fouˈpɑː] *n inv frml* error, paso en falso

favor [ˈfeɪvər] **I** *n* 1 *(acción amable)* favor 2 *(aprobación)* favor; **in favor of,** a favor de; *(favoritismo)* **to show favor for sb,** favorecer a alguien **II** *vtr* 1 *(a una persona)* favorecer a 2 *(aprobar)* ser partidario,-a de

favorable [ˈfeɪvərəbəl] *adj* favorable

favorite [ˈfeɪvrɪt] *adj & n* favorito,-a

favoritism [ˈfeɪvrɪtɪzəm] *n* favoritismo

fawn[1] [fɑːn] **I** *adj* beige **II** *n* 1 *Zool* cervatillo 2 *(color)* beige

fawn[2] [fɑːn] *vi* adular, lisonjear

fax [fæks] **I** *n (aparato, mensaje)* fax **II** *vtr* mandar por fax

fear [fɪər] **I** *n* miedo, temor **II** *vtr* temer **III** *vi* temer

fearless [ˈfɪrlɪs] *adj* intrépido,-a

fearsome [ˈfɪrsəm] *adj* temible, pavoroso,-a

feasible [ˈfiːzəbəl] *adj* factible

feast [fiːst] *n* 1 banquete, festín 2 *Rel* fiesta, festividad

feat [fiːt] *n* hazaña, proeza

feather [ˈfeðər] *n* pluma

feather duster *n* plumero

featherweight *n Dep* peso pluma

feature [ˈfiːtʃər] **I** *n* 1 *(de la cara)* rasgo, facción 2 *(atributo)* característica, rasgo 3 *Prensa* artículo **II** *vi* figurar [**among,** entre]

feature film *n Cine* largometraje

February [ˈfebjuəri] *n* febrero

fed [fed] *ps & pp* → **feed**

II *adj fam* **fed up,** harto,-a [**with,** de]

federal [ˈfedrəl] *adj* federal

federation [fedəˈreɪʃən] *n* federación

fee [fiː] *n* 1 *(pago por servicios profesionales)* honorarios 2 **entrance fee,** entrada

feeble [ˈfiːbəl] *adj* débil, enclenque

feed [fiːd] **I** *vtr (ps & pp fed)* 1 alimentar, darle de comer a 2 *(suministrar)* introducir **II** *vi* alimentarse [**on,** de], comer [**on,** -] **III** *n* 1 *(para un bebé)* comida 2 *Téc* alimentación

feedback [ˈfiːdbæk] *n* 1 *Téc* feedback, retroalimentación 2 *fig* reacción

feeding [ˈfiːdɪŋ] *n* alimentación

feel [fiːl] *(ps & pp felt)* **I** *vtr* 1 tocar, palpar 2 *(darse cuenta de algo)* notar, sentir **II** *vi* 1 *(emoción, sensación)* sentir: **to feel cold/hot/sleepy,** tener frío/calor/sueño 2 *(parecer, dar una impresión)* **this house feels damp,** esta casa parece húmeda 3 opinar 4 explorar, palpar 5 querer: **I feel like an ice cream,** me apetece un helado; **to feel like doing sthg,** tener ganas de hacer algo **III** *n (sentido)* tacto, sensación

■ **feel up** *vtr* manosear manoseó

■ **feel up to** *vtr* tener ganas, estar dispuest0

feeler [ˈfiːlər] *n Zool* antena

feeling [ˈfiːlɪŋ] **I** *n* 1 *(físico)* sensación 2 *(emocional)* sentimiento 3 impresión; **to have/get the feeling (that)...,** tener la impresión de que... 4 sensibilidad 5 opinión **II** *adj* sensible

feet [fiːt] *npl* → **foot**

fell[1] [fel] *ps* → **fall**

fell[2] [fel] *vtr* 1 *(un árbol)* talar 2 *fig (a una persona, de un golpe)* derribar

fellow [ˈfelou] **I** *n (de una asociación)* socio,-a **II** *adj (antes del sustantivo)* 1 compañero,-a; *(que comparte condición)* **fellow citizen,** conciudadano,-a

fellowship [ˈfelouʃɪp] *n* 1 compañerismo, camaradería 2 *(colectivo)* asociación 3 *Univ* beca de investigación

felony [ˈfeləni] *n* delito grave

felt[1] [felt] *ps & pp* → **feel**

felt[2] [felt] *n Tex* fieltro

felt tip pen [ˈfelttppen] *adj* , rotulador, marcador

female [ˈfiːmeɪl] **I** *adj* 1 *Zool Bot* (de) hembra 2 femenino,-a; *Téc* hembra **II** *n* 1 *Zool Bot* hembra 2 mujer

feminine [ˈfemɪnɪn] *adj* femenino,-a

feminism [ˈfemɪnɪzəm] *n* feminismo

feminist [ˈfemɪnɪst] *adj & n* feminista

fence [fens] **I** *n* 1 cerca, valla **II** *vi Dep* practicar la esgrima **III** *vtr* cercar, vallar

■ **fence in** *vtr* cercar, vallar

■ **fence off** *vtr* separar con una valla

fencing [ˈfensɪŋ] *n* 1 *Dep* esgrima 2 cercado, vallado

fend [fend] *vi* **to fend for oneself,** arreglárselas

■ **fend off** *vtr (un golpe, una pregunta)* esquivar

fender [ˈfendər] *n* 1 *(de la chimenea)* guardafuego 2 *Auto* parachoques 3 *Náut* defensa

ferment [fərˈment] **I** *n fig* agitación, conmoción **II** *vtr & vi* fermentar

fern [fɜːn] *n Bot* helecho

ferocious [fəˈroʊʃəs] *adj* feroz

ferocity [fəˈrɑsɪdi] *n* ferocidad

ferry [ˈferi] **I** *n* transbordador, ferry **II** *vtr* transportar

fertile [ˈfɜːrdʒəl] *adj* fértil

fertility [fərˈtɪldʒi] *n* fertilidad

fertilization [fɜːrdʒɪlɪˈzeɪʃən] *n* fecundación; **in vitro fertilization,** fecundación in vitro

fertilize [ˈfɜːrdʒɪlaɪz] *vtr* 1 *Agr* abonar 2 *Med Zool* fecundar, fertilizar

fertilizer [ˈfɜːrdʒɪlaɪzər] *n* abono

fervent [ˈfɜːrvənt] *adj* ferviente

fervor [ˈfɜːrvər] *n* fervor

festival [ˈfestɪvəl] *n* 1 *Rel & gen* fiesta 2 *(de cine, teatro, música, etc)* festival

festive ['fɛstɪv] *adj* festivo,-a, alegre
festivity [fɛs'tɪvɪdi] *n* festividad
fetch [fetʃ] I *vtr* 1 traer 2 ir por
fetish ['fetɪʃ] *n* fetiche
fetus ['fiːdəs] *n* feto
feud [fjuːd] I *n* disputa familiar; *frml* enemistad heredada
II *vi* pelear
feudal ['fjuːdl] *adj* feudal
feudalism ['fjuːdlɪzəm] *n* feudalismo
fever ['fiːvər] *n Med* fiebre, calentura; **hay fever**, fiebre del heno
feverish ['fiːvərɪʃ] *adj* febril
few [fjuː] *adj* 1 (*no muchos*) pocos,-as 2 **fewer**, menos; **the fewer the better**, cuanto menos, mejor 3 **fewest**, los menos 4 **a few**, algunos,-as, unos,-as cuantos,-as
fiancé [fi'ɒnseɪ] *n* prometido
fiancée [fi'ɒnseɪ] *n* prometida
fiasco [fi'æskoʊ] *n* fiasco
fib [fɪb] *fam* I *n* trola, mentirijilla
II *vi* contar mentirijillas
fiber ['faɪbər] *n* fibra
fiberglass ['faɪbərglæs] *n* fibra de vidrio
fiction ['fɪkʃən] *n* ficción
fictional ['fɪkʃənəl] *adj Lit* novelesco,-a, relativo,-a a la ficción, inventado,-a
fictitious [fɪk'tɪʃəs] *adj* ficticio,-a
fiddle ['fɪdl] *fam* I *n* 1 *Mús fam* violín 2 superchería, trampa
II *vtr* estafar
III *vi* juguetear
fiddler ['fɪdlər] *n* violinista (*esp música tradicional*)
fidelity [fɪ'delədi] *n* fidelidad [**to**, a]
fidget ['fɪdʒɪt] *vi* moverse nerviosamente
field [fiːld] I *n* 1 *Agr* campo 2 *Dep* campo, cancha; **football field**, campo de fútbol 3 (*de trabajo*) campo, esfera 4 *Geol* yacimiento
II *vtr Dep* 1 (*una pelota*) parar 2 (*a un equipo*) presentar
field goal *n Dep* (*fútbol americano*) acción de patear el balón sobre los postes de la meta para obtener tres puntos
field hockey *n Dep* hockey de campo
field test *n* prueba de campo
fiend [fiːnd] *n* 1 (*diablo*) demonio 2 desalmado,-a, malvado,-a 3 *fam* fanático,-a
fiendish ['fiːndɪʃ] *adj* 1 desalmado,-a 2 diabólico,-a
fierce [fɪərs] *adj* 1 (*animal*) feroz, fiero,-a 2 (*amor, odio*) intenso,-a
fiery ['faɪəri] *adj* apasionado,-a, fogoso,-a
fifteen [fɪf'tiːn] *adj & n* quince
fifteenth [fɪf'tiːnθ] I *adj & n* decimoquinto,-a
II *n* (*fracción*) quinceavo
fifth [fɪfθ] I *adj & n* quinto,-a
II *n* (*fracción*) quinto
fifty ['fɪfti] *adj* cincuenta
fig [fɪg] *n Bot* higo 1 **fig (tree)**, higuera

fight [faɪt] I *vtr* (*ps & pp* **fought**) luchar contra, combatir
II *vi* pelear(se), batir(se), reñir(se)
III *n* 1 pelea, lucha, combate 2 riña, disputa
fighter ['faɪdər] *n* 1 combatiente; *fig* luchador,-ora; *Boxeo* púgil 2 **fighter (plane)**, (avión de) caza
figurative ['fɪgjərədɪv] *adj Arte* figurativo,-a; *Lit* figurado,-a
figure ['fɪgjər] I *n* 1 (*de cuerpo*) forma, silueta 2 personaje 3 (*estatua*) figura 4 (*en un texto*) figura, dibujo 5 *Mat* cifra 6 **figures** *pl*, estadísticas
II *vtr fam* imaginarse
III *vi* figurar
■ **figure out** *vtr fam* comprender, explicarse algo
file [faɪl] I *n* 1 (*para guardar papeles*) carpeta, archivador 2 (*para datos*) archivo, expediente 3 *Inform* fichero, archivo 4 (*herramienta*) lima; **nail file**, lima de uñas 5 (*una línea*) fila
II *vtr* 1 limar 2 *Inform & gen* archivar 3 *Jur* presentar
III *vi* **to file past**, desfilar
filing ['faɪlɪŋ] *n* clasificación
filing cabinet *n* archivador
fill [fɪl] I *vi* llenarse
II *vtr* 1 (*el espacio*) llenar 2 *Culin* rellenar 3 (*un diente*) empastar 4 (*un puesto*) desempeñar
■ **fill in** *vtr* 1 (*un formulario, blanco, una grieta*) rellenar 2 poner 3 *fam* poner al corriente 4 (*el rato*) pasar, ocupar
II *vi* **to fill in (for sb)**, sustituir (a alguien)
■ **fill out** *vtr* (*fórmula*) rellenar
■ **fill up** *vtr* llenar (hasta el borde)
II *vi* 1 llenarse 2 *Auto fam* llenar el depósito
fillet ['fɪleɪ] I *n* filete
II *vtr* 1 (*pescado*) quitar las espinas de 2 cortar en filetes
filling ['fɪlɪŋ] I *n* 1 (*de diente*) empaste 2 *Culin* relleno
film [fɪlm] I *n* 1 película 2 *Cine Fot* película: **a roll of film**, un carrete
II *vtr Cine* filmar
III *vi Cine* rodar
filter ['fɪltər] I *n* filtro
II *vtr* filtrar
filth [fɪlθ] *n* 1 mugre, porquería 2 *fig* obscenidad
filthy ['fɪlθi] *adj* (**filthier**, **filthiest**) 1 (*muy sucio*) mugriento,-a 2 *fig* obsceno,-a, indecente
fin [fɪn] *n Zool Av* aleta
final ['faɪnəl] I *adj* 1 último,-a, final 2 definitivo,-a
II *n Dep* final
finalist ['faɪnəlɪst] *n* finalista
finalize ['faɪnəlaɪz] *vtr* ultimar
finally ['faɪnəli] *adv* 1 por fin 2 (*en una secuencia*) por último 3 definitivamente

finance ['faɪnæns, fɪ'næns] **I** *n* finanzas
II *vtr* financiar

financial [faɪ'nænʃəl] *adj* financiero,-a, económi-co,-a

financial year *n* ejercicio *o* año fiscal

financier [faɪ'nænsər] *n* financiero,-a

find [faɪnd] **I** *vtr (ps & pp found)* **1** encontrar, hallar **2** descubrir **3** *(opinión)* encontrar **4** sacar, conseguir **5** *Jur* fallar, declarar; **to find sb guilty/not guilty,** declarar culpable/inocente a alguien **II** *vr* **to find oneself,** encontrarse
III *n* hallazgo

■ **find out I** *vtr* **1** *(un hecho)* averiguar, descubrir **2** *(un criminal)* descubrir, pillar **II** *vi* **1** informarse **2** enterarse

findings ['faɪndɪŋz] *npl* conclusiones, fallo

fine[1] [faɪn] **I** *adj* **1** *Meteor* bueno-a **2** *(de muy buena calidad)* excelente, magnífico,-a **3** *(porcelana, tela)* fino,-a, delicado,-a **4** sutil; a **fine distinction,** una distinción sutil **5 fine arts,** bellas artes
II *adv* **I** *fam* muy bien
III *excl* ¡vale!

fine[2] [faɪn] **I** *n* multa
II *vtr* multar

finesse [fɪ'nɛs] *n* **1** delicadeza, finura **2** diplomacia, sutileza

finger ['fɪŋgər] **I** *n* dedo (de la mano)
II *vtr* tocar

fingernail ['fɪŋgərneɪl] *n* uña

fingerprint ['fɪŋgərprɪnt] *n* huella dactilar

fingertip ['fɪŋgərtɪp] *n* yema del dedo

finish ['fɪnɪʃ] **I** *n* **1** fin; *Dep* llegada, meta **2** *(de un mueble, etc)* acabado
II *vtr* **1** *(una tarea)* acabar, terminar; **to finish doing sthg,** terminar de hacer algo **2** *(un producto)* agotar
III *vi* acabar, terminar

■ **finish off** *vtr* terminar completamente

■ **finish up** *vi* acabar

finish line *n Dep* (línea de) meta

finite ['faɪnaɪt] *adj* finito,-a

Finland ['fɪnlənd] *n* Finlandia

Finn [fɪn] *n* finlandés,-esa

Finnish ['fɪnɪʃ] **I** *adj* finlandés,-esa
II *n (idioma)* finlandés

fir [fər] *n Bot* abeto

fire ['faɪər] **I** *n* **1** *(el elemento)* fuego; **to set fire,** prender fuego [**to,** a], incendiar; **on fire,** ardiendo **2** *(de un edificio, bosque)* incendio **3** *(de una casa)* fuego, chimenea; **electric/gas fire,** estufa eléctrica/de gas
II *vtr* **1** *(arma de fuego)* disparar [**at,** a]; *(misil)* lanzar; *fig* **to fire questions at sb,** lanzar preguntas a alguien **2** *fam* despedir **3** *(entusiasmo, interés)* despertar
III *vi* disparar [**at,** a] [**on,** sobre]
IV *excl Mil & gen* **fire!,** ¡fuego!

fire alarm *n* alarma de incendios

firearm ['faɪərɑrm] *n* arma de fuego

fire department *n* cuerpo de bomberos

fire escape *n* escalera de incendios

fire exit *n* salida de incendios *o* de emergencia

fire extinguisher *n* extintor

firefighter ['faɪərfaɪtər] *n* bombero,-a

fireman ['faɪərmən] *n* bombero

fireplace ['faɪərpleɪs] *n* chimenea

fire station *n* parque de bomberos

fire truck *n* camión de bomberos

fire wall *n* pared de protección contra incendios

firewood ['faɪərwʊd] *n* leña, astillas

fireworks ['faɪərwərks] *npl* fuegos artificiales

firm [fərm] **I** *adj (postura, apoyo)* firme
II *n Com* empresa, firma

firmness ['fərmnɪs] *n* firmeza

first [fərst] **I** *adj (en orden)* primer, primero,-a
II *adv* **1** *(en una serie de acciones o de cosas)* primero **2** por primera vez: **we first met in Istanbul,** nos conocimos en Estambul **III** *n* **1** *(en orden)* **the first,** el primero, la primera **2 at first,** al principio

first aid *n* primeros auxilios

first-class ['fərstklæs] **I** *adj* **1** *(billete)* de primera clase **2** excelente, de primera
II *adv* **to travel first-class,** viajar en primera

firsthand ['fərsthænd] *adv & adj* de primera mano, directo,-a

firstly ['fərstli] *adv* en primer lugar

first name *n* nombre de pila

first-rate ['fərstreɪt] *adj* de primera, excelente

fiscal ['fɪskəl] *adj* fiscal; **fiscal policy,** política económica

fish [fɪʃ] **I** *n (pl fish)* **1** *Zool* pez **2** *Culin* pescado
II *vi* pescar

fish and chips *n* pescado frito con patatas fritas

fishbone ['fɪʃboʊn] *n* espina, raspa

fisherman ['fɪʃərmən] *n* pescador

fishhook ['fɪʃhʊk] *n* anzuelo

fishing ['fɪʃɪŋ] *n* pesca; **to go fishing,** ir de pesca

fishing boat *n* barco pesquero

fishing fleet *n* flota pesquera

fishing net *n* red de pesca

fishing rod *n* caña de pescar

fist [fɪst] *n* puño

fit [fɪt] **I** *vtr* **1** *(ropa)* ser de la talla de alguien, quedar bien a **2** instalar, poner **3** encajar en **4** to fit sthg with, equipar algo/a alguien con **5** ajustar, cuadrar
II *vi* **1** encajar **2** *(ropa)* quedar bien **3** caber
III *adj* **1** digno,-a **2** adecuado,-a, apto,-a, conveniente; **to be fit for,** valer para *o* ser adecuado,-a para **3** capaz, en condiciones; **fit to work,** en condiciones para trabajar **4** de buena salud, *Dep* en forma

IV *n* ajuste, encaje; **to be a good fit,** encajar bien; *(ropa)* **to be a good/bad fit,** quedar bien/mal; **a tight fit,** muy ajustado,-a

■ **fit in I** *vi* adaptarse

II *vtr* encontrar tiempo o espacio para

fitful ['fɪtfʊl] *adj* discontinuo,-a, irregular

fitness ['fɪtnɪs] *n* **1** idoneidad **2** *(salud)* buena forma, buen estado físico

fitted ['fɪtɪd] *adj* hecho,-a a medida, empotrado,-a

fitter ['fɪtər] *n* instalador,-ora

fitting ['fɪtɪŋ] **I** *adj* apropiado,-a, adecuado,-a

II *n* **1** *(de ropa)* prueba **2** *(usu pl: de edificio, tienda)* accesorios, muebles; **bathroom fittings,** aparatos o accesorios de baño

five [faɪv] *adj & n* cinco

fix [fɪks] **I** *n* **1** *fam* aprieto **2** *argot (de droga)* dosis, chute

II *vtr* **1** fijar, sujetar **2** *(un precio, una hora)* decidir, fijar **3** *(la atención, una mirada)* fijar, clavar **4** amañar **5** reparar, arreglar **6** *US (comida, bebida)* servir, preparar: **fix me a black coffee,** ponme un café solo

■ **fix up** *vtr* **1** reparar, arreglar **2** proveer

fixed [fɪkst] *adj* **1** fijo,-a **2** *fam (un resultado)* amañado,-a

fixture ['fɪkstʃər] *n Fin pl* **fixtures (and fittings),** *(de edificio, empresa)* enseres fijos

fizz [fɪz] **I** *n* efervescencia

II *vi* burbujear

fizzy ['fɪzi] **I** *adj (fizzier, fizziest) (agua, refresco)* con gas

II *n fam* champán

FL *(abr de Florida)* abreviatura, estado de Florida

flabbergasted ['flæbərɡæstɪd] *adj* atónito,-a

flabby ['flæbi] *adj (flabbier, flabbiest)* fofo,-a

flag [flæɡ] **I** *n (de un país)* bandera

II *vi (perder fuerzas) (una persona)* flaquear; *(interés, conversación)* decaer

flagpole ['flæɡpoʊl] *n* asta de bandera

flagrant ['fleɪɡrənt] *adj* flagrante

flagship ['flæɡʃɪp] *n* buque insignia

flagstone ['flæɡstoʊn] *n* losa

flair [fleər] *n* **1** don, facilidad; **a flair for languages,** un don para los idiomas **2** estilo

flake [fleɪk] **I** *n (de nieve, cereales)* copo; *(de pintura, pared)* escama

II *vi* **1** *(la piel)* descamarse **2** *(la pintura, etc)* desconcharse

flamboyant [flæm'bɔɪənt] *adj* extravagante

flame [fleɪm] *n* llama; **in flames,** en llamas, ardiendo

flameproof ['fleɪmpruːf] *adj* resistente al fuego, ignífugo,-a

flamingo [fləˈmɪŋɡoʊ] *n Zool* flamenco

flammable ['flæməbəl] *adj* inflamable

flan [flæn] *n Culin* tarta

flannel ['flænəl] *n* franela

flap [flæp] **I** *n* **1** *(de un bolsillo, sobre)* solapa;

(de una tienda de campaña) faldón **2** *(movimiento de un ala)* aletazo **3** *Av* flap **4** *fam* conmoción, crisis

II *vtr (las alas, los brazos)* batir, agitar

III *vi (las alas)* aletear; *fam* ponerse nervioso

flare [fleər] *n* **1** destello, llamarada **2** *Mil Náut* bengala **3 flares** *pl,* pantalones de campana

■ **flare up** *vi* **1** *(un fuego)* arder repentinamente con más intensidad **2** *(violencia)* estallar

flash [flæʃ] **I** *n* **1** *(de luz, inspiración)* destello, ráfaga; *(en una tormenta)* relámpago; *fig* **in a flash,** en un instante **2** *Fot* flash

II *adj argot* hortera, macarra

III *vtr* **1** *(la luz)* proyectar **2** mostrar

IV *vi (luz)* destellar

flashlight ['flæʃlaɪt] *n* linterna

flashy ['flæʃi] *adj (flashier, flashiest) fam* chillón,-ona, hortera

flask [flæsk] *n (botella)* frasco; **(thermos) flask,** termo; **hip flask,** petaca

flat [flæt] **I** *adj (flatter, flattest)* **1** *(paisaje)* llano,-a; *(superficie)* plano,-a, horizontal, liso,-a; *(pintura)* liso,-a, mate **2** sin vida; *(refresco, cerveza)* sin gas; *(sabor)* soso,-a, insípido,-a; *Auto* **a flat battery,** una batería descargada; **a flat tire,** neumático deshinchado, un pinchazo **3** *(tipo de interés, honorarios)* fijo,-a **4** categórico,-a, rotundo,-a; **a flat refusal,** una negativa rotunda **5** *Mús* **B flat,** si bemol, desafinado,-a

II *adv* **1** *(persona)* **to fall flat (on one's face),** caer de bruces; *(sugerencia, etc)* caer en el vacío **2** *Mús* **to sing/play flat,** desafinar

flatten ['flætˈn] *vtr* **1** *(terreno, mantel, etc)* allanar, alisar **2** *(destruir)* aplastar

flatter ['flædər] *vtr* **1** *(decir cosas para agradar a alguien)* adular, halagar **2** favorecer

flattering ['flædərɪŋ] *adj* **1** *(palabras)* adulador,-ora **2** *(ropa, foto)* favorecedor,-ora

flattery ['flædəri] *n* adulación, halagos

flaunt [flɔːnt] *vtr* ostentar

flavor ['fleɪvər] **I** *n* sabor, gusto

II *vtr Culin* sazonar, condimentar

flavoring ['fleɪvərɪŋ] *n* condimento, aderezo

flaw [flɔː] *n* defecto

flawless ['flɔːlɪs] *adj* perfecto,-a

flea [fliː] *n Zool* pulga

flee [fliː] **I** *vtr (ps & pp* **fled)** huir de

II *vi* huir, fugarse

fleece [fliːs] **I** *n* **1** *(en la oveja)* lana **2** *(lana esquilada)* vellón

II *vtr fam* timar

fleet [fliːt] *n* flota

fleeting ['fliːtɪŋ] *adj* fugaz, efímero,-a

flesh [fleʃ] *n* **1** carne **2** *(de fruta)* pulpa

flew [fluː] *ps →* **fly**

flex [fleks] **I** *vtr (la rodilla)* doblar; *(los músculos)* flexionar

flexible ['flɛksɪbəl] *adj* flexible

flexibility [flɛksɪ'bɪlɪdʒi] *n* flexibilidad

flick [flɪk] **I** *n* movimiento rápido; *(con el dedo)* capirotazo; *(con un látigo)* latigazo
II *vtr* 1 *(golpear con el dedo)* dar un capirotazo a 2 mover rápidamente
■ **flick through** *vtr (un libro, una revista)* hojear

flicker ['flɪkər] *I vi* parpadear

flier ['flaɪər] *n* aviador,-ora

flight [flaɪt] *n* 1 *(de avión, pájaro)* vuelo 2 escalera, tramo

flight deck ['flaɪtdɛk] *n Av* cubierta de vuelo

flimsy ['flɪmzi] *adj (flimsier, flimsiest)* 1 frágil *(ropa)* muy ligero,-a 3 *(una excusa)* endeble, pobre

flinch [flɪntʃ] *vi* acobardarse, estremecerse

fling [flɪŋ] *I vtr (ps & pp flung)* arrojar, tirar
II *vi* arrojarse
III *n fam* 1 aventura amorosa 2 juerga

flint [flɪnt] *n* 1 *(material)* sílex 2 *(de mechero)* piedra

flip-flop ['flɪpflɒp] *n Indum* chancleta

flippant ['flɪpənt] *adj* frívolo,-a, poco serio,-a

flipper ['flɪpər] *n* aleta

flirt [flɜːrt] **I** *n* coqueto,-a
II *vi* flirtear, coquetear

float [fləʊt] *I n* 1 flotador 2 *(para gastos)* cambio, calderilla 3 *(en desfile de carnaval, etc)* carroza
II *vtr* 1 hacer flotar 2 *(sacar una empresa a la bolsa)* lanzar en bolsa; *(acciones)* emitir
III *vi* flotar

flock [flɒk] *I n* 1 *Zool (de ovejas, etc)* rebaño; *Orn (de aves)* bandada 2 *(gran grupo de gente)* multitud, tropel; *Rel* rebaño
II *vi* acudir en gran número

flog [flɒg] *vtr* azotar

flood [flʌd] *I n* inundación
II *vtr lit & fig* inundar
III *vi (río)* desbordarse; *(mina)* inundarse

flooding ['flʌdɪŋ] *n* inundación

floodlight ['flʌdlaɪt] *n* foco

floor [flɔːr] *I n* 1 *(de una habitación, etc)* suelo 2 *(de un edificio)* piso, planta; **first/second floor,** *US* planta baja/primera 3 *(en una conferencia)* los asistentes
II *vtr* 1 solar, entarimar 2 *Boxeo* derribar

floorboard ['flɔːbɔːd] *n* tabla *(del suelo)*

flop [flɒp] *I n fam* fracaso
II *vi* 1 dejarse caer pesadamente 2 *fam* fracasar estrepitosamente

floppy ['flɒpi] *adj (floppier, floppiest)* flexible, blando,-a

floppy disk *n Inform* disquete, floppy

florist ['flɒrɪst] *n (persona)* florista; *(tienda)* florist's, floristería

flounce [flaʊns] *vi* **to flounce in/out,** entrar/salir enfadado,-a

flounder ['flaʊndər] *I vi* 1 *(en el agua)* luchar por mantenerse a flote 2 estar confuso,-a

II *n Zool (pez)* platija

flour ['flaʊər] *n* harina

flourish ['flʌrɪʃ] *I vi* 1 *(persona, empresa, etc)* prosperar, florecer 2 *(planta)* crecer bien
II *vtr* blandir, agitar
III *n* 1 gesto dramático 2 *(después de la firma)* rúbrica; *(adorno)* floritura

flourishing ['flʌrɪʃɪŋ] *adj* floreciente,

flow [fləʊ] *I n* flujo
II *vi (un líquido)* fluir; *(tráfico, personas)* circular

flower ['flaʊər] *I n* flor
II *vi* florecer

flowerpot ['flaʊərpɒt] *n* maceta

flowery ['flaʊəri] *adj fig* florido,-a

flown [fləʊn] *pp* → **fly**

flu [fluː] *n (abr de influenza)* gripe

fluctuate ['flʌktʃʊeɪt] *vi* fluctuar

fluctuation [flʌktʃʊ'eɪʃən] *n* fluctuación

fluent ['fluːənt] *adj* 1 *(un discurso)* fluido, elocuente 2 *(habilidad para hablar)* **she speaks fluent French** *o* **she is fluent in French,** domina el francés

fluff [flʌf] *I n* pelusa

fluffy ['flʌfi] *adj (fluffier, fluffiest) (tela)* afelpado,-a, suave, eponjoso,-a

fluid ['fluːɪd] *I adj (materia, estilo)* fluido
II *n* fluido, líquido

flung [flʌŋ] *ps & pp* → **fling**

fluoride ['flʊəraɪd] *n* flúor (para uso dental)

flurry ['flʌri] *n* ráfaga

flush [flʌʃ] *I adj* nivelado, a ras
II *n* rubor
III *vtr* 1 **to flush the toilet,** tirar de la cadena

flushed [flʌʃt] *adj (la cara)* sonrojado,-a

fluster ['flʌstər] *vtr* poner nervioso,-a, aturrullar

flute [fluːt] *n* flauta

flutter ['flʌdər] *I vi* 1 *(pájaro, insecto, hoja)* revolotear 2 *(bandera)* ondear 3 *(corazón)* latir, palpitar
II *vtr (alas)* batir, agitar

fly[1] [flaɪ] *n* 1 *Zool* mosca 2 *Cost* **flies** *pl,* bragueta

fly[2] [flaɪ] *I vi (pájaro, mosca, avión)* volar 2 ir en avión

flyover ['flaɪəʊvər] *n* desfile aéreo

flyswatter *n* matamoscas

flyweight ['flaɪweɪt] *n Boxeo* peso mosca

foal [fəʊl] *n Zool* potro,-a

foam [fəʊm] *I n* espuma
II *vi* hacer espuma

foam rubber *n* gomaespuma

focus ['fəʊkəs] *I vtr* 1 centrar 2 *Fot* enfocar
II *vi (cámara, ojos)* enfocar
III *n (pl focuses)* foco

fog [fɒg] *n* niebla

foggy ['fɒgi] *adj (foggier, foggiest)* de niebla, nebuloso,-a: **it is foggy,** hay niebla

foil [fɔɪl] *I n* 1 kitchen *o* **aluminium foil,** papel de aluminio 2 contraste

II *vtr* frustrar

fold [fəʊld] **I** *n* doblez, pliegue **2** rebaño (de ovejas), redil **II** *vtr* **1** (*papel, ropa*) doblar **2** (*los brazos*) cruzar **III** *vi* **1** to fold (up), (*silla, cama*) plegarse **2** *Com* quebrar

folder ['fəʊldər] *n* carpeta

folding ['fəʊldɪŋ] *adj* (*silla, cama*) plegable

foliage ['fəʊlɪɪdʒ] *n* follaje

folk [fəʊk] **I** *n* **1** tribu, pueblo **2** *fam* gente **3** *fam* US folks, padres; **my folks,** mi familia **II** *adj* popular, folclórico,-a

follow ['fɒləʊ] **I** *vtr* **1** seguir **2** (*una explicación, un argumento*) entender, seguir **II** *vi* **1** seguir; **as follows,** como sigue **2** ser lógico; **it follows that…,** se deduce que… ■ **follow up** *vtr* **1** poner en práctica **2** (*una pista*) seguir, investigar

follow-up ['fɒləʊʌp] *n* seguimiento

fond [fɒnd] *adj* **1** to be fond of sb/sthg, tenerle mucho cariño a alguien/algo **2** to be fond of doing sthg, ser aficionado,-a a hacer algo

fondle ['fɒndəl] *vtr* acariciar, *pey* sobar

food [fu:d] *n* comida; **fast food,** comida rápida

food processor *n* robot de cocina

foodstuffs ['fu:dstʌfs] *npl* comestibles

fool [fu:l] **I** *n* **1** tonto,-a, idiota; **to play the fool,** hacer payasadas **II** *vtr* engañar **III** *vi* to fool about *o* around, hacer el tonto

foolish ['fu:lɪʃ] *adj* estúpido,-a

foolproof ['fu:lpru:f] *adj* **1** (*plan*) infalible **2** (*aparato*) fácil de manejar

foot [fʊt] **I** *n* (*pl feet* [fi:t]) **1** (*medida*) pie (30,48 cm.) **2** (*miembro*) pie; *Zool* pata; **on foot** a pie, andando **II** *vtr* to foot the bill, pagar la cuenta

football ['fʊtbɔ:l] *n* **1** fútbol americano **2** balón, pelota

football field/ground/pitch *n* campo de fútbol

football game *n* partido de fútbol americano

football match *n* partido de fútbol

footbridge ['fʊtbrɪdʒ] *n* puente peatonal, pasarela

footing ['fʊtɪŋ] *n* **1** equilibrio; **to lose/miss one's footing,** perder el pie **2** on an equal footing, en pie de igualdad

footnote ['fʊtnəʊt] *n* nota a pie de página

footpath ['fʊtpɑ:θ] *n* sendero, camino

footprint ['fʊtprɪnt] *n* pisada, huella

footstep ['fʊtstep] *n* paso

footwear ['fʊtweər] *n* calzado

for [fɔ:r] **I** *prep* **1** (*destinatario*) para: **I left a note for her,** dejé una nota para ella **2** (*uso, propósito*) para: **this knife is for peeling potatoes,** este cuchillo es para pelar patatas;

for sale, en venta **3** (*motivo, resultado*) por: **she's famous for her beauty,** es célebre por su belleza **4** (*en vez de*) por: **could you ring the doctor for me?,** ¿podrías llamar al médico por mí? **5** (*compra o venta*) por: **he sold his car for $2,500,** vendió su coche por 2.500 dólares **6** (*a favor de*) **I'm neither for nor against,** no estoy ni a favor ni en contra; **to vote for sb,** votar a alguien **7** (*referente a*) por; **as for me,** en cuanto a mí **8** (*periodo de tiempo*) por, durante: **we've lived here for two years,** vivimos aquí desde hace dos años; **they lived in India for the whole of the war,** vivieron en la India durante toda la guerra **9** (*distancia*) **we walked for several miles,** caminamos varias millas

forbid [fər'bɪd] *vtr* (*ps* forbade; *pp* forbidden [fər'bɪdən]) prohibir

force [fɔ:s] **I** *n* fuerza; **to come into force,** entrar en vigor **II** *vtr* **1** forzar, obligar; **to force sb to do sthg,** obligar a alguien a hacer algo **2** (*abrir con violencia*) forzar

forced [fɔ:st] *adj* (*sonrisa*) forzado,-a; *Av* (*aterrizaje*) forzoso,-a

forceful ['fɔ:sfəl] *adj* **1** (*temperamento*) enérgico,-a, vigoroso,- **2** (*argumento*) convincente

forceps ['fɔ:seps] *npl* fórceps

forcible ['fɔ:səbəl] *adj* **1** contundente **2** a/por la fuerza

forcible entry *n Jur* allanamiento de morada

forcibly ['fɔ:səbli] *adv* a/por la fuerza

ford [fɔ:d] **I** *n* vado **II** *vtr* vadear

forearm ['fɔ:rɑ:m] *n Anat* antebrazo

foreboding [fɔ:'bəʊdɪŋ] *n* premonición

forecast ['fɔ:kɑ:st] **I** *n Met* pronóstico **II** *vtr* (*ps & pp* forecast *o* forecasted) pronosticar, prever

forefathers [fɔ:'fɑ:ðəz] *npl* antepasados

forefinger [fɔ:'fɪŋɡər] *n* (dedo) índice

forefront ['fɔ:frʌnt] *n* (*de la moda, etc*) vanguardia

forehead ['fɔ:hed] *n* frente

foreign ['fɒrɪn] *adj* **1** (*de otro país*) extranjero,-a **2** (*trato con otros países*) exterior; **the Foreign Office,** el Ministerio de Asuntos Exteriores

foreigner ['fɒrɪnər] *n* extranjero,-a

foreman ['fɔ:mən] *n* **1** *Ind* capataz **2** *Jur* presidente del jurado

foremost ['fɔ:məʊst] **I** *adj* principal, más destacado,-a **II** *adv* first and foremost, en primer lugar

forename ['fɔ:neɪm] *n* nombre de pila

forensic [fə'rensɪk] *adj* forense

forerunner ['fɔ:rʌnər] *n* precursor,-a

foresee [fɔ:'si:] *vtr* (*ps* foresaw; *pp* foreseen) prever

foreseeable [fɔr'siːəbəl] *adj* previsible

foresight ['fɔrsaɪt] *n* previsión

forest ['fɔrɪst] *n* bosque, selva

forestall [fɔr'stɔl] *vtr* 1 anticiparse a 2 prevenir, impedir

foretaste ['fɔrteɪst] *n* muestra (**of**, de)

foretell [fɔr'tel] *vtr* (*ps* & *pp* **foretold**) presagiar, predecir

foretold [fɔr'tould] *ps* → **foretell**

forever [fə'revər] **I** *adv* 1 para siempre 2 constantemente

II *n fam* mucho tiempo

foreword ['fɔrwərd] *n* prefacio

forgave [fər'geɪv] *ps* → **forgive**

forge [fɔrdʒ] **I** *n* forja

II *vtr* 1 (*dinero, cuadros, etc*) falsificar 2 (*metal*) forjar 3 *fig* (*relaciones*) fraguar

forger ['fɔrdʒər] *n* falsificador,-ora

forgery ['fɔrdʒərɪ] *n* falsificación

forget [fə'rget] **I** *vtr* (*ps* **forgot**; *pp* **forgotten**) olvidar, olvidarse de

II *vi* olvidarse

forgetful [fə'rgetfəl] *adj* olvidadizo,-a, despistado,-a

forgive [fər'gɪv] *vtr* (*ps* **forgave**; *pp* **forgiven** [fər'gɪvən]) perdonar

forgiveness [fər'gɪvnɪs] *n* perdón

forgiving [fər'gɪvɪŋ] *adj* indulgente, comprensivo,-a

forgot [fə'rgɑt], *ps* **forgotten** [fə'rgɑtən] *pp* → **forget**

fork [fɔrk] **I** *n* 1 *Culin* tenedor 2 *Agr* horca 3 (*de río, carretera*) bifurcación

II *vi* (*río, carretera*) bifurcarse

■ **fork out** *I vtr fam* (*dinero*) pagar, desembolsar

II *vi fam* aflojar la pasta

forlorn [fɔr'lɔrn] *adj* 1 (*persona, casa, etc*) desolado,-a, abandonado,-a

form [fɔrm] **I** *n* 1 forma 2 clase, tipo 3 condición física o mental 4 formulario, impreso

II *vtr* formar

III *vi* formarse, tomar forma

formal ['fɔrməl] *adj* 1 formal 2 (*acto, ropa*) de etiqueta

formality [fɔr'mælɪdʒɪ] *n* formalidad

formally ['fɔrməlɪ] *adv* 1 oficialmente 2 ceremoniosamente

format ['fɔrmæt] **I** *n* formato

II *vtr Inform* formatear

formation [fɔr'meɪʃən] *n* formación

formative ['fɔrmədɪv] *adj* formativo,-a

former ['fɔrmər] **I** *adj* 1 anterior, antiguo,-a; (*persona*) ex; **my former wife**, mi ex mujer

II *pron* (*la primera de dos referencias*) aquél, aquélla(s), aquello(s), el/la/lo primero,-a, los/las primeros,-as

formerly ['fɔrmərlɪ] *adv* antiguamente

formula ['fɔrmjələ] *n* fórmula

fort [fɔrt] *n* fortaleza

forth [fɔrθ] *adv frml* **and so forth**, y así sucesivamente

forthcoming [fɔrθ'kʌmɪŋ] *adj* (*acontecimiento*) próximo,-a, venidero; (*libro, película*) de próxima aparición

forthright ['fɔrθraɪt] *adj* franco,-a

fortification [fɔrdɪfɪ'keɪʃən] *n* fortificación

fortify ['fɔrdɪfaɪ] *vtr* fortificar

fortitude ['fɔrdɪtuːd] *n* fortaleza

fortress ['fɔrtrɪs] *n* fortaleza

fortunate ['fɔrtʃənɪt] *adj* afortunado,-a

fortunately ['fɔrtʃənɪtlɪ] *adv* afortunadamente

fortune ['fɔrtʃən] *n* fortuna

fortuneteller ['fɔrtʃəntelər] *n* adivino,-a

forty ['fɔrdɪ] *adj* & *n* cuarenta

forum ['fɔrəm] *n* foro

forward ['fɔrwərd] **I** *adv* 1 (*th* **forwards**) (*en el espacio*) hacia delante 2 (*en el tiempo*) hacia delante **from this day forward**, de ahora en adelante

II *adj* 1 (*movimiento*) hacia delante 2 (*persona*) descarado,-a

III *n Dep* delantero,-a

IV *vtr* (*correos*) remitir

fossil ['fɑsəl] *n* fósil

foster ['fɑstər] **I** *vtr* 1 *frml* (*una esperanza*) abrigar; (*relaciones*) fomentar

II *adj* de acogida

foster home *n* casa de acogida

foster parents *n* padres de acogida

fought [fɑːt] *ps* & *pp* → **fight**

foul [faʊl] **I** *adj* 1 nauseabundo,-a; (*agua*) infecto,-a; (*aire*) viciado,-a; (*olor*) fétido,-a; (*sabor*) asqueroso,-a 2 (*crimen, calumnia*) vil 3 (*humor, tiempo*) de perros 4 (*lenguaje*) obsceno,-a, grosero,-a

II *n Dep* falta

III *vtr* 1 ensuciar; (*el agua, aire*) contaminar 2 *Dep* cometer una falta contra

IV *vi Dep* cometer una falta

found[1] [faʊnd] *ps* & *pp* → **find**

found[2] [faʊnd] *vtr* 1 fundar 2 fundamentar; **founded on,** basado en

foundation [faʊn'deɪʃən] *n* 1 (*de una institución*) fundación 2 (*de una sospecha, rumor*) fundamento 3 (*en maquillaje*) **foundation (cream)**, crema base 4 *Constr* **foundations** *pl*, cimientos

founder ['faʊndər] *n* fundador,-ora

foundry ['faʊndrɪ] *n* fundición

fountain ['faʊntɪn] *n* fuente

fountain pen *n* pluma estilográfica

four [fɔr] *adj* & *n* cuatro

fourteen [fɔr'tiːn] *adj* & *n* catorce

fourteenth [fɔr'tiːnθ] **I** *adj* & *n* decimocuarto,-a

II *n* (*fracción*) catorceavo

fourth [fɔrθ] **I** *adj* & *n* cuarto,-a

II *n* 1 (*fracción*) cuarto 2 *Auto* **fourth gear**, cuarta (velocidad)

fll *adv* en cuarta posición

four-wheel drive ['fɔːwiːl'draɪv] *n Téc* tracción a cuatro ruedas; *(vehículo)* todoterreno

fowl [faʊl] *n* ave de corral

fox [fɒks] I *n Zool* zorro,-a; **fox cub,** cachorro de zorro

II *vtr* 1 dejar perplejo,-a 2 engañar

foyer ['fɔɪeɪ] *n* vestíbulo

fraction ['frækʃən] *n* 1 *Mat* fracción 2 una parte muy pequeña

fracture ['fræktʃər] I *n* fractura

II *vtr* fracturar

III *vi* fracturarse

fragile ['frædʒɪl] *adj* frágil, delicado,-a

fragment ['frægmənt] *n* fragmento

fragrance ['freɪgrəns] *n* fragancia, perfume

fragrant ['freɪgrənt] *adj* fragante, aromático,-a

frail [freɪl] *adj* frágil, delicado,-a

frame [freɪm] I *n* 1 estructura; *(de bicicleta)* cuadro; *(de cuadro, puerta, ventana)* marco; *(de edificio, máquina)* armazón; *(de gafas)* montura 2 *(de una persona)* constitución

II *vtr* 1 *(un cuadro)* enmarcar 2 *(una ley, declaración)* formular

framework ['freɪmwɜːk] *n* 1 *Téc* armazón 2 *(normas, etc)* estructura, marco

franc [fræŋk] *n* franco

France [frɑːns] *n* Francia

franchise ['fræntʃaɪz] *n* 1 *Pol* derecho al voto, sufragio 2 *Com* franquicia

frank [fræŋk] I *adj* franco,-a

II *vtr (correos)* franquear

frantic ['fræntɪk] *adj* 1 *(persona)* desesperado,-a 2 *(día, actividad)* frenético,-a

fraternal [frə'tɜːnəl] *adj* fraterno,-a

fraternity [frə'tɜːnɪtɪ] *n* fraternidad

fraud [frɔːd] *n* fraude

fraught [frɔːt] *adj* 1 cargado,-a 2 *(ambiente, persona)* nervioso,-a

fray [freɪ] *vi* 1 *(tela, cuerda)* deshilacharse 2 *(nervios)* crisparse

freak [friːk] I *n* monstruo

II *adj* insólito,-a

freckle ['frekəl] *n* peca

free [friː] I *adj* 1 libre 2 gratis, gratuito,-a

II *adv* 1 sin pagar 2 libre

III *vtr* 1 *(a un preso, rehén)* dejar o poner en libertad 2 **to free sb of sthg,** liberar a alguien de algo 3 *(a alguien o algo que está atrapado)* soltar

freedom ['friːdəm] *n* libertad

freelance ['friːlɑːns] *adj* independiente

free market *n* mercado libre

free speech *n* libertad de expresión

free-style ['friːstaɪl] *n Natación* estilo libre

free thinker *n* librepensador

free throw *n Dep (baloncesto)* tiro libre

freeway ['friːweɪ] *n* autopista

freeze [friːz] I *vtr (ps froze; pp frozen)* 1 *(líquido)* helar 2 *(comida, precios, sueldos)* congelar

II *n Meteor* helada

III *vi* helarse, congelarse

freezer ['friːzər] *n* congelador

freezing ['friːzɪŋ] I *adj (temperaturas)* bajo cero; glacial

II *n* congelación

freezing point *n* punto de congelación

freight [freɪt] *n* 1 *(medio)* transporte 2 carga, mercancías 3 *(precio)* flete

freight train *n* tren de mercancías

French [frentʃ] I *adj* francés,-esa

II *n* 1 *(idioma)* francés 2 *pl* **the French,** los franceses

French bean *n* judía (verde)

French bread *n* baguette

French door/window *n* puerta acristalada

French fries *n* papas fritas

Frenchman ['frentʃmən] *n* francés

Frenchwoman ['frentʃwʊmən] *n* francesa

frenetic [frɪ'nedɪk] *adj* frenético,-a

frenzied ['frenzid] *adj* frenético,-a

frenzy ['frenzi] *n* frenesí

frequency ['friːkwənsi] *n* frecuencia

frequent ['friːkwənt] I *adj* frecuente, habitual

II [frɪ'kwənt] *vtr* frecuentar

frequently [frɪ'kwəntli] *adv* frecuentemente

fresh [freʃ] I *adj* 1 nuevo, reciente 2 *(comida: no congelado)* fresco,-a; **fresh bread,** pan del día 2 *(ropa, etc)* limpio,-a 3 *(temperatura, aire)* fresco,-a

II *adv* → **freshly**

freshly ['freʃli] *adv* recién, recientemente; **freshly made,** recién hecho

freshness ['freʃnɪs] *n* frescura

freshwater ['freʃwɔːdər] *adj (pez, etc)* de agua dulce

friar ['fraɪər] *n* fraile

friction ['frɪkʃən] *n* fricción

Friday ['fraɪdeɪ] *n* viernes; **Good Friday,** Viernes Santo

fridge [frɪdʒ] *n fam* nevera, frigorífico

friend [frend] *n* amigo,-a

friendly ['frenli] *adj (friendlier, friendliest)* 1 *(persona)* amable, simpático,-a 2 *(sitio, ambiente)* acogedor,-ora 3 *Dep (partido)* amistoso

friendship ['frendʃɪp] *n* amistad

frigate ['frɪgɪt] *n* fragata

fright [fraɪt] *n* 1 *(sorpresa)* susto; *(terror)* miedo

frighten ['fraɪtn] *vtr* asustar

■ **frighten away/off** *vtr* ahuyentar

frightened ['fraɪtnd] *adj* asustado,-a

frightening ['fraɪtnɪŋ] *adj* espantoso,-a

frightful ['fraɪtfəl] *adj* aterrador,-ora, espantoso,-a

frigid ['frɪdʒɪd] *adj* frígido,-a

frill [frɪl] *n* volante

fringe [frɪndʒ] n borde, margen, contorno

Frisbee n *(Marca registrada)* frisbee, juguete en forma disco volador hecho de plástico

frisk [frɪsk] vtr registrar, cachear

frisky ['frɪskɪ] adj *(friskier, friskiest)* 1 *(animales, niños)* juguetón,-a 2 *(persona mayor)* activo,-a

fritter ['frɪtər] n Culin ≈ buñuelo

frivolity [frɪ'vɒlɪʤɪ] n frivolidad

frivolous ['frɪvələs] adj frívolo,-a

frizzy ['frɪzɪ] adj *(frizzier, frizziest)* crespo,-a

frock [frɒk] n vestido

frog [frɒg] n Zool rana

frogman ['frɒgmæn] n hombre rana, buceador

from [frɒm] prep 1 de: **he is from Mars**, es de Marte; *(remitente)* de; **a letter from my aunt**, una carta de mi tía 2 quitar, sacar; **to take candies from a child**, quitarle caramelos a un niño 3 *(posición)* de, desde: **I can see it from my house**, lo veo desde mi casa 4 *(distancia)* de; **600 km from the coast**, a 600 km de la costa; *(tiempo)* de, desde; **from Monday to Friday**, de lunes a viernes 5 *(tiempo)* después; **twenty years from now**, dentro de veinte años; *(tiempo)* a partir de; **from now on**, a partir de ahora 6 *(resultado)* por: **my eyes hurt from the smoke**, me pican los ojos por el humo

front [frʌnt] I n 1 parte delantera 2 apariencias 3 *Meteor Mil Pol* frente 4 tapadera; **a front for drugs**, una tapadera para la droga II adj 1 delantero,-a, anterior

front door n puerta de la calle

frontier ['frʌntɪər] n frontera

front man n testaferro

front runner n favorito -a, probable ganador

front seat n asiento delantero

frost [frɒst] n 1 escarcha 2 helada

■ **frost over/up** vi cubrirse de escarcha

frostbite ['frɒstbaɪt] n Med congelación

frosted ['frɒstɪd] adj 1 frosted glass, cristal esmerilado,-a 2 Culin glaseado,-a

frosty ['frɒstɪ] adj *(frostier, frostiest)* 1 de helada 2 *(mirada, etc)* glacial

froth [frɒθ] n espuma

frothy ['frɒθɪ] adj *(frothier, frothiest)* espumoso,-a

frown [fraʊn] I n ceño

II vi fruncir el ceño

■ **frown on** vtr desaprobar

froze [frəʊz] ps → **freeze**

frozen ['frəʊzən] adj *(líquido, pies, etc)* helado,-a; *(alimentos)* congelado,-a

fruit [fruːt] n 1 fruta 2 Bot fruto; *fig* **the fruit of our work**, el fruto de nuestro trabajo

fruitful ['fruːtfʊl] adj *fig* provechoso,-a

fruition [fruː'ɪʃən] n *frml* realización

fruitless ['fruːtlɪs] adj vano,-a, infructuoso,-a

fruit salad n macedonia de frutas

frustrate [frʌ'streɪt] vtr frustrar

frustrated [frʌ'streɪdɪd] adj frustrado,-a

frustration [frʌ'streɪʃən] n trustración

fry [fraɪ] I vtr *(ps & pp fried)* freír

II vi freírse

frying pan ['fraɪɪŋpæn] n sartén

fuck [fʌk] I vtr & vi *vulgar ofens* joder, follar

II n *vulgar ofens* polvo

fudge [fʌʤ] I n Culin dulce de azúcar y mantequilla

fuel ['fjʊəl] n combustible

fugitive ['fjuːʤɪtɪv] n fugitivo,-a

fulfill [fʊl'fɪl] vtr 1 *(una ambición, un sueño)* realizar 2 *(una condición)* satisfacer 3 *(un compromiso)* cumplir 4 *(un papel)* desempeñar

full [fʊl] adj 1 lleno,-a [of, de]: **I'm full**, no puedo comer más 2 completo, total 3 *(descripción)* detallado,-a 4 *(texto)* íntegro,-a 5 *(día)* apretado,-a

II adv de lleno 2 in full, en su totalidad

full-length [fʊl'leŋθ] adj *(espejo, retrato)* de cuerpo entero; *(vestido, falda)* largo,-a

full-scale ['fʊlskeɪl] adj 1 *(maqueta, dibujo)* de tamaño natural 2 *(ataque, guerra)* a gran escala, generalizado,-a 3 *(investigación)* exhaustivo, -a

full stop n punto

full-time ['fʊltaɪm] I adv a tiempo/jornada completo,-a

II adj de jornada completa

fully ['fʊlɪ] adv completamente, totalmente

fumble ['fʌmbəl] vi hurgar

fume [fjuːm] I npl humos, gases

II vi fig *(estar furioso)* echar humo

fun [fʌn] I n 1 diversión; **to have fun**, divertirse; **to make fun of**, reírse de, burlarse de; **in fun**, en broma; **(just) for fun**, (solo) para divertirse; **what fun!**, ¡qué divertido! 2 alegría

II adj divertido,-a

function ['fʌŋkʃən] I n función

II vi funcionar

functional ['fʌŋkʃənəl] adj funcional

fund [fʌnd] I n 1 Com fondo 2 funds pl, fondos

II vtr pagar, patrocinar

fundamental [fʌndə'mentəl] I adj fundamental

II fundamentals pl, los fundamentos

funeral ['fjuːnrəl] I n funeral, entierro

II adj funerario,-a

fungus ['fʌŋgəs] n *(pl fungi* ['fʌŋgaɪ])* Bot Med hongo

funnel ['fʌnəl] n 1 *(para líquidos)* embudo 2 Náut chimenea

funnily ['fʌnɪlɪ] adv *fam* **funnily enough**, *(de modo extraño)* casualmente, curiosamente

funny ['fʌnɪ] adj *(funnier, funniest)* 1 raro,-a, curioso,-a 2 divertido,-a, gracioso,-a 3 US pl **the funnies**, tiras cómicas, historietas

fur [fər] **I** n **1** (de animal vivo) pelo **2** (de animal muerto) piel **3 fun fur,** piel sintética
II adj de piel

fur coat n abrigo de piel

furious ['fjərɪəs] adj furioso,-a

furnace ['fərnɪs] n Ind horno

furnish ['fərnɪʃ] vtr **1** (una casa) amueblar **2** frml suministrar, facilitar

furnishings ['fərnɪʃɪŋz] npl muebles, mobiliario, accesorios

furniture ['fərnɪtʃər] n muebles; **a piece of furniture,** un mueble

furrow ['fərou] n Agr surco; (en la cara) arruga

furry ['fəriː] adj (furrier, furriest) (animal, etc) peludo,-a; (juguete) de peluche

further ['fərðər] → **far I** adv **1** más lejos: **let's go further,** vayamos más lejos; **2** más: **I know nothing further,** no sé nada más
II adj **1** más lejos **2** otro,-a, adicional
III vtr promover

furthermore ['fərðərmɔːr] adv frml además

furthest ['fərðɪst] adj más lejano,-a → **far**

furtive ['fərtɪv] adj furtivo,-a

fury ['fjʊri] n furia, furor

fuse [fjuːz] **I** n **1** Elec fusible, plomo **2** (de bomba, fuego artificial) mecha
II vi fig fusionarse

fuselage ['fjuːzɪlɑːʒ] n fuselaje

fusion ['fjuːʒən] n fusión

fuss [fʌs] **I** n **1** alboroto, escándalo, jaleo; **to make a fuss,** armar un escándalo **2** protesta, queja
II vi preocuparse
■ **fuss over** vtr mimar con exceso a alguien o preocuparse obsesivamente por algo

fussy ['fʌsi] adj (fussier, fussiest) exigente; (en exceso) quisquilloso,-a

futile ['fjuːdɪl] adj inútil, vano,-a

futility [fjuː'tɪlɪdɪ] n inutilidad

future ['fjuːtʃər] **I** n **1** futuro, porvenir
II adj futuro,-a, venidero,-a

futuristic [fjuːtʃə'rɪstɪk] adj futurista

fuzzy ['fʌzi] adj (fuzzier, fuzziest) **1** (pelo) muy rizado,-a **2** (poco claro) borroso,-a, confuso,-a

fwy n (abr de freeway) autopista

FYI n (abr de for your information)

G

G, g [dʒiː] n **1** (letra) G, g **2** Mús G, sol **3** abr de gram(s), gramme(s) g.

GA (abr de Georgia) abreviatura, estado de Georgia

gadget ['gædʒɪt] n artilugio, chisme

Gaelic ['geɪlɪk] **I** adj gaélico,-a
II n (idioma) gaélico

gag [gæg] **I** n **1** mordaza **2** fam chiste, gag
II vtr amordazar

gaily ['geɪli] adv alegremente

gain [geɪn] **I** n **1** ganancia, beneficio **2** (de valor) aumento **3** (en una elección, etc) triunfo
II vtr **1** conseguir; **2** ganar: **to gain weight,** ganar peso
III vi **1** beneficiarse [**from,** con] **2** (reloj) adelantarse

gait [geɪt] n manera de andar

gal (pl **gal** o **gals**) (abr de gallon) galón (4,55 litros, US 3,79 litros)

galaxy ['gæləksi] n galaxia

gale [geɪl] n vendaval, temporal

gall [gɔːl] **I** n fam descaro
II vtr molestar, irritar

gallant ['gælənt] adj **1** valiente, gallardo,-a **2** ([gə'lænt]) galante, cortés

galleon ['gæliən] n galeón

gallery ['gæləri] n **1** galería **2** (de arte) museo, galería **3** Teat galería, gallinero

galley ['gæli] n **1** Náut galera **2** (en barco o avión) cocina

gallon ['gælən] n galón (4,55 litros; US 3,79 litros)

gallop ['gæləp] **I** n galope
II vi galopar

gallows ['gælouz] npl horca

gambit ['gæmbɪt] n Ajedrez gambito

gamble ['gæmbəl] **I** vi **1** (apostar) jugar **2** correr el riesgo **3** Fin especular
II vtr (apostar) jugarse
III n apuesta

gambler ['gæmblər] n jugador,-ora

gambling ['gæmblɪŋ] n juego

game [geɪm] **I** n **1** juego **2** (de fútbol, etc) partido: Naipes partida **3 games** pl; **Olympic Games,** Juegos Olímpico **4** (animales, pájaros) caza

gamekeeper ['geɪmkiːpər] n guardabosque(s)

gang [gæŋ] n **1** (de criminales) banda **2** (de niños, jóvenes) pandilla **3** (de obreros) cuadrilla

gangster ['gæŋstər] n gángster

gangsterism ['gæŋstərɪzəm] n bandidaje, mafia

gangway ['gæŋweɪ] n Náut pasarela; Teat pasillo

gap [gæp] n **1** espacio, hueco; (en un texto) espacio en blanco **2** (en el tiempo) intervalo **3** (en los conocimientos) laguna **4** (diferencia) distancia, brecha

gape [geɪp] vi **1** (una persona) mirar boquiabierto,-a **2** (una puerta, un abismo) abrirse de par en par

gaping ['geɪpɪŋ] adj (hueco) enorme

garage ['gærɑːdʒ] n **1** garaje **2** taller mecánico **3** gasolinera

garbage ['gɑːbɪdʒ] n **1** basura **2** fig tonterías

garden ['gɑːdən] n jardín

gardener ['gɑːdnər] n (persona) jardinero,-a

gardening ['gɑːdnɪŋ] n jardinería

gargle ['gɑːrgəl] vi hacer gárgaras

gargoyle ['gɑːrgɔɪl] n gárgola

garish ['gɛrɪʃ] *adj (color, etc)* chillón,-ona

garland ['gɑrlənd] *n* guirnalda

garlic ['gɑrlɪk] *n* ajo

garment ['gɑrmənt] *n (ropa)* prenda

garnish ['gɑrnɪʃ] **I** *vtr* adornar; *Culin* aderezar

II *n Culin* guarnición

garrison ['gærɪsən] *n Mil* guarnición

garrulous ['gærjələs] *adj* locuaz, charlatán,-ana

gas [gæs] **I** *n* **1** gas **2** *US* gasolina

II *vtr* asfixiar con gas

gash [gæʃ] **I** *n* herida profunda

II *vtr* hacer un corte (profundo) en

gasoline ['gæsəliːn] *n* gasolina

gasp [gæsp] **I** *n (de asombro)* grito sofocado

II *vi* **1** *(de asombro)* quedar boquiabierto,-a **2** *(respirar con dificultad)* jadear

gas station *n* gasolinera

gassy ['gæsɪ] *adj (gassier, gassiest)* gaseoso,-a

gastric ['gæstrɪk] *adj* gástrico,-a

gastronomic [gæstrə'nɑmɪk] *adj* gastronómico,-a

gate [geɪt] *n* puerta

gatecrasher [geɪt'kræʃər] *n* gorrón, persona que se cuela en una fiesta

gateway ['geɪtweɪ] *n* puerta, entrada

gather ['gæðər] **I** *vtr* **1** *(un grupo de gente o de cosas)* reunir, juntar **2** *Agr* cosechar; *(flores, leña)* coger; *(información, fruta)* recoger **3** *(velocidad)* ganar **4** *Cost* fruncir

II *n (personas)* reunirse

■ **gather round** *vi* agruparse

gathering ['gæðərɪŋ] **I** *adj* creciente

II *n* reunión

gaudy ['gɔːdɪ] *adj (gaudier, gaudiest) (color)* chillón,-ona

gauge [geɪdʒ] **I** *n* **1** medida estándar; *Ferroc* ancho **2** indicador; **fuel gauge,** indicador de la gasolina

II *vtr* **1** medir, calibrar **2** *fig* estimar, juzgar

gaunt [gɔːnt] *adj (muy delgado, muy cansado)* demacrado,-a

gauze [gɔːz] *n* gasa

gave [geɪv] *ps →* **give**

gay [geɪ] *adj* **1** *(homosexual)* gay **2** *en desuso* feliz, alegre

gaze [geɪz] **I** *n* mirada fija

II *vi* mirar fijamente

gazelle [gə'zel] *n* gacela

gazette [gə'zet] *n* gaceta; *US* periódico

GB *(abr de Great Britain)* Gran Bretaña

GCE *(abr de General Certificate of Education (A-Level)* ≈ COU

GCSE *(abr de General Certificate of Secondary Education)* ≈ BUP

gear [gɪər] *n* **1** *Téc* engranaje; **gear (wheel),** rueda dentada **2** *Auto* velocidad, marcha **3** *(para deportes, trabajo, etc)* equipo, herramientas **4** *fam* ropa

II *vtr (acoplar)* adaptar

gearbox ['gɪərbɑks] *n* caja de cambios

gearshift ['gɪərʃɪft] *n* palanca de cambio

GED *n (abr de General Educational Development)* diploma de estudios secundarios obtenible mediante exámenes extraescolares

geese [giːs] *npl →* **goose**

geezer [gizər] *n pey, ofens* hombre viejo, vejete

geisha ['geɪʃə] *n* geisha, mujer japonesa entrenada en música y danza para entretener a los hombres

gel [dʒel] **I** *n* gel; **hair gel,** gomina

II *vtr (pelo)* engominar

gelatin ['dʒelətɪn] *n* gelatina

gem [dʒem] *n* **1** gema, piedra preciosa **2** *fig (persona)* tesoro

Gemini ['dʒemɪnaɪ] *n Astrol* Géminis

gender ['dʒendər] *n* género

gene [dʒiːn] *n* gen

general ['dʒenrəl] *adj & n* general

generalization [dʒenrəlɪ'zeɪʃən] *n* generalización

generalize ['dʒenrəlaɪz] *vtr & vi* generalizar

general knowledge *n* cultura general

general practitioner *n (abr G P)* médico de cabecera

generate ['dʒenəreɪt] *vtr* generar

generation [dʒenə'reɪʃən] *n* generación

Generation X *n* Generación X, generación de los que nacieron entre 1960 y 1980

generator ['dʒenəreɪdər] *n* generador

generosity [dʒenərɑsɪdɪ] *n* generosidad

generous ['dʒenərəs] *adj (persona)* generoso,-a

genetic [dʒɪ'nedɪk] *adj* genético,-a

genetics [dʒɪ'nedɪks] *n* genética

genial ['dʒiːniəl] *adj* cordial, simpático,-a

genitals ['dʒenɪdəlz] *npl* genitales

genius ['dʒiːniəs] *n* genio

genocide ['dʒenəsaɪd] *n* genocidio

genre ['ʒɑːnrə] *n* género

gent [dʒent] *n (abr de gentleman) fam* señor, caballero

gentle ['dʒentəl] *adj* **1** *(persona)* dulce, tierno,-a **2** *(temperatura, brisa)* suave

gentleman ['dʒentəlmən] *n* caballero

gently ['dʒentli] con cuidado, suavemente

gentry ['dʒentri] *n* pequeña nobleza, alta burguesía

genuine ['dʒenjuɪn] *adj* auténtico,-a, genuino,-a

genuinely ['dʒenjuɪnli] *adv* auténticamente, sinceramente

geographic(al) [dʒiə'græfɪk(əl)] *adj* geográfico,-a

geography [dʒɪ'ɑːgrəfiː] *n* geografía

geologic(al) [dʒiə'lɑdʒɪk(əl)] *adj* geológico,-a

geology [dʒɪ'ɑlədʒɪ] *n* geología

geometric(al) [dʒɪə'mɛtrɪk(əl)] *adj* geométrico,-a

geometry [dʒɪ'amɪtrɪ] *n* geometría

geranium [dʒə'reɪnɪəm] *n Bot* geranio

geriatric [dʒɛri'ætrɪk] *adj* geriátrico,-a

germ [dʒɜrm] *n* 1 *Biol & fig* germen

German ['dʒɜrmən] **I** *n* 1 *(persona)* alemán,-ana 2 *(idioma)* alemán

II *adj* alemán,-ana

Germany ['dʒɜrmənɪ] *n* Alemania

germinate [dʒɜ'mɪneɪt] *vi* germinar

gestation [dʒɛ'steɪʃən] *n* gestación

gesticulate [dʒɛ'stɪkjəleɪt] *vi* gesticular

gesture ['dʒɛstʃər] **I** *n* gesto

II *vi* gesticular, hacer gestos

get [gɛt] **I** *vtr* (*ps & pp got, pp tb gotten*) 1 obtener, conseguir 2 buscar 3 tener 4 recibir: **did you get my letter?**, ¿recibiste mi carta? 5 ganar: **she gets $100,000 a year**, gana 100.000 dólares al año 6 *(enfermedad)* coger; **to get the flu**, coger la gripe 7 *(transporte)* coger: **get a taxi**, coge un taxi; *(persona)* coger, pillar 8 *(con pp)* **to get one's hair cut**, cortarse el pelo 9 *fam* entender: **I don't get it**, no lo entiendo

II *vi* 1 *(con matiz reflexivo)* **to get angry**, enfadarse; **to get cold**, enfriarse; **to get dressed**, vestirse; **to get drunk**, emborracharse, **to get married**, casarse; **to get used to**, acostumbrarse a 2 *(en voz pasiva)* ser; **to get fired**, ser despedido 3 llegar

■ **get across** *vtr* 1 *(una idea)* comunicar 2 *(un río, puente, obstáculo)* atravesar, cruzar

■ **get ahead of** *vtr* adelantarse, sobrepasar

■ **get along** *vi* 1 arreglárselas 2 progresar, mejorar 3 *(salir)* irse 4 *(dos o mas personas)* llevarse bien **[with, con]**

■ **get around** *vtr* 1 evitar, sortear 2 convencer, persuadir

■ **get at** *vtr* 1 alcanzar 2 insinuar

■ **get away** *vi* 1 *(salir)* irse 2 escaparse

■ **get away with** *vtr* salir impune: **she won't get away with it**, no se saldrá con la suya; **he got away with murder**, el asesinato que cometió quedó impune

■ **get by** *vi* 1 arreglárselas 2 lograr pasar

■ **get by on (with)** *vtr* sobrevivir

■ **get down** *vi* bajar **[from, de]**

II *vtr* bajar 1 *(notas)* apuntar 2 deprimir

get in *vi* entrar, llegar

■ **get into** *vtr* 1 llegar a 2 *(un vehículo)* subir a 3 meterse en; **to get into politics**, meterse en política

■ **get off** *vi* 1 *(de un vehículo)* apearse, bajar 2 salir, irse 3 *(de un castigo, una tarea)* librarse

II *vtr* 1 *(un vehículo, caballo, etc)* bajar de 2 *(ropa)* quitarse 3 *(una mancha)* quitar

■ **get on** *vi* *(a bordo)* subir

■ **get out** *vi* salir

■ **get over** *vtr* 1 *(un obstáculo)* vencer, superar 2 *(una enfermedad)* recuperarse de, superar

■ **get through** *vtr* 1 *(un examen)* aprobar 2 *(una mala experiencia)* pasar 3 acabar, terminar 4 *(una idea)* comunicar

II *vi* hacerse comprender

■ **get together I** *vi* reunirse

II *vtr* reunir

■ **get up** *vi* 1 *(de la cama, de una silla, etc)* levantarse; *(viento)* levantarse

II *vtr* 1 levantar, despertar 2 subirse a

getaway ['gɛdəweɪ] *n* huida; **to make one's getaway**, huir

gettogether ['gɛttəgɛðər] *n* reunión

gherkin ['gɜrkɪn] *n* pepinillo

ghetto ['gɛdou] *n* gueto

ghost [goʊst] *n* fantasma

ghost town *n* ciudad fantasma

GI *n* *(abr de Government Issue)* soldado del ejército de los Estados Unidos

giant ['dʒaɪənt] *adj & n* gigante

gibberish ['dʒɪbərɪʃ] *n* galimatías, sandeces

gibbon ['gɪbən] *n Zool* gibón

gibe [dʒaɪb] **I** *n* pulla

II *vi* burlarse **[at, de]**

giddy ['gɪdɪ] *adj (giddier, giddiest)* mareado,-a

gift [gɪft] *n* 1 regalo 2 don

gifted ['gɪftɪd] *adj* dotado,-a

gift wrap ['gɪftræp] *vtr* envolver para regalo

gig [gɪg] *n Mús* actuación

gigantic [dʒaɪ'gæntɪk] *adj* gigantesco,-a

giggle ['gɪgəl] **I** *n* risita tonta

II *vi* reírse tontamente

gild [gɪld] *vtr* dorar

gilded ['gɪldɪd] *adj* dorado,-a

gill [gɪl] *n* *(de un pez)* agalla, branquia

gilt [gɪlt] **I** *adj* dorado,-a

II *n* *(color)* dorado

gin [dʒɪn] *n* ginebra

ginger ['dʒɪndʒər] *n* jengibre

gipsy ['dʒɪpsɪ] *adj & n* gitano,-a

giraffe [dʒə'ræːf] *n Bot* jirafa

girl [gɜrl] *n* niña, chica, joven

girlfriend ['gɜrlfrɛnd] *n* 1 *(compañera sentimental)* novia 2 *(de mujer)* amiga

gist [dʒɪst] *n* lo esencial

give [gɪv] **I** *vtr* (*ps gave; pp given*) 1 dar 2 regalar 3 donar: **to give blood**, donar sangre 4 dejar: **give me your pen**, déjame tu boli 5 pagar: **I'll give you $5 for those shoes**, te doy 5 dólares por esos zapatos 6 *(un susto)* pegar 7 **to give way**, *(en una argumentación)* ceder

■ **give away** *vtr* 1 regalar, obsequiar 2 *(un secreto)* revelar; *(a una persona)* delatar, traicionar

■ **give back** *vtr* devolver

■ **give in I** *vi* 1 ceder **[to, ante]**, darse por vencido,-a 2 sucumbir **[to, a]**

II *vtr* entregar

■ **give off** *vtr (humo, luz, olor)* emitir, despedir

■ **give out I** *vtr* 1 *(repartir)* distribuir 2 anunciar

II *vi* agotarse, acabarse, fallar

■ **give up I** *vtr* 1 dejar; **to give up drinking**, dejar de beber 2 *(un puesto, etc)* ceder

II *vi* 1 *(ante un reto)* darse por vencido,-a 2 *(a las autoridades)* entregarse, rendirse

given ['gɪvən] *adj (específico)* determinado,-a; **on any given day**, en un día determinado

given name ['gɪvənneɪm] *n* nombre de pila

gizmo ['gɪzmoʊ] *n* artilugio, chisme

glacial ['gleɪʃəl] *adj* glacial

glacier ['gleɪʃər] *n* glaciar

glad [glæd] *adj (gladder, gladdest)* contento,-a, alegre

gladly ['glædli] *adv* con mucho gusto

glamor ['glæmər] *n n* glamour

glamorous ['glæmərəs] *adj* atractivo,-a

glance [glæns] **I** *n* mirada, vistazo: **at first glance**, a primera vista

II *vi* mirar, ojear **[at, -]**

gland [glænd] *n* glándula

glandular ['glændjələr] *adj* glandular

glare [gleɪr] **I** *n* 1 mirada feroz *o* llena de odio 2 luz deslumbrante, resplandor

II *vi* 1 mirar enfurecido,-a **[at, a]** 2 deslumbrar

glass [glæs] **I** *n* 1 vidrio, cristal; *(en lámina, de ventana, etc)* **pane of glass**, cristal 2 *(para agua, cerveza)* vaso; *(para vino)* copa 3 **glasses** *pl*, gafas

II *adj* de cristal

glasshouse ['glæshaʊs] *n* invernadero

glassware ['glæswer] *n* cristalería

glassy ['glæsi] *adj (glassier, glassiest)* 1 *(agua)* cristalino,-a 2 *(mirada, ojos)* vidrioso,-a

glaze [gleɪz] *vtr* 1 *(una cerámica)* vidriar 2 *Culin* glasear

glazed [gleɪzd] *adj (mirada, ojos)* vidrioso,-a

gleam [gliːm] **I** *n* 1 reflejo, brillo, destello 2 *(en el ojo)* chispa

II *vi* brillar, relucir

glee [gliː] *n* regocijo

gleeful ['gliːfəl] *adj* alegre

glen [glen] *n* cañada

glide [glaɪd] *vi* 1 *(por una superficie)* deslizarse 2 *Av* planear

glider ['glaɪdər] *n* planeador

gliding ['glaɪdɪŋ] *n* vuelo sin motor

glimmer ['glɪmər] *n* luz trémula

glimpse [glɪmps] **I** *n* vislumbre

II *vtr* vislumbrar

glisten ['glɪsən] *vi* brillar

glitter ['glɪdər] **I** *n* brillo

II *vi* relucir

gloat [gloʊt] *vi* relamerse, regodearse

global ['gloʊbəl] *adj* 1 mundial 2 global

globe [gloʊb] *n* globo, esfera

gloom [gluːm] *n* 1 penumbra 2 melancolía, tristeza

gloomy ['gluːmi] *adj (gloomier, gloomiest)* 1 oscuro, a, sombrío,-a, *(un día)* gris 2 *(deprimente)* pesimista, triste

glorify ['glɔːrɪfaɪ] *vtr* glorificar

glorious ['glɔːriəs] *adj* 1 glorioso,-a 2 *(día, vista, etc)* magnífico,-a, espléndido,-a

glory ['glɔːri] *n* 1 fama, gloria 2 belleza, esplendor

gloss [glɑs] *n* brillo, lustre

glossary ['glɑsəri] *n* glosario

glossy ['glɑsi] *adj (glossier, glossiest)* Fot brillante

glove [glʌv] *n* guante

glow [gloʊ] **I** *n (de luz)* brillo, resplandor

II *vi* 1 *(sol, joya, etc)* brillar, resplandecer

glower ['gloʊər] *vi* mirar con el ceño fruncido

glue [gluː] **I** *n* pegamento, cola

II *vtr* pegar **[to, a]**, encolar

glum [glʌm] *adj (glummer, glummest)* abatido,-a, desanimado,-a

glutton ['glʌtən] *n* glotón,-ona

gnarled [nɑrld] *adj* nudoso,-a, torcido,-a

gnat [næt] *n* mosquito

gnaw [nɔː] *vtr & vi* roer

gnome [noʊm] *n* gnomo

GNP *(abr de Gross National Product)* producto nacional bruto, PNB

go [goʊ] **I** *n* 1 *Fam* energía, dinamismo 2 intento: **can I have a go?**, ¿puedo probar? *o* ¿me dejas que lo intente?

II *vi (3.ª persona sing pres* **goes;** *ps* **went;** *pp* **gone)** 1 ir 2 viajar: **she has gone to Paris**, se ha ido a París 3 irse, salir: **let's go!**, ¡vamos! 4 ir a hacer algo 5 caber: **my car won't go in that space**, mi coche no cabe en ese espacio 6 pasar: **those days have gone**, estos días han pasado 10 quedar: **there is a week to go**, queda una semana 7 quedarse, volverse; **to go blind/deaf**, quedarse ciego/sordo; **to go mad**, enloquecer

III *v aux (solo en forma –ing) (predicción)* **it's going to rain**, va a llover

■ **go about** 1 *vi (un rumor)* correr, circular

II *vtr* 1 *(una tarea)* emprender 2 ocuparse de

■ **go across** *vtr* cruzar

■ **go after** *vtr* 1 *(ir tras)* perseguir 2 intentar conseguir

■ **go ahead** *vi* 1 ir delante 2 seguir, continuar

■ **go along I** *vi* proceder

II *vtr (una calle, un río)* pasar por

■ **go along with** *vtr* estar de acuerdo con

■ **go around** *vi* 1 → **go about** 1 2 ser suficiente

■ **go away** *vi* marcharse: **go away!**, ¡lárgate!

■ **go back** *vi* 1 volver, regresar 2 datar de

■ **go by I** *vi* pasar

II *vtr* pasar por/cerca de

■ **go down** *vi* 1 bajar 2 *(un neumático)* desinflarse 3 *(un barco, una empresa)* hundirse

II *vtr* bajar
■ **go down with** *vtr (una enfermedad)* coger
■ **go in** *vi* entrar, caber
■ **go into** *vtr* 1 entrar en 2 *(recursos)* invertir en 3 investigar
■ **go off** *vi* 1 marcharse 2 *(una bomba)* explotar 3 *(una alarma)* sonar
■ **go on I** *vi* 1 *(ocurrir)* pasar, suceder: **what's going on?**, ¿qué está pasando? 2 *(el tiempo)* pasar, transcurrir 3 *(una luz, máquina)* encenderse
■ **go out** *vi* 1 salir 2 *(una luz, un fuego)* apagarse 3 *TV Rad* transmitirse 4 pasar de moda
■ **go over** *vtr* cruzar
■ **go through** *vtr* pasar por
■ **go together** *vi* ir juntos, armonizar
■ **go up** *vi* 1 subir *(una persona a otra)* acercarse 3 *(un edificio)* construirse
■ **go with** *vtr* 1 acompañar, ir con 2 *(colores, ropa)* armonizar con
■ **go without** *vtr* pasarse sin, prescindir de
goad [ɡoud] *vtr* aguijonear
goal [ɡoul] *n* 1 *Dep* gol 2 meta, objetivo
goalkeeper [ɡoulkiːpər] *n* portero,-a
goat [ɡout] *n (hembra)* cabra; *(macho)* macho cabrío
gobble [ɡɒbəl] *vtr* engullir, tragarse
god [ɡɒd] *n* dios; **God**, Dios
godawful [ɡɒdɔːfəl] *adj* horrible, atroz, inconcebible
godchild [ɡɒdtʃaɪld] *n* ahijado,-a
goddaughter [ɡɒddɔːdər] *n* ahijada
goddess [ɡɒdɪs] *n* diosa: **she looks like a goddess,** parece una diosa
godfather [ɡɒdfɑːðər] *n* padrino
godless [ɡɒdlɪs] *adj* impío, ateo
godmother [ɡɒdmʌðər] *n* madrina
godparents [ɡɒdpeərənts] *npl* padrinos
godson [ɡɒdsʌn] *n* ahijado
goggles [ɡɒɡəlz] *npl* gafas (protectoras)
go-go [ɡougou] *adj* Mús gogó; **go-go dancer,** chico,-a gogó
going [ɡouɪŋ] **I** *adj* vigente, corriente
II *n* progreso, paso
goings-on [ɡouɪŋzˈɒn] *npl fam* tejemaneje
gold [ɡould] *n* oro
golden [ɡouldən] *adj* de oro; *(color)* dorado,-a
golden wedding *n* bodas de oro
goldfish [ɡouldfɪʃ] *n* pez de colores
gold medal [ɡouldmedəl] *n* primer lugar, ganador, medalla de oro
gold-plated [ɡouldpleɪtɪd] *adj* chapado,-a en oro
goldsmith [ɡouldsmɪθ] *n* orfebre
golf [ɡɒlf] *n Dep* golf
golfer [ɡɒlfər] *n* golfista
gone [ɡɒn] 1 *pp →* go 2 *adj* desaparecido,-a
good [ɡud] **I** *adj (better, best)* 1 bueno,-a 2 útil; **good advice,** un buen consejo 3 hábil: **she's good at drawing,** dibuja bien 4

amable: **that was good of you,** fue muy amable de tu parte 5 educado,-a; **to be good,** portarse bien 6 *(saludos)* **good afternoon, good evening,** buenas tardes; **good morning,** buenos días; **good night,** buenas noches 7 *excl* **good!,** ¡bien!; **good for you!,** ¡bien hecho!
II *n* 1 beneficio: **it will do you good,** te hará bien 2 utilidad: **this computer is no good,** esta computadora no sirve para nada 3 **for good,** para siempre 4 **goods** *pl*, mercancías
goodbye [ɡudˈbaɪ] **I** *excl* ¡adiós!
II *n* adiós, despedida
good-for-nothing [ɡudfərnʌθɪŋ] *adj & n* inútil
good-looking [ɡudˈlukɪŋ] *adj* guapo,-a
good-natured [ɡudˈneɪtʃərd] *adj* afable, bondadoso,-a
goodness [ɡudnɪs] *n* 1 bondad 2 **my goodness!,** ¡Dios mío!
good-tempered [ɡudˈtempərd] *adj* apacible, ecuánime
goodwill [ɡudˈwɪl] *n* buena voluntad
goofy [ɡuːfi] *adj* tonto -a, estúpido -a
goose [ɡuːs] *n* ganso, oca
goosebumps [ɡuːsbʌmps] *npl* carne/piel de gallina
gore [ɡɔːr] *n Cine, etc* sangre (espesa)
gorge [ɡɔːdʒ] **I** *n Geol* cañón, desfiladero
II *vtr & vi* **to gorge (oneself),** atiborrarse
gorgeous [ɡɔːdʒəs] *adj (día)* magnífico,-a, estupendo,-a
gorilla [ɡəˈrɪlə] *n* gorila
gory [ɡɔːri] *adj (gorier, goriest)* sangriento,-a
go-slow [ɡouˈslou] *n* huelga de celo
gospel [ɡɒspəl] *n* evangelio
gossip [ɡɒsɪp] **I** *n* 1 *(persona)* cotilla, chismoso,-a 2 *(rumor)* chismes, cotilleo
II *vi* cotillear, chismorrear
got [ɡɒt] *ps & pp →* get
gotcha [ɡɒtʃə] *(forma coluqial de I have got you)* te gané, te sorprendí, te pillé
Gothic [ɡɒθɪk] *adj* gótico,-a,-a
gotten [ɡɒtn] *pp →* get
gout [ɡaut] *n Med* gota
govern [ɡʌvərn] *vtr* 1 gobernar 2 *(una decisión)* guiar
governess [ɡʌvərnɪs] *n* institutriz, gobernanta
government [ɡʌvərmənt] *n* gobierno
governmental [ɡʌvərˈmentəl] *adj* gubernamental
governor [ɡʌvənər] *n (de un país, banco)* gobernador,-ora; *(de cárcel, castillo)* alcaide, director,-ora
gown [ɡaun] *n* vestido largo: *Jur Univ* toga; *(de un hospital, etc)* bata
GP *(abr de general practitioner)* médico de cabecera
grab [ɡræb] **I** *vtr* asir, agarrar

II *n* **1** agarre

grace [greɪs] *n* gracia

graceful ['greɪsfəl] *adj* **1** elegante, grácil **2** cortés

gracious ['greɪʃəs] I *adj* **1** (*estilo de vida*) elegante, lujoso,-a **2** cortés

II *excl* **good gracious (me)!**, ¡Dios mío!

grade [greɪd] I *n* **1** calidad **2** (*en una escala*) grado; (*de jerarquía*) categoría **3** *US Educ* clase

II *vtr* clasificar

gradient ['greɪdiənt] *n* cuesta, pendiente

gradual ['grædʒʊəl] *adj* gradual **graduate** ['grædʒʊɪt] I *n* **1** *Univ* licenciado,-a **2** *Educ* bachiller

II *vi* ['grædʒʊeɪt] **1** *Univ* licenciarse [**in,** en] **2** *Educ* = terminar los estudios de bachillerato **3** ascender

III *vtr* graduar

graduation [grædʒʊ'eɪʃən] *n* (ceremonia de) graduación

graffiti [grə'fi:di:] *n* grafiti

graft [græft] I *n* **1** *Bot Med* injerto **2** corrupción

II *vtr Bot Med* injertar [**into, on to,** en]

grain [greɪn] *n* **1** *Bot Agr* cereal **2** (*de arena, sal*) grano **3** (*de madera*) veta, veteado

gram [græm] *n* gramo

grammar ['græmər] *n Ling* gramática

grammar school *n* colegio/instituto de enseñanza secundaria (con examen de ingreso)

grammatical [grə'mædɪkəl] *adj* gramatical

Grammy ['grɑmi:] *n* nombre de un prestigioso premio que se da en los Estados Unidos a las personas que se destacan en la industria y arte musical

gramophone ['græməfoʊn] *n* gramófono

granary ['grænəri] *n* granero

grand [grænd] I *adj* **1** (*edificio, etc*) magnífico,-a, grandioso,-a **2** global **3** especial, grande

II *n* **1** piano de cola **2** *argot* mil dólares

grandchild ['græntʃaɪld] *n* nieto,-a

granddad ['grændæd] *n fam* abuelito

granddaughter ['grændɔ:dər] *n* nieta

grandeur ['grændʒər] *n* grandeza, esplendor

grandfather ['grænfɑ:ðər] *n* abuelo; **grandfather's clock**, reloj de pie

grandma ['græmɑ:] *n fam* abuelita

grandmother ['grænmʌðər] *n* abuela

grandpa ['grænpɑ:] *n fam* abuelito

grandparents ['grænpərənts] *npl* abuelos

grandson ['grænsʌn] *n* nieto

grandstand ['grænstænd] *n Dep* tribuna

granite ['grænɪt] *n* granito

granny ['græni] *n fam* abuelita

grant [grænt] I *vtr* **1** (*un derecho*) conceder, otorgar **2** admitir **3 I take it for granted that you will come,** doy por sentado que vendrás

II *n* **1** *Educ* beca **2** (*para un proyecto*) subvención

granulated ['grænjəleɪdɪd] *adj* granulado,-a

grape [greɪp] *n* uva

grapefruit ['greɪpfru:t] *n Bot* pomelo

grapevine ['greɪpvaɪn] *n Bot* parra **graph** [græf] I *n* gráfica

II *vtr Mat* dibujar una curva

graphic ['græfɪk] *adj* gráfico,-a

graphics ['græfɪks] *n Inform Arte* gráficos

grapple ['græpəl] *vi* (*con una persona*) forcejear; (*con un problema*) tratar de resolver

grasp [græsp] I *vtr* **1** (*asir*) agarrar **2** comprender

II *n* **1** agarrón, apretón **2** conocimientos, comprensión

grasping ['græspɪŋ] *adj* codicioso,-a

grass [græs] *n Bot* hierba; (*en un parque*) césped; *Agr* pasto

grasshopper ['græshɒpər] *n* saltamontes

grassland ['græslænd] *n* pradera, dehesa

grassy ['græsi] *adj* (*grassier, grassiest*) cubierto,-a de hierba

grate[1] [greɪt] I *vtr Culin* rallar; **grated cheese**, queso rallado

II *vi* rechinar

grate[2] [greɪt] *n* chimenea, hogar

grateful ['greɪtfəl] *adj* agradecido,-a

grater ['greɪdər] *n Culin* rallador

gratification [grædɪfɪ'keɪʃən] *n* gratificación

gratify ['grædɪfaɪ] *vtr* **1** complacer, gratificar **2** (*un capricho, etc*) satisfacer

grating[1] ['greɪdɪŋ] *n* rejilla, reja

grating[2] ['greɪdɪŋ] *adj* (*voz*) irritante, enojoso,-a

gratitude ['grædɪtu:d] *n* gratitud, agradecimiento

gratuitous [grə'tu:ɪtəs] *adj* gratuito,-a

gratuity [grə'tu:ɪdi] *n* propina

grave[1] [greɪv] *adj* (*mirada*) solemne; (*peligro, voz*) grave

grave[2] [greɪv] *n* sepultura, tumba

gravel ['grævəl] *n* grava, gravilla

gravestone ['greɪvstoʊn] *n* lápida

graveyard ['greɪvjɑrd] *n* cementerio, camposanto

gravity ['grævɪdi] *n* gravedad

gravy ['greɪvi] *n* salsa, jugo (de la carne asada)

gray [greɪ] *adj & n US* → **grey**

graze[1] [greɪz] I *vtr* (*herirse*) arañar, raspar

II *n* rasguño

graze[2] [greɪz] *vi Agr* pacer, pastar

grease [gri:s] I *n* **1** grasa **2** lubricante

II *vtr* engrasar

greasy ['gri:si] *adj* (*greasier, greasiest*) **1** grasiento,-a **2** graso,-a

great [greɪt] *adj* **1** grande **2** importante **3** (*emoción, calor, etc*) fuerte, intenso,-a **4** *fam* estupendo,-a, magnífico,-a

II *adv fam* fenomenal

great-aunt [greɪt'æːnt] *n* tía abuela

great-grandchild [greɪt'grænt∫aɪld] *n* bisnieto,-a

great-grandfather [greɪt'grænfɑːðər] *n* bisabuelo

great-grandmother [greɪt'grænmʌðər] *n* bisabuela

greatly ['greɪt'li] *adv* muy, mucho

greatness ['greɪtnɪs] *n* grandeza

great-uncle [greɪt'ʌŋkəl] *n* tío abuelo

Greece [griːs] *n* Grecia

greed [griːd], **greediness** ['griːdɪnɪs] *n* 1 *(por la comida)* glotonería, gula 2 *(por el dinero)* codicia, avaricia 3 *(por el poder)* avidez

Greek [griːk] **I** *adj* griego,-a

II *n* 1 *(persona)* griego,-a 2 *(idioma)* griego

green [griːn] **I** *n* 1 *(color)* verde 2 *(césped)* 3 verdura(s); *Pol* **the Greens**, los verdes

II *adj* 1 verde 2 *(sin experiencia)* novato,-a, ingenuo,-a

greenery ['griːnəri] *n* follaje

greengrocer ['griːngrousər] *n* 1 frutero,-a 2 **green's (shop)**, frutería

greenhouse ['griːnhaus] *n* invernadero

greenish ['griːnɪ∫] *adj* verdoso,-a

greet [griːt] *vtr* 1 *(a otra persona)* saludar, dar la bienvenida 2 *(reacción)* recibir, acoger

greeting ['griːdɪŋ] *n* 1 saludo, bienvenida 2 recibimiento

greeting card *n* tarjeta de felicitación

gregarious [grɪ'geːrɪəs] *adj* gregario,-a, sociable

grenade [grɪ'neɪd] *n Mil* granada

grew [gruː] *ps* → **grow**

grey [greɪ] **I** *adj* 1 *(color, cielo)* gris; *(pelo)* cano,-a

II *n (color)* gris

grey-haired ['greɪheːrd] *adj* canoso,-a

greyhound ['greɪhaund] *n* galgo

greyish ['greɪɪ∫] *adj* grisáceo,-a

grid [grɪd] *n* 1 reja 2 *Geog* cuadrícula 3 *(electricidad)* red de suministro

grid reference *n* coordenadas

grief [griːf] *n* dolor, pena

grievance ['griːvəns] *n* (motivo de) queja

grieve [griːv] **I** *vtr* dar pena a

II *vi* apenarse, afligirse

grill [grɪl] **I** *n* 1 grill, parrilla 2 *(plato)* parrillada

II *vtr Culin* asar a la parrilla

grill [grɪl] *n* reja, rejilla

grim [grɪm] *adj (grimmer, grimmest)* 1 *(persona, aire)* adusto,-a, severo,-a 2 *(perspectiva)* desalentador,-ora 3 *(sitio)* lúgubre, sombrío,-a; 4 *fam* mal, enfermo; **to feel grim**, encontrarse fatal

grimace [grɪ'mɑːs] **I** *n* mueca

II *vi* hacer una mueca

grime [graɪm] *n* mugre, suciedad

grimy ['graɪmi] *adj (grimier, grimiest)* mugriento,-a

grin [grɪn] **I** *vi* sonreír

II *n* sonrisa amplia

grind [graɪnd] **I** *vtr (ps & pp ground)* *(café, trigo)* moler; *(carne)* picar; *(un cuchillo)* afilar; *(los dientes)* hacer rechinar

II *vi* rechinar, chirriar

III *n* 1 *fam* trabajo pesado *o* aburrido

grinder ['graɪndər] *n* **coffee grinder**, molinillo de café

grip [grɪp] **I** *n* 1 *(asimiento)* apretón 2 *(de un neumático)* adherencia, agarre 3 control

II *vtr* 1 agarrar, asir; *(la mano)* apretar 2 *fig* absorber la atención de

gripping ['grɪpɪŋ] *adj* apasionante

grisly ['grɪzli] *adj (grislier, grisliest)* espeluznante, horripilante, macabro,-a

gristle ['grɪsəl] *n* cartílago, ternilla

grit [grɪt] **I** *n* 1 gravilla, arena 2 *fam* valor, agallas

II *vtr (los dientes)* hacer rechinar

grizzly ['grɪzli] *adj* pardo,-a, grisáceo,-a

groan [groun] *n (de sufrimiento)* gemido

II *vi* 1 *(de dolor)* gemir 2 *fam* refunfuñar

grocer ['grousər] *n* 1 tendero,-a 2 **grocer's (shop)**, tienda de ultramarinos

groceries ['grousriz] *npl* provisiones

grocery ['grousri] *n* tienda de ultramarinos; **grocery store**, supermercado

groggy ['grɑgi] *adj (groggier, groggiest) fam* grogui, aturdido,-a

groin [grɔɪn] *n Anat* ingle

groom [gruːm] **I** *n* 1 *(para caballos)* mozo,-a de cuadra 2 *(en una boda)* novio

II *vtr* arreglar

groove [gruːv] *n* 1 *(de un tornillo, etc)* ranura 2 *(de un disco)* surco

grope [group] *vi* andar a tientas

gross [grous] *adj* 1 *(exageración)* burdo,-a; *(ignorancia)* craso,-a; *(injusticia)* flagrante 2 *(persona, comentario)* asqueroso,-a

grossly ['grousli] *adv* extremadamente

Gross National Product *n Com Econ* producto nacional bruto

grotesque [grou'tesk] *adj* grotesco,-a

ground¹ [graund] *adj (café)* molido,-a, *US (carne)* picado,-a

ground² [graund] **I** *n* 1 suelo, tierra 2 terreno 3 *fig* asunto 4 *Eléc* tierra 5 **grounds** *pl*, jardines; *Dep* **football ground**, campo de fútbol 6 motivo 7 **coffee grounds**, posos de café

II *vtr Av* retirar del servicio

ground³ [graund] *ps* → **grind**

groundless ['graundlɪs] *adj* infundado,-a

groundwork ['graundwɜːrk] *n* trabajo preliminar

group [gruːp] **I** *n* agrupación, grupo, conjunto

II *vtr* agrupar [**into**, en]

III *vi* **to group (together)**, agruparse

grouse [graus] *n Orn* urogallo

grove [ɡrouv] n arboleda; **olive grove,** olivar

grovel ['ɡravəl] vi humillarse; postrarse

grow [ɡrou] I vi 1 (el pelo, una persona, planta) crecer 2 (hacerse más grande) aumentar 3 hacerse, volverse

II vtr (ps grew; pp grown) cultivar

■ **grow up** v 1 criarse 2 hacerse mayor, madurar

growing ['ɡrouɪŋ] adj (cantidad) cada vez mayor; (ciudad, problema) creciente 2 (niño) en edad de crecer

growl [ɡraul] I n gruñido, rugido

II vi gruñir, rugir

grown [ɡroun] adj crecido,-a, adulto,-a

grown-up ['ɡrounʌp] adj & n adulto,-a

growth [ɡrouθ] n 1 (de número) aumento; (de tamaño) crecimiento 2 Med bulto, tumor

grub [ɡrʌb] n 1 Zool larva 2 argot comida

grubby ['ɡrʌbi] adj (grubbier, grubbiest) sucio,-a; (papel, etc) manoseado,-a

grudge [ɡrʌdʒ] I n rencilla, rencor

II vtr 1 dar de mala gana 2 to grudge sb sthg, envidiarle algo a alguien

grudgingly ['ɡrʌdʒɪŋli] adv a regañadientes

grueling ['ɡruːlɪŋ] adj agotador, -ora, penoso,-a

gruesome ['ɡruːsəm] adj espantoso,-a, horripilante

gruff [ɡrʌf] adj 1 (voz) áspero,-a 2 (persona) brusco,-a

grumble ['ɡrʌmbəl] I vi refunfuñar

II n queja

grumpy ['ɡrʌmpi] adj (grumpier, grumpiest) gruñón,-ona, malhumorado,-a

grunt [ɡrʌnt] I vi gruñir

II n gruñido

G-string ['dʒiːstrɪŋ] n Indum tanga

guarantee [ɡerən'tiː] I n garantía

II vtr garantizar

guard [ɡɑrd] I vtr 1 (un preso, edificio) vigilar 2 (una persona, reputación) defender, proteger

II n 1 (vigilancia) guardia; **to be on guard** (duty), estar de guardia 2 (persona) guardia; **security guard,** guardia jurado

■ **guard against** vtr (protegerse) guardarse de

guardhouse ['ɡɑrdhaus] n Mil 1 cuartel 2 prisión militar

guardian ['ɡɑrdiən] n 1 guardián,-ana 2 Jur (de un menor) tutor,-ora

Guatemala [ɡwɑːdə'mɑːlə] n Guatemala

Guatemalan [ɡwɑːdə'mɑːlən] adj & n guatemalteco,-a

guerilla [ɡə'rɪlə] n guerrillero,-a

guess [ɡɛs] I vtr & vi adivinar

II n conjetura: **have a guess,** adivina

guesswork ['ɡɛswərk] n conjeturas

guest [ɡɛst] n 1 (visitante) invitado,-a 2 (de un hotel) huésped(a), cliente,-a

guesthouse ['ɡɛsthaus] n casa de huéspedes

guest star n estrella invitada

guidance ['ɡaɪdəns] n orientación, consejos

guide [ɡaɪd] I vtr guiar, dirigir

II n (persona) guía

guidebook ['ɡaɪdbʊk] n (libro) guía

guided ['ɡaɪdɪd] adj dirigido,-a, guiado,-a

guided missile n misil teledirigido

guided tour n visita/excursión con guía

guideline ['ɡaɪdlaɪn] n pauta

guild [ɡɪld] n gremio

guillotine ['ɡɪlətiːn] n guillotina

guilt [ɡɪlt] n 1 culpa 2 fur culpabilidad

guilty ['ɡɪlti] adj (guiltier, guiltiest) culpable: **to plead guilty,** confesarse culpable

guinea pig ['ɡɪnɪpɪɡ] n Zool conejillo de Indias

guitar [ɡɪ'tɑːr] n guitarra

guitarist [ɡɪ'tɑːrɪst] n guitarrista

gulf [ɡʌlf] n golfo

gull [ɡʌl] n gaviota

gully [ɡʌli] n barranco

gullible ['ɡʌləbəl] adj crédulo,-a

gulp [ɡʌlp] I n trago

II vtr tragar; (un líquido) beber de un trago: **she gulps her drinks down,** se bebe todo de un trago; (comida) engullir

III vi tragar saliva

gum [ɡʌm] I n goma; **chewing gum,** chicle

II vtr pegar con goma

gun [ɡʌn] n arma de fuego; (de artillería) cañón; **machine gun,** ametralladora

■ **gun down** vtr matar o herir seriamente a tiros

gunfire ['ɡʌnfaɪər] n disparos, tiroteo

gunman ['ɡʌnmən] n pistolero

gunpoint ['ɡʌnpɔɪnt] n **to rob sb at gunpoint,** robar a alguien a punta de pistola

gunpowder ['ɡʌnpaudər] n pólvora

gunrunner ['ɡʌnrʌnər] n traficante de armas

gunshot ['ɡʌnʃɒt] n disparo, tiro

gurgle ['ɡərɡəl] I vi (un líquido) gorgotear; (un bebé) balbucir, cantar

II n (de un líquido) gorgoteo; (de un bebé) balbuceo

guru ['ɡuːruː] n gurú

gush [ɡʌʃ] I vi 1 (un líquido) manar a raudales, brotar 2 hablar efusivamente

II n (de un líquido) chorro

gushing ['ɡʌʃɪŋ] adj fig (persona) muy efusivo,-a

gust [ɡʌst] n ráfaga, racha

gut [ɡʌt] I n 1 Anat intestino, tripa 2 argot barriga 3 Med & Mús cuerda de tripa 4 **guts** pl, tripas

II vtr limpiar

gutter ['ɡʌdər] n 1 (de una casa) canalón 2 (en la calle) alcantarilla, cuneta 3 (los) barrios bajos

gutter press n prensa amarilla

guttural ['ɡʌdərəl] adj gutural

guy [gaɪ] n fam tipo

guzzle ['gʌzəl] vtr fam (comer) zamparse, engullir; (beber) tragar

gym [dʒɪm] fam 1 (edificio) gimnasio 2 (actividad) gimnasia

gymnasium [dʒɪm'neɪzɪəm] n gimnasio

gymnast ['dʒɪmnəst] n gimnasta

gymnastics [dʒɪm'næstɪks] n gimnasia

gynecologist, [gaɪnɪ'kɔlədʒɪst] n ginecólogo,-a

gypsy ['dʒɪpsɪ] adj & n gitano,-a

gyrate [dʒaɪ'reɪt] vi girar

H

H, h [eɪtʃ] n (letra) H, h

ha [hɑ] interjección 1 expresión que implica orgullo o mérito

habit ['hæbɪt] n hábito

habitat ['hæbɪtæt] n hábitat

habitual [hə'bɪtʃuəl] adj habitual

hack [hæk] I vtr cortar a hachazos

II vi Inform piratear

hacker ['hækər] n Inform pirata informático,-a

hacksaw ['hæksɔ:] n sierra para metales

had [hæd] ps & pp → **have**

haddock ['hædɔk] n Zool abadejo

hadn't ['hædnt] → **had not**

hag [hæg] n pey bruja, arpía

haggard ['hægərd] adj demacrado,-a

haggle ['hægəl] vi regatear

hail[1] [heɪl] I n Meteor granizo

II vi granizar

hail[2] [heɪl] I n saludo

II vtr 1 (un taxi) llamar 2 (a una persona) aclamar [**as,** como]

hailstone ['heɪlstoun] n granizo

hailstorm ['heɪlstɔ:m] n granizada

hair [her] n 1 (de la cabeza) pelo, cabello 2 (del cuerpo) vello

hairbrush ['herbrʌʃ] n cepillo de pelo

haircut ['herkʌt] n corte de pelo

hairdo ['herdu:] n fam peinado

hairdresser ['herdresər] n peluquero,-a; **hairdresser's (shop),** peluquería

hairdryer ['herdraɪər] n secador (de pelo)

hairline ['herlaɪn] I adj muy fino,-a

II n nacimiento del pelo

hairpiece ['herpi:s] n (para hombre) peluquín; (para mujer) postizo

hairpin ['herpɪn] n horquilla

hair-raising ['herreɪzɪŋ] adj espeluznante

hair-remover ['herrɪmu:vər] n depilatorio

hairspray ['hersprei] n laca

hairstyle ['herstaɪl] n peinado

hairy ['herɪ] adj (hairier, hairiest) peludo,-a, velludo,-a

hake [heɪk] n Zool merluza

half [hæ:f] I n (pl **halves**) mitad; **an hour and a half,** hora y media; Dep (primer/segundo) tiempo, parte

II adj medio,-a

III pron medio, la mita

IV adv medio, a medias

half-brother ['hæ:fbrʌðər] n hermanastro

half-caste ['hæ:fkæ:st] adj & n pey mestizo,-a

half-heartedly [hæ:f'hɑrdɪdlɪ] adv con poco entusiasmo

half-mast [hæ:f'mæ:st] n **the flag was at half-mast,** la bandera estaba a media asta

half-sister ['hæ:fsɪstər] n hermanastra

half time [hæ:f'taɪm] n Dep descanso

halfway [hæ:f'wei] I adv 1 a medio camino, a mitad de camino

II adj intermedio,-a

halfwit ['hæ:fwɪt] m,f bobo,-a, imbécil

halibut ['hælɪbət] n Zool mero

hall [hɔ:l] n 1 (entrada) vestíbulo 2 sala; **concert hall,** sala de conciertos, auditorio 3 Univ residencia de estudiantes 4 mansión

hallmark ['hɑ:lmɑrk] n 1 (oro, plata) contraste 2 (distintivo) sello

Hallowe(')en [hæloʊ'wi:n] n fiesta que se celebra el día 31 de octubre, víspera de la festividad de Todos los Santos

hallucinate [hə'lu:sɪneɪt] vi alucinar

hallucination [həlu:sɪ'neɪʃən] n alucinación

hallucinogenic [həlu:sɪnə'dʒenɪk] adj alucinógeno,-a

hallway ['hɑ:lwei] n (entrada) vestíbulo, recibidor

halo ['heɪloʊ] n 1 Rel Arte aureola 2 Astron halo

halogen ['hælədʒən] n halógeno

halt [hɔ:lt] I n 1 (stop) alto; **to come to a halt,** parar(se) 2 Ferroc apeadero

II vtr parar

III vi pararse: **halt!,** ¡alto!

halve [hæ:v] vtr 1 (gasto, etc) reducir en un 50% 2 partir por la mitad

halves [hæ:vz] pl **we'll go halves,** iremos a medias → **half**

ham [hæm] n jamón

hamburger ['hæmbərgər] n hamburguesa

hamlet ['hæmlɪt] n aldea

hammer ['hæmər] I n 1 (herramienta) martillo; Dep martillo 2 (de arma de fuego) percutor

II vtr 1 martillear, batir; (un clavo) clavar 2 fam Dep dar una paliza a

III vi martillear, dar golpes

hammock ['hæmɔk] n hamaca

hamper[1] ['hæmpər] n cesta

hamper[2] ['hæmpər] vtr dificultar, obstaculizar

hamster ['hæmstər] n Zool hámster

hand [hænd] I n 1 mano: **give me a hand,** échame una mano; **by hand,** a mano: **made/delivered by hand,** hecho/

entregado,-a a mano **2** control, cuidado; **in hand/out of hand**, bajo/fuera de control **3** lado; **on one hand..., on the other hand..**, por un lado..., por otro lado... **4** *(cerca)* **at hand**, cerca, a mano **5** *(persona)* operario, obrero; **an old hand**, veterano,-a **6** *(de reloj)* manecilla **II** *vtr* dar, entregar

■ **hand back** *vtr* devolver

■ **hand down** *vtr (una historia)* transmitir; *(una herencia)* legar

■ **hand in** *vtr (un billete, un trabajo)* entregar; *(una solicitud, la dimisión)* presentar

■ **hand out** *vtr* repartir

■ **hand over** *vtr* entregar, transferir

■ **hand round** *vtr* repartir, distribuir

handbag ['hændbæg] *n* bolso

handball ['hænbɔːl] *n Dep* balonmano

handbook ['hænbʊk] *n* manual

handcuff ['hændkʌf] **I** *vtr* esposar **II** *npl* **handcuffs**, esposas

handful ['hændfəl] *n* puñado

handicap ['hændikæp] **I** *n* **1** *Med* minusvalía **2** *Dep* desventaja; *(equitación)* hándicap **II** *vtr* perjudicar

handicapped ['hændikæpt] *adj* **1** *(físico)* minusválido,-a; *(mental)* disminuido,-a psíquico,-a **2** *Dep* en desventaja **3** desaventajado,-a, desfavorecido,-a

handicraft ['hændikrɑːft] *n* artesanía

handkerchief ['hæŋkətʃif] *n* pañuelo

handle ['hændəl] **I** *n* *(de cajón)* tirador; *(de cesta, taza)* asa; *(de cuchillo, escoba)* mango; *(de espada)* puño; *(de máquina)* manivela, palanca; *(de puerta)* manilla, pomo **II** *vtr* **1** tocar, manosear **2** *(una máquina)* manejar, manipular **3** *(un negocio)* encargarse de, llevar **4** *(a la gente)* tratar

handlebar ['hændəlbɑːr] *n* manillar

handmade [hæn'meid] *adj* hecho,-a a mano

handout ['hændaʊt] *n* **1** *(publicidad)* folleto; *(para acompañar una conferencia)* hoja informativa

handpicked [hæn'pikt] *adj* cuidadosamente seleccionado,-a

handrail ['hændreil] *n* pasamanos

handshake ['hændʃeik] *n* apretón de manos

handsome ['hænsəm] *adj* guapo

handwriting ['hændraitiŋ] *n* escritura, letra

handwritten ['hændrit`n] *adj* manuscrito,-a, escrito,-a a mano

handy ['hændi] *adj (handier, handiest)* **1** útil, práctico,-a **2** *(cerca)* a mano, accesible **3** *(mañoso)* hábil

hang [hæŋ] **I** *vtr (ps & pp hung)* **1** colgar, suspender **2** *(papel pintado)* pegar **3** *(la cabeza)* bajar, agachar **4** *frml* adornar **5** *(ps & pp hanged)* *(a un criminal)* ahorcar; **to hang oneself**, ahorcarse **II** *vi (ps & pp hung)* colgar, pender, estar suspendido,-a

■ **hang about/around** *vi fam* **1** perder el tiempo **2** *fam* esperar sin hacer nada

■ **hang on** *vi* **1** agarrarse [**to**, a] **2** esperar **3** *(un contratiempo)* resistir, aguantar

■ **hang out I** *vtr (la ropa)* tender **II** *vi fam* vivir, pasar el tiempo

■ **hang up I** *vtr (un cuadro, el teléfono)* colgar **II** *vi Tel* colgar

hanger ['hæŋər] *n* percha

hang glider ['hæŋglaidər] *n Dep* ala delta

hangman ['hæŋmæn] *n* **1** verdugo, **2** juego de "el ahorcado"

hangover ['hæŋoʊvər] *n* resaca

hangup ['hæŋʌp] *n fam* **1** *(inhibición)* complejo **2** contratiempo

hanker ['hæŋkər] *vi* **to hanker after/for sthg,** anhelar algo

Hanukah *n* Hanuka, fiesta hebrea, fiesta de las luces

haphazard [hæp'hæzərd] *adj* caótico,-a, desordenado,-a

happen ['hæpən] *vi* **1** suceder, ocurrir **2** *(casualidad)* **I happened to see her yesterday,** la vi ayer por casualidad

happening ['hæpəniŋ] *n* acontecimiento

happiness ['hæpinis] *n* felicidad

happy ['hæpi] *adj (happier, happiest)* **1** *(acontecimiento)* feliz; **Happy New Year,** Feliz Año Nuevo **2** *(persona)* alegre, feliz **3** *(satisfecho)* contento,-a

happy-go-lucky [hæpigoʊ'lʌki] *adj* despreocupado,-a

harass [hɛ'ræs] *vtr* acosar

harassment [hə'ræsmənt] *n* hostigamiento, acoso; **sexual harassment,** acoso sexual

harbor ['hɑrbər] *n* puerto

II *vtr* **1** *(a un criminal)* esconder **2** *(dudas)* abrigar

hard [hɑrd] **I** *adj* **1** *(al tacto & fig)* duro **2** difícil **3 she's a hard worker,** es muy trabajadora **4** *(persona)* severo,-a, insensible **II** *adv* *(con fuerza) (golpear)* fuerte; *(trabajar)* mucho, duro

hardback ['hɑrdbæk] *n (libro)* edición en tapas duras

hard-boiled ['hɑrdbɔild] *adj* **1** *(huevo)* duro,-a **2** *(persona)* insensible, endurecido,-a

hardcore ['hɑrdkɔːr] *adj* **1** *(porno)* duro **2** *(aficionado)* incondicional

hard drugs *n* drogas fuertes e ilícitas

harden ['hɑrdn] **I** *vtr* endurecer

II *vi* endurecerse

hard liquor *n* licor con un alto grado de alcohol

hardly ['hɑrdli] *adv* **1** apenas **2** *(casi no)* **hardly anybody,** casi nadie; **hardly anything,** casi nada; **hardly ever,** casi nunca

hardship ['hɑrdʃip] *n* privación, apuro

hardware ['hɑrdwɛr] *n* **1** *(mercancías)* ferretería **2** *Inform* hardware

hardwearing [hɑrd'wɛriŋ] *adj* duradero,-a

hardworking ['hɑrdwərkɪŋ] *adj* muy trabajador,-ora

hardy ['hɑrdi] *adj* (*hardier, hardiest*) (*persona, animal*) robusto,-a; (*planta*) resistente

hare [her] *n Zool* liebre

haricot ['hærɪkou] *n Bot* **haricot (bean),** alubia

harm [hɑrm] **I** *n* daño, perjuicio
II *vtr* hacer daño a, perjudicar

harmful ['hɑrmfəl] *adj* perjudicial [**to,** para]

harmless ['hɑrmlɪs] *adj* inofensivo,-a

harmonize ['hɑrmənaɪz] *vtr & vi* armonizar

harmony ['hɑrməni] *n* armonía

harness ['hɑrnɪs] **I** *n* (*para caballo, en paracaídas*) arnés
II *vtr* (*un caballo*) poner los arreos, arrear

harp [hɑrp] *n* arpa

harpoon [hɑr'puːn] **I** *n* arpón
II *vtr* arponear

harsh [hɑrʃ] *adj* (*condiciones*) duro,-a; (*persona, castigo*) severo,-a; (*sonido*) discordante; (*voz*) áspero,-a

harvest ['hɑrvɪst] **I** *n* (*cereales, etc*) cosecha
II *vtr* cosechar, recoger

harvester ['hɑrvɪstər] *n* **1** (*persona*) segador,-ora, recolector,-ora **2** (*máquina*) cosechadora

has [hæz] → **have**

hashish ['hæʃiːʃ] *n* hachís

hasn't ['hæznt] → **has not**

hassle ['hæsəl] *fam* **I** *n* **1** (*problema, dificultad*) rollo, lío
II *vtr* fastidiar, jorobar

hasten ['heɪsən] *vi* apresurarse

hasty ['heɪsti] *adj* (*hastier, hastiest*) **1** (*comida, salida, etc*) rápido,-a, apresurado,-a **2** (*decisión*) precipitado,-a

hat [hæt] *n* sombrero

hatch[1] [hætʃ] *n* **1** *Av Náut* escotilla **2** **serving hatch,** ventanilla

hatch[2] [hætʃ] **I** *vtr* **1** (*huevos*) empollar, incubar **2** *fig* (*un plan*) tramar
II *vi* salir del cascarón

hatchback ['hætʃbæk] *n* (*coche*) tres puertas *o* cinco puertas

hatchet ['hætʃɪt] *n* hacha

hate [heɪt] **I** *n* odio
II *vtr* odiar

hateful ['heɪtfəl] *adj* odioso,-a

hatred ['heɪtrɪd] *n* odio

haughty ['hɔːdi] *adj* (*haughtier, haughtiest*) altivo,-a, arrogante

haul [hɔːl] **I** *n* **1** (*distancia*) trayecto, recorrido **2** *Pesca* redada **3** (*de un crimen*) botín; (*de droga*) alijo **4** (*de una cuerda*) tirón
II *vtr* **1** tirar, arrastrar **2** transportar

haulage ['hɔːlɪdʒ] *n* transporte

haunt [hɔːnt] **I** *n* **1** lugar favorito **2** (*refugio*) guarida

II *vtr* **1** (*fantasma*) aparecerse en **2** *fig* atormentar, obsesionar

haunted ['hɔːntɪd] *adj* (*castillo, casa*) encantado,-a, embrujado,-a

have [hæv] **I** *vtr* (*3.ª persona sing pres* **has**) (*ps & pp* **had**) *vtr* **1** poseer **2** tener **3** recibir **4** (*pedir prestado*) **can I have the car tonight?,** ¿me dejas el coche esta noche? **5** (*comer, beber, etc*) tomar: **to have a beer,** tomar una cerveza **6** (*hacer que algo se haga*) **he had his hair cut,** se cortó el pelo **7** **to have to do with,** tener que ver con **8** (*obligación*) **to have to,** tener que
II *v aux* **1** (*con tiempos compuestos*) haber: **have you been here long?,** ¿llevas mucho tiempo aquí? **2** (*en las coletillas*) **you haven't seen him, have you?,** no lo has visto, ¿verdad?
■ **have in** *vtr* **we had to have the doctor in,** tuvimos que llamar al médico
■ **have over** *vtr* recibir invitados, invitar

haven ['heɪvən] *n* puerto; *fig* refugio; **tax haven,** paraíso fiscal

haven't ['hævnt] → **have not**

havoc ['hævək] *n* caos

Hawaii [hə'waɪ] *n* Hawai

hawk [hɔːk] *n Orn Pol* halcón

hawker ['hɔːkər] *n* vendedor,-ora ambulante

hay [heɪ] *n* heno

hay fever *n* fiebre del heno

hazard ['hæzərd] **I** *n* peligro, riesgo;
II *vtr frml* arriesgar

hazardous ['hæzərdəs] *adj* peligroso,-a, arriesgado,-a

haze [heɪz] *n* bruma, neblina

hazel ['heɪzəl] **I** *n Bot* (*árbol*) avellano
II *adj* (*de color*) avellana

hazelnut ['heɪzəlnʌt] *n Bot* avellana

hazy ['heɪzi] *adj* (*hazier, haziest*) **1** *Meteor* brumoso,-a, nebuloso,-a

H-bomb ['eɪtʃbɑm] *n* bomba H, bomba de hidrógeno

he [hiː] *pron pers* él

head [hɛd] **I** *n* **1** *Anat* cabeza **2** mente **3** (*de empresa, colegio*) director,-ora **4** (*de mesa, cama*) cabecera **5** (*de vídeo*) cabezal **6** **head of state,** jefe de Estado **7** (*de moneda*) cara: **heads or tails?,** ¿cara o cruz?
II *adj* principal; **the head waiter,** maître, jefe de comedor
III *vtr* **1** (*una lista, procesión*) encabezar **2** (*un libro*) titular **3** *Ftb* cabecear
IV *vi* dirigirse [**for,** a] [**towards,** hacia]
■ **head off** **I** *vi* marcharse
II *vtr* evitar, desviar

headache ['hɛdeɪk] *n* dolor de cabeza, jaqueca

header ['hɛdər] *n Ftb* cabezazo

headfirst ['hɛd'fərst] *adv* de cabeza

headhunter [hɛd'hʌntər] *n fig* cazatalentos

heading ['hedɪŋ] n título; (de una carta) membrete

headland ['hedlænd] n Geog punta, cabo

headlight ['hedlaɪt] n faro

headline ['hedlaɪn] n Prensa titular

headmaster [hed'mæːstər] n director

headmistress [hed'mɪstrɪs] n directora

head-on ['hedɔn] I adj (choque) frontal
II adv de frente

headphones ['hedfəʊnz] npl auriculares, cascos

headquarters ['hedkwɔrdərz] npl 1 sede, oficina central 2 Mil cuartel general

headrest ['hedrest] n reposacabezas

headscarf ['hedskɑrf] n pañuelo, pañoleta

headstrong ['hedstrɒŋ] adj testarudo,-a

headway ['hedweɪ] n progreso; **to make headway**, avanzar, progresar

headwind ['hedwɪnd] n viento contrario

heady ['hedi] adj (headier, headiest) (perfume) embriagador,-ora

heal [hiːl] I vi cicatrizar
II vtr (una herida, enfermedad) curar

health [helθ] n salud: **I'm in bad/good health**, estoy mal/bien de salud; (brindis) **good health!**, ¡salud!

health care n asistencia sanitaria

health service n servicio de salud (estatal) (= Seguridad Social)

healthy ['helθi] adj (healthier, healthiest) 1 (persona) sano,-a 2 (clima, comida, etc) saludable

heap [hiːp] I n montón
II vtr amontonar, apilar

hear [hiːr] vtr (ps & pp **heard** [hərd]) (percibir el sonido) oír
■ **hear of** vtr conocer

hearing ['hiːrɪŋ] n 1 (sentido) oído 2 Jur (de un caso) vista

hearing aid n audífono

hearing impaired [hiːrɪŋɪmperd] n sordo, o duro de oído

hearsay ['hiːrseɪ] n rumores

hearse [hərs] n coche fúnebre

heart [hɑrt] n Anat corazón

heart attack/failure n Med infarto

heartbeat ['hɑrtbiːt] n latido del corazón

heartbreaking ['hɑrtbreɪkɪŋ] adj desgarrador,-ora

heartbroken ['hɑrtbrəʊkən] adj hundido,-a, destrozado,-a

heartburn ['hɑrtbərn] n Med ardor de estómago

heartening ['hɑrtnɪŋ] adj alentador,-ora

heartfelt ['hɑrtfelt] adj sincero,-a

hearth [hɑrθ] n chimenea, hogar

heartless ['hɑrtlɪs] adj cruel, inhumano,-a

heartrending ['hɑrtrendɪŋ] adj desconsolador, acongojante

heartstrings [hɑːrt'strɪŋz] n, pl cuerdas sentimentales

heartthrob n 1 (Biol) latido del corazón 2 (fig) mentado

hearty ['hɑrdi] adj (heartier, heartiest) 1 (persona) campechano,-a 2 (acogida, saludo) cordial 3 (comida) abundante

heat [hiːt] I n 1 calor 2 Culin fuego 3 Dep eliminatoria 4 Dep **dead heat**, empate 5 Zool **on heat**, en celo
II vtr calentar
■ **heat up** I vtr calentar
II vi calentarse; (actividad, discusión) acalorarse

heated ['hiːdɪd] adj 1 (piscina) climatizado,-a 2 (discusión) acalorado,-a

heater ['hiːdər] n calentador

heathen ['hiːðən] adj & n pagano,-a

heather ['heðər] n Bot brezo

heating ['hiːdɪŋ] n calefacción

heatproof ['hiːtpruːf] adj refractario,-a, antitérmico

heatwave ['hiːtweɪv] n ola de calor

heave [hiːv] I n tirón, empujón
II vtr 1 (mover con esfuerzo) tirar, empujar, levantar 2 arrojar, lanzar
III vi (agua, hombros) subir y bajar

heaven ['hevən] I n cielo
II excl **good heavens!**, ¡por Dios!

heavenly ['hevənli] adj celestial

heavy ['hevi] adj (heavier, heaviest) 1 (que pesa mucho) pesado,-a 2 (tela, papel, mar) grueso,-a 3 (comida, golpe, lluvia) fuerte 4 cuantioso,-a: **he's a heavy drinker/ smoker**, bebe/fuma mucho

heavyweight ['heviweɪt] n Dep & fig peso pesado

Hebrew ['hiːbruː] I adj hebreo,-a
II n (idioma) hebreo

heckle ['hekəl] vtr (a un orador) interrumpir

hectare ['hektɛr] n hectárea

hectic ['hektɪk] adj agitado,-a

he'd [hiːd] 1 **he had** 2 **he would**

hedge [hedʒ] I n seto
II vtr 1 cercar con un seto 2 (una apuesta, inversión) cubrir, compensar
III vi evitar contestar, dar rodeos

hedgehog ['hedʒhɒg] n Zool erizo (de tierra)

heel [hiːl] I n 1 Anat talón 2 (de un zapato) tacón; **high/low heels**, tacones altos/bajos 3 fam canalla
III vtr poner tacón a

hefty ['hefti] adj (heftier, heftiest) 1 (persona) fornido,-a; (bulto) pesado,-a 2 (multa, precio) considerable

height [haɪt] n 1 (de un objeto) altura 2 (de una persona) estatura, talla: **what height is she?**, ¿cuánto mide? 3 (punto alto) colmo, cumbre, cima 4 Geol **heights** pl, cumbre

heighten ['haɪtn] vtr (un efecto) realzar; (la esperanza, etc) aumentar

heir [ɛr] n heredero

heiress ['ɛrɪs] *n* heredera

heirloom ['ɛrluːm] *n* objeto de valor heredado

heist [haɪst] *n* robo, atraco a mano armada

held [hɛld] *ps & pp* → **hold**

helicopter ['hɛlɪkɑptər] *n* helicóptero

helium ['hiːlɪəm] *n* helio

hell [hɛl] *n* 1 *Rel & fig* infierno 2 *fam* **a hell of a,** mucho 3 *vulgar* **what the hell's happening?,** ¿qué demonios pasa aquí? 4 *vulgar ofens* **go to hell!,** ¡vete a la mierda!

hellish ['hɛlɪʃ] *adj fam* infernal

hello [hə'lou] *excl* 1 ¡hola!; *(al cruzarse con alguien)* ¡adiós! 2 *Tel* ¡diga!

helmet ['hɛlmɪt] *n* casco

help [hɛlp] I *n* 1 ayuda, auxilio 2 *(en la casa)* asistenta
II *vtr* 1 ayudar: **can I help you?,** ¿qué desea? 2 *(comida, etc)* servir: **help yourself!,** ¡sírvete! 3 evitar: **he can't help being stupid,** no tiene la culpa de ser tonto
III *excl* **help!,** ¡socorro!

helper ['hɛlpər] *n* ayudante,-a

helpful ['hɛlpfəl] *adj* 1 *(persona)* amable, servicial 2 *(cosa)* útil

helping ['hɛlpɪŋ] *n* ración, porción

helping verb ['hɛlpɪŋvɜrb] *n (auxiliary verb)* verbo auxiliar

helpless ['hɛlplɪs] *adj* 1 desamparado,-a, indefenso,-a 2 incapaz, impotente

helplessly ['hɛlplɪsli] *adv* inútilmente, en vano

helter-skelter [hɛltər'skɛltər] I *n* tobogán
II *adv* atropelladamente

hem [hɛm] I *n* Cos dobladillo
II *vtr* Cos hacer un dobladillo a

hemisphere ['hɛmɪsfɪər] *n* hemisferio

hemorrhage ['hɛmrɪdʒ] *n* hemorragia

hemorrhoids ['hɛmərɔɪdz] *npl* hemorroides

hematology [hiːmə'tɑlədʒi] *n* hematología

hen [hɛn] *n* Orn gallina; *(pájaro)* hembra

hence [hɛns] *adv frml* 1 de ahí 2 por lo tanto 3 *(desde ahora)* **two years hence,** de aquí a dos años

henceforth [hɛns'fɔrθ] *adv frml* de ahora en adelante

henna ['hɛnə] *n* 1 *Bot* alheña 2 *(tinte)* gena

hepatitis [hɛpə'taɪdɪs] *n* hepatitis

her [hər] I *pron* 1 *(objeto directo)* la: **I don't know her,** no la conozco *(objeto indirecto)* le (a ella): **I told her everything,** le conté todo; *(con otros pron de 3.ª persona)* se: **he gave them to her,** se los dio 3 *(después de prep)* ella; **with her,** con ella 4 *(complemento)* ella: **it was her,** fue ella
II *adj pos* su(s), de ella

herald ['hɛrəld] I *n* heraldo
II *vtr* anunciar

herb [ərb] *n* Bot Culin hierba

herd [hərd] I *n (de ganado)* manada; *(de personas)* multitud, tropel
II *vtr* arrear

here [hir] *adv* 1 aquí, acá 2 *(para darle algo a alguien)* **here is/are...,** aquí tienes...; *(sin objeto)* **here you are!,** ¡toma!, ¡ten!, ¡aquí tienes!

hereafter [hir'aːftər] *frml* I *adv* de ahora en adelante, en el futuro
II *n* **the hereafter,** el más allá

hereditary [hə'rɛdɪtəri] *adj* hereditario,-a

heresy ['hɛrəsi] *n* herejía

heretic ['hɛrətɪk] *n* hereje

heritage ['hɛrɪtɪdʒ] *n* patrimonio; *Jur* herencia

hermetically [hər'mɛdɪkli] *adv*

hermetically sealed, herméticamente cerrado,-a

hermit ['hərmɪt] *n* ermitaño,-a

hermitage ['hərmɪtɪdʒ] *n* ermita

hernia ['hərniə] *n* Med hernia

hero ['hɪrou] *n (pl hero es)* héroe

heroic [hi'rouɪk] *adj* heroico,-a

heroin ['hɛrouɪn] *n (droga)* heroína

heroine ['hɛrouɪn] *n* heroína

herring ['hɛrɪŋ] *n* Zool arenque

hers [hərz] *pron pos* (el/la) suyo,-a, (los/las) suyos,-as; de ella

herself [hər'sɛlf] *pron pers* 1 *(reflexivo)* se: **she bought herself a coat,** se compró un abrigo 2 *(uso enfático)* **she did it herself,** lo hizo ella misma 3 *(reflexivo)* sí misma: **she only thinks of herself,** solo piensa en sí misma 4 **by herself,** sola, por sí misma

he's [hiːz] 1 he is 2 he has

hesitant ['hɛzɪtənt] *adj* 1 vacilante, indeciso,-a 2 reacio,-a

hesitate ['hɛzɪteɪt] *vi* vacilar, dudar

hesitation [hɛzɪ'teɪʃən] *n* indecisión

heterogeneous [hɛdərou'dʒiːnjəs] *adj* heterogéneo,-a

heterosexual [hɛdərou'sɛkʃuəl] *adj & n* heterosexual

hey [heɪ] *excl* ¡oye!, ¡oiga!

heyday ['heɪdeɪ] *n* apogeo

hi [haɪ] *excl fam* ¡hola!

HI *(abr de Hawaii)* abreviatura, estado de Hawaii

hibernate ['haɪbərneɪt] *vi* hibernar

hibernation [haɪbər'neɪʃən] *n* hibernación

hiccup, hiccough ['hɪkʌp] *n* hipo

hidden ['hɪdn] *adj* oculto,-a, escondido,-a

hide¹ [haɪd] I *vi* esconderse, ocultarse
II *vtr (ps hid* [hɪd] *pp hidden* ['hɪdn]) esconder, ocultar

hide² [haɪd] *n (de animal)* piel; *(curtido)* cuero

hide-and-seek [haɪdən'siːk] *n* escondite

hideous ['hɪdiəs] *adj* 1 *(crimen, herida)* atroz, horrible 2 *(muy feo)* espantoso,-a

hideout ['haɪdaut] *n* escondrijo, guarida

hiding ['haɪdɪŋ] *n fam* paliza

hierarchy ['haɪərɑrkɪ] *n* jerarquía; **the church hierarchy,** la jerarquía eclesiástica

hieroglyphics [haɪrə'glɪfɪks] *npl* jeroglíficos

hi-fi ['haɪfaɪ] *n* alta fidelidad; **hi-fi equipment,** equipo de música/sonido

high [haɪ] **I** *adj* 1 alto,-a 2 *(más de lo normal)* alto,-a, elevado,-a: **high speed,** alta velocidad 3 *(importante)* superior,-ora, principal 4 *Mús* alto,-a, agudo,-a
II *adv* alto
III *n* punto alto

high-class ['haɪklæs] *adj* de mucha categoría, de lujo

higher ['haɪər] *adj* superior

higher education *n* enseñanza superior

high-handed [haɪ'hændɪd] *adj* despótico,-a, prepotente

highland ['haɪlənd] **I** *adj* montañoso,-a
II *npl* **the Highlands,** las tierras altas (de Escocia)

high-level ['haɪlevəl] *adj* de alto nivel

highlight ['haɪlaɪt] **I** *n* 1 *(de un acontecimiento)* lo más destacado, el plato fuerte 2 *(en el pelo)* reflejo, mecha
II *vtr* destacar, realzar, subrayar

highly ['haɪlɪ] *adv* 1 sumamente 2 muy bien

highly-strung [haɪlɪ'strʌŋ] *adj* muy nervioso,-a

high-minded [haɪ'maɪndɪd] *adj* de altos principios

high-pitched ['haɪpɪtʃt] *adj* estridente, agudo,-a

high-speed ['haɪspiːd] *adj (viaje)* muy rápido,-a; *(tren, coche)* de alta velocidad

high-tech ['haɪ'tek] *adj fam* de alta tecnología

highway ['haɪweɪ] *n* carretera, *US* autopista

hijack ['haɪdʒæk] **I** *vtr* secuestrar
II *n* secuestro

hijacker ['haɪdʒækər] *n* secuestrador,-ora

hike [haɪk] **I** *n* 1 caminata, excursión a pie 2 *(de precios)* aumento
II *vi* dar una caminata

hiker ['haɪkər] *n* excursionista, senderista

hilarious [hɪ'leərɪəs] *adj* divertidísimo,-a

hill [hɪl] *n* colina

hillbilly ['hɪlbɪlɪ] *n* campesino, puede ser usado como referencia ofensiva indicando falta de educación o estupidez

hillside ['hɪlsaɪd] *n* ladera

hilltop ['hɪltɒp] *n* cima (de una colina)

hilly ['hɪlɪ] *adj (hillier, hilliest) (paisaje)* accidentado,-a

hilt [hɪlt] *n* puño, empuñadura

him [hɪm] *pron* 1 *(objeto directo)* lo, le: **we saw him,** lo/le vimos 2 *(objeto indirecto)* le: **I gave him my address,** le di mi dirección; *(con otros pronombres de 3.ª persona)* se: **she gave them to him,** ella se lo dio 3 *(después de preposiciones)* él; **with him,** con él 4 *(complemento) fam* él: **it was him,** fue él

himself [hɪm'self] *pron pers* 1 *(reflexivo)* se: **he bought himself a coat,** se compró un abrigo; **he looked at himself,** se miró 2 *(uso enfático)* **he did it himself,** lo hizo él mismo 3 *(reflexivo)* sí mismo: **he only thinks of himself,** solo piensa en sí mismo 4 **by himself,** solo, por sí mismo

hind¹ [haɪnd] *adj (patas, etc)* trasero,-a

hind² [haɪnd] *n Zool* cierva

hinder ['hɪndər] *vtr* dificultar, entorpecer

hindrance ['hɪndrəns] *n* estorbo

hindsight ['haɪndsaɪt] *n* retrospección

Hindu ['hɪnduː] *n & adj* hindú

Hinduism ['hɪnduːɪzəm] *n* hinduismo

hinge [hɪndʒ] *n* bisagra; *fig* eje

■ **hinge on** *vtr* depender de

hint [hɪnt] **I** *n* 1 indirecta; **to drop a hint,** soltar una indirecta 2 consejo 3 *(indicio)* pista
II *vtr* insinuar

hip [hɪp] *n* cadera

hippie ['hɪpɪ] *adj & n fam* hippy

hippopotamus [hɪpə'pɒtəməs] *n Zool* hipopótamo

hire ['haɪər] **I** *n* alquiler; **boats for hire,** se alquilan barcos; **car hire,** alquiler de coches; *(taxi)* «**For hire**», «Libre»
II *vtr* 1 *(un coche, aparato)* alquilar 2 *(a una persona)* contratar

■ **hire out** *vtr (coche)* alquilar; *(a una persona)* contratar

his [hɪz] **I** *adj pos* su(s) de él: **are they his books or hers?,** ¿los libros son de él o de ella?; *(se omite en español)* **he has broken his nose,** se ha roto la nariz
II *pron pos* (el/la) suyo,-a, (los/las) suyos,-as, de él

Hispanic [hɪ'spænɪk] **I** *adj* hispánico,-a
II *n US* hispano,-a, latino,-a

hiss [hɪs] **I** *n* siseo; *Teat* silbido
II *vtr & vi* silbar

historian [hɪ'stɔːrɪən] *n* historiador,-ora

historic [hɪ'stɒrɪk] *adj* histórico,-a

historical [hɪ'stɒrɪkəl] *adj* histórico,-a

history ['hɪstərɪ] *n* historia

hit [hɪt] **I** *n* 1 *(de artillería)* impacto; *(de diana)* blanco 2 éxito 3 *Dep* golpe
II *vtr (ps & pp hit)* 1 *(a una persona)* pegar, golpear; *(con una bala)* dar, herir 2 dar un golpe con 3 *(un coche, etc)* chocar contra 4 afectar

hit-and-run [hɪtən'rʌn] *adj* **hit-and-run driver,** conductor que atropella a alguien y huye

hitch [hɪtʃ] **I** *n* dificultad, pega
II *vtr* 1 *(atar)* enganchar, amarrar 2 *fam* **to get hitched,** casarse
III *vi fam* hacer autostop

■ **hitch up** *vtr* remangarse

hitchhike ['hɪtʃhaɪk] *vi* hacer autostop o dedo

hitchhiker ['hɪtʃhaɪkər] n autoestopista
HIV (*abr de* **human immunodeficiency virus**) virus de immunodeficiencia humana, VIH; **HIV positive/ negative,** seropositivo,-a/seronegativo,-a
hive [haɪv] n colmena
hoard [hɔrd] I n (*de provisiones*) reserva secreta; (*de oro, joyas, dinero*) tesoro
II vtr (*posesiones*) acumular; (*provisiones*) acaparar
hoarse, [hɔrs] adj ronco,-a; **to become/get hoarse,** quedarse ronco,-a
hoax [hoʊks] I n broma pesada
II vtr engañar
hob [hɑb] n (*de una cocina*) quemadores
hobble ['hɑbəl] vi cojear
hobby ['hɑbi] n hobby, pasatiempo
hobbyhorse ['hɑbihɔrs] n (*juguete*) caballito de madera
hobo ['hoʊboʊ] n vagabundo,-a
hockey ['hɑki] n hockey
hodgepodge ['hɑdʒpɑdʒ] n mezclanza, bodrio
hoe [hoʊ] n azada, azadón
hog [hɑg] I n cerdo, puerco
II vtr (*con una cuerda o polea*) levantar, subir, izar
hoist [hɔɪst] I n montacargas
II vtr (*con una cuerda o polea*) levantar, subir, izar
hold [hoʊld] I vtr (*ps & pp* held) 1 llevar, tener 2 (*una cuerda*) agarrar 3 **to hold sb's hand,** cogerle la mano a alguien 4 abrazar 5 (*una fiesta, reunión*) celebrar 6 Tel **hold the line,** no cuelgue 7 mantener: **he held his arms above his head,** mantuvo los brazos por encima de la cabeza 8 retener: **they held him for a year,** lo retuvieron un año 9 **to hold one's breath,** contener la respiración 10 contener: **this bottle holds a pint,** es una botella de un pina 11 (*peso*) soportar
II vi aguantar, mantenerse; (*una promesa, oferta*) ser válida, mantenerse
III n 1 agarre 2 control 3 Av Náut bodega
■ **hold back** vtr (*a la gente, las lágrimas*) contener
■ **hold down** vtr 1 sujetar 2 (*controlar*) dominar
■ **hold off** vtr 1 mantener a distancia, resistir 2 postponer
■ **hold on** vi 1 agarrarse bien 2 esperar; Tel **hold on!,** ¡no cuelgue!
■ **hold out** I vtr (*la mano, una cuerda*) tender
II vi 1 durar, aguantar, resistir
■ **hold up** vtr 1 (*el techo*) sostener 2 (*la mano, una pancarta*) levantar 3 retrasar 4 asaltar, atracar
holder ['hoʊldər] n titular
holding ['hoʊldɪŋ] n (*de acciones, etc*) participación
holding company n holding
hole [hoʊl] n 1 agujero, hoyo; (*en la carretera*) bache 2 argot (*sitio horrible*) antro
holiday ['hɑlɪdeɪ] n (*un día*) día festivo, fiesta: **we have a holiday on Monday,** el lunes es fiesta
holiness ['hoʊlɪnɪs] n santidad
Holland ['hɑlənd] n Holanda
hollow ['hɑloʊ] I adj (*árbol, diente, sonido*) hueco,-a (*cara, ojos*) hundido,-a
II n 1 hueco 2 Geog hondonada, depresión
holly ['hɑli] n Bot acebo
holocaust ['hɑləkɔst] n holocausto
holster ['hoʊlstər] n pistolera
holy ['hoʊli] adj sagrado,-a, santo,-a
homage ['hɑmɪdʒ] n homenaje
home [hoʊm] I n 1 casa, hogar; frml domicilio; **at home,** en casa 2 origen, patria 3 **old people's home,** residencia de ancianos
II adv 1 a casa; **to get home,** llegar a casa; **to go home,** ir a casa 2 en casa; **to be home,** estar en casa; **to stay home,** quedarse en casa
III adj 1 casero, de casa; **home cooking,** comida casera 2 (*no extranjero*) nacional; (*política*) nacional, interior; **home products,** productos nacionales/del país
■ **home in** vi (*un misil, etc*) dirigirse [**on, hacia**]
homeland ['hoʊmlænd] n patria
homeless ['hoʊmlɪs] adj sin techo
homely ['hoʊmli] adj (*ambiente*) familiar, acogedor,-ora 2 US poco atractivo,-a
homemade ['hoʊmmeɪd] adj casero,-a
homemaker ['hoʊmmeɪkər] n persona que se queda cuidando la casa o la familia
homepage ['hoʊmpeɪdʒ] n (*Inform, internet*) primera página de un sitio de internet
homer ['hoʊmər] n Dep (*fam de* **home run**) cuadrangular, jonrón
homesick ['hoʊmsɪk] adj **to be homesick,** tener morriña
homework ['hoʊmwɜrk] n deberes
homicide ['hɑmɪsaɪd] n homicidio
homogeneous [hə'mɑdʒɪnəs] adj homogéneo,-a
homosexual [hoʊmoʊ'sɛkʃuəl] adj & n homosexual
Honduran [hɑn'dʊrən] adj & n hondureño,-a
Honduras [hɑn'dʊrəs] n Honduras
hone [hoʊn] vtr 1 afilar 2 perfeccionar: **he honed his skills as a sculptor,** mejoró su destreza como escultor
honest ['ɑnɪst] adj 1 honrado,-a, honesto,-a 2 franco,-a, sincero,-a
honestly ['ɑnɪstli] adv 1 (*con honestidad*) honradamente 2 (*con franqueza*) sinceramente
honesty ['ɑnɪsti] n 1 (*honestidad*) honradez 2 (*franqueza*) sinceridad
honey ['hʌni] n 1 miel 2 US fam (*apelativo*) cariño

honeycomb ['hʌnɪkoʊm] n panal
honeymoon ['hʌnɪmuːn] n luna de miel
honeysuckle ['hʌnɪsʌkəl] n madreselva
honk [hɑŋk] vi & vtr Auto tocar la bocina
honor ['ɑnər] I n 1 honor 2 orgullo 3 Jur Her/His/Your Honor, Su Señoría
II vtr 1 (a una persona) honrar 2 (un compromiso) cumplir con
honorable ['ɑnrəbəl] adj 1 (persona) de honor, honrado,-a 2 (acuerdo, acción) honroso,-a 3 (como título) ilustre
honorary ['ɑnərəri] adj (socio, presidente) de honor, honorífico,-a 2 (secretario, etc, no remunerado) honorario,-a
hood [hʊd] n 1 (ropa) capucha 2 Auto US capó
hoodlum [hu:dləm] n antic rufián
hoof [hu:f] n (pl hoofs o hooves [hu:vz]) Zool (de animal) casco; (de ganado) pezuña
hook [hʊk] I n 1 gancho 2 Pesca anzuelo; Cos corchete 2 Boxeo gancho
II vtr enganchar 2 Pesca coger 3 Boxeo hacer un gancho a
■ **hook up** vtr & vi Rad TV Inform conectar [with, con]
hooligan ['hu:lɪgən] n fam gamberro,-a
hoop [hu:p] n 1 aro
hooray [hu:'reɪ] excl ¡hurra!
hoot [hu:t] I n 1 (de barco) toque de sirena; (de búho) ululato, ular; (de coche) bocinazo; (de tren) pitido
II vi 1 (un búho) ular; (un coche) dar un bocinazo
hop[1] [hɑp] I vi 1 saltar a la pata coja 2 fam hop on a bus/plane, coger un autobús/avión
II n saltito, brinco
hope [hoʊp] n esperanza
II vtr & vi esperar
hopeful ['hoʊpfəl] adj 1 (persona) optimista 2 (pronóstico) prometedor,-ora
hopefully ['hoʊpfəli] adv 1 con optimismo 2 con un poco de suerte
hopeless ['hoʊplɪs] adj 1 desesperado,-a 2 fam to be hopeless at sthg, ser negado,-a para algo
hopelessly ['hoʊplɪsli] adv 1 desesperadamente 2 completamente despistado,-a
horde [hɔrd] n multitud
horizon [hə'raɪzən] n horizonte
horizontal [hɔrɪ'zɑntəl] adj horizontal
hormone ['hɔrmoʊn] n hormona
horn [hɔrn] n 1 Zool cuerno, asta 2 Auto bocina 3 Mús French horn, trompa
hornet ['hɔrnɪt] n avispón
horny ['hɔrni] adj (hornier, horniest) 1 (piel) calloso,-a 2 argot caliente, cachondo,-a
horoscope ['hɔrəskoʊp] n horóscopo
horrendous [hə'rɛndəs] adj horrendo,-a
horrible ['hɔrəbəl] adj horrible

horrid ['hɔrɪd] adj horrible
horrific [hə'rɪfɪk] adj horrendo,-a
horrify ['hɔrɪfaɪ] vtr horrorizar
horror ['hɔrər] n horror
hors d'oeuvre [ɔr'dərv] n entremeses
horse [hɔrs] n 1 caballo; horse race, carrera de caballos 2 Gim potro 3 Téc caballete
horseback ['hɔrsbæk] n on horseback, a caballo
horseman ['hɔrsmən] n jinete
horseplay ['hɔrspleɪ] n payasadas
horsepower ['hɔrspaʊər] n caballo (de vapor); a hundred-horsepower engine, un motor de cien caballos
horseshoe ['hɔrʃu:] n herradura
horsewoman ['hɔrswʊmən] n Equit amazona
horticulture ['hɔrdɪkʌltʃər] n horticultura
hose [hoʊz] n manguera, manga de riego
hospice ['hɑspɪs] n Med residencia para enfermos terminales
hospitable [hə'spɪdəbəl] adj hospitalario,-a
hospital ['hɑspɪdəl] n hospital
hospitality [hɑspɪ'tælɪdʒɪ] n hospitalidad
host[1] [hoʊst] I n 1 anfitrión 2 Teat TV presentador
II vtr Teat TV presentar
host[2] [hoʊst] n gran cantidad, montónboda real
Host [hoʊst] n Rel hostia
hostage ['hɑstɪdʒ] n rehén
hostel ['hɑstəl] n hostal
hostess ['hoʊstɪs] n 1 anfitriona 2 Teat TV presentadora 3 (air) hostess, azafata
hostile ['hɑstɪl] adj hostil
hostility [hɑ'stɪlɪdʒɪ] n hostilidad
hot [hɑt] adj (hotter, hottest) 1 caliente 2 (tiempo) caluroso,-a: I am hot, tengo calor 3 Culin picante, caliente
hotbed ['hɑtbɛd] n fig semillero, caldo de cultivo
hot dog n perrito caliente
hotel [hoʊ'tɛl] n hotel
hotelier [hoʊ'teljeɪ] n hotelero,-a
hothouse ['hɑthaʊs] n invernadero
hotly ['hɑtli] adv 1 (negar, decir) con vehemencia 2 (seguir) muy de cerca
hot potato [hɑt'pəteɪtoʊ] n (Pol) papa caliente, asunto o problema que nadie quiere abordar
hot rod ['hɑtrɑd] n (auto) automóvil muy rápido
hot seat ['hɑtsi:t] n(fig) silla caliente, situación difícil
hot-water bottle n bolsa de agua caliente
hound [haʊnd] I n perro de caza
II vtr acosar
hour ['aʊr] n hora; half an hour, media hora
hourly ['aʊrli] I adj cada hora
II adv 1 por horas 2 cada hora

house [haʊs] **I** n **1** casa **2** Pol cámara; **the upper/ lower house,** la cámara alta/baja **3** empresa; **publishing house,** editorial
II [haʊz] vtr **1** alojar, hospedar **2** almacenar, guardar
housebreaking ['haʊsbreɪkɪŋ] n allanamiento de morada
household ['haʊshoʊld] n hogar, familia
housekeeper ['haʊski:pər] n ama de llaves
house-train ['haʊstreɪn] vtr (a un animal) domesticar
housewarming ['haʊswɔrmɪŋ] n
housewarming (party), fiesta que se da al estrenar una casa
housewife ['haʊswaɪf] n ama de casa
housework ['haʊswɜrk] n tareas domésticas
housing ['haʊzɪŋ] n vivienda
housing development urbanización
hovel ['hʌvəl] n casucha
hover ['hʌvər] vi **1** (un pájaro) planear; (un helicóptero) quedarse suspendido en el aire **2** fam merodear
hovercraft ['hʌvərkræft] n Av aerodeslizador
how [haʊ] adv **1** (en preguntas directas e indirectas) ¿cómo?: **how did you get here?,** ¿cómo llegaste? **2** (en preguntas sobre cantidades, frecuencia, etc) cuánto: **how heavy is it?,** ¿cuánto pesa?; **I don't remember how much it cost,** no me acuerdo de cuánto costó **3** qué: **how extraordinary!,** ¡qué extraordinario!
however [haʊ'evər] adv **1** no obstante, sin embargo
2 comoquiera
howl [haʊl] **I** n aullido
II vi aullar
HQ (abr de **headquarters**) sede, cuartel general
hub [hʌb] n **1** Auto cubo **2** fig centro
huddle ['hʌdəl] **I** n grupo
II vi **to huddle (up** o **together),** acurrucarse
huff [hʌf] n mal humor, rabieta
hug [hʌg] **I** vtr abrazar
II n abrazo
huge [hju:dʒ] adj enorme
hull [hʌl] n Náut casco
hum [hʌm] **I** vtr tararear, canturrear
II vi (una abeja, máquina) zumbar; (cantar) tararear, canturrear
III n (de abejas) zumbido
human ['hju:mən] **I** adj humano,-a
II n ser humano
human being n ser humano
human immunodeficiency virus (HIV) n virus de inmunodeficiencia humana (VIH)
humane [hju:'meɪn] adj humano,-a, compasivo,-a
humanitarian [hju:mænɪ'terɪən] adj humanitario,-a

humanity [hju:'mænɪdʒi] n **1** humanidad **2** Univ **the humanities,** las humanidades
humble ['hʌmbəl] **I** adj humilde
II vtr humillar
humid ['hju:mɪd] adj (clima) húmedo,-a
humidity [hju:'mɪdɪdʒi] n humedad
humiliate [hju:'mɪlieɪt] vtr humillar
humiliation [hju:mɪli'eɪʃən] n humillación
humility [hju:'mɪlɪdʒi] n humildad
hummingbird ['hʌmɪŋbɜrd] n Orn colibrí
humor ['hju:mər] **I** n humor; **sense of humor** sentido del humor
II vtr seguirle la corriente a
hump [hʌmp] n **1** (de persona, camello) joroba **2** Geog montículo
hunch [hʌntʃ] n fam corazonada: **I have a hunch that...,** me da que...
hunchback ['hʌntʃbæk] n jorobado,-a
hundred ['hʌndrəd] **I** n cien, ciento
II adj cien
hundredth ['hʌndrəθ] adj & n centésimo,-a
hung [hʌŋ] ps → **hang**
Hungarian [hʌŋ'gerɪən] adj & n húngaro,-a
Hungary ['hʌŋgəri] n Hungría
hunger ['hʌŋgər] n hambre
hungry ['hʌŋgri] adj (**hungrier, hungriest**) hambriento,-a: **I'm hungry,** tengo hambre
hunt [hʌnt] **I** vtr cazar
II vi **1** (animales) cazar **2** buscar
III n **1** caza **2** búsqueda
■ **hunt down** vtr perseguir
hunter ['hʌntər] n cazador,-ora
hunting ['hʌntɪŋ] n caza
hurdle ['hɜrdl] n **1** Dep valla **2** fig obstáculo
hurl [hɜrl] vtr arrojar, lanzar
hurrah [hə'rɑ:], **hurray** [hə'reɪ] excl ¡hurra!, ¡viva!
hurricane ['hʌrɪkeɪn] n huracán
hurried ['hɜri:d] adj apresurado,-a
hurry ['hɜri] **I** vi darse prisa; **hurry up!,** ¡date prisa!
II vtr meter prisa
III n prisa: **I'm in a hurry,** tengo prisa; **what's the hurry?,** ¿qué prisa hay?
hurt [hɜrt] **I** vtr (ps & pp **hurt**) lastimar, hacer daño; (los sentimientos) herir, ofender
II vi doler: **my feet hurt,** me duelen los pies
III adj **1** herido,-a **2** dolido,-a
hurtful ['hɜrtfəl] adj (comentario) hiriente
husband ['hʌzbənd] n marido, esposo
hush [hʌʃ] **I** vtr callar
II n silencio
III excl ¡chitón!
■ **hush up** vtr (un escándalo) encubrir, tapar
husky ['hʌski] adj (**huskier, huskiest**) ronco,-a
hustings ['hʌstɪŋz] npl Pol campaña electoral
hustle ['hʌsəl] **I** vtr **1** mover a empujones **2** fam meter prisa
II n bullicio; **hustle and bustle**

hut [hʌt] n 1 cabaña, casucha 2 *Mil* barraca

hutch [hʌtʃ] n conejera

hyacinth ['haɪəsɪnθ] n *Bot* jacinto

hydrant ['haɪdrənt] n **fire hydrant**, boca de incendio

hydraulic [haɪ'drɔlɪk] adj hidráulico,-a

hydrogen ['haɪdrɪdʒən] n hidrógeno

hygiene ['haɪdʒiːn] n higiene

hygienic [haɪ'dʒenɪk] adj higiénico,-a

hymn [hɪm] n himno

hyperventilate [haɪpər'venɪleɪt] vi hiperventilar

hyphen ['haɪfən] n *Tip* guión

hypnosis [hɪp'nəʊsɪs] n hipnosis

hypnotize ['hɪpnətaɪz] vtr hipnotizar

hypochondriac [haɪpə'kɒndriæk] adj & n hipocondríaco,-a

hypocrisy [hɪ'pɒkrəsɪ] n hipocresía

hypocrite ['hɪpəkrɪt] n hipócrita

hypocritical [hɪpə'krɪtɪkəl] adj hipócrita

hypotenuse [haɪpɒ'nus] n (*Geom*) hipotenusa

hypothermia [haɪpoʊ'θɜːmɪə] n (*Med*) hipotermia

hypothesis [haɪ'pɒθɪsɪs] n (pl **hypotheses** [haɪ'pɒθɪsiːz]) hipótesis

hypothetical [haɪpə'θedɪkəl] adj hipotético,-a

hypothermia [haɪpə'θɜːmɪə] adj hipotético,-a

hysteria [hɪ'stɪərɪə] n histeria

hysterical [hɪ'sterɪkəl] adj histérico,-a

hysterics [hɪ'sterɪks] n & npl 1 ataque de nervios 2 *fam* ataque de risa

I

I, i [aɪ] n (letra) I, i

I [aɪ] pron pers yo: **I am American,** (yo) soy americano

IA (*abr de Iowa*) abreviatura, estado de Iowa

ice [aɪs] I n hielo II vtr *Culin* glasear

■ **ice over/up** vi 1 (*el agua*) helarse 2 (*un coche, avión*) cubrirse de hielo/escarcha

ice cream n helado

Iceland ['aɪslənd] n Islandia

ice skate ['aɪs'skeɪt] I n patín (de cuchilla) II vi patinar sobre hielo

ice skating ['aɪsskeɪdɪŋ] n patinaje sobre hielo

icicle ['aɪsɪkəl] n carámbano

icing ['aɪsɪŋ] n *Culin* glaseado; **icing sugar,** azúcar glas

icy ['aɪsɪ] adj (*icier, iciest*) (*suelo*) helado,-a

I'd [aɪd] → 1 **I would** 2 **I had**

ID [aɪ'diː] 1 (*abr de Idaho*) abreviatura, estado de Idaho 2 (*abr de identification, identity*) identificación; **ID card,** documento nacional de identidad, DNI

idea [aɪ'dɪə] n idea

ideal [aɪ'dɪəl] adj & n ideal

idealist [aɪ'dɪəlɪst] n idealista

idealize [aɪ'dɪəlaɪz] vtr idealizar

identical [aɪ'dentɪkəl] adj idéntico,-a

identification [aɪdentɪfɪ'keɪʃən] n 1 identificación 2 documentación

identify [aɪ'dentɪfaɪ] I vtr identificar [**as,** como]

II vi identificarse [**with,** con]

identity [aɪ'denɪdɪ] n identidad

ideological [aɪdɪə'lɒdʒɪkəl] adj ideológico,-a

ideology [aɪdɪ'ɒlədʒɪ] n ideología

idiom ['ɪdɪəm] n 1 *Ling* modismo 2 *fig* estilo, lenguaje

idiomatic [ɪdɪə'mædɪk] adj idiomático,-a

idiot ['ɪdɪət] n idiota

idiotic [ɪdɪ'ɒdɪk] adj idiota

idle ['aɪdəl] adj 1 holgazán,-ana 2 (*sin trabajo*) para- do,-a 3 (*capacidad*) sin utilizar 4 (*máquina, fábrica*) parado,-a 5 (*palabras*) frívolo,-a, vano,-a

■ **idle away** vtr (*el tiempo*) pasar; *pey* desperdiciar

idol ['aɪdəl] n ídolo

idolize ['aɪdəlaɪz] vtr idolatrar

idyllic [aɪ'dɪlɪk] adj idílico,-a

i.e. (*abr de id est*) esto es, es decir

if [ɪf] conj 1 (*condición*) si: **if not,** si no; **if so,** de ser así

iffy ['ɪfɪ] adj inseguro, problemático

igloo ['ɪgluː] n iglú

ignite [ɪg'naɪt] I vtr encender

II vi encenderse

ignition [ɪg'nɪʃən] n 1 ignición 2 *Auto* encendido

ignominious [ɪgnə'mɪnɪəs] adj ignominioso,-a

ignorance ['ɪgnərəns] n ignorancia

ignorant ['ɪgnərənt] adj 1 ignorante 2 maleducado,-a

ignore [ɪg'nɔːr] vtr 1 (*un consejo*) no hacer caso de 3 (*a una persona*) ignorar

IL (*abr de Illinois*) abreviatura, estado de Illinois

I'll [aɪl] → 1 **I shall** 2 **I will**

ill [ɪl] I adj 1 enfermo,-a 2 malo,-a; negativo,-a II adv 1 difícilmente 2 mal

ill-advised [ɪləd'vaɪzd] adj 1 (*persona*) imprudente 2 (*decisión*) desacertado,-a

ill effects npl efectos negativos

illegal [ɪ'liːgəl] adj ilegal

illegible [ɪ'ledʒɪbəl] adj ilegible

illegitimate [ɪlɪ'dʒɪtɪmɪt] adj ilegítimo,-a

illicit [ɪ'lɪsɪt] adj ilícito,-a

illiteracy [ɪ'lɪtʃ ərəsɪ] n analfabetismo

illiterate [ɪ'lɪtərɪt] adj 1 analfabeto,-a 2 *fam* inculto,-a

illness ['ɪlnɪs] n enfermedad

illogical [ɪ'lɒdʒɪkəl] adj ilógico,-a

illuminate [ɪ'luːmɪneɪt] vtr 1 (*una habitación, calle*) iluminar 2 (*una duda*) aclarar

illumination [ɪluːmɪ'neɪʃən] n iluminación

illusion [i'luːʒən] n ilusión

illusory [ɪ'luːsəri] adj ilusorio,-a

illustrate ['ɪləstreɪt] vtr ilustrar

illustration [ɪlə'streɪʃən] n ilustración

illustrious [ɪ'lʌstriəs] adj ilustre

I'm [aɪm] → **I am**

image ['ɪmɪdʒ] n imagen

imaginary [ɪ'mædʒɪneri] adj imaginario,-a

imagination [ɪmædʒɪ'neɪʃən] n imaginación

imaginative [ɪ'mædʒɪnətɪv] adj imaginativo,-a

imagine [ɪ'mædʒɪn] vtr imaginarse

imbalance [ɪm'bæləns] n desequilibrio

imbecile ['ɪmbɪsɪl] n imbécil

IMF (abr de **International Monetary Fund**) Fondo Monetario Internacional, FMI

imitate ['ɪmɪteɪt] vtr imitar

imitation [ɪmɪ'teɪʃən] **I** n imitación **II** adj de imitación

immaculate [ɪ'mækjəlɪt] adj **1** (una habitación, etc) limpísimo,-a, perfectamente ordenado,-a **2** (ropa, trabajo) impecable

immature [ɪmə'tʃər] adj inmaduro,-a

immeasurable [ɪ'meʒərəbəl] adj inconmensurable

immediate [ɪ'miːdiət] adj inmediato,-a

immediately [ɪ'miːdiətli] adv inmediatamente

immense [ɪ'mens] adj inmenso,-a, enorme

immerse [ɪ'mɜrs] vtr sumergir [**in**, en]

immersion [ɪ'mɜrʃən] n inmersión

immigrant ['ɪmɪgrənt] adj & n inmigrante

immigration [ɪmɪ'greɪʃən] n inmigración

imminent ['ɪmɪnənt] adj inminente

immobile [ɪ'moubɪl] adj inmóvil

immobilize [ɪ'moubɪlaɪz] vtr inmovilizar

immodest [ɪ'mɑdɪst] adj **1** (persona) presuntuoso,-a **2** (acción, ropa) indecente

immoral [ɪ'mɔrəl] adj inmoral

immortal [ɪ'mɔrdəl] adj inmortal

immortality [ɪmɔr'tælɪdʒ] n inmortalidad

immortalize [ɪ'mɔrdəlaɪz] vtr inmortalizar

immovable [ɪ'muːvəbəl] adj inamovible

immune [ɪ'mjuːn] adj **1** Med inmune **2** (de un deber, impuesto) exento,-a

immunity [ɪ'mjuːnɪdʒ] n inmunidad

immunize ['ɪmjuːnaɪz] vtr inmunizar [**against**, contra]

imp [ɪmp] n fam diablillo

impact ['ɪmpækt] n impacto

impair [ɪm'per] vtr perjudicar, dañar

impart [ɪm'pɑrt] vtr frml comunicar, transmitir

impartial [ɪm'pɑrʃəl] adj imparcial

impassable [ɪm'pæːsəbəl] adj intransitable

impassioned [ɪm'pæʃənd] adj apasionado,-a

impassive [ɪm'pæsɪv] adj impasible

impatience [ɪm'peɪʃəns] n impaciencia

impatient [ɪm'peɪʃənt] adj impaciente

impeccable [ɪm'pekəbəl] adj impecable

impede [ɪm'piːd] vtr impedir, dificultar

impediment [ɪm'pedɪmənt] n impedimento

impel [ɪm'pel] vtr impulsar

impending [ɪm'pendɪŋ] adj frml inminente

imperative [ɪm'perədɪv] **I** adj frml imperativo,-a, imprescindible **II** n Ling imperativo

imperfect [ɪm'pɜrfɪkt] **I** adj imperfecto,-a, defectuoso,-a **II** n Ling imperfecto

imperfection [ɪmpər'fekʃən] n defecto

imperial [ɪm'pɪriəl] adj imperial

imperialism [ɪm'pɪriəlɪzəm] n imperialismo

imperialist [ɪm'pɪriəlɪst] adj & n imperialista

imperious [ɪm'pɪriəs] adj imperioso,-a

impersonal [ɪm'pɜrsənəl] adj impersonal

impersonate [ɪm'pɜrsəneɪt] vtr **1** hacerse pasar por **2** copiar, imitar

impertinent [ɪm'pɜr'nənt] adj impertinente

impervious [ɪm'pɜrviəs] adj **1** (al agua) impermeable **2** (a la crítica) insensible

impetuous [ɪm'petʃuəs] adj impetuoso,-a

impetus ['ɪmpɪtəs] n ímpetu, impulso

implant [ɪm'plænt] Med **I** vtr implantar **II** ['ɪmplænt] n **1** (operación) implantación **2** (lo implantado) implante

implement ['ɪmplɪmənt] **I** n herramienta, implemento, instrumento **II** ['ɪmplɪmənt] vtr **1** (proyecto) llevar a cabo **2** (una ley) poner en práctica

implicate ['ɪmplɪkeɪt] vtr implicar [**in**, en]

implication [ɪmplɪ'keɪʃən] n **1** implicación

implicit [ɪm'plɪsɪt] adj implícito,-a

implore [ɪm'plɔːr] vtr implorar, suplicar

imply [ɪm'plaɪ] vtr **1** insinuar **2** significar, suponer

impolite [ɪmpə'laɪt] adj maleducado,-a

import ['ɪmpɔrt] **I** n importación **II** [ɪm'pɔrt] vtr Com importar

importance [ɪm'pɔrʔns] n importancia

important [ɪm'pɔrʔnt] adj importante

importer [ɪm'pɔrdər] n Com importador,-ora

impose [ɪm'pouz] **I** vtr imponer [**on, upon**, a] **II** vi abusar [**on, de**]

imposing [ɪm'pouzɪŋ] adj imponente, impresionante

imposition [ɪmpə'zɪʃən] n **1** (multa, impuesto) imposición **2** abuso

impossibility [ɪmpəsə'bɪlɪdʒi] n imposibilidad

impossible [ɪm'pɑsəbəl] adj imposible

impostor [ɪm'pɑstər] n impostor,-ora

impotence ['ɪmpətəns] n impotencia

impotent ['ɪmpətənt] adj impotente

impoverished [ɪm'pɑvərɪʃt] adj empobrecido,-a

impracticable [ɪm'præktɪkəbəl] *adj* impracticable, irrealizable

impractical [ɪm'præktɪkəl] *adj* práctico,-a

imprecise [ɪmprɪ'saɪs] *adj* impreciso,-a

impregnate ['ɪmpregneɪt] *vtr* impregnar [with, de]

impress [ɪm'pres] *vtr* 1 impresionar 2 convencer

impression [ɪm'preʃən] *n* impresión

impressionist [ɪm'preʃənɪst] *adj* & *n* impresionista

impressive [ɪm'presɪv] *adj* impresionante

imprint [ɪm'prɪnt] **I** *vtr* dejar huella [on, en]
II ['ɪmprɪnt] *n* 1 (*en papel, tela*) sello 2 (*de pie, mano*) huella

imprison [ɪm'prɪzən] *vtr* encarcelar

imprisonment [ɪm'prɪzənmənt] *n* encarcelamiento

improbable [ɪm'prɒbəbəl] *adj* improbable

improper [ɪm'prɒpər] *adj* 1 (*erróneo*) impropio,-a, incorrecto,-a

improve [ɪm'pruːv] **I** *vtr* 1 mejorar 2 (*los beneficios*) aumentar
II *vi* 1 mejorarse 2 aumentar

improvement [ɪm'pruːvmənt] *n* 1 mejora 2 aumento

improvise ['ɪmprəvaɪz] *vtr* & *vi* improvisar

imprudent [ɪm'pruːdənt] *adj* imprudente

impudence ['ɪmpjudəns] *n* insolencia

impulse ['ɪmpʌls] *n* impulso

impulsive [ɪm'pʌlsɪv] *adj* impulsivo,-a, irreflexivo,-a

impunity [ɪm'pjuːnɪdi] *n* impunidad

impure [ɪm'pjər] *adj* impuro,-a

impurity [ɪm'pjərɪdi] *n* impureza

IN (*abr de Indiana*) abreviatura, estado de Indiana

in [ɪn] **I** *prep* 1 (*espacio*) (*posición*) en, a, de; **in the distance,** a lo lejos; **to arrive in,** llegar a; (*después de*) **in two miles, turn left,** pasadas las dos millas, gire a la izquierda 2 (*con números*) **in half,** por la mitad, en dos 3 *Meteor etc* a, bajo; **in the dark,** en la oscuridad 4 (*tiempo*) durante; **in the afternoon,** por la tarde; (*dentro de*) **I'll see you in a week,** te veo dentro de una semana; (*un momento específico*) **in the end,** al final 5 (*situación*) **in the army,** en el Ejército; **in a hurry,** con prisa; **in love,** enamorado,-a 6 (*manera*) **in common,** en común; **in ink,** con tinta; **in other words,** en otras palabras 7 (*empleo*) **I'm in banking,** trabajo en la banca 8 **he's blind in one eye,** está ciego de un ojo 9 (*en frases*) **in addition,** además; **in all,** en total 10 (*con gerundio*) **in so doing,** al hacerlo
II *adv* **is the boss in?,** ¿está el jefe?; **the plane isn't in yet,** el avión aún no ha llegado; **can I come in?,** ¿puedo entrar?; *Pol* **the nationalists have got in,** los nacionalistas han ganado las elecciones

III *adj fam* de moda: **short skirts are in,** las faldas cortas están de moda

inability [ɪnə'bɪlɪdi] *n* incapacidad

inaccessible [ɪnək'sesəbəl] *adj* inaccesible

inaccurate [ɪn'ækjərɪt] *adj* 1 (*palabras*) inexacto,-a, impreciso,-a 2 (*suma, estadística*) incorrecto,-a

inactivity [ɪnæk'tɪvɪdi] *n* inactividad

inadequate [ɪn'ædɪkwɪt] *adj* inadecuado,-a

inadvertent [ɪnəd'vərt'nt] *adj* involuntario,-a

inanimate [ɪn'ænɪmɪt] *adj* inanimado,-a

inappropriate [ɪnə'proupriɪt] *adj* poco apropiado,-a

inattentive [ɪnə'tendɪv] *adj* desatento,-a

inaugurate [ɪn'ɔːgjəreɪt] *vtr* 1 (*un proyecto, una temporada*) inaugurar 2 (*a un presidente*) investir

inauguration [ɪnɔːgjʊ'reɪʃən] *n* 1 (*de un proyecto, una temporada*) inauguración 2 (*del presidente*) investidura

inborn ['ɪnbɔːn] *adj* innato,-a

inbred ['ɪnbred] *adj* 1 (*atributo*) innato,-a 2 (*grupo social*) endogámico,-a

Inc. *Com* (*abr de Incorporated*) ≈ S. A.

incapable [ɪn'keɪpəbəl] *adj* incapaz

incapacitate [ɪnkə'pæsɪtent] *vtr frml* incapacitar

incapacity [ɪnkə'pæsɪd] *n* incapacidad

incarnation [ɪnkɑr'neɪʃən] *n* encarnación

incendiary [ɪn'sendiəri] **I** *adj* incendiario,-a
II *n* bomba incendiaria

incense ['ɪnsens] **I** *n* incienso
II [ɪn'sens] *vtr frml* indignar, enfurecer

incentive [ɪn'sentɪv] *n* incentivo, aliciente

incessant [ɪn'sesənt] *adj* incesante

incessantly [ɪn'sesənt'li] *adv* sin cesar

incest ['ɪnsest] *n* incesto

inch [ɪntʃ] *n* pulgada (2,54 cm)

incidence ['ɪnsɪdəns] *n* frecuencia, incidencia [of, de]

incident ['ɪnsɪdənt] *n* incidente

incidental [ɪnsɪ'dentəl] *adj* 1 (*riesgo, etc*) fortuito,-a 2 (*de poca importancia*) accesorio,-a, secundario,-a

incidentally [ɪnsɪ'dent'li] *adv* a propósito

incipient [ɪn'sɪpɪənt] *adj frml* incipiente

incision [ɪn'sɪʒən] *n* incisión

incisive [ɪn'saɪsɪv] *adj* incisivo,-a

incite [ɪn'saɪt] *vtr* incitar [to, a]

inclination [ɪnklɪ'neɪʃən] *n* inclinación

incline [ɪn'klaɪn] **I** *vtr* 1 (*la cabeza, etc*) inclinar 2 **to incline sb to do sthg,** predisponer a alguien a hacer algo
II *vi* inclinarse
III ['ɪnklaɪn] *n* cuesta, pendiente

inclined [ɪn'klaɪnd] *adj* 1 tener tendencia a: **he's inclined to get drunk,** tiende a emborracharse 2 estar dispuesto,-a a: **I am not inclined to forgive her,** no estoy dispuesto a perdonarla

include [ɪn'kluːd] *vtr* incluir

including [ɪn'kluːdɪŋ] *prep* incluso, inclusive

inclusion [ɪn'kluːʒən] *n* inclusión

inclusive [ɪn'kluːsɪv] *adj* 1 *(precios, etc)* inclusive 2 *(en una gama)* inclusive

inclusive of service, incluyendo el servicio

incoherent [ɪnkou'hɪrənt] *adj* incoherente

income ['ɪnkʌm] *n* ingresos; *(de las inversiones)* rentas

incoming ['ɪnkʌmɪŋ] *adj* 1 *(vuelo)* de llegada 2 *(correos, recados)* que se reciben 3 *(gobierno, etc)* nuevo,-a, entrante

incompatible [ɪnkəm'pædəbəl] *adj* incompatible [**with,** con]

incompetence [ɪn'kʌmpɪtəns] *n* incompetencia

incomplete [ɪnkəm'pliːt] *adj* incompleto,-a

incomprehensible [ɪnkʌmprɪ'hensəbəl] *adj* incomprensible

inconceivable [ɪnkən'siːvəbəl] *adj* inconcebible

inconclusive [ɪnkən'kluːsɪv] *adj* 1 *(votación)* no decisivo,-a 2 *(evidencia)* no concluyente

incongruous [ɪn'kəŋgruəs] *adj* incongruente

inconsiderate [ɪnkən'sɪdərɪt] *adj* desconsiderado,-a

inconsistency [ɪnkən'sɪstənsi] *n* 1 contradicción 2 inconsecuencia

inconsistent [ɪnkən'sɪstənt] *adj* contradictorio,-a, incoherente

inconspicuous [ɪnkən'spɪkjuəs] *adj* que no llama la atención

inconvenience [ɪnkən'viːniəns] *n* 1 inconveniente 2 molestia

inconvenient [ɪnkən'viːniənt] *adj* 1 *(momento)* inoportuno,-a 2 *(viaje, casa, diseño)* incómodo,-a, poco práctico,-a

incorporate [ɪn'kɔrpəreɪt] *vtr* 1 incorporar [**in, into,** a] 2 *(incluir)* comprender

incorporated [ɪn'kɔrpəreɪdɪd] *adj Com* **incorporated company** ≈ sociedad anónima

incorrect [ɪnkə'rekt] *adj* incorrecto,-a

incorrigible [ɪn'kɔrɪdʒəbəl] *adj* incorregible

increase ['ɪnkriːs] I *n* aumento, incremento II [ɪn'kriːs] *vtr* aumentar; *(precios)* subir III *vi* aumentar

increasing [ɪn'kriːsɪŋ] *adj* creciente

increasingly [ɪn'kriːsɪŋli] *adv* cada vez más

incredible [ɪn'kredəbəl] *adj* increíble

incredulous [ɪn'kredʒʊləs] *adj* incrédulo,-a

incubation [ɪnkjʊ'beɪʃən] *n* incubación

incubator ['ɪnkjʊbeɪdər] *n* incubadora

incur [ɪn'kər] *vtr* 1 *(indignación, enfado)* provocar 2 *(daños)* sufrir 3 *(deudas)* contraer

indebted [ɪn'dedɪd] *adj* 1 endeudado,-a 2 agradecido,-a, en deuda [**to,** con]

indecent [ɪn'diːsənt] *adj* indecente

indecision [ɪndɪ'sɪʒən] *n* indecisión

indecisive [ɪndɪ'saɪsɪv] *adj* indeciso,-a

indeed [ɪn'diːd] *adv* 1 *(uso enfático)* thank you very much indeed, muchísimas gracias; very good indeed, buenísimo; **yes, indeed,** sí, efectivamente 2 *frml* es más

indefinite [ɪn'defɪnɪt] *adj* indefinido,-a

indemnify [ɪn'demnɪfaɪ] *vtr* indemnizar [**for,** por]

indemnity [ɪn'demnɪdi] *n Jur* indemnización

independence [ɪndɪ'pendəns] *n* independencia

Independence Day *abr* Día de la Independencia (4 de julio)

independent [ɪndɪ'pendənt] *adj* independiente

index ['ɪndeks] I *n (pl indexes o indices) (de un libro)* índice; *(una lista)* catálogo, índice II *vtr* catalogar

index finger *n* dedo índice

India ['ɪndiə] *n* India

Indian ['ɪndiən] *adj* & *n* indio,-a

indicate ['ɪndɪkeɪt] I *vtr* indicar II *vi Auto* poner el intermitente

indication [ɪndɪ'keɪʃən] *n* 1 indicio 2 indicación

indicative [ɪn'dɪkədɪv] *adj* indicativo,-a

indicator ['ɪndɪkeɪdər] *n* 1 indicador 2 *Auto* intermitente

indices ['ɪndɪsiːz] *npl* → **index**

indict [ɪn'daɪt] *vtr* acusar [**for,** de]

indictment [ɪn'daɪtmənt] *n* 1 *Jur* acusación 2 *fig* crítica

indifference [ɪn'dɪfrəns] *n* indiferencia

indifferent [ɪn'dɪfrənt] *adj (sin cuidado)* indiferente

indigenous [ɪn'dɪdʒɪnəs] *adj* indígena

indigestion [ɪndɪ'dʒestʃən] *n* indigestión

indignant [ɪn'dɪgnənt] *adj* indignado,-a

indignation [ɪndɪg'neɪʃən] *n* indignación

indignity [ɪn'dɪgnɪdi] *n* humillación

indirect [ɪndɪ'rekt] *adj* indirecto,-a

indirect object *n* complemento indirecto

indirect speech *n* discurso indirecto, reportaje lo dicho por otros

indiscreet [ɪndɪ'skriːt] *adj* indiscreto,-a

indiscretion [ɪndɪ'skreʃən] *n* indiscreción

indiscriminate [ɪndɪ'skrɪmɪnɪt] *adj* 1 *(crimen, etc)* indiscriminado,-a 2 *(persona)* sin criterio

indispensable [ɪndɪ'spensəbəl] *adj* indispensable

indisputable [ɪndɪ'spjuːdəbəl] *adj* indiscutible

individual [ɪndɪ'vɪdʊəl] I *adj* 1 *(para una persona)* individual 2 *(atributo, estilo)* particular, original II *n* 1 *(persona)* individuo 2 *fam* tipo,-a

individualist [ɪndɪ'vɪdʒuəlɪst] *n* individualista

indoctrinate [ɪn'dɑktrɪneɪt] *vtr* adoctrinar

indoor ['ɪndɔːr] *adj* 1 *(planta)* de interior 2 *Dep (piscina, cancha de tenis)* cubierto,-a

indoors [ɪnˈdɔrz] *adv* dentro (de casa)
induce [ɪnˈduːs] *vtr* **1** inducir **2** *(sensaciones)* producir
inducement [ɪnˈduːsmənt] *n* incentivo, aliciente
induction [ɪnˈdʌkʃən] *n* iniciación
indulge [ɪnˈdʌldʒ] **I** *vtr* **1** *(a un niño)* mimar **2** *(un deseo)* satisfacer
II *vi* darse el gusto [**in**, de]
indulgence [ɪnˈdʌldʒəns] *n* **1** *(de un niño)* mimo **2** tolerancia, indulgencia **3** *(de un deseo)* satisfacción
indulgent [ɪnˈdʌldʒənt] *adj* indulgente
industrial [ɪnˈdʌstriəl] *adj* industrial
industrialist [ɪnˈdʌstriəlɪst] *n* industrial, empresario,-a
industrialization [ɪndʌstriəlɪˈzeɪʃən] *n* industrialización
industrialize [ɪnˈdʌstriəlaɪz] *vtr* industrializar
industrious [ɪnˈdʌstriəs] *adj* trabajador,-ora
industry [ˈɪndəstri] *n* **1** industria **2** aplicación, diligencia
inedible [ɪnˈɛdəbəl] *adj* no comestible
ineffective [ɪnɪˈfɛktɪv] *adj* ineficaz
inefficiency [ɪnɪˈfɪʃənsi] *n* **1** *gen* ineficacia **2** *(de una persona)* incompetencia
inefficient [ɪnɪˈfɪʃənt] *adj* **1** *gen* ineficaz **2** *(persona)* inepto,-a, incompetente
inept [ɪnˈɛpt] *adj* **1** *(persona)* inepto,-a **2** *(acción, comentario)* inoportuno,-a, torpe
inequality [ɪnɪˈkwɒlɪdʒi] *n* desigualdad
inertia [ɪnɜrʃə] *n* inercia
inevitable [ɪnˈɛvɪdəbəl] *adj* inevitable
inexcusable [ɪnɪkˈskjuːzəbəl] *adj* inexcusable, imperdonable
inexhaustible [ɪnɪgˈzɑːstəbəl] *adj* inagotable
inexpensive [ɪnɪkˈspɛnsɪv] *adj* (barato) económico,-a
inexperience [ɪnɪkˈspɪriəns] *n* inexperiencia
inexperienced [ɪnɪkˈspɪriənst] *adj* inexperto,-a
inexplicable [ɪnɪkˈsplɪkəbəl] *adj* inexplicable
infallible [ɪnˈfæləbəl] *adj* infalible
infamous [ˈɪnfəməs] *adj* tristemente célebre
infancy [ˈɪnfənsi] *n* infancia
infant [ˈɪnfənt] *n* bebé, niño,-a pequeño,-a
infantile [ˈɪnfəntaɪl] *adj* infantil
infantry [ˈɪnfəntri] *n* infantería
infatuated [ɪnˈfætʃoeɪdɪd] *adj* encaprichado,-a [**with**, con *o* de]
infatuation [ɪnfætʃʊˈeɪʃən] *n* encaprichamiento
infect [ɪnˈfɛkt] *vtr* **1** *(una herida)* infectar **2** *(los alimentos, el agua)* contaminar **3** *(una enfermedad)* contagiar
infection [ɪnˈfɛkʃən] *n* **1** *(de una herida)*

infección **2** *(de alimentos, agua)* contaminación **3** *(de una enfermedad)* contagio
infectious [ɪnˈfɛkʃəs] *adj (una enfermedad* infeccioso,-a
infer [ɪnˈfɜr] *vtr* deducir [**from**, de]
inferior [ɪnˈfɪriər] *adj* inferior [**to**, a]
inferiority [ɪnfɪriˈɔrɪdʒi] *n* inferioridad
inferno [ɪnˈfɜrnoʊ] *n* incendio
infertile [ɪnˈfɜrdl̩] *adj* estéril
infertility [ɪnfərˈtɪlɪdʒi] *n* esterilidad
infest [ɪnˈfɛst] *vtr* infestar
infidelity [ɪnfɪˈdɛlɪdʒi] *n* infidelidad
infiltrate [ˈɪnfɪltreɪt] *vtr* infiltrarse [**into** en]
infinite [ˈɪnfɪnɪt] *adj* infinito,-a
infinitive [ɪnˈfɪnɪdʒɪv] *n* infinitivo
infinity [ɪnˈfɪnɪdʒi] *n* **1** infinidad **2** *Ma* infinito
infirmary [ɪnˈfɜrməri] *n* hospital
inflame [ɪnˈfleɪm] *vtr* **1** *Med* & *gen* inflama **2** *(una pasión)* enardecer
inflammable [ɪnˈflæməbəl] *adj* inflamable
inflammation [ɪnfləˈmeɪʃən] *n* inflamación
inflate [ɪnˈfleɪt] **I** *vtr* inflar
II *vi* inflarse
inflation [ɪnˈfleɪʃən] *n* inflación
inflexible [ɪnˈflɛksəbəl] *adj* inflexible
inflict [ɪnˈflɪkt] *vtr* infligir
influence [ˈɪnfluəns] *n* **1** influencia
II *vtr* influir en
influential [ɪnfluˈɛnʃəl] *adj* influyente
influenza [ɪnfluˈɛnzə] *n* *Med* gripe
influx [ˈɪnflʌks] *n* afluencia
inform [ɪnˈfɔrm] **I** *vtr* informar [**of, about** de, sobre]
II *vi* **to inform against** *o* **on sb**, delatar a alguien
informal [ɪnˈfɔrməl] *adj* **1** *(ambiente, ropa* informal **2** *(trato)* familiar
information [ɪnfərˈmeɪʃən] *n* información
information technology *n* informática
informative [ɪnˈfɔrmədɪv] *adj* informativo,- a
informed [ɪnˈfɔrmd] *adj* enterado,-a
informer [ɪnˈfɔrmər] *n* soplón,-ona
infrared [ɪnfrəˈrɛd] *adj* infrarrojo,-a; **an infrared light**, una luz infrarroja
infrequent [ɪnˈfriːkwənt] *adj* poco frecuente
infringe [ɪnˈfrɪndʒ] *vtr (la ley, etc)* infringir
infringement [ɪnˈfrɪndʒmənt] *n (de una ley etc)* infracción
infuriate [ɪnˈfjɔrieɪt] *vtr* enfurecer
infuriating [ɪnˈfjɔrieɪdɪŋ] *adj* exasperante
infusion [ɪnˈfjuːʒən] *n* infusión
ingenious [ɪnˈdʒiːniəs] *adj* ingenioso,-a
ingenuity [ɪndʒɪˈnjuːɪdʒi] *n* ingenio
ingenuous [ɪnˈdʒɛnjuəs] *adj* ingenuo,-a
ingot [ˈɪŋgət] *n* lingote
ingrained [ɪnˈgreɪnd] *adj fig* arraigado,-a
ingratitude [ɪnˈgrædɪtuːd] *n* ingratitud

ingredient [ɪnˈgriːdiənt] *n* ingrediente

inhabit [ɪnˈhæbɪt] *vtr* habitar

inhabitant [ɪnˈhæbɪtənt] *n* habitante

inhale [ɪnˈheɪl] **I** *vtr Med* inhalar; *(aire)* aspirar

II *vi* aspirar

inherent [ɪnˈhɛrənt] *adj* inherente

inherit [ɪnˈhɛrɪt] *vtr* heredar

inheritance [ɪnˈhɛrɪtəns] *n* herencia

inhibit [ɪnˈhɪbɪt] *vtr* inhibir

inhibition [ɪnhɪˈbɪʃən] *n* cohibición

inhospitable [ɪnhɑːˈspɪdəbəl] *adj* **1** *(persona)* inhospitalario,-a **2** *(sitio)* inhóspito,-a

inhuman [ɪnˈhjuːmən] *adj* inhumano,-a

initial [ɪˈnɪʃəl] **I** *adj* inicial, primero,-a **II** *n* **1** inicial, letra inicial **2 initials** *pl*, iniciales

initially [ɪˈnɪʃəli] *adv* al principio, inicialmente

initiate [ɪˈnɪʃɪeɪt] *vtr* **1** iniciar **2** *(cambios)* promover

initiative [ɪˈnɪʃɪdɪv] *n* iniciativa

inject [ɪnˈdʒɛkt] *vtr* inyectar

injection [ɪnˈdʒɛkʃən] *n* inyección

injure [ˈɪndʒər] *vtr* **1** herir, lesionar **2** dañar, perjudicar

injured [ˈɪndʒərd] *adj* **1** herido,-a **2** *fig (expresión, tono)* ofendido,-a

injury [ˈɪndʒəri] *n* **1** herida, lesión **2** *(en la reputación, salud)* daño

injustice [ɪnˈdʒʌstɪs] *n* injusticia

ink [ɪŋk] *n* tinta

ink-jet printer *n Inform* impresora de inyección de tinta

inkling [ˈɪŋklɪŋ] *n* indicio, noción

inland [ˈɪnlənd] **I** *adj* (del) interior **II** [ɪnˈlænd] *adv* tierra adentro

in-laws [ˈɪnlɔːz] *npl fam* familia política

inlet [ˈɪnlɛt] *n* **1** *Geog* ensenada, cala **2** *Téc* entrada

in-line skates [ɪnlaɪnˈskeɪts] *n* patines de ruedas en línea

inmate [ˈɪnmeɪt] *n* **1** *(de una cárcel)* preso,-a **2** *(de un hospital, etc)* paciente, interno,-a

inn [ɪn] *n* **1** taberna **2** *(con habitaciones)* posada

innate [ɪˈneɪt] *adj* innato,-a

inner [ˈɪnər] *adj* interior

innocence [ˈɪnəsəns] *n* inocencia

innocent [ˈɪnəsənt] *adj & n* inocente

innocuous [ɪˈnɑːkjuəs] *adj* inocuo,-a

innovate [ˈɪnəveɪt] *vi* innovar

innovation [ɪnəˈveɪʃən] *n* novedad, innovación

innuendo [ɪnjuˈɛndoʊ] *n* insinuación, indirecta

inoculate [ɪˈnɑːkjəleɪt] *vtr* inocular

inoculation [ɪnɑːkjəˈleɪʃən] *n* inoculación

input [ˈɪnpʊt] **I** *n Com* aportación, inversión **II** *vtr Inform* entrar, introducir

inquest [ˈɪnkwɛst] *n fur* investigación

inquire [ɪnˈkwaɪər] **I** *vtr* preguntar

II *vi* preguntar [**about,** por]

■ **inquire after** *vtr* preguntar por

■ **inquire into** *vtr* investigar

inquiry [ɪnˈkwəri] *n* **1** *frml* pregunta **2** investigación

inquisition [ɪnkwɪˈzɪʃən] *n frml* interrogatorio

inquisitive [ɪnˈkwɪzɪdɪv] *adj (mente)* inquisitivo,-a

ins and outs [ɪnzənˈaʊts] *n (fig)* detalles, generalmente se usa para referirse a detalles de situaciones o sistemas complicados

insane [ɪnˈseɪn] *adj* **1** *(persona)* loco,-a, demente **2** *(acción)* insensato,-a

insanity [ɪnˈsænɪdi] *n* demencia, locura

insatiable [ɪnˈseɪʃəbəl] *adj* insaciable

inscribe [ɪnˈskraɪb] *vtr frml (grabar)* inscribir

inscription [ɪnˈskrɪpʃən] *n* **1** *(en una lápida, etc)* inscripción **2** *(en un libro)* dedicatoria

insect [ˈɪnsɛkt] *n* insecto

insecticide [ɪnˈsɛktɪsaɪd] *n* insecticida

insecure [ɪnsɪˈkjʊr] *adj* inseguro,-a

insecurity [ɪnsɪˈkjʊrɪdʒi] *n* inseguridad

insemination [ɪnsɛmɪˈneɪʃən] *n* inseminación

insensitive [ɪnˈsɛnsɪdɪv] *adj* insensible

inseparable [ɪnˈsɛpərəbəl] *adj* inseparable

insert [ˈɪnsərt] *n* insertar

insertion [ɪnˈsərʃən] *n* introducción, inserción

inside [ɪnˈsaɪd] **I** *adv* dentro, adentro: **to come/go inside,** entrar

II *prep* **what was inside the box?,** ¿qué había dentro de la caja?

III *n* **1** el interior

♦ |LOC: **inside out,** del/al revés

insidious [ɪnˈsɪdiəs] *adj* insidioso,-a

insight [ˈɪnsaɪt] *n* perspicacia

insignificant [ɪnsɪgˈnɪfɪkənt] *adj* despreciable, insignificante

insincere [ɪnsɪnˈsɪər] *adj* poco sincero,-a

insinuate [ɪnˈsɪnjʊeɪt] *vtr* insinuar

insipid [ɪnˈsɪpɪd] *adj* insípido,-a

insist [ɪnˈsɪst] *vi* insistir

insistent [ɪnˈsɪstənt] *adj* insistente

insolent [ˈɪnsələnt] *adj* insolente

insoluble [ɪnˈsɑːljəbəl] *adj* insoluble

insomnia [ɪnˈsɑːmniə] *n* insomnio

inspect [ɪnˈspɛkt] *vtr* inspeccionar

inspection [ɪnˈspɛkʃən] *n* inspección

inspector [ɪnˈspɛktər] *n* inspector,-ora

inspiration [ɪnspəˈreɪʃən] *n* inspiración

inspire [ɪnˈspaɪər] *vtr* **1** inspirar **2** animar

instability [ɪnstəˈbɪlɪdʒi] *n* inestabilidad

install [ɪnˈstɑːl] *vtr* instalar

installation [ɪnstəˈleɪʃən] *n* instalación

installment [ɪnˈstɑːlmənt] *n* **1** *Fin* plazo **2** *(de telenovela)* episodio **3** *(de un libro)* entrega

instance [ˈɪnstəns] *n* **1** caso **2** ejemplo; **for instance,** por ejemplo

instant [ˈɪnstənt] **I** *n* instante
II *adj* inmediato,-a
instantaneous [ɪnstənˈteɪnɪəs] *adj* instantáneo,-a
instead [ɪnˈsted] *adv & prep* en cambio, en vez de, en lugar de
instep [ˈɪnstep] *n* 1 *(del pie)* arco 2 *(del zapato)* empeine
instigate [ˈɪnstɪgeɪt] *vtr* instigar
instill [ɪnˈstɪl] *vtr* 1 *(una idea)* inculcar 2 *(esperanza, valentía, etc)* infundir
instinct [ˈɪnstɪŋkt] *n* instinto
instinctive [ɪnˈstɪŋktɪv] *adj* instintivo,-a
institute [ˈɪnstɪtuːt] **I** *n* 1 instituto, centro 2 *(de profesionales)* colegio
II *vtr frml* 1 fundar, establecer 2 *(una investigación, un proceso, etc)* iniciar
institution [ɪnstɪˈtuːʃən] *n* institución
institutional [ɪnstɪˈtuːʃənl] *adj* institucional
instruct [ɪnˈstrʌkt] *vt* 1 r enseñar, instruir 2 ordenar, mandar
instruction [ɪnˈstrʌkʃən] *n* 1 enseñanza, instrucción 2 **instructions** *pl*, instrucciones; **instructions (for use)**, modo de empleo
instructive [ɪnˈstrʌkdɪv] *adj* instructivo,-a
instructor [ɪnˈstrʌktər] *n* instructor,-ora
instrument [ˈɪnstrəmənt] *n* instrumento
instrumental [ɪnstrəˈmentəl] *adj* Mús instrumental
insubordinate [ɪnsəˈbɔːdɪnɪt] *adj* insubordinado,-a
insufferable [ɪnˈsʌfərəbəl] *adj* insoportable
insufficient [ɪnsəˈfɪʃənt] *adj* insuficiente
insulate [ˈɪnsəleɪt] *vtr* aislar
insulation [ɪnsəˈleɪʃən] *n (proceso)* aislamiento
insulin [ˈɪnsəlɪn] *n* insulina
insult [ˈɪnsʌlt] **I** *n (palabras ofensivas)* insulto, injuria
II [ɪnˈsʌlt] *vtr* insultar, ofender
insurance [ɪnˈʃərəns] *n* seguro; **life insurance**, seguro de vida
insure [ɪnˈʃər] *vtr* asegurar [**against**, contra]
intact [ɪnˈtækt] *adj* intacto,-a
intake [ˈɪnteɪk] *n* 1 *Téc (de aire)* entrada; *(de electricidad)* toma 2 *(de alimentos)* consumo, ingestión 3 *(de aire)* inspiración 4 *(de personas)* número admitido
integral [ˈɪntəgrəl] **I** *adj* 1 *(una parte)* integrante, incorporado,-a 2 entero, íntegro,-a
II *n* Mat integral
integrate [ˈɪntəgreɪt] **I** *vtr* integrar, incorporar
II *vi* integrarse
integration [ɪntəˈgreɪʃən] *n* integración
integrity [ɪnˈtegrɪdʒɪ] *n* integridad, honradez, rectitud
intellect [ˈɪntɪlekt] *n* intelecto: **she has a sharp intellect**, goza de agudeza intelectual
intellectual [ɪntɪˈlekʃuəl] *adj & n* intelectual

intelligence [ɪnˈtelɪdʒəns] *n* inteligencia
intelligent [ɪnˈtelɪdʒənt] *adj* inteligente
intelligible [ɪnˈtelɪdʒəbəl] *adj* inteligible
intend [ɪnˈtend] *vtr* 1 pensar (hacer algo), tener la intención 2 **intended for**, destinado,-a a
intense [ɪnˈtens] *adj* intenso,-a
intensify [ɪnˈtensɪfaɪ] **I** *vtr* intensificar
II *vi* intensificarse
intensity [ɪnˈtensɪdʒɪ] *n* intensidad
intensive [ɪnˈtensɪv] *adj* 1 intensivo,-a; **intensive course**, curso intensivo
intensive care (unit) *n* Med (unidad de) cuidados intensivos
intent [ɪnˈtent] **I** *adj* 1 *(persona)* absorto,-a, concentrado,-a 2 *(expresión)* atento,-a, concentrado,-a
II *n frml* intento, propósito
intention [ɪnˈtenʃən] *n* intención
intentional [ɪnˈtenʃənəl] *adj* deliberado,-a
intentionally [ɪnˈtenʃənəlɪ] *adv* a propósito
intently [ɪnˈtentlɪ] *adv* 1 *(escuchar)* atentamente 2 *(mirar)* intensamente
interact [ɪnərˈækt] *vi* 1 Quím reaccionar 2 *(personas)* relacionarse
interaction [ɪnərˈækʃən] *n* interacción
intercept [ɪnərˈsept] *vtr* interceptar
interchange [ˈɪnərtʃeɪndʒ] **I** *n* 1 *(de ideas, rehenes, etc)* intercambio 2 Auto *(de autopista)* cruce
II [ɪnərˈtʃeɪndʒ] *vtr* intercambiar, canjear
interchangeable [ɪnərˈtʃeɪndʒəbəl] *adj* intercambiable
intercom [ˈɪnərkɒm] *n* 1 interfono *(en una casa)* portero automático
interconnect [ɪnərkəˈnekt] *vtr* interconectar
intercontinental [ɪnərkɒntɪˈnentəl] *adj* intercontinental
intercourse [ˈɪnərkɔːs] *n frml* coito, relaciones sexuales
interest [ˈɪntrɪst] **I** *n (intelectual)* interés
II *vtr* interesar
interesting [ˈɪntrɪstɪŋ] *adj* interesante
interest rate *n* Fin tipo de interés
interfere [ɪnərˈfɪər] *vi* 1 *(en los asuntos de otro)* entrometerse 2 **to interfere with sthg**, dificultar, impedir algo 3 Rad TV interferir
interference [ɪnərˈfɪərəns] *n* 1 intromisión, injerencia 2 Rad TV interferencia
interim [ˈɪntərəm] **I** *adj* interino,-a, provisional
II *n* interín
interior [ɪnˈtɪərɪər] **I** *adj* interior
II *n* interior
interlude [ˈɪnərluːd] *n* 1 Cine Teat intermedio 2 Mús interludio 3 pausa, intervalo
intermediary [ɪnərˈmiːdɪərɪ] *n* intermediario,-a
intermediate [ɪnərˈmiːdɪt] *adj* intermedio,-a

interminable [ɪn'tərmɪnəbəl] *adj* interminable

intermission [ɪnər'mɪʃən] *n Cine Teat* intermedio, descanso

intermittent [ɪnər'mɪtənt] *adj* intermitente

intern [ɪn'tərn] **I** *vtr* internar
II ['ɪntərn] *n US Med (médico)* interno,-a

internal [ɪn'tərnəl] *adj* interno,-a

international [ɪnər'næʃənəl] *adj* internacional

Internet ['ɪnərnet] *n Inform* Internet

interpret [ɪn'tərprɪt] **I** *vtr* 1 interpretar 2 traducir
II *vi* hacer de intérprete

interpretation [ɪntərprɪ'teɪʃən] *n* interpretación

interpreter [ɪn'tərprɪdər] *n* intérprete

interrogative [ɪntə'rɑgədɪv] *Ling* **I** *adj* interrogativo,-a
II *n Ling* palabra interrogativa, interrogante

interrupt [ɪnə'rʌpt] *vtr & vi* interrumpir

interruption [ɪnə'rʌpʃən] *n* interrupción

intersect [ɪnər'sekt] **I** *vtr* cruzar
II *vi* cruzarse

intersection [ɪnər'sekʃən] *n* intersección

intersperse [ɪnər'spərs] *vtr* entremezclar

interval ['ɪntərvəl] *n* 1 intervalo 2 *Dep* descanso

intervene [ɪnər'viːn] *vi* 1 *(una persona)* intervenir 2 *(un acontecimiento)* interponerse

intervention [ɪnər'venʃən] *n* intervención

interview ['ɪntərvjuː] **I** *n* entrevista
II *vtr* entrevistar

interviewer ['ɪntərvjuːər] *n* entrevistador,-ora

intestine [ɪn'testɪn] *n (a menudo pl)* intestino

intimacy ['ɪntɪməsɪ] *n* intimidad

intimate ['ɪntɪmɪt] *adj* 1 *(relación)* íntimo,-a 2 *(sitio)* íntimo,-a 3 *(conocimientos)* profundo,-a

intimidate [ɪn'tɪmɪdeɪt] *vtr* intimidar

into ['ɪntuː] *prep* 1 *(movimiento)* en, a, con: **come into my office**, entra en mi despacho 2 *(impacto)* contra 3 *(cambio, división)* en, a: **translate this into English**, traduce esto al inglés 4 *(distancia, tiempo)* **deep into the woods**, hasta el corazón del bosque

intolerable [ɪn'tɑlərəbəl] *adj* intolerable

intolerance [ɪn'tɑlərəns] *n* intolerancia

intolerant [ɪn'tɑlərənt] *adj* intolerante

intonation [ɪntə'neɪʃən] *n* entonación

intoxicated [ɪn'tɑksɪkeɪdɪd] *adj* borracho,-a

intransigent [ɪn'trænsɪdʒənt] *adj frml* intransigente, intolerante

intrepid [ɪn'trepɪd] *adj* intrépido,-a

intricate ['ɪntrɪkɪt] *adj* intrincado,-a

intrigue ['ɪntriːg] **I** *n* intriga
II [ɪn'triːg] *vtr* intrigar, fascinar
III *vi* conspirar

intrinsic [ɪn'trɪnzɪk] *adj frml* intrínseco,-a

introduce [ɪntrə'duːs] *vtr* 1 insertar, introducir 2 *(a una persona, un programa de TV, producto)* presentar

introduction [ɪntrə'dʌkʃən] *n* 1 *(de una persona, un programa de TV, producto)* presentación 2 *(de un libro)* introducción

introductory [ɪntrə'dʌktərɪ] *adj* introductorio,-a

introvert ['ɪntrəvərt] *n* introvertido,-a

intrude [ɪn'truːd] *vi* 1 molestar, importunar 2 entrometerse

intruder [ɪn'truːdər] *n* intruso,-a

intrusion [ɪn'truːʒən] *n* intromisión

intuition [ɪntu'ɪʃən] *n* intuición

intuitive [ɪn'tuːɪdɪv] *adj* intuitivo,-a

inundate ['ɪnʌndeɪt] *vtr* inundar

invade [ɪn'veɪd] *vtr* invadir

invader [ɪn'veɪdər] *n* invasor,-ora

invalid ['ɪnvəlɪd] **I** *n Med* inválido,-a, minusválido,-a
II [ɪn'vælɪd] *adj* inválido,-a, nulo,-a

invalidate [ɪn'vælɪdeɪt] *vtr* invalidar

invaluable [ɪn'væljəbəl] *adj* inestimable

invariable [ɪn'verɪəbəl] *adj* invariable

invasion [ɪn'veɪʒən] *n* invasión

invent [ɪn'vent] *vtr* inventar, idear

invention [ɪn'venʃən] *n* 1 *(cosa)* invento 2 *(mentira)* invención

inventive [ɪn'ventɪv] *adj* inventivo,-a

inventor [ɪn'ventər] *n* inventor,-ora

inventory ['ɪnvəntərɪ] *n* inventario

invert [ɪn'vərt] *vtr* invertir

invertebrate [ɪn'vərdɪbrɪt] **I** *adj* invertebrado,-a
II *n* invertebrado

invest [ɪn'vest] *vtr* invertir
II *vi* invertir **(in, en)**

investigate [ɪn'vestɪgeɪt] *vtr* investigar

investigation [ɪnvestɪ'geɪʃən] *n* investigación **[into, de]**

investigator [ɪn'vestɪgeɪdər] *n* investigador,-ora

investment [ɪn'vesmənt] *n* inversión

investor [ɪn'vestər] *n* inversor,-ora

invigorating [ɪn'vɪgəreɪdɪŋ] *adj* vigorizante

invincible [ɪn'vɪnsəbəl] *adj* invencible

invisible [ɪn'vɪzəbəl] *adj* invisible

invitation [ɪnvɪ'teɪʃən] *n* invitación

invite [ɪn'vaɪt] *vtr* invitar

inviting [ɪn'vaɪdɪŋ] *adj* 1 atractivo,-a, tentador,-ora 2 *(comida)* apetitoso,-a

invoice ['ɪnvɔɪs] **I** *n* factura
II *vtr* facturar

invoke [ɪn'vouk] *vtr frml* invocar, apelar a

involuntary [ɪn'vɑləntərɪ] *adj* involuntario,-a

involve [ɪn'vɑlv] *vtr* 1 implicar, involucrar 2 suponer, implicar

involved [ɪn'vɑlvd] *adj (un asunto)* complicado,-a

involvement [ɪn'vɑlvmənt] *n* 1 *(en una actividad)* participación 2 *(emocional)* relación

inward ['ɪnwərd] **I** *adj* interior

II *adv* → **inwards**

inwardly ['ɪnwərdli] *adv* interiormente

inwards ['ɪnwərdz] *adv* hacia dentro

iodine ['aɪədaɪn] *n* yodo

IPA (*abr de International Phonetic Alphabet*) abreviatura de Alfabeto Fonético Internacional

irate [aɪ'reɪt] *adj* airado,-a, furioso,-a, iracundo,-a

Ireland ['aɪərlənd] *n* Irlanda; **Republic of Ireland**, República de Irlanda

iris ['aɪrɪs] *n* 1 *Bot* lirio 2 *Anat* iris

Irish ['aɪrɪʃ] **I** *adj* irlandés,-esa

II *n* 1 (*idioma*) irlandés 2 *pl* **the Irish**, los irlandeses

Irish coffee *n* café irlandés

Irishman ['aɪrɪʃmən] *n* irlandés

Irishwoman ['aɪrɪʃwʊmən] *n* irlandesa

iron ['aɪərn] **I** *n* 1 hierro 2 (*para la ropa*) plancha 3 **irons** *pl*, grilletes

II *adj* 1 de hierro 2 *fig* fuerte

III *vtr* (*la ropa*) planchar

ironic(al) [aɪ'rɒnɪk(əl)] *adj* irónico,-a

irrational [ɪ'ræʃənəl] *adj* irracional

irregular [ɪ'regjələr] *adj* irregular

irrelevant [ɪ'reləvənt] *adj* irrelevante

irreparable [ɪ'reprəbəl] *adj* irreparable

irresistible [ɪrɪ'zɪstəbəl] *adj* irresistible

irrespective [ɪrɪ'spektɪv] **irrespective of**

irresponsible [ɪrɪ'spɒnsəbəl] *adj* irresponsable

irreverent [ɪ'revərənt] *adj* irreverente

irrigate ['ɪrɪgeɪt] *vtr* regar

irrigation [ɪrɪ'geɪʃən] *n* 1 *Agr* riego 2 *Med* irrigación

irritable ['ɪrɪdəbəl] *adj* irritable

irritate ['ɪrɪteɪt] *vtr* irritar

irritation [ɪrɪ'teɪʃən] *n* irritación

is [ɪz] *3.ª persona sing pres* → **be**

Islam ['ɪzlɑːm] *n* Islam

Islamic [ɪz'lɑmɪk] *adj* islámico,-a

island ['aɪlənd] *n* 1 *Geog* isla 2 *Auto* isleta

islander ['aɪləndər] *n* isleño,-a

isle [aɪl] *n frml* isla

isn't ['ɪznt] → **is not**

isolate ['aɪsəleɪt] *vtr* aislar

isolation [aɪsə'leɪʃən] *n* aislamiento

Israel ['ɪzrɪəl] *n* Israel

Israeli [ɪz'reɪli] *adj* (*nacionalidad*) israelí

issue ['ɪʃuː] **I** *n* 1 tema, cuestión 2 (*de una revista*) número 3 (*de billetes*) venta 4 (*de dinero*) emisión; (*de documentos*) expedición 5 descendencia

II *vtr* 1 (*dinero*) emitir 2 (*una revista*) publicar 3 (*billetes, documentos*) expedir 4 (*instrucciones*) dar 5 (*provisiones, armas*) distribuir, repartir

isthmus ['ɪsməs] *n* istmo

IT [aɪ'tiː] *n* (*Inform*) abreviatura de *Information Technology*

it [ɪt] *pron pers* 1 (*sujeto*) (*a menudo se omite en español*) él, ella, ello: **it's ridiculous**, es ridículo 2 (*objeto directo*) lo, la: **put it away**, guárdalo/la 3 (*objeto indirecto*) le: **he gave it a kick**, le dio una patada 4 (*después de preposición*) él, ella, ello: **I don't know what to do with it**, no sé qué hacer con él/ella/ello 5 (*uso impersonal*) **it's cold, it's raining, it's Tuesday, and it's horrible!**, hace frío, está lloviendo, es martes, ¡qué horror! 6 (*para sustituir a otros pronombres*) **who is it?, - it's me!**, ¿quién es?, -¡soy yo! **Italian** [ɪ'tæljən] **I** *adj* italiano,-a

II *n* 1 (*persona*) italiano,-a 2 (*idioma*) italiano

italics [ɪ'tælɪks] *n* cursiva

Italy ['ɪdəli] *n* Italia

itch [ɪtʃ] **I** *vi* picar

II *n* picor

itchy ['ɪtʃi] *adj* (*itchier, itchiest*) que pica

it'd [ɪːd, 'ɪːd] → 1 **it would** 2 **it had**

item ['aɪdəm] *n* 1 artículo 2 (*en el orden del día*) punto, asunto

itinerary [aɪ'tɪnərəri] *n* itinerario

it'll ['ɪdəl] → **it will**

it's [ɪts] → 1 **it is** 2 **it has**

its [ɪts] *adj* su(s)

itself [ɪt'self] *pron pers* 1 (*reflexivo*) se 2 (*uso enfático*) (*sujeto*) él/ella/ello mismo,-a; (*después de preposición*) sí (mismo,-a)

by itself, solo, automáticamente

IUD (*abr de intrauterine (contraceptive) device*) dispositivo intrauterino, DIU

IV ['aɪviː] *n Med* (*abr de intravenous*) dosificador intravenoso -a,

I've [aɪv] → **I have**

ivory ['aɪvəri] *n* marfil

ivy ['aɪvi] *n Bot* hiedra

J

J, j [dʒeɪ] *n* (*letra*) J, j

jab [dʒæb] **I** *n* 1 pinchazo; *Med fam* inyección: **I had a flu jab**, me vacuné contra la gripe 2 golpe

II *vtr* 1 (*con una aguja*) pinchar 2 (*con el puño*) dar un puñetazo a

jabber ['dʒæbər] *vi fam* (*hablar de manera ininteligible*) farfullar

jack [dʒæk] *n* 1 *Auto Téc* gato 2 *Naipes* ≈ sota; (*baraja francesa*) jota

jackal ['dʒækəl] *n Zool* chacal

jacket ['dʒækɪt] *n* chaqueta

jack-knife ['dʒæknaɪf] *n* navaja

jack-o-lantern ['dʒækoʊlæntərn] *n* linterna de noche de brujas (Halloween, 31 de octubre) hecha de calabaza

jackpot ['dʒækpɒt] *n* (*premio*) gordo

jade [dʒeɪd] *n* jade

jaded ['dʒeɪdɪd] *adj* hastiado,-a, sin entusiasmo

jagged ['dʒægɪd] *adj* dentado,-a

jaguar ['dʒægwɑr] *n Zool* jaguar

jail [dʒeɪl] **I** n cárcel **II** vtr encarcelar

jailer ['dʒeɪlər] n carcelero,-a

jalopy ['dʒælɒpi] n automóvil viejo, ruidoso y destartalado

jam [dʒæm] **I** n **1** Culin mermelada **2** atasco; **traffic jam,** embotellamiento **II** vtr **1** meter a la fuerza **2** atascar **3** Rad interferir **III** vi atascarse

jamboree [dʒæmbəriː] n fiesta ruidosa, jolgorio

jam session n Mús improvisación

janitor ['dʒænɪdʒər] n portero, conserje; (en una escuela) bedel

January ['dʒænjʊəri] n enero

jar [dʒɑːr] **I** n **1** tarro, bote **2** tinaja, jarra **II** vi (colores) desentonar, chillar **III** vtr golpear(se)

jargon ['dʒɑːrgən] n jerga

jasmin(e) ['dʒæzmɪn] n Bot jazmín

jaundice ['dʒɔːndɪs] n ictericia

javelin ['dʒævəlɪn] n jabalina

jaw [dʒɔː] **I** n mandíbula **II** vi fam hablar sin parar

jazz [dʒæz] n jazz

jazzy ['dʒæzi] adj (jazzier, jazziest) fam **1** llamativo,-a **2** de colores chillones

jealous ['dʒeləs] adj **1** celoso,-a **2** envidioso,-a

jealousy ['dʒeləsi] n **1** celos **2** envidia

jeans [dʒiːnz] npl vaqueros, tejanos

jeep [dʒiːp] n jeep, todo terreno, LAm campero

jeer [dʒɪːr] **I** n **1** abucheo **2** mofa **II** vi **1** abuchear **2** burlarse, mofarse [at, de]

Jehovah [dʒɪˈhəʊvə] n Rel Jehová; **Jehovah's Witness,** testigo de Jehová

jello ['dʒeləʊ] n US Culin gelatina

jelly ['dʒeli] n gelatina

jellyfish ['dʒelɪfɪʃ] n Zool medusa

jeopardize ['dʒepərdaɪz] vtr hacer peligrar

jeopardy ['dʒepərdi] n riesgo, peligro

jerk [dʒɜːrk] **I** n **1** sacudida **2** tirón **II** vtr **1** sacudir **2** dar un tirón a

jest [dʒest] **I** n frml & hum broma **II** vi bromear

jet [dʒet] n **1** azabache **2** (de agua, aire) chorro **3** Av avión (a reacción), reactor

jet-lag ['dʒetlæg] n desfase horario

jet-propelled ['dʒetprəpeld] adj propulsado por motor de reacción

jetty ['dʒedʒi] n embarcadero, malecón

Jew [dʒuː] n judío,-a

jewel ['dʒuːəl] n **1** joya, alhaja **2** piedra preciosa

jeweler ['dʒuːlər] n joyero,-a\

jewelry ['dʒuːlri] n joyas, alhajas

Jewish ['dʒuːɪʃ] adj judío,-a

jiffy ['dʒɪfi] n fam momento, segundo

jigsaw ['dʒɪgsɔː] n puzzle, rompecabezas

jingle ['dʒɪŋgəl] **I** n tintineo **2** Rad TV canción publicitaria

II vi tintinear

jinx [dʒɪŋks] **I** n **1** maldición **2** (persona) gafe **II** vtr gafar

job [dʒɒb] n **1** trabajo, empleo **2** trabajo, tarea

jobless ['dʒɒblɪs] adj parado,-a

jockey ['dʒɒki] n jinete, jockey

jog [dʒɒg] **I** n **1** pequeño empujón **2 to go for a jog,** hacer footing **II** vtr **1** (el codo, la mesa) empujar **2** (la memoria) refrescar **III** vi **1** Dep hacer footing

jogger ['dʒɒgər] n persona que hace footing

jogging ['dʒɒgɪŋ] n footing

join [dʒɔɪn] vtr **1** (dos cosas) juntar, unir **2** (gente) reunirse con **3** (una carretera) empalmar **4** (un club) hacerse socio de **5** (una cola) ponerse en/a **6** (una organización) entrar en, ingresar en; (un grupo) unirse a; (un partido político) afiliarse a **7** (una actividad, diversión) tomar parte en
■ **join in I** vi participar, tomar parte **II** vtr participar en, intervenir en
■ **join up** vtr juntar, unir

joint [dʒɔɪnt] **I** n **1** Anat articulación **2** Téc juntura, junta **3** Culin trozo de carne asada **4** fam (sitio) antro **5** fam porro **II** adj conjunto,-a, colectivo,-a

jointly ['dʒɔɪntli] adv conjuntamente, en común

joke [dʒəʊk] **I** n **1** (palabras) chiste **2** (acción) broma **II** vi bromear

joker ['dʒəʊkər] n **1** bromista **2** Naipes comodín

jolly ['dʒɒli] adj (jollier, jolliest) (persona) alegre, jovial

jolt [dʒəʊlt] **I** n **1** sacudida **2** fig susto **II** vi moverse a sacudidas, traquetear **III** vtr sacudir

jostle ['dʒɒsəl] vtr darle empujones a, empujar

jot [dʒɒt] n (usu con negativo) **not a jot,** ni jota, ni pizca, ni un ápice
■ **jot down** vtr apuntar, tomar nota de

journal ['dʒɜːrnəl] n **1** revista **2** (periódico) diario

journalism ['dʒɜːrnəlɪzəm] n periodismo

journalist ['dʒɜːrnəlɪst] n periodista

journey ['dʒɜːrni] n **1** viaje **2** (distancia) recorrido

jovial ['dʒəʊviəl] adj jovial

joy [dʒɔɪ] n (emoción) alegría

joyful ['dʒɔɪfəl] adj alegre, contento,-a

joyride ['dʒɔɪraɪd] n fam **to go for a joyride,** ir a dar una vuelta en un coche robado

joystick ['dʒɔɪstɪk] n **1** Av palanca de mando **2** Inform joystick

Jr abr de junior

Judaism ['dʒu:deɪɪzəm] n judaísmo
judge [dʒʌdʒ] **I** n fur jue7(a)
II vtr **1** fur juzgar **2** considerar
III vi juzgar, dar una opinión
judg(e)ment ['dʒʌdʒmənt] n **1** fur sentencia, fallo **2** fur juicio **3** opinión, juicio
Judgement Day ['dʒʌdʒməntdeɪ] n día del juicio final
judiciary [dʒu'dɪʃɪərɪ] n magistratura
judo ['dʒu:dou] n judo
jug [dʒʌg] n jarra
juggle ['dʒʌgəl] vtr & vi hacer malabarismos
juggler ['dʒʌglər] n malabarista
juice [dʒu:s] n **1** (de carne) jugo **2** (de fruta) zumo
juicy ['dʒu:si] adj (juicier, juiciest) jugoso,-a
jukebox ['dʒu:kbɒks] n máquina de discos
July [dʒə'laɪ] n julio
jumble ['dʒʌmbəl] **I** n revoltijo
II vtr revolver
jumbo ['dʒʌmbou] **I** adj fam gigante
II n jumbo (jet), jumbo
jump [dʒʌmp] **I** n **1** salto, brinco **2** Dep valla, obstáculo
II vtr **1** (un obstáculo) salvar **2** (el semáforo) saltarse
III vi **1** saltar
■ **jump to** vtr tomar decisiones precipitadas
jumpy ['dʒʌmpi] adj (jumpier, jumpiest) fam nervioso,-a
junction ['dʒʌŋkʃən] n **1** (de carreteras) cruce **2** Ferroc Elec empalme
June [dʒu:n] n junio
jungle ['dʒʌŋgəl] n jungla, selva
junior ['dʒu:njər] **I** adj **1** más joven, menor, hijo; **José Ruiz Junior,** José Ruiz hijo **2** subalterno,-a
II n **1** menor, joven **2** subalterno,-a; **office junior,** botones
junk [dʒʌŋk] **I** n **1** Náut junco **2** trastos viejos, baratijas **3** basura
II adj pey basura
junk food n comida basura
junkie ['dʒʌŋki] n argot yonqui, drogadicto,-a
jurisdiction [dʒʊərɪs'dɪkʃən] n frml jurisdicción
juror ['dʒʊərər] n miembro del jurado,-a
jury ['dʒʊərɪ] n jurado
just [dʒʌst] **I** adj (ético) justo,-a, recto
II adv **1** justo, precisamente: **that's just what I need,** eso es precisamente lo que necesito **2** (en el mismo momento) **I'm just coming,** ya voy **3** solamente: **they are just friends,** no son más que amigos **4** (uso enfático) **she's just crazy about you,** está sencillamente loca por ti
justice ['dʒʌstɪs] n justicia
Justice of the Peace ['dʒʌstɪsʌvðəpis] n juez civil, juez de la paz
justifiable ['dʒʌstɪfaɪəbəl] adj justificable

justification [dʒʌstɪfɪ'keɪʃən] n justificación
justify ['dʒʌstɪfaɪ] vtr justificar
jut [dʒʌt] vi sobresalir
juvenile ['dʒu:vənl] **I** adj **1** juvenil **2** pey infantil
II n menor

K

K, k [keɪ] n (letra) K, k
K [keɪ] n **1** abreviación de 1,000 **2** (Inform) abreviación de kilobyte
kaleidoscope [kə'laɪdəskoup] n caleidoscopio
kangaroo ['kæŋgə'ru:] n Zool canguro
karat ['kerət] n quilate
karate [kə'ra:dɪ] n kárate
kebab [kə'bab] n Culin brocheta
keel [ki:l] n Náut quilla ◆ LOC: **on an even keel,** estable
keen [ki:n] adj **1** (interés) profundo,-a, vivo,-a **2** (persona) entusiasta; **to be keen on sthg,** ser aficionado a algo; **to be keen to do sthg,** estar deseando hacer algo
keep [ki:p] **I** vtr (ps & pp **kept**) **1** (no perder, no tirar) guardar, conservar: **keep your receipt,** conserva el recibo **2** poner aparte, reservar: **can you keep one for me?,** ¿puedes reservarme uno? **3** (a una familia) mantener **4** (un diario, una agenda) escribir **5** (un compromiso) cumplir
II vi **1** conservarse **2** permanecer
■ **keep away I** vtr mantener a distancia
II vi mantenerse a distancia
■ **keep off** vtr **1** to keep sthg off, proteger de algo **2** (letrero) keep off, no acercarse o no tocar
■ **keep on** vtr (a empleados) no despedir a
II vi seguir; **to keep on doing sthg,** continuar haciendo algo
keeper ['ki:pər] n **1** (de un zoo) cuidador,-ora **2** (de un museo) conservador,-ora **3** vigilante
keeping ['ki:pɪŋ] n consonancia; **in keeping with,** de acuerdo con
keepsake ['ki:pseɪk] n objeto de recuerdo, regalo
keg [keg] n barrica
kennel ['kenəl] n **1** caseta para perros **2** kennels pl, perrera
kept [kept] ps & pp → **keep**
kernel ['kɜrnəl] n (de fruta, fruto) semilla, (de cereales) grano
kerosene ['kerəsi:n] n queroseno
ketchup ['ketʃʌp] n salsa de tomate
kettle ['kedl] n hervidor (de agua)
key [ki:] **I** n **1** (de una puerta, etc) llave **2** (de un misterio, enigma) clave **3** (de un piano, ordenador) tecla **4** Mús tono
II adj clave; **the key issue,** el factor clave

III *vtr Inform* teclear

■ **key in** *vtr Inform* introducir

keyboard ['ki:bərd] *n Mús Inform* teclado

keyhole ['ki:həʊl] *n* ojo de la cerradura

key ring ['ki:rɪŋ] *n* llavero

kg. *n abr* de kilogramo

khaki ['kæki] *adj & n* caqui

kick [kɪk] I *n (de animal)* coz; *(de persona)* patada, puntapié

II *vi (animal)* cocear; *(persona)* dar patadas

III *vtr* dar un puntapié a

■ **kick down** *vtr* derribar a patadas

■ **kick off** *vi 1 Ftb* hacer el saque inicial 2 *fam* empezar

■ **kick out** *vtr* echar a patadas

kickback *n* comisión o pago confidencial, generalmente deshonesto

kick-start *v* encender una motocicleta con el pedal de arranque

kid [kɪd] I *n 1 Zool* cabrito 2 *(tipo de cuero)* cabritilla 3 *fam* niño,-a, crío,-a

II *vi fam* bromear

kiddo *v fam* forma familiar de **kid**, cuando se habla a un chico o amigo

kidnap ['kɪdnæp] *vtr* secuestrar

kidnapper ['kɪdnæpər] *n* secuestrador,-ora

kidnapping ['kɪdnæpɪŋ] *n* secuestro

kidney ['kɪdni] *n Anat* riñón

kill [kɪl] I *vtr* matar

killer ['kɪlər] *n* asesino,-a

killing ['kɪlɪŋ] *n* asesinato ◆ | LOC: *Fin* to make a killing, ganar una fortuna

killjoy ['kɪldʒɔɪ] *n* aguafiestas

kiln [kɪln] *n* horno (para cerámica)

kilo ['ki:ləʊ] *n* kilo

kilogram [kɪ'ləgræm] *n* kilogramo

kilometer ['kɪləumi:dər, kɪ'ləmɪdər] *n* kilómetro

kilt [kɪlt] *n* falda escocesa

kin [kɪn] *n* familiares, parientes; **next of kin,** pariente(s) más próximo

kind [kaɪnd] I *n 1* tipo, clase 2 especie

II *adv fam* **kind of,** en cierto modo

III *adj* amable, simpático,-a

kindergarten [kɪndər'gɑrdn] *n* jardín de infancia

kind-hearted [kaɪn'hɑrdɪd] *adj* bondadoso,-a

kindly ['kaɪndlɪ] I *adj (kindlier, kindliest)* bondadoso,-a

II *adv 1 frml* por favor 2 con amabilidad

kindness ['kaɪndnɪs] *n* bondad, amabilidad

king [kɪŋ] *n* rey

kingdom ['kɪŋdəm] *n* reino

kinship ['kɪnʃɪp] *n* parentesco

kiosk ['ki:ɒsk] *n* quiosco

kipper ['kɪpər] *n* arenque ahumado

kiss [kɪs] I *n* beso

II *vtr* besar

kit [kɪt] *n* equipo; **first-aid kit,** botiquín

kitchen ['kɪtʃɪn] *n* cocina

kite [kaɪt] *n 1 (juguete)* cometa 2 *Orn* milano

kitten ['kɪtn] *n* gatito,-a

kitty ['kɪdi] *n 1 Naipes* banca 2 *(dinero)* fondo común

kiwi ['ki:wi] *n Bot Orn* kiwi

knack [næk] *n* truco

knapsack ['næpsæk] *n* mochila

knee [ni:] I *n* rodilla

II *vtr* dar un rodillazo a

knee-deep *adj 1* nivel de profundidad hasta las rodillas 2 *fam* verse afectado por algo que no se puede evitar

knee-high *adj* nivel de altura hasta las rodillas

knee-jerk *adj* reacción rotularia

kneel [ni:l] *vi (ps & pp knelt) 1* estar arrodillado 2 arrodillarse

knelt [nelt] *ps & pp →* **kneel**

knew [nu:] *ps →* **know**

knife [naɪf] I *n (pl knives [naɪvz])* cuchillo

II *vtr* apuñalar

knight [naɪt] I *n 1 Hist & GB Pol* caballero 2 *Ajedrez* caballo

II *vtr* nombrar caballero

knit [nɪt] I *vtr (ps & pp knit)* tejer, tricotar

II *vi* hacer punto

knitting ['nɪdɪŋ] *n (labor)* punto

knitwear ['nɪtwer] *n* géneros de punto

knob [nɒb] *n 1* protuberancia 2 *(de un cajón)* tirador 3 *(de control, etc)* botón 4 *(de una puerta)* pomo

knock [nɒk] I *n (sonido, impacto, tb fig)* golpe

II *vi (a la puerta)* llamar

III *vtr* golpear, dar un golpe a

■ **knock down** *vtr 1 (un edificio)* derribar 2 *Auto* atropellar

■ **knock off** *vtr 1* tirar 2 *argot* birlar 3 *argot* matar, liquidar

■ **knock out** *vtr 1* dejar sin conocimiento; *Boxeo* dejar K.O. a alguien, noquear 2 *Dep* eliminar

■ **knock over** *vtr* tirar, volcar

■ **knock up** *vtr* construir deprisa

knocker ['nɒkər] *n* aldaba

knockout ['nɒkaʊt] *n 1 Boxeo* KO 2 *Dep* eliminatoria

knot [nɒt] I *n 1* nudo 2 *(de personas)* grupo

II *vtr* anudar

know [nəʊ] *vtr & vi (ps knew; pp known) 1 (hechos, idioma)* saber 2 *(a una persona, un sitio)* conocer 3 reconocer

knowing ['nəʊɪŋ] *adj* **a knowing wink,** un guiño de complicidad

knowingly ['nəʊɪŋli] *adv 1* adrede, intencionadamente 2 con complicidad

knowledge ['nɒlɪdʒ] *n 1* conocimiento 2 conocimientos

known [nəʊn] *adj* conocido,-a

knuckle ['nʌkəl] *n Anat* nudillo

KO [keɪˈəʊ] *fam (abr de knockout)* K.O.

Koran [kɔ'ræn] *n* Corán
Korea [kɔ'riə] *n* Corea
Korean [kɔ'riən] *n* coreano,-a
kosher *adj* alimento preparado de acuerdo con la ley judía
KS *(abr de Kansas)* abreviatura, estado de Kansas
KW *(abr de kilowatt)* abreviatura de kilovatio
KY *(abr de Kentucky)* abreviatura, estado de Kentucky

L

L, l [εl] *n (letra)* L, l
LA 1 *(abr de Louisiana)* abreviatura, estado de Louisiana 2 abreviatura de Los Angeles (California)
lab [læb] *n fam (abr de laboratory)* laboratorio
label ['leɪbəl] I *n* etiqueta
II *vtr (un producto, artículo, etc)* etiquetar
labor ['leɪbər] I *n* 1 *frml* trabajo, tarea 2 mano de obra 3 *Med* parto
II *adj* laboral
III *vi frml* trabajar
laboratory ['læbrətɔːri] *n* laboratorio
laborious [lə'bɔːriəs] *adj* trabajoso,-a
laborer ['leɪbərər] *n* peón
labyrinth ['læbrɪnθ] *n* laberinto
lace [leɪs] I *n* 1 *Tex* encaje 2 *(para los zapatos)* cordón
II *vtr* **to lace (up) one's shoes,** atarse los zapatos
lack [læk] I *n* falta, escasez
II *vtr* no tener, carecer de
lackluster ['læklʌstər] *adj* de muy poco interés, atractivo o brillantez
lacquer ['lækər] I *n* laca
II *vtr (el pelo)* poner laca en
lacy ['leɪsi] *adj* 1 de encaje 2 parecido,-a al encaje 3 *fig* diáfano,-a
lad [læd] *n* chaval, muchacho
ladder ['lædər] *n* 1 escalera (de mano) 2 *(social, etc)* escala 3 *(en las medias)* carrera
ladle ['leɪdl] *n* cucharón, cazo
lady ['leɪdi] I *n* 1 señora, dama 2 *(letrero: servicios)* **Ladies,** Señoras
ladybug ['leɪdibʌg] *n Ent* mariquita
lag [læg] I *n (de tiempo)* lapso, demora
II *vtr Téc* revestir con aislante térmico
■ **lag behind** *vi* rezagarse, retrasarse, quedarse atrás
lager ['lɑːgər] *n* cerveza rubia
lagoon [lə'guːn] *n* laguna
laid [leɪd] *ps & pp* **lay**
laid-back [leɪd'bæk] *adj fam* tranquilo,-a
lain [leɪn] *pp de* **lie**
lair [ler] *n* guarida
lake [leɪk] *n Geog* lago
lamb [læm] *n* 1 *Zool* cordero, borrego 2 *Culin* (carne de) cordero

lame [leɪm] *adj* 1 cojo,-a; **to be lame,** cojear 2 *(argumento, excusa)* poco convincente
lament [lə'ment] I *n* 1 lamento 2 *Mús Lit* elegía
II *vtr* 1 deplorar, lamentarse de 2 *(una pérdida)* llorar
laminated ['læmɪneɪdɪd] *adj* laminado,-a
lamp [læmp] *n* lámpara; *Auto* faro
lamp-post ['læmpoʊst] *n* farola
lampshade ['læmpʃeɪd] *n (de una lámpara)* pantalla
land [lænd] I *n* 1 tierra; **by land,** por tierra 2 tierras, finca 3 país, nación
II *vi* 1 *Av* aterrizar; *(sobre agua)* amerizar 2 *(de un barco)* desembarcar
III *vtr* 1 *(un barco) (mercancías)* descargar; *(pasajeros)* desembarcar 2 *Av* hacer aterrizar
landing ['lændɪŋ] *n* 1 *Av* aterrizaje 2 *Náut Mil* desembarque, desembarco
landing strip *n Av* pista de aterrizaje
landlady ['lændleɪdi] *n* 1 *(de una casa alquilada)* dueña, propietaria, casera 2 *(de una pensión)* dueña, patrona 3 *(de una taberna)* dueña 4 terrateniente
landlocked ['lændlɒk] *adj* terreno o territorio rodeado de tierra, sin cuerpos de agua a su alrededor
landlord ['lændlɔːrd] *n* 1 *(de una casa alquilada)* dueño, propietario, casero 2 *(de una pensión)* dueño, patrón 3 *(de una taberna)* dueño 4 terrateniente
landmark ['lændmɑːrk] *n* 1 *Geog* punto de referencia; *fig* lugar muy conocido 2 *Hist* hito
landowner ['lændoʊnər] *n* terrateniente
landscape ['lændskeɪp] I *n* paisaje
II *vtr* ajardinar
landslide ['lændslaɪd] *n* corrimiento de tierras
lane [leɪn] *n* 1 camino vecinal, sendero 2 *(para el tráfico)* carril; **bus lane,** carril-bus; *Náut* ruta; *Dep* calle
language ['læŋgwɪdʒ] *n* 1 lenguaje 2 *(de un pueblo o nación)* idioma, lengua **language laboratory** ['læŋgwɪdʒlæbrətɔri] *n* laboratorio de lenguas
languish ['læŋgwɪʃ] *vi* 1 languidecer 2 *(en la cárcel)* pudrirse
lank [læŋk] *adj (pelo)* lacio,-a
lantern ['læntərn] *n* farol
lap [læp] I *n* 1 *Anat* regazo 2 *Dep (de un circuito de carreras)* vuelta
II *vtr (ps & pp lapped)* 1 *Dep* doblar 2 *(un animal)* beber a lengüetazos
■ **lap up** *vtr (animal)* beber a lengüetazos
lapel [lə'pel] *n* solapa
lapse [læps] I *n (periodo de tiempo)* lapso
II *vi* 1 *(principios, valores, etc)* decaer; *(tradición)* caer en desuso; *(volver a antiguas malas costumbres)* recaer [**into,** en] 2 *(tiempo)* transcurrir

laptop ['læptɒp] n *Inform* (computadora) portátil

lard [lɑ:rd] n *Culin* manteca de cerdo

large [lɑ:rdʒ] **I** *adj (de tamaño)* grande
II n **at large:** *(un criminal)* **to be at large,** andar suelto

largely ['lɑ:rdʒli] *adv* en gran parte

large-scale ['lɑ:rdʒskeɪl] *adj* a gran escala

lark [lɑ:rk] n **1** *Orn* alondra **2** broma

laryngitis [lærɪn'dʒaɪdɪs] n *Med* laringitis

larynx ['lærɪŋks] n *Anat* laringe

laser ['leɪzər] n láser

lash [læʃ] **I** n **1** látigo **2** *(golpe)* latigazo **3** eye lash, pestaña
II *vtr* azotar
■ **lash out** *vi* **1** tirar la casa por la ventana **2** golpear

lass [læs] n *fam* chavala, muchacha

lasso [læ'su:] **I** n lazo
II *vtr* coger con el lazo

last [læst] **I** *adj* **1** *(más reciente)* último,-a: **I saw him last week,** lo vi la semana pasada **2** *(al final de una serie)* último,-a: **this is your last chance,** ésta es tu última oportunidad **3** *(lo que queda)* último,-a
II n, pron *(de una serie)* el/la último,-a: **he was the last to leave,** fue el último en irse
III *adv* **1** *(más reciente)* **I last saw her in 1994,** la vi por última vez en 1994 **2** *(de una serie)* **he was born last,** fue el último en nacer **3** *(por fin)* **at last,** por fin; **last of all,** por último

lasting ['læstɪŋ] *adj* duradero,-a

lastly ['læstli] *adv* por último, finalmente

last-minute ['læstmɪnɪt] *adj* de última hora

last name ['læstneɪm] n apellido

latch [lætʃ] n *(de una cerradura)* pestillo

late [leɪt] **I** *adj* **1** *(más tarde de lo previsto)* tarde: **the train is always late,** el tren siempre viene tarde; *(plantas, etc)* tardío,-a; *(la hora)* avanzado,-a **2** *(muerto) (antes del nombre)* difunto,-a; **my late father,** mi difunto padre
II *adv* **1** *(más tarde de lo previsto)* tarde; **to arrive late,** llegar tarde; **too late,** demasiado tarde **2** *(hacia el final)* tarde; **late at night,** a altas horas de la noche

lately ['leɪtli] *adv* últimamente

later ['leɪdər] **I** *adj (en una serie)* posterior
II *adv* más tarde

lateral ['lædərəl] *adj* lateral

latest ['leɪdɪst] **I** *adj (en una serie)* último,-a
II n **1** lo último **2** *(tiempo)* **at the latest,** como más tarde, a más tardar

lather ['læðər] **I** n *(de jabón)* espuma
II *vtr* enjabonar

Latin ['lætɪn] **I** *adj & n* latino,-a; **Latin America,** América Latina, Latinoamérica; **Latin American,** latinoamericano,-a
II n *(idioma)* latín

latitude ['lædɪtu:d] n latitud

latter ['lædər] **I** *adj* **1** último,-a; *(de dos)* segundo,-a **2** tarde
II *pron* éste,-a; **the former ... the latter,** aquél ... éste, aquélla ... ésta

laugh [læf] **I** n risa
II *vi* reír(se)
■ **laugh at** *vi* reírse de, burlarse de

laughable ['læfəbəl] *adj* ridículo,-a, irrisorio,-a

laughter ['læftər] n risa

launch [lɔntʃ] **I** *vtr* **1** *Náut (un barco nuevo)* botar; *(un bote salvavidas)* echar al agua, lanzar **2** *(cohete, campaña, producto)* lanzar **3** *(empresa)* fundar
II n **1** *Náut (buque)* lancha **2** → **launching**

launching ['lɔntʃɪŋ] n **1** *(de buque)* botadura **2** *(de cohete, campaña, producto)* lanzamiento **3** *(de empresa)* fundación

launchpad ['lɔntʃpæd] n plataforma de lanzamiento

launder ['lɔndər] *vtr* lavar y planchar

laundromat [lɔndrəmæt] n lavandería (automática)

laundry ['lɔndri] n **1** lavandería **2** ropa sucia **3** ropa recién lavada, colada; **to do the laundry,** hacer la colada

lavatory ['lævətɔri] n **1** cuarto de baño, retrete **2** *(público)* baños, servicios, aseos

lavender ['lævɪndər] n *Bot* lavanda, espliego

lavish ['lævɪʃ] *adj* **1** *(persona, hospitalidad)* generoso,-a, pródigo,-a **2** *(banquete)* espléndido,-a, lujoso,-a

law [lɔ:] n **1** *(regla, norma, etc)* ley **2** *(conjunto de leyes)* ley; **to break the law,** infringir la ley **3** *(profesión)* abogacía; *Univ (asignatura)* Derecho

lawful ['lɔ:fəl] *adj* **1** *(contrato)* legal **2** *(gobernante, etc)* legítimo,-a

lawn [lɔ:n] n césped

lawnmower ['lɔ:nmoʊər] n cortacésped

lawsuit ['lɔ:su:t] n pleito, juicio

lawyer ['lɔ:jər] n abogado,-a

lax [læks] *adj* poco estricto, poco exigente

laxative ['læksədɪv] *adj & n* laxante

lay[1] [leɪ] **I** *vtr (ps & pp laid) (gen)* poner
II *adj* **1** *Rel* laico,-a **2** *(lector, usuario, etc)* lego,-a, profano,-a
■ **lay aside** *vtr* **1** ahorrar **2** poner a un lado
■ **lay away** *vtr* guardar (para el futuro)
■ **lay down** *vtr* **1** *(la pluma, un libro)* dejar (a un lado) **2** *(las armas)* deponer, rendir **3** *(pautas, procedimientos, reglas)* establecer, sentar
■ **lay in** *vtr (agua, provisiones)* proveerse de
■ **lay out** *vtr* **1** *(ropa, etc)* preparar, disponer **2** diseñar; *(una ciudad)* trazar; *(un jardín)* diseñar, trazar
■ **lay up** *vtr frml* almacenar

lay[2] [leɪ] *ps* → **lie**

layer ['leɪər] n capa

layman ['leɪmən] n lego,-a

layout ['leɪaʊt] n 1 (de una casa) distribución 2 diseño

laziness ['leɪzɪnɪs] n pereza

lazy ['leɪzi] adj (lazier, laziest) (persona) perezoso,-a

lb (abr de pound) libra (peso)

lead¹ [led] n (metal) plomo

lead² [liːd] I vi (ps & pp led) Dep & fig ir a la cabeza, ir delante
II vtr (ps & pp led) 1 (una organización, un grupo, etc) encabezar 2 (a una persona, un animal) guiar, llevar 3 **to lead the way**, ir delante
III n 1 Dep & fig primera posición 2 ejemplo, iniciativa a 3 (para perro) correa 4 Elec cable 5 Teat Cine papel principal 6 (de un criminal) pista
■ **lead on** I vi ir adelante
II vtr engañar, timar
■ **lead to** vt llevar a
■ **lead up to** vtr 1 preceder 2 llevar a

leaden ['ledən] adj 1 (cielo) plomizo,-a 2 fig pesado,-a, triste

leader ['liːdər] n 1 jefe,-a, líder 2 Prensa editorial

leadership ['liːdərʃɪp] n dirección, liderazgo

lead-free ['ledfriː] adj sin plomo

leading ['liːdɪŋ] adj 1 destacado,-a, importante 2 principal

leading lady/man n Teat Cine actriz/actor principal, protagonista

leaf [liːf] n (pl leaves [liːvz]) hoja **leaf,**
■ **leaf through** vtr hojear

leaflet ['liːflɪt] n folleto

league [liːg] n liga

leak [liːk] I vi 1 (un barco) hacer agua 2 (un tejado, tanque) tener escape 3 (un líquido) salirse; (gas) escaparse 4 (una información) filtrarse
II vtr 1 perder (una información) filtrar

lean [liːn] I adj 1 (persona) delgado,-a; (animal) flaco,-a 2 (carne) magro,-a
II vi (ps & pp leaned o leant) 1 inclinarse, ladearse 2 apoyarse
III vtr apoyar
■ **lean back** vi reclinarse, echarse hacia atrás
■ **lean forward** vi inclinarse hacia adelante
■ **lean on** vtr presionar
■ **lean out** vi asomarse
■ **lean over** vi inclinarse

leap [liːp] I n 1 salto, brinco 2 (de precios, etc) aumento súbito
II vi (ps & pp leaped o leapt) 1 saltar
■ **leap at** vtr fig (una oportunidad) no dejar escapar

leapt [lept] ps & pp → **leap**

leap year n año bisiesto

learn [lɜːn] I vtr (ps & pp learned o learnt) 1 aprender 2 enterarse
II vi 1 aprender 2 enterarse

learned ['lɜːnd] adj aprendido,-a

learner ['lɜːnər] n estudiante

learning disability ['lɜːnɪŋdɪsəbɪlɪdɪ] n limitada capacidad de aprender

lease [liːs] I n contrato de arrendamiento
II vtr arrendar

leash [liːʃ] n correa

least [liːst] I adj menor, mínimo,-a:; I **haven't the least idea**, no tengo la más mínima idea
II pron lo menos, lo mínimo: **she ate least of all**, ella comió menos que nadie
III adv menos: **that is the least dangerous option**, ésa es la opción menos peligrosa

leather ['leðər] I n piel, cuero
II adj de piel, de cuero

leave [liːv] I n 1 (ausencia) vacaciones; **leave of absence**, excedencia 2 frml (autorización) permiso 3 frml despedida
II vtr (ps & pp left) 1 (un sitio) dejar, irse de, salir de: **he left home in 1976**, se marchó de casa en 1976 2 (a una persona) dejar, abandonar 3 poner, dejar
III vi irse, marcharse
■ **leave behind** vtr 1 dejar atrás 2 olvidarse
■ **leave out** vtr omitir

leaves [liːvz] npl → **leaf**

lecture ['lektʃər] I n conferencia, charla
II vi 1 dar una conferencia 2 Educ dar clases
III vtr fig sermonear

lecture hall n 1 Univ aula 2 sala de conferencias

lecturer ['lektʃərər] n 1 conferenciante 2 Univ profesor,-ora

led [led] ps & pp → **lead**

ledge [ledʒ] n 1 cornisa 2 repisa 3 (de acantilado) saliente

ledger ['ledʒər] n libro de contabilidad

leech [liːtʃ] n Zool sanguijuela

leek [liːk] n Bot puerro

leeway ['liːweɪ] n libertad de acción

left¹ [left] I n izquierda
II adv a la derecha

left² [left] ps & pp → **leave**¹

left-hand ['lefthænd] adj **on the left-hand side**, a mano izquierda

left-handed [left'hændɪd] adj zurdo,-a

leftovers ['leftoʊvərz] npl sobras: **we're having leftovers for lunch today**, hoy vamos a comer sobras

left-wing ['leftwɪŋ] adj de izquierdas, izquierdista

leg [leg] n 1 Anat pierna 2 (de animal, pájaro) pata 3 Culin (de cordero) pierna: (de ave) muslo 4 (de pantalones) pernera ◆ LOC: **to pull sb's leg**, tomarle el pelo a alguien

legacy ['legəsi] n legado, herencia

legal ['liːgəl] adj legal

legalize ['liːgəlaɪz] vtr legalizar, despenalizar

legend ['ledʒənd] n leyenda

legendary ['lɛdʒəndəri] *adj* legendario,-a

leggings ['lɛgɪŋz] *npl* mallas

legible ['lɛdʒəbəl] *adj* legible

legislation [lɛdʒɪs'leɪʃən] *n Jur* legislación

legislator ['lɛdʒɪsleɪdər] *n Jur* legislador,-ora

legislature [lɛdʒɪs'leɪtʃər] *n Jur* asamblea legislativa

legitimacy [lə'dʒɪtɪməsi] *n* legitimidad

legitimate [lə'dʒɪtɪmɪt] *adj* legítimo,-a

leisure ['liːʒər] *n* ocio

leisure center *n* centro recreativo

leisurely ['liːʒərli] **I** *adj* **1** lento,-a **2** relajado,-a: **let's take a leisurely stroll,** demos un paseo sin prisas
II *adv* tranquilamente

leisure time *n* tiempo libre

lemon ['lɛmən] *n Bot* limón

lemonade [lɛmə'neɪd] *n* **1** limonada **2** gaseosa

lend [lɛnd] *vtr (ps & pp lent)* prestar

lending ['lɛndɪŋ] *adj Fin* lending rate, tipo de interés

length [lɛŋθ] *n* **1** *(espacio, línea)* longitud, largo **2** *(tiempo)* duración **3** *Dep (natación)* largo

lengthen ['lɛŋθən] **I** *vtr (tamaño)* alargar
II *vi* alargarse

lengthways ['lɛŋθweɪz] *adv* a lo largo

lengthy ['lɛŋθi] *adj (lengthier, lengthiest)* largo,-a

lenient ['liːnjənt] *adj* indulgente

lens [lɛnz] *n* **1** lente **2** *Anat* cristalino **3** *(de gafas)* cristal

Lent [lɛnt] *n Rel* Cuaresma

lent [lɛnt] *ps & pp →* **lend**

lentil ['lɛntl] *n Culin* lenteja

Leo ['liːou] *n Astrol* Leo

leopard ['lɛpərd] *n Zool* leopardo

leotard ['liːətɑːrd] *n* leotardo

leprosy ['lɛprəsi] *n Med* lepra

lesbian ['lɛzbiən] *adj & n* lesbiana

less [lɛs] **I** *adj* menos
II *pron* menos
III *adv* menos
IV *prep* menos

lessen ['lɛsən] *vtr & vi* disminuir

lesser ['lɛsər] *adj* menor

lesson ['lɛsən] *n* **1** clase **2** *(en libro, experiencia)* lección

let [lɛt] **I** *vtr (ps & pp let)* dejar, permitir **2** to let sb know (about) sthg, avisar a alguien de algo **3** *(una casa)* alquilar **4** dejar: **let her alone!,** ¡déjala en paz!
II *v aux (imperativo) (1.ª persona pl)* let's (= let us) go!, ¡vamos!; *(3.ª persona)* let that be clear!, ¡que quede claro!

■ **let down** *vtr* **1** bajar **2** defraudar

■ **let in** *vtr* **1** dejar entrar **2** to let sb in for sthg, meter a alguien en algo

■ **let off** *vtr* **1** *(una bomba, un petardo)* hacer estallar **2** perdonar **3** *(de un autobús)* dejar bajar

■ **let through** *vtr* dejar pasar

letdown ['lɛtdaʊn] *n* decepción

lethal ['liːθəl] *adj* letal

lethargic [lə'θɑːrdʒɪk] *adj* (lento) aletargado,-a

let's [lɛts] → **let us**

letter ['lɛdər] *n* **1** *(del alfabeto)* letra **2** *(mensaje escrito)* carta

lettuce ['lɛdəs] *n Bot* lechuga

level ['lɛvəl] **I** *n* **1** nivel **2** llano
II *adj* **1** *(superficie)* llano,-a, plano,-a **2** nivelado,-a **3** *(de altura)* to be level with, estar al mismo nivel que
III *vtr* nivelar

level-headed [lɛvəl'hɛdɪd] *adj* sensato,-a

lever ['lɛvər] **I** *n* palanca
II *vtr* hacer palanca

levy ['lɛvi] **I** *vtr (impuesto, multa)* imponer
II *n* impuesto

lexicon ['lɛksɪkən] *n* **1** léxico **2** diccionario de un lenguaje

liability [laɪə'bɪlɪdi] *n* responsabilidad

liable ['laɪəbəl] *adj* **1** responsable **2** propenso,-a

liaison [li'eɪzən] *n* enlace, vinculación

liar ['laɪər] *n* mentiroso,-a, embustero,-a

libel ['laɪbəl] **I** *n* libelo
II *vtr* difamar

liberal ['lɪbərəl] *adj* **1** liberal **2** generoso,-a
II *n Pol* liberal

liberate ['lɪbəreɪt] *vtr* liberar

liberation [lɪbə'reɪʃən] *n* liberación

liberty ['lɪbərdi] *n* libertad

Libra ['liːbrə] *n Astrol* Libra

librarian [laɪ'brɛriən] *n* bibliotecario,-a

library ['laɪbrəri] *n* biblioteca

lice [laɪs] *npl →* **louse**

license ['laɪsəns] *n* licencia, permiso; driver's license, carné de conducir

license number *n Auto* número de matrícula

license ['laɪsəns] **I** *vtr* autorizar

lichen ['laɪkən] *n Bot* liquen

lick [lɪk] *vtr* lamer

lickety-split [lɪkɪdi'splɪt] *adv* a toda velocidad

lid [lɪd] *n* **1** *(de un contenedor)* tapa **2** *(del ojo)* párpado

lie[1] [laɪ] **I** *vi* mentir
II *n* mentira

lie[2] [laɪ] *vi (ps lay; pp lain)* **1** *(acción)* echarse, tumbarse **2** estar o quedar tendido,-a **3** encontrarse, hallarse **4** permanecer, estar **5** *(problema)* radicar

■ **lie about/around** *vi* **1** *(una persona)* estar tumbado,-a sin hacer nada **2** *(cosas)* estar tirado,-a

■ **lie back** *vi* recostarse

■ **lie down** *vi* **1** acostarse, echarse

lieutenant [luːˈtɛnənt] n Mil teniente

life [laɪf] n (pl **lives** [laɪvz]) vida

lifeboat [ˈlaɪfboʊt] n 1 (de rescate) lancha de socorro 2 (de barco) bote salvavidas

lifeguard [ˈlaɪfɡɑrd] n socorrista

life insurance n seguro de vida

life jacket n chaleco salvavidas

lifeless [ˈlaɪflɪs] adj sin vida

lifelike [ˈlaɪflaɪk] adj natural, realista

lifelong [ˈlaɪflɒŋ] adj (amigo, etc) de toda la vida

lifestyle [ˈlaɪfstaɪl] n estilo de vida

lifetime [ˈlaɪftaɪm] n vida

lift [lɪft] I vtr (un bloqueo, una cabeza, caja, un peso, sitio, etc) levantar II vi (niebla) disiparse III n estímulo

lift-off [ˈlɪftɒf] n despegue

light [laɪt] I n 1 luz; moon/sun light, luz de la Luna/del Sol 2 semáforo II adj 1 ligero,-a, liviano,-a 2 (color) claro; **light green,** verde claro; (brisa, voz) suave; (casa) luminoso,-a III vtr (ps & pp **lighted** o **lit**) 1 encender 2 alumbrar, iluminar IV vi encenderse

lighten [ˈlaɪtⁿn] I vtr 1 (un color) aclarar 2 (un peso) aligerar 3 fig reducir II vi 1 aligerarse 2 (el cielo) despejarse

lighter [ˈlaɪdər] n (**cigarette**) **lighter,** mechero

light-headed [laɪtˈhɛdɪd] adj 1 exaltado,-a 2 mareado,-a

light-hearted [laɪthɑːrdɪd] adj alegre

lighthouse [ˈlaɪthaʊs] n faro

lighting [ˈlaɪdɪŋ] n 1 (acción) iluminación 2 (conjunto de lámparas) alumbrado

lightly [ˈlaɪtⁿli] adv 1 (dormir, tocar) ligeramente 2 con indulgencia

lightness [ˈlaɪtⁿnɪs] n 1 luminosidad, claridad 2 ligereza 3 delicadeza

lightning [ˈlaɪtⁿnɪŋ] n relámpago

like [laɪk] I vtr 1 (disfrutar) gustar 2 querer (se usa con **would** o **should**) II vi querer III prep 1 como, parecido,-a a IV n gusto, preferencia

likelihood [ˈlaɪklihʊd] n probabilidad

likely [ˈlaɪkli] I adj (**likelier, likeliest**) probable II adv probablemente

liken [ˈlaɪkən] vtr comparar [**to,** a/con]

likeness [ˈlaɪknɪs] n parecido

likewise [ˈlaɪkwaɪz] adv 1 también, asimismo 2 lo mismo, igual

liking [ˈlaɪkɪŋ] n 1 afición, gusto 2 (hacia una persona) simpatía, cariño

lilac [ˈlaɪlæk] I n Bot (flor) lila II adj lila, de color lila

lily [ˈlɪli] n Bot lirio, azucena

limb [lɪm] n 1 Anat miembro 2 Bot rama

lime [laɪm] n 1 Chem cal 2 Bot (fruto) lima

limelight [ˈlaɪmlaɪt] n fig **to be in the limelight,** estar en primer plano

limit [ˈlɪmɪt] I n límite II vtr limitar

limitation [lɪməˈteɪʃən] n limitación

limited [ˈlɪmɪdɪd] adj limitado,-a

limousine [ˈlɪməziːn, lɪməˈziːn] n limusina

limp [lɪmp] I vi cojear II n cojera III adj (mano) flojo,-a; sin fuerzas; (pelo) lacio,-a, débil

line [laɪn] n 1 línea, raya 2 Anat arruga 3 (de un escrito) renglón 4 fila, hilera; US (de espera) cola 5 cuerda, hilo, cable 6 Elec Telec línea; **on-line,** en línea, conectado,-a 7 Ferroc vía; (ruta) línea 8 Com empresa de transportes; **airline,** línea aérea II vtr 1 rayar, trazar líneas sobre 2 bordear 3 forrar, revestir ■ **line up** vi 1 ponerse en fila 2 US hacer cola

lineage [ˈlɪnɪdʒ] n linaje

lined [laɪnd] adj 1 (papel) rayado,-a 2 (cara) arrugado,-a

liner [ˈlaɪnər] n transatlántico

linger [ˈlɪŋɡər] vi tardar en desaparecer, persistir

lingerie [lɑːnʒəˈreɪ] n frml lencería

linguist [ˈlɪŋɡwɪst] n lingüista

lining [ˈlaɪnɪŋ] n forro

link [lɪŋk] I n 1 eslabón 2 conexión, vínculo 3 Transp enlace II vtr 1 unir 2 vincular ■ **link up** vi 1 reunirse [**with,** con] 2 (aeronaves) acoplarse

lion [ˈlaɪən] n Zool león

lioness [ˈlaɪənəs] n Zool leona

lip [lɪp] n Anat labio

lip-read [ˈlɪpriːd] vtr & vi leer los labios

lipstick [ˈlɪpstɪk] n lápiz de labios

liqueur [lɪˈkʊər] n licor

liquid [ˈlɪkwɪd] adj & n líquido,-a

liquidate [ˈlɪkwɪdeɪt] vtr liquidar

liquidation [lɪkwɪˈdeɪʃən] n Fin liquidación

liquidize [ˈlɪkwɪdaɪz] vtr licuar

liquidizer [ˈlɪkwɪdaɪzər] n licuadora

liquor [ˈlɪkər] n 1 bebidas alcohólicas 2 alcohol

liquorice [ˈlɪkərɪʃ] n regaliz

lisp [lɪsp] I n ceceo II vi cecear

list [lɪst] I n lista II vtr 1 enumerar 2 incluir en una lista

listen [ˈlɪsən] vi 1 escuchar: **listen to this...,** escucha esto... 2 prestar atención

listener [ˈlɪsnər] n oyente

lit [lɪt] ps & pp → **light**[1]

liter [ˈliːdər] n litro

literal [ˈlɪdərəl] adj literal

literary [ˈlɪdərɛri] adj literario,-a

literate ['lɪdərɪt] *adj* que sabe leer y escribir

literature ['lɪdərɪtʃər, 'lɪdʒətʃər] *n* literatura

litter ['lɪdər] **I** *n* **1** basura, desperdicios **2** *Zool* camada
II *vtr* ensuciar

little ['lɪdəl] **I** *adj* **1** pequeño,-a **2** joven; **a little boy,** un niño **3** *(con sentido diminutivo)* **a little cat,** un gatito **4** poco,-a; **a little,** algo de
II *pron* poco
III *adv* **1** poco; **little by little,** poco a poco **2** **a little,** un poco

Little League Baseball *n* organización de ligas infantiles de béisbol

live¹ [lɪv] **I** *vi* **1** *(existir)* vivir **2** residir
II *vtr* vivir, llevar
■ **live off** *vtr* **1** *(rentas, etc)* vivir de
■ **live on** *vtr* *(comida)* alimentarse de
■ **live through** *vtr* **1** *(una experiencia)* vivir **2** *(un periodo)* sobrevivir
■ **live up to** *vtr* **1** *(una promesa)* cumplir con **2** *(una esperanza, expectativa)* estar a la altura de

live² [laɪv] *adj* **1** vivo,-a **2** *TV Rad (emisión)* en directo, en vivo

livelihood ['laɪvlihud] *n* sustento

lively ['laɪvli] *adj (livelier, liveliest)* **1** *(persona)* vivo,-a **2** *(paso)* rápido,-a **3** *(sitio)* animado,-a

liven ['laɪvən] *vtr* **to liven (up),** animar

liver ['lɪvər] *n Anat* hígado

livestock ['laɪvstɔk] *n* ganado

livid ['lɪvɪd] *adj* lívido,-a

living ['lɪvɪŋ] **I** *adj* **1** vivo,-a **2** viviente
II *n* vida

living conditions *npl* condiciones de vida

living room *n* salón, sala de estar

living standards *npl* nivel de vida

lizard ['lɪzərd] *n Zool* lagarto, lagartija

llama ['lɑːmə] *n* llama

load [loʊd] **I** *n* **1** *(de camión, etc)* carga **2** peso **3** **a load of wash,** una colada
II *vtr* cargar

loaf [loʊf] *n (pl loaves)* pan, barra de pan; *(en rebanadas)* pan de molde

loan [loʊn] **I** *n* préstamo
II *vtr* prestar

loan shark ['loʊnʃɑrk] *n* prestamista, usurero

loathe [loʊð] *vtr* detestar

loathsome ['loʊðsəm] *adj* odioso,-a, repugnante

loaves [loʊvz] *npl* → **loaf**

lobby ['lɑbi] **I** *n* **1** vestíbulo **2** grupo de presión, lobby
II *vtr* presionar
III *vi* ejercer presión política

lobe [loʊb] *n* lóbulo

lobster ['lɑbstər] *n Zool* langosta, bogavante

local ['loʊkəl] **I** *adj* **1** local **2** *Med (anestesia)* local
■ *n* vecino,-a

local call *n Tel* llamada urbana

locality [loʊˈkælɪdɪ] *n* localidad

locate [loʊˈkeɪt] *vtr* **1** situar, ubicar **2** localizar

location [loʊˈkeɪʃən] *n* **1** emplazamiento **2** *Cine* lugar de rodaje

lock [lɑk] **I** *n* **1** *(de una puerta)* cerradura; *(de una ventana, etc)* cerrojo; **padlock,** candado
II *vtr* cerrar con llave
III *vi (puerta)* cerrarse
■ **lock away** *vtr* guardar bajo llave
■ **lock in** *vtr* encerrar
■ **lock up** **I** *vtr* **1** *(un sitio)* cerrar **2** *(a una persona)* encerrar

locker ['lɑkər] *n* armario particular

locker room *n* vestuario

lockout ['lɑkaʊt] *n Lab* cierre patronal

locksmith ['lɑksmɪθ] *n* cerrajero

lockup ['lɑkʌp] *n* cárcel, calabozo

locomotive [loʊkəˈmoʊdɪv] *n* locomotora

locust ['loʊkəst] *n Zool* langosta

lodge [lɑdʒ] *n (en un parque, una finca)* casa del guarda; *(en un edificio de pisos)* portería; *(de caza, esquí, montaña)* refugio
II *vtr* **1** alojar **2** *(denuncia, queja)* presentar
III *vi (persona)* alojarse

lodger ['lɑdʒər] *n* huésped(a)

lodging ['lɑdʒɪŋ] *n* alojamiento

loft [lɑft] *n* desván

log [lɑg] **I** *n* **1** tronco **2** *Náut* diario de a bordo **3** *Mat* logaritmo
II *vtr (record)* registrar
■ **log in/on** *vi Inform* entrar (en el sistema)
■ **log out/off** *vi Inform* salir (del sistema)

logarithm ['lɑgrɪðəm] *n* logaritmo

log cabin ['lɑgkæbɪn] *n* cabaña de madera, de troncos

logger ['lɑgər] *n* leñador

loggerheads ['lɑgərhɛdz] *n (to be at loggerheads with someone)* estar en serio desacuerdo con alguien

logic ['lɑdʒɪk] *n* lógica

logical ['lɑdʒɪkəl] *adj* lógico,-a

logo ['loʊgoʊ] *n* logotipo

loin [lɔɪn] *n Culin (de cerdo)* lomo; *(de ternera, vaca)* solomillo

loiter ['lɔɪdər] *vi* **1** holgazanear **2** merodear

lollipop ['lɑlipɑp] *n* chupa-chups®, piruleta

loneliness ['loʊnlɪnəs] *n* soledad

lonely ['loʊnli] *adj (lonelier, loneliest)* **1** *(persona)* solo,-a, solitario,-a **2** *(sitio)* aislado,-a

long [lɑŋ] **I** *adj* **1** *(espacio)* largo,-a **2** *(tiempo)* largo,-a: **how long is the play?,** ¿cuánto dura la obra? **3** *(extensión)* **the book is 250 pages long,** el libro tiene 250 páginas
II *adv* **1** mucho tiempo: **long ago,** hace mucho **2** **no longer,** ya no **3** **as long as the war lasted,** mientras duró la guerra; **as long as you're happy,** con tal que estés contenta
III *vtr* **to long to do sthg,** anhelar hacer algo
IV *vi* **to long for,** añorar

long-distance ['lɒŋdɪstəns] adj 1 (tren) de largo recorrido 2 (llamada) interurbana

long-drawn-out ['lɒŋdrɔnaʊt] adj proceso que se retarda más de lo necesario

longing ['lɒŋɪŋ] n 1 deseo, anhelo 2 añoranza, nostalgia

longitude ['lɒndʒɪtuːd] n longitud

long johns ['lɒŋdʒɒnz] n calzones interiores largos

long jump ['lɒŋdʒʌmp] n Dep competencia de salto largo

long-lasting ['lɒŋlæstɪŋ] adj duradero,-a

long-life [lɒŋ'laɪf] adj de larga duración

long-lived [lɒŋlɪvd] adj longevo, de larga existencia

long-lost ['lɒŋlɒst] adj que no se ha visto o ha estado perdido por mucho tiempo

long-range [lɒŋ'reɪndʒ] adj 1 (misil) de largo alcance 2 (predicción) a largo plazo; **long-range plans,** planes a largo plazo

long-running ['lɒŋrʌnɪŋ] adj que se ha estado presentando o en existencia por mucho tiempo

long-term ['lɒŋtərm] adj a largo plazo

look [lʊk] I n 1 mirada, vistazo 2 aspecto, apariencia 3 moda 4 búsqueda
II vi 1 mirar 2 parecer: **she looks happy,** parece contenta 3 buscar
III vtr aparentar
■ **look after** vtr cuidar a, ocuparse de
■ **look at** vtr mirar
■ **look back** vi 1 mirar hacia atrás 2 **to look back on sthg,** recordar algo
■ **look down** vi mirar hacia abajo
■ **look for** vtr buscar
■ **look forward to** vtr tener ganas de
■ **look into** vtr examinar, investigar
■ **look onto** vtr dar a
■ **look out** vi 1 tener cuidado: **look out!,** ¡cuidado!, ¡ojo! 2 mirar por fuera
■ **look out for** vtr 1 buscar 2 estar alerta
■ **look over** vtr 1 (un documento) examinar 2 (un edificio, etc) inspeccionar
■ **look through** vtr 1 (un libro) hojear 2 (un documento) revisar
■ **look up** I vtr 1 alzar la vista 2 mejorar
II vtr (en un libro, etc) buscar

lookout ['lʊkaʊt] n 1 (persona) guardia, vigía 2 (lugar) puesto de observación, vigía

loom [luːm] vi 1 avecinarse 2 amenazar [over, -]

loony ['luːni] adj & n (loonier, looniest) fam loco,-a, chiflado,-a

loop [luːp] I n 1 Cost lazo, presilla (para asegurar un botón) 2 (de carretera, río) curva 3 Inform bucle
II vtr pasar alrededor de, rodear

loose [luːs] I adj 1 (conexión, monedas, pelo, perro, ropa) suelto,-a 2 (botón, nudo, tornillo, etc) flojo,-a 3 (vestido) suelto,-a, holgado,-a 4 (mercancías) a granel

II n **to be on the loose,** andar suelto,-a

loosely ['luːsli] adv 1 (atadura) sin apretar 2 aproximadamente 3 indirectamente

loosen ['luːsən] I vtr aflojar
II vi aflojarse

loot [luːt] I n botín
II vi & vtr saquear

lopsided [lɒp'saɪdɪd] adj ladeado,-a

lose [luːz] I vtr (ps & pp lost) perder
II vi Mil Dep perder

loser ['luːzər] n perdedor,-ora

loss [lɒs] n pérdida

lost [lɒst] adj 1 perdido,-a 2 fam **get lost!,** ¡piérdete!

lot [lɒt] n 1 **a lot of,** mucho,-a(s) 2 fam **lots of** pl, mucho,-a(s) 3 (en subasta) lote II adv **a lot,** mucho: **thanks a lot,** muchas gracias

lotion ['loʊʃən] n loción

lottery ['lɒtəri] n lotería

loud [laʊd] I adj 1 (aplauso, ruido) fuerte; (música, voz) alto,-a 2 (fiesta, máquina) ruidoso,-a, estrepitoso,-a
II adv alto

loudspeaker [laʊd'spiːkər] n altavoz

lounge [laʊndʒ] n 1 salón social 2 sala; Av **departure lounge,** sala de embarque

lousy ['laʊzi] adj (lousier, lousiest) fam pésimo,-a, fatal

lout [laʊt] n fam gamberro

lovable ['lʌvəbəl] adj adorable, encantador,-ora

love [lʌv] I n 1 amor [for/of, por]; **to fall in love,** enamorarse [with, de] 2 pasión [for/of, por]
II vtr 1 (persona) querer a, amar a 2 (cosa, actividad) I love skiing, me encanta esquiar

lovely ['lʌvli] adj (lovelier, loveliest) 1 encantador,-ora 2 hermoso,-a, precioso,-a 3 (comida) riquísimo,-a

lover ['lʌvər] n amante

love triangle ['lʌvtraɪæŋəl] n triángulo de amor, triángulo romántico

low [loʊ] I adj 1 (altura, intensidad, número, presión, velocidad, volumen) bajo,-a; (existencias) escaso,-a 2 (opinión) malo,-a 3 fam deprimido,-a; **to feel low,** sentirse deprimido,-a
II adv bajo

low-alcohol [loʊ'ælkəhɒl] adj bajo,-a en alcohol

lowbrow ['loʊbraʊ] adj de baja calidad, trivial

low-calorie [loʊ'kæləri] adj bajo,-a en calorías

low-cost [loʊ'kɒst] adj de bajo coste

lowdown ['loʊdaʊn] n (to get the lowdown on someone or something) recibir información importante acerca de algo o alguien

lower ['loʊər] I adj (comp de low) 1 inferior 2 bajo,-a
II adv comp → low

III *vtr (el volumen)* bajar
lower-class ['ləuərklæs] *adj* de clase baja
lowest ['ləuist] *adj (superl de low)* más bajo,-a
low-fat [ləu'fæt] *adj* desnatado,-a
low-life ['ləulaif] *adj pey* delincuente
loyal ['lɔiəl] *adj* leal, fiel
loyalty ['lɔiəlti] *n* lealtad, fidelidad
LP ['el'pi:] *n (abr de Long Play) (Long playing record)* disco de larga duración
lubricant ['lu:brikənt] *n* lubricante
lubrication [lu:bri'keifən] *n* lubricación
luck [lʌk] *n* suerte
lucky ['lʌki] *adj (luckier, luckiest)* **1** *(persona)* afortunado,-a **2** *(amuleto, número)* de la suerte
lucrative ['lu:krədiv] *adj* lucrativo,-a
ludicrous ['lu:dikrəs] *adj* absurdo,-a
luggage ['lʌgidʒ] *n* equipaje
lukewarm ['lu:kwɔm] *adj* tibio,-a
lull [lʌl] **I** *n Meteor* calma; *(en una batalla)* tregua; *(en conversación)* pausa
II *vtr* adormecer
lullaby ['lʌləbai] *n* canción de cuna, nana
luminous ['lu:minəs] *adj* luminoso,-a
lump [lʌmp] *n* **1** trozo; *(de tierra, azúcar)* terrón **2** *Culin* grumo **3** *Med* bulto **4** *fam* **a lump in the throat**, un nudo en la garganta
lump sum ['lʌmpsʌm] *n* cantidad total, suma total
lumpy ['lʌmpi] *adj (lumpier, lumpiest)* **1** *(cama, etc)* lleno,-a de bultos **2** *Culin* grumoso,-a
lunar ['lu:nər] *adj* lunar; **lunar eclipse**, eclipse lunar
lunatic ['lu:nətik] *adj & n* loco,-a, lunático,-a
lunch [lʌntʃ] *n* comida, almuerzo
lunchtime ['lʌntʃtaim] *n* hora de comer
lung [lʌŋ] *n* pulmón
lunge [lʌndʒ] **I** *n* embestida, arremetida **II** *vi (tb lunge forward)* embestir, arremeter
lure [luər] **I** *n* atractivo, aliciente **II** *vtr* atraer *(a menudo con engaños)*
lurid ['luərid] *adj (imagen)* espeluznante
lurk [lərk] *vi* **1** merodear **2** estar al acecho
lush [lʌʃ] *adj* **1** *(planta)* exuberante **2** *(decorado)* suntuoso,-a
lust [lʌst] **I** *n* **1** lujuria **2** deseo **II** *vi* **to lust after** *(una cosa)* codiciar
Lutheran ['lu:θərən] *adj* perteneciente o relativo a la iglesia luterana
luxurious [lʌg'zuriəs] *adj* lujoso,-a
luxury ['lʌgʒəri] *n* lujo
lycra ['laikrə] *n* fibra sintética usada en la manufactura de ropa deportiva
lying ['laiiŋ] **I** *adj* mentiroso,-a
II *n* mentira
lynch [lintʃ] *vtr* linchar
lyric ['lirik] **I** *adj* lírico,-a
II *n* **1** poema lírico **2** *Mús* **lyrics** *pl, (de una canción)* letra
lyrical ['lirikəl] *adj* lírico,-a

lyricist ['lirisist] *n* escritor -a de letras de canciones
lyrics ['liriks] *n pl* letra de una canción

M

M, m [em] *n* **1** *(letra)* M, m **2** *abr de metre(s)*, m **3** *abr de million(s)*, m **4** *(abr de male)* de sexo masculino **5** M *(ropa) (abr de medium)* talla mediana
MA *(abr de Massachusetts)* abreviatura, estado de Massachusetts
M.A. [em'ei] *(abr de Master of Arts)* licenciado en Filosofía y Letras
ma'am *n* término que se usa para llamar a una mujer cuyo nombre no sabemos
macabre [mə'ka:brə] *adj* macabro,-a
macaroni [mækə'rouni] *n* macarrones
machine [mə'ʃi:n] **I** *n Téc* máquina **II** *vtr Cost* coser a máquina
machine gun [mə'ʃi:ngʌn] *n* ametralladora
machinery [mə'ʃi:nəri] *n Téc* maquinaria
mackerel ['mækrəl] *n (pl mackerel) Zool* caballa
macroeconomics [mækroui:kə'nɒmiks] *n* macroeconomía
mad [mæd] *adj (madder, maddest)* **1** loco,-a, demente: **to drive/send sb mad**, volver loco,-a a alguien **2** entusiasmado,-a **3** *US* enfadado,-a **[with/at,** con]
madam ['mædəm] *n frml* señora
madden ['mædən] *vtr* exasperar, enloquecer
made [meid] *ps & pp → make*
made-to-measure [meidtə'meʒər] *adj* hecho,-a a a (la) medida
made-up ['meidʌp] *adj* **1** maquillado,-a **2** *(historia)* inventado,-a
madly ['mædli] *adv* como loco,-a
madman ['mædmæn] *n (hombre)* loco
madness ['mædnis] *n* locura
madwoman ['mædwumən] *n (mujer)* loca
magazine [mægə'zi:n] *n* revista
maggot ['mægət] *n* gusano
magic ['mædʒik] **I** *n* magia **II** *adj* **1** mágico,-a **2** *fam* estupendo,-a
magical ['mædʒikəl] *adj* mágico,-a
magician [mə'dʒiʃən] *n* mago,-a
magnanimous [mæg'næniməs] *adj* magnánimo,-a
magnet ['mægnit] *n* imán
magnetic [mæg'nedik] *adj* **1** *(campo, cinta, polo)* magnético,-a **2** *(personalidad)* carismático,-a
magnetism ['mægnitizəm] *n* magnetismo
magnificence [mæg'nifisəns] *n* magnificencia
magnificent [mæg'nifisənt] *adj* magnífico,-a
magnify ['mægnifai] *vtr* ampliar, aumentar
magnifying glass *n* lupa

magnitude ['mægnɪtuːd] *n* magnitud
magpie ['mægpaɪ] *n Orn* urraca
mahogany [mə'hɒgəni] **I** *n Bot* caoba
II *adj* de caoba
maid [meɪd] *n* **1** *(en casa)* criada **2** *(en un hotel)* camarera
maiden ['meɪdən] **I** *n Lit* doncella
II *adj (antes del sustantivo)* **1** soltera, de soltera **2** *(viaje, etc)* inaugural
maiden name *n* apellido de soltera
maid of honor *n* dama de honor en una boda
mail [meɪl] **I** *n* **1** correo **2** correspondencia **3** *Inform* e-mail, correo electrónico, e-mail
II *vtr* **1** echar al buzón **2** enviar por correo
mailbox ['meɪlbɒks] *n* buzón
mailing list *n* lista de firmas o personas y direcciones a quienes se envía información por correo
mailman ['meɪlmæn] *n* cartero
maim [meɪm] *vtr* mutilar
main [meɪn] **I** *adj (carretera, objetivo, puerta, plato)* principal: **the main thing,** lo fundamental
II *n (de agua, electricidad, gas)* conducto principal
mainframe *n* computadora con capacidad de memoria muy grande que sirve como cerebro central en una red interna
mainland ['meɪnlənd] *n* la masa principal de un país o de un continente, excluyendo las islas; **from Easter Island to the mainland,** desde la isla de Pascua al continente
mainly ['meɪnli] *adv* principalmente, sobre todo
mainstream ['meɪnstriːm] *n* corriente dominante
maintain [meɪn'teɪn] *vtr* mantener
maintenance ['meɪntənəns] *n (cuidado)* mantenimiento
maize [meɪz] *n* maíz
major ['meɪdʒər] **I** *adj* **1** *(importancia, trascendencia)* mayor **2** *(ayuda, cambio, cliente, operación, reparación)* importante **3** *(daño)* considerable; *(enfermedad)* grave; *(problema)* serio,-a **4** *Mús* mayor
II *n Mil* comandante
majority [mə'dʒɒrɪdʒi] *n* mayoría
major-league *adj* término coloquial para indicar que alguien es muy importante o tiene mucho poder
Major Leagues *n* organización de Grandes Ligas de béisbol
make [meɪk] **I** *n* marca
II *vtr (ps & pp made)* **1** *(un cambio, una llamada, reputación, un ruido, viaje)* hacer **2** *(un café, una comida)* hacer **3** *(coches, productos)* fabricar **4** *(una cost, confeccionar **5** *(una decisión)* tomar **6** *(dinero)* ganar **7** *(un disco)* grabar **8** *(un discurso)* pronunciar **9** *(un error)* cometer **10** *(un pago)* efectuar **11** *(una*

película) rodar **12** calcular **13** poner, volver: **he makes me laugh,** me hace reír **14** nombrar: **they made him chairman,** le nombraron presidente **15** obligar **16** sumar: **two and two make four,** dos más dos son cuatro
■ **make for** *vtr* **1** dirigirse hacia **2** conllevar
■ **make out I** *vtr* **1** entender **2** *(oír, ver)* distinguir **3** *(leer)* descifrar **4** *(un caso, una lista)* escribir, preparar **5** representarse, entender: **they make him out to be an idiot,** lo tienen por idiota
II *vi* tener éxito
■ **make out with** *vtr* besar apasionadamente
■ **make over** *vtr* hacer otra vez
■ **make up I** *vtr* **1** *(una historia)* inventar **2** *(un grupo)* componer **3** *(una comida, un paquete, una receta)* preparar **4** ensamblar, montar **5** *(la cara)* maquillar **6** *(tiempo perdido)* recuperar
II *vi* **1** maquillarse **2** reconciliarse
■ **make up for** *vtr* compensar
maker ['meɪkər] *n* **1** fabricante **2** *Rel* **the Maker,** el Creador
makeup ['meɪkʌp] *n* **1** maquillaje **2** composición, estructura
making ['meɪkɪŋ] *n* **1** creación, producción, fabricación **3 makings** *pl*, ingredientes, lo necesario
malaria [mə'leəriə] *n Med* malaria, paludismo
male [meɪl] **I** *adj* **1** *(humano)* varón **2** *Bot Zool* macho **3** *(hormona, género, sexo)* masculino,-a **4** *(ideas)* masculino,-a; *pey* machista
II *n* **1** *(humano)* varón **2** *Bot Zool* macho
malevolent [mə'levələnt] *adj* malévolo,-a
malfunction [mæl'fʌŋkʃən] **I** *n* **1** fallo, mal funcionamiento **2** *Med* disfunción
II *vi* funcionar mal
malice ['mælɪs] *n* mala intención
malicious [mə'lɪʃəs] *adj* malévolo,-a, malintencionado,-a
maliciously [mə'lɪʃəsli] *adv* con malévolo
malign [mə'laɪn] **I** *adj* maligno,-a
II *vtr* calumniar, difamar
malignant [mə'lɪgnənt] *adj* maligno,-a
mall [mɒl] *n* centro comercial
malleable ['mæliəbəl] *adj* maleable
malnutrition [mælnuː'trɪʃən] *n* desnutrición
malpractice [mæl'præktɪs] *n fur* **1** abuso de autoridad **2** *(profesional)* negligencia
malt [mɔːlt] *n* malta
mammal ['mæməl] *n* mamífero
man [mæn] **I** *n (pl* **men)** **1** hombre, varón; **young man,** joven **2** persona: **every man for himself!,** ¡sálvese quien pueda! **3** Man, la humanidad, el hombre **4** empleado **5** *Mil* soldado raso **6** marido, pareja; **man and wife,** marido y mujer
II *vtr* **1** *(una tienda, un teléfono)* atender **2** *(un barco, avión)* tripular

manage ['mænɪdʒ] I *vtr* 1 *(empresa)* dirigir, administrar 2 *(la casa, el dinero, las finanzas)* llevar, manejar 3 *(personas)* controlar 4 conseguir, lograr
II *vi* poder (con algo), arreglárselas

manageable ['mænɪdʒəbəl] *adj* manejable

management ['mænɪdʒmənt] *n* 1 *(acción)* gestión 2 *(personas)* dirección

manager ['mænɪdʒər] *n* 1 *(de una gran empresa)* director, gerente 2 *(de una empresa pequeña)* encargado 3 *(de un departamento)* jefe 4 *(de un grupo pop, de un boxeador)* mánager

mandate ['mændeɪt] *n* mandato

mandatory ['mændətɔri] *adj frml* obligatorio,-a

mane [meɪn] *n* 1 *(de león, persona)* melena 2 *(de caballo)* crin

maneater [mæn'i:dər] *n (mujer)* devoradora de hombres

maneuver [mə'nu:vər] I *n* maniobra
II *vtr* 1 maniobrar 2 *(a una persona)* manipular
III *vi* maniobrar

manfully ['mænfəli] *adv* valientemente

manger ['meɪndʒər] *n* pesebre

mangle ['mæŋgəl] *vtr* destrozar

mango ['mæŋgou] *n (pl mangoes) Bot* mango

manhandle ['mænhændəl] *vtr* maltratar

manhood ['mænhʊd] *n (de un hombre)* 1 madurez 2 virilidad

mania ['meɪnɪə] *n* manía

maniac ['meɪnɪæk] *n* maníaco,-a, loco,-a

manicure ['mænɪkjər] I *n* manicura
II *vtr* hacer la manicura a

manifest ['mænɪfest] *fml* I *adj* manifiesto,-a
II *vtr* manifestar

manifesto [mænɪ'festou] *n Pol* 1 manifiesto 2 programa electoral

manifold *adj* variado, múltiple, diverso

manila envelope *n* sobre de papel de Manila

manila folder *n* carpeta de papel de Manila

manipulate [mə'nɪpjəleɪt] *vtr* manipular

mankind [mæn'kaɪnd] *n* la humanidad

man-made ['mænmeɪd] *adj* 1 *(fibra)* sintético,-a 2 *(colina, lago)* artificial

manned [mænd] *adj* tripulado

manner ['mænər] *n* 1 forma, manera, modo 2 actitud, aire 3 *frml* clase 4 **manners** *pl*, modales, educación

mannerism ['mænərɪzəm] *n* peculiaridad

manor ['mænər] *n* **manor house,** casa solariega

manpower ['mænpaʊər] *n* mano de obra

mansion ['mænʃən] *n* mansión

manslaughter ['mænslɔdər] *n* homicidio

mantelpiece ['mæntəlpi:s] *n* repisa de la chimenea

manual ['mænjuəl] *adj & n* manual

manufacture [mænjə'fæktʃər] I *vtr* fabricar
II *n* fabricación

manufacturer [mænjə'fæktʃərər] *n* fabricante

manure [mə'nʊər] *n* abono, estiércol

manuscript ['mænjəskrɪpt] *n* manuscrito

many ['meni] I *adj (more, most)* 1 muchos,-as 2 **as/so many,** tantos,-as 3 **how many?,** ¿cuántos,-as? 4 **too many,** demasiados,-as
II *pron* muchos,-as

map [mæp] *n* 1 *(de un país, una región)* mapa 2 *(de una ciudad)* plano
■ **map out** *vtr* planear

maple ['meɪpəl] *n Bot* arce

mar [mɑːr] *vtr* estropear

marathon ['merəθən] *n* maratón

marauding *adj* destructivo, devastador

marble ['mɑrbəl] I *n* 1 *Geol* mármol 2 *(juego)* canica
II *adj* de mármol

March [mɑrtʃ] *n* marzo

march [mɑrtʃ] I *n Mil Mús* marcha
II *vi* marchar

marching band *n* banda musical, banda de guerra, banda marcial

Mardi Gras *n* del francés, martes gordo o martes de carnaval, celebración carnavelesca que comienza el Miércoles de Ceniza

mare [mer] *n Zool* yegua

margarine [mɑrdʒə'rɪn] *n Culin* margarina

margin ['mɑrdʒɪn] *n (de papel, de beneficios)* margen

marginally ['mɑrdʒɪnəli] *adv* ligeramente

marina [mə'ri:nə] *n* puerto deportivo

marinade ['merɪneɪd] *n Culin* adobo

marinate ['merɪneɪt] *vtr Culin* adobar

marine [mə'ri:n] I *adj* marino,-a
II *n* soldado de infantería de marina

Marines [mə'rɪnz] *n forma corta de Marine Corps,* fuerza militar marítima de los EE.UU.

marital ['merɪdəl] *adj* matrimonial, conyugal

marital status *n* estado civil

maritime ['merɪtaɪm] *adj* marítimo,-a

marjoram ['mɑrdʒərəm] *n Bot* mejorana

mark [mɑrk] I *n* 1 huella 2 mancha 3 *(de un golpe)* marca 4 *Educ* nota 5 *Dep* punto
II *vtr* 1 manchar, dejar una huella en 2 señalar, marcar 3 caracterizar 4 celebrar, señalar 5 *Educ (un examen)* corregir 6 *Dep* marcar
■ **mark down** *vtr (un precio)* rebajar
■ **mark out** *vtr (un área)* delimitar
■ **mark up** *vtr (un precio)* aumentar

markedly ['mɑrkɪdli] *adv* considerablemente

marker ['mɑrkər] *n* marca, señal

marker pen *n* rotulador

market ['mɑrkɪt] I *n* 1 mercado street

market 2 (stock) market, bolsa (de valores)
II *vtr* **1** comercializar **2** promocionar
marketing ['mɑrkɪdɪŋ] *n* márketing, mercadotecnia
marketplace ['mɑrkɪtpleɪs] *n* (plaza del) mercado
marmalade ['mɑrməleɪd] *n* mermelada
maroon [mə'ruːn] *adj* (de color) granate
marquee [mɑr'kiː] *n* carpa, entoldado
marquess, marquis ['mɑrkwɪs] *n* marqués
marriage ['mɛrɪdʒ] *n* **1** *(ceremonia)* boda **2** *(estado)* matrimonio
married ['mɛriːd] *adj* casado,-a
marrow ['mɛrou] *n* **1** *Bot* calabacín grande **2** *Anat* médula **3** *Culin* tuétano
marry ['mɛri] **I** *vtr* **1** *(dos personas)* casarse con; **to get married,** casarse **2** *(dar en matrimonio)* casar
II *vi* casarse
Mars [mɑrz] *n Astron* Marte
marsh [mɑrʃ] *n* pantano
marshal ['mɑrʃəl] **I** *n* **1** *Mil* mariscal **2** *(en pruebas deportivas, manifestaciones)* oficial **3** *US* jefe,-a de Policía
II *vtr* **1** *(a las personas)* organizar; *Mil* formar **2** *(ideas, etc)* ordenar
martial ['mɑrʃəl] *adj* marcial
Martian ['mɑrʃən] *n & adj* marciano,-a
Martin Luther King Day [mɑrt'nluːθər'kɪŋdeɪ] *n* día feriado en los EE.UU., el tercer lunes en enero, en que se celebra la fecha de nacimiento de Martin Luther King Jr.
martyr ['mɑrdər] **I** *n* mártir
II *vtr* martirizar
martyrdom ['mɑrdərdəm] *n* martirio
marvel ['mɑrvəl] **I** *n* maravilla
II *vi* maravillarse [at, de]
marvelous ['mɑrvələs] *adj* maravilloso,-a
marzipan ['mɑrzɪpæn] *n* mazapán
mascara [mæ'skɛrə] *n* rímel
mascot ['mæskɑt] *n* mascota
masculine ['mæskjəlɪn] *adj* masculino,-a
mash [mæʃ] **I** *n* **1** puré **2** salvado
II *vtr Culin* aplastar, hacer puré
mask [mæsk] *n* **1** máscara **2** *(contra el polvo, las bacterias, etc)* mascarilla **3** *(para disfrazarse)* antifaz, careta
masochist ['mæsəkɪst] *adj & n* masoquista
mason ['meɪsən] *n* **1** albañil, mampostero,-a **2** masón
masonry ['meɪsənri] *n* **1** albañilería, mampostería **2** masonería
masquerade [mæskə'reɪd] *n* mascarada
Mass [mæs] *n (corto de Holy Mass)* Santa Misa, ceremonia principal de la religión católica
mass [mæs] **I** *n* **1** *Rel* misa **2** *Fís* masa **3 the masses** *pl,* las masas
II *adj (antes del sustantivo) (apoyo, paro, protesta)* masivo,-a, de masas

massacre ['mæsəkər] **I** *n* masacre, matanza
II *vtr* masacrar
massage ['mɑsɑːʒ] **I** *n* masaje
II *vtr* masajear
massage parlor ['mɑsɑːʒpɑrlər] *n* salón de masaje
masseur [mə'suɜr] *n (hombre)* masajista
masseuse [mə'suːs] *n (mujer)* masajista
massive ['mæsɪv] *adj* enorme
mast [mæst] *n* **1** *Naut* mástil **2** *Rad TV* torre
master ['mæstər] **I** *n* **1** *(de una casa)* señor, amo **2** *(de un animal, criado)* amo **3** experto,-a, maestro,-a **4** *Naut* capitán **5** *(grabación, programa, etc)* original
II *adj* **1** *(grabación, programa, etc)* original **2** *(interruptor)* general; *(llave, plan)* maestro,-a; *(dormitorio)* principal **3** experto, maestro; **master baker,** maestro panadero
III *vtr* llegar a dominar
masterful ['mæstərfəl] *adj* **1** autoritario,-a **2** dominante
masterly ['mæstərli] *adj* genial, magistral
masterpiece ['mæstərpiːs] *n* obra maestra
master's degree *n Univ* máster ➡ **MA, MSc, MBA**
mastery ['mæstəri] *n* **1** *(de un idioma, una técnica)* dominio [of, de] **2** maestría
masturbation ['mæstər'beɪʃən] *n* masturbación
mat [mæt] *n* **1** estera, alfombra; *(delante de la puerta)* felpudo **2** *(para la mesa)* salvamanteles
matador ['mædədɔr] *n* bullfighter
match [mætʃ] **I** *n* **1** cerilla **2** *Dep* partido; *Box* combate **3** combinación
II *vtr* **1** *(colores, ropa, etc)* hacer juego con, combinar con, armonizar con **2** *(uno de los elementos de un par)* ser el compañero de **3** *(una descripción)* encajar con
III *vi* hacer juego
■ **match up I** *vt* cotejar, emparejar
II *vi* concordar, coincidir: **his performance didn't match up to our expectations,** su actuación no satisfizo nuestras expectativas
matchbox ['mætʃbɑks] *n* caja de cerillas
mate [meɪt] **I** *n* **1** *(de trabajo, piso)* compañero,-a **2** *(de fontanero, albañil)* ayudante **3** *Naut* oficial de cubierta **4** *Zool* pareja (sexual)
II *vi Zool* aparearse
material [mə'tiːriəl] **I** *adj* **1** *(no espiritual)* material **2** *(evidencia, diferencia)* sustancial
II *n* **1** sustancia, materia **2** tela **3** *(para un libro, etc)* material
materialism [mə'tiːriəlɪzəm] *n* materialismo
materialistic [mətiːriə'lɪstɪk] *adj* materialista
materialize [mə'tiːriəlaɪz] *vi* materializarse
maternal [mə'tɜrnəl] *adj* **1** *(sentimiento)* maternal **2** *(pariente)* materno,-a
maternity [mə'tɜrnɪdi] *n* maternidad
math [mæθ] *n n fam* matemáticas

mathematical [mæθɪˈmædɪkəl] *adj* matemático,-a

mathematician [mæθəməˈtɪʃən] *n* matemático,-a

mathematics [mæθɪˈmætɪks] *n* matemáticas

matinée [ˈmætˈneɪ] *n Cine Teat* sesión o función de tarde, matiné

mating [ˈmeɪdɪŋ] *n* 1 *Zool* apareamiento 2 *fig* unión

mating season *n* época de celo

matrimony [ˈmætrɪmənɪ] *n* 1 *Jur Soc* matrimonio 2 vida conyugal

matrix [ˈmeɪtrɪks] *n* (*pl matrices* [ˈmeɪtrɪsiːz]) matriz

matron [ˈmeɪtrən] *n* 1 matrona 2 *Med* enfermera jefa

matt [mæt] *adj* mate

matted [ˈmædɪd] *adj* (*pelo*) enmarañado,-a

matter [ˈmædər] I *n* 1 *Fís* materia 2 material; printed matter, impresos 3 asunto, cuestión: as a matter of fact, en realidad 4 problema: what's the matter with you?, ¿qué te pasa?
II *vi* importar, tener importancia

matting [ˈmædɪŋ] *n* estera, petate

mattress [ˈmætrɪs] *n* colchón

mature [məˈtʃər] I *adj* 1 (*persona, vino*) maduro,-a 2 *Fin* vencido,-a
II *vi* 1 madurar

maturity [məˈtʃərɪdɪ] *n* madurez

maul [mɔːl] *vtr* (*a un animal*) herir, magullar

mauve [məːv] *adj & n* (*color*) malva

maverick [ˈmævrɪk] *n & adj* inconformista; *Pol* disidente

max [mæks] (*abr de maximum*) máximo, max.

maxim [ˈmæksɪm] *n* máxima

maximize [ˈmæksɪmaɪz] *vtr* maximizar

maximum [ˈmæksɪməm] I *n* (*pl maxima* [ˈmæksɪmə]) máximo
II *adj* máximo,-a

may [meɪ] *v aux* (*ps might*) 1 (*posibilidad, probabilidad*) poder: it may/might be true, puede ser cierto 2 (*para dar/pedir permiso*) poder: may I come in?, ¿puedo entrar?

May [meɪ] *n* mayo

maybe [ˈmeɪbiː] *adv* quizá(s)

May Day [ˈmeɪdeɪ] *n* fiesta primaveral del primero de mayo

mayonnaise [mæˈneɪz] *n Culin* mayonesa

mayor [ˈmeɪər] *n Pol* alcalde, alcaldesa

mayoress [ˈmeɪərɪs] *n* alcaldesa

maze [meɪz] *n* laberinto

MBA (*abr de Master in Business Administration*) máster en gestión de empresas

MD 1 *fam* (*abr de Managing Director*) director,-ora ejecutivo,-a 2 (*abr de Doctor of Medicine*) Dr(a) en Medicina

MD (*abr de Maryland*) abreviatura, estado de Maryland

me [miː] *pron* 1 (*como objeto directo o indirecto*) me 2 (*con preposición*) mí: conmigo 3 (*enfático*) yo: it's me, soy yo

ME (*abr de Maine*) abreviatura, estado de Maine

meadow [ˈmedəʊ] *n* prado

meager [ˈmiːgər] *adj* exiguo,-a

meal [miːl] *n* comida

mealtime [ˈmiːltaɪm] *n* hora de comer

mealy-mouthed *adj* falso, hipócrita, persona que teme decir con claridad lo que piensa

mean[1] [miːn] *vtr* (*ps & pp meant*) 1 significar 2 (*persona*) querer decir (by, con): what did he mean by that?, ¿qué quiso decir con eso? 3 querer, tener la intención de: I didn't mean to kill him, no quería matarlo 5 implicar, suponer

mean[2] [miːn] *adj* (*meaner, meanest*) 1 (*de dinero*) tacaño,-a 2 (*de espíritu*) mezquino,-a, malo,-a 3 *US* malhumorado,-a

meaning [ˈmiːnɪŋ] *n* 1 sentido, significado 2 propósito

meaningful [ˈmiːnɪŋfəl] *adj* significativo,-a

meaningless [ˈmiːnɪŋlɪs] *adj* sin sentido

meanness [ˈmiːnnɪs] *n* 1 tacañería 2 maldad, mezquindad

means [miːnz] *n* 1 (*sing o pl*) medio, manera 2 (*pl*) medios (económicos), recursos
♦ |LOC: by means of, por medio de; by no means, de ninguna manera

meant [ment] *ps & pp* → **mean**[1]

meantime [ˈmiːntaɪm] *n* for the meantime, por ahora; in the meantime, mientras tanto

meanwhile [ˈmiːnwaɪl] *adv* mientras tanto

measles [ˈmiːzəlz] *n Med* sarampión

measure [ˈmeʒər] I *n* 1 (*acción, cantidad, unidad*) medida 2 regla; tape measure, cinta métrica 3 *Mús* compás
II *vtr* medir

measurement [ˈmeʒərmənt] *n* medida

meat [miːt] *n* carne

meatloaf [ˈmiːtləʊf] *n Culin* hogaza de carne picada

meaty [ˈmiːdɪ] *adj* (*meatier, meatiest*) con mucha carne

mechanic [mɪˈkænɪk] *n* mecánico,-a

mechanical [mɪˈkænɪkəl] *adj* mecánico,-a

mechanics [mɪˈkænɪks] *n* 1 (*sing*) *Fís Ing* mecánica 2 (*pl*) (*de un aparato*) mecanismo

mechanism [ˈmekənɪzəm] *n* mecanismo

medal [ˈmedəl] *n* medalla

medalist [ˈmedəlɪst] *n* medallista

meddle [ˈmedəl] *vi* entrometerse

media [ˈmiːdɪə] *npl* medios de comunicación

mediate [ˈmiːdɪeɪt] *vi* mediar

mediator [ˈmiːdɪeɪdər] *n* mediador,-ora

medic [ˈmedɪk] *n fam* I médico,-a
II *Univ* estudiante de Medicina

Medicaid *n* sistema estadounidense de asistencia médica para los pobres

medical ['medɪkəl] I adj 1 (asistencia, cuidados, examen) médico,-a 2 (estudiante, libro) de medicina
II n fam chequeo

Medicare ['medɪker] n sistema estadounidense de asistencia médica para mayores de edad

medicated ['medɪkeɪdɪd] adj medicinal

medication [medɪ'keɪʃən] n medicación

medicine ['medɪsɪn] n medicina

medieval [medɪ'iːvəl] adj medieval

mediocre [miːdɪ'oʊkər] adj mediocre

mediocrity [miːdɪ'akrɪdɪ] n mediocridad

meditate ['medɪteɪt] vi meditar

meditation [medɪ'teɪʃən] n meditación

Mediterranean [medɪtə'reɪnɪən] I adj mediterráneo,-a
II n the Mediterranean (sea), el (mar) Mediterráneo

medium ['miːdɪəm] I adj (antes del sustantivo) mediano,-a; of medium size, de tamaño medio
II n 1 (pl media) medio 2 (pl mediums) médium

meek [miːk] adj dócil, manso,-a

meet [miːt] I vtr (ps & pp met) 1 conocer: I first met her in Paris, la conocí en París 2 encontrarse con 3 quedar con, reunirse con 4 ir a buscar 5 Dep enfrentarse con
II vi 1 encontrarse 2 conocerse 3 reunirse 4 juntarse 5 Dep enfrentarse
■ meet with vtr 1 (un problema) tropezar con 2 (una persona) reunirse con

meeting ['miːdɪŋ] n 1 (casual) encuentro 2 (acordado) cita 3 reunión 4 Pol mitin

megabyte ['megəbaɪt] n Inform megabyte

megaphone ['megəfoʊn] n megáfono

melancholy ['melənkali] I n melancolía
II adj melancólico,-a

mêlée, melee ['meleɪ] n tumulto

mellow ['meloʊ] I adj 1 (fruta) maduro,-a, dulce 2 (color, sonido) suave 3 (persona) apacible, tranquilo,-a
II vi 1 (fruta, vino) madurar 2 (color, sonido) suavizarse

melodramatic [meloʊdrə'mædɪk] adj melodramático,-a, fig trágico,-a: don't be melodramatic, no seas trágico

melody ['melədɪ] n melodía

melon ['melən] n Bot melón

melt [melt] vtr (un metal) fundir; (hielo, chocolate) derretir
II vi (un metal) fundirse; (el hielo, chocolate) derretirse

melting point n punto de fusión

member ['membər] n (de un comité, una junta) miembro; (de un partido, sindicato) afiliado,-a, militante; (de una sociedad) socio,-a

membership ['membərʃɪp] n I afiliación 2 pertenencia

memo ['memoʊ] n fam (abr de memorandum) memorándum

memoirs ['memwarz] npl memorias

memorable ['memərəbəl] adj memorable

memorandum [memə'rændəm] n (pl memoranda) memorándum, nota

memorial [mɪ'mɔːrɪəl] I adj conmemorativo,-a
II n monumento conmemorativo

Memorial Day n festividad celebrada el último lunes de mayo en los Estados Unidos para conmemorar a los caídos en combate

memorize ['meməraɪz] vtr memorizar, aprender de memoria

memory ['memərɪ] n 1 (facultad) memoria 2 recuerdo

men [men] npl → man

menace ['menɪs] I n amenaza
II vtr amenazar

menacing ['menɪsɪŋ] adj amenazador,-ora

mend [mend] I vtr (una calle, pared, un coche,) reparar, arreglar
II n remiendo, zurcido

mending ['mendɪŋ] n ropa para remendar

menopause ['menəpɔːz] n Med menopausia

menstruation [menstr'eɪʃən] n menstruación

menswear ['menzwer] n ropa de caballero

mental ['mentəl] adj 1 (habilidad, salud) mental 2 (minusvalía) psíquico,-a

mentality [men'tælɪdɪ] n mentalidad

mentally ['mentəli] adv mentalmente

mentally handicapped n disminuido,-a psíquico,-a

menthol ['menθəl] n Quím mentol

mention ['menʃən] I n mención
II vtr mencionar; ♦ LOC: thanks!, - don't mention it, ¡gracias!, - de nada

menu ['menjuː] n 1 (con los platos y precios) carta; (plato del día) menú 2 Comput menú

mercenary ['mərsɪnərɪ] adj & n mercenario,-a

merchandise ['mərtʃəndaɪz] n mercancías

merchant ['mərtʃənt] n Com Fin comerciante

merciful ['mərsɪfəl] adj (persona) misericordioso

merciless ['mərsɪlɪs] adj despiadado,-a

mercury ['mərkjərɪ] n mercurio

mercy ['mərsɪ] n misericordia, compasión

mere [mɪər] adj mero,-a, simple

merge [mərdʒ] I vtr combinar, mezclar; (organizaciones, archivos) fusionar
II vi unirse; (carreteras) empalmar; (organizaciones) fusionarse

merger ['mərdʒər] n Com fusión

meringue [mə'ræŋ] n merengue

merit ['merɪt] I n mérito
II vtr frml merecer

mermaid ['mərmeɪd] n sirena

merry ['merɪ] adj (merrier, merriest) 1 (persona) alegre 2 Merry Christmas!, ¡Feliz Navidad!

merry-go-round ['merigouraund] *n* tiovivo

mesh [meʃ] *n* malla

mess [mes] **I** *n* **1** confusión, desorden **2** lío, aprieto **3** *Mil Náut* comedor

■ **mess about/around** *vi* **1** entretenerse, pasar el rato **2** hacer el tonto

■ **mess up** *vtr* **1** desordenar **2** estropear

message ['mesidʒ] *n* mensaje

messenger ['mesindʒər] *n* mensajero,-a

Messiah [me'saiə] *n Rel* Mesías

messy ['mesi] *adj (messier, messiest)* **1** *(casa, habitación)* desordenado,-a **2** *(suelo, etc)* sucio,-a

met [met] *ps & pp* → **meet**

metabolism [me'tæbəlizəm] *n* metabolismo

metal ['medəl] *n* metal

metallic [mɪ'tælɪk] *adj* metálico,-a

metallurgy [me'tələrdʒi] *n* metalurgia

metaphor ['medəfər] *n* metáfor

meteor ['mi:diər] *n* meteoro

meteorite ['mi:djəraɪt] *n* meteorito

meter ['mi:dər] *n* **I** contador

II *n* metro

meter maid ['midərmeɪd] *n* policía de parquímetros

methadone ['meθədoun] *n Quím, Med* droga que se usa en el tratamiento de personas adictas a la heroína

method ['meθəd] *n* método

methodical [me'θɑ:dɪkəl] *adj* metódico,-a

Methodist ['meθədɪst] *adj & n* metodista

meticulous [mə'tɪkjələs] *adj* meticuloso,-a

metric ['metrɪk] *adj* métrico,-a

metropolitan [metrə'pɑlitən] *adj* metropolitano,-a

Mexican ['meksikən] *adj & n* mexicano,-a, mejicano,-a

Mexico ['meksikou] *n* México, Méjico

MI *(abr de* **Michigan)** abreviatura, estado de Michigan

Miami [maɪ'æmi] *n* Miami

mice [maɪs] *npl* → **mouse**

microbe ['maɪkroub] *n* microbio

microchip ['maɪkroutʃɪp] *n Inform* microchip

microphone ['maɪkrəfoun] *n* micrófono

microprocessor [maɪkrou'prasesər] *n Inform* microprocesador

microscope ['maɪkrəskoup] *n* microscopio

microwave ['maɪkrouweɪv] *n* **1** *Fís Tel* microonda **2** **microwave (oven),** (horno) microondas

mid [mɪd] *adj & pref* medio,-a: **she's in her mid-fifties,** tiene cincuenta y tantos

midday [mɪd'deɪ] *n* mediodía

middle ['mɪdəl] **I** *n* centro, medio **II** *adj* medio, central, de en medio

middle age *n* madurez, mediana edad

middle-aged [mɪdəl'eɪdʒd] *adj* de mediana edad

middle-class [mɪdəl'klæs] *adj* de la clase media

middleman ['mɪdəlmæn] *n* intermediario

midget ['mɪdʒɪt] *n* enano,-a, minúsculo,-a

midnight ['mɪdnaɪt] *n* medianoche **midriff** ['mɪdrɪf] *n* estómago

midst [mɪdst] *prep* medio

midway ['mɪdweɪ] *adv* a mitad de camino

midweek ['mɪdwi:k] *adj* de entre semana

Midwest ['mɪdwest] *n* **the Midwest,** región central de los Estados Unidos

■ **Midwestern** *adj* relativo a la región geográfica

midwife ['mɪdwaɪf] *n* comadrona, partera

might[1] [maɪt] *v aux* → **may**

might[2] [maɪt] *n frml* fuerza, poder

mighty ['maɪdi] **I** *adj (mightier, mightiest) (persona, imperio)* poderoso,-a

migraine ['maɪgreɪn] *n* migraña

migrate [maɪ'greɪt] *vi* migrar

migration [maɪ'greɪʃən] *n* migración

mild [maɪld] *adj* **1** *(clima)* templado,-a, benigno,-a, suave **2** *(crítica)* poco severo,-a, leve **3** *(persona)* apacible

mildew ['mɪldu:] *n* moho

mile [maɪəl] *n* milla (1.609 metros)

mileage ['maɪlɪdʒ] *n* ≈ kilometraje

milestone ['maɪəlstoun] *n* hito

militant ['mɪlɪtənt] *adj & n* militante

military ['mɪlɪteri] *adj* militar

militia [mɪ'lɪʃə] *n* milicia

milk [mɪlk] **I** *n* leche

II *adj* lácteo,-a

III *vtr (a un animal)* ordeñar

milkman ['mɪlkmæn] *n* lechero

milky ['mɪlki] *adj (milkier, milkiest)* lechoso,-a

Milky Way *n Astron* **the Milky Way,** la Vía Láctea

mill [mɪl] **I** *n* **1** molino **2** *(para pimienta, café)* molinillo **3** *(de algodón, papel)* fábrica

II *vtr* moler

millennium [mɪ'leniəm] *n (pl* **milleniums** *o* **millenia** [mɪ'leniə]*)* milenio

miller ['mɪlər] *n* molinero,-a

millet ['mɪlɪt] *n Bot* mijo

million ['mɪljən] *n* millón

millionaire [mɪljə'ner] *n* millonario,-a

mime [maɪm] **I** *n* mimo

II *vtr* imitar

mimic ['mɪmɪk] **I** *adj & n* mímico,-a

II *vtr* imitar

minaret ['mɪnəret] *n* minarete

mince [mɪns] *vtr (carne)* picar, moler

mincemeat ['mɪnsmi:t] *n* carne picada

mincer ['mɪnsər] *n* picadora

mind [maɪnd] **I** *n* **1** mente **2** juicio: **you're out of your mind!,** ¡estás loco! **3** opinión; **to make up one's mind,** decidirse **4** intención

II *vtr* **1** tener objeciones: **I don't mind her, but he's awful,** ella no me molesta, pero él es horrible **2** tener cuidado: **mind your head!,** ¡cuidado con la cabeza! **3** cuidar: **to mind one's own business,** no entrometerse (en asuntos ajenos)

III *vi* **1** preocuparse: **never mind,** no te preocupes **2** importar *(usu negativo o interrogativo)* **do you mind if I smoke?,** ¿te importa si fumo?

mindless ['maɪnlɪs] *adj* **1** *(actividad)* mecánico,-a **2** *(violencia)* absurdo,-a **3** *(persona)* estúpido,-a

mine¹ [maɪn] *pron pos* (el) mío, (la) mía, (los) míos, (las) mías, lo mío: **this is a friend of mine,** éste es un amigo mío

mine² [maɪn] **I** *n Geol Mil & fig* mina

II *vtr Geol (mineral)* extraer

miner ['maɪnər] *n* minero,-a

mineral ['mɪnərəl] **I** *adj* mineral

II *n* mineral

mingle ['mɪŋgəl] *vi* mezclarse

miniature ['mɪnɪtʃər] **I** *n* miniatura

II *adj* en miniatura

minimal ['mɪnɪməl] *adj* mínimo,-a

minimize ['mɪnɪmaɪz] *vtr* minimizar

minimum ['mɪnɪməm] **I** *adj* mínimo,-a

II *n* mínimo

mining ['maɪnɪŋ] **I** *n Geol* minería

II *adj* minero,-a

miniskirt ['mɪnɪskɜrt] *n* minifalda

minister ['mɪnɪstər] *n* **1** *Pol* ministro,-a **2** *Rel* pastor

ministry ['mɪnɪstri] *n* **1** *Pol* ministerio **2** *Rel* sacerdocio

minivan ['mɪnɪvæn] *n Auto* microbús, microcamioneta

mink [mɪŋk] *n Zool* visón

minor ['maɪnər] **I** *adj* **1** *(carretera, papel)* secundario,-a **2** menor, leve; *(detalle)* sin importancia **3** *Mús* menor

II *n fur* menor de edad

minority [maɪ'nɔrɪdʒi] **I** *n* minoría

II *adj (opinión, partido)* minoritario,-a

Minor Leagues [maɪnər'li:gz] *n Dep* sistema de organizaciones de ligas menores de béisbol en los Estados Unidos

mint [mɪnt] **I** *n* **1** *Bot* menta **2** *Fin* casa de la moneda

II *adj* de menta

III *vtr (una moneda, palabra, etc)* acuñar

minus ['maɪnəs] *prep* **1** *Mat* menos **2** *Meteor* **minus four degrees,** cuatro grados bajo cero **3** *fam hum* sin

minute¹ ['mɪnɪt] *n* **1** minuto **2 minutes** *pl, (de una reunión)* actas

minute² [maɪ'nu:t] *adj* diminuto,-a

miracle ['mɪrəkəl] *n* milagro

mirage ['mɪrɑːʒ] *n* espejismo

mirror ['mɪrər] **I** *n* espejo; *(de coche)* retrovisor

II *vtr* reflejar

misadventure [mɪsəd'ventʃər] *n* desgracia;

Jur **death by misadventure,** muerte accidental

misbehave [mɪsbɪ'heɪv] *vi* portarse mal

miscalculate [mɪs'kælkjəleɪt] *vtr & vi* calcular mal

miscalculation [mɪskælkjə'leɪʃən] *n* error de cálculo

miscarriage ['mɪskærɪdʒ] *n Med* aborto (espontáneo)

miscellaneous [mɪsə'leɪnɪəs] *adj* diverso,-a, variado,-a

mischief ['mɪstʃɪf] *n* travesura

mischievous ['mɪstʃɪvəs] *adj* travieso,-a

misconceived [mɪskən'si:vd] *adj* erróneo,-a

misconception [mɪskən'sepʃən] *n* idea equivocada

misconduct [mɪs'kʌndʌkt] *n frml* mala conducta

miscount [mɪs'kaʊnt] *vtr* contar mal

misdirect [mɪs'dərekt] *v* malenfocar, desperdiciar talento y esfuerzo

miser ['maɪzər] *n* avaro,-a, miserable

miserable ['mɪzrəbəl] *adj* **1** *(persona)* triste, afligido,-a **2** *(sitio, tiempo)* deprimente

miserably ['mɪzrəbli] *adv* **1** *(hacer, decir algo)* tristemente **2** *(fracasar)* rotundamente

miserly ['maɪzəli] *adj* avaro,-a, tacaño,-a

misery ['mɪzəri] *n* **1** tristeza **2** desgracia **3** miseria

misfit ['mɪsfɪt] *n* inadaptado,-a

misfortune [mɪs'fɔrtʃən] *n* desgracia

misgiving [mɪs'gɪvɪŋ] *n esp pl* recelo, desazón, duda

misguided [mɪs'gaɪdɪd] *adj* equivocado,-a

mishandle [mɪs'hændəl] *vtr (un asunto)* llevar *o* manejar mal

mishap ['mɪshæp] *n* contratiempo, percance

misinform [mɪsɪn'fɔrm] *vtr* informar mal

misinterpret [mɪsɪn'tɜrprɪt] *vtr* interpretar mal

misjudge [mɪs'dʒʌdʒ] *vtr* juzgar mal

mislay [mɪs'leɪ] *vtr* extraviar, perder

mislead [mɪs'li:d] *vtr* **1** despistar **2** *(a propósito)* engañar

misleading [mɪs'li:dɪŋ] *adj* **1** erróneo,-a **2** *(a propósito)* engañoso,-a

mismanagement [mɪs'mænɪdʒmənt] *n* mala administración

misplaced [mɪs'pleɪst] *adj* **1** *(una cosa)* extraviado,-a **2** *(confianza)* mal depositado,-a

misprint ['mɪsprɪnt] *n* errata, error de imprenta

misrepresent [mɪsreprɪ'zent] *vtr* tergiversar

miss [mɪs] **I** *vtr* **1** *(un golpe, tiro)* errar, fallar **2** *(un avión, tren)* perder **3** *(una experiencia, oportunidad)* perder(se), dejar pasar **4** no percibir: **to miss the point,** no captar la idea **5** omitir, saltarse **6** *(gentío, tráfico)* evitar **7** *(un país, una persona)* añorar, echar de menos **8** *(algo perdido)* echar en falta

II *n* fallo **III** *vi* fallar

■ **miss out** I *vtr* omitir, saltarse

Miss *nf* señorita

missile ['mɪsəl] *n* 1 *(piedra, etc)* proyectil

missing ['mɪsɪŋ] *adj* 1 *(objeto)* perdido,-a 2 *(persona)* desaparecido,-a 3 *ausente*; **to be missing,** faltar: **who is missing?,** ¿quién falta?

mission ['mɪʃən] *n* misión

missionary ['mɪʃənərɪ] *n* misionero,-a

mist [mɪst] *n* niebla

■ **mist over/up** *vi (ojos, espejo)* empañar(se)

mistake [mɪs'teɪk] I *n* error, equivocación; **to make a mistake,** cometer un error, equivocarse

II *vtr (ps* **mistook***; pp* **mistaken)** confundir

mistaken [mɪs'teɪkən] *adj* 1 *pp* → **mistake** 2 *(persona)* equivocado,-a

mister ['mɪstər] *n (generalmente se usa la forma abreviada Mr.)* señor

mistletoe ['mɪsəltou] *n Bot* muérdago

mistook [mɪs'tʊk] *ps* → **mistake**

mistreat [mɪs'triːt] *vtr* maltratar

mistress ['mɪstrɪs] *n* 1 *(de una casa, de un criado)* señora, ama 2 *(de un animal)* dueña, ama 3 amante

mistrust [mɪs'trʌst] I *n* desconfianza, recelo

II *vtr* desconfiar de, recelar de

misty ['mɪstɪ] *adj (mistier, mistiest)* 1 *(día)* de niebla 2 *(cristal)* empañado,-a

misunderstand [mɪsʌndər'stænd] *vtr & vi* entender mal

misunderstanding [mɪsʌndər'stændɪŋ] *n* malentendido

misuse [mɪs'juːs] I *n* 1 *(de un aparato, una palabra)* uso incorrecto 2 *(de la autoridad)* abuso 3 *(de fondos)* malversación

II [mɪs'juːz] *vtr* 1 *(un aparato, una palabra)* emplear mal 2 *(la autoridad)* abusar de 3 *(fondos, dinero)* malversar

mitigate ['mɪtɪgeɪt] *vtr* mitigar

mitten ['mɪt'n] *n Indum* manopla

mix [mɪks] I *n* mezcla

II *vtr* 1 mezclar 2 *(un cóctel, etc)* preparar

III *vi* 1 *(sustancias)* mezclarse 2 *(personas)* relacionarse

mixed [mɪkst] *adj* 1 surtido,-a, variado,-a 2 *Educ Dep* mixto,-a

mixer ['mɪksər] *n* batidora

mixture ['mɪkstʃər] *n* mezcla

mix-up ['mɪksʌp] *n fam* confusión, lío

MN *(abr de Minnesota)* abreviatura, estado de Minnesota

MO *(abr de Missouri)* abreviatura, estado de Missouri

moan [moun] I *n* gemido

II *vi* 1 gemir 2 *fam* quejarse

moat [mout] *n Hist* foso

mob [mɒb] I *n* 1 multitud, *pey* turba 2 the **Mob,** la Mafia

II *vtr* acosar, asediar

mobile ['moubəl] I *adj* móvil

II *n* (teléfono) móvil, portátil

mobility [mou'bɪldʒɪ] *n* movilidad

mobilize ['moubɪlaɪz] *vtr* movilizar

mock [mɒk] I *adj* fingido,-a, simulado,-a

II *vtr* burlarse de

mockery ['mɒkərɪ] *n* burla

mode [moud] *n* modo, estilo

model ['mɒdəl] I *n* 1 ejemplo, modelo 2 *(en una pasarela de moda)* modelo 3 *(a escala)* maqueta

II *adj* 1 ejemplar, modelo 2 *(tren, avión)* miniatura

III *vtr* 1 *(arcilla)* modelar 2 basar

IV *vi* hacer maquetas

modem ['moudəm] *n Inform* módem

moderate ['mɒdərət] I *adj* moderado,-a

II *n Pol* moderado,-a

III ['mɒdəreɪt] *vtr (un coloquio)* moderar

IV *vi* 1 moderarse 2 *(lluvia, viento, etc)* calmarse, amainar

moderation [mɒdə'reɪʃən] *n* moderación

modern ['mɒdərn] *adj* moderno,-a

modernize ['mɒdərnaɪz] *vtr* modernizar

modest ['mɒdɪst] *adj* modesto,-a

modesty ['mɒdɪstɪ] *n* 1 modestia 2 pudor

modification [mɒdɪfɪ'keɪʃən] *n* modificación, cambio

modify ['mɒdɪfaɪ] *vtr* modificar

module ['mɒdʒəl] *n* módulo

mogul [mou'gʌl] *n* magnate

moist [mɔɪst] *adj* húmedo,-a

moisten ['mɔɪsən] *vtr* humedecer

moisture ['mɔɪstʃər] *n* humedad

moisturizer ['mɔɪstʃəraɪzər] *n Cosm* crema hidratante

mold [mould] I 1 *n Bot* moho 2 molde

II *vtr (un metal, plástico)* moldear

moldy ['mouldɪ] *adj* mohoso,-a, enmohecido,-a

mole [moul] *n* lunar

molecule ['mɒlɪkjuːl] *n* molécula

molest [mə'lest] *vtr* 1 acosar sexualmente 2 importunar

molten ['moult'n] *adj* fundido,-a

mom [mɒm] *n fam* mamá

moment ['moumənt] *n* momento

momentous [mou'mentəs] *adj* trascendental

mommy ['mɒmɪ] *n fam* mamá

monarch ['mɒnərk] *n* monarca

monarchy ['mɒnərkɪ] *n* monarquía

monastery ['mɒnəstərɪ] *n* monasterio

monetary ['mʌnɪtərɪ] *adj* monetario,-a

money ['mʌnɪ] *n* dinero; moneda: **to make money,** ganar *o* hacer dinero con **mongrel** ['mʌŋgrəl] *n Zool* perro mestizo

moniker *n* nombre o sobrenombre, apodo

monitor ['mɒnɪdər] I *n* 1 *Inform* monitor 2 *Educ* encargado,-a, monitor,-ora

II *vtr* 1 controlar 2 observar 3 *Rad* escuchar

monk [mʌŋk] *n* monje

monkey ['mʌŋki] *n Zool* mono

monogamy [mə'nɒgəmi] *n* monogamia

monologue ['mɒnəlɒg] *n* monólogo

monopolize [mə'nɒpəlaɪz] *vtr* **1** *Fin* monopolizar **2** *fig* acaparar

monopoly [mə'nɒpəli] *n* monopolio

monotonous [mə'nɒt'nəs] *adj* monótono,-a

monotony [mə'nɒt'ni] *n* monotonía

monsoon [mɒn'su:n] *n* monzón

monster ['mɒnstər] **I** *n* monstruo

II *adj fam* gigantesco,-a

monstrosity [mɒn'strɒsidʒi] *n* monstruosidad

monstrous ['mɒnstrəs] *adj* **1** enorme **2** monstruoso,-a

montage [mɒn'ta:ʒ] *n* montaje

month [mʌnθ] *n* mes

monthly ['mʌnθli] **I** *adj* mensual

II *n* revista mensual

III *adv* mensualmente

monument ['mɒnjəmənt] *n* monumento

monumental [mɒnjə'mentəl] *adj* monumental

moo [mu:] **I** *n* mugido

II *vi* mugir

mood [mu:d] *n* **1** humor, disposición: **I'm in the mood to go to a movie,** tengo ganas de ir al cine; **to be in a good/bad mood,** estar de buen/mal humor **2** *Ling* modo

moody ['mu:di] *adj* (**moodier, moodiest**) **1** de humor variable **2** malhumorado,-a

moon [mu:n] *n* Luna

moonlight ['mu:nlaɪt] *n* luz de la Luna

moonlighting ['mu:nlaɪdɪŋ] *n fam* pluriempleo

moonlit ['mu:nlɪt] *adj* iluminado,-a por la Luna

moor [mɔr] **I** *n* páramo

II *vtr Náut* amarrar

moorland ['mɔrlænd] *n* páramo

moose [mu:s] *n Zool inv* alce

mop [mɒp] **I** *n* fregona

II *vtr* (*el suelo*) fregar

mope [moʊp] *vi* estar abatido,-a/desanimado,-a

moped ['moʊped] *n* ciclomotor

moral ['mɒrəl] **I** *adj* moral, ético,-a

II *n* **1** (*de una historia*) moraleja **2 morals** *pl*, moral, moralidad

morale [mə'ræːl] *n* moral, estado de ánimo

morality [mə'rælidʒi] *n* moralidad

morbid ['mɔrbid] *adj* **1** (*curiosidad, mente*) morboso,-a **2** *Med* patológico,-a

more [mɔr] **I** *adv* (*comparativo de much*) **1** (*para formar comparativos*) más: **she is more intelligent than he,** ella es más inteligente que él **2 I don't smoke any more,** ya no fumo

II *adj* (*comparativo de much y many*) más: **give me more money,** dame más dinero

III *pron* (*comparativo de much y many*) más: **the more the merrier,** cuántos más, mejor

moreover [mɔːr'oʊvər] *adv* además

morgue [mɔrg] *n* depósito de cadáveres

morning ['mɔrnɪŋ] *n* **1** mañana; **tomorrow morning,** mañana por la mañana **2** madrugada ◆ | LOC: **good morning!,** ¡buenos días!

moron ['mɔːrɒn] *n fam* idiota

morose [mə'roʊs] *adj* taciturno,-a

morphine ['mɔrfiːn] *n* morfina

mortal ['mɔrdəl] **I** *adj* mortal

II *n* mortal

mortality [mɔr'tælidʒi] *n* mortalidad

mortar ['mɔrdər] *n* mortero

mortgage ['mɔrgidʒ] **I** *n Fin* hipoteca

II *vtr* hipotecar

mortify ['mɔrdɪfaɪ] *vtr* avergonzar, humillar

Moslem ['mɒzləm] *adj & n* musulmán,-ana

mosque [mɒsk] *n* mezquita

mosquito [məs'kiːdoʊ] *n Ent* (*pl mosquitoes*) mosquito

moss [mɒs] *n Bot* musgo

most [moʊst] **I** *adv* (*para formar superlativos*) más: **he is the most promising student,** es el estudiante más prometedor

II *adj* **1** el que más: **he has the most money,** él es el que tiene más dinero **2** la mayoría de

III *pron* **1** el/la más **2** la mayoría de: **most would agree that...,** la mayoría estaría de acuerdo en que... **3 most of us,** la mayoría de nosotros

◆ | LOC: **for the most part,** por lo general

mostly ['moʊstli] *adv* **1** en su mayor parte **2** generalmente, normalmente

moth [mɒθ] *n* (*de ropa*) polilla

mother ['mʌðər] **I** *n* **1** madre **2** *Rel* **Mother,** Madre

II *vtr* mimar

motherhood ['mʌðərhʊd] *n* maternidad

mother-in-law ['mʌðərɪnlɑː] *n* suegra

motherly ['mʌðərli] *adj* maternal

mother-to-be [mʌðərtə'biː] *n* futura madre

motif [moʊ'tiːf] *n* **1** *Arte Mús* motivo **2** tema

motion ['moʊʃən] **I** *n* **1** movimiento **2** ademán, gesto **3** *Jur Pol* moción

II *vtr & vi* hacer señas

motionless ['moʊʃənlɪs] *adj* inmóvil

motivate ['moʊdɪveɪt] *vtr* motivar

motivation [moʊdɪ'veɪʃən] *n* motivación

motive ['moʊdɪv] *n* motivo

motor ['moʊdər] *n* **1** motor **2** coche

motorbike ['moʊdərbaɪk] *n fam* motocicleta, moto

motorboat ['moʊdərboʊt] *n* lancha (motora

motorcar ['moʊdərkɑːr] *n frml* automóvil

motorcycle ['moʊdərsaɪkəl] *n* motocicleta

motorcyclist ['moudʒərsaɪklɪst] *n* motociclista, motorista

motorist ['moudʒərɪst] *n* automovilista

mottled ['modʒəld] *adj* con manchas

motto ['madou] *n* lema

mound [maund] *n* 1 montón, pila **mount** [maunt] I *n* 1 monte 2 montura II *vtr* 1 *(un caballo)* montar; *(un trono)* subirse a 2 *(una cuesta)* subir 3 *(una joya)* engastar; *(un cuadro, una foto)* enmarcar 4 *(un espectáculo)* montar

■ **mount up** *vi* acumularse

mountain ['mauntɪn] I *n* montaña

II *adj* de montaña

mountaineer [mauntɪ'nɪər] *n* alpinista, *LAm* andinista

mountaineering [mauntɪ'nɪrɪŋ] *n* alpinismo, *LAm* andinismo

mountainous ['mauntɪnəs] *adj* montañoso,-a

mountainside ['mauntɪnsaɪd] *n* ladera (de la montaña)

mourn [mɔrn] *vtr & vi* **to mourn (for) sb,** llorar la muerte de alguien *o* llevar luto (por alguien)

mourner ['mɔrnər] *n (persona afligida)* doliente

mournful ['mɔrnfəl] *adj (persona)* afligido,-a

mourning ['mɔrnɪŋ] *n* luto

mouse [maus] *n (pl mice)* Zool Inform ratón

mousetrap ['maustræp] *n* ratonera

mousse [muːs] *n* Culin mousse

moustache [məˈstæʃ] *n* bigote(s)

mousy ['mausi] *adj (mousier, mousiest) (color de pelo)* castaño claro

mouth [mauθ] *n (pl mouths* [mauðz]) 1 boca 2 *(de un río)* desembocadura 3 *(de una cueva, una tubería)* entrada

mouthful ['mauθfəl] *n* 1 *(de comida)* bocado 2 *(de bebida)* sorbo

mouthwash ['mauθwaʃ] *n* elixir, enjuague bucal

mouthwatering ['mauθwadʒərɪŋ] *adj* muy apetitoso,-a

movable ['muːvəbəl] *adj* movible, móvil

move [muːv] I *n* 1 movimiento 2 *(de una casa)* mudanza 3 *(trabajo, etc)* traslado 4 paso, movimiento 5 Ajedrez, etc jugada, turno

II *vtr* 1 *(muebles, etc)* mover 2 trasladar 3 Ajedrez, etc mover 4 *frml (una ley, etc)* proponer 5 inducir, persuadir 6 conmover, emocionar

III *vi* 1 moverse, desplazarse 2 mudarse 3 trasladarse 4 *fam* irse 5 jugar, mover 6 estar en marcha

■ **move about/around** I *vtr (muebles, etc)* cambiar de sitio

II *vi* desplazarse (a menudo)

■ **move along** I *vi* 1 avanzar 2 circular 3 hacerse a un lado

II *vtr* hacer avanzar

■ **move away** I *vi* 1 alejarse, irse 2 mudarse

II *vtr* alejar [**from,** de]

■ **move back** *vi* retroceder

■ **move down** *vi & vtr* bajar

■ **move in** I *vi (en casa)* instalarse

II *vtr* hacer entrar

■ **move on** I *vi* seguir adelante

II *vtr (tráfico)* hacer circular

■ **move out** I *vi (de casa)* mudarse

II *vtr* hacer salir

■ **move over** I *vi* apartarse, correrse, moverse a un lado

II *vtr* apartar

■ **move up** I *vi* 1 subir 2 hacer sitio

II *vtr* subir

movement ['muːvmənt] *n* movimiento

movie ['muːvi] *n* película

movie star *n* estrella de cine

moving ['muːvɪŋ] *adj* 1 móvil 2 conmovedor,-ora

mow [mou] *vtr (ps mowed; pp mown o mowed) (el césped)* cortar

mower ['mouər] *n* cortacésped

mph *(abr de miles per hour)* millas por hora

M.Phil. *(abr de Master of Philosophy)* ≈ licenciado en Filosofía

Mr. ['mɪstər] *(abr de mister)* Sr (señor) **Mrs.** ['mɪsɪz] señora, Sra

Ms. [mɪz] señora, Sra, señorita, Srta **MS** *(abr de Mississippi)* abreviatura, estado de Mississippi

M.Sc. *(abr de Master of Science)* ≈ licenciado en Ciencias

MT *(abr de Montana)* abreviatura, estado de Montana

much [mʌtʃ] I *adv* 1 mucho: **I like her very much,** me gusta mucho; **as much as possible,** todo lo posible; **thank you very much,** muchas gracias

II *adj* 1 mucho,-a: **I haven't got much time,** no tengo mucho tiempo

III *pron* mucho,-a: **how much does it cost?,** ¿cuánto cuesta?; **much of the time,** la mayor parte del tiempo

muck [mʌk] *n* 1 mugre 2 Agr *fam* estiércol

■ **muck about/around** *fam* I *vi* 1 perder el tiempo 2 hacer el tonto

II *vtr* tratar con poca seriedad, tomar el pelo a

mucky ['mʌki] *adj (muckier, muckiest)* mugriento,-a

mucus ['mjuːkəs] *n* moco, mucosidad

mud [mʌd] *n* lodo, barro, fango está

muddle ['mʌdəl] *n* 1 desorden 2 embrollo, lío

muddy ['mʌdi] *adj (muddier, muddiest)* embarrado,-a

mudguard ['mʌdgɑrd] *n* guardabarros

mudslide ['mʌdslaɪd] *n* aluvión, deslizamiento fluvial, derrume de una ladera debido a la lluvia

mudslinging ['mʌdslɪŋɪŋ] n vilipendio, acto de hablar mal de otros

muffin ['mʌfɪn] n Culin (tipo de bollo) ≈ mollete

muffle ['mʌfəl] vtr (un sonido) amortiguar

muffled ['mʌfəld] adj (sonido, voz) sordo,-a, apagado,-a

muffler ['mʌflər] n Auto silenciador

mug [mʌg] I n 1 (para café) tazón 2 (para cerveza) jarra
II vtr fam atracar, asaltar

mugger ['mʌgər] n fam atracador,-ora

mugging ['mʌgɪŋ] n asalto

muggy ['mʌgi] adj (muggier, muggiest) bochornoso,-a

mulberry ['mʌlbəri] n Bot 1 (fruta) mora 2 (árbol) morera

mule [mjuːl] n Zool mulo,-a

multicolored ['mʌltɪkʌlərd] adj multicolor

multinational [mʌltɪ'næʃənəl] adj & nf multinacional

multiple ['mʌltɪpəl] I adj múltiple
II n Mat múltiplo

multiplication [mʌltɪplɪ'keɪʃən] n multiplicación

multiplicity [mʌltɪ'plɪsɪti] n multiplicidad [of, de]

multiply ['mʌltɪplaɪ] I vtr multiplicar
II vi multiplicarse

multipurpose [mʌltɪ'pərpəs] adj multiuso

multitude ['mʌltɪtuːd] n multitud

mumble ['mʌmbəl] I vi farfullar
II vtr farfullar, mascullar

mummy ['mʌmi] n Hist momia

mumps [mʌmps] n sing Med paperas

municipal [mjuː'nɪsɪpəl] adj municipal

municipality [mjuːnɪs'pælɪti] n municipio

mural ['mjʊərəl] adj & n mural

murder ['mərdər] I n asesinato, homicidio
II vtr asesinar

murderer ['mərdərər] n asesino

murderess ['mərdərɪs] n asesina

murderous ['mərdərəs] adj asesino,-a

murky ['mərki] adj (murkier, murkiest) 1 (casa, pasado) oscuro,-a 2 (agua) turbio,-a

murmur ['mərmər] I n 1 murmullo 2 (de tráfico) rumor 3 Med heart murmur, soplo en el corazón
II vtr & vi murmurar

muscle ['mʌsəl] I n músculo

muscular ['mʌskjələr] adj 1 (persona) musculoso,-a 2 (tejido, etc) muscular

muse, Muse [mjuːz] I n Mit & fig musa
II vi meditar [about, on o over, -]

museum [mjuː'zɪəm] n museo

mushroom ['mʌʃruːm] n Bot hongo, seta; Culin champiñón

music ['mjuːzɪk] n música

musical ['mjuːzɪkəl] I adj musical
II n musical

music box n caja de música

musician [mjuː'zɪʃən] n músico,-a

musk [mʌsk] n almizcle

Muslim ['mʊzlɪm] adj & n musulmán,-ana

muslin ['mʌzlɪn] n muselina

mussel ['mʌsəl] n Zool mejillón

must [mʌst] I v aux 1 deber, tener que 2 (probabilidad) deber de
II n fam necesidad

mustard ['mʌstərd] n Culin mostaza

mustn't ['mʌsənt] → must not

musty ['mʌsti] adj (mustier, mustiest) rancio,-a; (habitación) que huele a cerrado o a humedad

mute [mjuːt] I adj mudo,-a
II n (persona) mudo,-a

muted ['mjuːtɪd] adj 1 (color) apagado,-a 2 (sonido) sordo,-a

mutilate ['mjuːtɪleɪt] vtr mutilar

mutter ['mʌtər] I n murmullo
II vtr murmurar

mutton ['mʌtn] n Culin carne de oveja

Muzak ['mjuːzæk] n Mús marca registrada de música ambiental

muzzle ['mʌzəl] n 1 hocico 2 bozal 3 (de arma de fuego) boca

my [maɪ] adj pos mi, mis

myopia [maɪ'əʊpiə] n miopía

myself [maɪ'self] pron personal 1 (reflexivo) me 2 (uso enfático) yo mismo,-a, personalmente: I did it all myself, lo hice todo yo mismo

mysterious [mɪ'stɪəriəs] adj misterioso,-a

mystery ['mɪstəri] n misterio

mystical ['mɪstɪkəl] adj místico,-a

mystify ['mɪstɪfaɪ] vtr dejar perplejo,-a: I'm mystified, estoy perplejo

mystique [mɪ'stiːk] n mística

myth [mɪθ] n mito

mythology [mɪ'θɒlədʒi] n mitología

N

N, n [en] n 1 (letra) N, n 2 Mat (número indeterminado) n; to the nth degree, a la enésima (potencia) o al máximo 3 N (abr de North) Norte, N

n/a [en'eɪ] (abr de not applicable) no corresponde

nab v atrapar, arrestar, sorprender a alguien en un acto ilícito

nag [næg] I vtr fastidiar, dar la lata a 2
II vi quejarse
III n (persona) gruñón,-ona

nail [neɪl] I n 1 Const clavo 2 Anat uña
II vtr clavar

nailbrush ['neɪlbrʌʃ] n cepillo de uñas

nailfile ['neɪlfaɪl] n lima de uñas

naïve, naive [naɪ'iːv] adj 1 (persona) ingenuo,-a 2 Arte naïf

naked ['neɪkɪd] adj desnudo,-a

name [neɪm] I n 1 nombre, apellido:

what's his name?, ¿cómo se llama? **2** fama, reputación; **to give sb/sthg a bad name,** dar mala fama a alguien/algo; **to have a good name,** tener buena reputación
II *vtr* **1** llamar, poner nombre a **2** *(para un puesto)* nombrar **3** identificar

nameless ['neɪmlɪs] *adj* **1** *(persona)* anónimo,-a **2** *(horror, sufrimiento)* indescriptible

namely ['neɪmli] *adv* a saber

namesake ['neɪmseɪk] *n* tocayo,-a, homónimo,-a

name tag *n* etiqueta de identidad

nanny ['nænɪ] *n* niñera

nap [næp] **I** *n* siesta, sueñecito; **to take a nap,** echarse una siesta
II *vi* dormir la siesta

nape [neɪp] *n* nuca

napkin ['næpkɪn] *n* servilleta

narc [nɑːk] *n* oficial de policía especializado en el narcotráfico

narcissus [nɑːˈsɪsəs] *n Bot* narciso

narcotic [nɑːˈkɑdɪk] **I** *n* narcótico

narrate [nɛˈreɪt] *vtr frml* narrar, contar

narration [nɛˈreɪʃən] *n Lit frml* narración, relato

narrative ['nɛrədɪv] **I** *n* **1** *frml* narrativa **2** relato
II *adj* narrativo,-a

narrator [nɛˈreɪdər] *n* narrador,-ora

narrow ['nɛroʊ] **I** *adj* **1** estrecho,-a **2** limitado,-a, *(selección)* reducido,-a
II *vtr (una distancia)* estrechar
III *vi (carretera, río, etc)* estrecharse
■ **narrow down I** *vtr* reducir, limitar
II *vi* reducirse **[to,** a]

narrowly ['nɛroʊli] *adv* por poco

narrow-minded [nɛroʊˈmaɪndɪd] *adj* intolerante, estrecho,-a de miras

nasal ['neɪzəl] *adj* **1** nasal **2** *(voz)* gangoso,-a

nasty ['næːsti] *adj* (**nastier, nastiest**) **1** *(persona)* antipático,-a, desagradable, malo,-a **2** *(acción, situación)* feo,-a, desagradable **3** *(olor, sabor)* horrible, asqueroso,-a **4** *(accidente, herida)* grave

nation ['neɪʃən] *n* nación

national ['næʃənəl] **I** *adj* nacional
II *n* ciudadano,-a

nationalist ['næʃənəlɪst] *adj & n* nacionalista

nationality [næʃəˈnælɪdʒi] *n* nacionalidad

nationalization [næʃənəlɪˈzeɪʃən] *n* nacionalización

nationalize ['næʃənəlaɪz] *vtr* nacionalizar

national monument *n* monumento nacional

national security *n* seguridad nacional

nationwide ['neɪʃənwaɪd] **I** *adj* a escala nacional
II *adv* por todo el país

native ['neɪdɪv] **I** *adj* **1** *(inteligencia)* innato,-a

2 *(ciudad)* natal; *(idioma)* materno,-a **3** *(especie)* originario,-a **[to,** de] **4** *(persona)* autócto-no,-a, indígena
II *n* **1** nativo,-a **2** autóctono,-a

NATO, Nato ['neɪdoʊ] *(abr de North Atlantic Treaty Organization)* Organización del Tratado del Atlántico Norte, OTAN

natural ['nætʃrəl] *adj* **1** natural **2** normal, lógico,-a **3** *(líder, artista, deportista)* nato,-a; *(aptitud)* innato,-a

natural gas *n* gas natural

naturalist ['nætʃrəlɪst] *n* naturalista

naturalize ['nætʃrəlaɪz] *vtr* nacionalizar, naturalizar

naturally ['nætʃrəli] *adv* **1** por naturaleza **2** naturalmente **3** *(comportarse)* con naturalidad **4** *(curarse)* de manera natural

nature ['neɪtʃər] *n* **1** *Biol Fís* naturaleza **2** *(de persona)* naturaleza, carácter **3** *frml* índole, clase

naughty ['nɔːdi] *adj* (**naughtier, naughtiest**) **1** *(niño)* travieso,-a **2** *(canción, chiste)* atrevido,-a

nausea ['nɔːziə] *n Med* náusea

nauseating ['nɔːzieɪdɪŋ] *adj* nauseabundo,-a

nautical ['nɔːdɪkəl] *adj* náutico,-a, marítimo,-a

naval ['neɪvəl] *adj* naval

navel ['neɪvəl] *n Anat* ombligo

navigate ['nævɪgeɪt] *vi Av Náut* navegar

navigation [nævɪˈgeɪʃən] *n Náut* navegación

navigator ['nævɪgeɪdər] *n Náut Av* navegante

Navy *n Mil* fuerza naval

Nazi ['nɑːtsi] *adj & n* nazi

NC *(abr de North Carolina)* abreviatura, estado de North Carolina

NCAA *n (abr de National Collegiate Athletic Association)* Asociación Nacional de Atletismo Universitario

NCO *n Mil (abr de noncommissioned officer)* suboficial en las fuerzas armadas

ND *(abr de North Dakota)* abreviatura, estado de North Dakota

NE *(abr de Nebraska)* abreviatura, estado de Nebraska

near [nɪər] **I** *adv (espacio)* cerca
II *prep (espacio)* cerca de, junto a: **my parents live near the station,** mis padres viven cerca de la estación
III *adj* **1** *(espacio: a menudo en superlativo)* cercano,-a, próximo,-a, inmediato,-a **2** *(tiempo)* cercano,-a, próximo,-a, inmediato,-a; **in the near future,** en un futuro inmediato
IV *vtr* acercarse a
V *vi* acercarse

nearby [nɪərˈbaɪ] **I** *adj* cercano,-a
II *adv* cerca

nearly ['nɪərli] *adv* casi

near-sighted [nɪərˈsaɪdɪd] *adj* miope
neat [niːt] *adj* 1 *(persona)* pulcro,-a 2 *(casa)* ordenado,-a 3 *(letra)* claro,-a, nítido,-a 4 *(idea, plan, invento)* sencillo,-a y efectivo,-a, ingenioso,-a 5 *(alcohol)* solo,-a
necessarily [nesɪˈserəli] *adv* necesariamente
necessary [ˈnesɪsəri] I *adj* necesario,-a
II *n* lo necesario
necessitate [nɪˈsesɪteɪt] *vtr* necesitar, exigir
necessity [nɪˈsesɪdʒi] *n* necesidad
neck [nek] *n* 1 *Anat* cuello; *(animal)* pescuezo, cuello 2 *(de botella, guitarra, prenda)* cuello
♦ LOC: **he's a pain in the neck,** es un pesado
necklace [ˈneklɪs] *n* collar
neckline [ˈneklaɪn] *n Cost* escote
necktie [ˈnektaɪ] *n* corbata
nectar [ˈnektər] *n* néctar
nectarine [ˈnektəriːn] *n Bot* nectarina
need [niːd] I *n* necesidad
II *vtr* 1 *(persona)* necesitar 2 tener que 3 *(cosa, situación)* requerir, exigir
III *v aux* tener que, deber: **need I stay?,** ¿tengo que quedarme?
needle [ˈniːdəl] I *n* 1 aguja 2 *Bot* hoja
II *vtr fam* irritar, pinchar
needless [ˈniːdlɪs] *adj* innecesario,-a
needlework [ˈniːdəlwərk] *n (actividad)* costura, bordado
needy [ˈniːdʒi] *adj (needier, neediest)* necesitado,-a
negate [nɪˈgeɪt] *vtr* 1 invalidar, anular 2 negar
negative [ˈnegədɪv] I *adj* negativo,-a
II *n* 1 *Ling* negación 2 *Fot* negativo 3 *Elec* (polo) negativo
neglect [nɪˈglekt] I *vtr* 1 *(a una persona, un animal)* desatender, no ocuparse de 2 *(un deber)* no cumplir con, desatender II *n* 1 abandono 2 negligencia
negligence [ˈneglɪdʒəns] *n* negligencia, descuido
negligent [ˈneglɪdʒənt] *adj* negligente, descuidado,-a
negotiate [nɪˈgoʊʃieɪt] I *vtr* 1 *(un contrato)* negociar; *(un préstamo)* gestionar 2 *(un obstáculo)* sortear, salvar
II *vi* negociar
negotiation [nɪgoʊʃiˈeɪʃən] *n* negociación
neigh [neɪ] I *n* relincho
II *vi* relinchar
neighbor [ˈneɪbər] *n* 1 vecino,-a 2 *Rel* prójimo
neighborhood [ˈneɪbərhʊd] *n* 1 barrio, distrito 2 *(personas)* vecindario
neighboring [ˈneɪbərɪŋ] *adj* vecino,-a
neither [ˈniːðər, ˈnaɪðər] I *adj & pron* ninguno (de los dos), ninguna (de los dos): **neither of them were here,** ni el uno ni el otro estuvieron aquí
II *adv & conj* ni; **neither... nor...,** ni... ni...:

I **neither drink nor smoke,** ni bebo ni fumo 2 tampoco: **I can't swim, neither can I,** no sé nadar, - yo tampoco
neon [ˈniːɑn] *n Quím* neón
neon light [ˈniːɑnlaɪt] *n* luz fluorescente, lámpara de neón
nephew [ˈnefjuː] *n* sobrino
nerve [nərv] *n* 1 *Anat* nervio 2 valor, coraje 3 *fam (exceso de confianza, desenvoltura)* cara, frescura, descaro: **you've got a nerve!,** ¡qué cara tienes!
nerve-racking [ˈnərvrækɪŋ] *adj* angustioso,-a
nervous [ˈnərvəs] *adj Anat* nervioso,-a
nest [nest] I *n* 1 *Orn* nido 2 *Zool* madriguera
II *vi Orn* anidar
nest egg *n fig* ahorros
net [net] I *n* 1 red 2 *fam Inform* **the Net,** Internet
II *adj Com Fin* neto,-a
nettle [ˈnedəl] *n Bot* ortiga
network [ˈnetwərk] I *n Elec Inform Rad TV* red
II *vtr Inform* interconectar
neuter [ˈnuːdər] I *adj* neutro,-a
II *n Ling* neutro
neutral [ˈnuːtrəl] I *adj* 1 neutro,-a 2 *Pol* neutral
II *n Auto* **to be in neutral,** estar en punto muerto
neutrality [nuːˈtrælɪdʒi] *n* neutralidad
never [ˈnevər] *adv* 1 nunca, jamás: **never once,** ni una vez 2 *fam* **never mind,** da igual, no importa
never-ending [nevərˈendɪŋ] *adj* sin fin, interminable
nevertheless [nevərðəˈles] *adv* sin embargo, no obstante
new [nuː] *adj* nuevo,-a
newborn [ˈnuːbɔːrn] *adj* recién nacido,-a
newcomer [ˈnuːkʌmər] *n* recién llegado,-a
newly [ˈnuːli] *adv* recién, recientemente
newlywed [ˈnuːliwed] *n* recién casado,-a
news [nuːz] I *n* 1 noticias: **an item/a piece of news,** una noticia 2 *TV Rad* (el) informativo
II *adj* informativo,-a
news bulletin *n* boletín informativo
newscaster [ˈnuːzkæstər] *n* cronista de noticias
newspaper [ˈnuːzpeɪpər] *n* periódico, diario
newsreader [ˈnuːzriːdər] *n TV Rad* presentador,-ora de los informativos
newsstand [ˈnuːzstænd] *n* quiosco de periódicos
newsworthy [ˈnuːzwərði] *adj* evento notable de interés periodístico, que causa noticias
New Testament [ˈnuːtestəmənt] *n* Nuevo Testamento

new wave ['nu:weɪv] *n* nueva ola, nueva onda, personas que introducen nuevas ideas o estilos

next [nɛkst] **I** *adj* **1** (*sitio*) próximo,-a, vecino,-a, de al lado **2** (*en orden*) próximo,-a, siguiente: **who's next?**, ¿quién es el siguiente? **3** (*tiempo*) próximo,-a, siguiente; (*semana, año*) que viene; **the next day**, al día siguiente **II** *adv* **1** (*en secuencia, sitio*) después, luego: **what did he do next?**, ¿y luego qué hizo? **2** la próxima vez: **when shall we meet next?**, ¿cuándo volvemos a vernos? **III** *uso preposicional con* to **next to**, al lado de, junto a: **sit next to John**, siéntate al lado de John

NH (*abr de New Hampshire*) abreviatura, estado de New Hampshire

nibble ['nɪbəl] *vtr & vi* mordisquear, picar

nice [naɪs] *adj* **1** agradable: **nice to meet you**, encantado,-a de conocerle **2** (*persona*) (*carácter*) amable, simpático,-a **3** (*apariencia*) guapo,-a **4** (*sitio, ropa*) bonito,-a **5** (*tiempo*) bueno,-a **6** (*comida*) rico,-a

nicely ['naɪsli] *adv* muy bien

niche [ni:tʃ] *n Arquit* hornacina, nicho

nick [nɪk] *n* muesca; rasguño

nickel ['nɪkəl] *n* **1** níquel **2** *US* moneda de cinco centavos

nickname ['nɪkneɪm] **I** *n* apodo **II** *vtr* apodar

nicotine ['nɪkəti:n] *n* nicotina

niece [ni:s] *n* sobrina

night [naɪt] **I** *n* noche: **last night**, anoche; **night after night**, noche tras noche; (*sólo al despedirse*) **good night**, ¡buenas noches! **II** *adj* nocturno,-a

nightclub ['naɪtˌklʌb] *n* club nocturno, discoteca

nightfall ['naɪtˌfɔ:l] *n* anochecer

nightgown ['naɪtˌgaʊn] *n* camisón

nightingale ['naɪdɪŋgeɪl] *n Orn* ruiseñor

nightly ['naɪtˌli] **I** *adj* de cada noche **II** *adv* todas las noches

nightmare ['naɪtˌmer] *n* pesadilla

nighttime ['naɪtˌtaɪm] *n* noche; **at nighttime**, por la noche

nil [nɪl] *n* nada; *Dep* cero: **we lost one nil**, perdimos por una a cero

nimble ['nɪmbəl] *adj* ágil, listo,-a

nine [naɪn] *adj & n* nueve

nineteen [naɪn'ti:n] *adj & n* diecinueve

nineteenth [naɪn'ti:nθ] *adj* decimonoveno,-a

ninety ['naɪndi] *adj & n* noventa

ninth [naɪnθ] **I** *adj & n* noveno,-a **II** *n* (*fracción*) noveno

nip [nɪp] **I** *vtr* **1** pellizcar **2** morder **II** *n* **1** pellizco **2** mordisco **3** *fam* traguito

nipple ['nɪpəl] *n* **1** *Anat* (*de mujer*) pezón **2** (*de biberón*) tetina

nit [nɪt] *n Zool* liendre

nitrogen ['naɪtrədʒən] *n Quím* nitrógeno

nitwit ['nɪtˌwɪt] *n fam* imbécil, memo,-a

NJ (*abr de New Jersey*) abreviatura, estado de New Jersey

NM (*abr de New Mexico*) abreviatura, estado de New Mexico

no [noʊ] **I** *excl* no **II** *adj* **1** ninguno,-a: **I am no expert**, no soy ningún experto; **I have no money**, no tengo dinero **2** (*prohibición*) **no smoking**, prohibido fumar **III** *adv* no more than three, no más de tres

no. (*pl nos.*) (*abr de number*) número, n.º, núm.

nobility [noʊ'bɪlidi] *n* nobleza

noble ['noʊbəl] *adj* noble

nobody ['noʊbʌdi] **I** *pron* nadie **II** *n* nadie; **to be (a) nobody**, ser un don nadie

nocturnal [nɑk'tɜrnəl] *adj* nocturno,-a

nod [nɑd] **I** *n* **1** saludo con la cabeza **2** asentimiento con la cabeza **II** *vi* **1** saludar con la cabeza **2** asentir con la cabeza **3** (*por cansancio*) dar cabezadas ■ **nod off** *vi* dormirse, quedarse dormido,-a

noise [nɔɪz] *n* ruido

noiseless ['nɔɪzlɪs] *adj* silencioso,-a

noise pollution ['nɔɪzpəluʃən] *n* contaminación ambiental por el ruido

noisy ['nɔɪzi] *adj* (**noisier, noisiest**) ruidoso,-a

nomad ['noʊmæd] *n* nómada

nominate ['nɑmɪneɪt] *vtr* **1** (*como candidato*) proponer **2** (*para un puesto*) nombrar

nomination [nɑmɪ'neɪʃən] *n* **1** (*candidatura*) propuesta **2** nombramiento

non-alcoholic [nɑnælkə'hɑlɪk] *adj* sin alcohol

nonchalant ['nɑnʃələnt] *adj* **1** despreocupado,-a **2** indiferente

nonconformist [nɑnkən'fɔrmɪst] *n* inconformista

nondenominational [nɑndənɑmə'neɪʃənəl] *adj* que no pertenece a una religión o secta específica

nondescript ['nɑndɪskrɪpt] *adj* anodino,-a, soso,-a

none [nʌn] *pron* nadie, nada, ninguno,-a

nonetheless [nʌnðə'lɛs] *adv* no obstante, sin embargo

nonexistent [nʌnɪg'zɪstənt] *adj* inexistente

nonfiction [nɑn'fɪkʃən] *n* no ficción

nonsense [noʊ'nɑnsɛns] *adj* de principios muy prácticos, pragmático

nonpayment [nɑn'peɪmənt] *n* descuido en el pago de obligaciones financieras

nonplussed [nɑn'plʌst] *adj* anonadado,-a, sorprendido,-a, perplejo,-a

nonsense ['nɑnsɛns] *n* tonterías, disparates; **to talk nonsense**, decir tonterías

nonsmoker [nɑn'smoʊkər] *n* no fumador,-ora

nonstick [nɑn'stɪk] *adj* antiadherente

nonstop [nɑn'stɑp] **I** *adj (vuelo)* sin escalas, directo,-a

II *adv (hablar, trabajar)* sin parar

noodles ['nuːdlz] *npl Culin* fideos

noon [nuːn] *n* mediodía

no one ['noʊwʌn] *pron* → **nobody**

noose [nuːs] *n* lazo

nor [nɔːr] *conj* **1** *Anat* nariz; neither... nor..., ni... ni...: **I neither drink nor smoke,** ni bebo ni fumo **2** tampoco: **I can't swim, - nor can I,** no sé nadar, - yo tampoco

norm [nɔrm] *n* norma

normal ['nɔrməl] *adj* normal

normality [nɔr'mælɪdʒi] *n* normalidad

north [nɔrθ] **I** *n* norte

II *adv* hacia el norte, al norte

III *adj* del norte, norte, septentrional

North America *n* América del Norte, Norteamérica

northeast [nɔrθ'iːst] *n* nor(d)este

northern ['nɔrðərn] *adj (región)* del norte, norteño,-a, septentrional

nose [noʊz] *n* **1** *Anat* nariz; to blow one's nose, sonarse la nariz

■ **nose about/around** *vi* fisgonear **[in,** en]

nosebleed ['noʊzbliːd] *n* hemorragia nasal

nosedive ['noʊzdaɪv] **I** *n Av* picado

II *vi* descender en picado

nose job ['noʊzdʒɑb] *n* cirugía plástica de la nariz

no-show [noʊ'ʃoʊ] *n fam* ausente, persona que no se presenta luego de haber prometido asistir

nostalgia [nɑ'stældʒiə] *n* nostalgia

nostalgic [nɑ'stældʒɪk] *adj* nostálgico,-a

nostril ['nɑstrəl] *n Anat* ventana de la nariz

nosy ['noʊzi] *adj (nosier, nosiest) fam* fisgón,-ona, cotilla

not [nɑt] *adv* **1** no: **I have not seen him,** no lo he visto **2 not at all,** en absoluto **3** *(en respuestas)* **is he ill?,** - **I hope not,** ¿está enfermo?, - espero que no; **absolutely not!,** ¡de ninguna manera!

notable ['noʊdəbəl] *adj* notable

notary ['noʊdəri] *n* notario

notch [nɑtʃ] *n* muesca, corte

note [noʊt] **I** *n* **1** *(escrito)* nota **2** atención; to take note, prestar atención **3** *Mús* nota **4** *Fin* billete (de banco)

II *vtr* **1** apuntar **2** fijarse en

notebook ['noʊtbʊk] *n* cuaderno, libreta

noted ['noʊdɪd] *adj* célebre

notepad ['noʊtpæd] *n* bloc de notas

nothing ['nʌθɪŋ] **I** *pron* nada: nothing worries him, no le preocupa nada

II *n* **1** cero **2** *Fil* nada

nothingness ['nʌθɪŋnɪs] *n* la nada

notice ['noʊdɪs] **I** *n* **1** aviso, letrero **2** *(en un periódico)* anuncio **3** aviso; **notice to quit,** aviso de desalojo; **without notice,** sin previo aviso **4**

atención, conocimiento: **to take (no) notice,** (no) hacer caso

II *vtr* darse cuenta de, fijarse en

III *vi* darse cuenta

noticeboard ['noʊdɪsbɔrd] *n* tablón de anuncios

notification [noʊdɪfɪ'keɪʃən] *n* notificación

notify ['noʊdɪfaɪ] *vtr* avisar

notion ['noʊʃən] *n* idea, noción

notorious [noʊ'tɔːriəs] *adj pey* tristemente célebre

noun [naʊn] *n Ling* nombre, sustantivo

nourish ['nɔrɪʃ] *vtr* alimentar, nutrir

nourishing ['nɔrɪʃɪŋ] *adj* nutritivo,-a

nourishment ['nɔrɪʃmənt] *n* alimentación, nutrición

novel ['nɑvəl] *n* novela

II *adj* original, novedoso,-a

novelist ['nɑvəlɪst] *n* novelista

novelty ['nɑvəlti] *n* novedad

November [noʊ'vembər] *n* noviembre

novice ['nɑvɪs] *n* **1** novato,-a, principiante **2** *Rel* novicio,-a

now [naʊ] **I** *adv* ahora; ya: **give it to me now!,** ¡dámelo ya!; **from now on,** de ahora en adelante; **just now,** hace poco; **right now,** ahora mismo

II *conj* now (that), ahora que

nowadays ['naʊdeɪz] *adv* hoy (en) día, actualmente

nowhere ['noʊwer] **I** *adv* **1** a/en ninguna parte

II *pron* ningún sitio: **nowhere is open on Sunday,** los domingos no hay nada abierto

noxious ['nɑkʃəs] *adv* nocivo,-a

nozzle ['nɑzəl] *n* boquilla

nuance ['nuːɑns] *n* matiz

nuclear ['nuːkliər] *adj* nuclear

nuclear power ['nuːkliərpaʊər] *n* energía eléctrica generada por medio de energía nuclear

nucleus ['nuːkliəs] *n* núcleo

nude [nuːd] **I** *adj* desnudo,-a

II *n Arte Fot* desnudo

nudge [nʌdʒ] **I** *n* codazo

II *vtr* dar un codazo a

nudist ['nuːdɪst] *adj* & *n* nudista

nudity ['nuːdɪti] *n* desnudez

nuisance ['nuːsəns] *n* **1** *(cosa, suceso)* incordio, molestia **2** *(persona)* pesado,-a, incordio

nullify ['nʌlɪfaɪ] *vtr (ps* & *pp nullified)* anular

numb [nʌm] **I** *adj* **1** *(de frío, o dolor)* entumecido,-a **2** *fig (de miedo)* paralizado,-a

II *vtr (frío)* entumecer

number ['nʌmbər] **I** *n* número

II *vtr* numerar

number cruncher ['nʌmbərkrʌntʃər] *n* persona o máquina que trabaja exclusivamente con números

numeral ['nu:mərəl] *n* número, cifra

numerical [nu:'mɛrɪkəl] *adj* numérico,-a

numerous ['nu:mərəs] *adj* numeroso,-a

nun [nʌn] *n* monja

nurse [nərs] **I** *n* **1** *(de un hospital)* enfermero,-a **2** *(para niños)* niñera
II *vtr* **1** *(a un paciente)* cuidar (de), atender **2** *(a un bebé)* tener en brazos **3** *(a un bebé)* amamantar

nursery ['nərsəri] *n* **1** *(en casa)* cuarto de los niños **2** guardería **3** *(para plantas)* vivero

nursing ['nərsɪŋ] *n* **1** enfermería **2** *(al paciente)* atención, cuidado

nursing home *n* residencia de la tercera edad

nut [nʌt] *n* **1** *Bot Culin* fruto seco **2** *Téc* tuerca ♦ LOC: *argot* cabeza, coco

nutcase ['nʌtkeɪs] *n fam* chiflado,-a

nutcracker ['nʌtkrækər] *n* cascanueces

nutmeg ['nʌtmɛg] *n* nuez moscada

nutrition [nu:'trɪʃən] *n* nutrición

nutritional [nu:'trɪʃənəl] *adj* nutritivo,-a

nutritious [nu:'trɪʃəs] *adj* nutritivo,-a, alimenticio,-a

nuts [nʌts] *adj fam* chiflado,-a

NV *(abr de Nevada)* abreviatura, estado de Nevada

NY *(abr de New York)* abreviatura, estado de New York

nymph [nɪmf] *n* ninfa

nymphomaniac [nɪmfou'meɪniæk] *n* ninfómana

O

O, o [ou] *n* **1** *(letra)* O, o **2** *(al decir un número)* cero

oak [ouk] *n* roble

oar [ɔːr] *n* remo

oasis [ou'eɪsɪs] *n (pl oases* [ou'eɪsi:z]*)* oasis

oath [ouθ] *n (pl oaths* [ouðz]*) Jur* juramento

oatmeal ['outmi:l] *n* harina de avena

oats [outs] *npl Bot* avena

obedience [ou'bi:diəns] *n* obediencia

obedient [ou'bi:diənt] *adj* obediente

obese [ou'bi:s] *adj* obeso,-a

obey [ou'beɪ] *vtr* **1** *(una persona, orden)* obedecer **2** *(los instintos)* seguir **3** *(la ley)* cumplir con

obituary [ə'bɪtjuɛri] *n* necrología

object[1] ['abdʒɪkt] *n* **1** objeto **2** objetivo, propósito **3** inconveniente: **money is no object,** el dinero no es problema

object[2] [əb'dʒɛkt] **I** *vi* poner objeciones, oponerse
II *vtr* objetar

objection [əb'dʒɛkʃən] *n* objeción, reparo

objectionable [əb'dʒɛkʃənəbəl] *adj* **1** *(comentario)* reprensible **2** *(persona)* ofensivo,-a, pesado,-a

objective [əb'dʒɛktɪv] **I** *adj* objetivo,-a
II *n* objetivo

objector [əb'dʒɛktər] *n* objetor,-ora

obligation [ablɪ'geɪʃən] *n* obligación

obligatory [ə'blɪgətəri] *adj* obligatorio,-a

oblige [ə'blaɪdʒ] *vtr* **1 to oblige sb to do sth,** obligar a alguien a hacer algo **2** *frml* **I would be obliged,** estaría agradecido,-a

obliging [ə'blaɪdʒɪŋ] *adj* solícito,-a, servicial

oblique [ou'bli:k] *adj* **1** *(comentario)* indirecto,-a **2** *(línea)* oblicuo,-a

obliterate [ou'blɪdəreɪt] *vtr* **1** destruir, eliminar **2** *(un recuerdo, una vivencia)* borrar

oblivion [ə'blɪviən] *n* olvido

oblivious [ə'blɪviəs] *adj* inconsciente, ignorante

oblong ['ablaŋ] **I** *adj* rectangular
II *n* rectángulo

obnoxious [ab'nakʃəs] *adj* **1** *(olor, sabor)* repugnante **2** *(persona)* odioso,-a

oboe ['oubou] *n* Mús oboe

obscene [əb'si:n] *adj* obsceno,-a

obscure [əb'skjər] **I** *adj* oscuro,-a
II *vtr* ocultar

observant [əb'zərvənt] *adj* observador,-ora

observation [abzər'veɪʃən] *n* observación

observatory [əb'zərvətɔri] *n* observatorio

observe [əb'zərv] *vtr* observar

observer [əb'zərvər] *n* observador,-ora

obsess [əb'sɛs] *vtr* obsesionar

obsession [əb'sɛʃən] *n* obsesión

obsessive [əb'sɛsɪv] *adj* obsesivo,-a

obsolete ['absəli:t] *adj* obsoleto,-a

obstacle ['abstəkəl] *n* obstáculo

obstetrician [abstɛ'trɪʃən] *n* Med tocólogo,-a

obstinate ['abstɪnɪt] *adj* **1** *(persona)* terco,-a, testarudo,-a **2** *(esfuerzo)* tenaz

obstruct [əb'strʌkt] *vtr* **1** obstruir **2** *(el progreso)* obstaculizar; *(el tráfico)* bloquear, obstruir

obstruction [əb'strʌkʃən] *n* **1** obstrucción **2** obstáculo

obtain [əb'teɪn] *vtr* obtener

obtrusive [əb'tru:sɪv] *adj* **1** *(persona)* entrometido,-a **2** *(edificio)* demasiado prominente

obvious ['a:viəs] *adj* obvio,-a

obviously ['a:viəsli] *adv* obviamente

occasion [ə'keɪʒən] **I** *n* **1** ocasión, vez: **on two occasions,** dos veces **2** acontecimiento **3** *(razón, causa)* motivo
II *vtr frml* ocasionar

occasional [ə'keɪʒənəl] *adj* esporádico,-a

occasionally [ə'keɪʒənəli] *adv* de vez en cuando, ocasionalmente

occupant ['akjupənt] *n* ocupante

occupation [akju'peɪʃən] *n* **1** profesión, ocupación **2** pasatiempo

occupational [akju'peɪʃənəl] *adj* profesional, laboral

occupier [ˈɑkjʊpaɪər] *n* ocupante, inquilino,-a

occupy [ˈɑkjʊpaɪ] *vtr* ocupar

occur [əˈkər] *vi* 1 *(un caso)* ocurrir 2 *(un cambio)* producirse 3 ocurrirse 4 *frml* encontrarse

occurrence [əˈkərəns] *n* acontecimiento

ocean [ˈoʊʃən] *n* océano

ochre, ocher [ˈoʊkər] *n* & *adj* ocre

o'clock [əˈklɑk] *adv* it's one o'clock, (es) la una

October [ɑkˈtoʊbər] *n* octubre

octopus [ˈɑktəpəs] *n Zool* pulpo

OD *v (abr de* ***to overdose****)* sobredosis

odd [ɑd] *adj* 1 curioso,-a, extraño,-a, raro,-a 2 desparejado,-a; **an odd sock,** un calcetín sin pareja 3 *Mat* impar 4 algún que otro 5 *fam (después de un número)* alrededor de; **twenty-odd,** veintitantos

oddity [ˈɑdɪdi] *n* rareza

odd job *n fam* trabajito, chapuza

oddly [ˈɑdli] *adv* 1 *(comportarse, vestirse)* de una manera rara 2 curiosamente; **oddly enough,** aunque parezca mentira

odds [ɑdz] *npl* 1 probabilidades: **against the odds,** a pesar de los pronósticos 2 **odds and ends,** cachivaches, chismes

ode [oʊd] *n* oda

odious [ˈoʊdiəs] *adj* odioso,-a

odometer [oʊˈdɑmɪdər] *n* odómetro

odor [ˈoʊdər] *n* olor

of [ʌv] *prep* 1 *(posesivo)* **a friend of mine,** un amigo mío; **the head of state,** el jefe de Estado 2 *(partitivo)* **there are only two of us,** solo somos dos 3 *(materia)* **made of wood,** hecho de madera 4 *(contenedor)* **a glass of water,** un vaso de agua 5 *(en fechas)* **the first of May,** el uno de mayo

off [ɑf] **I** *adv* 1 *(movimiento)* **the train stopped and he got off,** el tren paró y él bajó 2 *(distancia, tiempo)* **it's a long time off,** falta mucho tiempo; **a long way off,** muy lejos 3 *(extinción)* **turn off the light,** apaga la luz; **to call off,** anular 4 *(ausencia)* **she's off on vacation,** está de vacaciones; **to have a day off,** tomar un día libre 5 *(mal estado)* **the meat smells off,** la carne huele mal
II *prep* 1 *(movimiento)* **he fell off his chair,** se cayó de la silla 2 **she's off work,** está de baja 3 al lado de, apartado,-a de: **an island off Florida,** una isla frente a Florida; **a road off the square,** una calle que sale de la plaza
III *adj* 1 *(sólo como predicado) (luz, gas)* apagado,-a 2 *(reunión)* anulado,-a 3 *(comida)* en mal estado, malo,-a 4 *(comportamiento)* inaceptable 5 *(temporada)* baja 5 **an off day,** un mal día

offal [ˈɑfəl] *n Culin* asadura

off-duty [ˈɑfˈduːdi] *adj (persona)* fuera de servicio

offend [əˈfend] *vtr* ofender

offender [əˈfendər] *n* delincuente

offense [əˈfens] *n* 1 *Jur* delito, infracción 2 *(insulto)* ofensa

offensive [əˈfensɪv] **I** *adj* 1 *(comentario, acción)* ofensivo,-a
II *n Mil* ofensiva

offer [ˈɑfər] **I** *vtr* 1 ofrecer 2 *(una idea, sugerencia)* proponer
II *n* oferta, propuesta

offering [ˈɑfərɪŋ] *n* 1 ofrecimiento 2 *Rel* ofrenda

offhand [ɑfˈhænd] *adj* brusco,-a, descortés

office [ˈɑfɪs] *n* 1 *(edificio)* oficina 2 *Com Pol* cargo 3 *Rel* oficio

officer [ˈɑfɪsər] *n* 1 *Mil Náut Av* oficial 2 **(police) officer,** policía; *(como trato)* agente

office worker *n* oficinista, administrativo,-a

official [əˈfɪʃəl] **I** *adj* oficial, autorizado,-a
II *n* 1 funcionario,-a 2 directivo,-a

off-line [ˈɑflaɪn] *adj Inform* desconectado,-a

off-peak [ɑfˈpiːk] *adj* 1 *(electricidad, teléfono)* de tarifa reducida 2 *(turismo)* de temporada baja

offset [ɑfˈset] *vtr (ps* & *pp* **offset)** compensar, contrarrestar

offshoot [ˈɑfʃuːt] *n* 1 *Bot* retoño 2 *fig (de una familia)* rama 3 *(de una empresa)* filial

offshore [ɑfˈʃɔːr] *adj* 1 *(brisa)* del interior 2 *(isla)* cercano,-a a la costa 3 *(actividad)* submarino,-a

offside [ɑfˈsaɪd] **I** *adv Dep* fuera de juego
II *n Auto* lado del conductor

offspring [ˈɑfsprɪŋ] *n inv frml* & *hum (singular)* vástago; *(plural)* prole

offstage [ɑfˈsteɪdʒ] **I** *adv Teat* entre bastidores
II *adj* de entre bastidores

often [ˈɑfən, ˈɑftən] *adv* a menudo, con frecuencia

ogle [ˈoʊgəl] *vtr* & *vi* **to ogle (at) sb,** comerse a alguien con los ojos

OH *(abr de Ohio)* abreviatura, estado de Ohio

ohm [ˈoʊm] *n* unidad con que se mide la resistencia eléctrica

oil [ɔɪl] **I** *n* 1 aceite: **olive oil,** aceite de oliva 2 *Min* petróleo 3 *Arte* **oils** *pl,* pinturas al óleo
II *vtr* engrasar, lubrificar

oilskin [ˈɔɪlskɪn] *n Tex* hule

oily [ˈɔɪli] *adj (oilier, oiliest)* grasiento,-a; graso,-a

ointment [ˈɔɪntmənt] *n* ungüento, pomada

OK, okay [oʊˈkeɪ] *fam* **I** *excl* vale, muy bien, de acuerdo

OK *(abr de Oklahoma)* abreviatura, estado de Oklahoma
II *adj* bien: **how are you?, - OK,** ¿cómo estás?, - bien; **is it OK with you if…?,** ¿te importa si…?
III *n* visto bueno

old [oʊld] *adj* 1 *(edad)* **he's ten years old,** tiene diez años **2** *(persona)* mayor, viejo,-a; **to get old**, envejecer; **old age**, vejez; **old woman**, anciana **3** *(coche, ropa)* viejo,-a; *(ciudad, civilización, tradición)* antiguo,-a; *(vino)* añejo,-a **5** antiguo,-a, anterior: **he preferred his old job**, prefería su anterior trabajo

old-fashioned [ould'fæʃənd] **1** tradicional, a la antigua **2** anticuado,-a, pasado,-a de moda

oldie *(coloquial de old)* viejo, -a, se usa mucho con canciones y películas

Old Testament *n* Antiguo Testamento

olive ['ɒlɪv] *n* **1** aceituna, oliva **2** *(árbol)* olivo

Olympic [ə'lɪmpɪk] **I** *adj* olímpico,-a **II** *npl* the Olympics, los Juegos Olímpicos

omelette, omelet ['ɒmlɪt] *n* Culin tortilla *(francesa)*

omen ['oʊmen] *n* augurio, presagio

ominous ['ɒmɪnəs] *adj* de mal agüero, siniestro,-a

omission [oʊ'mɪʃən] *n* **1** omisión **2** descuido

omit [oʊ'mɪt] *vtr* **1** omitir **2** olvidarse

omnipotent [ɒm'nɪpətənt] *adj* omnipotente

on [ɒn] **I** *prep* **1** *(posición)* a, en, cerca de, sobre: **on the left/right**, a la izquierda/ derecha **2** *(transporte)* **on the bus**, en (el) autobús **3** *(tiempo)* **on April 14**[th], el 14 de abril **4** acerca de, sobre; **a book on golf**, un libro sobre golf **5** *(comida)* **he lives on rice**, se alimenta de arroz **6** *(actividad)* **on vacation**, de vacaciones **7** **the drinks are on me!**, ¡yo invito! **II** *adv* **1** *(movimiento)* **a bus stopped and he got on**, un autobús paró y él subió **2** *(tiempo/espacio)* **from June on**, a partir de junio; **further on**, más lejos; **later on**, más tarde **3** *(ropa)* **she had nothing on**, estaba desnuda **III** *adj* *(solo como predicado)* **1** *(luz)* encendido,-a **2** *(acto)* planificado,-a: **what's on at the cinema?**, ¿qué ponen en el cine? **3** *(persona)* de servicio: **she's on for the next two days**, está de servicio los dos próximos días

once [wʌns] **1** una (sola) vez; **once a year**, una vez al año; **once again/more**, una vez más **2 all at once**, de repente; **at once**, en seguida, a la vez **II** *conj* una vez que...

one [wʌn] **I** *adj* **1** *(número)* un, una; **one woman**, una mujer **2** mismo,-a: **we all went in one car**, todos fuimos en el mismo coche **3** único,-a: **the one and only Houdini**, el único, el irrepetible Houdini **II** *n* *(número)* uno **III** *pron* **1** uno,-a: **one by one**, de uno en uno **2** *(pron dem)* **this one**, éste, ésta; **that one**, ése, ésa, aquél, aquélla *(pl* **these ones**, **those ones**); **which one?**, ¿cuál? **3** *(impersonal frml* uno, una: **one should clean one's teeth**, uno debe lavarse los dientes **5 one another**, el uno al otro

one-off ['wʌnɒf] *adj* **1** *(acontecimiento, pago)* extraordinario,-a **2** *(producto)* fuera de serie

oneself [wʌn'sɛlf] *pron frml (reflexivo)* se, sí; **to talk to oneself**, hablar para sí; **to wash oneself**, lavarse; *(uso enfático)* uno,-a mismo,-a, sí mismo,-a; *(sólo)* **to do sthg oneself**, hacer algo uno,-a mismo,-a

one-sided ['wʌnsaɪdɪd] *adj (opinión, versión)* parcial, tendencioso,-a

onetime ['wʌntaɪm] *adj* de otro tiempo, antiguo

one-to-one [wʌntə'wʌn] *adj* entre dos personas sólamente

one-track ['wʌntræk] *adj* **one-track mind**, que tiene una única idea fija en la cabeza, obseso,-a

one-way ['wʌnweɪ] *adj* **1** *(calle)* de sentido único **2** *(billete)* de ida

ongoing ['ɒngoʊɪŋ] *adj (negociaciones, situación)* en curso, actual

onion ['ʌnjən] *n* cebolla

on-line [ɒn'laɪn] *adj Inform* conectado,-a

only ['oʊnli] **I** *adv* **1** solo, solamente, no más que: **I'm only the tenant**, solo soy el inquilino **2** not only... but also..., no solo... sino también... **3** *(apenas)* **I can only just see you**, apenas te veo **II** *adj* único,-a **III** *conj* pero, solo que

on-ramp ['ɒnræmp] *n Trans* rampa de entrada a una autopista

onto ['ɒntu] *prep* → **on**

onus ['oʊnəs] *n* responsabilidad

onward ['ɒnwərd] *adj (antes del sustantivo)* hacia adelante

onward(s) ['ɒnwərd(z)] *adv* **1** hacia adelante **2 from now onward**, a partir de ahora

ooze [u:z] **I** *vi* rezumar **II** *vtr* rezumar

opaque [oʊ'peɪk] *adj* opaco,-a

open ['oʊpən] **I** *adj* **1** *(boca, brazos, flor, libro, ojo, puerta)* abierto,-a; *(aire)* libre; **in the open air**, al aire libre **3** *(secreto)* a voces **4** *(cuestión)* pendiente **5** *Fin (mercado)* libre **6** *(admiración, odio)* manifiesto,-a **II** *n* **1 in the open**, al aire libre; *fig* público,-a **2** *Dep* open **III** *vtr* **1** abrir **2** *(un edificio, monumento)* inaugurar **3** *(una reunión)* iniciar **IV** *vi* **1** *(una boca, flor, puerta)* abrirse; *(una tienda)* abrir **2** *Cine Teat* estrenarse

opener ['oʊpənər] *n* abridor; **can opener**, abrelatas

open house [oʊpən'haʊs] *n* casa abierta para todos, ocasión en que se invita al público en general para exhibir una casa de venta

opening ['oʊpənɪŋ] *n* **1** apertura; *(de una exposición)* inauguración; *Cine Teat* estreno **2** *(en una superficie)* abertura **3** oportunidad

open-minded [oupən'maɪndɪd] *adj* sin prejuicios

openness ['oupənnɪs] *n* franqueza, sinceridad

opera ['ɔprə] *n* ópera

operate ['apəreɪt] I *vtr* 1 *(una máquina)* manejar 2 *(un negocio)* dirigir
II *vi* 1 *(una cosa)* funcionar 2 *(persona)* obrar, actuar 3 *Med* operar

operation [apə'reɪʃən] *n* 1 *(de una máquina)* funcionamiento 2 *(de una persona)* manejo

operational [apə'reɪʃənəl] *adj* operativo,-a

operative ['aprədɪv] *fur (norma)* vigente

operator ['apəreɪdər] *n* 1 *(de una máquina)* operario,-a 2 *Tel* operador,-ora 3 *Com* agente

opinion [ə'pɪnjən] *n* opinión

opinion poll *n* encuesta

opium ['oupiəm] *n* opio

opossum [ə'pasəm] *n* Zool zarigüeya

opponent [ə'pounənt] *n* adversario,-a

opportune [ˈapərtuːn] *adj* oportuno,-a

opportunist [apər'tuːnɪst] *adj & n* oportunista

opportunity [apər'tuːnɪdʒi] *n* oportunidad

oppose [ə'pouz] *vtr* oponerse a

opposed [ə'pouzd] *adj* opuesto,-a

opposing [ə'pouzɪŋ] *adj* 1 *(equipo, partido)* adversario,-a 2 *(opinión)* contrario,-a

opposite ['apəzɪt] I *n* lo contrario
II *adj (dirección, opinión)* opuesto,-a, contrario,-a
III *adv* enfrente
IV *prep* enfrente de, frente a

opposition [apə'zɪʃən] *n* 1 oposición 2 *Com* competencia; *Dep* adversario,-a

oppress [ou'pres] *vtr* oprimir

oppression [ou'preʃən] *n* opresión

oppressive [ou'presɪv] *adj* 1 *Pol* opresivo,-a 2 *(calor, ambiente)* agobiante

opt [apt] *vi* optar

optical ['aptɪkəl] *adj* óptico,-a

optician [ap'tɪʃən] *n* 1 óptico,-a 2 **optician's** *(establecimiento)* óptica

optics ['aptɪks] *n* óptica

optimist ['aptɪmɪst] *n* optimista

optimistic [aptɪ'mɪstɪk] *adj* optimista

optimum ['aptɪməm] I *adj* óptimo,-a
II *n* grado óptimo

option ['apʃən] *n* opción

optional ['apʃənəl] *adj* opcional, optativo,-a

opulence ['apjələns] *n* opulencia

OR *(abr de Oregon)* abreviatura, estado de Oregon

or [ɔːr] *conj* 1 o, u: **are you coming or not?**, ¿vienes o no?; 2 *(después de un negativo)* ni: **I don't drink or smoke**, no bebo ni fumo → **nor**

oral ['ɔːrəl] I *adj* 1 oral 2 bucal
II *n fam* examen oral

orally ['ɔːrəli] *adv* 1 verbalmente 2 *Med* por vía oral

orange ['ɔrəndʒ] I *n Bot* 1 *(fruta)* naranja 2 *(árbol)* naranjo
II *adj* de color naranja

orange blossom *n Bot* azahar

orator ['ɔrədər] *n* orador,-ora

oratory ['ɔrətɔri] *n Arte* oratoria

orbit ['ɔrbɪt] I *n Astron* órbita
II *vtr* girar alrededor de

orchard ['ɔrtʃərd] *n* huerto

orchestra ['ɔrkɪstrə] *n* orquesta

orchestral [ɔr'kestrəl] *adj* orquestal

orchid ['ɔrkɪd] *n Bot* orquídea

ordeal [ɔr'diːl] *n* experiencia terrible y traumática

order ['ɔrdər] I *n* 1 *(colocación)* orden 2 estado; *(pasaporte)* **in order,** en regla; *(máquina)* **out of order,** averiado,-a 3 *Com* pedido, encargo 4 *Rel Hist* orden 5 *Biol* orden, clase 6 **in order to do sthg,** para hacer algo
II *vtr* 1 *frml* poner en orden 2 mandar 3 *Com* pedir, encargar

orderly ['ɔrdərli] I *adj* 1 *(cosas)* ordenado,-a 2 *(persona)* metódico,-a 3 *(multitud)* disciplinado,-a
II *n* 1 *Med* camillero 2 *Mil* ordenanza

ordinary ['ɔrdəneri] *adj* corriente, común

ore [ɔːr] *n* mineral

oregano [ɔre'gaːnou] *n Bot Culin* orégano

organ ['ɔrgən] *n Mús Anat etc* órgano

organic [ɔr'gænɪk] *adj* orgánico,-a

organism ['ɔrgənɪzəm] *n* organismo

organization [ɔrgəni'zeɪʃən] *n* organización

organize ['ɔrgənaɪz] *vtr* organizar

organized ['ɔrgənaɪzd] *adj* planeado, organizado de manera efectiva

organized crime [ɔrgənaɪzd'kraɪm] *n* crimen organizado

orgasm ['ɔrgæzəm] *n* orgasmo

orgy ['ɔrdʒi] *n* orgía

Orient ['ɔːriənt] **n the Orient,** el Oriente

Oriental [ɔːri'entəl] *adj & n* oriental

origin ['ɔrɪdʒɪn] *n* origen

original [ə'rɪdʒɪnəl] I *adj* original
II *n* original

originality [ərɪdʒɪ'nælɪdʒi] *n* originalidad

originally [ə'rɪdʒɪnəli] *adv* 1 *(antes de los cambios sufridos)* en un principio 2 *(de manera distinta a la habitual)* de un modo original

originate [ə'rɪdʒɪneɪt] I *vtr* originar
II *vi* originarse

ornament ['ɔrnəmənt] *n* ornamento

ornamental [ɔrnə'mentəl] *adj* decorativo,-a

ornate [ɔr'neɪt] *adj* vistoso,-a

orphan ['ɔrfən] I *n* huérfano,-a

orphanage ['ɔrfənɪdʒ] *n* orfanato

orthodox ['ɔrθədaks] *adj* ortodoxo,-a

orthopedic [ɔrθou'piːdɪk] *adj* ortopédico,-a

oscillate ['asɪlet] *vi* oscilar

ostentatious [astən'teɪʃəs] *adj* ostentoso,-a

ostrich [ˈɒstrɪdʒ] n Orn avestruz

other [ˈʌðər] I adj 1 otro,-a 2 **other people**, los otros, los demás 3 segundo; **every other day**, cada dos días
II adv **somehow or other**, de una manera u otra
III pron 1 **the other**, el otro, la otra 2 **each other**, el uno al otro

otherwise [ˈʌðərwaɪz] I adv 1 de lo contrario 2 aparte de eso, por lo demás 3 de otra manera

otter [ˈɒdər] n Zool nutria

ought [ɔːt] v aux 1 (deber moral) **you ought not to say that**, no deberías decir eso 2 (probabilidad) **we ought to see him from here**, seguro que lo vemos desde aquí

ounce [aʊns] n onza (28,35 gr)

our [aʊər, ɑːr] adj pos nuestro(s),-a(s)

ours [aʊərz, ɑːrz] pron pos 1 (el) nuestro, (la) nuestra, (los) nuestros, (las) nuestras 2 (de entre varios) **they are friends of ours**, son amigos nuestros

ourselves [aʊərˈsɛlvz, ɑːrˈsɛlvz] pron pers pl 1 (reflexivo) nos 2 (uso enfático) nosotros,-as mismos,-as: **we ourselves saw it**, nosotros mismos lo vimos 3 **we sat by ourselves**, nos sentamos solos

out [aʊt] I adv 1 fuera, afuera: **it's cold out**, hace frío en la calle; **John is out**, John no está; **out here**, aquí fuera 2 hacia fuera; **to go/come out**, salir; **to take out**, sacar
II adj (solo como predicado) 1 (fuego, luz) apagado,-a 2 (persona) inconsciente, K.O. 3 (cifras, etc) erró-neo,-a 4 (periodo de tiempo) pasado,-a: fam (ropa, etc) pasado,-a de moda 5 (marea) bajo,-a 6 Dep fuera
out of prep 1 (sitio) fuera de; **out of doors**, en la calle 2 (dirección) de, por: **I jumped out of the window**, salté por la ventana 3 (materia) de; **made out of wood**, hecho,-a de madera 4 (motivo) por; **out of curiosity**, por curiosidad 5 (falta) sin: **I'm out of breath**, estoy sin aliento

outboard [ˈaʊtbɔːrd] adj **outboard motor**, fueraborda

outbreak [ˈaʊtbreɪk] n (de guerra) comienzo, estallido; (de enfermedad, violencia) brote

outburst [ˈaʊtbɜːrst] n (de emoción, rabia) arrebato, arranque

outcast [ˈaʊtkæst] n marginado,-a

outcome [ˈaʊtkʌm] n resultado

outcry [ˈaʊtkraɪ] n protesta

outdated [aʊtˈdeɪdɪd] adj anticuado,-a

outdo [aʊtˈduː] vtr **to outdo sb**, superar a alguien

outdoor [ˈaʊtdɔːr] adj al aire libre; (piscina) descubierto,-a

outdoors [aʊtˈdɔːrz] adv fuera, al aire libre

outer [ˈaʊdər] adj exterior, externo,-a

outfit [ˈaʊtfɪt] I n (ropa) conjunto

outgoing [ˈaʊtgoʊɪŋ] I adj 1 que sale 2 extrovertido,-a
II Fin **outgoings** pl, gastos

outing [ˈaʊdɪŋ] n excursión

outlandish [aʊtˈlændɪʃ] adj estrafalario,-a, extravagante

outlast [aʊtˈlæst] vtr durar más que, sobrevivir a

outlaw [ˈaʊtlɔː] I n forajido,-a, fugitivo,-a
II vtr prohibir, proscribir

outlet [ˈaʊtlɪt] n 1 salida 2 Com mercado 3 Com punto de venta

outline [ˈaʊtlaɪn] I n 1 contorno, perfil 2 esbozo 3 resumen
II vtr 1 (dibujar) perfilar 2 esbozar

outlive [aʊtˈlɪv] vtr sobrevivir a

outlook [ˈaʊtlʊk] n 1 perspectiva 2 Meteor pronóstico 3 opinión, punto de vista

outlying [ˈaʊtlaɪɪŋ] adj periférico,-a

outmaneuver [aʊtməˈnuːvər] vtr ser mejor estratega

outnumber [aʊtˈnʌmbər] vtr superar en número

outpatient [ˈaʊtpeɪʃənt] n paciente externo,-a

output [ˈaʊtpʊt] n 1 (de una fábrica) producción 2 (de una máquina, un trabajador) rendimiento 3 Elec potencia

outrage [ˈaʊtreɪdʒ] n 1 (acción) atrocidad 2 (sentimiento) indignación

outrageous [aʊtˈreɪdʒəs] adj escandaloso,-a

outright [ˈaʊtraɪt] I adj 1 (ganador) indiscutible 2 (negativa) rotundo,-a
II [aʊtˈraɪt] adv 1 por completo 2 (sin reservas) abiertamente

outset [ˈaʊtsɛt] n comienzo, principio

outside [aʊtˈsaɪd] I n exterior
II adj fuera
III prep 1 fuera de 2 (puerta) al otro lado de
IV adj exterior, externo,-a

outsider [aʊtˈsaɪdər] n 1 forastero,-a 2 pey intruso,-a

outskirts [ˈaʊtskɜːrts] npl afueras

outspoken [aʊtˈspoʊkən] adj franco,-a, abierto,-a

outstanding [aʊtˈstændɪŋ] adj 1 destacado,-a 2 (deuda, problema) pendiente

outstrip [aʊtˈstrɪp] v aventajar

outward [ˈaʊtwərd] adj 1 exterior, externo,-a 2 (viaje, vuelo) de ida

outwardly [ˈaʊtwərdli] adv aparentemente

outward(s) [ˈaʊtwərd(z)] adv hacia fuera

outweigh [aʊtˈweɪ] vtr 1 ser mayor que

oval [ˈoʊvəl] I n óvalo
II adj oval, ovalado,-a

ovary [ˈoʊvəri] n Anat ovario

oven [ˈʌvən] n horno

ovenproof [ˈʌvənpruːf] adj refractario,-a

over [ˈoʊvər] I prep 1 encima de 2

(movimiento) a través de, por encima de 3 *(dirección)* **all over the world,** por todo el mundo 4 *(medio)* **we heard it over the radio,** lo oímos en la radio 5*(control)* sobre 6 *(motivo)* **we argued over money,** discutimos por dinero 7 **mas de; over a thousand,** más de mil

II *adv* 1 (por) encima 2 *(movimiento o posición)* **over here,** aquí; **over there,** allí 3 **all over,** por todas partes 4 terminado,-a: **the war is over,** la guerra ha terminado 5 *US* otra vez: **you'll have to do it over,** tendrás que hacerlo otra vez; **over and over,** repetidas veces

overall ['ɔuvərɔːl] I *adj* total, global

II [ɔuvər'ɔːl] *adv* en conjunto

III ['ɔuvərɔːlz] *n* 1 **overalls** *pl, (prenda)* mono

overawed [ɔuvərə:d] *adj* sobrecogido, intimidado

overbearing [ɔuvər'bɛrɪŋ] *adj* autoritario,- a, dominante

overboard ['ɔuvərbɔrd] *adv Náut* por la borda

overcast ['ɔuvərkæst] *adj* nublado,-a

overcharge [ɔuvər'tʃɑːrdʒ] *vtr* & *vi* 1 cobrar de más 2 *Téc* sobrecargar

overcoat ['ɔuvərkout] *n Indum* abrigo

overcome [ɔuvər'kʌm] *vtr* 1 *(a un adversario, una emoción)* vencer; *(un problema)* superar 2 *(el dolor)* abrumar

overcrowded [ɔuvər'kraudɪd] *adj* 1 *(bar, habitación)* abarrotado,-a *(de gente)* 2 *(país)* superpoblado,-a

overdo [ɔuvər'du:] *vtr* 1 exagerar 2 *Culin* cocer/hacer demasiado

overdose ['ɔuvərdous] *n* sobredosis

overdraft ['ɔuvərdræːft] *n Fin* descubierto

overdraw [ɔuvər'drɔː] *vtr* **I'm overdrawn,** tengo la cuenta en números rojos

overdue [ɔuvər'du:] *adj Com (deuda)* vencido,-a y no pagado,-a

overestimate [ɔuvər'ɛstɪmeɪt] *vtr* sobrestimar

overflow [ɔuvər'flou] I *vi* 1 *(río)* desbordarse 2 *(contenedor)* rebosar

II ['ɔuvərflou] *n* 1 desbordamiento 2 desagüe

overhang ['ɔuvərhæŋ] I *vtr* 1 sobresalir por encima de 2 *(peligro)* amenazar

II *vi* sobresalir

III *n* saliente; *(de un tejado)* alero

overhaul [ɔuvər'hɔːl] I *vtr* revisar, poner a punto

II ['ɔuvərhɔːl] *n* revisión y reparación, puesta a punto

overhead ['ɔuvərhɛd] I *adj* 1 *(cable)* aéreo,- a; *Ferroc* elevado,-a 2 *Dep (pase)* (por) encima de la cabeza

II [əuvəɹ'hɛd] *adv* por encima (de la cabeza), por lo alto

overhear [ɔuvər'hiːr] *vtr* oír (por casualidad)

overheat [ɔuvər'hiːt] *vi* recalentarse

overjoyed [ɔuvər'dʒɔːd] *adj* encantado,-a, rebosante de alegría

overland [ɔuvər'lænd] *adj* & *adv* por tierra

overlap [ɔuvər'læp] *vi* montarse, solaparse

overleaf [ɔuvər'liːf] *adv* al dorso

overload [ɔuvər'loud] I *vtr* sobrecargar

II *n* sobrecarga

overlook [ɔuvər'luk] *vtr* 1 *(por accidente)* saltarse, pasar por alto 2 perdonar, hacer la vista gorda a 3 *(una casa, ventana)* dar a, tener vistas a

overnight [ɔuvər'naɪt] I *adv* 1 por la noche; **to stay overnight,** hacer noche 2 de la noche a la mañana

II ['ɔuvərnaɪt] *adj* 1 *(viaje)* de noche 2 repentino,-a

overpay [ɔuvər'peɪ] *vtr* pagar demasiado

overpopulated ['ɔuvər'pɑpjəleɪdɪd] *adj* superpoblado,-a

overpower [ɔuvər'pauər] *vtr* 1 dominar 2 *(una emoción)* abrumar

overpriced [ɔuvər'praɪst] *adj* demasiado caro

overrate [ɔuvər'reɪt] *vtr* sobrestimar, sobrevalorar

override [ɔuvər'raɪd] I *vtr* 1 *(una decisión)* anular 2 hacer caso omiso de 3 tener más importancia que

II *n Téc* **manual override,** control manual

overriding [ɔuvər'raɪdɪŋ] *adj* primordial

overrule [ɔuvər'ruːl] *vtr* 1 *(una decisión)* invalidar 2 *(a una persona)* desautorizar 3 *Jur* denegar

overrun [ɔuvər'rʌn] I *vtr* 1 *(país, sitio)* invadir 2 *(el tiempo previsto)* excederse de

II *vi (reunión, programa)* alargarse, prolongarse

overseas [ɔuvər'siːz] I *adv* 1 *(posición)* en el extranjero 2 *(dirección)* al extranjero

II ['ɔuvərsiːz] *adj (persona)* extranjero,-a

oversee [ɔuvər'siː] *vtr* supervisar

overshadow [ɔuvər'ʃædou] *vtr* 1 hacer sombra a 2 *fig* eclipsar

oversight ['ɔuvərsaɪt] *n* descuido

oversleep [ɔuvər'sliːp] *vi* quedarse dormido,-a

overspend [ɔuvər'spɛnd] *vi* gastar más de la cuenta

overstate [ɔuvər'steɪt] *vtr* exagerar

overstep [ɔuvər'step] *vtr* exceder de **overt** [ou'vərt] *adj* patente

overtake [ɔuvər'teɪk] I *vtr (en el progreso, etc)* superar a

II *vi* 1 adelantar 2 *(la noche, el alba)* sorprender

overthrow [ɔuvər'θrou] *vtr (un gobierno)* derrocar

overtime ['ɔuvərtaɪm] *n* horas extras

overtone ['ouvərtoun] *n* matiz
overture ['ouvərtʃər] *n* 1 *Mús* obertura 2 **overtures** *pl*, propuesta
overturn [ouvər'tərn] *vtr & vi* volcar
overview ['ouvərvju:] *n* visión general
overweight [ouvər'weit] *adj* gordo,-a, obeso,-a
overwhelm [ouvər'welm] *vtr* 1 *(al adversario)* aplastar 2 *(la emoción)* abrumar
overwhelming [ouvər'welmiŋ] *adj* 1 *(victoria)* aplastante 2 *(dolor)* insoportable 3 *(deseo)* irresistible, irrefrenable
overwork [ouvər'wərk] **I** *vi* trabajar demasiado
II *n* 1 exceso de trabajo 2 agotamiento
owe [ou] *vtr* deber
owing ['ouiŋ] *adv* **owing to**, debido a, a causa de
owl [aul] *n* *Orn* búho; **barn owl**, lechuza
own [oun] **I** *adj* propio,-a
II *pron* 1 **my/your/his/her, etc own**, lo mío, lo tuyo, lo suyo, etc: **I want a dog of my own**, quiero tener mi propio perro 2 **on one's own**, *(sin ayuda)* solo,-a
III *vtr* poseer, ser dueño,-a de
owner ['ounər] *n* propietario,-a, dueño,-a
ownership ['ounərʃip] *n* *(titularidad)* propiedad, posesión
ox [aks] *n* *(pl oxen)* buey
oxide ['aksaid] *n* *Quím* óxido
oxidize ['aksidaiz] *v* oxidar
oxygen ['aksidʒən] *n* *Quím* oxígeno
oyster ['oistər] *n* *Zool* ostra
ozone ['ouzoun] *n* ozono

P

P, p [pi:] *n (letra)* P, p *(pl pp) (abr de page)* pág., p.
PA *(abr de Pennsylvania)*abreviatura, estado de Pennsylvania
PA [pi:'ei] *fam* 1 *(abr de personal assistant)* ayudante personal 2 *abr de public-address (system)*, sistema de megafonía
PAC *(abr de political action committee)* comité de acción política
pace [peis] *n* 1 *(del pie, distancia)* paso 2 *(velocidad)* ritmo, marcar la pauta
pacemaker ['peismeikər] *n* 1 *Med* marcapasos 2 *Com* líder
Pacific [pə'sifik] *adj* **the Pacific (Ocean)**, el (océano) Pacífico
Pacific Rim [pə'sifikrim] *n* *Geo* Cuenca del Pacífico, se aplica a todos los países a ambos lados del Océano Pacífico
pacifist ['pæsifist] *adj & n* pacifista
pacify ['pæsifai] *vtr* 1 *(restaurar la paz)* pacificar 2 *(a una persona)* tranquilizar
pack [pæk] **I** *n* 1 *(de productos)* paquete; **a pack of cigarettes**, un paquete *o* una cajetilla de cigarrillos 2 mochila 3 *(de lobos)* manada

4 *(maquillaje)* **face pack,** mascarilla
II *vtr* 1 *(en un paquete)* embalar, empaquetar; *(en un envase)* envasar; *(en una maleta)* poner 2 llenar; **to pack one's suitcase,** hacer la maleta
III *vi* hacer las maletas
■ **pack in** *vtr* introducir
■ **pack up** *fam* **I** *vtr* 1 recoger 2 dejar
II *vi fam* 1 recoger 2 *(una persona)* dejar de trabajar 3 *(una máquina)* pararse, estropearse
package ['pækidʒ] **I** *n* 1 paquete 2 *Com* envase
II *vtr* envasar, empaquetar
packet ['pækit] *n* paquete
packing ['pækiŋ] *n* envasado, embalaje
pact [pækt] *n* pacto
pad [pæd] **I** *n* 1 almohadilla; **shoulder pad,** hombrera 2 *(de papel)* bloc 3 *Astron* **launch pad,** plataforma de lanzamiento **II** *vtr* acolchar
■ **pad around** *vi* andar silenciosamente
paddle ['pædəl] **I** *n* *(remo)* pala, canalete
II *vi* 1 remar 2 chapotear
padlock ['pædlak] **I** *n* candado
II *vtr* cerrar con candado
pagan ['peigən] *adj & n* pagano,-a
page [peidʒ] **I** *n* 1 página 2 *Hist (tb page boy)* paje; *Hist* escudero 3 *(en un hotel)* botones
II *vtr* llamar por el altavoz *o* buscapersonas
pager ['peidʒər] *n* *Tel* buscapersonas
paid [peid] *adj* 1 *(persona)* a sueldo, asalariado,-a 2 *(trabajo)* remunerado,-a 3 *(deuda, vacaciones)* paga-do, -a
pail [peil] *n* cubo
pain [pein] **I** *n* dolor
II *vtr frml* apenar, doler
pained [peind] *adj (mirada, respuesta)* de reproche
painful ['peinfəl] *adj* doloroso,-a
painkiller ['peinkilər] *n* analgésico
painless ['peinlis] *adj* 1 sin dolor 2 sin dificultad
painstaking ['peinzteikiŋ] *adj* 1 *(persona)* meticuloso,-a 2 *(trabajo)* concienzudo,-a
paint [peint] **I** *n* pintura
II *vtr* pintar
paintbrush ['peintbrʌʃ] *n* 1 *(para la pared)* brocha 2 *Arte* pincel
painter ['peintər] *n* pintor,-ora
painting ['peintiŋ] *n* 1 cuadro 2 *(acción)* pintura
pair [per] *n* 1 *(de cosas)* par; *(no se traduce en español)* **a pair of glasses,** unas gafas; **a pair of scissors,** unas tijeras 2 *(de personas)* pareja
pajamas [pə'dʒaməz] *npl* pijama
pal [pæl] *n fam* amigo,-a, colega
palace ['pælis] *n* palacio
palate ['pælit] *n* paladar
pale [peil] **I** *adj* 1 *(piel)* pálido,-a 2 *(color)* claro,-a

II *vi* palidecer
palette ['pælɪt] *n* paleta
pallor ['pælər] *n* palidez
palm [pɑːm] *n* **1** *Anat* palma **2** *Bot* palmera
palmistry ['pɑːlmɪstrɪ] *n* quiromancia
palm reader ['pɑːlmriːdər] *n* quiromántico, -a
Palm Sunday [pɑːlmˈsʌndeɪ] *n* *Rel* Domingo de Ramos
palm tree *n* *Bot* palmera
palpitate ['pælpɪteɪt] *vi* palpitar
palpitation [pælpɪˈteɪʃən] *n* palpitación
paltry ['pɔːltrɪ] *adj* (*paltrier, paltriest*) *pey* (*suma*) irrisorio,-a
pamper ['pæmpər] *vtr* mimar
pamphlet ['pæmflɪt] *n* folleto
pan [pæn] *n* cazuela, cacerola; **frying pan**, sartén
■ **pan out** *vtr* salir bien, dar buenos resultados
Panama ['pænəmɑː] *n* Panamá
Panamanian [pænəˈmeɪnɪən] *n* & *adj* panameño,-a
pancake ['pænkeɪk] *n* *Culin* crepe, *LAm* panqueque
panda ['pændə] *n* *Zool* panda
pane [peɪn] *n* cristal, vidrio
panel ['pænəl] *n* **1** *Arquit* panel **2** (*grupo de expertos, etc*) jurado, comisión
pang [pæŋ] *n* **1** (*de dolor*) punzada **2** (*de conciencia*) remordimiento
panic ['pænɪk] *n* pánico
II *vi* aterrarse, dejarse llevar por el pánico: **don't panic!**, ¡cálmate!
panicky ['pænɪkɪ] *adj* muy nervioso,-a
panic-stricken ['pænɪkstrɪkən] *adj* aterrado,-a
panorama [pænəˈræːmə] *n* panorama
pansy ['pænzɪ] *n* *Bot* pensamiento
pant [pænt] **I** *n* jadeo
II *vi* jadear
pantheism ['pænθiːɪzm] *n* *Rel* panteísmo
panther ['pænθər] *n* *Zool* pantera
panties ['pæntɪz] *npl* bragas
pantry ['pæntrɪ] *n* despensa
pants [pænts] *npl* **1** pantalones, pantalón **2** (*de mujer*) bragas; (*de hombre*) calzoncillos
paper ['peɪpər] **I** *n* **1** papel; **a sheet of paper**, una hoja de papel **2** periódico **3** (*en una conferencia*) ponencia; (*en una publicación*) artículo
II *vtr* empapelar
paperback ['peɪpərbæk] *n* libro en rústica
paperclip ['peɪpərklɪp] *n* clip, sujetapapeles
paperwork ['peɪpərwɜːk] *n* papeleo
paprika ['pæprɪkə] *n* *Culin* pimentón dulce
par [pɑːr] *n* **1** (*nivel*) **to be on a par with**, estar al mismo nivel que **2** *Com* valor nominal
parable ['pærəbəl] *n* parábola
parachute ['pærəʃuːt] **I** *n* paracaídas

II *vi* saltar en paracaídas
parade [pəˈreɪd] **I** *n* desfile
III *vi* desfilar
paradise ['pærədaɪs] *n* paraíso
paradox ['pærədɒks] *n* paradoja
paraffin ['pærəfɪn] *n* **1** (*cera*) parafina **2** (*aceite*) queroseno
paragraph ['pærəgræːf] *n* párrafo
Paraguay ['pærəgwaɪ] *n* Paraguay
Paraguayan [pærəˈgwaɪən] *adj* & *n* paraguayo,-a
parallel ['pærəlel] **I** *adj* paralelo,-a [**to, with**, a]
II *n* **1** *Geog* paralelo **2** *Geom* paralela
III *vtr fig* ser análogo,-a a
paralysis [pəˈrælɪsɪs] *n* parálisis
paralyze ['pærəlaɪz] *vtr* paralizar
parameter [pəˈræmɪdər] *n* parámetro
paramilitary [pærəˈmɪlɪtərɪ] *adj* paramilitar
paramount ['pærəmaʊnt] *adj frml* supremo,-a; **of paramount importance**, de suma importancia
paranoid ['pærənɔɪd] *adj* & *n* paranoico,-a
paraphrase ['pærəfreɪz] *vtr* parafrasear
parasite ['pærəsaɪt] *n* parásito
parasol ['pærəsɒl] *n* sombrilla
paratrooper ['pærətruːpər] *n* paracaidista
parcel ['pɑːsəl] *n* **1** paquete **2** (*terreno*) parcela
parcel bomb *n* paquete bomba
parched [pɑːtʃt] *adj* **1** (*boca*) seco,-a; *fam* (*persona*) sediento,-a **2** (*tierra*) reseco,-a
parchment ['pɑːtʃmənt] *n* pergamino
pardon ['pɑːdən] **I** *n* **1** *Jur* indulto **2** perdón
II *vtr* **1** *Jur* indultar **2** perdonar: **pardon me!**, ¡disculpe!, ¡perdone!
parent ['peərənt] *n* **1** (*hombre*) padre; (*mujer*) madre **2** **parents** *pl*, padres
parental [pəˈrentəl] *adj* paternal
parenthesis [pəˈrenθɪsɪs] *n* (*pl parentheses* [pəˈrenθɪsiːz]) paréntesis
parish ['pærɪʃ] *n* parroquia
parity ['pærɪdʒɪ] *n* **1** igualdad **2** *Fin Inform* paridad
park [pɑːk] **I** *n* parque
II *vtr* aparcar, *LAm* parquear
parking ['pɑːkɪŋ] *n* aparcamiento; (*letrero*) **no parking**, prohibido aparcar
parking lot *n* aparcamiento
parkway *n* *Trans* autopista de circunvalación
parody ['pærədʒɪ] *n* parodia
parole [pəˈroʊl] *n* *Jur* libertad condicional
parrot ['pærət] *n* *Zool* loro, papagayo
parsley ['pɑːslɪ] *n* *Bot* perejil
parsnip ['pɑːsnɪp] *n* *Bot* chirivía
part [pɑːt] **I** *n* **1** parte: **in part**, en parte; **the best part**, la mayor parte **2** *Cine Teat* papel; *fig* **to take part**, participar **3** *Auto Téc* pieza, repuesto **4** **parts** *pl*, (*lugar*) **from all parts**, de todas partes

II *vtr* separar

II *vi* **1** *(personas)* separarse **2** despedirse **IV** *adv* en parte

V *adj (pago, etc)* parcial

■ **part with** *vtr* deshacerse de

partial ['pɑrʃəl] *adj* parcial

participant [pɑr'tɪsɪpənt] *n* participante

participate [pɑr'tɪsɪpeɪt] *vi* participar

participation [pɑrtɪsɪ'peɪʃən] *n* participación

participle ['pɑrdɪsɪpəl] *n Ling* participio

particle ['pɑrdɪkəl] *n* partícula

particular [pər'tɪkjələr] **I** *adj* **1** específico,-a, particular: **in particular,** en particular **2** exigente

II *n* detalle

particularly [pər'tɪkjələrli] *adv* particularmente, especialmente

parting ['pɑrdɪŋ] *n* **1** separación, despedida **2** *(del pelo)* raya

partition [pɑr'tɪʃən] **I** *n Pol* partición **II** *vtr* dividir

partly ['pɑrt'li] *adv* en parte

partner ['pɑrt'nər] **I** *n* **1** compañero,-a, pareja; *(en un matrimonio)* cónyuge **2** *Com* socio,-a

II *vtr* acompañar

partnership ['pɑrt'nərʃɪp] *n* **1** *Com* sociedad **2** *(trabajo)* asociación **3** *(sentimental)* vida en común

partridge ['pɑrtrɪdʒ] *n* perdiz

part-time [pɑrt'taɪm] *adj & adv* a tiempo parcial

party ['pɑrdi] **I** *n* **1** fiesta **2** *(de turistas, etc)* grupo **3** *Jur* parte **II** *adj* de fiesta

pass [pæːs] **I** *vtr* **1** pasar; *Auto* adelantar: **we passed each other,** nos cruzamos **2** *(dar una ley)* aprobar

II *vi* **1** *(mover)* pasar **2** *(una emoción, el dolor)* pasar(se) **3** *(un examen)* aprobar

III *n* **1** *(examen)* aprobado **2** *(de seguridad)* permiso, pase **3** *(para el autobús, etc)* bono **4** *Dep* pase **5** *Geog* puerto

■ **pass away** *vi euf* fallecer

■ **pass off** *vi* **1** *(acontecimiento)* transcurrir **2** *(emoción, dolor)* pasarse

■ **pass on** *vtr (legar)* transmitir

■ **pass over** *vtr* **1** pasar por alto, olvidar **2** entregar, dar; *Tel* **pass me over to your boss,** pásame con tu jefe

■ **pass up** *vtr fam (una oportunidad)* dejar pasar

passable ['pæːsəbəl] *adj* **1** *(camino)* transitable **2** *(calidad, etc)* aceptable

passage ['pæːsɪdʒ] *n* **1** *(exterior)* callejón; *(interior)* pasillo **2** *(acción)* paso **3** *Náut* travesía **4** *Mús Lit* pasaje

passageway ['pæːsɪdʒweɪ] *n (exterior)* callejón; *(interior)* pasillo

passbook ['pæːsbʊk] *n* libreta de banco, libreta de ahorros

passé [pæ'seɪ] *adj* pasado de moda

passenger ['pæːsɪndʒər] *n* pasajero,-a

passer-by [pæːsər'baɪ] *n* transeúnte

passing ['pæːsɪŋ] *adj* **1** *(persona, etc)* que pasa **2** *(mirada)* rápido,-a **3** *(capricho, moda)* pasajero,-a

♦ |LOC: **in passing,** de pasada

passion ['pæʃən] *n* pasión

passionate ['pæʃənət] *adj* apasionado,-a

passive ['pæsɪv] *adj* pasivo,-a

Passover ['pæsoʊvər] *n Rel* Pascua hebrea, festividad en que se celebra la abolición de la esclavitud del pueblo judío en Egipto

passport ['pæːspɔrt] *n* pasaporte

password ['pæːswɜrd] *n* contraseña

past [pæːst] **I** *n* pasado

II *adj* **1** anterior **2** último

III *adv (movimiento)* **to drive/walk past,** pasar en coche/andando

IV *prep* al lado de, delante de: **we drove past the church,** pasamos delante de la iglesia

pasta ['pɑstə] *n Culin* pasta

paste [peɪst] **I** *n* **1** *(masa)* pasta **2** *Culin* paté **3** engrudo, cola

II *vtr* **1** pegar

pastime ['pæːstaɪm] *n* pasatiempo

pastor ['pæːstər] *n Rel* pastor

pastoral ['pæːstərəl] *adj Rel* pastoral

pastry ['peɪstri] *n* **1** masa, pasta **2** bollo, pastel

pasture ['pæːstʃər] *n* pasto

pat [pæt] **I** *n* **1** palmadita **2** *(de mantequilla)* porción

II *vtr* dar palmaditas a

patch [pætʃ] **I** *n* **1** *(en la ropa, un ojo)* parche **2** *(de color, aceite, humedad)* mancha **3** *(terreno)* pequeña parcela **4** **a bad patch,** una mala racha

II *vtr* remendar

■ **patch up** *vtr* remendar

patchy ['pætʃi] *adj (patchier, patchiest)* **1** *(pintura)* desigual **2** *(trabajo)* irregular **3** *(conocimientos)* incompleto,-a

patent ['pætnt] **I** *n Com* patente

II *adj* patente, evidente

III *vtr Com* patentar

paternal [pə'tɜrnəl] *adj* **1** *(sentimiento, etc)* paternal **2** *(pariente)* paterno,-a

paternity [pə'tɜrnɪdʒi] *n* paternidad

path [pæθ] *n* **1** sendero, camino **2** *(de misil)* trayectoria

pathetic [pə'θɛdɪk] *adj* patético,-a

pathological [pæθə'lɑdʒɪkəl] *adj* patológico,-a

pathologist [pə'θɑlədʒɪst] *n* patólogo,-a

pathology [pə'θɑlədʒi] *n* patología

pathos ['peɪθoʊs] *n* patetismo

pathway ['pɑːθweɪ] *n* camino, sendero

patience ['peɪʃəns] *n* paciencia

patient ['peɪʃənt] **I** *adj* paciente

II *n Med* paciente

patio ['pædɪou] *n* patio

patriarch ['peɪtrɪɑrk] *n* patriarca

patriot ['peɪtrɪət] *n* patriota

patrol [pə'troʊl] **I** *n* patrulla; **on patrol,** de patrulla
II *vtr & vi* patrullar

patron ['peɪtrən] *n* **1** *Com* patrocinador,-ora; *Arte* mecenas **2** cliente,-a (habitual)

patronize ['peɪtrənaɪz] *vtr pey (a una persona)* tratar con condescendencia

patronizing ['peɪtrənaɪzɪŋ] *adj pey* condescendiente

pattern ['pædərn] *n* **1** diseño; *(en tela, etc)* dibujo, estampado **2** *Cost* patrón; *Téc* modelo; *fig* modelo **3** pauta

patty ['pædɪ] *n Culin* pastelito, tortita, hamburguesa (carne)

paunch [pɔːntʃ] *n* panza

pauper ['pɔːpər] *n* pobre

pause [pɔːz] **I** *n* **1** *(en una acción)* pausa **2** *(en una conversación)* silencio
II *vi* **1** hacer una pausa **2** callarse

pave [peɪv] *vtr* pavimentar

pavement ['peɪvmənt] *n* pavimento

pavilion [pə'vɪljən] *n* pabellón

paving ['peɪvɪŋ] *n* pavimento

paw [pɔː] **I** *n Zool* pata; *(de león, tigre)* zarpa

pawn [pɔːn] **I** *n* **1** *Ajedrez* peón
II *vtr* empeñar

pawnbroker ['pɔːnbroʊkər] *n* prestamista

pawnshop ['pɔːnʃɑp] *n* casa de empeños, monte de piedad

pay [peɪ] **I** *n* sueldo, paga
II *vtr (ps & pp paid)* **1** pagar **2** *(una deuda, factura)* pagar **3** *(atención)* prestar **4** *(un cumplido, una visita)* hacer; *(los respetos)* presentar
III *vi* **1** pagar **2** *(una acción, un comportamiento)* convenir
■ **pay back** *vtr* **1** *(dinero)* devolver **2** *(a una persona)* pagar

paycheck ['peɪtʃɛk] *n* cheque de pago de salario

payday ['peɪdeɪ] *n* día de paga
■ **pay off I** *vtr* **1** *(una deuda)* pagar, cancelar **2** *fam* sobornar
II *vi* valer la pena

payable ['peɪəbəl] *adj* pagadero,-a

payee [peɪ'iː] *n* beneficiario,-a

payment ['peɪmənt] *n* **1** pago; *(con periodicidad)* plazo **2** *(de cheque)* cobro

payoff ['peɪɔf] *n* **1** recompensa **2** *fam* soborno

payroll ['peɪroʊl] *n* nómina

pc [piː'siː] *abr de* **1** *personal computer*, computadora personal, PC **2** *politically correct*, políticamente correcto,-a

PE [piː'iː] *(abr de physical education)* educación física

pea [piː] *n Bot* guisante

peace [piːs] *n* paz; **at** *o* **in peace**, en paz; **rest in peace ♦ LOC: to make peace,** hacer las paces [**with,** con]

peaceful ['piːsfəl] *adj* **1** *(vida, sitio)* tranquilo,-a **2** *(persona, protesta)* pacífico,-a

peach [piːtʃ] *n Bot* melocotón

peacock ['piːkɑk] *n Orn* pavo real

peak [piːk] *n* **1** *Geog* pico, cima **2** punto más alto
II *adj* máximo,-a; **peak demand,** máxima demanda

peal [piːl] *n* repique

peanut ['piːnʌt] *n Bot* cacahuete

pear [per] *n* **1** pera **2** **pear tree,** peral

pearl [pərl] *n* perla

peasant ['pɛzənt] **I** *n* campesino,-a
II *adj* campesino,-a

pebble ['pɛbəl] *n* guijarro, china

peck [pɛk] **I** *n* **1** *Orn* picotazo **2** *fam* besito
II *vtr* **1** *Orn* picotear **2** *fam* dar un besito a

peculiar [pɪ'kjuːlɪər] *adj* **1** extraño,-a **2** característico,-a [**to,** de]

peculiarity [pɪkjuːlɪ'ɛrɪdɪ] *n* **1** rareza **2** característica, peculiaridad

pedal ['pɛdəl] **I** *n* pedal
II *vi* pedalear

pedantic [pɪ'dæntɪk] *adj* pedante

peddle ['pɛdəl] *vtr* **1** *Com* vender (en la calle o de puerta en puerta) **2** *(drogas)* traficar con

peddler ['pɛdlər] *n* **1** vendedor,-ora ambulante **2** **drug peddler,** traficante (de drogas)

pedestal ['pɛdɪstəl] *n* pedestal

pedestrian [pɛ'dɛstrɪən] **I** *n* peatón,-ona
II *adj* **1** pedestre **2** *pey* prosaico,-a

pediatrician [piːdɪə'trɪʃən] *n* pediatra

pedigree ['pɛdɪgriː] *n* **1** pedigrí **2** linaje, árbol genealógico
II *adj* de raza, (de) pura sangre

pee [piː] *fam* **I** *n* pis
II *vi fam* hacer pis

peek [piːk] **I** *n* vistazo
II *vi* mirar a hurtadillas [**at,** -]

peek-a-boo [piːkəbuː] *n fam* juego de escondidas a nivel infantil, consiste en esconder la cara y luego asomarse o descubrirse los ojos diciendo "peek-a-boo"

peel [piːl] **I** *n (de manzana, pera, patata)* piel; *(de cítricos)* cáscara
II *vtr* **1** *(una fruta, patata)* pelar

peeler ['piːlər] *n* pelador

peep [piːp] **I** *n* ojeada
II *vi* echar una ojeada

peephole ['piːphoʊl] *n* mirilla

peer [pɪər] *vi* tratar de ver

peeved [piːvd] *adj fam* molesto,-a

peevish ['piːvɪʃ] *adj* malhumorado,-a

peg [pɛg] **I** *n* clavija; *(para tender ropa)* pinza
II *vtr* **1** *(los precios)* fijar **2** *(ropa)* tender

pejorative [pɪ'dʒɔrədɪv] *adj* peyorativo,-a

pelican ['pɛlɪkən] *n Orn* pelícano

pelt [pɛlt] **I** n **1** (de animal) piel **2** (velocidad) **at full pelt,** a toda pastilla
II vtr arrojarle a
pelvis ['pɛlvɪs] n Anat pelvis
pen [pɛn] n **1** pluma (estilográfica) **2** bolígrafo **3** Agr corral; (para ovejas) redil
penal ['pi:nəl] adj penal
penalize ['pi:nəlaɪz, pɛnəlaɪz] vtr **1** Dep sancionar **2** fur castigar
penalty ['pɛnəltɪ] n **1** Dep castigo **2** (castigo) pena
penance ['pɛnəns] n penitencia
pence [pɛns] npl → **penny**
pencil ['pɛnsəl] n lápiz
pendant ['pɛndənt] n colgante
pending ['pɛndɪŋ] **I** adj (en trámite) pendiente
II prep frml (esperando) **pending further information,** hasta que se reciba más información
pendulum ['pɛndʒələm] n péndulo
penetrate ['pɛnɪtreɪt] vtr penetrar
II vi **1** atravesar **2** entrar, penetrar
penguin ['pɛŋgwɪn] n Orn pingüino
penicillin [pɛnɪ'sɪlɪn] n penicilina
peninsula [pɛ'nɪnsjələ] n península
penis ['pi:nɪs] n Anat pene
penitent ['pɛnɪtənt] adj Rel penitente
penitentiary [pɛnɪ'tɛntfərɪ] n cárcel, penal
penknife ['pɛnaɪf] n navaja, cortaplumas
penniless ['pɛnɪlɪs] adj sin dinero
penny ['pɛnɪ] n (pl **pennies, pence** [pɛns]) penique
pension ['pɛnʃən] n pensión, jubilación
pensioner ['pɛnʃənər] n jubilado,-a
pentagon ['pɛntəgən] n **1** Geom pentágono **2** Pol **the Pentagon,** el Pentágono
penthouse ['pɛnthaʊs] n ático (generalmente lujoso)
pent-up ['pɛntʌp] adj reprimido,-a
penultimate [pɪ'nʌltɪmɪt] adj penúltimo,-a
people ['pi:pəl] **I** n frml nación, pueblo
II npl **1** gente n personas: **there were two people in the bar,** había dos personas en el bar **3 the people,** los ciudadanos **4** (impersonal) **people believe that...,** se cree que...
III vtr poblar
pepper ['pɛpər] **I** n **1** Bot pimiento **2** (especia) pimienta
II vtr **1** sazonar con pimienta **2** salpicar [with, de]
peppermint ['pɛpəmɪnt] n **1** Bot menta **2** caramelo o pastilla de menta
pepperoni ['pɛpəkɔrn] n Culin tipo de salame o salchicha picante italiana
per [pɔːr] prep por, a; **$5 per hour,** 5 dólares la hora
perceive [pər'siːv] vtr percibir, observar
percent n por ciento
percentage [pər'sɛntɪdʒ] n porcentaje

perception [pər'sɛpʃən] n percepción
perceptive [pər'sɛptɪv] adj perspicaz
perch [pɔːtʃ] **I** n **1** Zool perca **2** (para un pájaro) percha
II vi (un pájaro) posarse
percolator ['pɔːkəleɪdər] n cafetera (eléctrica)
percussion [pər'kʌʃən] n percusión
perennial [pər'ɛnɪəl] adj Bot perenne
perfect ['pɔːfɪkt] **I** adj perfecto,-a
II n Ling perfecto
III [pər'fɛkt] vtr perfeccionar
perfection [pər'fɛkʃən] n perfección
perforate ['pɔːfəreɪt] vtr perforar
perforation [pɔːfə'reɪʃən] n perforación
perform [pər'fɔːrm] **I** vtr **1** (un trabajo) efectuar, llevar a cabo **2** Teat representar **3** Mús interpretar
II vi **1** (aparato) funcionar **2** Teat actuar **3** Mús interpretar
performance [pər'fɔːrməns] n **1** (de un trabajo) ejecución, realización **2** Teat representación, función; Mús interpretación **3** (de un actor) interpretación; Dep actuación **4** Auto prestaciones; (de una máquina, persona) rendimiento
performer [pər'fɔːrmər] n **1** Mús intérprete **2** Teat actor, actriz
perfume ['pɔːfjuːm] n perfume
perhaps [pər'hæps] adv tal vez, quizá(s)
peril ['pɛrɪl] n frml **1** riesgo **2** peligro
perimeter [pə'rɪmɪdər] n perímetro
period ['pɪərɪəd] n **1** periodo, época **2** regla **3** Educ clase **4** Dep tiempo **5** US Tip punto
periodic [pɪərɪ'ɒdɪk] adj periódico,-a
periodical [pɪərɪ'ɒdɪkəl] **I** adj periódico,-a
II n revista
peripheral [pə'rɪfərəl] **I** adj periférico,-a
II n Inform unidad periférica
perish ['pɛrɪʃ] vi frml perecer
perjury ['pɔːdʒərɪ] n fur perjurio
perk [pɔːk] n fam (beneficio) extra, ventaja
perky ['pɔːkɪ] adj (**perkier, perkiest**) animado,-a, alegre
perm [pɔːrm] **I** n permanente
II vtr **she's had her hair permed,** se hizo la permanente
permanent ['pɔːmənənt] adj permanente
permeate ['pɔːmɪeɪt] vtr & vi impregnar
permissible [pər'mɪsəbəl] adj admisible
permission [pər'mɪʃən] n permiso
permissive [pər'mɪsɪv] adj permisivo,-a
permit ['pɔːmɪt] **I** n permiso
II [pər'mɪt] vtr frml permitir
perpendicular [pɔːpən'dɪkjələr] adj perpendicular
perpetrate ['pɔːpɪtreɪt] vtr frml perpetrar
perpetual [pər'pɛtʃʊəl] adj **1** perpetuo,-a **2** (ruido, movimiento) continuo,-a
perpetuate [pər'pɛtʃʊeɪt] vtr frml perpetuar

perplex [pər'plɛks] *vtr* desconcertar
perplexing [pər'plɛksɪŋ] *adj* desconcertante
persecute ['pərsɪkjuːt] *vtr* perseguir
persecution [pərsɪ'kjuːʃən] *n* persecución
perseverance [pərsɪ'vɪrəns] *n* perseverancia
persevere [pərsɪ'vɪər] *vi* perseverar
persist [pər'sɪst] *vi* 1 *(una persona)* empeñarse [**in**, en] 2 *(un sentimiento, dolor)* persistir
persistence [pər'sɪstəns] *n* 1 empeño 2 persistencia
persistent [pər'sɪstənt] *adj* 1 *(persona)* perseverante 2 *(tos, etc)* persistente
person ['pərsən] *n* (*pl people* ['piːpəl] o *persons*) persona; **in person**, en persona
persona ['pərsounə] *n* (*pl. personas* o *personae*) personalidad que se adapta o modo de comportarse con determinadas personas o en determinadas circunstancias
personable ['pərsənəbəl] *adj frml* agradable
personal ['pərsənəl] *adj* 1 personal, privado,-a 2 *pey (comentario)* indiscreto,-a
personality [pərsə'nælɪdʒi] *n* personalidad
personify [pər'sɑnɪfaɪ] *vtr* personificar, encarnar
personnel [pərsə'nɛl] *n* personal
perspective [pər'spɛktɪv] *n* perspectiva
perspiration [pərspə'reɪʃən] *n* transpiración
perspire [pər'spaɪər] *vi* transpirar
persuade [pər'sweɪd] *vtr* persuadir
persuasion [pər'sweɪʒən] *n* 1 *(acción)* persuasión 2 creencia
persuasive [pər'sweɪsɪv] *adj* persuasivo,-a
pertinent ['pərtɪnənt] *adj frml* pertinente
perturb [pər'tərb] *vtr* perturbar
perturbing [pər'tərbɪŋ] *adj* inquietante
Peru [pə'ruː] *n* Perú
Peruvian [pə'ruːviən] *adj & n* peruano,-a
pervade [pər'veɪd] *vtr* 1 *(un olor)* impregnar 2 *(una idea)* dominar
pervasive [pər'veɪsɪv] *adj* 1 *(olor, sabor)* penetrante 2 *(idea)* dominante 3 **all-pervasive**, omnipresente
perverse [pər'vərs] *adj* perverso,-a
perversion [pər'vərʒən] *n* perversión
pervert ['pərvərt] **I** *n Psic* pervertido,-a *(sexual)*
II [pər'vərt] *vtr* 1 pervertir 2 *(la verdad)* tergiversar
pessimist ['pɛsɪmɪst] *n* pesimista
pessimistic [pɛsɪ'mɪstɪk] *adj* pesimista
pest [pɛst] *n* 1 *Zool* plaga 2 *fam (persona)* pesado,-a; *(cosa)* lata
pet [pɛt] **I** *n* mascota
II *adj* 1 *(animal)* doméstico,-a 2 *(persona)* preferido,-a
III *vtr* acariciar

IV *vi* besuquearse
petal ['pɛdəl] *n* pétalo
petition [pə'tɪʃən] *n* petición
petroleum *n* depósito de gasolina
petticoat ['pɛdɪkout] *n* enaguas, combinación
petty ['pɛdi] *adj* (*pettier*, *pettiest*) 1 insignificante 2 *(persona)* mezquino,-a
petty cash *n Com* dinero para gastos menores
petulant ['pɛtʃələnt] *adj* malhumorado,-a
pew [pjuː] *n* banco (de iglesia)
phantom ['fæntəm] *adj & n* fantasma
pharmaceutical [fɑrmə'suːdɪkəl] *adj* farmacéutico,-a
pharmacist ['fɑrməsɪst] *n* farmacéutico,-a
pharmacy ['fɑrməsi] *n* farmacia
phase [feɪz] **I** *n* fase
II *vtr* **to phase in/out,** introducir/retirar paulatinamente
Ph.D. [piːeɪtʃ'diː] *n* (*abr de Doctor of Philosophy*) Doctor, -ora en Filosofía
pheasant ['fɛzənt] *n Orn* faisán
phenomenon [fɪ'nɑmɪnən] *n* (*pl phenomena* [fɪ'nɑmɪnə]) fenómeno
philanthropist [fɪ'lænθrəpɪst] *n* filántropo,-a
philately [fɪ'lætli] *n* filatelia
philosopher [fɪ'lɑsəfər] *n* filósofo,-a
philosophy [fɪ'lɑsəfi] *n* filosofía
phlegm [flɛm] *n* flema
phlegmatic [flɛg'mædɪk] *adj* flemático,-a
phobia ['foubiə] *n* fobia
phone [foun] *n* → **telephone**
phonecard ['founkɑrd] *n* tarjeta telefónica
phonetic [fə'nɛdɪk] **I** *adj* fonético,-a
II *npl* **phonetics**, fonética
phony ['founi] *adj* (*phonier*, *phoniest*) falso,-a
phosphate ['fɑsfeɪt] *n* fosfato
photo ['foudou] *n* (*abr de photograph*) foto
photocopier ['foudoukɑpiər] *n* fotocopiadora
photocopy ['foudoukɑpi] **I** *n* fotocopia
II *vtr* fotocopiar
photogenic [foudə'dʒɛnɪk] *adj* fotogénico,-a
photograph ['foudəgræf] **I** *frml* fotografía
II *vtr* fotografiar
photographer [fə'tɑgrəfər] *n* fotógrafo,-a
photography [fə'tɑgrəfi] *n* fotografía
phrase [freɪz] *n* frase
physical ['fɪzɪkəl] *adj* físico,-a
physician [fɪ'zɪʃən] *n* médico,-a
physicist ['fɪzɪsɪst] *n* físico,-a
physics ['fɪzɪks] *n* física
physiological [fɪziə'lɑdʒɪkəl] *adj* fisiológico,-a
physiology [fɪzi'ɑlədʒi] *n* fisiología
physiotherapist [fɪziou'θɛrəpɪst] *n* fisioterapeuta
physiotherapy [fɪziou'θɛrəpi] *n* fisioterapia
pianist ['piənɪst] *n* pianista

piano [pi'ænou] n piano
pick [pik] **I** n (herramienta) pico
II vtr **1** elegir; Dep seleccionar **2** (fruta) recoger; (flores) cortar, coger **3** coger, recoger **4** (en la nariz) hurgarse; (los dientes) mondarse **5** (una cerradura) forzar ■ **pick at** vtr **to pick at one's food**, picar, comer sin ganas
■ **pick out** vtr **1** distinguir **2** identificar
■ **pick up I** vtr **1** (del suelo, etc) recoger, levantar **2** buscar, recoger
picket ['pikit] **I** n Pol piquete
II vtr & vi organizar piquetes
pickle ['pikəl] **I** n **1** Culin encurtidos **2** fam lío, apuro
II vtr Culin conservar en vinagre y especias
pickpocket ['pikpɔkit] n carterista
pick-up ['pikʌp] n **1** (de tocadiscos) brazo **2** Auto **pick-up (truck)**, furgoneta **3** fam ligue
picnic ['piknik] **I** n picnic
II vi ir de excursión
pictorial [pik'tɔːriəl] adj ilustrado,-a
picture ['piktʃər] **I** n cuadro, dibujo; (de una persona) retrato; (en un libro) ilustración, lámina; foto, TV imagen
II vt **1** imaginarse **2** representar, dibujar
picturesque [piktʃə'resk] adj pintoresco,-a
pie [pai] n (dulce) tarta, pastel
piece [piːs] n **1** pedazo, trozo **2** (no se traduce en español) **piece of advice**, consejo; **piece of furniture**, mueble **3** Arte Teat Lit obra; Prensa artículo **4** moneda **5** (juegos) ficha; Ajedrez pieza **7** **to fall to pieces**, hacerse pedazos; fig **to go to pieces**, perder el control; **to take to pieces**, desmontar
piecemeal ['piːsmiːl] **I** adv poco a poco
II adj gradual
piecework ['piːswərk] n trabajo a destajo
pier [piər] n Náut embarcadero, muelle
pierce [piərs] vtr **1** agujerear **2** penetrar en
piercing ['piərsiŋ] adj (mirada, sonido) penetrante
pig [pig] n Zool cerdo
pigeon ['pidʒin] n **1** Orn paloma **2** Culin Dep pichón
pigeonhole ['pidʒinhoul] n casilla
piglet ['piglit] n cochinillo, lechón
pigment ['pigmənt] n pigmento
pigsty ['pigstai] n pocilga
pigtail ['pigteil] n trenza
pile [pail] **I** n **1** montón **2** Med **piles** pl, almorranas
II vtr amontonar, apilar
■ **pile up I** vtr **1** apilar **2** acumular
II vi amontonarse
pile-up ['pailʌp] n Auto choque múltiple
pilfer ['pilfər] vtr & vi hurtar
pilgrim ['pilgrim] n peregrino,-a
pilgrimage ['pilgrimidʒ] n peregrinación
pill [pil] n **1** píldora, pastilla **2** **the pill**, la píldora (anticonceptiva)

pillage ['pilidʒ] **I** vtr & vi pillar, saquear
II n pillaje, saqueo
pillar ['pilər] n pilar, columna
pillow ['pilou] n almohada
pillowcase ['piloukeis] n funda de almohada
pilot ['pailət] **I** n piloto
II adj experimental, de muestra
III vtr pilotar
pimple ['pimpəl] n grano, espinilla
pin [pin] **I** n **1** alfiler **2** Elec Téc clavija
II vtr **1** prender con alfileres **2** sujetar, inmovilizar
■ **pin down** vtr **1** sujetar con alfileres **2** (a una persona) inmovilizar
■ **pin up** vtr (un papel) sujetar o clavar (con chinchetas)
pincers ['pinsərz] npl **1** Zool pinzas **2** Téc tenazas
pinch [pintʃ] **I** vtr **1** pellizcar **2** fam robar
II vi (zapatos) apretar
III n **1** pellizco **2** (de sal, etc) pizca
pincushion ['pinkuʃən] n acerico
pine [pain] **I** n Bot pino
II vi **to pine (away)**, languidecer
pineapple ['painæpəl] n Bot piña
ping-pong ['piŋpɒŋ] n pimpón
pink [piŋk] **I** n (color) rosa
II adj rosa, rosado,-a
pinpoint ['pinpɔint] vtr señalar
pint [paint] n (medida) pinta (US 0,47 l)
pioneer [paiə'niər] **I** n pionero,-a
II vtr ser pionero,-a en
pious ['paiəs] adj piadoso,-a
pip [pip] n Bot pepita, semilla
pipe [paip] n **1** tubo; (de gas, agua) tubería, cañería **2** pipa; **to smoke a pipe**, fumar en pipa **3** Mús flauta **4** Mús (bag) **pipes** pl, gaita
pipeline ['paiplain] n tubería de distribución; (de gas) gaseoducto; (de petróleo) oleoducto
piping ['paipiŋ] n (en un edificio) tuberías, cañerías
pirate ['pairit] **I** n pirata
II adj pirata
III vtr piratear
pirouette [piru'et] **I** n pirueta
II vi hacer piruetas
Pisces ['paisiːz] n Astrol Piscis
piss [pis] argot **I** vi mear
II n **1** meada **2** meados
pissed [pist] adj disgustado, -a,
pistachio [pis'tæːʃiou] n Bot pistacho
pistol ['pistəl] n pistola
piston ['pistən] n pistón
pit [pit] n **1** hoyo, foso **2** mina de carbón **3** (del estómago) boca **4** Teat platea; **orchestra pit**, foso de orquesta
pitch [pitʃ] **I** n **1** lanzamiento **2** Dep campo, terreno **3** Mús tono
II vtr **1** arrojar, tirar **2** Mús (una nota) dar ■

pitch in *vi* ayudar

pitched [pɪtʃt] *adj* inclinado,-a

pitcher ['pɪtʃər] *n* 1 cántaro, jarro 2 *Dep (béisbol)* pitcher, lanzador,-ora

piteous ['pɪdiəs] *adj* lastimoso,-a

pitfall ['pɪtfɔːl] *n* escollo, obstáculo

pith [pɪθ] *n* 1 *(de cítricos)* corteza blanca 2 *(de un argumento)* meollo

pitiful ['pɪdɪfəl] *adj* lamentable

pitiless ['pɪdɪlɪs] *adj* despiadado,-a, implacable

pittance ['pɪtns] *n* miseria

pity ['pɪdi] I *n* 1 compasión, piedad: **to have pity**, tener piedad 2 lástima: **what a pity!**, ¡qué lástima!

II *vtr* apiadarse de, compadecerse de

pivot ['pɪvət] I *n* 1 *Téc* pivote 2 *Dep (baloncesto)* pívot

II *vi* girar

placard ['plækɑrd] *n* pancarta

placate [pleɪ'keɪt] *vtr* aplacar, apaciguar

place [pleɪs] I *n* 1 lugar, sitio: **all over the place**, por todas partes 2 **in place**, en su lugar; **in place of**, en lugar de; **out of place**, fuera de lugar, inapropiado,-a; **to take the place of**, sustituir 3 asiento, sitio 4 *(en un libro)* página 5 *fam* casa: **a place by the sea**, una casa en la playa 6 *(orden)* **in first place**, en primer puesto 7 *(trabajo, equipo)* puesto; *Educ* plaza 8 **in the first place**, en primer lugar *o* para empezar 9 **to take place**, tener lugar, ocurrir

II *vtr* 1 poner, colocar; *(en un puesto de trabajo)* colocar 2 *(un pedido)* hacer

placid ['plæsɪd] *adj* apacible

plagiarize ['pleɪdʒəraɪz] *vtr* plagiar

plague [pleɪg] *n* 1 *Med* peste 2 *(de langostas, etc, tb fig)* plaga

plaice [pleɪs] *n inv Zool* platija

plain [pleɪn] I *adj* 1 claro,-a, evidente 2 simple, sencillo,-a 3 *(habla, persona)* directo,-a, franco,-a

II *adv fam* totalmente

III *n Geog* llanura, llano

plaintiff ['pleɪntɪf] *n Jur* demandante

plaintive ['pleɪntɪv] *adj* lastimero,-a

plait [plæt] I *n* trenza

II *vtr* trenzar

plan [plæn] I *n* 1 plano 2 plan

II *vtr* planear

III *vi* hacer planes

plane [pleɪn] I *n* 1 *Av* avión 2 *Mat* plano 3 nivel

II *adj Geom* plano,-a

III *vtr* cepillar

IV *vi (avión)* planear

planet ['plænɪt] *n* planeta

plank [plæŋk] *n* tabla, tablón

planner ['plænər] *n* planificador,-ora

planning ['plænɪŋ] *n* planificación

plant [plænt] I *n* 1 *Bot* planta 2 *Ind* planta, fábrica

II *vtr* 1 *(plantas)* plantar; *(semillas)* sembrar 2 *(una bomba)* colocar

plantation [plæn'teɪʃən] *n* plantación

plaque [plæk] *n* 1 placa 2 *(dental)* sarro

plaster ['plæːstər] I *n* 1 *Const* yeso; *(en la pared)* enlucido 2 *Arte Med* escayola; **in plaster**, escayolado,-a; *Arte* vaciado de yeso

II *vtr* 1 *Const* enlucir 2 *fig* cubrir de

plastered ['plæːstərd] *adj fam* muy borracho,-a

plastic ['plæstɪk] I *n* plástico

II *adj* 1 de plástico 2 *Téc* maleable 3 *Arte* plástico,-a

Plasticine® ['plæstɪsiːn] *n* plastilina®

plate [pleɪt] I *n* 1 *(para comer)* plato 2 *(de metal)* chapa 3 *(en libro)* lámina, ilustración 4 *fam* dentadura postiza

II *vtr* 1 chapar 2 blindar

plateau ['plætoʊ] *n Geol* meseta

platform ['plætfɔrm] *n* 1 plataforma, tribuna; *Ferroc* andén, vía 2 *Pol* programa

platinum ['plætɪnəm] *n* platino

platoon [plə'tuːn] *n Mil* sección

play [pleɪ] I *n* 1 *(diversión)* juego; **play on words**, juego de palabras 2 *Dep & fig* jugada 3 *Teat* obra, pieza

II *vi* 1 jugar 2 *Cine Teat (un actor)* actuar; *(una obra, película)* estar en cartel; *fig* **to play dead/stupid**, hacerse el muerto/el tonto 3 *fig* **to play a part**, participar [**in**, en] 4 *Mús (músico)* tocar; *(instrumento, música)* oírse

III *vtr* 1 *Dep* jugar a; *(un partido)* jugar; *(contra un oponente)* jugar contra 2 *(una broma)* gastar 3 *Cine Teat (una obra)* representar; *(el papel)* interpretar 4 *Mús (un instrumento)* tocar; *(una pieza)* interpretar 5 *(un CD, disco)* poner

■ **play along** *vi* cooperar [**with**, con]

■ **play down** *vtr* quitar importancia a

■ **play up to** *vtr* adular, lisonjear o halagar por motivos ulteriores de beneficio propio

player ['pleɪər] *n* 1 *Dep* jugador,-ora 2 *Mús* músico,-a 3 *frml Teat* actor, actriz

playful ['pleɪfəl] *adj* juguetón,-ona

playground ['pleɪgraʊnd] *n* patio de recreo

playgroup ['pleɪgruːp] *n* jardín de infancia, guardería

playmate ['pleɪmeɪt] *n* compañero,-a de juegos, amiguito,-a

play-off ['pleɪɒf] *n Dep* desempate

plaything ['pleɪθɪŋ] *n* juguete

playwright ['pleɪraɪt] *n* dramaturgo,-a

plea [pliː] *n* 1 petición, súplica; **a plea for mercy**, una petición de clemencia 2 *frml* pretexto 3 *Jur* alegato

plead [pliːd] I *vi* 1 rogar, suplicar 2 *Jur (inocente/culpable)* declararse

II *vtr (como excusa, pretexto)* alegar

pleasant ['plezənt] *adj* agradable

please [pliːz] I *vt* dar gusto a, complacer

II *vi* 1 agradar, satisfacer 2 querer: **I'll do as**

I please, haré lo que me dé la gana
III *interj* por favor: **please do not touch**, se ruega no tocar
pleased [pli:zd] *adj* **1** satisfecho,-a **2** contento,-a
pleasure ['pleʒər] *n* placer, gusto
pleat [pli:t] **I** *n* pliegue
II *vtr* hacer pliegues en
pledge [pledʒ] **I** *n frml* promesa, compromiso
II *vtr frml* comprometerse
plentiful ['plentɪfəl] *adj* abundante
plenty ['plenti] *n* **1** *frml* abundancia **2** mucho, más que suficiente **3 plenty of**, más que suficiente
pliable ['plaɪəbəl] *adj* flexible
pliers ['plaɪərz] *npl* alicates, tenazas
plight [plaɪt] *n* situación apremiante
plod [plɒd] *vi* **1** andar con paso lento y pesado
plonk [plɒŋk] *vtr fam* colocar (con fuerza y sin cuidado)
plot [plɒt] **I** *n* **1** *Agr* terreno; *Constr* solar **2** complot, conjura **3** *Lit (de una historia, película)* argumento, trama
II *vtr (un crimen, etc)* tramar
III *vi* conspirar
plough [plaʊ] **I** *Agr* arado
II *vtr Agr* arar
III *vi Agr* arar
plow [plaʊ] *n GB* → **plough**
pluck [plʌk] **I** *vtr* **1** arrancar **2** *(un ave)* desplumar **3** *(las cejas)* depilar **4** *(una guitarra)* puntear
II *n* valor, ánimo
plug [plʌg] **I** *n* **1** *Elec (macho)* clavija; *(hembra)* toma **2** *(de un lavabo, etc)* tapón **3** *Auto (spark)* plug, bujía
II *vtr* tapar
■ **plug in** *vtr & vi* enchufar
plum [plʌm] **I** *n Bot* ciruela
plumage ['plu:mɪdʒ] *n* plumaje
plumb [plʌm] **I** *n Téc* plomada **2** *Náut* sonda
plumber ['plʌmər] *n* fontanero,-a
plumbing ['plʌmɪŋ] *n* **1** *(actividad)* fontanería **2** *(sistema)* instalación de tuberías o cañerías
plume [plu:m] *n (de plumas)* penacho
plummet ['plʌmɪt] *vi* caer en picado
plump [plʌmp] **I** *adj* **1** *(persona)* regordete **2** *(pollo, cerdo, etc)* gordo,-a
II *vtr* → **plonk 1**
■ **plump for** *vtr* optar por
■ **plump up** *vtr (una almohada, etc)* ahuecar
plunder ['plʌndər] *vtr* saquear
plunge [plʌndʒ] **I** *n* zambullida
II *vi* **1** zambullirse **2** *fig* caerse
III *vtr (en el agua, etc)* sumergir, hundir **plural** ['plʊərəl] *adj & n* plural
plus [plʌs] *prep* más

plush [plʌʃ] **I** *n* felpa, peluche
II *adj* de peluche
plutonium [plu:'təʊniəm] *n* plutonio
ply [plaɪ] **I** *vtr* **1** acosar **2** *frml (un oficio)* ejercer **3** *frml (una ruta)* recorrer
II *vi (barco)* hacer la ruta
plywood ['plaɪwʊd] *n* contrachapado
p.m. [pi:'em] *(abr de **post meridiem**)* de la tarde
PMS [pi:em'ti:] *Med (abr de **premenstrual syndrome**)* tensión premenstrual
pneumatic [nju:'mætɪk] *adj* neumático,-a
pneumonia [nə'məʊniə] *n* pulmonía
PO [pi:'əʊ] *(abr de **Post Office**)* oficina de correos
poach [pəʊtʃ] **I** *vtr* **1** *Culin (huevo)* escalfar **2** cazar *o* pescar furtivamente
poacher ['pəʊtʃər] *n* cazador,-ora/pescador,-ora furtivo,-a
pocket ['pɒkɪt] **I** *n* bolsillo
II *adj (diccionario, dinero)* de bolsillo
III *vtr* guardarse en el bolsillo
pocketknife ['pɒkɪtnaɪf] *n* navaja
pod [pɒd] *n Bot* vaina
poem ['pəʊəm] *n* poema
poet ['pəʊɪt] *n* poeta
poetic [pəʊ'edɪk] *adj* poético,-a
poetry ['pəʊɪtri] *n* poesía
poignant ['pɔɪnjənt] *adj* conmovedor,-ora, patético,-a
point [pɔɪnt] **I** *n* **1** *(de aguja, lápiz)* punta **2** punto: **point of departure/view**, punto de partida/vista **3** momento; **at this point (in time)**, en este momento **4** argumento: **that's a good point**, eso es interesante **8** tema central: **that's not the point**, no se trata de eso **5** *(finalidad)* **there's no point (in)** + *(gerundio)*, no sirve de nada **6** *Mat Típ (decimal) point*, punto *o* coma *(según país)* **6 points** *pl*, *Ferroc* agujas; *Auto* platinos
II *vtr* señalar, indicar **2 I pointed my gun at him**, le apunté con la pistola
III *vi* señalar [at, -], indicar [to, -]
■ **point out** *vtr* **1** indicar, señalar **2** observar
point-blank [pɔɪnt'blæŋk] *adj* **1** *(disparo)* a bocajarro **2** *(negativa)* rotundo,-a
pointed ['pɔɪntɪd] *adj* **1** *(palo, nariz)* puntiagudo,-a **2** *fig (comentario)* mordaz
pointer ['pɔɪntər] *n* **1** aguja indicadora **2** puntero
pointless ['pɔɪntlɪs] *adj* sin sentido
poise [pɔɪz] *n* **1** porte **2** aplomo, desenvoltura
poised [pɔɪzd] *adj* **1** ecuánime **2** listo,-a, preparado,-a
poison ['pɔɪzən] **I** *n* veneno
II *vtr* envenenar
poisoning ['pɔɪzənɪŋ] *n* envenenamiento, intoxicación
poisonous ['pɔɪzənəs] *adj* **1** *(animal, planta)* venenoso,-a **2** *(sustancia)* tóxico,-a **poke**

[pouk] **I** n (con el codo) codazo; (con un objeto punzante) pinchazo
II vtr **1** (un fuego) atizar **2** (con el dedo, un objeto, etc) she poked a finger up her nose, se metió el dedo en la nariz
■ **poke about/around** vi fisgonear, curiosear

poker ['poukər] n **1** Naipes póquer **2** (para el fuego) atizador

Poland ['poulənd] n Polonia

polar ['poulər] adj polar; **polar axis,** eje polar

polar bear n Zool oso polar

Pole [poul] n polaco,-a

pole [poul] n **1** palo; **telegraph pole** poste **2** Fís Geog polo

policeman [pə'li:smæn] n (hombre) policía, agente

policewoman [pə'li:swumən] n (mujer) policía, agente

policy ['pɒlisi] n **1** Pol política **2** Com Seg póliza

polio ['pouliou] n Med polio

polish ['pɒliʃ] **I** vtr (cristales, zapatos) limpiar; (madera, muebles, suelo) encerar; (un objeto de metal) sacar brillo a
II n **1** (para cristal) limpiacristales; (para metal) limpiametales; (para madera, muebles) cera; (para zapatos) crema, betún

Polish ['pouliʃ] **I** adj polaco,-a
II n **1** (idioma) polaco **2 the Polish** pl, los polacos

polite [pə'lait] adj educado,-a

politeness [pə'laitnis] n educación, cortesía

political [pə'lidikəl] adj político,-a

politician [pɒli'tiʃən] n político,-a **politics** ['pɒlitiks] n sing política

poll [poul] n **1** votación; **to go to the polls,** acudir a las urnas **2** número de votos **3** encuesta, sondeo

pollen ['pɒlən] n polen

polling ['poulin] n votación

polling station n colegio electoral

pollute [pə'lu:t] vtr contaminar

pollution [pə'lu:ʃən] n contaminación, polución

polo ['poulou] n Dep polo

polyester [pɒli'estər] n poliéster

pomegranate ['pɒmigrænit] n granada

pomp [pɒmp] n pompa

pompous ['pɒmpəs] adj grandilocuente

pond [pɒnd] n estanque

pony ['pouni] n pony

ponytail ['pouniteil] n cola de caballo

poodle ['pu:dəl] n Zool caniche

pool [pu:l] **I** n **1** (de líquido) charco, estanque; **swimming pool,** piscina **2** US billar americano
II vtr (ideas, recursos) juntar, reunir

poop v fam defecar

pooper scooper n pequeña pala o instrumento usado para recoger escrementos de perros

poor [pɔ:r] adj **1** pobre **2** (calidad) malo,-a, bajo,-a

poorly ['pɔ:rli] adv mal

pop [pɒp] **I** n **1** pequeña explosión **2** fam (refresco) gaseosa **3** fam US papá **4** Mús música pop
II vtr **1** (un balón, globo) hacer reventar **2** (un tapón) hacer saltar
III vi **1** (un globo) reventar **2** (un tapón) saltar
■ **pop in** vi fam entrar un momento, visitar brevemente
■ **pop out** vi fam salir un momento
■ **pop up** vi fam aparecer

popcorn ['pɒpkɔrn] n palomitas

pope [poup] n Rel papa

poplar ['pɒplər] n Bot álamo

poppy ['pɒpi] n Bot amapola

popular ['pɒpjələr] adj popular

popularity [pɒpjə'leridʒi] n popularidad

popularize ['pɒpjələraiz] vtr popularizar

populate ['pɒpjəleit] vtr poblar

population [pɒpjə'leiʃən] n población

porcelain ['pɔrslin] n porcelana

porch [pɔrtʃ] n porche

porcupine ['pɔrkjəpain] n Zool puercoespín

pore [pɔ:r] **I** n Anat poro
II vi **to pore over sthg,** estudiar algo detenidamente

pork [pɔrk] n carne de cerdo

porn [pɔrn] n porno

pornography [pɔr'nɑgrəfi] n pornografía

porous ['pɔ:rəs] adj poroso,-a

porridge ['pɒridʒ] n Culin gachas de cereales

port [pɔrt] n **1** Geog puerto **2** vino de Oporto, oporto **3** Náut Av babor

portable ['pɔrdəbəl] adj portátil

porter ['pɔrdər] n **1** (de una casa, un hotel) portero,-a **2** Av Ferroc (mozo) maletero,-a **3** (hospital) camillero

portfolio [pɔrt'fouliou] n **1** carpeta **2** Pol cartera

portion ['pɔrʃən] n **1** parte, porción **2** Culin ración

portrait ['pɔrtrit] n retrato

portray [pɔr'trei] vtr **1** Arte retratar **2** fig describir **3** Cine Teat representar

Portugal ['pɔrtʃəgəl] n Portugal

Portuguese [pɔrtʃə'gi:z] **I** adj portugués,-esa
II n **1** (persona) portugués,-esa **2** (idioma) portugués

pose [pouz] **I** vi **1** Arte Fot posar **2 to pose as,** hacerse pasar por
II vtr **1** (a un modelo) colocar **2** (un problema, una cuestión) plantear **3** (una amenaza) suponer
III n Arte Fot pose

posh [pɒʃ] *fam* **1** *adj (hotel, casa, coche)* elegante, de lujo **2** *(persona)* de clase alta
position [pəˈzɪʃən] **I** *n* **1** *(físico)* posición, situación, sitio; *(del cuerpo)* postura **2** opinión, postura **3** *frml* puesto, trabajo
II *vtr* poner, colocar
positive [ˈpɒzɪdɪv] *adj* **1** Mat Elec Med positivo,-a **2** *(persona)* seguro,-a **3** *(prueba)* concluyente
possess [pəˈzes] *vtr* **1** poseer **2** *(una emoción)* apoderarse de
possessed [pəˈzest] *adj* poseído,-a
possession [pəˈzeʃən] *n* posesión
possessive [pəˈzesɪv] *adj* posesivo,-a
possibility [pɒsɪˈbɪlɪʤi] *n* posibilidad
possible [ˈpɒsɪbəl] *adj* posible
post [pɒʊst] **I** *n* **1** *(de madera)* poste **2** correo **3** Mil Com puesto
II *vtr* **1** Com Mil destinar **2** *(una carta)* echar al correo
postage [ˈpɒʊstɪʤ] *n* franqueo
postal [ˈpɒʊstəl] *adj* postal, de correos
postcard [ˈpɒʊskɑrd] *n (tarjeta)* postal
poster [ˈpɒʊstər] *n* póster, cartel
posterity [pɒˈsterɪʤi] *n* posteridad
postgraduate [pɒʊstˈgrædʒuɪt] **I** *n* posgraduado,-a
II *adj* de posgrado
posthumous [ˈpɒstʃəməs] *adj* póstumo,-a
posting [ˈpɒʊstɪŋ] *n* Com Mil destino
postman [ˈpɒʊsmən] *n* cartero
postmark [ˈpɒʊsmɑrk] *n* matasellos
postmortem [pɒʊstˈmɔrdəm] *n* autopsia
post office *n* oficina de correos
postpone [pɒʊsˈpɒʊn] *vtr* aplazar
postscript (P.S.) [ˈpɒʊskrɪpt] *n* posdata (P.D.)
posture [ˈpɑstʃər] *n* postura
postwar [ˈpɒʊstwɔr] *adj* de la posguerra
pot [pɑt] *n* **1** *(para conservas)* tarro **2** *(para la cocina)* olla, puchero **3** *(para plantas)* maceta, tiesto **4 coffee pot,** cafetera; **tea pot,** tetera
potato [pəˈteɪdəʊ] *n (pl potatoes)* Bot patata
potency [ˈpɒʊtˑnsi] *n* potencia
potent [ˈpɒʊtˑnt] *adj (bebida)* potente, fuerte
potential [pəˈtenʃəl] **I** *adj* potencial
II *n* potencial
pothole [ˈpɑtˑhɒʊl] *n* **1** Geol cueva **2** *(de carretera)* bache
potion [ˈpɒʊʃən] *n* poción, pócima
pot luck [ˈpɑtˑlʌk] *v* escoger sin saber mucho de lo que se ha escogido
potluck [ˈpɑtˑlʌk] *adj como en* **a potluck dinner** *o* **lunch** comida en la que todos los participantes contribuyen con uno de los componentes de la misma
pot pie [ˈpɑtˑpaɪ] *n* pastel de carne y verduras

potter [ˈpɑdər] *n* alfarero,-a
pottery [ˈpɑdəri] *n* alfarería
pouch [pɑʊtʃ] *n* **1** bolsa *(pequeña)* **2** Zool bolsa abdominal, marsupio
poultry [ˈpɒʊltri] *n* Agr aves de corral
pounce [pɑʊns] *vi* saltar
pound [pɑʊnd] **I** *n* **1** *(moneda, peso)* libra **2** *(para coches)* depósito **3** *(para perros)* perrera
II *vtr* **1** machacar **2** *(una puerta, etc)* aporrear
pour [pɔr] **I** *vtr* verter; *(una bebida)* servir
II *vi* manar

■ **pour down** *vi* llover a cántaros
pout [pɑʊt] **I** *n* puchero
II *vi* hacer pucheros
poverty [ˈpɒvərʤi] *n* pobreza
poverty-stricken [ˈpɒvərʤistrɪkən] *adj* necesita-do,-a
powder [ˈpɑʊdər] *n* **1** polvo; **2** *(maquillaje)* polvos
powdered [ˈpɑʊdərd] *adj (leche)* en polvo
power [ˈpɑʊər] **I** *n* **1** Pol poder **2** *(nación)* potencia; **the powers that be,** los que mandan **3** Elec *ant* energía **4** Mec potencia
II *vtr* impulsar, propulsar
powered [ˈpɑʊərd] *adj* **1** con motor **2** **powered by gas,** que funciona con gas
powerboat [ˈpɑʊərbɒʊt] *n* lancha (motora)
powerful [ˈpɑʊərfəl] *adj* **1** *(persona, gobierno)* poderoso,-a **2** *(físicamente)* fuerte **3** *(argumento)* convincente
powerless [ˈpɑʊərlɪs] *adj* impotente, ineficaz
pp *(abr de pages)* págs., pp.
PR *(abr de Public Relations)* relaciones públicas
practicable [ˈpræktɪkəbəl] *adj* factible
practical [ˈpræktɪkəl] *adj* práctico,-a
practicality [præktɪˈkælɪʤi] *n* **1** *(de una persona)* sentido práctico **2** *(de una idea)* viabilidad
practice [ˈpræktɪs] *n* **1** *(actividad)* práctica **2** *(realidad)* práctica: **in practice,** en la práctica **3** costumbre, uso **4** *(de profesión)* práctica, ejercicio **5** *(local)* Jur bufete; Med consulta
practice [ˈpræktɪs] **I** *vtr* **1** *(un deporte, una destreza)* practicar; Mús Teat ensayar **2** Med Jur ejercer
II *vi* practicar
practicing [ˈpræktɪsɪŋ] *adj* practicante
practitioner [prækˈtɪʃənər] *n* **1** profesional **2** médico
pragmatic [prægˈmædɪk] *adj* pragmático,-a
prairie [ˈpreri] *n* pradera; US llanura
praise [preɪz] **I** *n* alabanza, elogio
II *vtr* alabar, elogiar
praiseworthy [ˈpreɪzwɜrði] *adj* loable
prank [præŋk] *n* broma; *(de niño)* travesura
prawn [prɑn] *n* Zool gamba
pray [preɪ] *vi* rezar, orar

prayer [preɪər] *n* rezo, oración
preach [pri:tʃ] *vi* Rel predicar
preacher ['pri:tʃər] *n* predicador,-ora
precarious [prɪ'keriəs] *adj* precario,-a
precaution [prɪ'kɔ:ʃən] *n* precaución
precautionary [prɪ'kɔ:ʃənəri] *adj* preventivo,-a
precede [pri'si:d] *vtr* preceder
precedence ['presidəns] *n* preferencia
precedent ['president] *n* precedente
preceding [pri'si:dɪŋ] *adj* precedente
precinct ['pri:sɪŋkt] *n* 1 recinto 2 distrito policial
precious ['preʃəs] *adj* 1 precioso,-a 2 querido,-a
precipice ['presipɪs] *n* precipicio
precipitate [prɪ'sɪpɪteɪt] I *vtr* precipitar
II [prɪ'sɪpɪtət] *adj* precipitado,-a
precise [prɪ'saɪs] *adj* preciso,-a
precisely [prɪ'saɪsli] *adv* 1 (medir) con precisión 2 exactamente: **precisely!**, ¡eso es!, ¡exacto!
precision [prɪ'sɪʒən] *n* precisión
preclude [prɪ'klu:d] *vtr frml* excluir, descartar
precocious [prɪ'koʊʃəs] *adj* precoz
preconceived [pri:kən'si:vd] *adj* preconcebido,-a
preconception [pri:kən'sepʃən] *n* idea preconcebida
precondition [pri:kən'dɪʃən] *n* condición previa
precursor [prɪ'kɜrsər] *n* precursor,-ora
predator ['predədər] *n* Zool depredador,-ora
predecessor ['predisesər] *n* antecesor,-ora
predicament [prɪ'dɪkəmənt] *n* apuro, aprieto
predict [prɪ'dɪkt] *vtr* predecir, pronosticar
predictable [prɪ'dɪktəbəl] *adj* previsible
prediction [prɪ'dɪkʃən] *n* pronóstico, predicción
predispose [pri:dɪ'spoʊz] *vtr frml* predisponer
predominant [prɪ'dɑmɪnənt] *adj* predominante
predominate [prɪ'dɑmɪneɪt] *vi* predominar
preempt [prɪ'empt] *vtr* adelantarse a
prefabricated [pri:'fæbrɪkeɪdɪd] *adj* prefabricado,-a
preface ['prefɪs] *n* prólogo
prefer [prɪ'fər] *vtr* preferir
preferable ['prefrəbəl] *adj* preferible
preference ['prefərəns] *n* preferencia
preferential [prefə'renʃəl] *adj* preferente
prefix ['pri:fɪks] *n* prefijo
pregnancy ['pregnənsi] *n* embarazo
pregnant ['pregnənt] *adj* embarazada
prehistoric(al) [pri:hɪ'stɔrɪk(əl)] *adj* prehistórico,-a
prejudice ['predʒədɪs] I *n* prejuicio

II *vtr (a alguien)* predisponer
prejudiced ['predʒədɪst] *adj* parcial
preliminary [prɪ'lɪmɪnəri] I *adj* preliminar
II *n (usu pl)* preliminares
prelude ['preɪlu:d] *n* preludio
premarital [pri:'merɪdəl] *adj* prematrimonial
premature [pri:mə'tʃər] *adj* prematuro,-a;
a premature baby, un niño prematuro
premeditation [pri:medɪ'teɪʃən] *vtr* premeditación
premier ['premiər] I *n* Pol primer,-era ministro,-a
II *adj* primero,-a, principal
première ['premjer] *n* Cine Teat estreno
premise ['premɪs] *n* 1 Fil premisa 2
premises *pl*, local, establecimiento
premonition [premə'nɪʃən] *n* presentimiento
preoccupation [pri:ɑkjə'peɪʃən] *n* preocupación
preoccupied [pri:'ɑkjəpaɪd] *adj* preocupado,-a
preparation [prepə'reɪʃən] *n* 1 preparación 2 **preparations** *pl*, preparativos
preparatory [pre'pərətəri] *adj* preparatorio,-a, preliminar
prepare [prɪ'per] I *vtr* preparar
II *vi* prepararse
prepared [prɪ'perd] *adj* preparado,-a
preposterous [prɪ'pɑstərəs] *adj* absurdo,-a, ridículo,-a
prerequisite [pri:'rekwɪzɪt] *n* condición previa
prerogative [pə'rɑgədɪv] *n* prerrogativa
presage [presɪdʒ] 1 *n* presagio 2 *v* alertar
preschool [pri:'sku:l] *adj* preescolar
prescribe [prə'skraɪb] *vtr* 1 Med recetar 2 *frml* prescribir
prescription [prɪ'skrɪpʃən] *n* Med receta
presence ['prezəns] *n* presencia
present ['prezənt] I *adj* 1 presente 2 actual
II *n* regalo
III [prɪ'zent] *vtr & vi* 1 regalar 2 presentar
presentable [prɪ'zentəbəl] *adj* presentable
presentation [prezən'teɪʃən] *n* presentación
present-day ['prezəntdeɪ] *adj* actual
presenter [prɪ'zentər] *n* presentador,-ora
presently ['prezənt'li] *adv* 1 dentro de poco 2 *esp US* ahora
preservation [prezər'veɪʃən] *n* conservación
preservative [prɪ'zərvədɪv] *n* conservante
preserve [prɪ'zərv] I *vtr* conservar
II *n* 1 dominio 2 Culin conserva
preside [prɪ'zaɪd] *vi* presidir
presidency ['prezɪdənsi] *n* presidencia
president ['prezɪdənt] *n* 1 Pol presidente,-a 2 Com director,-ora, gerente

presidential [prezɪ'denʃəl] adj presidencial

press [pres] I n 1 prensa 2 (máquina) imprenta, prensa 3 (empresa) editorial II vtr 1 (un botón, etc) apretar, pulsar 2 (aceitunas, flores, uvas) prensar; (ropa) planchar 3 presionar III vi apretar

pressing ['presɪŋ] adj apremiante, urgente

pressure ['preʃər] n presión

pressurize ['preʃəraɪz] vtr Téc presurizar

prestige [pre'stiːʒ] n prestigio

presumably [prɪ'zuːməbli] adv se supone que, es de suponer

presume [prɪ'zuːm] I vtr frml suponer II vi frml suponer

presumption [prɪ'zʌmpʃən] n 1 suposición 2 arrogancia

presumptuous [prɪ'zʌmptʃuəs] adj atrevido,-a

presuppose [priːsə'pəʊz] vtr presuponer

pretend [prɪ'tend] I vtr 1 fingir, aparentar 2 frml pretender II vi fingir

pretense [prɪ'tens] n 1 pretensión 2 fingimiento

pretention [prɪ'tenʃən] n pretensión

pretentious [prɪ'tenʃəs] adj presuntuoso,-a, pretencioso,-a

pretext ['priːtekst] n pretexto

pretty ['prɪti] I adj (prettier, prettiest) bonito,-a, guapo,-a II adv fam bastante

prevail [prɪ'veɪl] vi 1 (opinión, sentimiento) predominar, reinar 2 (justicia, etc) prevalecer

prevailing [prɪ'veɪlɪŋ] adj predominante

prevalent ['prevələnt] adj frml frecuente, común

prevent [prɪ'vent] vtr impedir, evitar

prevention [prɪ'venʃən] n prevención

preview ['priːvjuː] n Cine Teat preestreno

previous ['priːvɪəs] I adj anterior II prep frml antes de

prewar ['priː'wɔːr] adj de antes de la guerra

prey [preɪ] n presa
■ **prey on** vi 1 (un animal) alimentarse de 2 fig explotar

price [praɪs] I n precio II vtr 1 poner un precio a 2 valorar

priceless ['praɪslɪs] adj que no tiene precio

prick [prɪk] I vtr pinchar, agujerear II n 1 pinchazo 2 argot vulgar pene

prickle ['prɪkəl] I n 1 Bot espina 2 (sensación) picor II vtr & vi pinchar, picar

prickly ['prɪkli] adj (pricklier, prickliest) 1 (planta) espinoso,-a 2 (ropa, etc) que pica

pride [praɪd] I n orgullo II vtr **to pride oneself on,** enorgullecerse de

priest [priːst] n sacerdote, cura

priestess ['priːstɪs] n sacerdotisa

priesthood ['priːsthʊd] n 1 (oficio) sacerdocio 2 (personas) clero

prim [prɪm] adj (primmer, primmest) remilgado,-a

primary ['praɪməri] I adj 1 (importancia) primordial 2 (color, enseñanza, escuela) primario,-a II n Pol (elección) primaria

primate ['praɪmeɪt] n Zool primate

prime [praɪm] I adj (solo antes del sustantivo) 1 primero,-a; (importancia) primordial 2 (calidad) de primera 3 Mat (número) primo II n apogeo III vtr (a una persona) preparar

primitive ['prɪmɪtɪv] adj primitivo,-a

primrose ['prɪmrəʊz] n primavera

prince [prɪns] n príncipe

princess [prɪn'ses] n princesa

principal ['prɪnsɪpəl] I adj principal II n 1 Educ director,-ora 2 Teat protagonista 3 Mús primer violín

principle ['prɪnsɪpəl] n principio

print [prɪnt] I n 1 Imprent letra; **in print,** publica-do,-a o disponible; **out of print** agotado,-a 2 Arte grabado, lámina; Fot copia; Tex estampado 3 (de dedo, mano, pie) huella II vtr imprimir; (libro) publicar
■ **print out** vtr Inform imprimir

printer ['prɪntər] n impresora

printing ['prɪntɪŋ] n imprenta

prior ['praɪər] I adj previo,-a, anterior II prep antes de III n Rel prior

priority [praɪ'ɒrɪti] n prioridad

prism ['prɪzəm] n prisma

prison ['prɪzən] n cárcel, prisión

prisoner ['prɪzənər] n 1 Jur preso,-a, recluso,-a 2 (enemigo) prisionero,-a

privacy ['praɪvəsi] n intimidad

private ['praɪvɪt] I adj particular, propio,-a 2 privado,-a II n Mil soldado raso

privatize ['praɪvɪtaɪz] vtr privatizar

privilege ['prɪvɪlɪdʒ] n privilegio, honor

privileged ['prɪvɪlɪdʒd] adj privilegiado,-a

prize [praɪz] I n premio II vtr apreciar, estimar

prizewinner ['praɪzwɪnər] n ganador,-ora del premio

pro [prəʊ] n 1 (abr de **professional**) fam profesional 2 **pros** pl, ventajas

probability [prɒbə'bɪlɪti] n probabilidad

probable ['prɒbəbəl] adj probable

probation [prəʊ'beɪʃən] n Jur libertad condicional

probe [prəʊb] I n 1 Med Astron sonda 2 encuesta, sondeo II vtr 1 Med sondar 2 investigar

problem ['prɒbləm] n problema

problematic [prɒblə'mædɪk(əl)] adj problemático,-a, difícil

procedure [prə'siːdʒər] n procedimiento

proceed [prə'siːd] vi 1 frml avanzar 2 frml seguir, proceder

proceedings [prə'siːdɪŋz] npl 1 acto, evento 2 frml (de una reunión) actas

proceeds ['prəʊsiːdz] *npl* recaudación, ganancias

process ['prəsɛs] **I** *n* 1 *(natural)* proceso 2 método
II *vtr* 1 procesar 2 *(comida)* elaborar

procession [prə'seʃən] *n* 1 desfile 2 *Rel* procesión

processor ['prəsɛsər] *n Inform* procesador

proclaim [prə'kleɪm] *vtr frml* proclamar

proclamation [prɒklə'meɪʃən] *n frml* proclamación

prod [prɒd] **I** *n* pinchazo
II *vtr* pinchar

prodigious [prə'dɪdʒəs] *adj* prodigioso,-a

prodigy ['prɒdɪdʒi] *n* prodigio

produce [prə'djuːs] **I** *vtr* 1 producir 2 *(un documento, evidencia)* presentar; *(una evidencia)* aportar 3 *(del bolsillo, etc)* sacar 4 *Cine* producir; *TV* realizar; *Teat* poner en escena
II ['prɒdjuːs] *n Agr* productos

producer [prə'djuːsər] *n* 1 productor,-ora; *Ind* fabricante 2 *Cine* productor,-ora; *Rad TV* realizador,-ora

product ['prɒdʌkt] *n* producto

production [prə'dʌkʃən] *n* producción

productive [prə'dʌktɪv] *adj* productivo,-a

productivity [prɒdʌk'tɪvɪdʒi] *n* productividad

profess [prə'fɛs] *vtr* 1 *(una fe)* profesar 2 *(una emoción)* expresar, manifestar

profession [prə'fɛʃən] *n* profesión

professional [prə'fɛʃənəl] **I** *adj* profesional
II *n* profesional

professor [prə'fɛsər] *n* catedrático,-a

proficiency [prə'fɪʃənsi] *n* competencia

profile ['prəʊfaɪl] **I** *n* perfil
II *vtr (a una persona)* retratar

profit ['prɒfɪt] **I** *n* 1 *Fin* ganancias, beneficios 2 provecho, utilidad
II *vi fig* sacar provecho

profitability [prɒfɪdʒə'bɪlɪdʒi] *n* rentabilidad

profitable ['prɒfɪdʒəbəl] *adj Com* rentable

profound [prəʊ'faʊnd] *adj* profundo,-a

profuse [prəʊ'fjuːs] *adj* profuso,-a, abundante

prognosis [prɒg'nəʊsɪs] *n Med* pronóstico

program ['prəʊgræm] **I** *n* programa
II *vtr Inform Téc* programar

programmer ['prəʊgræmər] *n* programador,-ora

progress ['prɒgrɛs] **I** *n* 1 progreso; *Med* mejoría 2 *(sociedad, etc)* desarrollo, evolución 3 **in progress**, empezado,-a, en curso
II [prə'grɛs] *vi* avanzar, progresar

progressive [prə'grɛsɪv] *adj* 1 progresivo,-a 2 *Pol* progresista

prohibit [prəʊ'hɪbɪt] *vtr* prohibir

prohibition [prəʊɪ'bɪʃən] *n* prohibición

prohibitive [prəʊ'hɪbɪdʒɪv] *adj* prohibitivo,-a

project ['prɒdʒɛkt] **I** *n* 1 proyecto 2 *US* conjunto de viviendas subvencionadas 3 *Educ* trabajo
II [prə'dʒɛkt] *vtr* 1 pronosticar 2 *(una luz, imagen)* proyectar

projectile [prə'dʒɛktaɪl] *n frml* proyectil

projection [prə'dʒɛkʃən] *n* 1 pronóstico 2 *Cine* proyección

projector [prə'dʒɛktər] *n Cine* proyector

proletariat [prəʊlɪ'tɛrɪət] *n Pol* proletariado

prologue ['prəʊlɒg] *n* prólogo

prolong [prəʊ'lɒŋ] *vtr* extender, prolongar

promenade [prɒmə'nɑːd] *n frml* paseo marítimo

prominence ['prɒmɪnəns] *n* prominencia

prominent ['prɒmɪnənt] *adj* prominente

promiscuous [prə'mɪskjuəs] *adj* promiscuo,-a

promise ['prɒmɪs] **I** *n* promesa
II *vtr & vi* prometer

promising ['prɒmɪsɪŋ] *adj* prometedor,-ora

promote [prə'məʊt] *vtr* 1 ascender 2 *(la amistad, el arte, comercio)* fomentar 3 *(un producto)* promocionar 4 *(un concierto, etc)* organizar

promoter [prə'məʊdər] *n* 1 *Com* promotor,-ora 2 *(de concierto, etc)* organizador,-ora

promotion [prə'məʊʃən] *n* 1 promoción, ascenso 2 *(del arte, comercio)* fomento 3 *(de un producto)* promoción

prompt [prɒmpt] **I** *adj* 1 *(respuesta, etc)* pronto,-a, rápido,-a 2 puntual **III** *adv* en punto**III** *vtr* 1 *(una reacción)* provocar 2 *Teat* apuntar
IV *n* 1 *Teat* apunte 2 *Inform* aviso

prone [prəʊn] *adj* 1 *frml (persona)* boca abajo 2 propenso,-a

pronoun ['prəʊnaʊn] *n Gram* pronombre

pronounce [prə'naʊns] **I** *vtr* pronunciar
II *vi frml* pronunciarse [**on**, sobre]

pronounced [prə'naʊnst] *adj* marcado,-a, pronunciado,-a

pronunciation [prənʌnsi'eɪʃən] *n* pronunciación

proof [pruːf] **I** *n* 1 prueba 2 comprobación 3 graduación alcohólica
II *sufijo* **-proof**, a prueba de; **bullet-proof,** a prueba de balas; **water-proof,** impermeable

propaganda [prɒpə'gændə] *n* propaganda

propel [prə'pɛl] *vtr* propulsar

propeller [prə'pɛlər] *n* hélice

propensity [prə'pɛnsɪdʒi] *n frml* propensión

proper ['prɒpər] *adj* 1 *(antes del sustantivo)* adecuado,-a, correcto,-a 2 verdadero,-a 3 *(persona)* correcto,-a; *frml (comportamiento)* decente 3 *frml (después del nombre)* propiamente dicho

properly ['prɒpərli] *adv* correctamente, adecuadamente

property ['prɒpərdʒi] *n* 1 *(posesión)* propiedad 2 propiedad inmobiliaria

prophecy ['prɑfɪsi] *n* profecía

prophesy ['prɑfɪsaɪ] *vtr* **1** *Rel* profetizar **2** predecir

prophet ['prɑfɪt] *n* profeta

proportion [prə'pɔrʃən] *n* proporción

proportional [prə'pɔrʃənəl] *adj* proporcional

proportionate [prə'pɔrʃənɪt] *adj* proporcional

proposal [prə'pouzəl] *n* **1** propuesta **2** proyecto, plan

propose [prə'pouz] **I** *vtr* **1** proponer, sugerir **2** *frml* tener la intención
II *vi* (pedir en matrimonio) declararse

proposition [prɑpə'zɪʃən] **I** *n* propuesta

II *vtr* hacer proposiciones deshonestas a

proprietor [prə'praɪədər] *n* propietario,-a

propriety [prə'praɪədi] *n* decoro

propulsion [prə'pʌlʃən] *n* propulsión

prosaic [prou'zeɪɪk] *adj* prosaico,-a

prose [prouz] *n* *Lit* prosa

prosecute ['prɑsɪkjuːt] *vtr & vi* procesar

prosecution [prɑsɪ'kjuːʃən] *n* **1** *Jur* (caso) proceso, juicio **2** *Jur* (abogado) acusación

prosecutor ['prɑsɪkjuːdər] *n* acusador,-ora; **public prosecutor**, fiscal

prospect ['prɑspɛkt] **I** *n* **1** posibilidad **2** perspectiva **3** (de empresa, persona, trabajo) **prospects** *pl*, futuro, perspectivas

II [prə'spɛkt] *vtr* explorar

III *vi* (clientes, oro, petróleo) buscar

prospectus [prə'spɛktəs] *n* prospecto

prosper ['prɑspər] *vi* prosperar

prosperity [prɑ'spɛrɪdi] *n* prosperidad

prosperous ['prɑspərəs] *adj* próspero,-a

prostitute ['prɑstɪtuːt] *n* prostituta

prostitution [prɑstɪ'tuːʃən] *n* prostitución

prostrate ['prɑstreɪt] *adj* *frml* **1** postrado,-a **2** abatido,-a

protagonist [prou'tægənɪst] *n* protagonista, héroe

protect [prə'tɛkt] *vtr* proteger **protection** [prə'tɛkʃən] *n* protección

protective [prə'tɛkdɪv] *adj* protector,-ora

protégé ['prɑdʒeɪ] *n* protegido,-a

protein ['proutiːn] *n* proteína

protest ['proutɛst] **I** *n* protesta [against, contra]

II [prə'tɛst] *vtr* **1** (la inocencia) afirmar, declarar **2** protestar contra

III *vi* protestar

Protestant ['prɑdɪstənt] *adj & n* protestante

protester [prou'tɛstər] *n* manifestante

protocol ['proudəkəl] *n* protocolo

prototype ['proudoutaɪp] *n* prototipo

protrude [prou'truːd] *vi* sobresalir

protuberance [prou'tuːbərəns] *n* *frml* protuberancia

proud [praud] *adj* **1** orgulloso,-a **2**

prove [pruːv] **I** *vtr* **1** (afirmación) probar; (la inocencia, valentía) demostrar **2** *Mat* comprobar

II *vi* resultar: **it proved to be a mistake**, resultó ser un error

proverb ['prɑvɜrb] *n* refrán, proverbio

provide [prə'vaɪd] *vtr* proporcionar, proveer (de)

■ **provide against** *vtr* prevenirse contra

■ **provide for** *vtr* mantener

provided [prə'vaɪdɪd] *conj* **provided (that),** siempre que

providing [prə'vaɪdɪŋ] *conj* → **provided**

province ['prɑvɪns] *n* **1** *Geog Pol* provincia **2** (de estudio, investigación, etc) esfera, área

provincial [prə'vɪnʃəl] **I** *adj* provincial; *pey* provinciano,-a

II *n pey* (persona) provinciano,-a

provision [prə'vɪʒən] *n* **1** provisión **2** **provisions** *pl*, víveres

provisional [prə'vɪʒənəl] *adj* provisional

provocation [prɑvə'keɪʃən] *n* provocación

provocative [prə'vɑkədɪv] *adj* **1** provocador,-ora **2** provocativo,-a

provoke [prə'vouk] *vtr* provocar

prow [prou] *n* *Náut* proa

prowl [praul] *vtr & vi* **to prowl about** o **around,** rondar, merodear

prowler ['praulər] *n* merodeador,-ora

proximity [prɑk'sɪmɪdi] *n* proximidad

proxy ['prɑksi] *n* **1** *Jur* poder; **to vote by proxy,** votar por poderes **2** (persona) apoderado,-a

prudent ['pruːdənt] *adj* prudente

prudish ['pruːdɪʃ] *adj* remilgado,-a

prune [pruːn] **I** *n* *Culin* ciruela pasa

II *vtr* **1** (plantas) podar **2** (gastos) reducir

pry [praɪ] *vi* fisgonear, husmear

psalm [sɑːm] *n* salmo

pseudonym ['suːdənɪm] *n* seudónimo

psyche ['saɪki] *n* psique

psychiatric [saɪki'ætrɪk] *adj* psiquiátrico,-a

psychiatrist [saɪ'kaɪətrɪst] *n* psiquiatra

psychiatry [saɪ'kaɪətri] *n* psiquiatría

psychic ['saɪkɪk] **I** *adj* psíquico,-a

II *n* médium

psychoanalysis [saɪkouə'nælɪsɪs] *n* psicoanálisis

psychoanalyst [saɪkou'ænəlɪst] *n* psicoanalista

psychological [saɪkə'lɑdʒɪkəl] *adj* psicológico,-a

psychologist [saɪ'kɑlədʒɪst] *n* psicólogo,-a

psychology [saɪ'kɑlədʒi] *n* psicología

puberty ['pjuːbərdi] *n* pubertad

pubic ['pjuːbɪk] *adj* púbico,-a

public ['pʌblɪk] **I** *adj* público,-a

II *n* público

public-address system [pʌblɪkə'drɛsɪstəm] *n* megafonía

publication [pʌblɪ'keɪʃən] *n* publicación

public employee *n* funcionario,-a

public funds *n* erario público

publicity [pʌ'blɪsɪdi] *n* publicidad

publicize ['pʌblɪsaɪz] *vtr* 1 hacer público,-a
2 promocionar
public school *n* colegio privado, *US* escuela
pública
publish ['pʌblɪʃ] *vtr* publicar, editar
publisher ['pʌblɪʃər] *n* 1 *(persona)* editor,-
ora 2 *(empresa)* (casa) editorial
publishing ['pʌblɪʃɪŋ] *n* 1 el mundo o la
industria editorial 2 **publishing company/
house**, (casa) editorial
puck [pʌk] *n Dep* disco (de hockey sobre
hielo)
Puerto Rican [pwerdə'riːkən] *n & adj*
puertorriqueño,-a
Puerto Rico [pwerdou'riːkou] *n* Puerto
Rico
pudding ['pʊdɪŋ] *n* pudín
puddle ['pʌdəl] *n* charco
puff [pʌf] I 1 *(de aire, viento)* soplo; *(de la
boca)* bocanada 2 *(de humo)* nube 3 *(sonido)*
resoplido
II *vi* soplar
III *vtr* 1 soplar 2 *(un cigarrillo, una pipa)*
fumar
puffy ['pʌfi] *adj* (**puffier, puffiest**)
hinchado,-a
pull [pʊl] I *n* 1 tirón 2 atracción, fuerza 3
fam influencia 4 *(de una pipa, un cigarrillo)*
chupada, calada; *(de una bebida)* trago 5 *(de
un cajón)* tirador
II *vtr* 1 mover, acercar 2 *(las cortinas)* correr
3 *(el gatillo)* apretar 4 tirar de; *fig* **to pull sb's
leg,** tomarle el pelo a alguien 5 sacar
■ **pull apart** *vtr* 1 desmontar 2 separar
■ **pull away** I *vi* 1 soltarse 2 *Auto* arrancar;
(tren) salir
II *vtr* arrancar
■ **pull down** *vtr* 1 *(un edificio)* derribar 2 *(un
pantalón, una persiana)* bajar
■ **pull off** I *vtr* 1 *(la ropa)* quitarse; *(una tapa)*
quitar
II *vi Auto* arrancar
■ **pull on** I *vtr (la ropa)* ponerse
II *vi* tirar de
■ **pull out** *vtr* sacar; *(un diente)* sacar, extraer
■ **pull over** I *vtr* 1 tirar (para abajo) 2 *Auto
(la Policía, etc)* hacer parar
II *vi Auto* hacerse a un lado
pulley ['pʊli] *n* polea
pullover ['pʊlouvər] *n* jersey
pulp [pʌlp] *n* 1 *Bot* pulpa 2 *(de madera,
papel)* pasta
pulpit ['pʊlpɪt] *n* púlpito
pulsate [pʌl'seɪt] *vi* latir, palpitar
pulse [pʌls] *n Anat* pulso
pumice (stone) ['pʌmɪs(stoʊn)] *n* piedra
pómez
pump [pʌmp] I *n* 1 *Mec* bomba 2 zapatilla
II *vtr* bombear
pumpkin ['pʌmpkɪn] *n Bot* calabaza
pun [pʌn] *n* juego de palabras

punch [pʌntʃ] I *n* 1 *(para billetes)*
taladradora, *(para cuero)* punzón, *(para
papel)* perforadora; *(herramienta)* botador 2
puñetazo, golpe 3 empuje, fuerza 4 *(bebida)*
ponche
II *vtr* 1 *(un billete)* picar; *(un cuero)* punzar; *(un
papel)* perforar 2 pegar, dar un puñetazo a
punctual ['pʌŋktʃʊəl] *adj* puntual
punctuate ['pʌŋktʃʊeɪt] *vtr* puntuar
punctuation [pʌŋktʃʊ'eɪʃən] *n Gram*
puntuación
puncture ['pʌŋktʃər] I *n* pinchazo
II *vtr* 1 perforar 2 *Auto* pinchar
pungent ['pʌndʒənt] *adj* 1 *(olor)* acre 2
(sabor) picante
punish ['pʌnɪʃ] *vtr* castigar [**for,** por]
punishment ['pʌnɪʃmənt] *n* castigo
punitive ['pjuːnɪtɪv] *adj* punitivo,-a
punk [pʌŋk] *n fam* punk
puny ['pjuːni] *adj* (**punier, puniest**)
enclenque, endeble
pup [pʌp] *n* cachorro,-a
pupil ['pjuːpəl] *n* 1 *Anat* pupila 2 *Educ*
alumno,-a
puppet ['pʌpɪt] *n* títere; **hand puppet,**
marioneta
puppy ['pʌpi] *n* cachorro,-a, perrito,-a
purchase ['pɜːrtʃɪs] I *n frml* compra
II *vtr frml* comprar
purchaser ['pɜːrtʃɪsər] *n frml* comprador,-
ora
pure [pjʊr] *adj* puro,-a
purée ['pjʊreɪ] *n* puré
purely ['pjʊrli] *adv* simplemente
purge [pɜːrdʒ] I *n* purga
II *vtr* purgar
purify ['pjʊrɪfaɪ] *vtr* purificar
purple ['pɜːrpəl] *adj* 1 *(color)* morado,-a 2
(estilo) grandilocuente
purpose ['pɜːrpəs] *n* propósito, intención;
on purpose, a propósito
purposeful ['pɜːrpəsfəl] *adj* decidido,-a,
resuelto,-a
purr [pɜːr] I *n* ronroneo
II *vi* ronronear
purse [pɜːrs] *n (de mujer)* bolso
pursue [pər'suː] *vtr* 1 seguir; *(a un criminal)*
perseguir
pursuit [pər'suːt] *n* 1 *(de un criminal)*
persecución 2 *(de la felicidad)* busca,
búsqueda 3 pasatiempo
pus [pʌs] *n Anat* pus
push [pʊʃ] I *n* 1 empujón o presión
II *vtr* 1 empujar 2 *(un botón, una tecla)*
apretar, pulsar; *(un pedal)* pisar 3 *(a una
persona)* presionar 4 *(un producto, etc)*
promocionar 5 *(la droga)* traficar con, pasar
III *vi* 1 empujar 2 presionar
■ **push aside** *vtr* 1 *(un objeto)* apartar 2 *fig*
hacer caso omiso de
■ **push back** *vtr* hacer retroceder

■ **push in** *vi* colarse

■ **push on** *vi fam* seguir adelante

pusher ['puʃər] *n argot (traficante de droga)* camello

push-up [puʃʌp] *n US Dep* flexión

pushy ['puʃi] *adj (pushier, pushiest) fam* agresivo,-a

puss [pus], **pussy** ['pusi] *n fam* gatito,-a

put [put] *vtr* 1 poner 2 meter; *fig* **to put one's foot in it** *o* **in one's mouth**, meter la pata 3 invertir 4 traducir 5 expresar: **as Shakespeare put it**, como dijo Shakespeare 6 escribir: **put your name here**, escribe tu nombre aquí

■ **put across** *vtr (una idea)* comunicar

■ **put aside** *vtr* dejar a un lado

■ **put away** *vtr* 1 recoger 2 *(dinero)* ahorrar 3 *(a un criminal)* encerrar

■ **put back** *vtr* 1 volver a poner 2 *(un reloj)* retrasar

■ **put down** *vtr* 1 dejar 2 *(una rebelión)* sofocar 3 *(a una persona)* rebajar, menospreciar 4 *(anotar)* apuntar

■ **put forward** *vtr* 1 *(a un candidato)* nombrar 2 *(una teoría)* exponer 3 *(una idea)* proponer

■ **put in** *vtr* 1 *(en una caja, etc)* introducir 2 *(en un texto, etc)* insertar 3 *(para un puesto)* presentarse

■ **put off** *vtr* 1 *(la luz)* apagar 2 aplazar

■ **put on** *vtr* 1 *(ropa)* ponerse 2 to put on weight, engordar 3 *Teat* presentar; *Mús (un concierto)* dar 4 *(el gas)* abrir; *(la luz)* encender; *(la radio)* poner 5 **to put on the brakes,** frenar

■ **put out** *vtr* 1 poner fuera, sacar; *(la colada)* tender 2 *(noticias)* publicar 3 *(el fuego, la luz)* apagar 4 molestar 5 ofender

II *vi Náut* hacerse a la mar

■ **put over** *vtr* comunicar

■ **put together** *vtr* 1 *(personas)* reunir 2 *(una máquina, un mueble, etc)* montar, armar 3 *(una colección)* juntar, reunir

■ **put up** *vtr* 1 *(una mano)* alojar, hospedar 2 *(una mano)* levantar; *(un paraguas)* abrir 3 *(un candidato)* nombrar; *(un plan)* presentar 4 *(resistencia)* ofrecer II *vi* hospedarse

■ **put up with** *vtr* aguantar, soportar

putrid ['pju:trɪd] *adj frml* putrefacto,-a

putty ['pʌti] *n* masilla

puzzle ['pʌzəl] I *n* 1 rompecabezas; **crossword puzzle,** crucigrama; **jigsaw puzzle,** puzzle 2 misterio II *vtr* dejar perplejo,-a

puzzling ['pʌzlɪŋ] *adj* extraño,-a, misterioso,-a

pygmy ['pɪgmi] I *n* pigmeo,-a II *adj* enano-a

pyramid ['pɪrəmɪd] *n* pirámide

pyre ['paɪr] *n* pira

python ['paɪθən] *n Zool* pitón

Q

Q, q [kju:] *n (letra)* Q, q

Q-tip ®['kju:tɪp] *n (de* **earswab***)* palillo con las puntas algodonadas que se usa par limpiar los oídos

quack [kwæk] I *n* 1 *(de pato)* graznido 2 *fam (médico)* curandero,-a

II *vi* graznar

quad [kwɒd] *n (corto de* **quadrangle***)* plaza, cuadrángulo con edificios alrededor (oficinas, escuelas)

quadruplet [kwɒ'dru:plɪt] *n* cuatrillizo,-a

quagmire ['kwæɡmaɪər] *n* cenegal

quail [kweɪl] *n Orn* codorniz

quaint [kweɪnt] *adj* 1 *(sitio, etc)* pintoresco,-a 2 *(idea)* curioso,-a

quake [kweɪk] I *vi* temblar

II *n fam* temblor de tierra

qualification [kwɒlɪfɪ'keɪʃən] *n* 1 *(para un puesto)* requisito 2 *(de una persona)* capacidad 3 reserva, salvedad

qualified ['kwɒlɪfaɪd] *adj* 1 capacitado,-a, cualificado,-a 2 titulado,-a

qualify ['kwɒlɪfaɪ] I *vtr* 1 *(habilidad)* capacitar 2 *(derecho)* dar derecho 3 *(comentario)* matizar, modificar

II *vi* 1 *(profesión)* obtener el título 2 *(puesto, derecho)* cumplir los requisitos **[for,** para] 3 *Dep* clasificarse

qualifying ['kwɒlɪfaɪɪŋ] *adj (examen, prueba)* eliminatorio,-a

quality ['kwɒlɪdi] I *n* 1 *(nivel)* calidad 2 cualidad, característica

II *adj* de (buena) calidad

qualm [kwɑm] *n* escrúpulo, reparo

quantify ['kwɒntɪfaɪ] *vtr* cuantificar

quantity ['kwɒntɪdi] *n* cantidad

quantum leap ['kwɒntʌmlip] *n* mejoramiento o avance muy importante

quarantine ['kwɒrəntiːn] *n* cuarentena

quarrel ['kwɒrəl] I *n* disputa, riña

II *vi* 1 *(personas)* pelearse, reñir 2 *(una idea, etc)* discrepar

quarrelsome ['kwɒrəlsəm] *adj* pendenciero,-a

quarry ['kwɒri] I *n* 1 *(caza)* presa 2 *Min* cantera

II *vtr Min* extraer

quart [kwɔrt] *n (medida)* cuarto de galón *(aprox* 0.94 litros, *aprox* 1.14 litros)

quarter ['kwɔrdər] I *n* 1 cuarta parte, cuarto 2 *(hora)* cuarto 3 trimestre 4 *US* moneda de 25 centavos 5 barrio; **the French quarter,** el barrio francés 6 **quarters** *pl,* alojamiento; *Mil* casa cuartel

II *adj* cuarto; **a quarter hour,** un cuarto de hora

quarterfinal ['kwɔrdərfaɪnəl] *n Dep* cuarto de final

quarterly ['kwɔrdərli] *adj* trimestral

III *adv* trimestralmente

quartet [kwɔːrˈtet] *n* cuarteto

quartz [kwɔːrts] *n* cuarzo

queasy [ˈkwiːzi] *adj (queasier, queasiest)* mareado,-a

queen [kwiːn] *n Pol Zool Ajedrez* reina

queer [kwiər] *adj* **1** *argot ofens* maricón **2** *(cosa)* extraño,-a, raro,-a

quench [kwentʃ] *vtr* **1** *(un fuego)* apagar **2** *(la sed)* saciar

query [ˈkwiri] *n* **1** pregunta **2** duda
II *vtr* cuestionar

question [ˈkwestʃən] **I** *n* **1** pregunta; **to ask a question,** hacer una pregunta **2** asunto, cuestión **3** duda: **it's open to question,** es discutible
II *vtr* **1** interrogar **2** cuestionar, poner en duda

questionable [ˈkwestʃənəbəl] *adj* **1** dudoso,-a **2** discutible

questionnaire [kwestʃəˈner] *n* cuestionario

quick [kwɪk] **I** *adj* **1** rápido,-a: **be quick!,** ¡date prisa! **2** listo,-a, agudo,-a
II *adv fam* rápido

quicken [ˈkwɪkən] **I** *vtr* acelerar
II *vi* acelerarse

quickly [ˈkwɪkli] *adv* rápidamente

quicksand [ˈkwɪksænd] *n* arenas movedizas

quick-witted [kwɪkˈwɪtɪd] *adj* agudo,-a, ingenioso,-a

quiet [ˈkwaɪət] **I** *adj* **1** silencioso,-a **2** *(voz)* suave **3** *(vida, sitio)* tranquilo,-a **4** *(persona)* callado,-a **II** *n* **1** silencio

■ **quiet down** *vtr, vtr* callarse o callar a alguien

quieten [ˈkwaɪətən] **I** *vtr* **1** *(protestas)* acallar **2** *(a una persona)* tranquilizar
II *vi* **1** callarse **2** tranquilizarse

quietly [ˈkwaɪətˈli] *adv* **1** *(hablar)* en voz baja **2** *(moverse)* silenciosamente, sin hacer ruido

quilt [kwɪlt] **I** *n* colcha, edredón
II *vtr* acolchar

quinine [ˈkwaɪnaɪn] *n* quinina

quintet [kwɪnˈtet] *n* quinteto

quirk [kwərk] *n* **1** *(persona)* rareza **2** *(del destino)* arbitrariedad, capricho

quit [kwɪt] **I** *vtr (ps & pp quitted, esp US quit)* **1** dejar, abandonar **2** dejar de
II *vi* irse, marcharse: **I quit!,** ¡me voy!
III *adj* **let's call it quits,** hagamos las paces o pelillos a la mar

quite [kwaɪt] *adv* **1** bastante; **quite well,** bastante bien **2** totalmente

quiver [ˈkwɪvər] **I** *vi* temblar
II *n* temblor

quiz [kwɪz] **I** *n Rad TV* **quiz show,** concurso de televisión
II *vtr* hacer preguntas a

quota [ˈkwoʊdə] *n* cuota

quotation [kwoʊˈteɪʃən] *n Lit* cita

quotation marks *n Tip* comillas

quote [kwoʊt] **I** *vtr* **1** citar **2** *Fin* cotizar
II *n* **1** *Lit* cita **2** *Com* presupuesto **3** **quotes** *pl,* comillas

quotient [ˈkwoʊʃənt] *n* cociente

R

R, r [ɑːr] *n (letra)* R, r

R&B [ˈɑːrənbiː] *n (abr de rhythm and blues)* tipo de música popular que resulta de la combinación de jazz y blues

R&R [ɑːrənˈɑːr] *n (abr de rest and relaxation)* descanso, vacaciones otorgadas en el servicio militar

rabbi [ˈræbaɪ] *n* rabí, rabino

rabbit [ˈræbɪt] *n Zool* conejo,-a

rabid [ˈræbɪd] *adj* rabioso,-a

rabies [ˈreɪbiːz] *n* rabia

race [reɪs] **I** *n* **1** *Biol* raza **2** *Dep* carrera
II *vtr* **1** competir con **2** *(caballo, coche)* hacer correr
III *vi* correr deprisa

racetrack [ˈreɪstræk] *n* **1** *(para atletismo)* pista **2** *(para caballos)* hipódromo **3** *(para coches, motos)* circuito

racial [ˈreɪʃəl] *adj* racial

racing [ˈreɪsɪŋ] **I** *n* carreras
II *adj* de carreras

racism [ˈreɪsɪzəm] *n* racismo

racist [ˈreɪsɪst] *adj & n* racista

rack [ræk] *n* estante; *Trans* **luggage rack,** portaequipajes; *Auto* **roof rack,** baca

racket [ˈrækɪt] *n* **1** *Dep* raqueta **2** ruido, jaleo

racquet [ˈrækɪt] *n* → **racket**

racy [ˈreɪsi] *adj (racier, raciest) (cuento, chiste, etc)* picante

radar [ˈreɪdər] *n* radar

radiant [ˈreɪdiənt] *adj* radiante

radiate [ˈreɪdieɪt] *vtr Fís* irradiar

radiation [reɪdiˈeɪʃən] *n* radiación

radiator [ˈreɪdieɪdər] *n* radiador

radical [ˈrædɪkəl] *adj & n* radical

radio [ˈreɪdioʊ] *n* radio

radioactivity [reɪdioʊækˈtɪvɪdʒi] *n* radiactividad

radiography [reɪdiˈɑgrəfi] *n* radiografía

radiology [reɪdiˈɑlədʒi] *n* radiología

radiotherapy [reɪdioʊˈθerəpi] *n* radioterapia

radish [ˈrædɪʃ] *n Bot* rábano

radius [ˈreɪdiəs] *n (pl radii [ˈreɪdiaɪ])* radio

raffle [ˈræfəl] **I** *n* rifa
II *vtr* rifar

raft [rɑːft] *n Náut* balsa

rafter [ˈræftər] *n* viga

rag [ræg] *n* **1** trapo **2 rags** *pl,* harapos, andrajos

rag-and-bone man [rægənˈboʊnmæn] *n* trapero

ragbag ['rægbæg] *n* mezcolanza, cajón de sastre

rage [reɪdʒ] *n* rabia, cólera: **in a rage**, furioso,-a

ragged ['rægɪd] *adj (ropa)* andrajoso,-a

ragtag ['rægtæg] *n* 1 grupo de objetos o muchedumbre heterogénea 2 *adj* sucio y mal vestido con ropas rotas

raid [reɪd] **I** *n* 1 *Mil* asalto, incursión 2 robo, atraco 3 *(de la policía)* redada
II *vtr* 1 *Mil* asaltar 2 atracar, asaltar 3 *(la policía)* hacer una redada en

raider ['reɪdər] *n* invasor,-ora

rail [reɪl] **I** *n* 1 **(hand) rail**, barandilla, pasamanos 2 barra, riel 3 *Ferroc* raíl; **by rail**, *(envío)* por ferrocarril; *(viaje)* en tren
II *adj* ferroviario,-a

railing ['reɪlɪŋ] *n (usu pl)* verja, enrejado

railroad ['reɪlroʊd] *n* ferrocarril

railway ['reɪlweɪ] **I** *n* vía férrea
II *adj* ferroviario,-a, de ferrocarril

rain [reɪn] **I** *n* lluvia **II** *vi* 1 llover

rainbow ['reɪnboʊ] *n* arco iris

raincoat ['reɪnkoʊt] *n* impermeable, gabardina

raindrop ['reɪndrɒp] *n* gota de lluvia

rainforest ['reɪnfɒrɪst] *n* selva tropical

rainy ['reɪni] *adj (rainier, rainiest)* lluvioso,-a

raise [reɪz] **I** *n esp* aumento (de sueldo)
II *vtr* 1 levantar; *(una bandera)* izar 2 *frml (un edificio, una estatua, un monumento)* erigir 3 *(el precio, alquiler)* aumentar, subir 4 *(la calidad)* mejorar 5 *(fondos)* reunir, recaudar; *(un préstamo)* obtener 6 *(niños, ganado)* criar; *(plantas)* cultivar 7 *(un asunto, cuestión)* plantear 8 *(dudas, risas)* provocar

raisin ['reɪzən] *n* pasa

rake [reɪk] **I** *n (herramienta)* rastrillo
II *vtr (hojas)* rastrillar
■ **rake together** *vtr (personas, dinero)* lograr reunir

rally ['ræli] **I** *n* 1 *Pol* reunión, mitin 2 *Auto* rally 3 *Tenis* peloteo
II *vi (grupo)* reunirse

ram [ræm] **I** *n* *Zool* carnero
II *vtr* 1 chocar con 2 *(un palo)* clavar (con fuerza)

RAM [ræm] *Inform (abr de random access memory)* memoria de acceso directo, memoria RAM

ramble ['ræmbəl] *vi* divagar

ramp [ræmp] *n* 1 rampa 2 *(en carretera)* desnivel

rampage [ræm'peɪdʒ] *n* **to go on the rampage**, alborotarse

rampant ['ræmpənt] *adj* 1 *(crecimiento)* desenfrenado,-a 2 *(crimen, enfermedad)* proliferar

ramrod ['ræmrɒd] *adj* muy rígido, muy severo, **ramrod stiff/straight** estar parado o sentado en forma erecta y sin moverse

ran [ræn] *ps* → **run**

ranch [rɑːntʃ] *n* rancho, hacienda

rancher ['rɑːntʃər] *n* ranchero,-a

rancid ['rænsɪd] *adj* rancio,-a

random ['rændəm] **I** *n* **at random,** al azar
II *adj* aleatorio,-a, al azar

rang [ræŋ] *ps* → **ring**

range [reɪndʒ] **I** *n* 1 *(de productos)* gama, línea; *(selección)* surtido; *(de precios)* escala 2 *(de montañas)* sierra, cadena; *(de árboles)* hilera 3 *Agr* pradera 4 *Av Náut* autonomía 5 *Mil Rad* alcance
II *vi (precios, tamaño, etc)* oscilar, variar 2 extenderse

ranger ['reɪndʒər] *n* 1 guardabosques 2 policía montado

rank [ræŋk] **I** *n* 1 categoría; *Mil* grado, rango 2 fila, hilera, línea 3 **ranks** *pl*, la gente común; *Mil* los soldados rasos
II *vtr (esp pasivo)* clasificar, ordenar
III *vi* 1 *(nivel)* estar, figurar 2 **to rank with**, estar al mismo nivel que

rank and file ['ræŋkənfaɪl] *n* la tropa, los soldados rasos, el personal ordinario de una organización

ranking ['ræŋkɪŋ] *n* rango, posición o clasificación que se ocupa en un orden de valores crecientes

ransack ['rænsæk] *vtr* 1 registrar 2 saquear

ransom ['rænsəm] *n* rescate

rap [ræp] *n* 1 golpe seco 2 *Mús* rap
II *vtr* golpear **III** *vi* golpear

rape [reɪp] **I** *n fur* violación
II *vtr fur* violar

rapid ['ræpɪd] **I** *adj* rápido,-a
II *npl* **rapids**, rápidos

rapidity [rə'pɪdɪdi] *n* rapidez

rapist ['reɪpɪst] *n* violador,-ora

rapport [rə'pɔːr] *n* compenetración

rapture ['ræptʃər] *n* éxtasis

rapturous ['ræptʃərəs] *adj* muy entusiasta

rare [rer] *adj* 1 raro,-a, poco frecuente 2 *Culin (carne)* poco hecho,-a

rarely ['rerli] *adv* raras veces

rarity ['rerɪdi] *n* rareza

rascal ['ræːskəl] *n* granuja, pillo,-a

rash [ræʃ] **I** *n* 1 *Med* erupción, sarpullido 2 *fig (de crímenes, quejas)* brote, serie
II *adj* precipitado,-a

raspberry ['ræːzberi] *n Bot* frambuesa

rasping ['ræːspɪŋ] *adj (voz, etc)* áspero,-a

rat [ræt] *n* rata

rate [reɪt] **I** *n* 1 índice, tasa, tipo: **exchange rate,** tipo de cambio 2 velocidad, ritmo; **at any rate,** por lo menos o en todo caso 3 **first rate,** de primera categoría 4 precio, tarifa
II *vtr* 1 considerar, estimar 2 merecer

rather ['ræːðər] *adv* 1 más bien, bastante 2 mejor dicho 3 **rather than,** más que 4 *(preferencia)* **I would rather go by train,** prefiero ir en tren

ratify ['rædɪˌfaɪ] *vtr* ratificar
rating ['reɪtɪŋ] *n* **1** clasificación; *TV* **(program) rating** *(usu pl)*, índice de audiencia **2** valoración, tasación
ratio ['reɪʃɪou] *n* razón, proporción
ration ['ræʃən] **I** *n* **1** ración, parte **2 rations** *pl*, víveres
II *vtr* racionar
rational ['ræʃənəl] *adj* racional
rationalize ['ræʃənəlaɪz] *vtr* racionalizar
rattle ['rædl] **I** *n* **1** *(juguete)* sonajero; *(de serpiente)* cascabel **2** ruido; *(de tren, carro)* traqueteo; *(de cadena, monedas, llaves)* repiqueteo
III *vi* *(tren)* traquetear; *(metal)* repiquetear; *(ventana)* vibrar
rattlesnake ['rædlsneɪk] *n Zool* serpiente de cascabel
ravage ['rævɪdʒ] **I** *n frml (de la guerra, tiempo)* **ravages** *pl*, estragos
II *vtr* devastar
rave [reɪv] *vi* **1** delirar **2** despotricar **3** *fam* entusiasmarse
raven ['reɪvən] *n Orn* cuervo
ravenous ['rævənəs] *adj* hambriento,-a
ravine [rə'viːn] *n* barranco
raving ['reɪvɪŋ] *adj* & *adv fam* total; **raving mad**, loco,-a de atar
raw [rɔː] **I** *adj* **1** crudo,-a **2** *(herida)* abierto,-a; *(trato)* injusto,-a
ray [reɪ] *n* **1** *(de luz, esperanza)* rayo **2** *Zool* raya
rayon ['reɪɑn] *n* rayón
raze [reɪz] *vtr* arrasar
razor ['reɪzər] *n* **1** maquinilla de afeitar; **cut-throat razor**, navaja; **razor blade**, hoja de afeitar
Rd *(abr de Road)* calle, c/
re [riː] **I** *prep* respecto a, con referencia a
II *n Mús* re
reach [riːtʃ] **I** *vtr* **1** *(una posición, un sitio, acuerdo, etc)* llegar a, alcanzar **2** *(a una persona)* localizar
II *vi* **1** *(persona, escalera, cuerda, etc)* llegar a **2** extenderse **3** alargar la mano
III *n* **1** alcance **2** *(de río)* tramo
react [rɪ'ækt] *vi* reaccionar
reaction [rɪ'ækʃən] *n* reacción
reactor [rɪ'æktər] *n* reactor
read [riːd] **I** *vtr* *(ps & pp* **read** [red]*)* **1** leer; *(letra, código)* descifrar **2** *(indicador)* mostrar, marcar; *(letrero)* decir
II *vi* leer
■ **read out** *vtr* leer en voz alta
■ **read over/through** *vtr* repasar
■ **read up** *vtr* estudiar
readable ['riːdəbəl] *adj* legible
reader ['riːdər] *n* **1** lector,-ora **2** libro de lectura
readership ['riːdərʃɪp] *n Prensa (personas)* lectores; *(cantidad)* tirada

readily ['redɪli] *adv* **1** fácilmente **2** de buena gana
readiness ['redɪnɪs] *n* **1** preparación **2** buena disposición
reading ['riːdɪŋ] *n* **1** lectura **2** interpretación **3** *(de indicador)* indicación
readjust [riːə'dʒʌst] **I** *vtr* reajustar
II *vi* readaptarse
readout ['riːdaʊt] *n* información producida por un instrumento (termómetro digital, electrocardiograma, sismógrafo)
ready ['redɪ] *adj* **1** listo,-a, preparado,-a: **are you ready?**, ¿estás listo? **2 to be ready to**, estar a punto de **3** a mano **4** dispuesto,-a
ready cash *n* dinero en efectivo
ready-cooked [redɪ'kʊkt] *adj* precocinado,-a
ready-made [redɪ'meɪd] *adj* **1** confeccionado,-a **2** *(comida)* preparado,-a
real [rɪəl] *adj* **1** real **2** *(motivo)* verdadero,-a **3** *(cuero, oro)* auténtico,-a
real estate ['rɪlesteɪt] *n Com* bienes inmuebles
real estate agent ['rɪlesteɪteɪdʒənt] *n* agente o vendedor de bienes raíces, de inmuebles
realism ['rɪəlɪzəm] *n* realismo
realistic ['rɪəlɪstɪk] *adj* realista
reality [rɪ'ælɪtɪ] *n* realidad
realization [rɪəlaɪ'zeɪʃən] *n* **1** comprensión **2** *(de un plan)* realización
realize ['rɪəlaɪz] *vtr* **1** darse cuenta de **2** *(un plan)* realizar
really ['rɪːlɪ] *adv* **1** verdaderamente, realmente **2** en realidad
real-time ['rɪəltaɪm] *adj Inform* a tiempo real, sin demora
reap [riːp] *vtr Agr* cosechar
reappear [riːə'pɪər] *vi* reaparecer
reappraisal [riːə'preɪzəl] *n* revaluación
rear [rɪər] **I** *n* **1** parte de atrás *(de procesión)* retaguardia
II *adj (asiento, rueda)* de atrás, trasero,-a
III *vtr (animales)* criar
rearguard ['rɪərgɑrd] *n* retaguardia
rearmament [riː'ɑrməmənt] *n* rearme
rearrange [riːə'reɪndʒ] *vtr* **1** *(muebles)* cambiar de lugar **2** *(cita)* cambiar la hora/fecha de
rear-view ['rɪərvjuː] *adj Auto* **rear-view mirror**, *(espejo)* retrovisor
rearward ['rɪərwərd] *adj* postrero, en retaguardia
reason ['riːzən] **I** *n* razón
II *vi* razonar
reasonable ['riːznəbəl] *adj* **1** *(argumento, precio)* razonable **2** *(probabilidad)* bastante bueno,-a
reasonably ['riːznəbli] *adv* **1** *(actuar, hablar, etc)* razonablemente **2** bastante
reasoning ['riːznɪŋ] *n* razonamiento

reassurance [riːəˈʃərəns] n consuelo
reassure [riːəˈʃər] vtr 1 tranquilizar 2 asegurar
rebate [ˈriːbeɪt] n reembolso, devolución; **tax rebate,** devolución fiscal
rebel [ˈrebəl] I adj & n rebelde
II [rəˈbel] vi rebelarse, sublevarse
rebellion [rɪˈbeljən] n rebelión
rebellious [rɪˈbeljəs] adj rebelde
rebound [ˈriːbaʊnd] I n rebote
II [rɪˈbaʊnd] vi rebotar
rebuff [rɪˈbʌf] I n desaire
II vtr desairar
rebuild [riːˈbɪld] vtr reconstruir
rebuke [rɪˈbjuːk] I n reproche
II vtr reprochar
recall [rɪˈkɔːl] I vtr 1 (soldados, embajador) retirar 2 recordar
II vi recordar
III n (de un embajador, productos) retirada
recap [ˈriːkæp] I n recapitulación, resumen
II vi & vtr resumir
recapture [riːˈkæptʃər] vtr 1 (a un preso) detener (de nuevo) 2 (el pasado) revivir, recuperar
recede [rɪˈsiːd] vi 1 (peligro, etc) alejarse 2 (memoria) desvanecerse 3 **his hair is receding,** tiene entradas
receipt [rɪˈsiːt] n 1 Com (documento) recibo 2 **receipts** pl, ingresos
receive [rɪˈsiːv] vtr 1 recibir 2 TV Rad captar
receiver [rɪˈsiːvər] n 1 (de una carta) destinatario,-a 2 Tel auricular 3 TV Rad receptor
recent [ˈriːsənt] adj reciente
recently [ˈriːsəntli] adv 1 hace poco 2 últimamente
reception [rɪˈsepʃən] n 1 recepción 2 (manera de recibir) acogida, recibimiento
receptionist [rɪˈsepʃənɪst] n recepcionista
receptive [rɪˈseptɪv] n receptivo,-a
recess [ˈriːses, riˈses] n 1 Arquit hueco 2 Educ recreo
recession [rɪˈseʃən] n recesión
recharge [riːˈtʃɑːdʒ] vtr recargar
rechargeable [riːˈtʃɑːdʒəbəl] adj recargable
recipe [ˈresɪpɪ] n receta
recipient [rɪˈsɪpɪənt] n 1 (contenedor) recipiente 2 receptor,-ora; (de una carta) destinatario,-a
reciprocal [rɪˈsɪprəkəl] adj recíproco,-a
reciprocate [rɪˈsɪprəkeɪt] vi 1 frml corresponder 2 Téc oscilar
recital [rɪˈsaɪdəl] n recital
recite [rɪˈsaɪt] vtr & vi recitar
reckless [ˈreklɪs] adj imprudente
reckon [ˈrekən] vtr 1 calcular, contar 2 (usu pasivo) considerar 3 fam creer
■ **reckon on** vtr contar con

reclaim [rɪˈkleɪm] vtr 1 Av (equipaje) recoger 2 (objetos perdidos) recuperar 3 (gastos) reclamar
recline [rɪˈklaɪn] vi recostarse, reclinarse
recognition [rekəgˈnɪʃən] n reconocimiento
recognizable [rekəgˈnaɪzəbəl] adj reconocible
recognize [ˈrekəgnaɪz] vtr reconocer
recoil [ˈriːkɔɪl] vi retroceder
recollect [rekəˈlekt] vtr recordar
recollection [rekəˈlekʃən] n recuerdo
recommend [rekəˈmend] vtr recomendar
recommendation [rekəmenˈdeɪʃən] n recomendación
recompense [ˈrekəmpens] I n recompensa [**for,** por]
II vtr recompensar
reconcile [ˈrekənsaɪl] vtr 1 (a personas) reconciliar 2 (opiniones) conciliar 3 **to reconcile oneself to,** resignarse a
reconnaissance [rɪˈkɒnɪsəns] n Mil reconocimiento
reconsider [riːkənˈsɪdər] vtr reconsiderar
reconstruct [riːkənˈstrʌkt] vtr reconstruir
reconstruction [riːkənˈstrʌkʃən] n reconstrucción
record [ˈrekɔːd] I n 1 (de gastos, etc) relación; (oficial) documento, archivo; Jur acta: **off the record,** confidencialmente 2 (académico, médico) historial; **police record,** antecedentes penales 3 Dep récord, plusmarca 4 disco
II [rɪˈkɔːd] vtr 1 apuntar, tomar nota de 2 (un sonido) grabar 3 (instrumento) medir, registrar
recorded [rɪˈkɔːdɪd] adj 1 (sonido) grabado 2 (correo) certificado,-a
recorder [rɪˈkɔːdər] 1 Mús flauta dulce 2 (persona) registrador,-ora 3 **cassette recorder,** grabadora
recording [rɪˈkɔːdɪŋ] n 1 grabación 2 (de hechos) registro
recount [rɪˈkaʊnt] vtr frml contar
recourse [rɪˈkɔːs] n recurso
recover [rɪˈkʌvər] I vtr 1 recuperar 2 recobrar
II vi reponerse
recovery [rɪˈkʌvəri] n recuperación
recreation [rekriˈeɪʃən] n 1 diversión, pasatiempo 2 Educ recreo
recrimination [rɪkrɪmɪˈneɪʃən] n reproche, recriminación
recruit [rɪˈkruːt] I n Mil recluta
II vtr 3 Mil reclutar 4 (empleados) contratar
recruitment [rɪˈkruːtˈmənt] n 1 Mil reclutamiento 2 (de empleados) contratación
rectangle [ˈrektæŋgəl] n rectángulo
rectangular [rekˈtæŋgjələr] adj rectangular
rectify [ˈrektɪfaɪ] vtr rectificar
rector [ˈrektər] n Univ rector, -ora

recuperate [rɪ'ku:pəreɪt] *vi* reponerse
recur [rɪ'kər] *vi* repetirse
recurrence [rɪ'kərəns] *n* repetición, reaparición
recurrent [rɪ'kərənt] *adj* constante; *Med* recurrente
recycle [ri:'saɪkəl] *vtr* reciclar
recycling [ri:'saɪklɪŋ] *n* reciclaje
red [red] **I** *adj (redder, reddest)* rojo,-a, colorado,-a; *(cara)* encarnado,-a; *(ojo)* enrojecido,-a; *(vino)* tinto **II** *n* rojo
redblooded ['redblʌdɪd] *adj* valiente, enérgico
red carpet ['redkɑ:rpɪt] *n* trato especial que se da a personas importantes
redcurrant ['redkərənt] *n Bot* grosella roja
redden ['redn] **I** *vi* enrojecerse, ponerse colorado,-a
II *vtr* teñir de rojo
reddish ['redɪʃ] *adj* rojizo,-a
redeem [rɪ'di:m] *vtr* **1** *(un defecto)* compensar **2** *(reputación)* rescatar **3** *(cosas empeñadas)* desempeñar **5** *Rel* redimir
redemption [rɪ'dempʃən] *n fml* redención
redeye ['redaɪ] *n* vuelo nocturno
red-handed [red'hændɪd] *adj* **to catch sb red-handed,** coger a alguien con las manos en la masa
redhead ['redhed] *n* pelirrojo,-a
red herring [red'herɪŋ] *n fam* indicio falso, despiste
red-hot [red'hɑt] *adj* **1** candente, al rojo vivo **2** de última hora
redirect [ri:dɪ'rekt] *vtr* **1** *(una carta)* remitir (a otra dirección) **2** *(el tráfico)* desviar
red light *n* semáforo en rojo
red light district *n fam* barrio chino
redo [ri:'du:] *(ps redid, pp redone) vtr* rehacer
redouble [ri:'dʌbəl] *vtr* redoblar, intensificar
redress [rɪ'dres] *fml* **I** *n* reparación
II *vtr* reparar
reduce [rɪ'du:s] *vtr* reducir
reduction [rɪ'dʌkʃən] *n* **1** reducción **2** *Com* descuento, rebaja
redundancy [rɪ'dʌndənsi] *n* despido
redundant [rɪ'dʌndənt] *adj* **1** superfluo,-a **2** *Lab* **to make sb redundant,** despedir a alguien
reed [ri:d] *n Bot* caña, junco
reef [ri:f] *n* arrecife
reek [ri:k] **I** *n* tufo
II *vi* apestar
reel [ri:l] *n* **1** bobina, carrete **2** *Mús* danza tradicional escocesa
re-elect [ri:ɪ'lekt] *vtr* reelegir
re-enter [ri:'entər] *vtr & vi* volver a entrar (en)
ref [ref] *n* **1** *Dep fam (abr de referee)* árbitro **2** *Com (abr de reference)* referencia, ref.

refectory [rɪ'fektəri] *n* refectorio
refer [rɪ'fər] *vtr Educ frml* suspender
■ **refer to** *vtr* **1** hacer referencia a, aludir a **2** referirse a **3** *(un diccionario, etc)* consultar **4** *Med fur* mandar a, enviar a **5** remitir a
referee [refə'ri:] **I** *n* **1** *Dep* árbitro,-a **2** persona que da una referencia personal
II *vtr Dep* arbitrar
reference ['refərəns] *n* **1** referencia **2** consulta
reference book *n* libro de consulta
referendum [refə'rendəm] *n* referéndum
refill ['ri:fɪl] **I** *n* recambio; *(para mechero)* recarga
II [ri:'fɪl] *vtr* rellenar
refine [rɪ'faɪn] *vtr* refinar
refinement [rɪ'faɪnmənt] *n* refinamiento
refinery [rɪ'faɪnəri] *n* refinería
reflect [rɪ'flekt] **I** *vtr* reflejar
II *vi* **1** reflexionar, meditar **[on,** sobre**] 2** *(luz, etc)* reflejarse
reflection [rɪ'flekʃən] *n* **1** *Fís* reflejo **2** *(pensamiento)* reflexión
reflex ['ri:fleks] *n* reflejo
reflexive [rɪ'fleksɪv] *adj* reflexivo,-a
reform [rɪ'fɔrm] **I** *n* reforma
II *vtr* reformar
reformation [refər'meɪʃən] *n* reforma
reformatory [rɪ'fɔrmətɔri] *n* reformatorio
reformer [rɪ'fɔrmər] *n* reformador,-ora
refrain [rɪ'freɪn] **I** *n Lit Mús* estribillo
II *vi frml* abstenerse
refresh [rɪ'freʃ] *vtr* refrescar
refresher [rɪ'freʃər] *n* **refresher course,** cursillo de actualización
refreshing [rɪ'freʃɪŋ] *adj (bebida, baño, etc)* refrescante
refreshment [rɪ'freʃmənt] *n* refresco
refrigerator [rɪ'frɪdʒəreɪdər] *n* nevera, frigorífico
refuel [ri:'fju:əl] **I** *vi* repostar combustible
II *vtr* poner combustible a
refuge ['refju:dʒ] *n* refugio
refugee [refjʊ'dʒi:] *n* refugiado,-a
refund ['ri:fʌnd] **I** *n* reembolso
II [rɪ'fʌnd] *vtr* reembolsar, devolver
refusal [rɪ'fju:zəl] *n* **1** *(a hacer algo)* negativa **2** *(de una oferta)* rechazo
refuse[1] [rɪ'fju:z] **I** *vtr* **1** *(oferta)* rechazar **2** **to refuse to,** negarse a
II *vi* negarse
refuse[2] ['refju:s] *n frml* basura
regain [rɪ'geɪn] *vtr* recuperar, recobrar
regal ['ri:gəl] *adj* majestuoso,-a
regard [rɪ'gɑrd] **I** *n* **1** consideración, respeto: **with regard to,** respecto a **2 regards** *pl,* recuerdos
II *vtr* considerar
regarding [rɪ'gɑrdɪŋ] *prep* respecto a
regardless [rɪ'gɑrdləs] **I** *prep* **regardless of,** a pesar de

II *adv* a toda costa

regime [reˈʒiːm] *n* régimen

regiment [ˈredʒɪmənt] *n* regimiento

region [ˈriːdʒən] *n* región

regional [ˈriːdʒənəl] *adj* regional

regionalism [ˈriːdʒənəlɪzəm] *n* regionalismo

register [ˈredʒɪstər] **I** *n* registro
II *vtr* **1** registrar **2** *(un coche)* matricular **3** *(una carta)* certificar **4** *(indicador)* mostrar
III *vi* inscribirse, matricularse **2** *(en un hotel)* registrarse

registered [ˈredʒɪstərd] *adj* certificado,-a

registered nurse (RN) *n* enfermero, -a diplomado, -a

registrar [redʒɪˈstrɑːr] *n* **1** registrador,-ora **2** *Univ* secretario,-a genera

registration [redʒɪˈstreɪʃən] *n* inscripción; *Univ* matrícula

registry [ˈredʒɪstrɪ] *n* registro

regret [rɪˈgret] **I** *n* remordimiento
II *vtr* **1** arrepentirse de **2** *frml* lamentar

regretful [rɪˈgretfəl] *adj* arrepentido,-a

regrettable [rɪˈgredəbəl] *adj* lamentable

regroup [riːˈgruːp] **I** *vtr* reagrupar
II *vi* reagruparse

regular [ˈregjələr] **I** *adj* **1** regular **2** *(cliente, lector)* habitual, asiduo,-a **3** *(empleado)* permanente **4** *(acontecimiento)* frecuente **5** *(tamaño, modelo, etc)* normal
II *n* *Com* cliente habitual

regularity [regjəˈlerɪdɪ] *n* regularidad

regularly [ˈregjələrlɪ] *adv* con regularidad

regulate [ˈregjəleɪt] *vtr* regular

regulation [regjəˈleɪʃən] **I** *n* regulación
II *adj* reglamentario,-a

rehabilitate [rihəˈbɪlɪteɪt] *vtr* rehabilitar

rehabilitation [rihəbɪlɪˈteɪʃən] *n* rehabilitación

rehearsal [rɪˈhɜːsəl] *n* ensayo

rehearse [rɪˈhɜːs] *vtr & vi* ensayar

reign [reɪn] **I** *n* reinado
II *vi* reinar

reimburse [riːɪmˈbɜːrs] *vtr* reembolsar

rein [reɪn] *n* rienda

reindeer [ˈreɪndɪər] *n* *Zool* reno

reinforce [riːɪnˈfɔːrs] *vtr* reforzar

reinforcement [riːɪnˈfɔːrsmənt] *n* **1** refuerzo **2** *(de una creencia)* afirmación, consolidación **3** *Mil* **reinforcements** *pl*, refuerzos

reinstate [riːɪnˈsteɪt] *vtr* **1** *(empleado)* readmitir **2** *(servicio)* restablecer

reiterate [riːˈɪdəreɪt] *vtr & vi* reiterar

reject [ˈriːdʒekt] **I** *n* *Com* **rejects** *pl*, artículos defectuosos
II [rɪˈdʒekt] *vtr* rechazar

rejection [rɪˈdʒekʃən] *n* rechazo

rejoice [rɪˈdʒɔɪs] *vi* regocijarse

rejuvenate [rɪˈdʒuːvɪneɪt] *vtr* rejuvenecer

relapse [ˈriːlæps] **I** *n* *Med* recaída
II *vi* *Med* recaer

relate [rɪˈleɪt] *vtr* **1** relacionar **2** *(un cuento)* relatar
II *vi* relacionarse

related [rɪˈleɪtɪd] *adj* **1** *(personas)* to be **related to sb**, ser pariente de alguien **2** *(asuntos)* relacionado,-a

relation [rɪˈleɪʃən] *n* **1** *(persona)* pariente **2** relación: in **relation to**, con relación a

relationship [rɪˈleɪʃənʃɪp] *n* **1** *(familia)* parentesco **2** *(entre personas)* relaciones

relative [ˈrelətɪv] **I** *n* pariente
II *adj* relativo,-a

relatively [ˈrelətɪvlɪ] *adv* relativamente

relax [rɪˈlæks] **I** *vtr* relajar
II *vi* relajarse

relaxation [riːlækˈseɪʃən] *n* **1** relajación **2** distracción, esparcimiento

relaxing [rɪˈlæksɪŋ] *adj* relajante

relay [ˈriːleɪ] **I** *n* *(de personas)* relevo; *Dep* **relay (race)**, carrera de relevos
II [rɪˈleɪ] *vtr* **1** *Rad TV Tel* retransmitir **2** *(un recado)* transmitir, dar

release [rɪˈliːs] **I** *vtr* **1** *(a un preso)* poner en libertad, liberar **2** *(de trabajo, obligaciones)* dispensar **3** *(la mano, el freno, etc)* soltar **4** *(un disco, libro)* sacar, poner en venta; *(una película)* estrenar **5** *(una información)* hacer público,-a
II *n* **1** liberación **2** **press release,** comunicado de prensa **3** *(de disco, libro)* puesta en venta; *(de película)* estreno **4** *(de una noticia)* publicación

relegate [ˈrelɪgeɪt] *vtr* **1** relegar **2** *Ftb* descender

relent [rɪˈlent] *vi* ceder

relentless [rɪˈlentlɪs] *adj* implacable

relevant [ˈreləvənt] *adj* pertinente

reliability [rɪlaɪəˈbɪlɪdɪ] *n* **1** *(de máquina, datos)* fiabilidad **2** *(de persona)* formalidad

reliable [rɪˈlaɪəbəl] *adj* **1** *(máquina)* fiable **2** *(persona)* de fiar

reliance [rɪˈlaɪəns] *n* **1** dependencia **2** confianza

reliant [rɪˈlaɪənt] *adj* **to be reliant on,** depender de

relic [ˈrelɪk] *n* **1** reliquia **2** vestigio

relief [rɪˈliːf] *n* **1** alivio: **what a relief!,** ¡qué alivio! **2** ayuda, socorro **3** *Arte Geog* relieve

religion [rɪˈlɪdʒən] *n* religión

religious [rɪˈlɪdʒəs] *adj* religioso,-a

relinquish [rɪˈlɪŋkwɪʃ] *vtr* *frml* *(una reivindicación, un derecho)* renunciar a

relish [ˈrelɪʃ] **I** *n* **1** deleite, gusto **2** *Culin* condimento
II *vtr* **I don't relish the idea,** no me gusta la idea

relocate [riːloʊˈkeɪt] *vtr* trasladar

reluctance [rɪˈlʌktəns] *n* desgana

reluctant [rɪˈlʌktənt] *adj* reacio,-a

reluctantly [rɪˈlʌktəntlɪ] *adv* de mala gana, a regañadientes

rely [rɪ'laɪ] *vi* 1 contar [**on,** con], confiar [**on,** en] 2 depender [**on,** de]

remain [rɪ'meɪn] **I** *vi* 1 permanecer, continuar 2 quedarse 3 quedar
II *npl* **remains,** restos

remainder [rɪ'meɪndər] *n* resto

remaining [rɪ'meɪnɪŋ] *adj* restante

remand [rɪ'mæːnd] *vtr* detener; **remanded in custody,** en prisión preventiva

remark [rɪ'mɑrk] **I** *n* comentario
II *vtr* comentar
III *vi* comentar

remarkable [rɪ'mɑrkəbəl] *adj* notable, extraordinario,-a

remedial [rɪ'miːdjəl] *adj* 1 *Med* terapéutico,-a 2 *Educ* (*clase*) de refuerzo, de recuperación

remedy ['remɪdʒɪ] **I** *n* remedio[**for,** para]
II *vtr* remediar

remember [rɪ'membər] *vtr* acordarse de, recordar

remind [rɪ'maɪnd] *vtr* recordar

reminder [rə'maɪndər] *n* 1 recuerdo 2 recordatorio, aviso

reminisce [remɪ'nɪs] *vi* rememorar

reminiscent [remɪ'nɪsənt] *adj frml* 1 (*humor*) nostálgico,-a 2 **to be reminiscent of,** recordar, guardar semejanza con

remission [rə'mɪʃən] *n* 1 *Med* remisión 2 *Jur* reducción de pena

remittance [rɪ'mɪtˈns] *n* 1 (*acción*) envío (*suma*) dinero, pago

remnant ['remnənt] *n* 1 resto, vestigio 2 *Tex* retal

remorse [rə'mɔrs] *n* remordimiento

remote [rɪ'moʊt] *adj* 1 remoto,-a 2 (*persona*) reservado,-a, frío,-a

remote-controlled [rɪmoʊtkən'troʊld] *adj* teledirigido,-a

removable [rə'muːvəbəl] *adj* desmontable, que se puede quitar

removal [rə'muːvəl] *n* 1 (*de una mancha, etc*) eliminación 2 *Med* extirpación 3 (*de casa*) mudanza 4 (*de un puesto*) despido

remove [rə'muːv] *vtr* 1 quitar 2 *Med* extirpar, extraer 3 (*de una lista*) tachar 4 (*de un puesto*) despedir

remover [rə'muːvər] *n* **hair remover,** depilatorio; **stain remover,** quitamanchas

remuneration [remjuːnə'reɪʃən] *n frml* remuneración

renaissance [re'nəsɑns] *n* 1 renacimiento 2 **the Renaissance,** el Renacimiento
II *adj* renacentista

render ['rendər] *vtr* 1 hacer, volver 2 *Com* presentar; *frml* dar

rendezvous ['rɑndeɪvuː] **I** *n* 1 encuentro, cita 2 lugar de encuentro
II *vi* encontrarse

renew [rə'nuː] *vtr* 1 (*un documento, pase*) renovar 2 (*unas negociaciones*) reanudar

renewal [rə'nuːəl] *n* 1 (*de documento*) renovación 2 (*de negociaciones*) reanudación

renounce [rə'naʊns] *vtr* renunciar

renovate ['renəveɪt] *vtr* renovar

renown [rə'naʊn] *n* renombre

renowned [rə'naʊnd] *adj* renombrado,-a, célebre

rent [rent] **I** *n* (*de una casa, un coche*) alquiler
II *vtr* (*una casa, un coche*) alquilar
■ **rent out** *vtr* (*el propietario*) alquilar, arrendar

rental ['rentəl] *n* (*casa, coche*) alquiler

reorganize [riːˈɔrgənaɪz] *vtr* reorganizar

repair [rɪ'per] **I** *vtr* arreglar; reparar
II *n* (*de la ropa, etc*) arreglo; reparación

repatriate [riːˈpeɪtrieɪt] *vtr* repatriar

repay [riː'peɪ] *vtr* (*ps & pp* **repaid**) 1 (*un préstamo*) devolver, pagar 2 (*una deuda*) liquidar

repayment [riː'peɪmənt] *n* pago

repeat [rɪ'piːt] **I** *vtr* repetir
II *n* 1 repetición 2 *TV* reposición

repeatedly [rɪ'piːtɪdlɪ] *adv* repetidas veces, repetidamente

repel [rɪ'pel] *vtr* repeler

repellent [rɪ'pelənt] **I** *adj* 1 repelente, repulsivo,-a 2 **water-repellent,** impermeable
II *n* (**insect**) **repellent,** repelente para insectos

repent [rɪ'pent] *vtr & vi* arrepentirse (de)

repentance [rɪ'pentəns] *n* arrepentimiento

repercussion [riːpər'kʌʃən] *n* (*usu pl*) repercusión

repertoire ['repətwɑːr] *n* repertorio

repetition [repɪ'tɪʃən] *n* repetición

repetitive [rɪ'pedɪdɪv] *adj* repetitivo,-a

replace [rɪ'pleɪs] *vtr* 1 volver a colocar o poner; *Tel* (*auricular*) colgar 2 (*a una persona, etc*) sustituir, reemplazar 3 (*una pieza, etc*) cambiar

replacement [rɪ'pleɪsmənt] *n* 1 sustitución 2 pieza de recambio

replay ['riːpleɪ] *n* repetición

replica ['replɪkə] *n* réplica, copia

reply [rɪ'plaɪ] **I** *n* contestación, respuesta
II *vi* contestar, responder

report [rɪ'pɔrt] **I** *n* 1 informe 2 rumor, noticia 3 *TV Prensa* reportaje
II *vtr* 1 (*un accidente*) informar de; (*un crimen*) denunciar 2 (*una persona*) quejarse de 3 contar; *TV Prensa* informar sobre
III *vi* 1 presentar un informe 2 *TV Prensa* informar 3 (*ir en persona*) presentarse 4 *Com* **to report to,** depender de

reported [rɪ'pɔrtɪd] *adj Ling* **reported speech,** estilo indirecto

reportedly [rɪ'pɔrtɪdlɪ] *adv* según se informa

reporter [rɪ'pɔrtər] *n* periodista

represent [reprɪ'zent] *vtr* representar

representation [reprizen'teɪʃən] *n* representación

representative [repri'zenədɪv] **I** *adj* representativo,-a
II *n* **1** representante **2** *US Pol* diputado,-a

repress [rɪ'pres] *vtr* reprimir, contener

repression [rɪ'preʃən] *n* represión

repressive [rɪ'presɪv] *adj* represivo,-a

reprieve [rɪ'priːv] **I** *n* **1** *Jur (temporal)* aplazamiento; *(permanente)* indulto
II *vtr Jur* indultar

reprimand ['reprɪmæːnd] *frml* **I** *n* reprimenda
II *vtr* reprender

reprisal [rɪ'praɪzəl] *n* represalia

reproach [rɪ'prəʊtʃ] **I** *n* reproche
II *vtr* reprochar

reproduce [riːprə'duːs] **I** *vtr* reproducir
II *vi* reproducirse

reproduction [riːprə'dʌkʃən] *n* reproducción

reproductive [riːprə'dʌkdɪv] *adj* reproductor,-ora

reptile ['reptaɪl] *n & adj* reptil

republic [rɪ'pʌblɪk] *n* república

republican [rɪ'pʌblɪkən] *adj & n* republicano,-a

repudiate [rɪ'pjuːdɪeɪt] *vtr frml* **1** negar 2 repudiar

repugnant [rɪ'pʌgnənt] *adj* repugnante

repulse [rɪ'pʌls] *vtr* rechazar

repulsive [rɪ'pʌlsɪv] *adj* repulsivo,-a

reputable ['repjʊdəbəl] *adj* **1** *(empresa, producto)* acreditado,-a **2** *(persona)* de confianza

reputation [repjuːˈteɪʃən] *n* reputación

repute [rɪ'pjuːt] *n frml* reputación

reputed [rɪ'pjuːdɪd] *adj* **1** *frml* acreditado,-a **2** supuesto,-a

reputedly [rɪ'pjuːdɪdlɪ] *adv* según se dice

request [rɪ'kwest] **I** *n* petición, solicitud
II *vtr* pedir, solicitar

requirement [rɪ'kwaɪərmənt] *n* **1** necesidad **2** requisito

requisite ['rekwɪzɪt] *frml* **I** *adj* requerido,-a
II *n* requisito

rescue ['reskjuː] **I** *n* rescate **II** *vtr* rescatar

research [rɪ'sɜːtʃ] **I** *n* investigación
II *vtr & vi* investigar

resemblance [rɪ'zembləns] *n* semejanza

resemble [rɪ'zembəl] *vtr* parecerse a

resent [rɪ'zent] *vtr* ofenderse por

resentful [rɪ'zentfəl] *adj* ofendido,-a

resentment [rɪ'zent'mənt] *n* resentimiento

reservation [rezər'veɪʃən] *n* reserva

reserve [rɪ'zɜːv] **I** *n* reserva
II *vtr* reservar

reserved [rɪ'zɜːvd] *adj* reservado,-a

reservoir ['rezəvwaːr] *n* **1** *Geog* embalse, pantano **2** reserva

reshape [riː'ʃeɪp] *vtr* reorganizar

reshuffle [riː'ʃʌfəl] *n Pol* remodelación

residence ['rezɪdəns] *n* **1** residencia **2** *Univ* (hall of) residence, colegio mayor

resident ['rezɪdənt] *n* **1** residente **2** huésped

residential [rezɪ'denʃəl] *adj* residencial

residue ['rezɪduː] *n* residuo

resign [rɪ'zaɪn] **I** *vi (trabajo)* dimitir, renunciar **2** to resign oneself, resignarse

resignation [rezɪg'neɪʃən] *n* dimisión, renuncia

resilience [rɪ'zɪlɪəns] *n* **1** *(de una persona)* resistencia **2** *(de un material)* elasticidad

resilient [rɪ'zɪlɪənt] *adj* **1** *(persona)* fuerte *(material)* elástico,-a, fuerte

resin ['rezɪn] *n* resina

resist [rɪ'zɪst] *vtr* no ceder a, resistir

resistance [rɪ'zɪstəns] *n* resistencia

resit [riː'sɪt] *vtr (examen)* volver a presentarse a

resolute ['rezəluːt] *adj* resuelto,-a, decidido,-a

resolution [rezə'luːʃən] *n* resolución, determinación

resolve [rɪ'zɒlv] **I** *n frml* resolución
II *vtr* resolver

resort [rɪ'zɔːt] **I** *n* **1** lugar de vacaciones; ski resort, estación de esquí **2** recurso; as the last resort, como último recurso
II *vi* recurrir

resound [rɪ'zaʊnd] *vi* resonar

resource [rɪ'sɔːs] *n* recurso

resourceful [rɪ'sɔːsfəl] *adj* ingenioso,-a

respect [rɪs'pekt] **I** *n* **1** *(a una persona)* respeto; to have respect for, respetar **2** respects *pl*, respetos **3** sentido, respecto; in this respect, en este sentido
II *vtr* respetar

respectable [rɪs'pektəbəl] *adj* **1** respetable **2** decente

respectful [rɪs'pektfəl] *adj* respetuoso,-a

respective [rɪs'pektɪv] *adj* respectivo,-a

respectively [rɪs'pektɪvlɪ] *adv* respectivamente

respond [rɪ'spɒnd] *vi* responder

response [rɪ'spɒns] *n* **1** respuesta **2** reacción

responsibility [rɪspɒnsə'bɪlɪdɪ] *n* responsabilidad; to accept *o* take responsibility for, responsabilizarse de

responsible [rɪ'spɒnsəbəl] *adj* responsable

responsive [rɪ'spɒnsɪv] *adj* **1** *(coche)* sensible **2** *(público)* receptivo,-a

rest [rest] **I** *n* **1** descanso; to have a rest, tomar un descanso **2** reposo; to come to rest, pararse; at rest, inmóvil **3** apoyo **4** *Mús* pausa **5** lo que queda, el resto **6** *(personas)* los/las demás
II *vi* **1** descansar **2** estar apoyado,-a
III *vtr* **1** descansar **2** apoyar

restaurant ['restərɑ:nt] *n* restaurante

restful ['rεsfəl] *adj* relajante

restitution [restɪ'tu:ʃən] *n frml* 1 restitución 2 indemnización

restless ['rεstlɪs] *adj* 1 agitado,-a, inquieto,-a 2 impaciente

restoration [restə'reɪʃən] *n* 1 restauración 2 devolución

restore [rɪ'stɔr] *vtr* 1 restaurar 2 devolver 3 restablecer

restrain [rɪ'streɪn] *vtr* 1 contener 2 *(la cólera)* dominar 3 **to restrain sb from doing sthg**, impedir que alguien haga algo

restrained [rɪ'streɪnd] *adj* 1 *(persona)* moderado,-a 2 *(estilo)* sobrio,-a

restraint [rɪ'streɪnt] *n* 1 moderación 2 limitación, restricción

restrict [rɪ'strɪkt] *vtr* restringir, limitar

restriction [rɪ'strɪkʃən] *n* restricción

restrictive [rɪ'strɪktɪv] *adj* restrictivo,-a

result [rɪ'zʌlt] I *n* resultado; **as a result,** como consecuencia II *vi* resultar

resume [rɪ'zu:m] I *vtr* 1 *(un trabajo, viaje, etc)* reanudar 2 *(el control)* reasumir II *vi* continuar, recomenzar

résumé ['rεzumeɪ] *n* 1 resumen 2 currículum vitae

resumption [rɪ'zʌmpʃən] *n* reanudación

resurgence [rɪ'sɜrdʒəns] *n* resurgimiento

resurrection [rεzə'rεkʃən] *n* resurrección

resuscitate [rɪ'sʌsɪteɪt] *vtr* reanimar

retail ['ri:teɪl] I *n* venta al por menor *o* al detalle
II *vtr* vender al por menor
III *adv* al por menor, al detalle

retailer ['ri:teɪlər] *n* detallista

retail price *n* precio de venta al público

retain [rɪ'teɪn] *vtr* 1 *(agua, autoridad, información)* retener 2 *(calor, sabor)* conservar 3 quedarse con, guardar

retaliate [rɪ'tælieɪt] *vi* 1 *Mil* tomar represalias 2 responder, vengarse

retaliation [rɪtælɪ'eɪʃən] *n* 1 represalias; **in retaliation,** como represalia 2 respuesta

retarded [rɪ'tɑrdɪd] *adj* retrasado,-a

retch [rεtʃ] *vi* tener arcadas

retentive [rɪ'tεntɪv] *adj* retentivo,-a

rethink ['ri:θɪŋk] *vtr* reconsiderar

reticent ['rεtɪsənt] *adj* reticente

retina ['rεtɪnə] *n Anat* retina

retinue ['rεtɪnu:] *n frml & hum* séquito, comitiva

retire [rɪ'taɪər] I *vtr* jubilar
II *vi* 1 jubilarse 2 retirarse

retired [rɪ'taɪərd] *adj* jubilado,-a

retirement [rɪ'taɪərmənt] *n* jubilación

retiring [rɪ'taɪərɪŋ] *adj* retraído,-a **retort** [rɪ'tɔrt] I *n* 1 réplica
II *vi* replicar

retract [rɪ'trækt] *vtr* 1 *(afirmación)* retirar 2 *Zool (las uñas de un gato)* retraer

retreat [rɪ'tri:t] I *n* 1 *Mil* retirada 2 refugio 3 *Rel* retiro
II *vi* retirarse

retrial [ri:'traɪəl] *n Jur* nuevo juicio

retribution [retrɪ'bju:ʃən] *n* justo castigo; **Divine Retribution,** castigo divino

retrieve [rɪ'tri:v] *vtr* recuperar

retrograde ['retrəʊgreɪd] *adj* retrógrado,-a

retrospect ['retrəʊspεkt] *n* **in retrospect,** retrospectivamente

return [rɪ'tɜrn] I *vi* 1 volver, regresar 2 volver a aparecer
II *vtr* 1 devolver 2 *Jur (veredicto)* emitir
III *n* 1 regreso, vuelta 2 *Com* devolución; **by return mail,** a vuelta de correo 3 cambio; **in return,** a cambio 4 *Inform (tecla)* retorno

returnable [rɪ'tɜrnəbəl] *adj (envase)* retornable

return receipt *n (correos)* con acuse de recibo

return ticket *n* billete de ida y vuelta

reunion [ri:'ju:njən] *n* reencuentro

reunite [ri:ju:'naɪt] *vtr* reunir; **to be reunited with,** reunirse con

Rev *(abr de Reverend)* Reverendo

revalue [ri:'vælju:] *vtr* revalorizar

reveal [rɪ'vi:l] *vtr* 1 *(secretos, etc)* revelar 2 mostrar, dejar ver

revealing [rɪ'vi:lɪŋ] *adj* 1 *(palabras)* revelador,-ora 2 *(ropa)* atrevido,-a

revel ['rεvəl] *vi* 1 deleitarse 2 **to revel in doing sthg,** deleitarse haciendo algo

revenge [rɪ'vεndʒ] *n* venganza

revenue ['rεvɪnu:] *n* renta, ingresos

reverberate [rɪ'vɜrbəreɪt] *vi* reverberar resonar

reverberation [rɪvɜrbə'reɪʃən] *n* resonancia

revere [rɪ'vɪər] *vtr* reverenciar

reverence ['rεvərəns] *n* reverencia

reverend ['rεvərənd] *Rel* I *adj (en títulos),* reveren-do,-a
II *n fam* 1 *(protestante)* pastor 2 *(católico),* padre

reversal [rɪ'vɜrsəl] *n* 1 cambio total 2 *Jur (de un veredicto, una ley, etc)* revocación

reverse [rɪ'vɜrs] I *n* 1 *Auto* **reverse (gear),** marcha atrás 2 reverso; *(de página, paquete,* dorso; *(de ropa)* revés
II *adj* inverso,-a
III *vi Auto* dar marcha atrás
IV *vtr* 1 *Auto* conducir marcha atrás 2 *(posición)* invertir 3 *(decisión, veredicto,* revocar

revert [rɪ'vɜrt] *vi* 1 volver 2 *(propiedad,* revertir

review [rɪ'vju:] I *n* 1 revisión, estudio 2 *(libro, película, etc)* crítica, reseña
II *vtr* 1 examinar 2 *(libro, película, etc)* hace una crítica de 3 *Mil* pasar revista a

reviewer [rɪ'vju:ər] *n* crítico,-a

revise [rɪ'vaɪz] *vtr* 1 revisar 2 modificar

revision [rɪ'vɪʒən] *n* 1 revisión 2 modificación

revitalize [ri:'vaɪdəlaɪz] *vtr* reanimar; *(economía)* reactivar

revival [rɪ'vaɪvəl] *n* 1 *(de una cultura, religión)* renacimiento 2 *(de la economía)* reactivación 3 *(de una ideología, moda)* resurgimiento 4 *(de una ley, tradición)* restablecimiento 5 *Med* reanimación, resucitación 6 *Teat* reestreno

revive [rɪ'vaɪv] I *vtr* 1 *(una cultura, ideología, religión)* reavivar 2 *(la economía)* reactivar 3 *(una ley, tradición)* restablecer 4 *Med* reanimar 5 *Teat* reestrenar
II *vi* 1 reactivarse 2 *Med* volver en sí, resucitar

revoke [rɪ'vouk] *vtr* revocar

revolt [rɪ'voult] I *n* revuelta, sublevación
II *vi* rebelarse, sublevarse
III *vtr* repugnar, dar asco a

revolting [rɪ'voultɪŋ] *adj* repugnante, asqueroso,-a

revolution [revə'lu:ʃən] *n* revolución

revolutionary [revə'lu:ʃənɛrɪ] *adj & n* revolucionario,-a

revolve [rɪ'vɒlv] I *vi* girar
II *vtr* girar, hacer girar

revolver [rɪ'vɒlvər] *n* revólver

revolving [rɪ'vɒlvɪŋ] *adj* giratorio,-a

revue [rɪ'vju:] *n Teat* revista

revulsion [rɪ'vʌlʃən] *n* repulsión

reward [rɪ'wɔrd] I *n* recompensa
II *vtr* recompensar, retribuir

rewarding [rɪ'wɔrdɪŋ] *adj* 1 provechoso,-a 2 gratificante

rewire [ri:'waɪər] *vtr Elec* cambiar la instalación eléctrica de

reword [ri:'wɜrd] *vtr* formular con otras palabras

rewrite [ri:'raɪt] *vtr (ps rewrote* [ri:'rout]) *pp rewritten* [ri:'rɪt'n]) reescribir

rhetoric ['redərɪk] *n* retórica

rhetorical [rɪ'tɒrɪkəl] *adj* retórico,-a

rheumatism ['ru:mətɪzəm] *n Med* reuma, reúma

rhinoceros [raɪ'nɒsərəs] *n Zool* rinoceronte

rhyme [raɪm] I *n* 1 *(consonancia)* rima 2 poema II *vi* rimar

rhythm ['rɪðəm] *n* ritmo

RI *(abr de Rhode Island)* abreviatura, estado de Rhode Island

rib [rɪb] *n* costilla

ribbon ['rɪbən] *n* 1 cinta; *(en el pelo)* lazo 2 **ribbons** *pl*, jirones

rice [raɪs] *n* arroz

rich [rɪtʃ] *adj* 1 *(persona)* rico,-a 2 suntuoso,-a 3 *(comida)* hecho,-a con muchos huevos, nata y azúcar

riches ['rɪtʃɪz] *npl* riquezas

richness ['rɪtʃnɪs] *n* riqueza

rickets ['rɪkɪts] *n Med* raquitismo

rickety ['rɪkədɪ] *adj* desvencijado,-a

ricochet ['rɪkəʃeɪ] I *n* rebote
II *vi* rebotar

rid [rɪd] *vtr (ps & pp rid)* librar; **to get rid of,** deshacerse de

ridden ['rɪdn] *pp → ride*

riddle ['rɪdl] *n* 1 adivinanza 2 enigma

ride [raɪd] I *n* 1 *(a caballo)* paseo; **to give sb a ride,** llevar a alguien 2 *(distancia)* viaje, recorrido
II *vi (ps rode; pp ridden)* 1 *(a caballo)* montar 2 *(en bicicleta, en coche, en moto)* ir III *vtr* 1 *(caballo)* montar a 2 *(bicicleta, moto)* montar en 3 *US (autobús, tren)* viajar en

rider ['raɪdər] *n* 1 *(de un caballo) (hombre)* jinete, *(mujer)* amazona 2 *(de una bicicleta)* ciclista; *(de una moto)* motociclista 3 *Com Jur* condición

ridge [rɪdʒ] *n* 1 *(de colinas)* cadena 2 *(de una colina)* cresta

ridicule ['rɪdɪkju:l] I *n* burlas
II *vtr* burlarse de

ridiculous [rɪ'dɪkjələs] *adj* ridículo,-a

riding ['raɪdɪŋ] *n* equitación

rife [raɪf] *adj* abundante

rifle ['raɪfəl] I *n* fusil, rifle
II *vtr* desvalijar, saquear

rift [rɪft] *n* 1 *Geol* falla 2 *Pol* escisión

rig [rɪg] *n* 1 *Ind* (oil) rig, *(en tierra)* torre de perforación; *(en la mar)* plataforma petrolífera 2 *Náut* aparejo

right [raɪt] I *n* 1 *(lado)* derecha; **on the right,** a la derecha 2 *(moral)* bien 3 derecho; **by right(s),** en justicia 4 **rights** *pl,* derechos
II *adj* 1 derecho,-a 2 bueno,-a; justo,-a 3 correcto,-a, exacto,-a; **that's right,** eso es; **to be right,** tener razón 4 en orden; **to put right,** arreglar; *(persona)* bien; *(mente)* cuerdo,-a 5 *(como excl)* **right!,** ¡vale!; **all right!,** ¡de acuerdo!
III *adv* 1 a/hacia la derecha 2 exactamente, justo; **right now,** ahora mismo 3 bien, correctamente
IV *vtr* corregir

right field ['raɪtfi:əld] *n* béisbol jardín derecho

rightful ['raɪtfəl] *adj* legítimo,-a

right-hand ['raɪthænd] *adj* derecho,-a

right-handed [raɪt'hændɪd] *adj* diestro,-a

rightly ['raɪtlɪ] *adv* 1 correctamente 2 justamente

right-wing ['raɪtwɪŋ] *Pol* I *adj* de derechas
II *n* derecha

rigid ['rɪdʒɪd] *adj* rígido,-a

rigidity [rɪ'dʒɪdɪdʒi] *n* rigidez

rigor ['rɪgər] *n* rigor

rigorous ['rɪgərəs] *adj* riguroso,-a

rim [rɪm] *n* 1 borde 2 *(de gafas)* montura

rind [raɪnd] *n* corteza

ring¹ [rɪŋ] I *n* 1 anillo, sortija 2 aro 3 *(en torno a los ojos)* ojeras 4 *(de personas)* círculo;

(de criminales) banda **5** *Culin* hornillo **6** *Boxeo* cuadrilátero

II *vtr (ps* **pp ringed)** **1** cercar **2** marcar con un círculo

ring² [rɪŋ] **I** *n* **1** *(de campana)* tañido, repique **2** *(de timbre)* sonido, timbrazo

II *vi* **1** *(campana)* repicar; *(timbre, teléfono)* sonar **2** *resonar; (los oídos)* zumbar **3** llamar, telefonear

■ **ring out** *vi* resonar

■ **ring up** *vtr & vi* registrar; *(en una máquina registradora)* marcar

ring binder *n* carpeta de anillas

ringleader ['rɪŋliːdər] *n* cabecilla

ringlet ['rɪŋlɪt] *n* tirabuzón

rink [rɪŋk] *n* pista

rinse [rɪns] **I** *n* **1** aclarado, enjuague **2** *(para el pelo)* tinte **II** *vtr* aclarar, enjuagar

riot ['raɪət] **I** *n* *(en la calle)* disturbio; *(en una cárcel, etc)* motín

II *vi* **1** *(en la calle)* causar disturbios **2** *(en la cárcel, etc)* amotinarse

rioter ['raɪdər] *n* alborotador,-ora

riotous ['raɪədəs] *adj* **1** *(gentío)* desenfrenado,-a **2** *(fiesta)* bullicioso,-a

rip [rɪp] **I** *n* rasgón

II *vtr* rasgar, rajar

III *vi* rasgarse, rajarse

■ **rip off** *vtr* **1** arrancar **2** *fam* timar **3** *fam* robar

ripe [raɪp] *adj* maduro,-a

ripen ['raɪpən] *vtr & vi* madurar

rip-off ['rɪpɒf] *n fam* timo

ripple ['rɪpəl] *n* **1** *(en agua)* onda **2** *(de sonido)* murmullo

rise [raɪz] **I** *n* **1** *(de sueldo, valor)* aumento; *(de río)* crecida **2** *(de un país, etc)* surgimiento; *(de una persona)* ascenso **3** *Geog* colina; pendiente **3** *(del sol)* salida; *(de río)* nacimiento

II *vi (ps* **rose;** *pp* **risen** ['rɪzən]) **1** *(precio, temperatura)* aumentar; *(cortina, humo, mar)* subir; *(montaña)* elevarse; *(río)* crecer **2** ascender **3** *(persona)* ponerse en pie; *frml (de la cama)* levantarse **4** *(Sol)* salir; *(río)* nacer **5** *Pol* sublevarse

rising ['raɪzɪŋ] *adj* **1** *(Sol)* naciente; *(marea)* creciente **2** *(precios)* en alza; *(tensión, interés, etc)* creciente

risk [rɪsk] **I** *n* riesgo, peligro; **at risk,** en peligro

II *vtr* **1** arriesgar **2** arriesgarse a

risky ['rɪski] *adj (***riskier, riskiest***)* arriesgado,-a

rite [raɪt] *n* rito

ritual ['rɪtʃuəl] *adj & n* ritual

rival ['raɪvəl] **I** *adj & n* rival

II *vtr* rivalizar con

rivalry ['raɪvəlri] *n* rivalidad

river ['rɪvər] *n* río; **down/up river,** río abajo/arriba

riverbank ['rɪvərbæŋk] *n* orilla, ribera

riverbed ['rɪvərbed] *n* lecho *(del río)*

rivet ['rɪvɪt] **I** *n Téc* remache

II *vtr Téc* remachar

riveting ['rɪvɪdɪŋ] *adj fig* fascinante

road [roʊd] *n* carretera; *(en ciudad)* calle; *(pequeño)* camino

roadblock ['roʊdblɒk] *n* control policial *(de carretera)*

roadside ['roʊdsaɪd] *n* borde de la carretera

road sign *n* señal de tráfico

roadway ['roʊdweɪ] *n* calzada

roam [roʊm] **I** *vtr* vagar por, recorrer

II *vi* vagar

roar [rɔːr] **I** *n* **1** *(de león)* rugido; *(de toro, persona)* bramido **2** *(de tráfico, de trueno)* estruendo **II** *vi* rugir

roast [roʊst] **I** *adj Culin* asado

II *n* **1** *(carne, patata)* asado,-a **2** *(café)* torrefacto,-a

III *vtr* asar

IV *vi* asarse

rob [rɒb] *vtr* **1** robar **2** atracar

robber ['rɒbər] *n* ladrón,-ona

robbery ['rɒbəri] *n* robo

robe [roʊb] *n* **1** *(de ceremonia)* toga **2** *(de casa)* bata

robot ['roʊbɒt] *n* robot

robust [roʊ'bʌst] *adj* robusto,-a

rock [rɒk] **I** *n* **1** *(materia)* roca; **on the rocks,** *(barco)* encallado,-a; *(whisky)* con hielo **2** *Mús* rock

II *vtr (una cuna, mecedora, etc)* mecer **2** *(un barco, etc)* balancear

III *vi* **1** mecerse **2** *(barco)* balancearse

rock-bottom [rɒk'bɒdəm] *adj* **1** *(precio)* bajísimo,-a **2** *(ánimos)* por los suelos

rocker ['rɒkər] *n* roquero

rocket ['rɒkɪt] *n* cohete

rocking chair *n* mecedora

rocking horse *n* caballito balancín

rocky ['rɒki] *adj (***rockier, rockiest***)* rocoso,-a

Rocky Mountains *n* **the Rocky Mountains,** las Montañas Rocosas

rod [rɒd] *n* **1** barra, vara **2** **(fishing) rod,** caña *(de pescar)*

rode [roʊd] *ps → ride*

rodent ['roʊdənt] *n* roedor

roe [roʊ] *n* hueva

rogue [roʊg] *n & adj* granuja, pícaro,-a

role [roʊl] *n Teat & fig* papel

roll [roʊl] **I** *n* **1** panecillo; *(relleno)* bocadillo **2** *(de nombres)* lista

II *vtr* **1** hacer rodar **2** empujar, mover **3** *Culin (masa)* estirar **6** *(calle, tierra)* apisonar

III *vi* rodar; *(animal)* revolcarse; *(barco)* balancearse

■ **roll about/around** *vi* rodar (de acá para allá); *fam (de risa)* desternillarse

■ **roll over** *vi* dar una vuelta

roll up vtr 1 (mapa, papel) enrollar; (persiana) subir 2 **to roll up one's sleeves,** (ar) remangarse

roller ['rəʊlər] n 1 (en máquina, para pintar) rodillo 2 (para el pelo) rulo 3 (para muebles, etc) rueda

roller coaster n montaña rusa

roller skate n patín de ruedas

ROM [rɒm] Inform (abr de read-only memory) memoria ROM

Roman ['rəʊmən] adj & n romano,-a

romance [rəʊ'mæns] I n 1 novela romántica 2 idilio 3 lo romántico
II vi frml fantasear

romantic [rəʊ'mæntɪk] adj & n romántico,-a

roof [ruːf] n (pl roofs [ruːfs, ruːvz]) 1 Arquit tejado, techo 2 Auto techo 3 Anat (del paladar) cielo

rook [rʊk] n 1 Orn grajo 2 Ajedrez torre

room [ruːm] n 1 habitación 2 (en hotel) **double room,** habitación doble 3 sitio, espacio

room and board ['ruːmənbɔrd] n alojamiento y comidas

roommate ['ruːmmeɪt] n compañero,-a de habitación

roomy ['ruːmi] adj (roomier, roomiest) (espacio) amplio,-a

rooster ['ruːstər] n gallo

root [ruːt] I n 1 raíz
II adj de raíz
III vi arraigar

rope [rəʊp] I n cuerda; soga
II vtr atar con una cuerda

rosary ['rəʊzəri] n rosario

rose[1] [rəʊz] ps → rise

rose[2] [rəʊz] n rosa

rosé ['rəʊzeɪ] adj (vino) rosado, clarete

rosebud ['rəʊzbʌd] n capullo de rosa

rosemary ['rəʊzməri] n romero

rostrum ['rɒstrəm] n tribuna

rosy ['rəʊzi] adj (rosier, rosiest) 1 (mejilla) sonrosado,-a 2 (perspectiva) prometedor,-ora

rot [rɒt] I n 1 putrefacción II vtr pudrir
■ **rot away** vi pudrirse

rotary ['rəʊdəri] adj rotatorio,-a

rotate [rəʊ'teɪt] I vtr 1 hacer girar 2 (trabajo, cultivos) alternar
II vi 1 girar 2 (cultivo) alternarse

rotating [rəʊ'teɪdɪŋ] adj rotativo,-a

rotation [rəʊ'teɪʃən] n rotación

rotten ['rɒtˈn] adj 1 podrido,-a; (diente) cariado,-a 2 (persona) malo,-a

rough [rʌf] I adj 1 áspero,-a 2 (tierra, camino) desigual, en mal estado; (mar) bravo,-a; (tiempo) tormentoso,-a 3 (persona) brusco,-a, tosco,-a 4 (vida) duro,-a 5 (construcción, etc) rudo,-a; (cifra, cálculo) aproximado,-a
I adv fam 1 con violencia 2 (dormir, vivir) a la intemperie

roughly ['rʌfli] adv 1 aproximadamente 2 bruscamente

roulette [ruː'let] n ruleta

round [raʊnd] I adj 1 redondo,-a 2 (viaje) de ida y vuelta
II adv 1 alrededor; **to go round,** dar vueltas; **all year round,** todo el año 2 (tb round about) aproximadamente, alrededor de
III prep 1 alrededor de, en torno a 2 (cerca) **round here,** por aquí
IV n 1 secuencia, serie; **a round of talks,** una serie de conferencias 2 Dep Boxeo asalto; (de torneo) vuelta 3 (cartero, etc) ronda
V vtr 1 (una esquina, etc) doblar 2 (un número) redondear

roundabout ['raʊndəbaʊt] adj indirecto,-a

roundup ['raʊndʌp] n 1 (de criminales) redada 2 TV Radio, etc resumen

rouse [raʊz] vtr despertar, provocar

route [ruːt] n 1 ruta, itinerario 2 US Route, carretera nacional 3 (de autobús) línea

routine [ruː'tiːn] I n 1 rutina 2 Teat número
II adj rutinario,-a

row[1] [rəʊ] I n 1 fila, hilera 2 sucesión
II vtr & vi remar

row[2] [rəʊ] I n 1 follón, escándalo 2 bronca, pelea
II vi pelearse

rowboat ['rəʊbəʊt] n US bote de remos

rowdy ['raʊdi] adj (rowdier, rowdiest) ruidoso,-a, escandaloso,-a

rowing ['rəʊɪŋ] n (actividad deportiva) remo

royal ['rɔɪəl] adj real

royalty ['rɔɪəlti] n 1 realeza 2 (usu pl) derechos de autor

rub [rʌb] I n **to give sth a rub,** frotar algo
II vtr 1 frotar 2 friccionar
III vi rozar
■ **rub down** vtr lijar
■ **rub off** I vtr borrar
■ **rub out** I vtr borrar
II vi borrarse
■ **rub up** vtr pulir

rubber ['rʌbər] n 1 goma 2 US argot condón

rubbery ['rʌbəri] adj 1 elástico,-a 2 (comida) correoso,-a

rubble ['rʌbəl] n escombros

ruby ['ruːbi] n rubí

rucksack ['rʌksæk] n mochila

rudder ['rʌdər] n timón

ruddy ['rʌdi] adj (ruddier, ruddiest) (cara) rubicundo,-a

rude [ruːd] adj grosero,-a

rudimentary [ruːdɪ'mentəri] adj rudimentario,-a

rudiments ['ruːdɪmənts] npl rudimentos

ruffle ['rʌfəl] vtr 1 (el pelo) despeinar 2 fig alterar

rug [rʌg] n alfombra, alfombrilla

rugby ['rʌgbi] n Dep rugby

rugged ['rʌgɪd] *adj* 1 *(terreno)* accidentado,-a 2 *(carácter)* fuerte

ruin ['ruːɪn] I *n* ruina
II *vtr* 1 arruinar o estropear

rule [ruːl] I *n* 1 regla 2 gobierno; *(de un monarca)* reinado
II *vtr* 1 gobernar 2 *Jur* dictaminar
III *vi* gobernar
■ **rule out** *vtr* descartar

ruler ['ruːlər] *n* 1 gobernante, soberano,-a 2 regla, metro

ruling ['ruːlɪŋ] I *adj* 1 *(partido, persona)* gobernante 2 predominante
II *Jur* fallo, decisión

rum [rʌm] *n* ron

rumble ['rʌmbəl] I *n* 1 ruido sordo 2 *(de tripas)* ruido
II *vi* hacer un ruido sordo; *(trueno)* retumbar

ruminate ['ruːmɪneɪt] *vi* rumiar

rummage ['rʌmɪdʒ] *vi* hurgar

rumor ['ruːmər] I *n* rumor
II *vtr* it is rumored that, se dice que

rump [rʌmp] *n Anat (de animal)* ancas, grupa

rumpus ['rʌmpəs] *n fam (ruido)* escándalo, jaleo

run [rʌn] I *vtr* 1 correr 2 *(una carrera)* tomar parte en 3 pasar: **he ran his hands through his hair**, se pasó la mano por el pelo 4 *(en coche)* llevar 5 mover 6 *(bloqueo)* burlar; *US (semáforo rojo)* saltarse 7 *(armas, droga)* pasar 8 *(casa)* llevar; *(empresa)* dirigir; *(servicio)* operar; *(máquina)* operar; *Inform (programa)* ejecutar
II *vi* 1 correr, huir 2 *(un candidato)* presentarse 3 *(un río)* pasar, fluir; *(agua)* correr; *(sangre)* manar 4 *(color)* correr; *(hielo)* derretirse 5 *(rumor)* correr; *(pensamiento)* ir; *(cuento, refrán)* decir 6 *Náut frml* navegar 7 *(autobús, tren)* circular 8 *(máquina)* funcionar 9 *(ser/estar) (calle, etc)* **the streets run parallel**, las calles son paralelas; *(en una familia)* **it runs in the family**, viene de familia 10 *Teat* mantenerse en cartelera; *(un contrato, etc)* durar, ser válido,-a 11 *(hacerse)* **to run low on/to run short of**, andar escaso,-a de; *(pozo, río)* **to run dry**, secarse
III *n* 1 carrera 2 *(en coche, etc)* paseo, vuelta 3 tendencia; **in the long run**, a la larga 4 *Teat* temporada 5 *(de mala suerte)* racha 6 *Com Fin* gran demanda 7 *Prensa, etc* tirada 8 *(de esquí)* pista
■ **run against** *vtr* ser contrario a, competir como oponente o contrario
■ **run away** *vi* fugarse
■ **run away from** *vtr* escaparse, fugarse
■ **run down** *vtr Auto* atropellar
■ **run for** *vtr* hacer campaña, ser candidato
■ **run in** *vi* entrar corriendo

■ **run into** *vtr* 1 *(una persona, un problema)* toparse con 2 *Auto* chocar contra
■ **run off** *vi* escaparse corriendo
■ **run out** *vi* 1 salir corriendo 2 *(existencias)* agotarse 3 *(persona)* quedarse sin 4 *(contrato)* vencer
■ **run over** *vtr Auto* atropellar
■ **run through** *vtr* 1 *(libro)* hojear a 2 *(plan)* repasar

runaway ['rʌnəweɪ] I *n* fugitivo,-a
II *adj* 1 fugitivo,-a 2 *(caballo)* desbocado,-a *(tren, vehículo)* fuera de control 3 *(inflación)* galopante

run-down [rʌn'daun] *adj* 1 *(persona)* agotado,-a 2 *(casa)* destartalado,-a 3 *(empresa)* venido,-a a menos

rung[^1] [rʌŋ] *n* escalón, peldaño

rung[^2] [rʌŋ] *pp* → **ring**

runner ['rʌnər] *n* 1 corredor,-ora 2 alfombrilla 3 **table runner**, tapete

runner bean *n Bot* judía verde

runner-up [rʌnər'ʌp] *n* subcampeón,-ona

running ['rʌnɪŋ] I *adj* 1 para correr **running shoes**, zapatillas para correr 2 **two days running**, dos días seguidos
II *n* 1 correr, footing 2 *(de empresa)* gestión 3 *(de máquina)* funcionamiento

runny ['rʌni] *adj (runnier, runniest) (ojos)* lloroso,-a; *(nariz)* que moquea

run-up ['rʌnʌp] *n* preliminares

runway ['rʌnweɪ] *n Av* pista

rupture ['rʌptʃər] I *n* 1 *Med* hernia 2 ruptura
II *vtr* reventar, romper
III *vtr (vaso sanguíneo, apéndice)* reventar

rural ['ruərəl] *adj* rural

ruse [ruːs] *n* ardid, astucia, truco

rush [rʌʃ] I *n* 1 *Bot* junco 2 prisa: **to be in a rush**, tener prisa 3 *(de agua)* torrente; *(de aire)* ráfaga 4 *Com* demanda II *vtr* 1 *(a una persona)* apresurar, apurar 2 *(una tarea)* hacer a todo correr 3 asaltar
III *vi* precipitarse
■ **rush around** *vi* correr de acá para allá
■ **rush off** *vi* irse corriendo

rush-hour ['rʌʃauər] *n* hora punta

rust [rʌst] I *n* óxido
II *vtr* oxidar
III *vi* oxidarse

rustic ['rʌstɪk] *adj* rústico,-a

rustle ['rʌsəl] I *n (de hojas)* susurro; *(de papel)* crujido
II *vi (hojas)* susurrar; *(papel)* crujir

rustproof ['rʌstpruːf] *adj* inoxidable

rusty ['rʌsti] *adj (rustier, rustiest)* 1 oxidado,-a 2 falto de práctica

rut [rʌt] *n* 1 ranura; *Agr* surco 2 *Zool* celo

ruthless ['ruːθlɪs] *adj* despiadado,-a

rye [raɪ] *n Bot* centeno

[^1]: rung (superscript 2 subscript)

S

S, s [ɛs] *n* 1 (*letra*) S, s 2 (*abr de* **south**) sur
Sabbath ['sæbəθ] *n* (*judío*) sábado; (*cristiano*) domingo
sabbatical [sə'bætɪkəl] *adj* sabático,-a
saber ['seɪbər] *n* sable, espada militar
sable ['seɪbəl] *n* *Zool* 1 marta cebellina
sabotage ['sæbətɑːʒ] I *n* sabotaje
II *vtr* sabotear
saccharin ['sækərɪn] *n* sacarina
sachet ['sæʃeɪ] *n* sobrecito
sack [sæk] I *n* 1 saco 2 *fam* despido
II *vtr fam* despedir
sacrament ['sækrəmənt] *n* sacramento
sacred ['seɪkrɪd] *adj* sagrado,-a
sacrifice ['sækrɪfaɪs] I *n* sacrificio
II *vtr* sacrificar
sacrilege ['sækrɪlɪdʒ] *n* sacrilegio
sad [sæd] *adj* (**sadder, saddest**) (*persona*) triste
sadden ['sædən] *vtr* entristecer
saddle ['sædəl] I *n* (*para un caballo*) silla (de montar); (*de bicicleta, etc*) sillín
II *vtr* (*caballo*) ensillar
saddlebag ['sædəlbæg] *n* alforja
sadist ['seɪdɪst] *n* sádico,-a
sadly ['sædli] *adv* 1 tristemente 2 desgraciadamente, lamentablemente
sadness ['sædnɪs] *n* tristeza
sadomasochism [seɪdoʊ'mæsəkɪzəm] *n* sadomasoquismo
safari [sə'fɑːri] *n* safari
safe [seɪf] *adj* 1 (*fuera de peligro*) a salvo 2 (*sin daños*) ileso,-a 3 (*sin riesgo*) seguro,-a
safe-conduct [seɪf'kʌndʌkt] *n* salvoconducto
safeguard ['seɪfgɑːrd] I *n* salvaguarda, garantía
II *vtr* proteger, salvaguardar
safely ['seɪfli] *adv* (*llegar, viajar*) sin incidentes; (*conducir*) con prudencia
safety ['seɪfti] *n* seguridad
safety catch *n* (*de una pistola, etc*) seguro
saffron ['sæfrən] *n* azafrán
sag [sæg] *vi* 1 (*estante, techo*) combarse 2 (*cama*) hundirse
sage [seɪdʒ] I *adj* sabio,-a
II *n* 1 sabio,-a 2 *Bot* salvia
Sagittarius [sædʒɪ'teriəs] *n Astrol* Sagitario
said [sed] I *pt & pp* → **say**
II *adj* dicho,-a
sail [seɪl] I *n Náut* vela; **to set sail,** hacerse a la mar
II *vtr* pilotar, gobernar
III *vi* 1 (*persona*) navegar 2 (*barco*) (*salir*) zarpar
sailing ['seɪlɪŋ] *n* navegación, vela
sailing ship *n* barco de vela
sailor ['seɪlər] *n* marinero
saint [seɪnt] *n* santo,-a: **All Saints' Day,** Día de Todos los Santos
sake [seɪk] *n* bien; **for the sake of,** por (el bien de)
salad ['sæləd] *n Culin* ensalada
salad dressing *n* aliño
salary ['sæləri] *n* salario, sueldo
sale [seɪl] *n* 1 venta: **for sale,** en venta 2
sales *pl,* ventas 3 *Com* (*usu pl*) liquidación, rebaja
salesclerk ['seɪlzklɑːrk] *n* dependiente,-a
salesman ['seɪlzmən] *n* 1 vendedor, representante 2 (*de tienda*) dependiente
salesperson ['seɪlzpɜːrsən] *n* 1 vendedor,-ora 2 dependiente,-a
saleswoman ['seɪlzwʊmən] *n* 1 vendedora, representante 2 (*de tienda*) dependienta
saliva [sə'laɪvə] *n* saliva
salmon ['sæmən] *n* salmón
salon ['sælən] *n* salón
saloon [sə'luːn] *n* 1 *Auto* turismo 2 *Náut* cámara 3 *US* taberna, bar
salt [sɔlt] *n* 1 *Culin Quím* sal 2 **salts** *pl,* sales; **smelling salts,** sales (para reanimar)
salt shaker ['sɔltʃeɪkər] *n* salero (de mesa)
saltwater ['sɔːltwɔːdər] *adj* de agua salada
salty ['sɔːlti] *adj* (**saltier, saltiest**) salado,-a
salutary ['sæljətəri] *adj* saludable
salute [sə'luːt] I *n* 1 saludo 2 (*de cañonazos*) salva
II *vtr Mil* saludar
III *vi Mil* saludar
Salvador ['sælvədɔːr] *n* El Salvador
Salvadorean, Salvadorian ['sælvə'dɔːriən] *n & adj* salvadoreño,-a
salvage ['sælvɪdʒ] I *n* 1 (*acción*) salvamento, rescate 2 objetos recuperados
II *vtr* rescatar
salvation [sæl'veɪʃən] *n* salvación
Salvation Army *n* Ejército de Salvación
same [seɪm] I *adj* mismo,-a: **the same person,** la misma persona
II *pron* 1 **the same,** el/lo mismo, la misma: **(the) same to you!,** ¡lo mismo digo!, ¡igualmente!
sample ['sæːmpəl] I *n* muestra
II *vtr* 1 (*comida*) probar 2 *Estad* muestrear
sanatorium [sænə'tɔːriəm] *n* sanatorio
sanction ['sæŋkʃən] I *n* 1 *frml* permiso 2 *Jur Pol* sanción
II *vtr frml* sancionar
sanctity ['sæŋktɪdi] *n Rel* santidad
sanctuary ['sæŋkʃʊweri] *n* 1 *Rel* santuario 2 *Pol* asilo 3 (*para la fauna*) reserva
sand [sænd] I *n* arena
II *vtr* **to sand (down),** lijar
sandal ['sændəl] *n* sandalia
sandalwood ['sændəlwʊd] *n* sándalo
sandpaper ['sænpeɪpər] *n* (papel de) lija
sandwich ['sænwɪtʃ] I *n* bocadillo; (*con pan de molde*) sándwich

II *vtr (usu pasivo)* encajonar, apretujar **sandy** ['sændɪ] *adj (sandier, sandiest)* **1** *(tierra)* arenoso,-a **2** *(color)* rojizo,-a; *(pelo)* rubio rojizo

sane [seɪn] *adj (persona)* cuerdo,-a, sensato,-a

sang [sæŋ] *ps →* sing

sanitarium [sænɪ'terɪəm] *n* sanatorio

sanitary ['sænɪteri] *adj* **1** *(sistema, etc)* sanitario,-a **2** *(condiciones, etc)* higiénico,-a

sanitary napkin *n* compresa

sanitation [sænɪ'teɪʃən] *n* **1** sanidad (pública) **2** servicios sanitarios

sanity ['sænɪdʒi] *n* **1** cordura, juicio **2** sensatez

sank [sæŋk] *ps →* sink

sap [sæp] **I** *n* Bot savia

II *vtr (la confianza, fuerza, salud)* minar

sapphire ['sæfaɪər] *n* zafiro

sarcasm ['sɑrkæzəm] *n* sarcasmo

sarcastic [sɑr'kæstɪk] *adj* sarcástico,-a

sardine [sɑr'diːn] *n* sardina

sash [sæʃ] *n* **1** faja **2** *Arquit (de ventana)* marco

sat [sæt] *ps & pp →* sit

Satan ['seɪt'n] *n* Satanás

satanic [sə'tænɪk] *adj* satánico,-a

satchel ['sætʃəl] *n* cartera (de colegial)

satellite ['sædəlaɪt] *n* satélite

satin ['sæt'n] *n Tex* satén, raso

satire ['sætaɪər] *n* sátira

satirical [sə'tɪrɪkəl] *adj* satírico,-a

satisfaction [sædɪs'fækʃən] *n* satisfacción

satisfactory [sædɪs'fæktəri] *adj* satisfactorio,-a

satisfied ['sædɪsfaɪd] *adj* satisfecho,-a

satisfy ['sædɪsfaɪ] *vtr* **1** satisfacer **2** *(una deuda)* pagar

satisfying ['sædɪsfaɪɪŋ] *adj* satisfactorio,-a

saturate ['sætʃəreɪt] *vtr* saturar [with, de]

Saturday ['sædərdeɪ] *n* sábado

Saturn ['sædərn] *n* Saturno

sauce [sɔːs] *n Culin* salsa

saucepan ['sɔːspæn] *n* cacerola

saucer ['sɔːsər] *n* platillo; **flying saucer,** platillo volante, OVNI

sauna ['sɔːnə] *n* sauna

saunter ['sɔːntər] **I** *n* paseo tranquilo

II *vi* pasearse tranquilamente

sausage ['sɔsɪdʒ] *n Culin* **1** salchicha **2** embutido, salchichón; *(picante)* chorizo

savage ['sævɪdʒ] **I** *adj (animal, ataque)* salvaje

II *n* salvaje

III *vtr* **1** atacar, morder **2** *fig* atacar ferozmente

save [seɪv] **I** *vtr* **1** salvar **2** *(dinero, tiempo)* ahorrar **3** *(despilfarro, problemas)* evitar **4** guardar, reservar; *Inform* guardar **5** *Dep (gol)* parar

II *vi* **1** ahorrar **2** *Rel* salvar

III *n Dep* parada

savings ['seɪvɪŋz] **I** *n* **1** ahorro **2** **savings** *pl,* ahorros

savings account *n* cuenta de ahorros

savior ['seɪvjər] *n* salvador,-ora

savor ['seɪvər] **I** *n* sabor, gusto

II *vi* saborear

savory ['seɪvri] *adj* **1** sabroso,-a **2** salado,-a

saw¹ [sɔː] **I** *n* sierra

II *vtr & vi (ps sawed; pp sawed o sawn)* serrar

saw² [sɔː] *ps →* see

sawdust ['sɔːdʌst] *n* serrín

sawmill ['sɔːmɪl] *n* aserradero

saxophone ['sæksəfoʊn] *n* saxofón

say [seɪ] *vtr (ps & pp said)* decir: **that is to say,** es decir; **they say,** dicen que, se dice que

saying ['seɪɪŋ] *n* refrán, dicho

SC *(abr de South Carolina)* abreviatura, estado de South Carolina

scab [skæb] *n* **1** Med costra **2** *fam pey* esquirol

scads ['skædz] *n pl* montones, grandes cantidades

scaffold ['skæfəld] *n* **1** Constr andamio **2** *(de una ejecución)* patíbulo

scald [skɔːld] **I** *n* escaldadura

II *vtr* escaldar

scale [skeɪl] **I** *n* **1** escala **2** *(de un pez)* escama **3** *(en las tuberías)* sarro **4** **scales** *pl,* balanza; *(para personas)* báscula

II *vtr* escalar

scallop ['skæləp] *n (molusco)* vieira

scalp [skælp] *n* cuero cabelludo

scalpel ['skælpəl] *n* bisturí

scamper ['skæmpər] *vi* corretear

scampi ['skæmpi] *npl Culin* langostinos (rebozados); *fam* gambas con gabardina

scan [skæn] **I** *vtr* **1** *(el horizonte)* escudriñar **2** *(un texto)* ojear **3** *(radar)* explorar **4** *Med* hacer un escáner de/una ecografía de **5** *Inform* escanear

II *n Med* escáner, ecografía

scandal ['skændəl] *n* escándalo

scanner ['skænər] *n* escáner

scant [skænt] *adj* escaso,-a

scapegoat ['skeɪpgoʊt] *n* chivo expiatorio

scar [skɑːr] *n* cicatriz

scarce [skers] *adj* escaso,-a

scarcely ['skersli] *adv* apenas

scarcity ['skersɪdʒi] *n* escasez

scare [sker] **I** *n* susto

II *vtr* asustar

III *vi* asustarse

■ **scare away/off** *vtr* ahuyentar

scarecrow ['skerkroʊ] *n* espantapájaros

scarf [skɑrf] *n (pl scarfs o scarves* [skɑrvz]*)* **1** *(de lana)* bufanda **2** *(de seda, etc)* pañuelo

scarlet ['skɑrlɪt] **I** *adj* escarlata

II *n* escarlata

scarves [skɑrvz] *npl →* scarf

scary ['skeri] *adj fam (película, etc)* de miedo

scathing ['skeɪðɪŋ] *adj* mordaz, cáustico,-a

scatter ['skædər] I *vtr* **1** *(semillas)* esparcir, sembrar **2** *(ropa, papeles)* desparramar **3** *(una multitud)* dispersar

II *vi* dispersarse

scavenge ['skævɪndʒ] *vi* hurgar (en la basura)

scavenger ['skævɪndʒər] *n* **1** *(animal)* carroñero,-a **2** persona que hurga en la basura

scenario [sɪ'nɛrɪou] *n* **1** *Cine* guión **2** perspectiva, posibilidad; *fam* escenario

scene [si:n] *n* **1** lugar, escenario **2** panorama **3** *Teat Cine TV* escena

scenery ['si:nəri] *n* **1** paisaje **2** *Teat* decorado

scenic ['si:nɪk] *adj* pintoresco,-a

scent [sɛnt] I *n* **1** olor **2** perfume, fragancia **3** *(caza)* pista

II *vtr* **1** perfumar **2** olfatear **3** *(peligro, etc)* presentir

sceptical ['skɛptɪkəl] *adj* escéptico,-a

scepticism ['skɛptɪsɪzəm] *n* escepticismo

schedule ['skɛdʒuəl] I *n* **1** programa **2** horario: **on schedule,** a la hora prevista **3** *Com Jur frml* lista

II *vtr* programar

scheduled ['skɛdʒuəld] *adj* previsto,-a, programado,-a

scheduled flight *n Av* vuelo regular

scheme [ski:m] I *n* **1** *(de colores)* combinación **2** plan, proyecto **3** estratagema, ardid

II *vi* intrigar, conspirar

schizophrenic [skɪtsə'frɛnɪk] *adj & n* esquizofrénico,-a

scholar ['skɒlər] *n* **1** erudito,-a **2** alumno,-a, estudiante **3** becario,-a

scholarship ['skɒlərʃɪp] *n* **1** erudición **2** beca

school [sku:l] *n* **1** colegio, escuela: **school year,** año académico **2** *(de bellas artes, baile, teatro)* academia; *Mús* conservatorio **3** *Arte* escuela

schoolbook ['sku:lbʊk] *n* libro de texto

schoolboy ['sku:lbɔɪ] *n* alumno

schoolgirl ['sku:lgɜ:l] *n* alumna

school report *n* informe escolar, notas

schoolteacher ['sku:lti:tʃər] *n* **1** *(de instituto)* profesor,-ora **2** *(de escuela primaria)* maestro,-a

science ['saɪəns] *n* **1** ciencia **2 the Sciences** *pl*, las ciencias

scientific [saɪən'tɪfɪk] *adj* científico,-a

scientist ['saɪəntɪst] *n* científico,-a

scissors ['sɪzərz] *npl* tijeras; **a pair of scissors,** unas tijeras

scoff [skɒf] I *vi* burlarse [**at,** de]

II *vtr fam* zamparse

scold [skould] *vtr* regañar

scone [skoun] *n Culin* ≈ bollo

scoop [sku:p] *n* **1** *(para el grano, etc)* pala;

(para el helado) cuchara **2** *(cantidad de helado)* bola **3** *TV Prensa* exclusiva, primicia

■ **scoop out** *vtr* **1** sacar (con pala, cuchara)

■ **scoop up** *vtr* recoger

scooter ['sku:dər] *n* **1** *(juguete de niño)* patinete **2** *(de adulto)* Vespa

scope [skoup] *n* **1** *(de una ley, etc)* alcance; *(de la investigación, etc)* ámbito **2** oportunidades

scorch [skɔrtʃ] *vtr* chamuscar

score [skɔːr] I *n* **1** *(en test, examen)* puntuación **2** *Dep* resultado, tanteo **3** *Mús (copia)* partitura **3** *frml* veintena

II *vtr* **1** *Dep (gol)* marcar; *(puntos)* ganar, anotarse **2** *(en examen, etc: puntos)* sacar **3** *(papel, madera)* rayar

III *vi* **1** *Dep* anotarse un tanto **2** llevar el marcador

scoreboard ['skɔrbɔrd] *n* marcador

scorn [skɔrn] I *n* desdén

II *vtr* desdeñar

scornful ['skɔrnfəl] *adj* desdeñoso,-a

Scorpio ['skɔrpiou] *n Astrol* Escorpión

scorpion ['skɔrpiən] *n Zool* alacrán, escorpión

Scot [skɒt] *n* escocés,-esa

Scotch [skɒtʃ] I *adj* escocés,-esa

II *n* whisky escocés

Scotch tape® *n* cinta adhesiva, celo®

Scotland ['skɒtlənd] *n* Escocia

Scots [skɒts] I *adj* escocés,-esa

II *n* **the Scots,** *pl* los escoceses

Scottish ['skɒtɪʃ] *adj* escocés,-esa

scoundrel ['skaʊndrəl] *n* sinvergüenza, canalla

scour [skaʊər] I *vtr* **1** fregar, restregar **2** *(una zona)* rastrear, peinar; *(un edificio)* registrar

scout [skaʊt] *n* **1** *Mil* explorador,-ora **2 boy scout,** boy scout, explorador; **girl scout,** exploradora

■ **scout around** *vi* buscar

scowl [skaʊl] I *n* ceño

II *vi* fruncir el ceño

scrabble ['skræbəl] *vi* escarbar

scraggy ['skrægi] *adj (scraggier, scraggiest)* escuálido,-a, flacucho,-a

scramble ['skræmbəl] I *vtr* mezclar

II *vi* **1** ir a gateando **2** pelearse

scrambled eggs *npl Culin* huevos revueltos

scrap [skræp] I *n* **1** *fam* pelea **2** chatarra **3** pedacito

II *vtr* **1** *(plan)* abandonar **2** *(idea)* descartar

scrape [skreɪp] I *vtr* **1** *(patatas, zanahorias, madera)* raspar; *(la pintura)* rayar

II *n* **1** *(pintura)* raya **2** *(en la piel)* rasguño

scratch [skrætʃ] I *vtr* **1** *(la pintura, etc)* rayar **2** *(con la uña)* arañar **3** *(tela basta, etc)* rascar **4** *(la piel, una picazón)* rascarse

II *n* **1** *(en la pintura)* raya **2** *(con la uña, etc)* arañazo

◆ |LOC: *fig* **to start from scratch,** partir de cero
scrawl [skrɔːl] I *n* garabatos
II *vtr* garabatear
III *vi* hacer garabatos
scrawny ['skrɔːni] *adj (scrawnier, scrawniest)* esquelético,-a, flaco,-a
scream [skriːm] I *n* chillido, alarido II *vtr (injurias)* gritar
screech [skriːtʃ] I *n* 1 *(de persona, animal)* alarido 2 *(de un coche)* chirrido, (sonido de) frenazo
II *vi* 1 *(persona, animal)* chillar 2 *(coche)* chirriar
screen [skriːn] I *n* 1 *Cine Inform TV* pantalla 2 mampara; *(plegable)* biombo
II *vtr* 1 *(con árboles, etc)* ocultar, tapar 2 *(los ojos)* proteger 3 *Cine TV (película, programa)* echar, proyectar 4 *Med* someter a una revisión 5 *(por razones de seguridad, etc)* investigar los antecedentes de
screw [skruː] I *n* 1 *Téc* tornillo 2 *Av Náut* hélice
II *vtr* 1 atornillar 2 *vulgar* follar
■ **screw down** *vtr* sujetar con tornillos
■ **screw on** *vtr (tapa, tuerca)* enroscar
screwdriver ['skruːdraɪvər] *n* destornillador
scribble ['skrɪbəl] I *n* garabatos
II *vtr* garabatear
III *vi* hacer garabatos
script [skrɪpt] *n* 1 *(alfabeto)* escritura; **Arabic script,** escritura árabe 2 *Cine TV* guión
Scriptures ['skrɪptʃərz] *n* **the Holy Scriptures,** las Sagradas Escrituras
scroll [skrəʊl] I *n* rollo de pergamino
II *vi Inform* **to scroll up/down,** desplazarse hacia arriba/abajo en el texto
scrounge [skraʊndʒ] *fam* I *vtr* gorronear
II *vi* gorronear
scrub [skrʌb] I *n* 1 *Bot* maleza, matorrales 2 fregado
II *vtr* fregar, restregar
scruffy ['skrʌfi] *adj (scruffier, scruffiest)* *fam* desaliñado,-a, zarrapastroso,-a
scruple ['skruːpəl] *n (usu pl)* escrúpulo
scrupulous ['skruːpjʊləs] *adj* escrupuloso,-a
scrutinize ['skruːtɪnaɪz] *vtr* escudriñar, examinar
scrutiny ['skruːtɪni] *n* escrutinio, examen
scuff [skʌf] *vtr (los zapatos)* raspar, *(el suelo)* rayar
scuffle ['skʌfəl] *n* escaramuza
sculptor ['skʌlptər] *n* escultor
sculpture ['skʌlptʃər] *n* escultura
scum [skʌm] *n* capa de suciedad
SD *(abr de South Dakota)* abreviatura, estado de South Dakota
SE *n (abr de south east)* sudeste, SE
sea [siː] *n* mar: **by the sea,** a la orilla del mar
seabed ['siːbed] *n* fondo del mar
seaboard ['siːbɔːd] *n* costa, litoral
seafood ['siːfuːd] *n* marisco

seafront ['siːfrʌnt] *n* paseo marítimo
seagull ['siːgʌl] *n Orn* gaviota
seahorse ['siːhɔːs] *n Zool* caballito de mar
seal [siːl] I *n* 1 *Zool* foca 2 sello 3 cierre hermético; *(de seguridad)* precinto
II *vtr* 1 *(paquete, etc)* cerrar; *(con cinta)* precintar 2 *(tarro, botella)* cerrar herméticamente 3 *(acuerdo, documento)* sellar
■ **seal off** *vtr* 1 *(salida)* cerrar 2 *(zona)* acordonar
sea level *n* nivel del mar
sea lion *n Zool* león marino
seam [siːm] *n* 1 *Cost* costura 2 *Téc* juntura 3 *Geol Min* veta, filón
seaman ['siːmæn] *n* marinero
seamy ['siːmi] *adj (seamier, seamiest)* *fig* sórdido,-a
seaport ['siːpɔːt] *n* puerto marítimo
search [sɜːtʃ] I *n* 1 búsqueda 2 *(de la policía, etc)* registro
II *vtr* 1 *(archivos)* buscar en 2 registrar
III *vi* buscar
searchlight ['sɜːtʃlaɪt] *n* reflector
seashell ['siːʃel] *n* concha marina
seashore ['siːʃɔːr] *n* orilla del mar
seasick ['siːsɪk] *adj* mareado,-a; **to get seasick,** marearse (en el mar)
seaside ['siːsaɪd] *n* playa, costa
season ['siːzən] I *n* 1 época 2 *(del año)* estación 3 *(para una actividad)* temporada 4 *(fruta, etc)* época, temporada
II *vtr Culin* sazonar
seasonal ['siːzənəl] *adj* 1 *(demanda, paro, etc)* estacional 2 *(fruta)* del tiempo 3 *(empleo)* temporal
seasoning ['siːzənɪŋ] *n Culin* condimento, aderezo
seat [siːt] I *n* 1 asiento 2 plaza; *Cine Teat* localidad 3 *(de bicicleta)* sillín; *(de pantalón)* fondillos; *(de silla)* asiento 4 *Pol* escaño
II *vtr (teatro, sala, etc)* tener cabida para 2 sentar
seating ['siːdɪŋ] *n* asientos
seaweed ['siːwiːd] *n Zool* alga marina
secluded [sɪ'kluːdɪd] *adj* 1 *(sitio)* retirado,-a 2 *(vida)* solitario,-a
second ['sekənd] I *adj* segundo,-a, otro: **the second time,** la segunda vez
II *adv* 1 *(con superlativo)* **the second oldest,** el segundo más alto 2 en segundo lugar
III *n* 1 *(en una serie)* segundo,-a 2 *(del mes)* dos 3 *Auto* segunda 4 *(en un duelo)* padrino 5 **seconds** *pl,* artículos defectuosos
IV *vtr (una moción, etc)* secundar
secondary ['sekənderi] *adj* secundario,-a
secondary school *n Educ* instituto de enseñanza secundaria
second-class [sekənt'klæːs] I *adj* de segunda clase
II *adv* 1 **to travel second-class,** viajar en segunda

second-hand ['sɛkənthænd] *adj* & *adv* de segunda mano

secondly ['sɛkənˀli] *adv* en segundo lugar

secrecy ['si:krəsɪ] *n* secreto

secret ['si:krɪt] I *adj* secreto,-a
II *n* secreto

secretarial [sɛkrɪ'terɪəl] *adj* de secretario,-a

secretary ['sɛkrətərɪ] *n* 1 secretario,-a 2 *Pol* ministro,-a

Secretary of State *n* ministro,-a de Asuntos Exteriores

secrete [sɪ'kri:t] *vtr* 1 *Med Biol* secretar 2 *frml* ocultar, esconder

secretive [sɪ'kri:tɪv] *adj* reservado,-a

secretly ['si:krɪˀli] *adv* en secreto

sect [sɛkt] *n* secta

sectarian [sɛk'terɪən] *adj* & *n* sectario,-a

section ['sɛkʃən] *n* 1 *(de una empresa, una orquesta, un periódico, etc)* sección 2 *(de una máquina, etc)* parte 3 *(de una carretera, etc)* tramo

sector ['sɛktər] *n* sector

secular ['sɛkjələr] *adj* 1 *Educ* laico,-a 2 *Arte Mús* profano,-a

secure [sɪ'kjər] I *adj* 1 *(inversión, sitio)* seguro,-a 2 *(puerta)* bien cerrado,-a 3 *(estante, escalera)* bien sujeto,-a; *(creencia)* firme
II *vtr* 1 *frml* obtener 2 *(un estante, etc)* sujetar

security [sɪ'kjərɪdɪ] *n* 1 seguridad 2 *Fin* garantía 3 *Fin* **securities** *pl,* valores

Security Council *n (de las Naciones Unidas)* Consejo de Seguridad

security guard *n* guarda jurado

sedan [sɪ'dæn] *n Auto* turismo

sedate [sɪ'deɪt] I *adj* tranquilo,-a
II *vtr Med* sedar

sedative ['sɛdədɪv] *adj* & *n* sedante

sedentary ['sɛdəntərɪ] *adj* sedentario,-a

sediment ['sɛdɪmənt] *n* 1 *Geol* sedimento 2 *(de vino)* poso

seduce [sɪ'du:s] *vtr* seducir

seduction [sɪ'dʌkʃən] *n* seducción

seductive [sɪ'dʌktɪv] *adj* seductor,-ora

see [si:] I *n Rel* sede; **the Holy See,** la Santa Sede II *vtr (ps saw; pp seen)* 1 ver; **to see the light,** ver la luz 2 imaginar 3 acompañar; **to see sb home,** acompañar a alguien a casa 8 **to see that,** asegurarse de que III *vi* ver

■ **see about** *vtr* encargarse de

■ **see off** *vtr (a la estación, etc)* ir a despedir

■ **see out** *vtr* 1 acompañar hasta la puerta 2 sobrevivir

■ **see to** *vtr* 1 ocuparse de 2 arreglar

seed [si:d] I *n* 1 *Agr Bot* semilla 2 *(de fruta)* pepita
II *vtr (la tierra, etc)* sembrar

seedling ['si:dlɪŋ] *n* planta de semillero

seedy ['si:dɪ] *adj (seedier, seediest)* fam 1 *(persona)* pachucho,-a 2 *(apariencia)* desaseado,-a 3 *(sitio)* cutre, sórdido,-a

seeing eye dog *n* perro guía

seek [si:k] I *vtr (ps & pp sought) frml* 1 buscar 2 *(ayuda, consejo)* pedir

■ **seek after** *vtr* buscar

seem [si:m] *vi* parecer

seemingly ['si:mɪŋlɪ] *adv* aparentemente, al parecer

seen [si:n] *pp* → **see**[1]

seep [si:p] *vi* filtrarse

seesaw ['si:sɔ:] I *n* balancín, subibaja
II *vi* 1 columpiarse 2 *fig* oscilar

seethe [si:ð] *vi* estar furioso,-a

see-through ['si:θru:] *adj* transparente

segment ['sɛgmənt] *n* 1 *Mat* segmento 2 *(de naranja, etc)* gajo

segregate ['sɛgrɪgeɪt] *vtr* segregar

segregation [sɛgrɪ'geɪʃən] *n* segregación

seize [si:z] *vtr* 1 *(una mano, etc)* agarrar, asir; *(una oportunidad)* aprovechar 2 *Mil Pol (el poder)* hacerse con 3 *(a una persona)* detener 4 *Jur (armas, droga)* incautar, incautarse de; *(bienes)* embargar, secuestrar; *(contrabando)* confiscar, decomisar

■ **seize on/upon** *vtr* 1 *(una oferta, etc)* aceptar 2 *(una oportunidad)* aprovechar

■ **seize up** *vi* 1 *(motor, etc)* agarrotarse 2 *(tráfico)* paralizarse

seizure ['si:ʒər] *n* 1 *Med* ataque *(de apoplejía)* 2 *Mil Pol (el poder)* toma 3 *Jur (de armas, droga)* incautación; *(de bienes)* confiscación, embargo

seldom ['sɛldəm] *adv* rara vez, raramente

select [sɪ'lɛkt] I *vtr* 1 escoger, elegir 2 *Dep* seleccionar
II *adj* selecto,-a

selection [sɪ'lɛkʃən] *n* 1 *(acción, cosa elegida)* elección, selección 2 *(de artículos)* surtido

selective [sɪ'lɛktɪv] *adj* selectivo,-a

self [sɛlf] *n (pl selves* [sɛlvz]*)* 1 uno,-a mismo,-a, sí mismo,-a 2 the self, el yo

self-adhesive ['sɛlfəd'hi:sɪv] *adj* autoadhesivo,-a

self-appointed [sɛlfə'pɔɪndɪd] *adj* autoproclama-do,-a; *pey* sedicente

self-assured [sɛlfə'ʃərd] *adj* seguro,-a de sí mismo,-a

self-confidence [sɛlf'kʌnfɪdəns] *n* confianza en sí mismo,-a

self-confident [sɛlf'kʌnfɪdənt] *adj* seguro,-a de sí mismo,-a

self-conscious [sɛlf'kʌnʃəs] *adj* tímido,-a, acomplejado,-a

self-control [sɛlfkən'troul] *n* autocontrol

self-defeating [sɛlfdɪ'fi:dɪŋ] *adj* contraproducente

self-defense [sɛlfdɪ'fɛns] *n* autodefensa

self-determination ['sɛlfdɪtərmɪ'neɪʃən] *n* autodeterminación

self-discipline [sɛlf'dɪsɪplɪn] *n* autodisciplina

self-employed [sɛlfɪm'plɔɪd] *adj (trabajador)* autónomo,-a

self-esteem [sɛlf'sti:m] *n* amor propio, autoestima

self-governing [sɛlf'gʌvᵊnɪŋ] *adj* autónomo,-a

self-interest [sɛlf'ɪntrɪst] *n* interés personal

selfish ['sɛlfɪʃ] *adj* egoísta

selfishness ['sɛlfɪʃnɪs] *n* egoísmo

selfless ['sɛlflɪs] *adj* desinteresado,-a

self-made ['sɛlfmeɪd] *adj* **he's a self-made man**, ha llegado a donde está por sus propios esfuerzos

self-pity [sɛlf'pɪtɪ] *n* autocompasión

self-portrait [sɛlf'pɔrtrɪt] *n* autorretrato

self-respect [sɛlfrɪ'spɛkt] *n* amor propio, dignidad

self-service [sɛlf'sɜrvɪs] *adj* de autoservicio, self-service

self-sufficient [sɛlfsə'fɪʃᵊnt] *adj* autosuficiente

self-supporting *adj* que se gana su propio sustento

sell [sɛl] **I** *vtr* (*ps & pp* **sold**) vender
II *vi* venderse
■ **sell off** *vtr* vender; (*mercancías*) liquidar
■ **sell out** *vi* 1 (*usu pasivo*) agotar las existencias: *Cine Teat* «**sold out**», «agotadas las localidades» 2 *fig* (*al enemigo, etc*) venderse

semen ['si:mən] *n* semen

semester [sə'mɛstər] *n* semestre

semicircle ['sɛmɪsɜrkᵊl] *n* semicírculo

semicolon [sɛmɪ'koʊlən] *n* punto y coma

semidetached [sɛmɪdɪ'tætʃt] *adj* (*casa*) adosado,-a

semifinal [sɛmɪ'faɪnᵊl] *n* semifinal

seminar ['sɛmɪnɑr] *n Educ* seminario

seminary ['sɛmɪnɛri] *n Rel* seminario

semiprecious ['sɛmaɪprɛʃəs] *adj* semiprecioso, -a

senate ['sɛnɪt] *n Pol* senado

senator ['sɛnədər] *n* senador,-ora

send [sɛnd] *vtr* (*ps & pp* **sent**) enviar, mandar
■ **send away** *vtr* 1 despedir, decir a alguien que se vaya 2 enviar fuera
■ **send away for** *vtr* (*información, mercancías, etc*) pedir por correo
■ **send back** *vtr* 1 (*documentos, mercancías, etc*) devolver 2 (*a una persona*) hacer volver
■ **send for** *vtr* 1 (*una cosa*) pedir, encargar 2 (*a un médico, una ambulancia, etc*) hacer llamar
■ **send off** *vtr* 1 (*carta, etc*) enviar; (*mercancías*) despachar 2 *Ftb* expulsar
■ **send on** *vtr* 1 (*una carta, etc*) remitir, hacer seguir 2 (*equipaje*) enviar por adelantado
■ **send out** *vtr* 1 (*una señal, etc*) emitir 2 (*a una persona*) mandar afuera

sender ['sɛndər] *n* remitente

senior ['si:njər] **I** *adj* 1 (*de edad*) mayor; (*en una empresa, etc*) de mayor antigüedad 2 (*en una jerarquía*) superior,-ora: *Mil* **senior officer,** oficial de alto rango 3 (*usu abr de Sr*) padre; **Matthew Lloyd, Sr.,** Matthew Lloyd padre
II *n* 1 *frml* **he's twenty years her senior,** le lleva veinte años a ella 2 *US* estudiante del último curso

senior citizen *n euf* jubilado,-a

sensation [sɛn'seɪʃən] *n* sensación

sensational [sɛn'seɪʃᵊnᵊl] *adj* 1 sensacional 2 (*periodismo, etc*) sensacionalista

sense [sɛns] **I** *n* 1 (*facultad*) sentido 2 (*de una palabra, etc*) significado, sentido: tener sentido; **to make sense of sthg,** entender algo
II *vtr* sentir, notar

senseless ['sɛnslɪs] *adj* 1 (*acción, etc*) absurdo,-a, sin sentido 2 inconsciente, sin sentido

sensibility [sɛnsɪ'bɪlɪdʒɪ] *n frml* (*usu pl*) sensibilidad

sensible ['sɛnsɪbᵊl] *adj* 1 (*persona, decisión*) sensato,-a 2 (*ropa, etc*) práctico,-a, cómodo,-a

sensitive ['sɛnsɪtɪv] *adj* 1 (*a las emociones, etc*) sensible; (*a la crítica, etc*) susceptible 2 (*la piel*) delicado,-a

sensitivity [sɛnsɪ'tɪvɪdʒɪ] *n* sensibilidad

sensor ['sɛnsər] *n* sensor

sensual ['sɛnʃuᵊl] *adj* sensual

sensuality [sɛnʃu'ælɪdʒɪ] *n* sensualidad

sent [sɛnt] *ps & pp →* **send**

sentence ['sɛntᵊns] **I** *n* 1 frase; *Ling* oración 2 *Jur* fallo, sentencia: **death sentence,** pena de muerte
II *vtr Jur* condenar

sentimental [sɛntɪ'mɛntᵊl] *adj* 1 sentimental 2 *pey* sensiblero,-a

sentry ['sɛntrɪ] *n* centinela

separate **I** ['sɛprɪt] *adj* 1 (*camas, vidas, etc*) separado,-a 2 distinto,-a, otro,-a: **that's a separate matter,** ése es otro asunto 3 individual, particular
II ['sɛpəreɪt] *vtr* separar
III *vi* 1 (*pareja*) separarse 2 (*mayonesa, etc*) cortarse

separately ['sɛprɪtlɪ] *adv* por separado

separation [sɛpə'reɪʃən] *n* separación

separatist ['sɛprətɪst] *n* separatista

September [sɛp'tɛmbər] *n* septiembre

septic ['sɛptɪk] *adj* séptico,-a; *Med* **to become/go septic,** infectarse

sequel ['si:kwᵊl] *n* 1 *Cine Lit TV* continuación 2 (*acontecimiento*) secuela, consecuencia

sequence ['si:kwᵊns] *n* 1 secuencia, orden 2 serie, sucesión

Serbia ['sɜrbɪə] *n* Serbia

Serbian ['sɜrbɪən] *n & adj* serbio,-a

Serbo-Croat ['sɜrboʊ'krouæt] *n* (*idioma*) serbocroata

serene [sə'ri:n] *adj* sereno,-a, tranquilo,-a

sergeant ['sɑrdʒənt] *n* **1** *Mil* sargento **2** *(policía)* cabo

sergeant major *n Mil* sargento mayor

serial ['siriəl] *n Rad TV* serial

serial killer *n* asesino,-a en serie

series ['siri:z] *n inv* **1** *(de acontecimientos)* serie, sucesión **2** *TV* seriale **3** *(de conciertos, etc)* ciclo

serious ['siriəs] *adj* **1** *(carácter)* serio,-a, formal: **let's be serious,** hablemos en serio **2** *(enfermedad, herida, situación)* grave

seriously ['siriəsli] *adv* **1** en serio **2** *(enfermo, herido)* gravemente

sermon ['sɜrmən] *n* sermón

serpent ['sɜrpənt] *n* serpiente

serum ['sirəm] *n* suero

servant ['sɜrvənt] *n* criado,-a

serve [sɜrv] *I vtr* **1** servir **2** *(a un cliente en una tienda)* atender, despachar **3** *(una condena)* cumplir **4** *Dep* sacar, servir **II** *vi* **1** *(en un trabajo, el ejército, etc)* servir; *(de un comité, etc)* ser miembro **2** *(una cosa)* servir **3** *(comida)* servir **4** *(en una tienda)* atender, despachar **5** *Dep* sacar **III** *n Dep* servicio

server ['sɜrvər] *n* **1** *Culin* cubierto para servir **2** *Dep* saque **3** *Inform* servidor

service ['sɜrvɪs] *n* **1** servicio: **in service,** en uso; **«out of service»,** «no funciona» **2** *Rel* oficio *(religioso)* **3** *Dep* servicio, saque

sesame ['sɛsəmi] *n* ajonjolí, sésamo

session ['seʃən] *n* **1** *Adm Com Jur Pol* sesión **2** *Univ* año académico **3** *Educ* clase

set [set] *I n* **1** juego; *(de libros, obras)* colección; *Mat* conjunto **2** *(de personas)* grupo **3** aparato; **TV set,** televisor **4** *Teat* escenario, decorado; *Cine* plató **5** *Dep* set **II** *adj* **1** *(frase)* hecho,-a; *(hora, sitio)* determinado,-a, señalado,-a; *(precio)* fijo,-a; *(tarea)* asignado,-a **2** lis-to,-a, preparado,-a **3** determinado **4** *(idea)* fijo,-a; *(opinión)* inflexible **III** *vtr (ps & pp set)* **1** colocar, poner **2** *(un criterio, objetivo, récord)* establecer; *(un ejemplo)* dar; *(una hora, fecha, un sitio)* acordar; *(un precio)* fijar; *(una tarea)* asignar **3** *(un libro, una película, etc) (usu pasivo)* ambientar; *(un edificio)* ubicar **4** *(causar algo)* **to set sb free,** liberar a alguien; **to set sb to work,** poner a alguien a trabajar **5** *(arreglar, preparar)* *(un despertador)* poner **6** *Náut* **to set sail,** zarpar **IV** *vi* **1** *(hueso)* soldarse **2** *(hormigón)* fraguar; *(yogurt)* cuajarse **3** *(la Luna, el Sol)* ponerse

■ **set about** *vtr* **1** emprender

■ **set apart** *vtr* diferenciar

■ **set against** *vtr* **1** contraponer **2** enemistar

■ **set aside** *vtr* **1** *(comida, dinero)* ahorrar, guardar **2** *(un libro, proyecto)* dejar a un lado

■ **set back** *vtr* retrasar, entorpecer

■ **set down** *vtr frml* **1** poner por escrito **2** establecer

■ **set off** *I vi* salir, ponerse en camino

II *vtr (una bomba)* accionar; *(fuegos artificiales)* encender

■ **set out I** *vi* salir, ponerse en camino

■ **set up** *vtr (una tienda)* montar; *(un monumento)* erigir, levantar

setback ['setbæk] *n* contratiempo, revés

settee [se'di:] *n* sofá

setting ['sediŋ] *n* **1** entorno **2** *(de un libro, una película, etc)* escenario **3** *Mús* arreglo **4** *(de un aparato, instrumento)* ajuste

settle ['sedəl] *I vtr* **1** decidir; *(una fecha, un precio)* fijar **2** *(una diferencia, un problema)* resolver; *(una riña)* zanjar **3** *(una cuenta)* pagar; *(una deuda)* saldar **4** *(una duda)* disipar **5** *(un país)* colonizar; *(un lugar deshabitado)* poblar

II *vi* **1** *(en una casa, un trabajo, etc)* establecerse, instalarse **2** *(un insecto, pájaro)* posarse; *(un líquido)* aclararse; *(el polvo)* asentarse, posarse **3** *(los nervios, una persona)* calmarse; *(una situación)* volver a la normalidad **4** ponerse cómodo,-a

■ **settle down** *vi* **1** *(una persona)* calmarse **2** *(una persona joven y activa)* sentar la cabeza

■ **settle for** *vtr* conformarse con, aceptar

■ **settle on** *vtr (una fecha, un lugar)* decidirse por

■ **settle up** *vi fam* arreglar las cuentas

settlement ['sedəlmənt] *n* **1** acuerdo *(de una deuda)* liquidación **2** asentamiento, poblado

settler ['sedlər] *n* colono

set up ['setʌp] *n fam* organización, sistema

seven ['sevən] *adj & n* siete

seventeen [sevən'ti:n] *adj & n* diecisiete, diez y siete

seventeenth [sevən'ti:nθ] *I adj & n* decimoséptimo,-a

II *n* **1** *Mat (quebrado)* diecisieteavo **2** decimoséptima parte

seventh ['sevənθ] *I adj* séptimo,-a

II *n* **1** *Mat (quebrado)* séptimo **2** séptima parte

Seventh Day Adventist *n or adj Rel* Adventista del Séptimo Día

seventy ['sevəndi] *adj & n* setenta

sever ['sevər] *vtr* **1** *(una cuerda)* cortar; *(un miembro)* amputar **2** *fig (relaciones)* romper

several ['sevrəl] *I adj* varios,-as

II *pron* varios,-as

severe [si'viər] *adj* **1** *(medida, persona)* severo,-a; *(disciplina)* riguroso,-a **2** *(enfermedad, herida)* grave; *(dolor)* intenso,-a

severity [si'verɪdʒi] *n* severidad

sew [sou] *vtr & vi (ps sewed; pp sewed o sewn)* coser

sewage ['su:ɪdʒ] *n* aguas residuales

sewer ['su:ər] *n* alcantarilla, cloaca

sewerage ['su:ərɪdʒ] *n (sistema)* alcantarillado

sewing ['souɪŋ] *n* costura

sewing machine n máquina de coser
sewn [soun] pp → **sew**
sex [sɛks] I n 1 (género) sexo 2 relaciones sexuales; **to have sex,** tener relaciones sexuales
sexism ['sɛksɪzəm] n sexismo
sexist ['sɛksɪst] adj & n sexista
sexual ['sɛkʃuəl] adj sexual; **sexual desire,** deseo sexual
sexual harrassment n acoso sexual
sexuality [sɛkʃu'ælɪdʒi] n sexualidad
sexy ['sɛksi] adj (sexier, sexiest) fam sexy, erótico,-a
Sgt. Mil abr de sergeant, sargento
shabby ['ʃæbi] adj (shabbier, shabbiest) 1 (ropa) gastado,-a, viejo,-a 2 (barrio, casa) pobre, en mal estado
shack [ʃæk] n chabola, choza
shackles ['ʃækəlz] npl grilletes
shade [ʃeɪd] I n 1 sombra 2 US persiana; (lamp)-shade, pantalla 3 (de color) matiz 4 fam un pelín
II vtr dar sombra
shadow ['ʃædou] I n sombra
II vtr seguir de cerca
shadowy ['ʃædoui] adj enigmático,-a, misterioso,-a
shady ['ʃeɪdi] adj (shadier, shadiest) 1 (sitio) sombreado,-a 2 (negocio, pasado) turbio,-a
shaft [ʃæːft] n 1 Geol (de una mina) pozo 2 (de un ascensor) hueco 3 Téc eje 4 (de luz) rayo 5 (de un hacha, un martillo, palo de golf) mango
shaggy ['ʃægi] adj (shaggier, shaggiest) peludo,-a
shake [ʃeɪk] I n sacudida
II vtr (ps shook; pp shaken) 1 (una alfombra, una manta) sacudir; (una botella) agitar 2 to shake hands, darse la mano 3 (la fe) debilitar 4 (a una persona) conmocionar
III vi temblar
shaken ['ʃeɪkən] pp → **shake**
shaky ['ʃeɪki] adj (shakier, shakiest) 1 tambaleante 2 tembloroso,-a
shall [ʃæl, forma débil ʃəl] v aux 1 frml (para formar el futuro de la 1.ª persona) (forma abreviada 'll, negativa shan't) I shan't be able to go, no podré ir 2 frml (uso enfático, en todas las personas; tiene la fuerza de una orden o de una promesa) they shall not pass!, ¡no pasarán! 3 (en preguntas) when shall we meet?, ¿a qué hora nos vemos? 4 (para hacer ofertas o sugerencias) shall we go for a little walk?, ¿damos un paseíto?
shallow ['ʃælou] adj 1 (agua, un pozo) poco profundo,-a; (un plato) llano,-a 2 (persona) superficial
sham [ʃæm] I adj 1 falso,-a 2 fingido,-a
II n engaño, farsa
shambles ['ʃæmbəlz] n caos, confusión

shame [ʃeɪm] I n 1 (emoción) vergüenza 2 deshonra 3 lástima, pena; **what a shame!,** ¡qué lástima! o ¡qué pena!
II vtr 1 avergonzar 2 deshonrar
shamefaced ['ʃeɪmfeɪst] adj avergonzado,-a
shameful ['ʃeɪmfəl] adj vergonzoso,-a
shameless ['ʃeɪmlɪs] adj descarado,-a
shampoo [ʃæm'pu:] I n champú
II vtr 1 (el pelo) lavar (con champú) 2 (una alfombra, etc) limpiar
shamrock ['ʃæmrɒk] n trébol
shan't [ʃæːnt] → **shall not**
shantytown ['ʃæntitaun] n barrio de chabolas
shape [ʃeɪp] I n forma; **to take shape,** tomar forma
II vtr 1 formar, moldear 2 (el futuro, etc) determinar
■ **shape up** vi tomar forma, desarrollarse
shapeless ['ʃeɪplɪs] adj amorfo,-a, informe, sin forma
shapely ['ʃeɪpli] adj (shapelier, shapeliest) bien proporcionado,-a; (una mujer) de buen tipo
share [ʃɛr] I n 1 parte, porción 2 Fin acción; **share price,** cotización (de una acción)
II vtr 1 compartir 2 dividir 3 (las experiencias, opiniones) intercambiar
■ **share out** vtr repartir
shareholder ['ʃɛrhɒldər] n Fin accionista
shark [ʃɑrk] n tiburón
sharp [ʃɑrp] I adj 1 (una aguja, nariz) puntiagu-do,-a 2 (palabras) mordaz; (el viento) cortante 3 (la mente, vista) agudo 4 (una persona) listo,-a, astuto,-a 5 (un dolor, grito) agudo,-a; (un movimiento) brusco,-a 6 (un ángulo) agudo,-a 7 (una foto, imagen) nítido,-a; (una impresión) claro,-a 8 Mús sostenido,-a, desafinado,-a
II adv at 6 p. m. sharp, a las seis en punto de la tarde
III n Mús sostenido
sharpen ['ʃɑrpən] vtr 1 (un cuchillo) afilar 2 (un lápiz) sacar punta a
sharpener ['ʃɑrpənər] n 1 (para cuchillos) afilador 2 (para lápices) sacapuntas
shatter ['ʃædər] I vtr 1 (cristal, etc) hacer añicos 2 (la confianza, esperanza) destruir, echar por tierra
II vi hacerse añicos
shave [ʃeɪv] I vtr (ps shaved o shaved o shaven) (a una persona) afeitar
II vi afeitarse
III n 1 afeitado
shaver ['ʃeɪvər] n (electric) shaver, máquina de afeitar
shaving ['ʃeɪvɪŋ] n (de madera o metal) viruta
shaving brush n brocha de afeitar
shaving foam n espuma de afeitar

shaving soap n jabón de afeitar

shawl [ʃɔːl] n chal

she [ʃiː] pers pron ella

sheaf [ʃiːf] n (pl sheaves [ʃiːvz]) 1 Agr gavilla 2 (de papeles) fajo

shear [ʃiər] I vtr (ps sheared; pp shorn o sheared) esquilar

shears [ʃiərz] npl 1 tijeras (grandes) 2 Agr Hort podaderas, tijeras de jardín

sheath [ʃiːθ] n 1 (para una espada) vaina; (para un puñal) funda 2 (para un cable) cubierta

sheaves [ʃiːvz] npl → sheaf

she'd [ʃiːd] 1 she had 2 she would

shed [ʃed] I n 1 barraca, cabaña; cattle shed, establo 2 (de fábrica) nave

II vtr (ps & pp shed) 1 (hojas, ropa) despojarse de; (peso) perder 2 deshacerse de; (un cargo, etc) perder 3 (lágrimas, sangre) derramar, verter 4 (la luz) emitir

sheen [ʃiːn] n brillo

sheep [ʃiːp] n inv oveja

sheepdog ['ʃiːpdɒg] n perro pastor

sheepish ['ʃiːpɪʃ] adj avergonzado,-a

sheer [ʃiər] adj 1 (casualidad, suerte, etc) total, puro,-a 2 (acantilado, pared) escarpado,-a; (caída) vertical 3 (tela) muy fino,-a, transparente

sheet [ʃiːt] n 1 (de papel) hoja 2 (de metal) chapa; (de hielo) capa 3 (cama) sábana

shelf [ʃelf] n (pl shelves [ʃelvz]) 1 balda, estante 2 shelves pl, estantería

she'll [ʃiːəl] → she will

shell [ʃel] I n 1 (de bogavante, centollo, tortuga) caparazón; (de caracol, molusco) concha; (de huevo, fruto seco) cáscara; (de legumbre) vaina 2 Mil obús, proyectil

shellfish ['ʃelfɪʃ] n inv marisco

shelter ['ʃeltər] I n 1 refugio, cobijo 2 protección; (del frío, viento) abrigo; bus shelter, marquesina 3 to give sb shelter, acoger a alguien

II vtr abrigar, proteger [from, de] 2 acoger 3 (a un criminal, etc) darle cobijo a

III vi 1 (del peligro, etc) refugiarse 2 (del tiempo) guarecerse

shelve [ʃelv] vtr archivar, arrinconar

shelves [ʃelvz] npl → shelf

shelving ['ʃelvɪŋ] n estanterías

shepherd ['ʃepərd] I n pastor

II vtr guiar

sherry ['ʃeri] n jerez

she's [ʃiːz] 1 she is 2 she has

shield [ʃiːld] I n 1 escudo; riot shield, escudo antidisturbios 2 Téc pantalla protectora

II vtr proteger

shift [ʃɪft] I n 1 (de opinión, del viento, etc) cambio; (de sitio) desplazamiento 2 turno; to work in shifts, trabajar por turnos 3 US Auto palanca de cambio

II vtr mover, cambiar de sitio

III vi 1 moverse, cambiarse de sitio 2 (opinión, viento) cambiar

shiftless ['ʃɪftlɪs] adj perezoso, inepto

shiftwork ['ʃɪfwɜːk] n trabajo por turnos

shifty ['ʃɪfti] adj (shiftier, shiftiest) 1 (persona) sospechoso,-a

shimmer ['ʃɪmər] I vi brillar

II n reflejo o resplandor trémulo

shin [ʃɪn] n Anat espinilla

shine [ʃaɪn] I vi (ps & pp shone) 1 (luz, ojos, sol) brillar 2 (cristal, metal, etc) relucir 3 fig (una persona) destacar (se)

II vtr 1 (una linterna, etc) dirigir; (luz) proyectar 2 (pp shined) (los zapatos, el metal) limpiar, sacar brillo a

III n brillo

shingle ['ʃɪŋgəl] n guijarros

shingles ['ʃɪŋgəlz] n Med herpes (zóster)

shiny ['ʃaɪni] adj (shinier, shiniest) brillante

ship [ʃɪp] I n barco, buque

II vtr 1 transportar (en barco) 2 enviar, mandar

shipment ['ʃɪpmənt] n 1 (acción) transporte 2 (de mercancías) consignación, envío

shipping ['ʃɪpɪŋ] n 1 barcos 2 tráfico marítimo, navegación

shipping agent n agente marítimo

shipping company/line n naviera

shipwreck ['ʃɪprek] I n naufragio

II vtr to be shipwrecked, naufragar

shipyard ['ʃɪpjɑːrd] n astillero

shirt [ʃɜːrt] n camisa

shit [ʃɪt] vulgar I n mierda

II vi cagar

shiver ['ʃɪvər] I vi 1 (de frío) tiritar 2 (de miedo) temblar

II n escalofrío

shoal [ʃəʊl] n 1 Pesc banco (de peces) 2 Geol banco de arena

shock [ʃɒk] I n 1 (emoción) conmoción 2 (físico) choque, sacudida; (de la tierra) seísmo 3 Elec descarga (eléctrica), calambre 4 Med shock

II vtr 1 (moralmente) escandalizar, indignar 2 (físicamente) asustar, sobresaltar 3 (emocionalmente) conmover, impresionar

III vi impresionar

shocking ['ʃɒkɪŋ] adj 1 (comportamiento, lenguaje) escandaloso,-a, vergonzoso,-a 2 (un accidente, una noticia, etc) espantoso,-a, horrible

shod [ʃɒd] ps & pp → shoe

shoddy ['ʃɒdi] adj (shoddier, shoddiest) (mercancía) de muy mala calidad

shoddy work n chapuza

shoe [ʃuː] n 1 zapato 2 shoes pl, calzado

shoebrush ['ʃuːbrʌʃ] n cepillo para los zapatos

shoelace ['ʃuːleɪs] n cordón (de zapatos)

shoe polish n betún, cera para zapatos

shone [ʃɒn] ps & pp → shine

shook [ʃʊk] *ps* → **shake**

shoot [ʃuːt] **I** *n* 1 *Bot* brote, retoño 2 *Cine* rodaje

II *vtr* (*ps & pp* **shot**) 1 (*una bala, un balón, una flecha, una pistola, etc*) disparar; (*una mirada, un proyectil*) lanzar 2 (*a alguien, algo*) pegar un tiro a 3 (*ejecutar*) fusilar 4 *Cine* rodar; *Fot* fotografiar 5 *argot* (*droga*) chutarse

III *vi* 1 disparar 2 *Ftb* chutar, tirar

shooting ['ʃuːdɪŋ] *n* 1 tiroteo 2 fusilamiento 3 caza 4 *Cine* rodaje

shooting star *n* estrella fugaz

shop [ʃɒp] **I** *n* 1 *Com* tienda 2 *Ind* taller

II *vi* hacer compras; **to go shopping**, ir de compras

■ **shop around** *vi fam* comparar precios

shopkeeper ['ʃɒpkiːpər] *n* tendero,-a

shoplifter ['ʃɒplɪftər] *n* ladrón,-ona (de tiendas)

shopper ['ʃɒpər] *n* comprador,-ora

shopping ['ʃɒpɪŋ] *n* compras; **to do the shopping**, hacer la compra

shore [ʃɔːr] *n* 1 (*del mar, de un lago*) orilla 2 playa

shorn [ʃɔːn] *pp* → **shear**

short [ʃɔːt] **I** *adj* 1 (*persona*) bajo,-a 2 (*no alto, no largo*) corto,-a 3 (*período*) breve, corto: **in short**, en resumen 4 (*una cosa*) escaso,-a:(*de una cosa*) to **be short of**, andar corto,-a o escaso,-a de 5 (*comportamiento*) brusco,-a

II *adv* 1 (*un objetivo*) **to fall short of**, no alcanzar; (*comida, sueño*) **to go short of**, pasarse sin 2 (*agua, comida, gasolina, etc*) **to run short**, agotarse

III *n Cine* cortometraje

shortage ['ʃɔːdɪdʒ] *n* escasez

short-change [ʃɔːt'tʃeɪndʒ] *vtr* (*en una tienda*) dar de menos, dar mal el cambio

short circuit [ʃɔːt'sɜːkɪt] *n* Elec cortocircuito

shortcomings ['ʃɔːtkʌmɪŋz] *npl* defectos

shorten ['ʃɔːtn] *vtr* 1 (*la ropa, un programa, un texto*) acortar 2 (*una palabra*) abreviar

shorthand ['ʃɔːthænd] *n* taquigrafía

shortly ['ʃɔːtlɪ] *adv* dentro de poco **short-range** ['ʃɔːtreɪndʒ] *adj* de corto alcance

shorts [ʃɔːts] *npl* 1 bermudas, short 2 *US* calzoncillos

short-sighted [ʃɔːt'saɪdɪd] *adj* 1 *Med* miope 2 *fig* (*persona*) imprudente

short-tempered [ʃɔːt'tempərd] *adj* de mal genio

short-term ['ʃɔːttɜːm] *adj* a corto plazo

shot [ʃɒt] *ps & pp* → **shoot**

II *n* 1 (*de un arma*) disparo, tiro 2 (*de escopeta*) perdigones 3 (*persona*) tirador,-ora 4 tentativa; **to have a shot at doing sthg**, intentar hacer algo 5 *Dep* peso 6 *Ftb* tiro a gol 7 *Cine* toma; *Fot* foto 8 *Med fam* inyección

shotgun ['ʃɒtgʌn] *n* escopeta

shotgun wedding *n antic* matrimonio

forzado, *gen* matrimonio apresurado porque la novia está encinta

should [ʃʊd] *v aux* 1 *frml* (*para formar el condicional de I y we*) **I should like to know...**, me gustaría saber 2 (*deber*) **I shouldn't have said it**, no debiera haberlo dicho 3 (*consejo*) **you should take a vacation**, deberías tomarte unas vacaciones 4 (*probabilidad*) **this should be very easy**, esto debería (de) ser muy fácil 5 (*uso subjuntivo*) **if you should happen to see her...**, si llegaras a verla...

shoulder ['ʃəʊldər] **I** *n* 1 *Anat* hombro 2 (*de ropa*) hombro 3 *Culin* paletilla 4 *Auto* **hard shoulder**, arcén

II *vtr fig* (*la culpa, etc*) cargar con

shout [ʃaʊt] **I** *n* grito

II *vtr* gritar

III *vi* gritar

shouting ['ʃaʊtɪŋ] *n* gritos, vocerío

shove [ʃʌv] **I** *n* empujón, empellón

II *vi & vtr* empujar

shovel ['ʃʌvəl] **I** *n* pala

II *vtr* 1 (*arena, nieve*) mover con pala

show [ʃəʊ] **I** *vtr* (*ps* **showed** o **showed**) 1 mostrar, enseñar 2 (*compasión, respeto*) tener 3 (*un cuadro*) exhibir; (*mercancías*) exponer; (*un proyecto*) presentar 4 (*termómetro, etc*) marcar, indicar 5 enseñar, explicar 6 *Cine Teat TV* dar, poner

II *vi* 1 (*una mancha, emoción*) notarse 2 (*un espectáculo, una película*) ponerse 3 *fam* aparecer

III *n* 1 *Teat* espectáculo 2 *Arte* exposición; *Com* (*de mercancías*) feria; (*de moda*) desfile

■ **show off** *I vtr fam* hacer alarde de

II *vi fam* farolear

shower ['ʃaʊər] **I** *n* 1 ducha; **to have a shower**, ducharse 2 *Meteor* chubasco, chaparrón

II *vi* 1 ducharse 2 *Meteor* llover

showing ['ʃəʊɪŋ] *n* 1 *Cine* pase 2 actuación

shown [ʃəʊn] *pp* → **show**

show-off ['ʃəʊɒf] *n fam* fanfarrón,-ona

shrank [ʃræŋk] *ps* → **shrink**

shrapnel ['ʃræpnəl] *n* metralla

shred [ʃred] **I** *n* 1 (*de papel, tela*) tira 2 *fig* pizca

II *vtr* 1 (*papel*) triturar 2 (*verduras*) cortar en tiras

shrewd [ʃruːd] *adj* 1 (*persona*) astuto,-a 2 (*argumento, comentario*) perspicaz

shriek [ʃriːk] **I** *n* chillido

II *vi* chillar

shrill [ʃrɪl] *adj* agudo,-a, estridente

shrimp [ʃrɪmp] *n Zool* camarón; gamba

shrine [ʃraɪn] *n* 1 sepulcro 2 santuario, lugar santo

shrink [ʃrɪŋk] **I** *vtr* (*ps* **shrank**; *pp* **shrunk**) encoger

II *vi* 1 (*la tela*) encoger(se) 2 (*los beneficios, la influencia, etc*) disminuir

III *n fam* psiquiatra
shrivel ['ʃrɪvəl] I *vtr* 1 *(una planta)* secar 2 *(la piel)* arrugar
II *vi (tb* **shrivel up**) 1 marchitarse, secarse 2 *(la piel)* arrugarse
shroud [ʃraʊd] I *n Rel* sudario
II *vtr fig* envolver
Shrove Tuesday [ʃroʊv 'tuːzdeɪ] *n* martes de Carnaval
shrub [ʃrʌb] *n* arbusto
shrubbery ['ʃrʌbərɪ] *n* arbustos, matas
shrug [ʃrʌg] *vi* encogerse de hombros
■ **shrug off** *vtr* negar la importancia de
shrunk [ʃrʌŋk] *pp* → **shrink**
shrunken ['ʃrʌŋkən] *adj* encogido,-a
shudder ['ʃʌdər] I *n* 1 *(de una persona)* escalofrío, estremecimiento 2 *(de una máquina, etc)* sacudida
II *vi* 1 *(una persona)* estremecerse 2 *(una máquina)* dar sacudidas
shuffle ['ʃʌfəl] I *vtr* 1 *(los pies)* arrastrar 2 *Naipes* barajar
II *vi* 1 caminar arrastrando los pies 2 *Naipes* barajar
shun [ʃʌn] *vtr* 1 *(a una persona)* rechazar 2 *(la publicidad, responsabilidad)* rehuir
shut [ʃʌt] I *vtr (ps & pp* **shut**) cerrar
II *vi* cerrarse
III *adj* cerrado,-a
■ **shut down** *vi* cerrar
■ **shut in** *vtr* encerrar
■ **shut off** *vtr* 1 apagar 2 aislar
■ **shut up** *vi fam* callarse
shutdown ['ʃʌtdaʊn] *n* cierre
shutter ['ʃʌtər] *n* 1 contraventana, postigo 2 *Fot* obturador
shuttle ['ʃʌtəl] *n* 1 *Cost* lanzadera 2 *Av* puente aéreo; *Ferroc* servicio lanzadera 3 **(space) shuttle**, transbordador espacial
shy [ʃaɪ] I *adj* (**shyer, shyest** *o* **shier, shiest**) tímido,-a
■ **shy away** *vi* asustarse de, rehuir
shyness ['ʃaɪnɪs] *n* timidez
sick [sɪk] *adj* 1 enfermo,-a 2 **I feel sick,** estoy mareado,-a *o* tengo náuseas; **to be sick,** devolver, vomitar 3 *fam* harto,-a
sickbay ['sɪkbeɪ] *n* enfermería
sicken ['sɪkən] I *vtr* 1 poner enfermo *o* asquear
II *vi frml* enfermar
sickening ['sɪkənɪŋ] *adj* 1 *(espectáculo, olor, etc)* asqueroso,-a 2 *(idea, etc)* escalofriante
sickle ['sɪkəl] *n* hoz
sickly ['sɪklɪ] *adj* (**sicklier, sickliest**) 1 *(niño, etc)* enfermizo,-a 2 *(sabor, comportamiento)* empalagoso,-a
sickness ['sɪknɪs] *n* 1 enfermedad 2 náuseas
side [saɪd] *n* 1 lado; *(de una carretera)* lado; *(de una colina)* falda, ladera; *(de una moneda, disco, hoja de papel)* cara; *(de un río, lago)* orilla

2 *(persona)* lado, costado 3 *(en un conflicto)* bando; *Pol* partido 4 *(de familia)* parte
sideboard ['saɪdbɔrd] *n* aparador
sideburns ['saɪdbɜrnz] *npl* patillas
sidelight ['saɪdlaɪt] *n Aut* luz de posición
sidelong ['saɪdlɒŋ] *adj (mirada)* de reojo
sideshow ['saɪdʃoʊ] *n* espectáculo, exhibición, acción o actividad de segunda clase o segundo nivel
sidestep ['saɪdstep] I *vtr (golpe, asunto)* esquivar
II *vi* hacerse a un lado
sidetrack ['saɪdtræk] *vtr fig (a una persona)* apartar de su propósito
sidewalk ['saɪdwɔk] *n* acera
sideways ['saɪdweɪz] *adv* 1 *(mover)* de lado 2 *(mirar)* de reojo
siege [siːʒ] *n* sitio, asedio
sieve [sɪv] I *n* tamiz
II *vtr* 1 *Culin* tamizar 2 *Hort* cribar
sift [sɪft] *vtr Culin* tamizar
sigh [saɪ] I *vi* suspirar
II *n* suspiro
sight [saɪt] I *n* 1 *(el sentido)* vista, visión 2 *(acción)* vista; **to catch sight of,** avistar; **to know sb by sight,** conocer a alguien de vista 3 cosa vista: **the sight of blood makes me ill,** solo con ver la sangre me mareo 4 *(al alcance de la vista)* **to be out of sight,** no estar visible; **to come into sight,** aparecer; **in sight,** a la vista 5 **sights** *pl, (de un arma)* mira; *(de un sitio)* lugares de interés turístico
II *vtr* divisar, ver
sightseeing ['saɪtˌsiːɪŋ] *n* turismo; **to go sightseeing,** hacer turismo
sign [saɪn] I *n* 1 símbolo; *(del Zodiaco)* signo 2 *(con la mano)* señal, seña 3 letrero, cartel: **road sign,** señal vial 4 indicio; *Med* síntoma 5 huella, rastro
II *vtr* 1 firmar 2 *(empleado)* contratar
III *vi* firmar
■ **sign in** *vi (en un hotel, etc)* registrarse
■ **sign up** *vi* 1 *Mil* alistarse 2 *Dep* fichar 3 *Educ* matricularse
signal ['sɪgnəl] I 1 seña, señal 2 *Ferroc & Tele* señal
II *vi* 1 hacer señales 2 *Auto* señalizar, poner el intermitente
signature ['sɪgnɪtʃər] *n* firma
significance [sɪg'nɪfɪkəns] *n* 1 significado 2 importancia
significant [sɪg'nɪfɪkənt] *adj* 1 significativo,-a 2 importante
signify ['sɪgnɪfaɪ] *vtr* 1 significar 2 indicar
sign language *n* lenguaje por señas
silence ['saɪləns] I *n* silencio
II *vtr* hacer callar
silencer ['saɪlənsər] *n* silenciador
silent ['saɪlənt] *adj* 1 silencioso,-a; callado,-a 2 *(película, letra)* mudo,-a
silhouette [sɪluˈet] *n* silueta

silicon ['sɪlɪkən] *n Quím* silicio

silk [sɪlk] **I** *n* seda

II *adj* de seda

silky ['sɪlki] *adj (silkier, silkiest)* sedoso,-a

sill [sɪl] *n Arquit* alféizar

silly ['sɪli] *adj (sillier, silliest)* ridículo,-a, tonto,-a

silo ['saɪləʊ] *n* silo

silver ['sɪlvər] **I** *n (metal)* plata

II *adj* de plata

silver birch *n Bot* abedul

silver foil *n* papel de aluminio

silver medallist *n* medalla de plata

silver-plated [sɪlvər'pleɪtɪd] *adj* plateado,-a

silversmith ['sɪlvərsmɪθ] *n* platero,-a

silverware ['sɪlvərwer] *n* vajilla de plata

silver wedding *n* bodas de plata

silvery ['sɪlvəri] *adj* plateado,-a

similar ['sɪmɪlər] *adj* parecido,-a

similarity [sɪmɪ'lerɪdʒi] *n* parecido, semejanza

similarly ['sɪmɪlərli] *adv* **1** de modo parecido **2** igualmente

simile ['sɪmɪli] *n* símil

simmer ['sɪmər] **I** *vtr* hervir a fuego lento

II *vi* hervirse a fuego lento

simple ['sɪmpəl] *adj* **1** sencillo,-a **2** *(persona)* sencillo,-a, ingenuo,-a

simplicity [sɪm'plɪsɪdʒi] *n* **1** sencillez **2** ingenuidad

simplify ['sɪmplɪfaɪ] *vtr* simplificar

simplistic [sɪm'plɪstɪk] *adj* simplista

simply ['sɪmpli] *adv* **1** *(vivir, vestir)* sencillamente **2** solo

simulate ['sɪmjʊleɪt] *vtr* simular

simulator ['sɪmjʊleɪdər] *n* simulador

simultaneous [saɪməl'teɪnɪəs] *adj* simultáneo,-a

simultaneously [saɪməl'teɪnɪəsli] *adv* simultáneamente

sin [sɪn] **I** *n* pecado

II *vi* pecar

since [sɪns] **I** *adv* **1** desde entonces

II *prep* since 1900, desde 1900; since when?, ¿desde cuándo?

III *conj* **1** desde que **2** ya que, puesto que

sincere [sɪn'sɪər] *adj* sincero,-a

sincerely [sɪn'sɪərli] *adv* **1** sinceramente **2** *(en una carta)* Yours sincerely, (le saluda) atentamente

sincerity [sɪn'serɪdʒi] *n* sinceridad

sinful ['sɪnfəl] *adj* **1** *(persona)* pecador,-ora **2** *(acción)* pecaminoso,-a

sing [sɪŋ] **I** *vtr (ps sang; pp sung)* cantar

II *vi* cantar

singe [sɪndʒ] *vtr* chamuscar

singer ['sɪŋər] *n* cantante

singing ['sɪŋɪŋ] *n* **1** *(arte)* canto; *(andaluz)* cante

single ['sɪŋgəl] **I** *adj* **1** solo,-a, único,-a **2** *(cama, habitación, etc)* individual **3** soltero,-a

4 *Tip (interlineado)* sencillo

II *n* **1** *Av Ferroc* billete de ida **2** *(disco)* single **3** *Dep* singles *pl*, individuales

single-handed [sɪŋgəl'hændɪd] *adj & adv* sin ayuda de nadie

single-minded [sɪŋgəl'maɪndɪd] *adj* resuelto,-a

singly ['sɪŋgli] *adv* por separado, uno por uno

singsong ['sɪŋsɒŋ] *n* modo de hablar, metro, voz o entonación que se caracteriza por un subir y bajar de volumen o de ritmo

singular ['sɪŋgjələr] **I** *adj Ling* singular

II *n Ling* singular

singularly ['sɪŋgjələrli] *adv* excepcionalmente

sinister ['sɪnɪstər] *adj* siniestro,-a

sink [sɪŋk] **I** *vtr (ps sank; pp sunk)* **1** *(un barco)* hundir **2** *(dinero)* invertir **2** *(una mina, un pozo)* excavar **3** *(los dientes, una navaja)* clavar

II *vi (un barco)* hundirse

III *n* fregadero

■ **sink in** *vi* **1** *(pintura, agua, etc)* penetrar **2** *fig* the news hasn't sunk in yet, todavía no he/ha/hemos, etc asumido la noticia

sinner ['sɪnər] *n* pecador,-ora

sinus ['saɪnəs] *n* seno

sip [sɪp] **I** *n* sorbo

II *vtr* sorber, beber a sorbos

siphon ['saɪfən] *n* sifón

sir [sɜː] *n frml* señor; yes, sir, sí, señor; *(en una carta)* Dear Sir, Muy señor mío

siren ['saɪrən] *n* sirena

sirloin ['sɜːlɔɪn] *n Culin* solomillo

sister ['sɪstər] *n* **1** hermana **2** *Rel* hermana; Sister Mary, sor Mary

sister-in-law ['sɪstərɪnlɑː] *n* cuñada

sit [sɪt] **I** *vtr (ps & pp sat)* **1** *(a una persona)* sentar **2** *(un examen)* hacer

II *vi* **1** sentarse **2** estar/quedarse sentado

■ **sit down** *vi* sentarse

■ **sit in** *vi* sustituir

■ **sit up** *vi* **1** incorporarse **2** no acostarse

site [saɪt] **I** *n* **1** *(para un futuro edificio, etc)* emplazamiento; building site, solar **2** *Arqueol* yacimiento

II *vtr* situar

sit-in ['sɪtɪn] *n fam (manifestación)* sentada, encierro

sitting ['sɪdɪŋ] *n* **1** *(de un comité, con un pintor)* sesión **2** *(en un comedor)* turno

sitting room ['sɪdɪŋruːm] *n* sala de estar

situated ['sɪtʃueɪdɪd] *adj* situado,-a, ubicado,-a

situation [sɪtʃu'eɪʃən] *n* situación

six [sɪks] *adj & n* seis

sixteen [sɪks'tiːn] *adj & n* dieciséis, diez y seis

sixteenth [sɪks'tiːnθ] **I** *adj & n* decimosexto,-a

II *n (quebrado)* dieciseisavo

sixth [sɪksθ] **I** *adj* sexto,-a

II *n* sexto, sexta parte

sixty [ˈsɪksti] *adj* & *n* sesenta

size [saɪz] *n* **1** tamaño **2** *(de ropa, etc)* talla; *(de zapatos)* número; *(de una persona)* estatura

siz(e)able [ˈsaɪzəbəl] *adj* considerable

sizzle [ˈsɪzəl] *vi* chisporrotear

skate [skeɪt] **I** *n* **1** *Zool* raya **2** patín

II *vtr* patinar

skateboard [ˈskeɪtˈbɔːd] *n* monopatín

skater [ˈskeɪdər] *n* patinador,-ora

skating [ˈskeɪdɪŋ] *n* patinaje

skeleton [ˈskelɪtən] *n* **1** *Anat* esqueleto **2** *(de edificio, coche)* armazón **3** *(de un plan)* esquema

skeleton key *n* llave maestra

skeptic [ˈskeptɪk] *n* escéptico,-a

sketch [sketʃ] **I** *n* **1** esbozo; *(acabado)* dibujo **2** *Lit* composición, descripción **3** *TV Teat* sketch

II *vtr* **1** hacer un bosquejo de **2** dibujar

sketchbook [ˈsketʃbʊk] *n* bloc de dibujo

sketchy [ˈsketʃi] *adj (sketchier, sketchiest)* **1** *(conocimiento)* superficial **2** *(descripción)* poco preciso,-a

skewer [ˈskjuər] *n Culin* pincho, brocheta

ski [skiː] **I** *n* esquí

II *adj* de esquí

III *vi* esquiar; **to go skiing,** ir a esquiar

skid [skɪd] **I** *n* derrape, patinazo

II *vi (vehículo)* derrapar, patinar patinazo

skier [ˈskiːər] *n* esquiador,-ora

skiing [ˈskiːɪŋ] *n* esquí

skillful [ˈskɪlfʊl] *adj* hábil, diestro,-a **[at, en]**

skillfully [ˈskɪlfeli] *adv* hábilmente

skill [skɪl] *n* **1** habilidad, destreza **2** arte, técnica **3 skills** *pl,* aptitudes

skilled [skɪld] *adj* **1** hábil **2** *(trabajador)* cualificado,-a **3** *(trabajo)* especializado,-a

skim [skɪm] *vtr* **1** *(la leche)* desnatar **2** rozar, rasar

skimp [skɪmp] *vi* escatimar **[on, -]**

skin [skɪn] **I** *n* **1** piel **2** *(de cítrico, plátano)* cáscara **3** *(de un embutido)* tripa, pellejo **4** *(de la leche)* nata

II *vtr* despellejar

skin-deep [skɪnˈdiːp] *adj* superficial

skin-diving [ˈskɪndaɪvɪŋ] *n* buceo, submarinismo

skinhead [ˈskɪnhed] *n* cabeza rapada

skinny [ˈskɪni] *adj (skinnier, skinniest) fam* flaco,-a

skin-tight [ˈskɪntaɪt] *adj (ropa)* muy ajustado,-a

skip [skɪp] **I** *n* **1** salto, brinco **2** *(para escombros, etc)* contenedor

II *vi* **1** saltar, brincar **2** *(juego)* saltar a la comba

III *vtr fig (omitir)* saltarse

skirmish [ˈskərmɪʃ] *n* escaramuza

skirt [skərt] **I** *n* falda

II *vtr* **1** *(un bosque, un río, etc)* bordear **2** *(un problema)* eludir

skittle [ˈskɪdəl] *n* **1** bolo **2 skittles** *(sing),* (juego de los) bolos

skull [skʌl] *n Anat* cráneo, calavera

skunk [skʌŋk] *n Zool* mofeta

sky [skaɪ] *n* cielo

skylight [ˈskaɪlaɪt] *n Arquit* tragaluz, claraboya

skyline [ˈskaɪlaɪn] *n* (línea del) horizonte

skyscraper [ˈskaɪskreɪpər] *n* rascacielos

slab [slæb] *n* **1** *(de hormigón, etc)* bloque; *(de madera)* tabla; *(de piedra)* losa

slack [slæk] *adj* **1** *(cable, cuerda)* flojo,-a **2** *(disciplina)* laxo,-a, descuidado,-a; *(persona)* vago,-a

slacken [ˈslækən] **I** *vtr* **1** *(una cuerda)* aflojar **2** *(la velocidad)* aminorar, disminuir

II *vi (cable, cuerda)* aflojarse

■ **slacken off** *vi* **1** *(demanda, etc)* disminuir **2** *(el negocio)* flojear

slam [slæm] **I** *n* portazo

II *vtr (puerta, tapa)* cerrar de golpe

III *vi (puerta)* cerrarse de golpe

slander [ˈslændər] **I** *n* difamación, calumnia

II *vtr* difamar, calumniar

slang [slæŋ] *n* argot, jerga

slant [slænt] **I** *n* **1** inclinación, pendiente **2** punto de vista **3** sesgo

II *vtr fig (una noticia)* presentar sesgadamente

III *vi* inclinarse

slanted [ˈslæntɪd] *adj (informe, etc)* sesgado,-a

slap [slæp] **I** *n (en la cara)* bofetada; *(en la espalda)* palmada

II *vtr (en la cara)* pegar una bofetada a; **to slap sb on the back,** dar una palmada en la espalda a alguien

slapstick [ˈslæpstɪk] *n* bufonadas, payasadas

slash [slæʃ] **I** *n* **1** *Tip* barra oblicua **2** cuchillada

II *vtr* **1** *(a una persona)* acuchillar **2** *fig (precios)* rebajar drásticamente

slate [sleɪt] **I** *n* pizarra

II *vtr fam* criticar duramente

slaughter [ˈslɔːdər] **I** *n (de animales)* matanza

II *vtr* **1** *(animales)* matar **2** *(personas)* matar salvajemente, masacrar

slaughterhouse [ˈslɔːdərhaus] *n* matadero

slave [sleɪv] **I** *n* esclavo,-a

II *vi fam* **to slave (away),** trabajar como un burro

slavery [ˈsleɪvəri] *n* esclavitud

sled [sled] **I** *n* trineo

II *vi* ir en trineo

sleek [sliːk] *adj* **1** *(piel)* lustroso,-a **2** *(persona)* pulcro,-a

sleep [sliːp] **I** *n* **1** sueño **2 to go to sleep,** dormirse
II *vi* dormir
■ **sleep in** *vi* dormir hasta tarde
sleeper ['sliːpər] *n* **1** *(persona)* durmiente **2** *Ferroc* traviesa **3** *Ferroc* coche-cama **4** *Ferroc* litera
sleeping ['sliːpɪŋ] *adj* durmiente; **Sleeping Beauty,** la Bella durmiente
sleeping car *n Ferroc* coche-cama
sleepless ['sliːplɪs] *adj* **1** *(persona)* insomne **2** *(noche)* en blanco
sleepwalker ['sliːpwɔːkər] *n* sonámbulo,-a
sleepy ['sliːpi] *adj (sleepier, sleepiest)* soñoliento,-a; **to be/feel sleepy,** tener sueño
sleet [sliːt] **I** *n* aguanieve
II *vi* it's sleeting, cae aguanieve
sleeve [sliːv] *n* manga
sleigh [sleɪ] *n* trineo
slender ['slendər] *adj* **1** *(persona)* esbelto,-a **2** *(posibilidad)* remoto,-a **3** *(recursos)* escaso,-a
slept [slept] *ps & pp* → **sleep**
slice [slaɪs] **I** *n* **1** *(de carne asada)* tajada; *(de embutido, jamón, queso)* loncha; *(de limón)* rodaja; *(de melón)* raja; *(de pan)* rebanada; *(de pastel)* trozo; *(de pizza)* porción **2** *(utensilio)* pala **3** *fig* parte, porción
II *vtr* cortar (en tajadas, rebanadas, lonchas, etc)
slick [slɪk] **I** *adj* **1** *(presentación, etc)* logrado,-a **2** *(persona)* hábil
II *n* (oil) slick, mancha, marea negra
slide [slaɪd] **I** *vtr (ps & pp slid)* deslizar
II *vi* **1** *(a propósito)* deslizarse **2** *(por accidente)* resbalar
III *n* **1** *(acción)* resbalón **2** *(para niños)* tobogán **3** *Fot* diapositiva
slight [slaɪt] **I** *adj* **1** *(cambio)* ligero,-a **2** leve **3 slightest,** mínimo,-a: **I haven't got the slightest idea,** no tengo la más mínima idea
II *n* desaire
III *vtr frml* desairar
slightly ['slaɪtli] *adv* ligeramente, algo
slim [slɪm] **I** *adj (slimmer, slimmest)* **1** *(persona)* delgado,-a **2** *(recursos)* escaso,-a
II *vi* adelgazar
slime [slaɪm] *n* **1** limo, cieno **2** *(de los peces, etc)* baba
slimy ['slaɪmi] *adj (slimier, slimiest)* **1** *(sustancia)* viscoso,-a **2** *(un pez, etc)* baboso,-a
sling [slɪŋ] **I** *n* **1** *Med* cabestrillo **2** *(arma)* honda
II *vtr (ps & pp slung)* **1** tirar **2** colgar
slink [slɪŋk] *vi (ps & pp slunk)* *(con adverbio)* mover sigilosamente
slip [slɪp] **I** *n* **1** resbalón **2** error; *(moral)* desliz
II *vi* **1** resbalar(se) **2** *(precios)* bajar; *(la moral)* decaer; *(calidad)* deteriorar
III *vtr* **1** dar disimuladamente **2** it

completely slipped my mind, se me olvidó por completo
■ **slip out** *vi* escabullirse
■ **slip up** *vi fam* cometer un desliz
slipper ['slɪpər] *n* zapatilla
slippery ['slɪpəri] *adj* resbaladizo,-a más **slit** [slɪt] **I** *n* **1** hendidura **2** corte, raja
II *vtr (ps & pp slit)* cortar, rajar
slither ['slɪðər] *vi* deslizarse
sliver ['slɪvər] *n* **1** *(de carne)* loncha **2** *(de cristal, madera)* astilla
slob [slɒb] *n fam* dejado,-a, vago,-a
slogan ['sləʊgən] *n* eslogan, lema
slop [slɒp] *vi* **1** *(un líquido)* **to slop (over),** derramarse **2** *(una persona)* **to slop about,** chapotear
II *vtr* derramar
slope [sləʊp] **I** *n* **1** cuesta, pendiente **2** *(de una colina)* ladera; *(de un tejado)* vertiente
II *vi* inclinarse
sloping ['sləʊpɪŋ] *adj* **1** inclinado,-a **2** en pendiente
sloppy ['slɒpi] *adj (sloppier, sloppiest)* *fam* **1** *(trabajo)* descuidado,-a, chapucero,-a **2** *(apariencia)* desaliñado,-a
slot [slɒt] **I** *n* ranura
II *vtr* encajar
sloth [sləʊθ] *n* pereza
slot machine *n (para jugar)* (máquina) tragaperras
slouch [slaʊtʃ] **I** *vi* andar *o* sentarse encorvado
II *n* **with a slouch,** con los hombros caídos, encorvado,-a
slow [sləʊ] **I** *adj* **1** lento,-a **2** atrasado,-a
II *adv* despacio, lentamente
III *vi* **to slow (down),** *(al hablar)* hablar más despacio; *(al andar)* ir más despacio; *(en un coche)* reducir la velocidad
■ **slow up** *vtr* retrasar
slowly ['sləʊli] *adv* despacio, lentamente
slow motion [sləʊ'məʊʃən] *n* cámara lenta
sludge [slʌdʒ] *n* **1** fango, lodo **2** sedimento
slug [slʌg] *n* babosa
sluggish ['slʌgɪʃ] *adj* perezoso,-a, indolente
sluicegate ['sluːsgeɪt] *n* compuerta
slum [slʌm] *n (usu pl)* barrio bajo, barriada
slumber ['slʌmbər] *vi* dormitar, flojear
slumber party ['slʌmbərpɑːti] *n* fiesta de niños en la que pasan la noche y duermen en casa de uno de ellos
slump [slʌmp] **I** *n* **1** *(de la economía)* profunda depresión **2** *(en las ventas)* bajón
II *vi* **1** *(las ventas)* caer en picado; *(los precios)* desplomarse **2** *(los ánimos, la economía)* decaer
slung [slʌŋ] *ps & pp* → **sling**
slur [slɜːr] **I** *n* difamación, calumnia
II *vtr (las palabras)* arrastrar
slush [slʌʃ] *n* **1** nieve medio derretida
sly [slaɪ] *adj (slyer, slyest o slier, sliest)* **1**

(persona) astuto,-a, taimado,-a **2** *(acción)*
sigiloso,-a

smack [smæk] **I** *n* **1** *(golpe)* bofetada **2** *argot*
heroína
II *vtr* dar una bofetada a

small [smɔːl] *adj* pequeño,-a; **a small car,**
un cochecito

small change *n* cambio, calderilla

smallpox ['smɔːlpɒks] *n* Med viruela

small-talk ['smɔːltɔːk] *n* conversación sin
transcendencia

smart [smɑːt] **I** *adj* **1** *(apariencia)* elegante
2 inteligente
II *vi* picar, escocer

smarten ['smɑːt'n] *vtr* arreglar
■ **smarten up I** *vtr* arreglar
II *vi* arreglarse

smash [smæʃ] **I** *n* **1** accidente, choque **2**
(ruido) estrépito **3** Tenis smash
II *vtr* **1** romper, quebrar **2** *(al enemigo)*
derrotar **3** *(un récord)* batir **4** Dep *(el balón, la
pelota)* golpear violentamente
III *vi* **1** romperse **2** hacerse pedazos **3**
chocar, estrellarse

smashed [smæʃt] *adj* **to be smashed,** estar
borracho,-a

smattering ['smætəriŋ] *n* nociones

smear [smɪər] **I** *n* mancha
II *vtr* **1** *(aceite, grasa)* untar, embadurnar **2**
(ensuciar) manchar

smell [smel] **I** *n* **1** olor **2** *(sentido)* olfato
II *vtr* *(ps & pp smelled o smelt)* *(una flor,
fragancia, un aroma)* oler
III *vi* oler

smelly ['smeli] *adj (smellier, smelliest)* fam
que huele mal; *(fuerte)* apestoso,-a

smile [smaɪl] **I** *n* sonrisa
II *vi* sonreír

smiling ['smaɪlɪŋ] *adj* sonriente, risueño,-a

smirk [smɜːk] *n* sonrisa de suficiencia

smith [smɪθ] *n* herrero,-a

smithy ['smɪði] *n* herrería

smock [smɒk] *n* **1** blusón **2** *(de niño)*
delantal

smog [smɒg] *n* niebla tóxica, smog

smoke [smoʊk] **I** *n* humo
II *vi* *(tabaco, etc)* fumar *(una chimenea, etc)*
echar humo
III *vtr* **1** fumar **2** *(el pescado, etc)* ahumar

smoke alarm *n* detector de incendios

smoked [smoʊkt] *adj* ahumado,-a

smoker ['smoʊkər] *n (persona)* fumador,-
ora

smoking gun ['smoʊkɪŋgʌn] *n fig* arma
con que se ha cometido un crimen,
cualquier objeto incriminador

smoky ['smoʊki] *adj (smokier, smokiest)* **1**
(un espacio) lleno,-a de humo **2** *(olor, sabor)* a
humo

smolder ['smoʊldər] *vi* arder sin llama

smooth [smuːð] **I** *adj* **1** *(una superficie)* liso,-

a; *(la piel)* suave **2** *(un viaje, un proceso)* sin
problemas **3** *(una persona)* afable
II *vtr* **1** *(el pelo, un vestido)* alisar **2** *(una
superficie)* pulir

smoothly ['smuːðli] *adv* **1** *(moverse)*
suavemente **2** *(desarrollarse)* sin problemas

smother ['smʌðər] *vtr* **1** *(a una persona)*
asfixiar; *(las llamas)* sofocar *(un bostezo)*
reprimir

smudge [smʌdʒ] **I** *n* mancha
II *vtr* **1** manchar **2** *(la tinta)* emborronar

smug [smʌg] *adj (smugger, smuggest)*
engreído,-a, pagado,-a de sí mismo,-a

smuggle ['smʌgəl] *vtr* pasar de
contrabando**disguise,** lograron que pasara
disfrazado

smuggler ['smʌglər] *n* contrabandista

smuggling ['smʌglɪŋ] *n* contrabando

snack [snæk] *n* tentempié

snag [snæg] **I** *n* inconveniente, pega
II *vtr* *(la tela, etc)* engancharse

snail [sneɪl] *n* caracol

snake [sneɪk] *n* serpiente, culebra

snap [snæp] **I** *n* **1** ruido seco, chasquido,
clic **2** Fot instantánea **3** *(de un bolso, etc)*
broche **4** *(del tiempo)* intervalo; **cold snap,**
ola de frío
II *adj (decisión)* repentino,-a
III *vi* **1** romperse, partirse **2** hacer un ruido
seco **3** *(un animal)* intentar morder; *(una
persona)* hablar bruscamente
IV *vtr* **1** partir, romper **2** *(los dedos)*
chasquear **3** decir bruscamente
■ **snap off** *vi* desprenderse
■ **snap up** *vtr fam (una ganga, oportunidad)*
no dejar escapar

snappy ['snæpi] *adj (snappier, snappiest)*
fam *(un animal)* que muerde; *(una persona)*
irritable; *(una respuesta)* cortante

snapshot ['snæpʃɒt] *n (foto)* instantánea

snare [snɛər] **I** *n* trampa, cepo
II *vtr* atrapar

snarl [snɑːl] **I** *n* gruñido
II *vi* gruñir
III *vtr* decir gruñendo

snatch [snætʃ] **I** *n* **1** *fam* robo **2** *(de música,
de conversación)* fragmento
II *vtr* **1** arrebatar, quitar **2** *fam* robar
III *vi* arrebatar

sneak [sniːk] **I** *n fam* soplón,-ona, chivato,-
a
II *vi (mover furtivamente)* **to sneak away/off,**
escabullirse; **to sneak out,** salir a hurtadillas;
to sneak up, acercarse sigilosamente

sneakers ['sniːkərz] *npl* zapatillas de
deporte

sneaky ['sniːki] *adj (sneakier, sneakiest)* **1**
(una persona) solapado,-a **2** soplón,-ona **3**
(una acción) furtivo,-a

sneer [snɪər] **I** *n* **1** sonrisa sarcástica **2**
comentario despectivo

II *vi* poner cara de desprecio

sneeze [sni:z] I *n* estornudo

II *vi* estornudar

sniff [snɪf] *vt* 1 *(una persona)* oler; *(un animal)* olfatear 2 inhalar por la nariz; *(droga, etc) fam* esnifar

II *vi* 1 *(por catarro)* sorberse la nariz; *(por emoción)* sorberse las lágrimas

snigger ['snɪgər] I *n* risilla

II *vi* reírse con disimulo

sniggering ['snɪgərɪŋ] *n* risitas

snip [snɪp] I *n* tijeretazo

II *vtr* cortar con tijeras

sniper ['snaɪpər] *n* francotirador,-ora

snivel ['snɪvəl] *vi pey* lloriquear

snob [snɒb] *n* (e)snob

snobbery ['snɒbərɪ] *n* (e)snobismo

snobbish ['snɒbɪʃ] *adj* (e)snob

snooker ['snu:kər] *n* snooker, billar ruso

snoop [snu:p] I *vi* fisgar, fisgonear

II *n* fisgón,-ona

snooze [snu:z] *fam* I *n* cabezada, siestecita;

to have a snooze, echar una cabezada

II *vi* dormitar

snore [snɔ:r] I *n* ronquido

II *vi* roncar

snorkel ['snɔrkəl] *n* esnórquel, tubo de buceo

snot [snɒt] *n fam* mocos

snort [snɔrt] I *n* resoplido

II *vi* resoplar

III *vtr* 1 bramar 2 *(droga)* argot esnifar

snout [snaʊt] *n* morro

snow [snoʊ] I *n* 1 nieve 2 *argot* cocaína

II *vi* nevar

snowball ['snoʊbɔ:l] *n* bola de nieve

snowbound ['snoʊbaʊnd] *adj* incomunicado,-a, aislado,-a por la nieve

snowdrift ['snoʊdrɪft] *n* montón de nieve, ventisquero

snowfall ['snoʊfɔ:l] *n* nevada

snowflake ['snoʊfleɪk] *n* copo de nieve

snowman ['snoʊmæn] *n* muñeco de nieve

snowplow ['snoʊplaʊ] *n* quitanieves

snowstorm ['snoʊstɔrm] *n* nevasca

snowy ['snoʊɪ] *adj* (**snowier, snowiest**) 1 *(montaña)* nevado,-a 2 *(clima)* nevoso,-a; *(día)* de nieve

snub [snʌb] I *n* desaire, rechazo

II *vtr* 1 *(a una persona)* hacer un desaire 2 *(una oferta)* rechazar

snub-nosed ['snʌbnoʊzd] *adj* de nariz respingona

snug [snʌg] *adj* (**snugger, snuggest**) 1 *(un sitio)* cómodo,-a y acogedor,-ora 2 *(ropa)* ajustado,-a

snuggle ['snʌgəl] *vi* 1 acurrucarse (en la cama) 2 **to snuggle up to sb**, arrimarse a alguien

snugly ['snʌglɪ] *adv* cómodamente

so [soʊ] I *adv* 1 *(con adjetivo o adverbio)* tan:

this is so difficult, esto es tan difícil 2 *(con un verbo)* tanto: **I miss you so (much)**, te echo mucho de menos 3 *(en comparación)* **he is not so clever as his wife**, no es tan listo como su mujer 4 **a month or so**, alrededor de un mes 5 **and so on**, etcétera 6 *(con el auxiliar)* también: **I like cats, - so do I**, me gustan los gatos, - a mí también 7 bueno: **so, let's begin**, bueno, empecemos 8 entonces: **so she got up and said...**, entonces se levantó y dijo... 9 así que, conque

II *conj* 1 para: **so as to arrive in time**, para llegar a tiempo 2 *(resultado)* **she was ill, so she didn't come**, estaba enferma, así que no asistió

soak [soʊk] I *vtr* 1 *(la ropa, los garbanzos)* remojar 2 empapar

II *vi (la ropa, los garbanzos)* estar en remojo

■ **soak in** *vi* penetrar

■ **soak up** *vtr* absorber

soaking ['soʊkɪŋ] *adj* empapado,-a

soap [soʊp] I *n* jabón

II *vtr* enjabonar

soap opera *n* TV culebrón

soapy ['soʊpɪ] *adj* (**soapier, soapiest**) *(agua)* jabono-so,-a; *(manos)* cubierto,-a de jabón

soar [sɔ:r] *vi* 1 *(una ave, un avión)* volar alto, planear 2 *fig (los precios)* dispararse

S.O.B. [esoʊ'bi] *ofens (abr de son of a bitch)* hijo de perra

sob [sɒb] I *n* sollozo

II *vi* sollozar

sober [soʊbər] *adj (no borracho)* sobrio,-a

■ **sober up** *vi* espabilar la borrachera

so-called [soʊkɔ:ld] *adj* llamado,-a **soccer** ['sɒkər] *n* fútbol (europeo)

sociable ['soʊʃəbəl] *adj* sociable

social ['soʊʃəl] *adj* social

Social Democrat *n* socialdemócrata

socialism ['soʊʃəlɪzəm] *n* socialismo

socialist ['soʊʃəlɪst] *adj* & *n* socialista

socialize ['soʊʃəlaɪz] *vi* alternar, hacer vida social

social security *n* seguridad social

social welfare *n* seguridad social

society, tb Society, alta sociedad 3 asociación

II *adj* de la alta sociedad

sociological [soʊsɪə'lɒdʒɪkəl] *adj* sociológico,-a

sociologist [soʊsɪ'ɒlədʒɪst] *n* sociólogo,-a

sociology [soʊsɪ'ɒlədʒɪ] *n* sociología

sock [sɒk] *n* calcetín

socket ['sɒkɪt] *n* 1 *Anat (del ojo)* cuenca 2 *Elec (para un enchufe)* toma; *(para una bombilla)* casquillo

sod [sɒd] *n* terrón

soda ['soʊdə] *n* 1 *Quím* sosa 2 *Culin* bicarbonato (sódico) 3 soda, seltz 4 refresco con gas

sodium ['soʊdɪəm] *n* sodio

sofa ['soufə] n sofá

soft [sɒft] adj 1 *(agua, droga, materia, porno, etc)* blando,-a; **to go soft,** ablandarse 2 *(la luz, música, piel, el pelo)* suave

soft drink n refresco

soften ['sɒfən] vtr 1 ablandar 2 *(el color, la piel, la ropa)* suavizar

softly ['sɒfli] adv suavemente

softness ['sɒfnɪs] n 1 blandura 2 *(del pelo, de la piel)* suavidad

soft-pedal ['sɒftpedəl] v fig limitarse, hacer que algo parezca menos serio o extremo de lo que verdaderamente es

software ['sɒftweər] n Inform software

soggy ['sɒgi] adj *(soggier, soggiest)* empapado,-a

soil [sɔɪl] I n 1 *(materia en que crecen las plantas)* tierra 2 Pol suelo
II vtr ensuciar, manchar

solace ['sɒlɪs] n frml consuelo

solar ['soulər] adj solar

sold [sould] ps & pp → sell

solder ['sɒdər] I n soldadura
II vtr soldar

soldier ['souldʒər] n soldado; *(oficial)* militar

sole [soul] I n 1 *(del pie)* planta; *(de un zapato)* suela 2 Zool lenguado
II adj 1 único,-a 2 *(derechos)* exclusivo,-a
III vtr *(los zapatos)* poner suelas (y tapas) a

solemn ['sɒləm] adj solemne

solicit [sə'lɪsɪt] vtr frml solicitar

solid ['sɒlɪd] I adj 1 sólido,-a 2 *(no hueco)* macizo,-a 3 *(apoyo, voto)* unánime
II n sólido

solidarity [sɒlɪ'dærɪdʒi] n solidaridad

solidify [sə'lɪdɪfaɪ] vi solidificarse

solidity [sə'lɪdɪdi] n solidez

solid state ['sɒlɪdsteɪt] adj Elec sistema eléctrico que opera por medio de transistores

soliloquy [sə'lɪləkwi] n Teat monólogo, soliloquio

solitaire [sɒlɪ'teər] n solitario

solitary ['sɒlɪteri] adj solitario,-a

solitude ['sɒlɪtuːd] n soledad

solo ['soulou] n solo

soloist ['soulouɪst] n solista

solstice ['sɒlstɪs] n solsticio

soluble ['sɒljəbəl] adj soluble

solution [sə'luːʃən] n solución

solve [sɒlv] vtr resolver, solucionar

solvent ['sɒlvənt] adj & n solvente

somber ['sɒmbər] adj sombrío,-a

some [sʌm] I adj 1 *(una cantidad no definida; no siempre se traduce)* uno(s),-a(s), alguno(s),-a(s), algo de: **would you like some coffee?,** ¿quieres café? 2 alguno,-a, cierto,-a: **to some extent,** hasta cierto punto 3 *(una o más cosas o personas no definidas)* algún,-uno(s),-una(s): **I'll be**

back some day, algún día volveré 4 **some or other,** alguno u otro
II pron 1 *(personas sin especificar)* algunos,-as: **some say he's mad,** algunos dicen que está loco 2 *(parte de una cantidad)* some of **the apples,** algunas de las manzanas

somebody ['sʌmbədi] pron alguien: **somebody else,** otro,-a, otra persona

somehow ['sʌmhau] adv de alguna manera; **somehow or other,** de algún modo u otro

someone ['sʌmwʌn] pron & n → somebody

somersault ['sʌmərsɒːlt] n 1 *(de niño)* voltereta 2 *(en el circo, etc)* salto mortal 3 Auto vuelta de campana

something ['sʌmθɪŋ] pron 1 algo, alguna cosa: **something is wrong,** algo no va bien; **something else,** otra cosa, algo más 2 **something of,** algo: **he is something of a reactionary,** es algo reaccionario 3 **are you crazy or something?,** ¿estás loco o qué?

sometime ['sʌmtaɪm] adv algún día

sometimes ['sʌmtaɪmz] adv a veces, de vez en cuando

somewhat ['sʌmwɒt] adv frml algo, un tanto

somewhere ['sʌmweər] adv 1 *(ubicación)* en algún sitio; *(dirección)* a alguna parte 2 **somewhere else,** a o en otra parte

son [sʌn] n hijo

song [sɒŋ] n canción; Lit cantar 2 *(de un pájaro)* canto

songwriter ['sɒŋraɪdər] n 1 compositor,-ora 2 **singer songwriter,** cantautor,-ora

son-in-law ['sʌnɪnlɑː] n yerno

sonnet ['sɒnɪt] n soneto

soon [suːn] adv 1 pronto, dentro de poco; **see you soon!,** ¡hasta pronto! 2 pronto: **as soon as possible,** cuanto antes; **sooner or later,** tarde o temprano; **the sooner the better,** cuanto antes, mejor; 3 *(como conjunción)* **no sooner had I sat down than the phone rang,** apenas me había sentado, cuando sonó el teléfono

soot [sut] n hollín

soothe [suːð] vtr 1 *(a una persona)* tranquilizar 2 *(un dolor)* aliviar

sophisticated [sə'fɪstɪkeɪdɪd] adj sofisticado,-a

sopping ['sɒpɪŋ] adj fam tb **sopping wet,** empapado,-a

soprano [sə'prɑːnou] n soprano

sorcerer ['sɒrsərər] n brujo, hechicero

sorceress ['sɒrsərɪs] n bruja, hechicera

sordid ['sɒrdɪd] adj sórdido,-a

sore [sɔːr] I adj dolorido,-a; **to have a sore throat,** tener dolor de garganta
II n llaga

sorely ['sɒrli] adv frml 1 muy: **she was sorely tempted,** sintió una gran tentación 2 *(herido)* gravemente

sorrow ['sɒrou] *n* pena, dolor

sorrowful ['sɒroufəl] *adj* afligido,-a, triste

sorry ['sɒri] **1** *adj (sorrier, sorriest)* **2** triste; **to be sorry about sthg**, sentir algo **3** compasivo,-a; **to feel sorry for sb**, compadecer a alguien **4** arrepentido,-a: **I am sorry I did it**, me arrepiento de haberlo hecho

II *excl* **1** *(para disculparse)* **sorry!**, ¡perdón! **2** *(cuando no se ha entendido)* **sorry?**, ¿cómo?

sort [sɔrt] **I** *n* tipo, clase

II *vtr* clasificar

■ **sort out** *vtr* resolver, arreglar

so-so ['sousou] *adv fam* regular, así así

sought [sɔːt] *ps & pp* → **seek**

soul [soul] *n* **1** alma **2** *Mús* (música) soul

sound [saund] **I** *n* **1** sonido **2** ruido: **don't make a sound!**, ¡no hagas ruido! **3** *Geog* estrecho **4** *Med Náut* sonda

II *adj* **1** sólido,-a **2** *(una persona)* responsable; *(un argumento)* sensato,-a **3** *(una victoria)* contundente

III *vi* **1** sonar **2** *(parecer)* **that sounds absurd**, eso parece absurdo

IV *vtr* tocar, hacer sonar

soundproof ['saundpruːf] *adj* insonorizado,-a

soundtrack ['saundtræk] *n Cine TV* banda sonora

soup [suːp] *n Culin* puré, sopa

soup bowl *n* plato hondo

sour [sauər] *adj (fruta)* ácida **2** *(leche, nata)* agrio,-a, cortado,-a

source [sɔrs] *n* **1** *(de un río)* nacimiento **2** *fig (de información, ingresos)* fuente

south [sauθ] **I** *n* sur; **in the south of Spain**, en el sur de España

II *adj* del sur

South Africa [sauθ'æfrɪkə] *n* Sudáfrica

South African [sauθ'æfrɪkən] *n & adj* sudafricano,-a

South America [sauθə'merɪkə] *n* América del Sur, Suramérica

South American [sauθə'merɪkən] *n & adj* suramericano,-a

southeast [sauθ'iːst] **I** *n* sudeste

II *adj* sudeste

southern ['sʌðərn] *adj* del sur, meridional

southward ['sauθwərd] *adj & adv* hacia el sur

southwest [sauθ'west] **I** *n* suroeste

II *adj* suroeste

souvenir [suːvə'nɪər] *n* recuerdo, souvenir

sovereign ['sɒvrɪn] *n & adj* soberano,-a

sow[1] [sou] *vtr (ps sowed; pp sowed o sown)* sembrar

sow[2] [sau] *n Zool* cerda

soy [sɔɪ] *n* soja

spa [spaː] *n* balneario

space [speɪs] **I** *n* espacio, sitio

II *vtr (tb space out)* espaciar, separar

space bar *n Inform* barra espaciadora

spacing ['speɪsɪŋ] *n* espaciado; **in double space**, a doble espacio

spacious ['speɪʃəs] *adj* amplio,-a, espacioso,-a

spade [speɪd] *n* **1** *(herramienta)* pala **2** *Naipes (internacional)* pica; *(baraja española)* espada

spaghetti [spə'gedʒi] *n Culin* espagueti

Spain [speɪn] *n* España

span [spæn] **I** *n* **1** *(de las alas)* envergadura **2** *(de tiempo)* lapso, espacio **3** *Arquit (de un puente, etc)* arco

II *vtr (un arco, puente, etc)* cruzar

Spanglish ['spæŋglɪʃ] *n hum (idioma: mezcla de inglés y español)* spanglish

Spaniard ['spænjərd] *n* español,-ola

Spanish ['spænɪʃ] **I** *adj* español,-ola

II *n* **1** **the Spanish** *pl*, los españoles **2** *(idioma)* español, castellano

spare [sper] **I** *vtr* **1** dejar, dar **2** prescindir de **3** **to spare sb sthg**, ahorrarle algo a alguien **4** *(uso adjetivo)* de sobra: **money/time to spare**, dinero/tiempo de sobra

II *adj* **1** de más, de sobra **2** *(tiempo)* libre **3** *(bombilla, neumático, pieza, plomo, rueda, etc)* de recambio

III *n Auto fam* neumático de recambio

spark [spɑrk] **I** *n* **1** chispa **2** *fam* **a bright spark**, un listillo

II *vi* echar chispas

■ **spark off** *vtr* desatar, provocar

sparkle ['spɑrkəl] **I** *vi* brillar, destellar

II *n (de los ojos)* brillo; *(del cristal, un diamante)* centelleo, destello

sparkling ['spɑrklɪŋ] *adj* **1** *(ojos)* brillante; *(cristal, diamante)* centelleante **2** *(vino)* espumoso; *(agua)* con gas

spark plug *n Auto* bujía

sparrow ['sperou] *n Orn* gorrión

sparse [spɑrs] *adj* escaso,-a

spasm ['spæzəm] *n* espasmo

spat [spæt] *ps & pp* → **spit**[1]

spatial ['speɪʃəl] *adj* espacial

spatter ['spædər] *vtr* salpicar **with**, de]

spatula ['spætʃələ] *n* espátula

spawn [spɔːn] *n* **1** hueva **2** *(de hongos)* semillas

II *vtr* engendrar

III *vi* desovar

speak [spiːk] **I** *vtr (ps spoke; pp spoken)* **1** decir **2** *(un idioma)* hablar

II *vi* **1** hablar **2** **generally speaking**, en términos generales; **so to speak**, por así decirlo

■ **speak for** *vtr (representar)* hablar en nombre de

■ **speak out** *vi* **1** hablar claro **2** **to speak out for / against sthg**, hablar a favor/en contra de algo

■ **speak up** *vi* hablar más fuerte

speaker ['spi:kər] n 1 persona que habla 2 *(de un idioma)* hablante 3 *(en una conferencia)* conferenciante, ponente; *(en público)* orador,-ora 4 *Pol US* **the Speaker of the House,** el Presidente de la Cámara de los Representantes 5 *Audio* altavoz, bafle

spear [spiər] n 1 *(arma)* lanza 2 *(para pescar)* arpón

special ['speʃəl] I *adj* especial

II n 1 *Rad TV* programa especial; *Prensa* número extraordinario 2 *Culin* **today's special,** especialidad del día

specialist ['speʃəlɪst] n especialista

specialize ['speʃəlaɪz] vi especializarse

specialized ['speʃəlaɪzd] adj especializado,-a

specialty ['speʃəltɪ] n especialidad

species ['spi:ʃi:z] n *(pl* **species)** especie

specific [spɪ'sɪfɪk] adj 1 específico,-a 2 *(un caso, ejemplo)* concreto,-a, preciso,-a

specify ['spesɪfaɪ] vtr especificar, precisar

specimen ['spesɪmɪn] n 1 ejemplar 2 *Med* muestra

speck [spek] n *(de polvo)* mota, pizca

speckled ['spekəld] adj moteado,-a

spectacle ['spektəkəl] n 1 espectáculo 2 *frml* **spectacles** pl, gafas

spectacular [spek'tækjələr] I *adj* espectacular, impresionante

II n *Cine TV* show

spectator [spek'teɪdər] n espectador,-ora

specter ['spektər] n espectro, fantasma

spectrum ['spektrəm] n *Fís* espectro

speculate ['spekjəleɪt] vi especular

speculation [spekjə'leɪʃən] n especulación

speculator ['spekjəleɪdər] n especulador,-ora

speech [spi:tʃ] n 1 *(facultad)* habla, palabra 2 discurso

speechless ['spi:tʃlɪs] adj mudo,-a, boquiabierto,-a

speed [spi:d] n 1 *(de movimiento)* velocidad 2 *(de acción)* rapidez 3 *argot* anfetaminas

II vi 1 *(ps & pp* **sped)** 2 mover rápidamente

III vtr *frml (un proceso)* acelerar

■ **speed up** I vtr *(ps & pp* **speeded up)** 1 *(un proceso, un motor)* acelerar 2 *(a una persona)* meter prisa a

II vi 1 *(una persona)* darse prisa 2 *(un motor)* acelerarse

speedy ['spi:dɪ] adj *(speedier, speediest)* veloz, rápido,-a

spell [spel] I n 1 *(magia)* hechizo, encanto 2 *(de tiempo)* periodo 3 turno

II vtr *(ps & pp* **spelt** o **spelled)** deletrear, escribir

III vi **I can't spell,** mi ortografía es muy mala

■ **spell out** vtr 1 deletrear 2 explicar con detalle

spellbound ['spelbaʊnd] adj embelesado,-a

spelling ['spelɪŋ] n ortografía

spend [spend] vtr *(ps & pp* **spent)** 1 *(dinero)* gastar 2 *(el tiempo)* pasar

spending ['spendɪŋ] n 1 gastos; **public spending,** gastos públicos

spent [spent] I *ps & pp* → **spend**

II *adj (fuerza)* agotado,-a

sperm [spɜrm] n esperma

sperm whale n *Zool* cachalote

sphere [sfɪər] n esfera

spice [spaɪs] I n 1 especia 2 *fig* sabor, picante

II vtr *Culin* sazonar

spicy ['spaɪsɪ] adj *(spicier, spiciest)* 1 *Culin* sazonado,-a, picante 2 *fig (relato)* picante

spider ['spaɪdər] n araña

spike [spaɪk] n 1 *(barra de metal)* pincho 2 punta, púa

spiky ['spaɪkɪ] adj *(spikier, spikiest) (objeto)* puntiagudo,-a

spill [spɪl] I vtr *(ps & pp* **spilled** o **spilt)** derramar

II vi *(un líquido)* derramarse

■ **spill out** vi *(personas)* **people spilled out into the road,** la gente se echó a la calle

■ **spill over** vi desbordarse

spin [spɪn] I vtr *(ps & pp* **spun)** 1 *(hacer hilo)* hilar; *(una telaraña)* tejer 2 *(una rueda, peonza)* hacer girar 3 *(la colada)* centrifugar

II vi 1 hilar 2 *(rueda, peonza)* girar

III n 1 vuelta, giro 2 *Av* barrena

spinach ['spɪnɪtʃ] n *Bot* espinacas

spinal ['spaɪnəl] adj espinal, vertebral

spinal cord n *Anat* médula espinal

spin dryer ['spɪn'draɪər] n centrifugadora

spine [spaɪn] n 1 *Anat* columna vertebral, espinazo 2 *Zool* púa

spineless ['spaɪnlɪs] adj *fig (persona)* sin caracter, sin nervio

spinning ['spɪnɪŋ] n *Tex* hilado

spinning wheel n rueca

spin-off ['spɪnɒf] n producto derivado

spinster ['spɪnstər] n *pey* soltera

spiral ['spaɪrəl] I n espiral

II *adj* en espiral

spire ['spaɪər] n *Arquit* aguja

spirit ['spɪrɪt] n 1 alma, espíritu 2 fantasma 3 *(actitud)* humor 4 caracter; **a man of great spirit,** un hombre de carácter 5 alcohol 6 **spirits** pl, bebidas alcohólicas, licores

spirited ['spɪrɪtɪd] adj 1 *(defensa, discurso)* enérgico,-a 2 *(caballo)* fogoso,-a **spiritual** ['spɪrɪtʃʊəl] adj espiritual

spit [spɪt] I n 1 saliva 2 *Culin* asador

II vtr *(ps & pp* **spat)** escupir

III vi I escupir

spite [spaɪt] I n 1 rencor, ojeriza 2 **in spite of,** a pesar de

II vtr fastidiar

spiteful ['spaɪtfəl] adj 1 rencoroso,-a 2 malicioso,-a

spittle ['spɪdəl] *n* saliva, baba

splash [splæʃ] **I** *vtr* salpicar

II *vi (el agua)* esparcirse, salpicar

III *n* chapoteo

splatter ['splædər] *vtr* salpicar

spleen [spliːn] *n Anat* bazo

splendid ['splendɪd] *adj* espléndido,-a

splendor ['splendər] *n* esplendor

splint [splɪnt] *n* tablilla

splinter ['splɪntər] **I** *n (de madera)* astilla; *(de cristal, hueso, metal)* esquirla

II *vi* astillarse

splinter group *n* grupo disidente

split [splɪt] **I** *n* fisura, ruptura

II *adj* partido,-a, dividido,-a

III *vtr (ps & pp split)* 1 *(la madera, piedra)* partir 2 dividir

■ split up I *vtr* 1 dividir 2 repartir 3 separar

II *vi (una pareja)* separarse

splutter ['splʌdər] *vi* 1 *(una persona)* balbucear 2 *(el aceite, la cera)* chisporrotear

spoil [spɔɪl] **I** *vtr (ps & pp spoiled o spoilt)* *(una cosa)* estropear, echar a perder

II *vi (la comida, etc)* estropearse

III *n usu pl* botín

♦ | LOC: **we are really spoilt for choice here,** aquí hay mucho donde elegir

spoke¹ [spouk] *ps* → **speak**

spoke² [spouk] *n (de una rueda)* radio, rayo

spoken ['spoukən] *pp* → **speak**

spokesman ['spouksmən] *n* portavoz

sponge [spʌndʒ] **I** *n* esponja

II *vtr* lavar con esponja

III *vi fam* gorronear

■ sponge off *vtr* vivir a costa de

spongy ['spʌndʒi] *adj (spongier, spongiest)* esponjoso,-a

sponsor ['spɑnsər] **I** *vtr* patrocinar

II *n* patrocinador,-ora

sponsorship ['spɑnsərʃɪp] *n* patrocinio

spontaneous [spɑn'teɪniəs] *adj* espontáneo,-a

spooky ['spuːki] *adj (spookier, spookiest)* *fam* espeluznante

spool [spuːl] *n* bobina, carrete

spoon [spuːn] **I** *n* cuchara

II *vtr* sacar con cuchara

spoonful ['spuːnfʊl] *n* cucharada

sporadic [spə'rædɪk] *adj* esporádico,-a

sport [spɔrt] **I** *n* deporte

II *vtr* ostentar

sporting ['spɔrdɪŋ] *adj* deportivo,-a

sports [spɔrts] *npl* deportes, deporte

sports car *n* coche deportivo

sports center *n* polideportivo

sports jacket *n* americana

sportsman ['spɔrtsmæn] *n* deportista

sportsmanship ['spɔrtsmənʃɪp] *n* deportividad

sportswear ['spɔrtswer] *n* ropa de deporte

sportswoman ['spɔrtswʊmən] *n* deportista

spot [spɑt] **I** *n* 1 *(en la tela, etc)* punto, lunar 2 *(de un leopardo, etc)* mancha 3 *(en la piel)* grano, espinilla 4 sitio, lugar 5 *TV* espacio 6 *TV* anuncio

II *vtr* 1 salpicar 2 notar; *(a una persona)* reconocer, ver

spotless ['spɑtlɪs] *adj* impecable, limpísimo,-a

spotlight ['spɑtlaɪt] *n* 1 *Teat* foco 2 *Auto* faro auxiliar

spotted ['spɑdɪd] *adj* 1 con puntos; *(tela)* de lunares 2 *(animal)* con manchas

spotty ['spɑdi] *adj (spottier, spottiest)* *pey* con granos

spouse [spaʊs] *n frml* cónyuge

spout [spaʊt] **I** *n* 1 *(de jarra, etc)* pico; *(de tetera)* pitorro 2 *(de fuente)* chorro

II *vi* 1 **to spout (out/up),** *(líquido)* brotar

sprain [spreɪn] **I** *n* esguince

II *vtr* torcer

sprang [spræŋ] *ps* → **spring**

spray [spreɪ] **I** *n* 1 rocío, rociada; *(del mar)* espuma 2 *Agr* riego por aspersión 3 *(de insecticida)* pulverización 4 *(contenedor)* aerosol, pulverizador

II *vtr* 1 *Agr (las plantas con insecticida)* fumigar; *(con agua)* rociar 2 *(perfume)* echar; *(pintura)* aplicar

spread [spred] **I** *n* 1 extensión; *(de las alas)* envergadura 2 *(de una enfermedad, un incendio)* propagación 3 *Culin* pasta, paté

II *vi (ps & pp spread)* 1 *(una ciudad, un terreno, periodo de tiempo)* extenderse 2 *(una enfermedad, un incendio)* propagarse

III *vtr* 1 *(los brazos, etc)* extender; *(las alas, un mapa)* desplegar 2 *(una enfermedad, un incendio)* propagar; *(una noticia, un rumor)* difundir 3 *(la mantequilla, etc)* extender; *(una tostada)* untar

spreadsheet ['spredʃiːt] *n Inform* hoja de cálculo

spree [spriː] *n* juerga; **to go on a spree,** ir de juerga

sprig [sprɪg] *n* ramita

spring [sprɪŋ] **I** *n* 1 primavera 2 *(de agua)* manantial, fuente 3 *(de un colchón)* muelle

II *adj (solo antes del sustantivo)* primaveral

III *vi (ps sprang; pp sprung)* saltar, mover con un salto; **to spring open,** abrirse de golpe

springboard ['sprɪŋbɔrd] *n* trampolín

springtime ['sprɪŋtaɪm] *n* primavera

sprinkle ['sprɪŋkəl] *vtr* 1 *(un líquido)* rociar 2 *(harina, etc)* espolvorear

sprint [sprɪnt] **I** *n* esprint

II *vi* esprintar

sprinter ['sprɪntər] *n* esprínter, velocista

sprout [spraʊt] **I** *vi* 1 *Bot* brotar 2 *fig* crecer rápidamente

II *n Bot* brote, retoño

sprung [sprʌŋ] *pp* → **spring**

spun [spʌn] *ps* & *pp* → **spin**

spur [spər] **I** *n* 1 espuela 2 *fig* estímulo, acicate
II *vtr* 1 *(un caballo)* espolear 2 *fig (tb* **spur on)** incitar, acuciar

spurious ['spuəriəs] *adj* falso,-a, espurio,-a

spurt [spərt] **I** *n* 1 último esfuerzo 2 *(de líquido)* chorro
II *vi* 1 *(un líquido)* chorrear 2 hacer un último esfuerzo

spy [spai] **I** *n* espía
II *vi* espiar

spyhole ['spaihɔːl] *n* mirilla

spying ['spaiiŋ] *n* espionaje

squabble ['skwɒbəl] **I** *n* riña, disputa
II *vi* reñir, pelearse

squad [skwɒd] *n* 1 *Mil* pelotón; 2 *(de policía)* brigada 3 *Dep fam* equipo

squadron ['skwɒdrən] *n Av Mil* escuadrón; *Náut* escuadra

squalid ['skwɒlid] *adj* miserable

squall [skwɔːl] **I** *n Meteor* ráfaga
II *vi* chillar, berrear

squalor ['skwɒlər] *n* miseria

squander ['skwɒndər] *vtr* 1 *(el dinero)* malgastar, despilfarrar 2 *(el tiempo, una oportunidad)* desperdiciar

square [skwer] **I** *n* 1 *Geom (forma)* cuadrado, cuadro 2 *Mat* cuadrado 3 *(de un tablero de ajedrez, gráfico, etc)* casilla 4 *(de una ciudad)* plaza 5 *(de seda, etc)* pañuelo
II *adj* 1 cuadrado,-a 2 *(trato)* justo,-a
III *adv* directamente
IV *vtr* 1 cuadrar 2 *Mat* elevar al cuadrado 3 *(las cuentas)* ajustar, saldar

squash [skwɒʃ] **I** *n* 1 *Dep* squash 2 *Bot Culin US* calabacín
II *vtr* 1 aplastar 2 *(a una persona)* apabullar
III *vi* aplastarse

squat [skwɒt] **I** *adj* 1 *(persona)* rechoncho,-a 2 *(edificio)* achaparrado,-a
II *vi* 1 agacharse, sentarse en cuclillas 2 *fam (en un edificio)* ocupar ilegalmente
III *n fam* vivienda habitada por okupas

squatter ['skwɒtər] *n* ocupante ilegal, okupa

squawk [skwɔːk] **I** *n* graznido
II *vi* graznar

squeak [skwiːk] **I** *n (de un animal, una persona)* chillido; *(de una puerta, rueda)* chirrido; *(de zapatos)* crujido
II *vi (un animal, una persona)* chillar; *(una puerta, rueda)* chirriar, rechinar; *(un zapato)* crujir

squeal [skwiːl] **I** *n* chillido
II *vi* chillar

squeamish ['skwiːmiʃ] *adj* muy sensible

squeeze [skwiːz] **I** *n* 1 *(fuerte)* estrujón; *(de manos)* apretón; *fam* abrazo
II *vtr* apretar; *(una naranja, etc)* exprimir

squid [skwid] *n Zool* calamar, chipirón

squint [skwint] **I** *n Med* estrabismo; **to have a squint,** ser bizco,-a
II *vi* ser bizco,-a

squirm [skwərm] *vi* retorcerse

squirrel ['skwərəl] *n Zool* ardilla

squirt [skwərt] **I** *n* chorro
II *vtr* lanzar a chorro
III *vi* **to squirt out,** salir a chorros

St 1 [seint] *(abr de Saint)* San, Sta 2 [stiːt] *(abr de Street)* calle, c/

stab [stæb] **I** *n* 1 *(de un cuchillo, etc)* puñalada 2 *(de dolor, remordimiento)* punzada
II *vtr* apuñalar

stability [stə'biliḍi] *n* estabilidad

stable ['steibəl] **I** *adj* estable, sólido,-a
II *n (para caballos)* cuadra, caballeriza

stack [stæk] **I** *n* montón, pila
II *vtr* amontonar, apilar

stadium ['steidiəm] *n* estadio

staff [stæːf] **I** *Com* personal, plantilla 1 empleados; **a member of staff,** un empleado
II *vtr* proveer de personal

staffer ['stæfər] *n* miembro del personal de una organización

staffroom ['stæːfruːm] *n* sala de profesores

stag [stæg] *n Zool* ciervo, venado

stage [steidʒ] **I** *n* 1 tablado, plataforma 2 *Teat* escenario 3 etapa, fase
II *vtr Teat* representar, poner en escena

stage manager *n* director,-ora de escena

stagger ['stægər] **I** *vi* tambalearse
II *vtr* 1 asombrar *(el trabajo, las vacaciones)* escalonar

staggering ['stægəriŋ] *adj* asombroso,-a

stagnant ['stægnənt] *adj* estancado,-a

stagnate [stæg'neit] *vi* estancarse

stag party *n fam* despedida de soltero

stain [stein] **I** *n* 1 mancha *(para la madera, etc)* tinte
II *vtr* 1 *(la ropa, reputación)* manchar 2 *(la madera)* teñir
III *vi* mancharse

stainless ['steinlis] *adj (acero)* inoxidable

stain remover *n* quitamanchas

stair [ster] *n* 1 escalón, peldaño 2 **stairs** *pl,* escalera

stake [steik] **I** *n* 1 estaca 2 apuesta; **to be at stake,** estar en juego 3 *Fin* interés, participación
II *vtr* 1 apostar 2 invertir

stakeout ['steikaut] *n* vigilancia

stale [steil] *adj (comida)* pasado,-a, rancio,-a; *(pan)* duro,-a

stalemate ['steilmeit] *n Ajedrez* tablas; *fig* estancamiento

stalk [stɔːk] *n Bot (de planta)* tallo; *(de cereza, etc)* rabo
II *vtr* 1 acechar 2 *(a una persona)* seguir los pasos a

stall [stɔːl] **I** *n* 1 *(de mercado)* puesto, caseta

2 (casilla de) establo 3 *Teat* **stalls** *pl*, platea
II *vi* 1 *Auto* calarse 2 *(negociaciones)*
estancarse 3 andar con rodeos

stallion ['stæljən] *n* semental

stalwart ['stɔːlwərt] *adj & n* incondicional

stamina ['stæmɪnə] *n* resistencia

stammer ['stæmər] I *n* tartamudeo

II *vi* tartamudear

stamp [stæmp] I *n* 1 sello 2 *(para el metal)*
cuño 3 impronta 4 *(movimiento del pie)*
patada

II *vtr* 1 *(una carta)* franquear 2 *(un
documento)* sellar

III *vi* patear; *(caballo)* piafar

stampede [stæm'piːd] I *n* estampida

II *vi (los animales)* desbandarse; *(las personas)*
precipitarse

stance [stæns] *n* postura

stand [stænd] I *n* 1 posición, postura; **to take
a stand**, adoptar una postura 2 *(en un
mercado)* puesto 3 *(mueble)* **coat** *o* **hat stand**,
perchero; *(para una lámpara)* base, pie 4 *Jur*
estrado; *Dep (tb pl)* tribuna

II *vi* 1 estar (de pie) 2 quedarse inmóvil;
stand still!, ¡estáte quieto! 3 levantarse 4 **to
stand on**, *(una silla)* subir a; *(una alfombra,
un pie)* pisar 5 *(marcar)* **the clock stands at
ten o'clock**, el reloj marca las diez 6 medir:
I stand six feet tall, mido seis pies

III *vtr* 1 colocar, poner 2 *(a un choque, un
examen)* resistir 3 aguantar, soportar: **I
can't stand any more!**, ¡no aguanto más!

■ **stand about/around** *vi* quedar en un
sitio sin propósito fijo

■ **stand aside** *vi* apartarse

■ **stand back** *vi* retroceder: **stand back!**,
¡abran paso!

■ **stand by** I *vi* estar listo,-a

II *vtr* 1 *(a una persona)* apoyar, no
abandonar 2 *(una decisión, un compromiso)*
atenerse a

■ **stand down** *vi fig* retirarse

■ **stand for** *vtr* 1 significar: **what does «CIA»
stand for?**, ¿qué significa «CIA»? 2
representar 3 tolerar 4 *(un puesto)*
presentarse a

■ **stand in** *vi* sustituir

■ **stand out** *vi* destacarse

■ **stand up** *vi* 1 levantarse, ponerse en pie
2 estar de pie

standard ['stændərd] I *n* 1 criterio; *(usu pl)*
valores 2 pauta, estándar 3 *(de vida, etc)*
nivel, calidad 4 estandarte

II *adj* normal, estándar

standard-bearer [stændərd'berər] *n*
abanderado

standardize ['stændərdaɪz] *vtr* normalizar

standby ['stændbaɪ] *n* 1 *(cosa)* recurso 2
(persona) suplente 3 alerta 4 *Av* lista de
espera

standby ticket *n* billete stand-by

stand-in ['stændɪn] *n* suplente; *Cine* doble

standing ['stændɪŋ] I *adj* 1 de pie 2
derecho,-a, recto,-a 3 *(comité, ejército,
invitación, etc)* permanente

II *n* 1 *(social)* prestigio 2 duración **standing
charge** *n* cuota fija

standoffish [stænd'ɔfɪʃ] *adj fam pey*
distante, estirado,-a

standpoint ['stændpɔɪnt] *n* punto de vista

standstill ['stændstɪl] *n* parada

stank [stæŋk] *ps* → **stink**

staple ['steɪpəl] I *adj (alimento)* básico,-a;
(producto) de primera necesidad

II *n* 1 alimento básico 2 grapa

III *vtr* grapar

stapler ['steɪplər] *n* grapadora

star [stɑːr] I *n* 1 *Astron Cine* estrella 2 *Tip*
asterisco 3 **stars** *pl*, *Astrol fam* astros

II *adj* estelar

III *vtr Cine* presentar como protagonista

IV *vi Cine* **to star in a film,** protagonizar una
película

starboard ['stɑːbɔːd] *n Náut* estribor

starch [stɑːtʃ] I *n* almidón

II *vtr* almidonar

stardom ['stɑːdəm] *n* estrellato

stare [steər] I *n* mirada fija

II *vi* mirar fijamente

starfish ['stɑːfɪʃ] *n Zool* estrella de mar

stark [stɑːk] I *adj* 1 *(casa, decorado)* austero,-
a 2 *(paisaje)* inhóspito,-a 3 *(realidad)* duro,-a,
crudo,-a

II *adv* totalmente; **stark naked,** en cueros

starry ['stɑːri] *adj (starrier, starriest) (del
cielo)* estrellado,-a

Stars and Stripes ['stɑːzənstraɪps] *n*
estrellas y barras (listones), nombre popular
de la bandera de los Estados Unidos de
América

Star Spangled Banner
[stɑːspæŋəld'bænər] *n* el himno nacional
de los Estados Unidos de América

start [stɑːt] I *n* 1 comienzo, principio; **for
a start,** para empezar 2 *Dep (de una carrera)*
salida 3 susto 4 ventaja

II *vtr* empezar, comenzar

III *vi* empezar, comenzar; **starting (from)
tomorrow,** a partir de mañana; **to start
with,** para empezar

■ **start off** I *vi* empezar, comenzar; **he
started off in a bank,** su primer trabajo fue
en un banco

II *vtr* empezar, comenzar

■ **start out** *vi* 1 *(en un viaje)* salir 2 *(tener su
origen)* **this theater started out as a church,**
este teatro empezó siendo una iglesia

■ **start up** I *vtr* 1 *Auto* arrancar 2 *(un
negocio)* montar

II *vi* empezar

starter ['stɑːtər] *n* 1 *Auto* motor de
arranque 2 *Culin fam* entrada

starting line-up ['stɑrdɪŋlaɪnʌp] n Dep alineación de jugadores abridores

starting line n línea de salida

starting point n punto de partida

startle ['stɑrdəl] vtr asustar

startling ['stɑrdəlɪŋ] adj 1 alarmante 2 asombroso,-a

starvation [stɑr'veɪʃən] n hambre, inanición

starve [stɑrv] I vtr privar de comida

II vi pasar hambre

starving ['stɑrvɪŋ] adj hambriento,-a

state [steɪt] I n 1 condición, estado: **state of mind**, estado de ánimo 2 Pol país, estado; **affairs of state**, asuntos de estado 3 fam **the States** pl, Estados Unidos

II adj 1 (fondos, etc) estatal; (enseñanza, salud) público,-a 2 (banquete) de gala

III vtr afirmar, declarar

stately ['steɪtli] adj (statelier, stateliest) majestuoso,-a

statement ['steɪt'mənt] n 1 (gen y Jur) declaración; Jur **to make a statement**, prestar declaración 2 (oficial) comunicado 3 Fin **bank statement**, extracto de cuenta

statesman ['steɪtsmən] n estadista

static ['stædɪk] I adj 1 inmóvil, estacionario,-a 2 (electricidad) estático,-a

II n 1 Elec electricidad estática 2 Tel ruido

station ['steɪʃən] I n 1 (sitio) Trans estación: **gas station**, gasolinera; **police station**, comisaría 2 Radio estación, emisora; TV emisora

II vtr destinar

stationary ['steɪʃənɛri] adj (sin moverse) inmóvil, parado,-a

stationer ['steɪʃənər] n papelero,-a; **stationer's (shop)**, papelería

stationery ['steɪʃənɛri] n 1 artículos de papelería 2 papel y sobres de carta

statistic [stə'tɪstɪk] n 1 estadística 2 **statistics** pl, (datos) estadísticas

statistical [stə'tɪstɪkəl] adj estadístico,-a

statistics [stə'tɪstɪks] n (con verbo singular) (la ciencia) estadística

statue ['stætʃuː] n estatua

stature ['stætʃər] n estatura

status ['stædəs] n 1 estado, situación; **marital status**, estado civil 2 status, prestigio

statute ['stætʃuːt] n estatuto

statutory ['stætʃətɔri] adj frml 1 reglamentario,-a 2 (delito, derecho) establecido,-a por la ley 3 (organismo) creado,-a por la ley

staunch [stɑːntʃ] adj incondicional, acérrimo,-a

stave [steɪv] n Mús pentagrama

■ **stave off** vtr 1 (un ataque) rechazar 2 (una amenaza) evitar

stay [steɪ] I n estancia, visita

II vi 1 quedarse, permanecer 2 (vivir temporalmente) alojarse, hospedarse

III vtr Jur frml aplazar

■ **stay away** vi 1 (reunión, acto) no asistir 2 alejarse

■ **stay in** vi quedarse en casa

■ **stay on** vi quedarse

■ **stay out** vi quedarse fuera

■ **stay over** vi fam quedarse a pasar la noche en casa de alguien

■ **stay up** vi no acostarse

steadfast ['stɛdfæst] adj firme

steadily ['stɛdɪli] adv 1 (cambiar) a ritmo constante 2 (llover, trabajar) sin cesar, continuamente 3 (andar) con paso seguro

steady ['stɛdi] I adj (steadier, steadiest) 1 (una escalera, mesa) firme, seguro,-a 2 (los precios) estable; (la lluvia, velocidad) constante

II vtr 1 (una mesa, etc) estabilizar 2 (los nervios) calmar

III vi estabilizarse

steak [steɪk] n Culin bistec

steal [stiːl] (ps stole; pp stolen) I vtr robar

II vi robar

stealth [stɛlθ] n sigilo

stealthily ['stɛlθɪli] adv a hurtadillas

stealthy ['stɛlθi] adj (stealthier, stealthiest) sigiloso,-a, furtivo,-a

steam [stiːm] I n vapor, vaho

II vtr Culin cocer al vapor

III vi echar vapor; (comida, etc) humear

■ **steam up** vi empañarse

steamer ['stiːmər] n Náut (barco de) vapor

steamroller ['stiːmroʊlər] n apisonadora

steel [stiːl] I n acero

II adj de acero

steel industry n industria siderúrgica

steelworks ['stiːlwərks] n acería

steep [stiːp] I adj 1 (cuesta, pendiente) empinado,-a 2 fam (precio) excesivo,-a

steeplechase ['stiːpltʃeɪs] n carrera de obstáculos

steer [stiːr] I vtr 1 dirigir; Auto conducir; Náut gobernar 2 (a una persona) guiar, llevar

II vi 1 (en un coche) al volante 2 (un coche) conducirse

steering ['stiːrɪŋ] n dirección; **power steering**, dirección asistida

steering wheel n volante

stem [stɛm] I n 1 Bot (de una planta) tallo; (de una hoja) pedúnculo; (de una copa) pie 2 Ling raíz

II vi provenir

III vtr contener

stench [stɛntʃ] n hedor

stencil ['stɛnsəl] I n (para pintar) plantilla, estarcido

II vtr estarcir, dibujar/pintar con plantilla

step [stɛp] I n 1 paso: **step by step**, paso a paso 2 (de una escalera) peldaño, escalón 3 medida; **to take steps**, tomar medidas 4 **steps** pl → **stepladder**; Arquit escalinata; Av escalerilla

II *vi* dar un paso; **to step on sthg,** pisar algo
■ **step aside** *vi* apartarse
■ **step down** *vi* dimitir
■ **step forward** *vi* 1 dar un paso adelante 2 *fig* ofrecerse
■ **step in** *vi* intervenir, tomar cartas en el asunto
■ **step up** *vtr* aumentar
stepbrother ['stɛpbrʌðər] *n* hermanastro
stepchild ['stɛptʃaild] *n* hijastro,-a
stepdaughter ['stɛpdɔːtər] *n* hijastra
stepfather ['stɛpfɑːðər] *n* padrastro
stepladder ['stɛplædər] *n* escalera de tijera
stepmother ['stɛpmʌðər] *n* madrastra
stepsister ['stɛpsɪstər] *n* hermanastra
stepson ['stɛpsʌn] *n* hijastro
stereo ['stɛriou] I *n* estéreo
II *adj* estéreo, estereofónico,-a
stereotype ['stɛrioutaip] *n* estereotipo
sterile ['stɛril] *adj* estéril
sterilize ['stɛrilaiz] *vtr* esterilizar
sterling ['stɜːlɪŋ] I *n* libra esterlina
II *adj fig (persona, trabajo)* excelente
sterling silver *n* plata de ley
stern [stɜːn] I *adj* severo,-a
II *n Náut* popa
stew [stuː] I *n Culin* estofado, cocido
II *vtr* 1 *(carne)* guisar, estofar 2 *(fruta)* cocer
steward ['stuərd] *n Av* auxiliar de vuelo
stewardess ['stuərdis] *n* azafata
stick [stɪk] *n* 1 palo; **(walking) stick,** bastón 2 *(de un árbol)* ramita
II *vtr (ps & pp stuck)* 1 clavar
2 *fam* meter 3 poner: **stick it on the table,** ponlo en la mesa 4 pegar (con cola) 5 *fam* aguantar
III *vi (con pegamento)* pegar; *(barro, comida, etiquetas, etc)* pegarse
■ **stick at** *vtr* perseverar en
■ **stick by** *vtr* 1 *(a un amigo)* ser fiel a 2 *(un compromiso)* atenerse a
■ **stick it to** *vtr fam* criticar fuertemente, retar, regañar
■ **stick out** I *vi* 1 sobresalir 2 resaltar
II *vtr* 1 *(el pecho, la lengua)* sacar 2 aguantar
■ **stick to** *vtr* atenerse a
■ **stick up** I *vi* ponerse de punta
II *vtr* fijar
sticker ['stɪkər] *n* 1 etiqueta adhesiva 2 pegatina
sticky ['stɪki] *adj (stickier, stickiest)* pegajoso,-a
stiff [stɪf] I *adj* duro,-a, rígido,-a, tieso,-a
II *n fam (cadáver)* fiambre
stiffen ['stɪfən] I *vtr* reforzar; almidonar
II *vi* ponerse tenso,-a
stiffness ['stɪfnis] *n* rigidez
stifle ['staifəl] I *vtr* sofocar
II *vi* ahogarse, sofocarse
stifling ['staiflɪŋ] *adj* sofocante, agobiante
stigma ['stɪgmə] *n* estigma

stiletto [stɪ'lɛdou] *n* estilete
still [stɪl] I *adv* 1 todavía, aún 2 *(un adj & adv comp)* aún; **still worse,** peor aún
II *conj* aun así, con todo
III *adj* 1 *(agua, aire)* tranquilo,-a 2 silencioso,-a 3 inmóvil
IV *n* 1 *Cine* fotograma 2 *Quím* alambique
V *vtr frml* acallar
still life *n Arte* bodegón
stimulant ['stɪmjələnt] *n* estimulante
stimulate ['stɪmjəleit] *vtr* estimular
stimulation ['stɪmjə'leiʃən] *n* estímulo
stimulus ['stɪmjələs] *n (pl stimuli* ['stɪmjəlai]) estímulo
sting [stɪŋ] I *n* 1 *(de insecto, etc)* aguijón 2 *(acción, herida)* picadura 3 *(sensación)* escozor
II *vtr (ps & pp stung)* picar
III *vi* 1 *(insecto, planta)* picar 2 *(una herida, etc)* escocer
stinging-nettle ['stɪŋɪŋnɛdəl] *n Bot* ortiga
stingy ['stɪndʒi] *adj (stingier, stingiest)* fam tacaño,-a
stink [stɪŋk] I *n* 1 peste, hedor 2 *fam* escándalo; **to make a stink,** armar un escándalo
II *vi (ps stank; pp stunk)* apestar, heder
stinking ['stɪŋkɪŋ] *adj* apestoso,-a
stint [stɪnt] I *vtr* escatimar
II *vi* **to stint on sthg,** escatimar algo
III *n* periodo, temporada
stipulate ['stɪpjəleit] *vtr* estipular
stipulation ['stɪpjə'leiʃən] *n* estipulación
stir [stɜː] I *n fig* revuelo
II *vtr* 1 *(un líquido)* remover 2 agitar
III *vi* moverse
■ **stir up** *vtr* 1 *(un líquido)* remover, revolver 2 *(revolución)* fomentar
stir-fry ['stɜːfrai] *v Culin* sofreír, *n* sofrito (chino)
stirring ['stɜːrɪŋ] *adj* conmovedor,-ora
stirrup ['stɜːrəp] *n* estribo
stitch [stɪtʃ] I *n* 1 *Cost* puntada 2 *Med* punto (de sutura)
II *vtr* 1 *Cost* coser, bordar 2 *Med* suturar, dar puntos a
stock [stɒk] I *n* 1 *(de recursos - a menudo pl)* reserva 2 *(de un negocio)* existencias; **to be out of stock,** estar agotado,-a(s) 3 *Fin* títulos, valores
II *adj* estándar, en serie
III *vtr* abastecer, proveer
■ **stock up** *vi* abastecerse
stockbroker ['stɒkbroukər] *n* corredor,-ora de bolsa
stock exchange *n* bolsa de valores
stockholder ['stɒkhouldər] *n* accionista
stocking ['stɒkɪŋ] *n* media
stockist ['stɒkist] *n* distribuidor,-ora
stockpile ['stɒkpail] I *n* reservas
II *vtr* acumular, hacer acopio de
stocktaking ['stɒkteikɪŋ] *n Com* inventario

stocky ['stɑki] *adj (stockier, stockiest)* achaparrado,-a

stodgy ['stɑdʒi] *adj (stodgier, stodgiest)* **1** *(comida)* indigesto,-a **2** *(libro, persona)* pesado,-a

stoic [stouik] *n* estoico,-a

stole¹ [stoul] *ps* → **steal**

stole² [stoul] *n* estola

stolen ['stoulən] *pp* → **steal**

stolid ['stɑlɪd] *adj* impasible

stomach ['stʌmək] **I** *n* **1** estómago **II** *vtr (usu neg)* aguantar, soportar

stone [stoun] **I** *n* **1** piedra **2** *(de tumba)* lápida **3** *Med* cálculo **4** *(de fruta, aceituna)* hueso **5** *GB (medida)* aprox 6,35 kg **II** *adj* de piedra **III** *vtr* lapidar

Stone Age *n* the Stone Age, la Edad de Piedra

stoned [stound] *adj fam* **1** *(por droga)* colocado,-a **2** *(por alcohol)* como una cuba

stonework ['stounwərk] *n* mampostería

stony ['stouni] *adj (stonier, stoniest)* **1** *(tierra)* pedregoso,-a **2** *fig (mirada, persona)* glacial

stood [stud] *ps* & *pp* → **stand**

stool [stu:l] *n* **1** taburete **2** *Med frml* deposición

stoop [stu:p] *vi* **1** andar encorvado,-a **2** agacharse **[down, -]** **3** *fig* to stoop to, rebajarse a: **I wouldn't stoop to stealing,** no me rebajaría a robar

stop [stɑp] **I** *n* **1** parada, alto **2** *Trans* parada, apeadero **3** *Tip* punto **4** *Mús (de órgano)* registro **II** *vtr* **1** *(un coche, una máquina, una persona)* parar, detener **2** *(una acción, un hábito)* dejar **3** impedir; **to stop sb doing sthg,** impedir a alguien hacer algo **4** *(un pago)* suspender; *(una suscripción)* cancelar **III** *vi (un coche, una persona)* parar, detenerse **■ stop by** *vi fam* visitar **■ stop off** *vi* pararse un rato, hacer escala **■ stop out** *vi fam* no volver a casa **■ stop over** *vi* **1** pasar la noche **2** *Av* hacer escala

stopgap ['stɑpgæp] *n* **1** *(cosa)* recurso provisional **2** *(persona)* sustituto,-a

stopover ['stɑpouvər] *n* parada; *Av* escala

stoppage ['stɑpɪdʒ] *n* **1** *(en una cañería, etc)* obstrucción **2** *Lab* huelga **3** *Fin* retención

stopper ['stɑpər] *n* tapón

stop-press [stɑp'pres] *n* noticias de última hora

stopwatch ['stɑpwɑtʃ] *n* cronómetro

storage ['stɔːrɪdʒ] *n* **1** almacenaje, almacenamiento **2** *Inform* almacenamiento

store [stɔːr] **I** *n* **1** reserva, provisión **2** almacén, depósito **3** **(department) store,** gran almacén **4** *US* tienda **5 stores** *pl,* víveres, provisiones **II** *vtr* **1** guardar **2** *Com Inform* almacenar **3** *Elec* acumular

storekeeper ['stɔːrkiːpər] *n US* tendero,-a

storeroom ['stɔːruːm] *n* despensa

stork [stɔːrk] *n Orn* cigüeña

storm [stɔːrm] **I** *n* **1** tormenta **2** *Mil* asalto **II** *vtr* tomar al asalto **III** *vi* despotricar

stormy ['stɔːrmi] *adj (stormier, stormiest)* tormentoso,-a

story ['stɔːri] *n* **1** historia, relato; *(para niños)* cuento **2** *Cine Teat* argumento **3** *Prensa* noticia **4** anécdota, chiste, leyenda: **the story goes that...,** cuentan que... **5** mentira, pretexto **6** piso

stout [staut] **I** *adj* **1** *(persona)* corpulento,-a **2** *(cuerda, palo, etc)* fuerte **II** *n* cerveza negra

stoutly ['stautli] *adv* resueltamente

stove [stouv] *n* **1** *(para calefacción)* estufa **2** *(para cocinar)* cocina

stow [stou] *vtr* guardar

stowaway ['stouəweɪ] *n* polizón

straddle ['strædəl] *vtr* montar a horcajadas

straggle ['strægəl] *vi* rezagarse

straggler ['stræglər] *n* rezagado,-a

straight [streɪt] **I** *adj* **1** *(una línea, etc)* recto,-a; *(un cuadro, una corbata, etc)* derecho,-a; *(el pelo)* liso,-a **2** *(en orden)* **let's get this straight,** a ver si nos entendemos **3** *(respuesta)* claro,-a **4** *(persona)* honrado,-a, serio,-a; *fam* hetero(sexual) **5** *(whisky, etc)* solo,-a **6** *(días, horas, etc)* consecutivo,-a **II** *adv* **1** en línea recta: **go straight ahead,** sigue todo recto **2** *(sin parar, sin vacilar)* directamente, derecho: **I'll be straight back,** en seguida vuelvo; **let's get straight to the point,** vayamos directamente al grano **3** *(hablar)* francamente **III** *n* **1** *Dep* & *fig* the home straight, la recta final **2** *fam* hetero(sexual)

straightaway [streɪtə'weɪ] *adv* en seguida, inmediatamente

straighten ['streɪtən] *vtr* **1** enderezar, poner derecho,-a; *(el pelo)* alisar **2** arreglar, ordenar **■ straighten out** *vtr* **1** *(algo torcido)* enderezar **2** *(un malentendido)* aclarar **■ straighten up** *vi* ponerse derecho **II** *vtr (un cuadro, la corbata)* enderezar

straightforward [streɪt'fɔːwəd] *adj* *(persona)* honrado,-a; *(persona, respuesta)* franco,-a

strain [streɪn] **I** *vtr* **1** *Med (un músculo)* torcerse; *(la vista)* cansar, forzar **2** *Culin* colar, escurrir **II** *vi* **1** esforzarse **2** tirar **III** *n* **1** *(mental)* tensión, estrés; *(físico)* esfuerzo **2** *Med (de tobillo, etc)* esguince; *(de un músculo)* torcedura **3** *Fís* tensión

strained ['streɪnd] *adj Med (músculo)* torcido,-a; *(la vista)* cansado,-a

strainer ['streɪnər] *n Culin* colador

strait [streɪt] *n* **1** *(tb pl)* *Geog* estrecho **2 straits** *pl,* apuros

straitjacket ['streɪtdʒækɪt] *n* camisa de fuerza

strand [stænd] **I** *vtr* 1 *Náut* (*usu pasivo*) varar 2 *fig* (*a una persona*) dejar tirado,-a **II** *n* 1 *frml* playa 2 (*de hilo*) hebra; **a strand of hair,** un pelo 3 tendencia

stranded ['strændɪd] *adj* varado,-a

strange [streɪndʒ] *adj* curioso,-a, raro,-a, extraño,-a

stranger ['streɪndʒər] *n* desconocido,-a

strangle ['stræŋgəl] *vtr* estrangular

strangulation [stræŋgjə'leɪʃən] *n* estrangulación, estrangulamiento

strap [stræp] **I** *n* 1 (*para cámara, reloj, etc*) correa 2 (*de vestido*) tirante **II** *vtr* atar con correa

strapping ['stræpɪŋ] *adj* robusto,-a

strategic [strə'tiːdʒɪk] *adj* estratégico,-a

strategy ['strætɪdʒi] *n* estrategia

stratosphere ['strætəsfɪər] *n* estratosfera

stratum ['strɑːtəm] *n* (*pl* **strata**) estrato

straw [strɔː] *n* 1 paja 2 (*para beber*) pajita

strawberry ['strɔːberi] *n Bot* fresa, fresón

stray [streɪ] **I** *vi* 1 desviarse 2 extraviarse **II** *n* 1 perro/gato callejero *o* perdido **III** *adj* 1 (*animal*) perdido,-a, callejero,-a 2 (*bala*) perdido,-a

streak [striːk] *n* 1 raya 2 (*en el pelo*) reflejo **II** *vtr* rayar [**with,** con] 2 (*el pelo*) poner mechas a

stream [striːm] **I** *n* 1 *Geog* arroyo 2 (*en el mar*) corriente 3 flujo; (*de agua, sangre*) chorro **II** *vi* 1 (*líquido*) salir; (*sangre*) manar 2 *fig* (*la gente*) **to stream out/past,** salir/pasar en tropel

streamer ['striːmər] *n* serpentina

streamlined ['striːmlaɪnd] *adj* aerodinámico,-a

street [striːt] *n* calle

streetcar ['striːtˈkɑːr] *n* tranvía

streetlight ['striːtˈlaɪt] *n* farol

streetwise ['striːtˈwaɪz] *adj* espabilado,-a

strength [streŋθ] *n* 1 (*de personas*) (*física*) fuerza; (*mental*) fortaleza 2 (*de alcohol*) graduación; (*de economía*) solidez 3 punto fuerte

strengthen ['streŋθən] **I** *vtr* reforzar; fortalecer **II** *vi* 1 fortalecerse 2 (*una relación*) consolidarse

strenuous ['strenjuəs] *adj* 1 (*actividad*) agotador,-ora 2 (*rechazo*) enérgico,-a

stress [stres] **I** *n* 1 *Téc* tensión; *Med* estrés 2 énfasis, hincapié 3 *Ling* acento **II** *vtr* hacer hincapié en 2 *Ling* acentuar

stretch [stretʃ] **I** *vtr* 1 estirar 2 **to stretch a point,** hacer concesiones **II** *vi* 1 (*una persona*) estirarse, desperezarse 2 (*la ropa*) dar de sí **III** *n* 1 (*de carretera, río, etc*) trecho, tramo 2 (*de terreno*) extensión

IV *adj* **stretch fabric,** tela elástica
■ **stretch out I** *vtr* 1 (*la mano*) tender 2 (*las piernas*) estirar **II** *vi* (*persona*) estirarse

stretcher ['stretʃər] *n* camilla

stricken ['strɪkən] *adj* 1 (*de dolor*) afligido,-a 2 (*una zona*) asolado,-a, damnificado,-a

strict [strɪkt] *adj* estricto,-a

strictly ['strɪkli] *adv* estrictamente; **strictly speaking,** en sentido estricto

stride [straɪd] **I** *n* 1 zancada, tranco **II** *vi* (*ps* **strode**; *pp* **stridden** ['strɪdən]) **to stride (along),** andar a zancadas

strident ['straɪdənt] *adj* estridente

strike [straɪk] **I** *n* 1 *Lab* huelga; **to go on strike,** ir a la huelga 2 (*de petróleo, etc*) descubrimiento 3 *Dep* golpe 4 *Mil* ataque **II** *vtr* (*ps & pp* **struck**) 1 (*a una persona*) pegar, golpear; (*una tecla*) pulsar; (*un golpe*) asestar 2 parecer: **they strike me as honest,** me parecen sinceros 3 ocurrirse: **it struck me that...,** se me ocurrió que... 4 (*oro, petróleo*) descubrir 5 (*un reloj*) dar: **the clock struck two,** el reloj dio las dos 6 (*cerilla, fuego*) encender; (*una moneda,*) acuñar 7 **to strike sb blind/dumb,** dejar ciego,-a/mudo,-a a alguien **III** *vi* 1 golpear; (*un rayo*) caer 2 *Mil* atacar 3 (*un desastre*) sobrevenir, ocurrir 4 *Lab* hacer huelga 5 (*reloj*) dar la hora
■ **strike back** *vi* contraatacar
■ **strike out I** *vtr* tachar **II** *vi* arremeter
■ **strike up** *vtr* (*una amistad*) trabar; (*una conversación*) entablar

striker ['straɪkər] *n* 1 *Lab* huelguista 2 *fam Ftb* marcador,-ora

striking ['straɪkɪŋ] *adj* 1 llamativo,-a 2 destacado,-a 3 *Lab* en huelga

string [strɪŋ] **I** *n* 1 cordel, cuerda; **no strings attached,** sin condiciones **II** *vtr* (*ps & pp* **strung**) 1 (*un instrumento, etc*) encordar 2 (*perlas, etc*) ensartar
■ **string up** *vt* 1 (*luces*) colgar 2 *fam* linchar

stringent ['strɪndʒənt] *adj* severo,-a, estricto,-a

strip [strɪp] **I** *n* (*de papel, etc*) tira; (*de metal*) cinta **II** *vtr* 1 (*a una persona*) desnudar 2 (*una cama*) deshacer; (*una superficie*) quitar la pintura a 3 *Téc* (*down*), desmontar **III** *vi* 1 desnudarse 2 hacer un striptease
♦ |LOC: **to tear sb off a strip,** echar una bronca a alguien
■ **strip off I** *vtr* (*pintura, etc*) quitar **II** *vi* desnudarse

stripe [straɪp] *n* raya; *Mil* galón

striped [straɪpt] *adj* rayado,-a, a rayas

stripper ['strɪpər] *n* artista de striptease

strive [straɪv] *vi* (*ps* **strove**; *pp* **striven** ['strɪvən]) *frml* **to strive to do sthg,** esforzarse por hacer algo

strode [stroʊd] *ps* → **stride**

stroke [stroʊk] **I** *n* **1** golpe; *Nat* brazada **2** *(de la pluma)* trazo; *(del pincel)* pincelada **4** *Tip* barra **5** caricia

II *vtr* acariciar

stroll [stroʊl] **I** *vi* dar un paseo

II *n* paseo

stroller ['stroʊlər] *n* cochecito

strong [strɒŋ] **I** *adj* fuerte

II *adv* **to be going strong,** ir bien

strongbox ['strɒŋbɑks] *n* caja fuerte

stronghold ['strɒŋhəʊld] *n Mil* fortaleza

strongly ['strɒŋli] *adv* fuertemente

strong-minded ['strɒŋ'maɪndɪd] *adj* decidido,-a

strongroom ['strɒŋru:m] *n* cámara acorazada

strove [stroʊv] *ps* → **strive**

struck [strʌk] *ps & pp* → **strike**

structural ['strʌktʃərəl] *adj* estructural

structure ['strʌktʃər] *n* **1** estructura **2** construcción

struggle ['strʌgəl] **I** *vi* **1** luchar **2** mover con dificultad

II *n* lucha, pelea

strum [strʌm] *vtr (una guitarra)* rasguear

strung [strʌŋ] *ps & pp* → **string**

strut [strʌt] *vi* pavonearse

stub [stʌb] *n* colilla

II *vtr* **1** golpear **2** *(un cigarillo)* **to stub (out),** apagar

stubble ['stʌbəl] *n* **1** *Agr* rastrojo **2** *fig* barba de varios días

stubborn ['stʌbərn] *adj* terco,-a, testarudo,-a

stucco ['stʌkəʊ] *n* estuco

stuck [stʌk] *ps & pp* → **stick**

stuck-up [stʌk'ʌp] *adj fam* creído,-a

stud [stʌd] *n* **1** *(en la ropa)* tachón; *(en una camisa)* gemelo **2** *Dep (en botas)* taco **3** pendiente **4** *(caballo y pey hombre)* semental

student ['stu:dənt] **I** *n* estudiante

II *adj* estudiantil

student body [stu:dənt'bɑdi] *n* estudiantado

studio ['stu:diəʊ] *n* **1** *TV Cine* estudio **2** *(de artista)* taller

studious ['stu:diəs] *adj* estudioso,-a

study ['stʌdi] **I** *vtr* **1** *(aprender)* estudiar **2** *(hechos)* examinar, investigar

II *vi* estudiar

III *n* **1** estudio **2** *(cuarto)* despacho, estudio

stuff [stʌf] **I** *vtr* **1** rellenar **2** *(taxidermia)* disecar

II *n* **1** *fam* material, producto **2** *fam* cosas

stuffing ['stʌfɪŋ] *n Culin* relleno

stuffy ['stʌfi] *adj (stuffier, stuffiest)* **1** *(cuarto)* mal ventilado,-a **2** *(persona)* estirado,-a, de miras estrechas

stumble ['stʌmbəl] *vi* tropezar **stumbling-block** ['stʌmblɪŋblɑk] *n* escollo

stump [stʌmp] **I** *n (de árbol)* tocón; *(de miembro)* muñón

II *vtr (usu pasivo)* confundir

stun [stʌn] *vtr* **1** *(un golpe)* aturdir **2** *fig* dejar pasmado,-a

stung [stʌŋ] *ps & pp* → **sting**

stunk [stʌŋk] *ps & pp* → **stink**

stunning ['stʌnɪŋ] *adj* **1** *(un golpe)* contundente **2** impresionante

stunt [stʌnt] **I** *vtr* atrofiar

II *n* truco, montaje; **publicity stunt,** truco publicitario

stunt man *n (hombre)* especialista

stupefy ['stu:pɪfaɪ] *vtr (usu pasivo)* dejar estupefacto,-a

stupendous [stu:'pendəs] *adj* estupendo,-a

stupid ['stu:pɪd] *adj* estúpido,-a, imbécil

stupidity [stu:'pɪdɪdɪ] *n* estupidez

sturdy ['stɜrdi] *adj (sturdier, sturdiest)* robusto,-a, fuerte

stutter ['stʌtər] **I** *vi* tartamudear

II *n* tartamudeo

sty [staɪ] *n* **1** pocilga **2** → **stye**

stye [staɪ] *n Med* orzuelo

style [staɪəl] **I** *n* estilo

II *vtr* peinar

stylish ['staɪəlɪʃ] *adj* con estilo

stylist ['staɪlɪst] *n* peluquero,-a

stylus ['staɪləs] *n (de tocadiscos)* aguja

suave [swɑːv] *adj* amable, afable

subconscious [sʌb'kɑnʃəs] **I** *adj* subconsciente

II *n* **the subconscious,** el subconsciente

subdivide [sʌbdɪ'vaɪd] *vtr* subdividir

subdue [səb'du:] *vtr* **1** *(una emoción)* dominar **2** *(un pueblo, nación)* avasallar

subdued [səb'du:d] *adj* **1** *(persona)* callado,-a, poco animado,-a **2** *(tono, voz)* bajo,-a

subheading ['sʌb'hedɪŋ] *n* subtítulo

subject ['sʌbdʒɪkt] **I** *n* **1** tema **2** *Educ* asignatura, materia **3** *Pol* súbdito,-a **4** *Ling* sujeto

II *adj* **to be subject to,** *(cambio, retrasos)* estar sujeto,-a a *o* ser susceptible de

III [səb'dʒekt] *vtr* someter

subjective [səb'dʒektɪv] *adj* subjetivo,-a

subjunctive [səb'dʒʌŋkdɪv] **I** *adj* subjuntivo,-a

II *n* subjuntivo

sublet [sʌb'let] *vtr & vi* subarrendar

submachine gun [sʌbmə'ʃi:ngʌn] *n* ametralladora

submarine ['sʌməri:n] *n* submarino

submerge [sʌb'mɜrdʒ] **I** *vtr* sumergir

II *vi (un submarino)* sumergirse

submission [sʌb'mɪʃən] *n* **1** sumisión **2** *(de un informe)* presentación

submissive [sʌb'mɪsɪv] *adj* sumiso,-a

submit [sʌb'mɪt] **I** *vtr* **1** presentar **2 to submit sthg/sb to sthg,** someter algo/a alguien a algo **3** sostener

II *vi (al enemigo, a la evidencia)* rendirse

subnormal [sʌb'nɔrməl] *adj* subnormal

subordinate [sʌˈbɔːdɪnɪt] *adj & n* subordinado,-a

subscribe [sʌbˈskraɪb] *vi* suscribirse

subscriber [sʌbˈskraɪbər] *n* abonado,-a

subscription [sʌbˈskrɪpʃən] *n* 1 *(a, de una revista)* suscripción 2 *(de una asociación)* cuota

subsequent [ˈsʌbsɪkwənt] *adj* subsiguiente, posterior

subsequently [ˈsʌbsɪkwəntˈli] *adv* posteriormente

subside [sʌbˈsaɪd] *vi* 1 *(una carretera, etc)* hundirse 2 *(una tormenta)* amainar; *(una inundación)* bajar; *(el dolor)* remitir

subsidence [sʌbˈsaɪdəns] *n* hundimiento

subsidiary [sʌbˈsɪdɪərɪ] I *adj* secundario,-a II *n Com* sucursal, filial

subsidize [ˈsʌbsɪdaɪz] *vtr* subvencionar

subsidy [ˈsʌbsɪdɪ] *n* subvención

subsistence [sʌbˈsɪstəns] *n* subsistencia

substance [ˈsʌbstəns] *n* 1 sustancia 2 fundamento

substantial [sʌbˈstænʃəl] *adj* 1 *(suma)* considerable 2 *(cambio)* sustancial

substantiate [sʌbˈstænʃɪeɪt] *vtr* corroborar, probar

substitute [ˈsʌbstɪtuːt] I *vtr* sustituir II *n* 1 *(cosa, materia)* sucedáneo 2 *(persona)* suplente

subtitle [ˈsʌbtaɪtəl] *n* subtítulo

subtle [ˈsʌtəl] *adj* sutil

subtlety [ˈsʌtəltɪ] *n* 1 sutileza, delicadeza 2 *(de la mente)* ingenio

subtract [sʌbˈtrækt] *vtr* restar

subtraction [sʌbˈtrækʃən] *n* resta

suburb [ˈsʌbɜːb] *n* barrio residencial periférico; **the suburbs**, las afueras

suburban [sʌˈbɜːbən] *adj* suburbano,-a

suburbia [sʌˈbɜːbɪə] *n* barrios residenciales periféricos

subversive [sʌbˈvɜːsɪv] *adj & n* subversivo,-a

subway [ˈsʌbweɪ] *n* metro

succeed [səkˈsiːd] I *vi* 1 *(un plan)* dar resultado, salir bien 2 *(una persona)* tener éxito, triunfar II *vtr* suceder a

succeeding [səkˈsiːdɪŋ] *adj* sucesivo,-a

success [səkˈses] *n* éxito

successful [səkˈsesfəl] *adj (persona)* de éxito, triunfador,-ora; **to be successful**, tener éxito

succession [sʌkˈseʃən] *n* sucesión, serie; **in succession**, sucesivamente

successive [sʌkˈsesɪv] *adj* sucesivo,-a, consecutivo,-a

successor [sʌkˈsesər] *n* sucesor,-ora

such [sʌtʃ] I *adj (antes de un sustantivo)* 1 semejante, tal: **there's no such person**, no existe tal persona 2 tan, tanto: **don't be such an idiot**, no seas tan tonto II *adv* tan, tanto: **he's such a good boy**, es un niño tan bueno

III *pron* 1 **tourists and such**, los turistas y ta 2 **such as**, como, tal(es) como 3 **as such** como tal (es)

♦ |LOC: **such is life**, así es la vida

suchlike [ˈsʌtʃlaɪk] *pron* 1 cosas por el estilo 2 gente por el estilo

suck [sʌk] I *vtr* chupar II *vi* mamar
■ **suck out** *vtr* succionar
■ **suck up** I *vtr* aspirar, absorber II *vi fam* hacer la pelota

sucker [ˈsʌkər] *n* 1 *fam* primo,-a, bobo,-a

suckle [ˈsʌkəl] *vtr* amamantar

suction [ˈsʌkʃən] *n* succión

sudden [ˈsʌdən] *adj* súbito,-a, repentino,-a 2 imprevisto,-a; **all of a sudden**, de repente

suddenly [ˈsʌdənlɪ] *adv* de repente

suds [sʌdz] *npl* espuma de jabón

sue [suː] *fur* I *vtr* demandar [**for**, por] II *vi* poner pleito

suede [sweɪd] *n* ante, gamuza

suffer [ˈsʌfər] I *vtr* 1 sufrir 2 aguantar, soportar II *vi* sufrir; **to suffer from**, sufrir de

sufferer [ˈsʌfərər] *n Med* enfermo,-a

suffering [ˈsʌfərɪŋ] *n* sufrimiento, dolor

suffice [səˈfaɪs] *vi frml* bastar, ser suficiente
♦ |LOC: **suffice it to say that...**, baste cor decir que

sufficient [səˈfɪʃənt] *adj* suficiente, bastante

suffocate [ˈsʌfəkeɪt] I *vtr* asfixiar II *vi* asfixiarse

suffocating [ˈsʌfəkeɪdɪŋ] *adj* agobiante sofocante

suffrage [ˈsʌfrɪdʒ] *n* sufragio

sugar [ˈʃʊgər] I *n* azúcar II *vtr* echar azúcar a

sugary [ˈʃʊgərɪ] *adj* azucarado,-a, dulce

suggest [səgˈdʒest] *vtr* 1 sugerir 2 insinua

suggestion [səgˈdʒestʃən] *n* insinuación

suggestively [səgˈdʒesɪvlɪ] *adv* provocativamente, insinuando

suicidal [suːɪˈsaɪdəl] *adj* suicida

suicide [ˈsuːɪsaɪd] *n* suicidio; **to commi suicide**, suicidarse

suit [suːt] I *n* 1 traje (de chaqueta) 2 *Naipe* palo, color 3 *Jur* pleito II *vtr* 1 convenir a, venir bien a 2 *(la ropa* favorecer, sentar bien

suitable [ˈsuːtəbəl] *adj* 1 conveniente 2 apropiado,-a, apto,-a

suitably [ˈsuːtəblɪ] *adv* de manera adecuada, como es debido

suitcase [ˈsuːtkeɪs] *n* maleta

suite [swiːt] *n* 1 *(muebles)* juego 2 suite

suited [ˈsuːtɪd] *adj* apropiado,-a, idóneo,-a

sulk [sʌlk] *vi* enfurruñarse

sulky [ˈsʌlkɪ] *adj (sulkier, sulkiest* mohíno,-a, enfurruñado,-a

sullen [ˈsʌlən] *adj* 1 *(persona, manera* hosco,-a 2 *(cielo)* plomizo,-a

sulphur ['sʌlfər] n azufre

sulphuric [sʌl'fərɪk] adj sulfúrico,-a

sultan ['sʌltn] n sultán

sultana [sʌl'tɑːnə] n sultana

sultry ['sʌltri] adj (sultrier, sultriest) Meteor ochornoso,-a

sum [sʌm] n 1 Mat cuenta, cálculo 2 suma, antidad 3 suma, total; (de dinero) importe

◆ sum up I vtr resumir

◆ vi resumir; **to sum up…,** en resumen…

summarize ['sʌmǝraɪz] vtr & vi resumir

summary ['sʌmǝri] **I** n resumen

◆ adj sumario,-a

summer ['sʌmǝr] **I** n verano

◆ adj de verano

summerhouse ['sʌmǝhaʊs] n cenador, lorieta

summertime ['sʌmǝtaɪm] n verano

summit ['sʌmɪt] n 1 Geog cima, cumbre 2 Pol summit (meeting), cumbre

summon ['sʌmǝn] vtr 1 (a una persona, una eunión) convocar 2 frml (ayuda) pedir 3 Jur itar

◆ summon up vtr 1 reunir 2 evocar

summons ['sʌmǝnz] **I** n 1 frml llamada, amamiento 2 Jur citación judicial

◆ vtr Jur citar

sumptuous ['sʌmptʃuǝs] adj suntuoso,-a

sun [sʌn] **I** n sol

◆ vtr **to sun oneself,** tomar el sol

sunbathe ['sʌnbeɪð] vi tomar el sol

sunbeam ['sʌnbiːm] n rayo de sol

sunbed ['sʌnbed] n tumbona

sunblock ['sʌnblɒk] n filtro solar

sunburn ['sʌnbɜːn] n quemadura de sol

Sunday ['sʌndeɪ] n domingo; **Sunday river,** dominguero

sundry ['sʌndri] **I** adj diversos,-as, varios,-as

◆ pron fam **all and sundry,** todo el mundo

II npl Com sundries, artículos diversos

sunflower ['sʌnflaʊǝr] n Bot girasol

sung [sʌŋ] pp → **sing**

sunglasses ['sʌnglɑːsɪz] npl gafas de sol

sunk [sʌŋk] pp → **sink**

sunken ['sʌŋkǝn] adj hundido,-a, imergido,-a

sunlamp ['sʌnlæmp] n lámpara solar

sunlight ['sʌnlaɪt] n sol, luz del sol

sunlit ['sʌnlɪt] adj iluminado,-a por el sol

sunny ['sʌni] adj (sunnier, sunniest) 1 oleado,-a 2 **it is sunny,** hace sol

sunrise ['sʌnraɪz] n salida del sol; **at unrise,** al amanecer

sunroof ['sʌnruːf] n Auto techo corredizo

sunset ['sʌnset] n puesta del Sol; **at sunset,** al ardecer

sunshade ['sʌnʃeɪd] n sombrilla

sunshine ['sʌnʃaɪn] n luz del sol

sunstroke ['sʌnstrǝʊk] n insolación

suntan ['sʌntæn] n bronceado

suntan lotion n bronceador

super ['suːpǝr] adj fam fenomenal, genial

superb [suː'pɜːb] adj espléndido,-a

supercilious [suːpǝ'sɪlɪǝs] adj altanero,-a, desdeñoso,-a

superficial [suːpǝ'fɪʃǝl] adj superficial

superfluous [suː'pɜːflʊǝs] adj sobrante, superfluo,-a

superhuman [suːpǝ'hjuːmǝn] adj sobrehumano,-a

superintendent [suːpǝrɪn'tendǝnt] n 1 (de policía) comisario,-a 2 (de parque, edificio, etc) encargado,-a

superior [suː'pɪǝrɪǝr] **I** adj 1 superior 2 de gran calidad

II n superior,-ora

superiority [suːpɪrɪ'ɒrɪdʒi] n superioridad

superlative [suː'pɜːlǝdɪv] **I** adj superlativo,-a

II n Ling superlativo

supermarket ['suːpǝmɑːkɪt] n supermercado

supernatural [suːpǝ'nætʃrǝl] **I** adj sobrenatural

II n **the supernatural,** lo sobrenatural

superpower ['suːpǝpaʊǝr] n Pol superpotencia

supersede [suːpǝ'siːd] vtr frml suplantar

supersonic [suːpǝ'sɒnɪk] adj supersónico,-a

superstition [suːpǝ'stɪʃǝn] n superstición

superstitious [suːpǝ'stɪʃǝs] adj supersticioso,-a

supervise ['suːpǝvaɪz] vtr 1 supervisar 2 vigilar

supervision [suːpǝ'vɪʒǝn] n supervisión

supervisor ['suːpǝvaɪzǝr] n supervisor,-ora

supper ['sʌpǝr] n cena; **to have supper,** cenar

supple ['sʌpǝl] adj flexible

supplement I n suplemento

II ['sʌplɪment] vtr complementar

supplier [sǝ'plaɪǝr] n Com proveedor,-ora

supply [sǝ'plaɪ] **I** vtr (mercancías, etc) proveer, suministrar

II n 1 suministro, abastecimiento 2 Econ **supply and demand,** oferta y demanda 3 **supplies** pl, provisiones; Com existencias, reservas; **office supplies,** material de oficina

support [sǝ'pɔːt] **I** vtr 1 (gen) apoyar 2 (a la familia) mantener, alimentar 3 Inform (programa, etc) admitir

II n 1 apoyo, ayuda, respaldo 2 **in support of,** en apoyo de, a favor de 3 Com apoyo, servicio; **customer support,** servicio al cliente 4 Téc soporte, pilar

supporter [sǝ'pɔːdǝr] n Pol partidario,-a; Dep hincha

suppose [sǝ'pǝʊz] vtr 1 suponer, imaginarse **I suppose so/not,** supongo que sí/no 2 (en pasivo) deber: **you are supposed to wear a crash helmet,** deberías llevar un casco 3 (como conjunción) → **supposing**

supposed [sə'pouzɛd] *adj* supuesto,-a

supposedly [sə'pouzɛdlɪ] *adv* teóricamente

supposing [sə'pouzɪŋ] *conj* si, en el caso de que

suppress [sə'prɛs] *vtr* 1 suprimir 2 *(una noticia)* ocultar

supremacy [su'prɛməsɪ] *n* supremacía

supreme [su'priːm] *adj* supremo,-a

Supreme Court ['supriːmkɔrt] *n* Corte o Tribunal Supremo

supremely [su'priːmlɪ] *adv* sumamente

surcharge [sər'tʃɑrdʒ] *n* recargo

sure ['ʃuər, ʃər] I *adj* 1 seguro,-a: **to be sure of oneself,** estar seguro,-a de uno mismo 2 **be sure to ring me,** no olvides llamarme: **to make sure,** asegurarse
II *adv* 1 *US (uso enfático)* **that vodka sure is strong,** ese vodka sí que es fuerte 2 sí: **can I sit here?, - sure!,** ¿puedo sentarme aquí?, - sí, ¡cómo no!

surely ['ʃuərlɪ, 'ʃərlɪ] *adv* 1 sin duda 2 *US* claro que sí

surf [sərf] I *n* 1 olas 2 espuma
II *vi Dep* hacer surf

surface ['sərfɪs] I *n* superficie; **on the surface,** a primera vista
II *adj* superficial; **by surface mail,** por vía terrestre / marítima
III *vtr (una carretera)* asfaltar, revestir
IV *vi (una ballena, etc)* salir a la superficie

surfboard ['sərfbɔrd] *n* tabla de surf

surfer ['sərfər] *n* surfista

surfing ['sərfɪŋ] *n* surf, surfing

surge [sərdʒ] I *n* 1 *(del mar, de gente, de compasión)* oleada 2 *Com (de demanda, etc)* repentino aumento
II *vi* 1 *(una ola)* levantarse 2 *(demanda, ventas)* aumentar repentinamente

surgeon ['sərdʒən] *n* cirujano,-a

surgery ['sərdʒərɪ] *n (ciencia)* cirugía: **to undergo surgery,** ser operado

surgical ['sərdʒɪkəl] *adj* 1 *(sala, equipo)* quirúrgico,-a 2 *(bota)* ortopédico,-a

surly ['sərlɪ] *adj (surlier, surliest)* hosco,-a, maleducado,-a

surmount [sər'maʊnt] *vtr* superar, vencer

surname ['sərneɪm] *n* apellido

surpass [sər'pæs] *vtr* superar

surplus ['sərplʌs] I *n* 1 *Com* excedente 2 *Fin* superávit
II *adj* excedente, que sobra

surprise [sər'praɪz] I *n* sorpresa
II *adj* inesperado,-a, imprevisto,-a, sorpresa
III *vtr* sorprender, extrañar

surprising [sər'praɪzɪŋ] *adj* sorprendente

surrealism [sər'rɪəlɪzəm] *n* surrealismo

surrealist [sə'rɪəlɪst] *adj & n* surrealista

surrender [sə'rɛndər] I *n* rendición, capitulación
II *vtr* rendir; *(las armas)* entregar
III *vi* rendirse

surreptitious [sʌrɛp'tɪʃəs] *adj* subrepticio,-a

surrogate ['sʌrəgɪt] *n fml* sucedáneo,-a

surrogate mother *n* madre de alquiler

surround [sə'raʊnd] I *n* marco, borde
II *vtr* rodear

surrounding [sə'raʊndɪŋ] I *adj* circundante
II *npl* **surroundings** 1 *(de un sitio)* alrededores 2 *(ambiente)* entorno

surveillance [sər'veɪləns] *n* vigilancia

survey ['sərveɪ] I *n* 1 encuesta, investigación 2 vista general
II [sər'veɪ] *vtr* 1 contemplar, mirar 2 encuestar, sondear

surveyor [sər'veɪər] *n* agrimensor,-ora, perito,-a; **quantity surveyor,** aparejador,-ora

survival [sər'vaɪvəl] *n* supervivencia

survive [sər'vaɪv] I *vtr* sobrevivir a
II *vi* 1 sobrevivir 2 perdurar

survivor [sər'vaɪvər] *n* superviviente

susceptible [sə'sɛptəbəl] *adj* 1 susceptible 2 *Med* propenso,-a **[to, a]**

suspect I ['sʌspɛkt] *adj* sospechoso,-a
II *n* sospechoso,-a
III [sə'spɛkt] *vtr* 1 *(de una persona)* sospechar 2 imaginarse

suspend [sə'spɛnd] *vtr* suspender

suspended [sə'spɛndɪd] *adj* 1 suspendido,-a 2 *Dep* sancionado,-a

suspended sentence *n Jur* libertad condicional

suspender [sə'spɛndər] *n (usu pl)* **suspenders** *pl,* tirantes

suspender belt *n US (para las medias)* liguero

suspense [sə'spɛns] *n* 1 incertidumbre 2 *Cine Teat* suspense

suspension [sə'spɛnʃən] *n* 1 suspensión *(de un empleado, etc)* expulsión temporal; *Dep* suspensión

suspension bridge *n* puente colgante

suspicion [sə'spɪʃən] *n* 1 sospecha 2 recelo, desconfianza

suspicious [sə'spɪʃəs] *adj* sospechoso,-a

sustain [sə'steɪn] *vtr* 1 *(un peso, un esfuerzo)* sostener 2 *(el interés)* mantener 3 *(a la familia)* sustentar

sustained [sə'steɪnd] *adj* sostenido,-a

sustenance ['sʌstɪnəns] *n* sustento

SW [saʊθ'wɛst] *n (abr de southwest)* sudoeste, SO

swagger ['swægər] I *n* pavoneo
II *vi* pavonearse

swallow ['swoloʊ] I *n* 1 *(de un alimento)* trago 2 *Orn* golondrina
II *vtr* 1 tragar 2 *fig (creer)* tragarse
III *vi* tragar

■ **swallow up** *vtr fig* 1 tragarse 2 *(los recursos, el tiempo)* consumir

swam [swæm] *ps* → **swim**

swamp [swomp] I *n* ciénaga, pantano
II *vtr* inundar

wan [swɒn] n Orn cisne

wap [swɒp] **I** n intercambio

I vtr cambiar

II vi cambiar

wastika ['swɒstɪkə] n esvástica, cruz amada

wat [swɒt] vtr aplastar

way [sweɪ] **I** n 1 balanceo 2 influencia, ominio

II vi 1 balancearse, mecerse 2 (un borracho, c) tambalearse

II vtr convencer

wear [sweə] vtr (ps swore; pp sworn) jurar

II vi 1 Jur jurar, prestar juramento 2 soltar acos; decir palabrotas

wear word ['sweəwɜːd] n palabrota

weat [swet] **I** n sudor

II vi sudar

■ **sweat out** vtr fam aguantar

weater ['swedə] n suéter

weatshirt ['swetʃɜːt] n sudadera

weaty ['swedɪ] adj (sweatier, sweatiest) idoroso,-a

wede [swiːd] n Bot nabo sueco

wede [swiːd] n (persona) sueco,-a

weden ['swiːdən] n Suecia

wedish ['swiːdɪʃ] **I** adj sueco,-a

n 1 (idioma) sueco 2 the Swedish pl, los uecos

weep [swiːp] **I** n 1 barrido 2 (de un río) irva 3 (de la policía) redada

I vtr (ps & pp swept) 1 (el suelo) barrer; (una himenea) deshollinar 2 (el viento) azotar; una epidemia) extenderse por

II vi 1 to sweep in/out, entrar/salir ápidamente 2 extenderse 3 barrer

■ **sweep aside** vtr 1 apartar con la mano 2 echazar

■ **sweep away** vtr barrer

■ **sweep up** vi barrer, recoger

weeper ['swiːpə] n 1 barrendero,-a 2 Ftb ero

weeping ['swiːpɪŋ] adj 1 (gesto) dramático,- 2 (cambio) radical

weet [swiːt] **I** adj 1 dulce, azucarado,-a; onido) melodioso

n Culin postre

weet-and-sour ['swiːtⁿsaʊə] adj gridulce

weetcorn ['swiːtⁿkɔːn] n maíz tierno

weeten ['swiːtⁿn] vtr azucarar sweetener

**swiːtⁿnə] n 1 Culin edulcorante 2 fam soborno

weetheart ['swiːtⁿhɑːt] n 1 novio,-a 2 rato) cariño, mi vida, amor

weetness ['swiːtⁿnɪs] n dulzura; (de olor) agancia

vell [swel] **I** n Náut marejada, oleaje

 adj US fam fenomenal

I vi (ps swelled; pp swollen) 1 Med ncharse 2 (un río) crecer

■ **swell up** vi hincharse

swelling ['swelɪŋ] n hinchazón

swept [swept] ps & pp → sweep

swerve [swɜːv] **I** n 1 (coche, etc) viraje brusco 2 Dep regate

II vi dar un viraje brusco

swift [swɪft] adj rápido,-a, veloz

swiftly ['swɪftlɪ] adv rápidamente

swig [swɪg] fam **I** n trago

II vtr beber a tragos

swill [swɪl] **I** n 1 comida para cerdos 2 fam bazofia

II vtr enjuagar

swim [swɪm] **I** vi (ps swam; pp swum) 1 nadar 2 (la cabeza) dar vueltas

II vtr (un lago, río, etc) cruzar a nado

III n baño

swimmer ['swɪmə] n nadador,-ora

swimming ['swɪmɪŋ] n natación

swimming pool n piscina

swimming trunks n bañador (de hombre)

swimsuit ['swɪmsuːt] n traje de baño, bañador

swindle ['swɪndəl] **I** n estafa

II vtr estafar, timar

swindler ['swɪndlə] n estafador,-ora

swine [swaɪn] **I** n (pl swine) Zool cerdo, puerco 2 (pl swines) fam (persona) canalla

swing [swɪŋ] **I** n 1 balanceo, oscilación 2 cambio, giro, viraje 3 ritmo 4 Mús swing 5 columpio

II vtr (ps & pp swung) 1 balancear 2 inclinar

II vi 1 balancearse; (en un columpio) columpiarse; (un péndulo) oscilar 2 (la dirección, opinión, etc) cambiar, virar; **to swing round,** dar la vuelta, girar

swirl [swɜːl] **I** n remolino

II vi arremolinarse

Swiss [swɪs] **I** adj suizo,-a **II** n inv (persona) suizo,-a; **the Swiss** pl, los suizos

switch [swɪtʃ] **I** n 1 Elec interruptor 2 US Ferroc agujas 3 cambio brusco 4 intercambio

II vtr 1 cambiar de 2 (la atención) desviar

■ **switch off** vtr apagar

■ **switch on** vtr encender

■ **switch over** vi cambiar

switchboard ['swɪtʃbɔːd] n Tele centralita

Switzerland ['swɪtsələnd] n Suiza

swivel ['swɪvəl] **I** n pivote

II vtr & vi girar

swollen ['swəʊlən] adj 1 Med hinchado,-a 2 (un río) crecido,-a

swoop [swuːp] **I** n 1 (ave, avión) descenso en picado 2 (de la policía) redada

II vi 1 Av bajar en picado 2 (policía) hacer una redada

sword [sɔːd] n espada

swordfish ['sɔːdfɪʃ] n Zool pez espada

swore [swɔː] ps → swear

sworn [swɔːn] adj 1 (declaración) jurado,-a 2 (enemigo) acérrimo,-a

swum [swʌm] *pp* → **swim**

swung [swʌŋ] *ps & pp* **swing**

syllable ['sɪləbəl] *n* sílaba

syllabus ['sɪləbəs] *n* programa de estudios

symbol ['sɪmbəl] *n* símbolo

symbolic [sɪm'bɑlɪk] *adj* simbólico,-a

symbolize ['sɪmbəlaɪz] *vtr* simbolizar

symmetry ['sɪmɪtri] *n* simetría

sympathetic [sɪmpə'θɛdɪk] *adj* **1** compasivo,-a **2** comprensivo,-a

sympathize ['sɪmpəθaɪz] *vi* **1** compadecerse **2** comprender

sympathizer ['sɪmpəθaɪzər] *n* simpatizante

sympathy ['sɪmpəθi] *n* **1** compasión **2** pésame: **to express one's sympathy**, dar el pésame **3** comprensión **4** *Pol* **sympathies** *pl*, tendencias

symphony ['sɪmfəni] *n* sinfonía

symposium [sɪm'pouzɪəm] *n* simposio

symptom ['sɪmptəm] *n* síntoma

symptomatic [sɪmptə'mædɪk] *adj* sintomático,-a

synagogue ['sɪnəgɑg] *n* sinagoga

synchronize ['sɪŋkrənaɪz] *vtr* sincronizar

syndicate [I ['sɪndɪkɪt] *n* consorcio

syndrome ['sɪndroum] *n* síndrome

synonym ['sɪnənɪm] *n* sinónimo

syntax ['sɪntæks] *n* sintaxis

synthesis ['sɪnθəsɪs] *n* (*pl* **syntheses** ['sɪnθəsi:z]) síntesis

synthesizer ['sɪnθəsaɪzər] *n* sintetizador

synthetic [sɪn'θɛdɪk] *adj* sintético,-a

syphilis ['sɪfɪlɪs] *n* sífilis

syphon ['saɪfən] *n* → **siphon**

syringe [sə'rɪndʒ] *n* jeringa, jeringuilla

syrup ['sɪərəp] *n* jarabe, almíbar

system ['sɪstəm] *n* **1** sistema **2** *Med* organismo **3** método

systematic [sɪstɪ'mædɪk] *adj* sistemático,-a

T

T, t [ti:] *n* **1** (*letra*) T, t **2** *abr de* **ton(s)**, **tonne(s)**, tonelada, t

tab [tæb] *n* **1** lengüeta, etiqueta **2** *US fam* cuenta

tab key *n Inform* tecla de tabulación

table ['teɪbəl] I *n* **1** (*mueble*) mesa; **to clear the table**, quitar la mesa; **to set the table**, poner la mesa **2** (*en un texto*) tabla, cuadro II *vtr* presentar

tablecloth *n* mantel

table mat *n* salvamanteles

tablespoon ['teɪbəlspu:n] *n* cucharón, cuchara de servir

tablespoonful ['teɪbəlspu:nfəl] *n* cucharada grande

tablet ['tæblɪt] *n* **1** *Med* pastilla, comprimido **2** (*de chocolate*) tableta; (*de jabón*) pastilla

table tennis ['teɪbəltɛnɪs] *n Dep* pimpón

tableware ['teɪbəlwer] *n* vajilla

tabloid ['tæblɔɪd] *n* periódico de pequeñ[o] formato, tabloide

tabloid press *n* prensa sensacionalista

taboo [tæ'bu:] *adj & n* tabú

tacit ['tæsɪt] *adj* tácito,-a

taciturn ['tæsɪtərn] *adj* taciturno,-a

tack [tæk] I *n* **1** tachuela **2** arreos II *vtr* **1** *Cost* hilvanar **2** **to tack (down)**, clava[r] con tachuelas

■ **tack down** *vtr* fijar algo con tachuelas

tackle ['tækəl] I *n* **1** aparejo, equipo[;] **fishing tackle**, aparejo de pescar **2** *F[tb]* entrada II *vtr* **1** afrontar **2** *Ftb* hacerle una entrada a[;] *Rugby* placar

tacky ['tæki] *adj* (*tackier, tackiest*) pegajoso,-a **2** hortera

tact [tækt] *n* tacto

tactful ['tæktfəl] *adj* diplomático,-[a] discreto,-a

tactical ['tæktɪkəl] *adj* táctico,-a

tactic ['tæktɪk] *n* **1** (*estrategia*) táctica **2** *M[ ]* **tactics** *pl*, táctica

tactless ['tæktˈlɪs] *adj* poco diplomático,[-]

tadpole ['tædpoul] *n Zool* renacuajo

tag [tæg] *n* **1** etiqueta **2** *Ling* coletil[la] (interrogativa)

■ **tag along** *vi fam* acompañar

■ **tag on** *vtr* agregar, añadir (al final)

tail [teɪl] I *n* **Anat** cola, rabo

tailback ['teɪlbæk] *n Auto* (*atasco*) caravan[a]

tailcoat *n* frac

tailgate *n Auto* compuerta trasera de u[n] automóvil

tail gate *v Trans* seguir muy de cerc[a,] conducir un automóvil demasiado cerc[a] detrás del que va adelante

tailor ['teɪlər] I *n* sastre; **tailor's (shop[)**,] sastrería II *vtr* confeccionar

tailor-made [teɪlər'meɪd] *adj* hecho,-a [a la] medida

tail pipe *n Auto* tubo de escape

tails *n pl* **1** frac **2** (*del juego* **heads** *or* **tai[ls]** uno de los dos lados de la moneda, se dic[e] cuando se lanza una moneda al aire par[a] decidir la suerte (México, en volado), var[ía] en cada país, cara o cruz, cara o sol, águi[la] o sol

taint [teɪnt] *vtr* contaminar

take [teɪk] I *vtr* (*ps* **took**; *pp* **taken**) **1** cog[er,] tomar **2** (*un rehén*) tomar; **to take prisone[r]** hacer prisionero **3** llevarse, robar **4** (*u[n] baño, respiro, una decisión, unas vacacione[s])* tomar; (*una clase*) dar; (*un examen*) hace[r;] (*una foto*) sacar; (*un juramento*) prestar; (*u[na] oportunidad*) aprovechar; (*un paseo, pas[eo]* dar; **take care!**, ¡ten cuidado! **5** admitir **6** (*e[n] el espacio*) ocupar: **that seat is taken**, e[ste] asiento está ocupado **7** (*en el tiempo*) dura[r] tardar: **the journey takes six hours,** el viaje dura seis horas **8** necesitar, usar: **he's got what it takes,** tiene lo que hace falta **9** *(zapatos)* calzar; *(ropa)* usar: **she takes an eight,** usa la talla ocho **10** *(comida, droga, etc)* tomar: **do you take sugar?,** ¿tomas azúcar? **11 to take a liking to sb,** encariñarse con alguien **12** *(un cheque, desafío, trabajo, etc)* aceptar; *(un consejo)* seguir; *(un premio)* ganar **13** aguantar, soportar **14** reaccionar **15** mirar *(como ejemplo)*: **take Albania, for instance...,** mira Albania, por ejemplo

II *n Cine* toma

■ **take aback** *vtr (usu pasivo)* sorprender

■ **take after** *vtr (un niño a su padre)* parecerse a

■ **take apart** *vtr* desmontar

■ **take away** *vtr* **1** llevarse **2** quitar; **to take sthg away from sb,** quitarle algo a alguien **3** *Mat* restar

■ **take back** *vtr* **1** *(lo recibido)* devolver **2** *(lo dado)* recuperar **3** *(una declaración)* retirar

■ **take down** *vtr* **1** *(una estructura)* desmontar **2** *(tomar nota de)* apuntar

■ **take in** *vtr* alojar, acoger

■ **take off** *vtr* **1** *(la ropa)* quitar **2** *(el tiempo)* tomarse

■ **take on** *vtr* **1** *(a un trabajador)* contratar **2** *(a un contrincante)* enfrentarse

■ **take out** *vtr* **1** *(del bolsillo, una maleta, etc)* sacar, quitar **2** *(con fines románticos)* salir con

■ **take over** *vtr* **1** *(el control)* asumir **2** *(de un país)* apoderarse

II *vi* tomar el mando

■ **take to** *vtr* **1** *(a una persona, etc)* coger cariño **2** *(a un hábito)* darse

■ **take up** *vtr* **1** *(hacia arriba)* llevar **2** *(una actividad interrumpida)* reanudar **3** *Cost* acortar **4** *(espacio, tiempo)* ocupar: **it takes up all my time,** me ocupa todo el tiempo

take-home pay ['teikhoumpei] *n* sueldo neto

takeoff ['teikɒf] *n* **1** *Av* despegue **2** *fam* parodia

takeover ['teikouvər] *n* **1** *Com* absorción **2** *Pol* toma del poder

takeover bid *n* oferta pública de adquisición, OPA

takings ['teikiŋz] *npl Com* recaudación

talc [tælk] *n* talco

talcum powder *n (polvos de)* talco

tale [teil] *n* cuento, relato

talent ['tælənt] *n* talento

talented ['tæləntid] *adj* dotado,-a

talisman ['tælɪsˈmən] *n* talismán, amuleto, dije

talk [tɔːk] **I** *n* **1** conversación **2** *(en público)* charla **3** talks *pl*, negociaciones **4** *pey* chismorreo, rumor, palabrería

II *vtr* **1** hablar, decir; **to talk nonsense,** decir tonterías; **to talk shop,** hablar del trabajo **2**

convencer, persuadir; **to talk sb into/out of doing sthg,** convencer a alguien para que haga/no haga algo

talkative ['tɔːkədɪv] *adj* hablador,-ora, parlanchín,-ina

talkshow ['tɔːkʃou] *n Radio TV* programa de entrevistas; *fam* tertulia

tall [tɔːl] *adj* alto,-a: **Juan is nearly two metres tall,** Juan mide casi dos metros (de altura)

tally ['tæli] **I** *vi* coincidir

II *n Com* cuenta

talon ['tælən] *n* garra

tambourine [tæmbəˈriːn] *n Mús* pandereta

tame [teim] **I** *adj* **1** *(animal)* domesticado,-a; *(por naturaleza)* manso,-a **2** *(estilo, etc)* insulso,-a

II *vtr* domar

tamper ['tæmpər] *vi* **to tamper with,** *(una cerradura, etc)* intentar forzar; *(un documento)* falsificar, alterar; *(una máquina)* escacharrar

tampon ['tæmpɒn] *n* tampón

tan [tæn] **I** *vtr* **1** *(el cuero)* curtir **2** *(la piel)* broncear

II *vi* broncearse

III *n* bronceado

tang [tæŋ] *n* sabor fuerte

tangent ['tændʒənt] *n* tangente por las

tangible ['tændʒəbəl] *adj* tangible

tangle ['tæŋgəl] **I** *n* lío, enredo

II *vtr* enredar, enmarañar

III *vi* enredarse

tank [tæŋk] *n* **1** depósito, cisterna **2** *Mil* tanque

tanker ['tæŋkər] *n* **1** *Náut* buque cisterna; *(para el petróleo)* petrolero **2** *Auto* camión cisterna

tantalize ['tæntəlaiz] *vtr* atormentar

tantalizing ['tæntəlaiziŋ] *adj* tentador,-ora

tantrum ['tæntrəm] *n* rabieta

tap [tæp] **I** *vtr* **1** dar un golpecito a **2** *(una tecla)* pulsar **3** *(un mercado, recurso, idea)* explotar **4** *(un teléfono)* pinchar

II *vi* dar golpecitos: **I tapped on the door,** llamé suavemente a la puerta

III *n* **1** golpecito **2** *(del agua)* grifo; *(del gas)* llave

tape [teip] *n* **1** cinta **2** *(sticky o adhesive)* tape, cinta adhesiva; *Med* esparadrapo

II *vtr* **1** grabar (en cinta) **2** pegar (con cinta adhesiva)

tape deck *n* pletina

tape recording *n* grabación

taper ['teipər] **I** *vi* estrecharse

II *n* vela, candela

tapestry ['tæpɪstri] *n* tapiz

tar [tɑːr] *n* alquitrán

target ['tɑːgit] *n* **1** *Mil & fig* blanco; *Dep* diana **2** objetivo, meta

tariff ['tærif] *n* tarifa, arancel

tarmac® ['tɑːmæk] **I** *n (materia)* asfalto

II *vtr* asfaltar

tarnish ['tɑrnɪʃ] *vtr* deslustrar

tart [tɑrt] *fam* I *n fam pey* fulana

II *adj* 1 *(sabor)* ácido,-a, agrio,-a

tartan ['tɑrtⁿn] *n* tartán, tela de cuadros

tartar ['tɑrdər] *n Dent* sarro

tartar sauce *n Culin* salsa tártara

task [tæsk] *n* tarea

tassel ['tæsəl] *n* borla

taste [teɪst] I *n* 1 *(sentido)* gusto 2 *(atributo)* sabor; **a taste of honey,** un sabor a miel 3 *(discriminación)* gusto: **she has good taste,** tiene buen gusto

II *vtr* probar

III *vi* saber

tasteful ['teɪstfəl] *adj* de buen gusto

tasteless ['teɪstlɪs] *adj* 1 *(comida)* insípido,-a 2 *(comentario, ropa, etc)* de mal gusto

tasty ['teɪstɪ] *adj (tastier, tastiest)* sabroso,-a

tattered ['tædərd] *adj* hecho,-a jirones

tattle ['tædl] *v* contar o divulgar secretos, acusar (entre niños)

tattletale ['tædlteɪl] *n* chismoso, correveidile, acusón (entre niños)

tattoo [tæ'tuː] I *vtr* tatuar

II *n* tatuaje

taught [tɔːt] *ps & pp →* **teach**

taunt [tɔːnt] I *n* pulla

II *vtr* mofarse de

Taurus ['tɔːrəs] *n Astrol* Tauro

taut [tɔːt] *adj* tenso,-a, tirante

tavern ['tævərn] *n* taberna

tawdry ['tɔːdrɪ] *adj (tawdrier, tawdriest)* hortera

tax [tæks] I *n* impuesto

II *vtr* 1 *Fin* gravar 2 *(la fuerza, paciencia)* poner a prueba

taxable ['tæksəbəl] *adj* imponible, sujeto,-a a impuestos

taxation [tæk'seɪʃən] *n* impuestos

tax evasion *n* fraude fiscal, evasión de impuestos

tax exempt [tæks'egzəmpt] *adj* exento de pago de impuestos, libre de impuestos

tax free *n* libre de impuestos

taxi ['tæksɪ] I *n* **taxi (cab),** taxi

II *vi Av* rodar por la pista

taxi driver *n* taxista

taxi stand *n US* parada de taxis

tax shelter ['tæksʃeltər] *n* refugio fiscal, plan de protección contra el pago excesivo de impuestos

TB [tiː'biː] *n abr de* **tuberculosis** tuberculosis

tbsp. *n abr de* **tablespoon** cucharada, cucharadita

tea [tiː] *n* 1 *Bot Culin* té 2 *(comida)* merienda

tea bag ['tiːbæg] *n* bolsita de té

tea break *n* descanso

teach [tiːtʃ] I *vtr (ps & pp taught)* enseñar, dar clases de

II *vi* enseñar, dar clases, ser profesor,-ora

teacher ['tiːtʃər] *n* profesor,-ora, *(en la escuela primaria)* maestro,-a

teaching ['tiːtʃɪŋ] *n* enseñanza

tea cloth *n* trapo de cocina

teacup ['tiːkʌp] *n* taza de té

teak [tiːk] *n Bot* teca

team [tiːm] *n* equipo

teammate ['tiːmeɪt] *n* compañero,-a de equipo

teamwork ['tiːmwərk] *n* trabajo de equipo

teapot ['tiːpɒt] *n* tetera

tear¹ [tɪər] *n* lágrima

tear² [ter] I *vtr (ps tore; pp torn) (papel, tela)* romper, rasgar

II *vi* 1 *(papel, tela)* romperse, rajarse 2 moverse de prisa

III *n* rasgón, desgarrón

■ **tear apart** *vtr* destrozar

■ **tear down** *vtr (un edificio)* derribar

■ **tear off** I *vtr* arrancar

II *vi* salir disparado

■ **tear out** *vtr* arrancar

■ **tear up** *vtr* 1 *(papel)* romper, hacer pedazos 2 *(una planta)* arrancar de raíz

tearful ['tɪərfəl] *adj* lloroso,-a

tease [tiːz] *vtr* 1 tomar el pelo a 2 burlarse de

teaspoon ['tiːspuːn] *n* cucharilla

teaspoonful ['tiːspuːnfəl] *n* cucharadita

teat [tiːt] *n* 1 *Anat* tetilla 2 *(de biberón)* tetina

teatime ['tiːtaɪm] *n* hora del té

technical ['teknɪkəl] *adj* técnico,-a

technically ['teknɪklɪ] *adv* en teoría

technician [tek'nɪʃən] *n* técnico,-a

technique [tek'niːk] *n* técnica

technological [teknə'lɒdʒɪkəl] *adj* tecnológico,-a

technology [tek'nɒlədʒɪ] *n* tecnología

teddy bear *n* osito de peluche

tedious ['tiːdɪəs] *adj* tedioso,-a, aburrido,-a

tedium ['tiːdɪəm] *n* tedio, aburrimiento

teenage ['tiːneɪdʒ] *adj* adolescente

teenager ['tiːneɪdʒər] *n* adolescente

teens [tiːnz] *npl* adolescencia

tee-shirt ['tiːʃərt] *n* camiseta (T-shirt)

teeth [tiːθ] *npl →* **tooth**

teethe [tiːð] *vi (usu en tiempo continuo)* **the baby is teething,** al bebé le están saliendo los dientes

teething ['tiːðɪŋ] *n* dentición

teetotaller [tiː'təʊdələr] *n* abstemio,-a

telecommunications ['telɪkəmjuːnɪ'keɪʃənz] *n* telecomunicaciones

telegram ['telɪgræm] *n* telegrama

telegraph ['telɪgræf] I *n* telégrafo

II *vtr & vi* telegrafiar

telepathy [tə'lepəθɪ] *n* telepatía

telephone ['telɪfəʊn] I *n* teléfono

II *vtr* telefonear, llamar por teléfono

telephone book *n* guía telefónica

telephone call n llamada telefónica

telephone number n número de teléfono

telephoto ['telɪfoʊdoʊ] adj Fot **telephoto lens,** teleobjetivo

telesales ['telɪseɪlz] npl televentas

telescope ['telɪskoʊp] n telescopio

telescopic [telɪ'skɑpɪk] adj telescópico,-a

television ['telɪvɪʒən] n (el medio) televisión

telex ['teleks] **I** n télex
II vtr enviar por télex

tell [tel] **I** vtr (pt & pp **told**) 1 decir, informar 2 (un cuento, etc) contar: **tell me about it,** cuéntamelo 3 saber, deducir 4 distinguir
II vi 1 frml **to tell of,** contar algo 2 chivarse, soplar 3 frml (la edad, el estrés) notarse
■ **tell apart** vtr distinguir
■ **tell off** vtr fam regañar, reñir

temp [temp] n (abr de **temporary**) fam trabajador,-ora temporal

temper ['tempər] **I** n 1 (pasajero) humor: **he's in a bad temper,** está de mal humor 2 (carácter) **to have a (bad) temper,** tener (mal) genio
II vtr (la crítica, etc) suavizar

temperament ['tempərmənt] n temperamento

temperamental [tempərəmentəl] adj temperamental

temperate ['tempərɪt] adj 1 (persona) mesurado,-a 2 (clima) templado,-a

temperature ['temprɪtʃər] n 1 temperatura 2 Med **to have a temperature,** tener fiebre

template ['templɪt] n plantilla

temple ['tempəl] n 1 Arquit templo 2 Anat sien

tempo ['tempoʊ] n tempo

temporary ['tempəreri] adj 1 (medida) provisional 2 (trabajo, empleado) eventual 3 (situación) transitorio,-a

tempt [tempt] vtr tentar

temptation [temp'teɪʃən] n tentación

tempting ['temptɪŋ] adj tentador,-ora

ten [ten] adj & n diez

tenacious [tə'neɪʃəs] adj tenaz

tenacity [tə'næsɪdi] n tenacidad

tenant ['tenənt] n 1 (de una casa) inquilino,-a 2 (de una granja) arrendatario,-a

tend [tend] **I** vi tender, tener tendencia
II vtr frml cuidar (de)

tendency ['tendənsi] n tendencia

tender ['tendər] **I** adj 1 (una persona, recuerdo) cariñoso,-a 2 (un punto) sensible 3 (la carne) tierno,-a
II vtr frml (la dimisión, una disculpa, etc) ofrecer
III vi Com hacer una oferta
IV n 1 Com oferta 2 (legal) **tender,** moneda de curso legal

tenderness ['tendərnɪs] n ternura

tendon ['tendən] n Anat tendón

tenement ['tenɪmənt] n (algo pey) casa de vecinos

tennis ['tenɪs] n tenis

tennis court n pista de tenis

tenor ['tenər] n Mús tenor

tense [tens] **I** adj tenso,-a
II n Ling tiempo

tension ['tenʃən] n tensión

tent [tent] n tienda (de campaña), carpa

tentacle ['tentəkəl] n tentáculo

tentative ['tenədɪv] adj 1 (no definido) provisional 2 indeciso,-a

tenth [tenθ] **I** adj & n décimo,-a
II n (fracción) décimo

tenuous ['tenjuəs] adj (argumento) poco convincente 2 (conexión) poco claro,-a

tenure ['tenjuər] n 1 (de un edificio, terreno, etc) tenencia 2 (de un puesto) ocupación

tepid ['tepɪd] adj tibio,-a

term [tərm] **I** n periodo; Educ trimestre; Jur pena
II npl **terms** 1 (de trabajo, pago) condiciones 2 relaciones; **to be on good terms,** llevarse bien
III vtr calificar de

terminal ['tərmɪnəl] **I** adj terminal
II n terminal

terminate ['tərmɪneɪt] **I** vtr poner fin a; US (a un empleado) despedir
II vi terminarse

terminology [tərmɪ'nɑlədʒi] n terminología

terrace ['terəs] n terraza

terrain [tə'reɪn] n terreno

terrible ['terəbəl] adj malísimo,-a, fatal

terribly ['terəbli] adv terriblemente

terrier ['teriːər] n Zool terrier

terrific [tə'rɪfɪk] adj 1 (ruido, etc) tremendo,-a 2 fam fenomenal, genial

terrify ['terɪfaɪ] vtr aterrorizar

terrifying ['terɪfaɪɪŋ] adj aterrador,-ora

territory ['terɪtɔri] n territorio

terror ['terər] n terror

terrorism ['terərɪzəm] n terrorismo

terrorist ['terərɪst] adj & n terrorista

terrorize ['terəraɪz] vtr aterrorizar

terrycloth ['terikloθ] n tela gruesa de algodón generalmente usada en la fabricación de toallas

terse [tərs] adj lacónico,-a

test [test] **I** n 1 Educ prueba, examen 2 Med análisis
II vtr 1 Educ someter a una prueba 2 (proceso, producto) probar 3 Med (sangre) analizar

testament ['testəmənt] n 1 testamento 2 Rel **Old/New Testament,** Antiguo/ Nuevo Testamento

testicle ['testɪkəl] n testículo

testify ['testɪfaɪ] **I** vtr declarar

II *vi frml* **to testify to sthg**, atestiguar algo

testimony ['tɛstɪmoʊni] *n* testimonio, declaración

testtube ['tɛsttjuːb] *n* probeta

testtube baby *n* niño,-a probeta

tetanus ['tɛt'nəs] *n* tétano(s)

tether ['tɛðər] **I** *n* atadura

II *vtr (a un animal)* atar

text [tɛkst] *n* texto

textbook ['tɛkstbʊk] *n* libro de texto

textile ['tɛkstaɪl] **I** *n* tejido

II *adj* textil

texture ['tɛkstʃər] *n* textura

than [ðæn, *forma débil* ðən] *conj* **1** que: **she is richer than him**, es más rica que él **2** *(con números)* de; **more than a hundred**, más de cien **3** *(con frase)* de: **it tastes better than it looks**, sabe mejor de lo que parece

thank [θæŋk] *vtr* **1 dar las gracias a 2 thank God/ goodness/Heavens**, menos mal, a Dios gracias; **thank you**, gracias

thankful ['θæŋkfəl] *adj* agradecido,-a

thankless ['θæŋklɪs] *adj (trabajo)* ingrato,-a

thanks [θæŋks] **npl 1** agradecimiento **2** gracias **[for, por]**; **no, thanks**, no, gracias

Thanksgiving [θæŋks'gɪvɪŋ] *n* **Thanksgiving Day,** Día de Acción de Gracias

thank you ['θæŋkju] *interjección* **1** expresión de gracias o agradecimiento **2** *adj* en expresiones como *thank you letter, thank you gift* carta o regalo de agradecimiento

that [ðæt, *forma débil* ðət] **I** *adj dem* ese,-a, aquel, aquella; *pl* **those** [ðoʊz] esos,-as, aquellos,-as

II *pron* **1** *dem* ése,-a, eso, aquél, aquélla, aquello; *pl* **those** [ðoʊz] ésos,-as; aquéllos,-as **2** *rel* [ðət, *forma fuerte* ðæt] que: **the men that you saw**, los hombres que viste; *(después de preposición)* el/la/ los/las que, el/la cual, los/las cuales; *(tiempo)* en que, cuando

III *adv* [ðæt] tan, tanto: **I'm not that stupid**, no soy tan estúpido

IV *conj* **1** [ðət, *forma fuerte* ðæt] que: **they said that it would rain**, dijeron que llovería **2** *(th in order that* y *so that)* para que

thatched [θætʃt] *adj (techo)* de paja **thaw** [θɔː] **I** *vtr* **1** *(hielo)* derretir **2** *(comida, etc)* descongelar

II *vi* **1** *(hielo)* derretirse **2** *(comida)* descongelarse **3** *(relaciones)* distenderse

III *n* deshielo

the [ðə, *enfático* ðiː] **I** *art def* **1** el, la, lo, las **2** *(no se traduce en español)* **Elizabeth the First,** Isabel I; **Friday the thirteenth,** viernes 13 **3** por; **to sell sthg by the meter,** vender algo por metros

II *adv* cuanto: **the more you have the more you want,** cuanto más tienes, más quieres; **the sooner the better,** cuanto antes, mejor

theater ['θiətər] *n* teatro

theft [θɛft] *n* robo

their [ðɛɪ] *adj* posesivo su, sus (de ellos,-as)

theirs [ðɛɪz] *pron* posesivo (el) suyo, (la) suya; *pl* (los) suyos, (las) suyas (de ellos,-as)

them [ðɛm, *forma débil* ðəm] *pron pers pl* **1** *(objeto directo)* los, las: **I saw them yesterday,** los vi ayer **2** *(objeto indirecto)* les, se: **tell them the truth,** diles la verdad **3** *(con preposición)* ellos, ellas; **by/for/ with them,** por/para/ con ellos,-as; **none of them,** ninguno de ellos

theme [θiːm] *n* tema

themselves [ðəm'sɛlvz] **I** *pron pers pl* **1** *(sujeto)* ellos mismos, ellas mismas: **the generals themselves did not fight,** los generales mismos no lucharon **2** *(reflexivo)* sí mismos,-as **3** *(con preposición)* sí mismos,-as

then [ðɛn] *adv* **1** *(próximamente)* luego **2** entonces; **by/since/until then,** para/ desde/hasta entonces **3** así que, entonces: **then you're an idiot,** entonces eres imbécil

theology [θi'ɑlədʒi] *n* teología

theoretical [θiə'rɛdɪkəl] *adj* teórico,-a

theory ['θiəri] *n* teoría

therapeutic [θɛrə'pjuːdɪk] *adj* terapéutico,-a

therapist ['θɛrəpɪst] *n* terapeuta

therapy ['θɛrəpi] *n* terapia

there [ðɛr] **I** *adv* **1** ahí, allí, allá: **in/out there,** ahí dentro/fuera; **up/down there,** allí arriba/ abajo

II *pron (sin acento)* **1 there is/are...,** hay...: **there are only two of us,** solo somos dos; **there must be,** debe haber: **there was/were,** había

thereabouts ['ðɛrəbaʊts] *adv* por ahí, cerca

thereafter [ðɛr'æːftər] *adv frml* a partir de entonces

thereby ['ðɛrbaɪ] *adv frml* de ese modo

therefore ['ðɛfɔːr] *adv* por tanto, por eso

thermal ['θɜːrməl] **I** *adj (fuente)* termal

II *n Av Meteo* corriente térmica

thermometer [θə'mɑmɪdər] *n* termómetro

Thermos® ['θɜːrməs] *n* Thermos (flask), termo®

thermostat ['θɜːrməstæt] *n* termostato

thesaurus [θɪ's-ɔːrəs] *n* tesauro

these [ðiːz] *adj & pron dem* → **this**

thesis ['θiːsɪs] *n* tesis

they [ðeɪ] *pron pl* **1** ellos, ellas: **where are they?**, ¿dónde estás? **2** *(impersonal)* **they say that...,** se dice que...

they'd [ðeɪd] **1 they had 2 they would**

they'll [ðeɪl] **1 they will 2 they shall**

they're [ðeɪər] → **they are**

they've [ðeɪv] → **they have**

thick [θɪk] *adj* **1** *(libro, pared, tela)* grueso,-a: **it's a meterthick,** tiene un metro de grosor **2** *(líquido)* espeso,-a; *(niebla, vegetación)* denso,-a; **3** *fam* burro,-a

thicken ['θɪkən] **I** *vtr* espesar

II *vi* espesarse, hacerse más denso,-a

thickset ['θɪksɛt] *adj* fornido, -a, corpulento

thief [θiːf] *n* (*pl* **thieves** [θiːvz]) ladrón, -ona

thigh [θaɪ] *n Anat* muslo

thimble ['θɪmbəl] *n* dedal

thin [θɪn] **I** *adj* (**thinner, thinnest**) **1** (*persona*) delgado, -a, flaco, -a **2** (*líquido*) claro, -a; (*loncha, capa, etc*) fino, -a **II** *vtr* **to thin (down)**, (*la sopa, etc*) diluir

thing [θɪŋ] *n* cosa

thingamajig ['θɪŋəmədʒɪg] *n* el como-se-llama, como-se-dice o que-te-dije

think [θɪŋk] **I** *vtr* (*ps & pp* **thought**) creer, pensar: **I think so,** creo que sí **II** *vi* **1** pensar: **I'll think about it,** me lo pensaré **2** acordarse de: **I can't think of his name,** no me acuerdo de su nombre **3** (*opinión*) **they think very highly of him,** tienen muy buena opinión de él

■ **think out** *vtr* (*un plan*) elaborar; (*un problema*) estudiar

■ **think over** *vtr* considerar detenidamente

■ **think up** *vtr* imaginar, idear

thinker ['θɪŋkər] *n* pensador, -ora

thinking ['θɪŋkɪŋ] **I** *adj* racional **II** *n* pensamiento

third [θərd] **I** *adj* tercero, -a; **third time lucky,** a la tercera va la vencida **II** *n* **1** (*en orden*) tercero, -a **2** (*fracción*) tercio, tercera parte **3** *Auto* tercera

third degree [θərd'dɪgriː] *n* interrogatorio intenso

third degree burn [θərddɪgriː'bərn] *n* quemadura de tercer grado

thirdly ['θərdli] *adv* en tercer lugar

thirst [θərst] *n* sed

thirsty ['θərsti] *adj* (**thirstier, thirstiest**) sediento, -a

thirteen [θər'tiːn] *adj & n* trece

thirteenth [θər'tiːnθ] **I** *adj & n* decimotercero, -a **II** *n* (*parte*) treceavo

thirtieth ['θərdiθ] **I** *adj & n* trigésimo, -a **II** *n* (*parte*) trigésima parte; *Mat* treintavo

thirty ['θərdi] *adj & n* treinta

this [ðɪs] **I** *adj dem* este, esta; *pl* **these** [ðiːz] estos, -as **II** *pron dem* **1** (*th this one, these ones*) éste, -a; *pl* **these,** éstos, -as; (*para presentar a alguien*) **this is my wife,** le presento a mi mujer; (*al teléfono*) **this is Higinio,** soy Higinio **2** ¿qué es esto?: **what is this?,** ¿qué es esto?; **like this,** así **II** *adv* así de, tan, tanto

thistle ['θɪsəl] *n Bot* cardo

thorax ['θɔːræks] *n Anat* tórax

thorn [θɔrn] *n* espina

thorough ['θərou] *adj* **1** (*investigación*) minucioso, -a; (*trabajador*) concienzudo, -a **2** (*conocimiento*) profundo, -a

thoroughbred ['θəroubrɛd] **I** *adj* de pura sangre **II** *n* purasangre

thoroughfare ['θəroufɛr] *n frml* vía pública, carretera, calle

thoroughly ['θərəli] *adv* (*investigar*) a fondo; (*investigar*) minuciosamente

those [ðouz] *dem adj & pron pl* → **that**

though [ðou] **I** *conj* **1** aunque, si bien: **(even) though it's Christmas,** aunque sea Navidad **2 as though,** como si **II** *adv* sin embargo

thought [θɔːt] *n* **1** (*acción*) pensamiento **2** reflexión; **on second thoughts,** pensándolo bien **3** idea

thoughtful ['θɔːtfəl] *adj* **1** pensativo, -a **2** atento, -a

thoughtless ['θɔːtlɪs] *adj* **1** (*persona*) desconsiderado, -a **2** (*acción*) irreflexivo, -a

thousand ['θauzənd] *adj & n* mil

thousandth ['θauzənθ] **I** *adj* milésimo, -a **II** *n* **1** (*en orden*) milésimo, -a **2** (*fracción*) milésima

thrash [θræʃ] *vtr* **1** azotar **2** *Dep* darle una paliza a

thread [θrɛd] **I** *n* **1** hilo **2** *Téc* rosca **II** *vtr* **1** (*una aguja*) enhebrar **2** (*cuentas*) ensartar

threadbare ['θrɛdbɛr] *adj* raído, -a

threat [θrɛt] *n* amenaza

threaten ['θrɛtn] *vtr* amenazar

threatening ['θrɛtnɪŋ] *adj* amenazador, -ora

three [θriː] *adj & n* tres

three-dimensional [θriːdɪ'mɛnʃənəl] *adj* tridimensional

threefold ['θriːfould] **I** *adj* triple **II** *adv* tres veces

thresh [θrɛʃ] *vtr Agr* trillar

threshold ['θrɛʃould] *n* umbral

threw [θruː] *ps* → **throw**

thrifty ['θrɪfdi] *adj* (**thriftier, thriftiest**) económico, -a, ahorrativo, -a

thrill [θrɪl] **I** *n* **1** emoción **2** estremecimiento **II** *vtr* emocionar

thrilled [θrɪld] *adj* encantado, -a

thriller ['θrɪlər] *n* novela/película de suspense

thrilling ['θrɪlɪŋ] *adj* emocionante

thrive [θraɪv] *vi* **1** (*económicamente*) prosperar **2** (*planta*) crecer con fuerza

thriving ['θraɪvɪŋ] *adj fig* próspero, -a

throat [θrout] *n* garganta

throb [θrɑb] **I** *n* **1** (*del corazón*) latido **2** (*de una máquina*) vibración **II** *vi* **1** (*corazón*) latir **2** (*máquina*) vibrar

throne [θroun] *n* trono

throng [θrɑŋ] **I** *n* multitud, gentío **II** *vi* **to throng in/out,** entrar/salir en tropel

throttle ['θrɑdəl] **I** *n Auto fam* acelerador **II** *vtr* estrangular

through [θruː] **I** *prep* **1** a través de, por, de un lado a otro de: **we walked through the woods,** paseamos por el bosque **2** *(en el tiempo)* durante; **all through the war,** durante toda la guerra; *(esp US)* **Monday through Friday,** de lunes a viernes inclusive **3** *(causa)* por medio de, por causa de, por: **I got the job through a friend,** conseguí el trabajo por medio de un amigo

II *adj (una ruta, un tren)* directo,-a; *(tráfico)* de paso

III *adv* **1** *(en un sitio)* de un lado a otro: **let me through!,** ¡déjenme pasar! **2** *(en el tiempo)* **to work through,** trabajar sin descanso

throughout [θruːˈaʊt] **I** *prep* **1** *(en el tiempo)* durante todo,-a **2** *(en el espacio)* por/en todo,-a

II *adv* **1** *(en el tiempo)* desde el principio hasta el fin **2** *(en el espacio)* totalmente, en/por todas partes

throw [θrou] **I** *n (de pelota)* tiro; *(de jabalina)* lanzamiento

II *vtr (ps* **threw;** *pp* **thrown)** *(una pelota, etc)* tirar, arrojar; *(jabalina, etc)* lanzar; *(los dados)* echar

■ **throw away** *vtr* **1** *(basura)* tirar **2** *(el dinero)* despilfarrar; *(una oportunidad)* desperdiciar

■ **throw in** *vtr* **1** *Dep* sacar de banda **2** *Com fam* regalar

■ **throw off** *vtr* despistar

■ **throw out** *vtr* **1** *(la basura)* tirar **2** *(a una persona)* echar, expulsar **3** *(los planes)* desbaratar

■ **throw up** *vi fam* vomitar, devolver

throwaway [ˈθrouəweɪ] *adj* desechable

throw-in [ˈ] *n Dep* saque de banda

thrown [θroun] *pp →* **throw**

thru [θruː] *prep →* **through**

thrust [θrʌst] **I** *vtr (ps & pp* **thrust)** empujar

II *n* **1** empujón **2** *Av Fís* empuje

thud [θʌd] *n* ruido sordo

thug [θʌg] *n* matón, bruto

thumb [θʌm] *n* pulgar

thumbtack [ˈθʌmtæk] *n* chincheta

thump [θʌmp] **I** *n* **1** *(sonido)* ruido sordo **2** golpazo; *fam* torta

II *vtr* golpear

thunder [ˈθʌndər] **I** *n* **1** *Meteor* trueno **2** *(ruido)* estruendo

II *vi* tronar

thunderbolt [ˈθʌndərboult] *n* **1** *Meteor* rayo **2** *fig (noticia)* bomba

thunderclap [ˈθʌndərklæp] *n* trueno

thundercloud [ˈ] *n* nubarrón

thunderous [ˈθʌndərəs] *adj* *fig* ensordecedor,-ora

thunderstorm [ˈθʌndərstɔrm] *n* tormenta eléctrica

thundery [ˈθʌndəri] *adj* *(tiempo)* tormentoso,-a

Thursday [ˈθɜrzdeɪ] *n* jueves

thus [ðʌs] *adv frml* así, de esta manera

thwart [θwɔrt] *vtr* frustrar, desbaratar

thyme [taɪm] *n Bot* tomillo

thyroid [ˈθaɪrɔɪd] *n Anat* tiroides

tiara [tiˈɑːrə] *n* **1** diadema **2** *Rel* tiara

tic [tɪk] *n* tic

tick [tɪk] **I** *n* **1** *(sonido)* tic-tac **2** *(con un lápiz etc)* señal, visto (bueno) **3** *Zool* garrapata

II *vi* hacer tic-tac

III *vtr* marcar

ticket [ˈtɪkɪt] *n* **1** *Trans* billete; *Cine Tea[?]* entrada; *(de lotería)* billete, décimo **2** recibo resguardo **3** etiqueta **4** *Auto* multa

ticket office *n Teat* taquilla; *Trans* ventanilla

tickle [ˈtɪkəl] **I** *vtr* hacer cosquillas a

II *vi* hacer cosquillas

III *n* cosquilleo

ticklish [ˈtɪklɪʃ] *adj* **1** *(persona)* que tiene cosquillas **2** *(problema)* delicado,-a

tidal [ˈtaɪdəl] *adj* de la marea

tidbit [ˈtɪdbɪt] *n* **1** golosina **2** *fig* chisme

tide [taɪd] *n* marea

tidy [ˈtaɪdi] **I** *adj (tidier, tidiest)* [?] *(habitación, etc)* ordenado,-a **2** *(apariencia* arreglado,-a

II *vtr* arreglar, ordenar

■ **tidy up** *vtr* arreglar, recoger

tie [taɪ] **I** *n* **1** corbata **2** **ties** *pl,* lazos vínculos **3** atadura, estorbo **4** *Dep & fig* empate

II *vtr* **1** *(una cosa a otra, etc)* atar **2** *fig* vincula

III *vi* **1** *Dep* empatar **2** *(ropa, etc)* atarse

■ **tie up** *vtr* **1** *(animal, paquete)* atar **2** **to b[?] tied up,** estar ocupado,-a **4** vincular

tiebreaker [ˈtaɪbreɪk] *n Dep* desempate

tier [tɪər] *n* **1** grada, fila **2** *(de pastel, etc)* pis[?]

tiger [ˈtaɪgər] *n Zool* tigre

tight [taɪt] **I** *adj* **1** *(ropa)* ajustado,-a estrecho,-a; *(cajón, tuerca)* apretado,-a **2** [?] *(cuerda)* tirante, tie-so,-a **3** *(horario* apretado,-a; *(control, seguridad)* riguroso,-a [?] *fam* tacaño,-a

II *adv* fuerte

III *npl* **tights** *(finos)* pantis, medias; *(par[?] bailar)* mallas

tighten [ˈtaɪtn] **I** *vtr* **1** *(nudo, tuerca* apretar; *(una cuerda)* tensar **2** *(el control, l[?] seguridad)* intensificar

II *vi* apretarse

tightrope [ˈtaɪtroup] *n* cuerda floja

tile [taɪl] **I** *n* **1** *(en el suelo)* baldosa; *(en l[?] pared)* azulejo **2** *(en el tejado)* teja

II *vtr (el suelo)* embaldosar; alicatar

till [tɪl] **I** *n Com* caja: **pay at the till,** pagu[?] en la caja

II *conj, prep* hasta, hasta que

tilt [tɪlt] **I** *n* **1** *(ángulo)* inclinación **2** **(at) fu[?] tilt,** a toda máquina

II *vi* inclinarse

III *vtr* inclinar

timber [ˈtɪmbər] *n* madera (d[?] construcción), viga

time [taɪm] **I** *n* **1** tiempo: **time flies,** el tiempo vuela **2** *(período)* **a long/short time ago,** hace mucho/poco; **in a week's/month's time,** dentro de una semana/un mes **3** momento; **at any time,** en cualquier momento; **at the time,** en ese momento **4** temporada; **at this time of year,** en esta temporada **5** época; **in Roman times,** en la época romana **6** hora: **what's the time?,** ¿qué hora es?; **on time,** puntualmente **7** vez; **at the same time,** a la vez, al mismo tiempo; *(como conj)* de todas formas; **at times,** a veces; **every time,** cada vez; **from time to time, de vez en cuando; next time,** la próxima vez **8** *Mat* **two times two is four,** dos por dos son cuatro **9** *(experiencia)* **to have a good time,** pasarlo bien **10** *Mús* compás, ritmo

II *vtr* **1** *(una máquina, actividad)* programar **2** *(una acción)* elegir el momento para **3** *(un evento)* calcular la duración de; *Dep* cronometrar

timely ['taɪmli] *adj (timelier, timeliest)* oportuno,-a

timer ['taɪmər] *n* temporizador

timetable ['taɪmteɪbəl] *n* horario

time warp ['taɪmwɔrp] *n* dícese de un estado mental de sentirse o estar viviendo en el pasado o en el futuro

time zone ['taɪmzəʊn] *n* huso horario

timid ['tɪmɪd] *adj* tímido,-a

timing ['taɪmɪŋ] *n* **1** *Teat* **the timing is perfect,** está perfectamente coordinado **2** *Dep* ritmo, cronometraje

tin [tɪn] **I** *n* **1** *(metal)* estaño **2** *(para las conservas)* lata

II *vtr (las conservas)* enlatar

cinder ['tɪndər] *n* mecha, yesca, material que arde con rapidez

tinderbox ['tɪndərbɒks] *n* lugar o situación peligrosa o potencialmente explosiva

tinfoil ['tɪnfɔɪl] *n* papel de aluminio

tinge [tɪndʒ] **I** *n fml* matiz

I *vtr* teñir

tingle ['tɪŋgəl] **I** *n* hormigueo

I *vi* **my ears are tingling,** me zumban los oídos

tinker ['tɪŋkər] *vi* juguetear

tinkle ['tɪŋkəl] *vi* tintinear

tint [tɪnt] *n* tinte, matiz

I *vtr* teñir; **to tint one's hair,** teñirse el pelo

tiny ['taɪni] *adj (tinier, tiniest)* diminuto,-a, minúsculo,-a

tip [tɪp] **I** *n* **1** punta; *(de cigarrillo)* filtro **2** propina **3** consejo *(práctico)*

I *vtr* **1** poner regatón o punta a **2** dar propina **3** verter **4** inclinar

■ tip off *vtr (a la policía)* avisar

■ tip over I *vtr* volcar

I *vi* volcarse

tipsy ['tɪpsi] *adj (tipsier, tipsiest)* achispado,-a

tiptoe ['tɪptəʊ] **I** *vi* andar de puntillas

II *n* **on tiptoe,** de puntillas

tirade ['taɪreɪd] *n* diatriba, discurso crítico, largo y agitado

tire[1] ['taɪər] *n Auto* neumático

tire[2] ['taɪər] **I** *vtr* cansar

II *vi* cansarse [of, de]

■ tire out *vtr* agotar

tired ['taɪəd] *adj* cansado,-a

tireless ['taɪərlɪs] *adj* incansable

tiresome ['taɪərsəm] *adj* fastidioso,-a

tiring ['taɪərɪŋ] *adj* cansado,-a, fatigoso,-a

tissue ['tɪʃuː] *n* **1** *Anat Bot* tejido **2** pañuelo de papel, kleenex®

tit [tɪt] *n* **1** *Orn* paro **2** *fam vulgar* teta

title ['taɪtl] *n* título

titter ['tɪtər] **I** *vi* reírse nerviosamente

II *n* risita ahogada

titular ['tɪtjʊlər] *adj* titular

TM *(abr de* **trade mark***)* marca registrada

TN *(abr de* **Tennessee***)* abreviatura, estado de Tennessee

to [tuː; *forma débil delante de una vocal* tʊ, *antes de una consonante* tə] **I** *prep* **1** *(dirección, destino)* **I'm going to Paris,** voy a París; **from place to place,** de un lado a otro; **to the left/right,** hacia/a la izquierda/derecha **2** *(con números)* hasta; **10 to 15 years later,** entre 10 y 15 años más tarde **3** *(objeto indirecto)* **give that to me!,** ¡dame eso! **4** *(la hora, el tiempo)* **it's five to six,** son las seis menos cinco **5** *(comparación)* **she prefers coffee to tea,** prefiere el café al té **6** *(según)* **to all appearances,** a juzgar por las apariencias **7** *(resultado)* **to my surprise,** para mi asombro

II *adv* **1** cerrado,-a; **to push a door to,** cerrar una puerta *(de un empujón)* **2** **to come to,** volver en sí **3** **to and for,** acá y allá

III *partícula del infinitivo* **1** *(para formar el infinitivo - sin traducción)* **to be or not to be,** ser o no ser **2** *(sin verbo)* **I'm going home, but you don't have to,** me voy a casa, pero tú no tienes que hacerlo **3** *(propósito)* **they went to see her,** fueron a verla **4** *(con adjetivo y sustantivo)* **it's easy to do,** es fácil de hacer **5** *(como orden) fml* **passengers are to wait here,** los pasajeros deben esperar aquí

toad [təʊd] *n Zool* sapo

toadstool ['təʊdstuːl] *n* seta venenosa

toast [təʊst] **I** *n* **1** *Culin* pan tostado; **a slice of toast,** una tostada **2** brindis

II *vtr* **1** tostar **2** brindar por

toaster ['təʊstər] *n* tostador *(de pan)*

tobacco [təˈbækəʊ] *n* tabaco

tobogganing [təˈbɒɡəniŋ] *n Dep* tobogán, deslizarse en la ladera de una colina cubierta de nieve en una especie de trineo llamado tobogán

today [tə'deɪ] **I** *n* hoy
II *adv* hoy
toddler ['tɒdlər] *n* niño,-a pequeño,-a (que empieza a andar)
toe [toʊ] *n* dedo del pie: **big toe,** dedo gordo
toenail ['toʊneɪl] *n* uña del dedo gordo del pie
toffee ['tɒfi] *n* caramelo
together [tə'geðər] *adv* **1** junto, juntos,-as **2** todos a la vez
toil [tɔɪl] *n frml* trabajo duro
toilet ['tɔɪlɪt] *n* **1** *(aparato)* váter, inodoro **2** *(cuarto)* retrete, baño; *(público)* servicios, aseos
toilet paper *n* papel higiénico
toilet-water ['tɔɪlɪt'wɔːdər] *n* colonia
toiletries ['tɔɪlɪtrɪz] *npl* artículos de aseo
token ['toʊkən] **I** *n* **1** señal **2** *Com* vale, cheque-regalo
II *adj* simbólico,-a
told [toʊld] *ps & pp →* **tell**
tolerance ['tɒlərəns] *n* tolerancia
tolerant ['tɒlərənt] *adj* tolerante
tolerate ['tɒləreɪt] *vtr* tolerar
toll [toʊl] **I** *vi* doblar
III *n Auto* peaje
tomato [tə'meɪtoʊ] *n* (*pl* tomatoes) tomate
tomb [tuːm] *n* tumba
tombstone ['tuːmstoʊn] *n* lápida
tomcat ['tɒmkæt] *n Zool* gato (macho)
tomorrow [tə'mɒroʊ] **I** *n* mañana; **see you tomorrow!,** ¡hasta mañana!; **tomorrow morning,** mañana por la mañana
II *adv* mañana; **tomorrow morning,** mañana por la mañana
ton [tʌn] *n (medida)* tonelada (US 907 kg, GB 1.016 kg)
tone [toʊn] *n* tono
■ **tone down** *vtr* atenuar
tongs [tɒŋz] *npl* pinzas
tongue [tʌŋ] *n* **1** *Anat* lengua **2** *(de un zapato)* lengüeta **3** *frml* idioma
tongue-in-cheek ['tʌŋɪntʃiːk] *adv* irónico, dicho con ironía
tongue twister *n* trabalenguas
tonic ['tɒnɪk] **I** *n* **1** *Mús* tónica **2** *Med* tónico
II *adj* tónico,-a
tonight [tə'naɪt] *adv* & *n* esta noche
tonne [tʌn] *n* (*tb* **metric tonne**) (1.000 kg)
tonsil ['tɒnsəl] *n Anat* amígdala
tonsillitis [tɒnsɪ'laɪdɪs] *n Med* amigdalitis
too [tuː] *adv* **1** también: **me too,** yo también **2** demasiado, muy: **too many people,** demasiada gente
took [tʊk] *ps →* **take**
tool [tuːl] *n* herramienta
toolbox ['tuːlbɒks] *n* caja de herramientas
toot [tuːt] **I** *vtr (la bocina)* tocar
II *vi* pitar

III *n* bocinazo
tooth |tuːθ| *n* (*pl* teeth [tiːθ]) **1** *(front tooth)* diente; **back tooth,** muela **2** *(de una sierra)* diente; *(de un peine)* diente
toothache ['tuːθeɪk] *n* dolor de muelas
toothbrush ['tuːθbrʌʃ] *n* cepillo de dientes
toothpaste ['tuːθpeɪst] *n* pasta dentífrica
toothpick ['tuːθpɪk] *n* palillo mondadientes
top [tɒp] **I** *n* **1** parte superior; *(de un árbol)* copa; *(de la cabeza)* coronilla; *(de una colina)* cima; *(de un edificio)* último piso; *(de una lista, página, etc)* cabeza; *(de una mesa, etc)* superficie; *(de una profesión)* cima **2** *on top (como adverbio)* encima, arriba **3** **on top of** *(como preposición)* encima de: *fig* **on top of it all...,** para colmo... **4** *(de botella, etc)* tapón *(de pluma)* capuchón
II *adj* **1** *(estante, parte)* de arriba, superior *(escalón, piso)* último,-a, más alto,-a *(velocidad)* máximo,-a **2** *(calidad)* de primera
III *vtr* **1** *(un nivel)* superar **2** *(una lista, etc)* encabezar
topic ['tɒpɪk] *n* tema
topical ['tɒpɪkəl] *adj* de actualidad
top-level ['tɒpleʌəl] *adj* de alto nivel
topmost ['tɒpmoʊst] *adj* (*antes de sustantivo*) (el) más alto, (la) más alta
topple ['tɒpəl] **I** *vi* caerse
II *vtr* **1** volcar **2** derrocar
top-secret [tɒp'siːkrɪt] *adj* de alto secreto
torch [tɔːtʃ] *n* (*de fuego*) antorcha
tore [tɔːr] *ps →* **tear²**
torment [tɔː'ment] **I** *vtr* atormentar
II *n* ['tɔːment] tormento, suplicio
torn [tɔːn] *pp →* **tear²**
tortoise ['tɔːtəs] *n* tortuga
tortoiseshell ['tɔːtəʃel] **I** *n* carey
II *adj* de carey
torture ['tɔːtʃər] **I** *vtr* torturar
II *n* tortura
toss [tɒs] *vtr* **1** *(una pelota)* tirar, lanzar; **toss a coin (for sthg),** echar (algo) a cara cruz **2** *Culin (la ensalada)* mezclar, revolver
total ['toʊtəl] **I** *n* total
II *adj* total
III *vtr* sumar
IV *vi* ascender a
totalitarian [toʊtælɪ'teriən] *adj* totalitario,-
totally ['toʊtəli] *adv* totalmente
totem ['toʊtəm] *n* tótem
totter ['tɒtər] *vi* tambalearse
touch [tʌtʃ] **I** *n* **1** *(sentido)* tacto **2** *(acción)* toque, roce **3** detalle, toque **4** contacto **5** *De* fuera de banda
II *vtr* tocar **2** emocionar
■ **touch down** *vi Av* aterrizar
touchdown ['tʌtʃdaʊn] *n* aterrizaje
touched [tʌtʃt] *adj* **1** emocionado,-a **2** *fam* tocado,-a
touching ['tʌtʃɪŋ] *adj* conmovedor,-ora

touchy ['tʌtʃi] *adj (touchier, touchiest) fam* 1 *(persona)* susceptible 2 *(tema)* delicado,-a

tough [tʌf] *adj* 1 *(carne)* duro,-a 2 *(tela, ropa)* fuerte, resistente 3 *(examen)* difícil 4 *(persona)* fuerte 5 *(juez, profesor, etc)* severo,-a

toughen ['tʌfən] *vtr* endurecer

tour [tʊər] I *n* 1 viaje largo [**of** *o* **round**, por]; **package tour,** viaje organizado 2 visita turística; **guided tour,** visita guiada 3 *Dep Mús Teat* gira; **on tour,** de gira II *vtr* recorrer, visitar III *vi* viajar

tourism ['tʊərɪzəm] *n* turismo

tourist ['tʊərɪst] I *n* turista II *adj* turístico,-a

tourist class *n Av* clase turista

tourist office *n* oficina de turismo

tournament ['tʊərnəmənt] *n* torneo

tousled ['tʊzəld] *adj* despeinado,-a

tout [taʊt] *vtr* 1 tratar de vender 2 *(entradas)* revender

tow [toʊ] I *n* **to take in tow,** remolcar II *vtr* remolcar

towards ['tʊərɪzd] *prep* 1 *(en el espacio, tiempo)* hacia 2 *(respecto a)* hacia, para con

towel ['taʊəl] *n* toalla

towel bar *n* toallero

tower ['taʊər] *n* torre

town [taʊn] *n* ciudad; *(pequeño)* pueblo, población; **to go into town,** ir al centro

townspeople ['taʊnzpiːpəl] *npl* ciudadanos

tow truck ['toʊtrʌk] *n Trans* grúa de remolque

toxic ['tɒksɪk] *adj* tóxico,-a

toy [tɔɪ] I *n* juguete II *adj* de juguete

trace [treɪs] I *n* 1 *(de sangre, etc)* vestigio 2 rastro II *vtr* 1 *(una idea)* exponer 2 *(a una persona)* localizar 3 calcar

tracing paper ['treɪsɪŋ] *n* **tracing paper,** papel de calco

track [træk] I *n* 1 camino, sendero 2 *(de un animal)* huella(s), rastro; *(de una persona)* pista 3 *Dep* pista 4 *Mús (de disco o CD)* canción 5 *Ferroc* vía II *vtr* seguirle la pista a ■ **track down** *vtr (locate)* localizar

tracksuit ['træksuːt] *n* chándal

traction ['trækʃən] *n* tracción

tractor ['træktər] *n* tractor

trade [treɪd] I *n* 1 comercio 2 industria; **the tourist trade,** la industria turística 3 oficio II *vi* comerciar III *vtr* intercambiar, canjear

trademark ['treɪdmɑrk] *n* marca registrada

trader ['treɪdər] *n* comerciante

trade union *n* sindicato

tradition [trə'dɪʃən] *n* tradición

traditional [trə'dɪʃənəl] *adj* tradicional

traffic ['træfɪk] I *n* tráfico II *vi (ps & pp* **trafficked)** traficar [**in,** con]

traffic jam *n* atasco, caravana

trafficker ['træfɪkər] *n* traficante

trafficking ['træfɪkɪŋ] *n* contrabando, venta y compra ilegal de drogas o armas

traffic light(s) *n* semáforo

tragedy ['trædʒɪdi] *n* tragedia

tragic ['trædʒɪk] *adj* trágico,-a

trail [treɪl] I *n* 1 huellas, rastro 2 *(de humo, polvo)* estela 3 senda, sendero II *vtr* 1 seguir la pista de o a 2 arrastrar III *vi* 1 arrastrar 2 ir a la zaga

trailer ['treɪlər] *n* 1 *Auto* remolque 2 *Cine* avance, tráiler

train [treɪn] I *n* 1 *Ferroc* tren 2 *(de sucesos)* serie, sucesión; **train of thought,** hilo (de pensamiento) 3 *(de vestido)* cola II *vtr* enseñar; *Dep* entrenar; *(a un profesional)* formar; *(a un animal)* amaestrar; *(la voz)* educar III *vi* 1 estudiar, prepararse 2 *Dep* entrenarse

trainee [treɪ'niː] *n* aprendiz,-iza

trainer ['treɪnər] *n* 1 *Dep* entrenador,-ora; *(de animales)* amaestrador,-ora 2 zapatilla de deporte

training ['treɪnɪŋ] *n* 1 *(profesional, etc)* formación 2 *Dep* entrenamiento

trait [treɪt] *n* rasgo

traitor ['treɪtər] *n* traidor,-ora

trajectory [trə'dʒektəri] *n* trayectoria

tramp [træmp] I *n* 1 vagabundo,-a 2 *US pey* golfa, fulana II *vi* 1 caminar 2 andar penosamente III *vtr* andar por

trample ['træmpəl] I *vtr* pisotear II *vi* pisotear

trampoline ['træmpəliːn] *n Dep* trampolín

trance [træns] *n* trance

tranquil ['træŋkwɪl] *adj* tranquilo,-a

tranquility [træŋ'kwɪlɪdi] *n* tranquilidad

tranquilize ['træŋkwɪlaɪz] *vtr* tranquilizar

tranquilizer ['træŋkwɪlaɪzər] *n* tranquilizante

transaction [træn'zækʃən] *n* transacción, operación

transatlantic [trænzət'læntɪk] *adj* transatlántico,-a

transcend [trən'send] *vtr* trascender

transcription [trən'skrɪpʃən] *n* transcripción

transfer ['trænsfər] I *n* 1 *(de una persona)* traslado; *(de fondos)* transferencia; *Ftb* traspaso 2 *Av* transbordo 3 calcomanía II [træns'fɜr] *vtr (a una persona)* trasladar; *(fondos)* transferir; *Ftb* traspasar; *Tel* pasar

transform [træns'fɔrm] *vtr* transformar [**into, en**]

transformation [trænsfər'meɪʃən] *n* transformación

transfusion [træns'fju:ʒən] *n Med* transfusión (de sangre)

translent ['trænziənt] *adj* transitorio,-a

transistor [træn'zɪstər] *n* transistor

transit ['trænzɪt] *n* tránsito

transition [træn'zɪʃən] *n* transición

transitive ['trænzɪtɪv] *adj* transitivo,-a

transitory ['trænzɪtɔri] *adj* transitorio,-a

translate [trænz'leɪt] *vtr* traducir

translation [trænz'leɪʃən] *n* traducción

translator [trænz'leɪdər] *n* traductor,-ora

transmission [trænz'mɪʃən] *n* transmisión

transmit [trænz'mɪt] *vtr* transmitir

transmitter [trænz'mɪdər] *n* transmisor

transparency [træns'perənsi] *n* transparencia

transparent [træns'perənt] *adj* transparente

transpire [træn'spaɪər] *vi* 1 resultar 2 *Biol Bot* transpirar

transplant [træns'plæ:nt] I *vtr Med Bot* trasplantar

II [træns'plæ:nt] *n* trasplante

transport [træns'pɔrt] I *vtr* transportar

II [træns'pɔrt] *n* transporte

transportation [trænspɔr'teɪʃən] *n* transporte

transvestite [trænz'vestaɪt] *n* travestí

trap [træp] I *n* trampa

II *vtr* atrapar

trap door *n* trampilla

trapeze [trə'pi:z] *n* trapecio

trash [træʃ] I *n* 1 basura 2 *(cosas sin valor)* bazofia, porquería

II *vtr* 1 destrozar 2 tirar a la basura

trash can *n* cubo de la basura

trash compactor [træʃkəmpæktər] *n* compactador de basura

trauma ['trɔːmə] *n* trauma

traumatic [trɔː'mædɪk] *adj* traumático ,-a

travel ['trævəl] I *vi* 1 viajar 2 *(un vehículo)* desplazarse, ir 3 *(la electricidad, luz, las noticias)* propagarse

II *vtr* recorrer, viajar por

travel agency *n* agencia de viajes

traveler ['trævlər] *n* 1 viajero,-a 2 **(commercial)** traveller, viajante

travel-sick ['trævəlsɪk] *adj* mareado,-a *(durante el viaje)*

traverse [trə'vərs] *v* cruzar, atravesar, recorrer, caminar o pasar por

travesty ['trævəsti:] *n* ridiculización, parodia, farsa, imitación caricaturesca

trawl [trɔːl] *n* red de pesca para rastrear el fondo del mar

trawler ['trɔːlər] *n Náut* pesquero de arrastre

tray [treɪ] *n* 1 bandeja 2 *(para el hielo)* cubitera

treacherous ['tretʃərəs] *adj* 1 *(persona)* traidor,-ora, traicionero,-a 2 *(carretera, etc)* peligroso,-a

treachery ['tretʃəri] *n* traición

tread [tɪɛd] I *vi (ps trod; pp trod o trodden)* pisar; **to tread in/on,** pisar

II *vtr* pisar

III *n* 1 paso, ruido de pasos 2 *Auto (de un neumático)* dibujo

treadmill ['tredmɪl] *n* 1 *Hist* rueda de molino movida por hombres 2 *fig* rutina

treason ['tri:zən] *n* traición

treasure ['treʒər] I *n* tesoro

II *vtr* 1 apreciar muchísimo 2 guardar como un tesoro

treasurer ['treʒərər] *n* tesorero,-a

treasury ['treʒəri] *n* 1 *Pol* **the Treasury,** Ministerio de Hacienda 2 tesorería

treat [tri:t] I *n* 1 regalo 2 *(un manjar, etc)* delicia

II *vtr* 1 tratar 2 invitar; **to treat sb to lunch,** invitar a alguien a comer

treatise ['tri:tɪz] *n* tratado

treatment ['tri:t'mənt] *n* tratamiento

treaty ['tri:ti] *n* tratado

treble ['trebəl] I *adj* 1 triple 2 *Mús* tiple

II *vtr* triplicar

III *vi* triplicarse

treble clef *n Mús* clave de sol

tree [tri:] *n* árbol

trek [trek] I *n* caminata

II *vi (ps & pp trekked)* 1 caminar, hacer senderismo 2 andar penosamente

tremble ['trembəl] *vi* temblar, estremecerse

tremendous [trɪ'mendəs] *adj* 1 tremendo,-a 2 *fam* estupendo,-a

tremor ['tremər] *n* temblor

trench [trentʃ] *n* zanja; *Mil* trinchera

trend [trend] *n* 1 tendencia 2 moda

trendy ['trendi] *adj (trendier, trendiest)* fam 1 *(persona)* (ultra) moderno,-a 2 *(ropa)* a la última moda

trespass ['trespæs] *vi* entrar sin autorización

trespasser ['trespæsər] *n* intruso,-a

trestle ['tresəl] *n* caballete

trial ['traɪəl] *n* 1 *Jur* proceso, juicio 2 *(de un producto, etc)* prueba 3 *Dep (usu pl)* prueba de selección

triangle ['traɪæŋgəl] *n* triángulo

tribe [traɪb] *n* tribu

tribunal [traɪ'bju:nəl] *n* tribunal

tributary ['trɪbjʊtɔri] *n Geog* afluente

tribute ['trɪbjuːt] *n* 1 homenaje 2 tributo

trick [trɪk] I *n* 1 *(de magia, destreza)* truco 2 broma; **to play a trick,** gastar una broma **[on, a]** 3 dirty trick, mala pasada 4 ardid, trampa

II *vtr* engañar

trickery ['trɪkəri] *n* artimañas

trickle ['trɪkəl] I *n* hilo

II *vi (agua, sudor)* correr gota a gota; **trickle away,** escurrirse

trick or treat! ['trɪkərtri:t] 1 frase

amenazante que usan los niños que van de casa en casa la noche de Halloween; quiere decir: –¡danos algo (dulce) o te jugamos una broma! **2** *v to go trick or treating*, la acción de salir a pedir dulces de casa en casa la noche de Halloween

trickster ['trɪkstər] *n* tramposo, -a, embustero, -a, engañador, -a

tricky ['trɪki] *adj (trickier, trickiest)* **1** *(problema)* difícil **2** *(situación)* delicado,-a **3** *(persona)* astuto,-a

tricycle ['traɪsɪkəl] *n* triciclo

tried [traɪd] *ps & pp* → **try**

trifle ['traɪfəl] **I** *n* nimiedad
II *vi* jugar

trifling ['traɪflɪŋ] *adj* insignificante, trivial

trigger ['trɪgər] **I** *n (de pistola)* gatillo; *Téc* disparador
II *vtr* **to trigger**, provocar, desencadenar

trigonometry [trɪgə'nɑmətri] *n Mat* trigonometría

trill [trɪl] *n* **1** *(de pájaro)* trino **2** *Ling* vibración

trillion ['trɪljən] *n* billón, un millón de millones

trilogy ['trɪlədʒi] *n* trilogía

trim [trɪm] **I** *adj (trimmer, trimmest)* **1** arreglado,-a **2 a trim figure**, un buen tipo
II *vtr* **1** *(el pelo, la barba, tb fig)* recortar **2** *(la carne)* quitar la grasa, etc **3** *Cost* adornar
III *n* **1** buen estado **2** *(el pelo)* un corte de puntas **3** *Cost* adorno, ribete **4** *Auto* tapicería

trimming ['trɪmɪŋ] *n Cost* adorno, ribete

trinket ['trɪŋkɪt] *n* baratija

trio ['tri:oʊ] *n* trío

trip [trɪp] **I** *n* viaje, excursión, visita
II *vi* tropezar
III *vtr* **1** poner la zancadilla a **2** *(una alarma)* activar

tripe [traɪp] *n* **1** *Culin* callos **2** *fam* chorradas

triple ['trɪpəl] **I** *adj* triple
II *vtr* triplicar
III *vi* triplicarse

triplet ['trɪplɪt] *n* trillizo,-a

triplicate ['trɪplɪkɪt] *adj* **in triplicate**, por triplicado

tripod ['traɪpɑd] *n* trípode

triumph ['traɪəmf] **I** *n* triunfo
II *vi* triunfar

triumphant [traɪ'ʌmfənt] *adj* triunfante

trod [trɑd] *ps & pp* → **tread**

trodden ['trɑdⁿ] *pp* → **tread**

trombone [trɑm'boʊn] *n* trombón

troop [tru:p] *n* **1** *Mil* compañía; **troops** *pl*, tropas **2** *(de personas)* grupo **3** *Mil* **troops**, tropas

trophy ['troʊfi] *n* trofeo

tropic ['trɑpɪk] *n* trópico

tropical ['trɑpɪkəl] *adj* tropical

trot [trɑt] **I** *vi* trotar

II *n* trote

trouble ['trʌbəl] **I** *n* **1** problemas: **he's in trouble**, está en un apuro *o* lío **2** esfuerzo, molestia: **it's not worth the trouble**, no merece la pena **3** *Med (de corazón, estómago)* enfermedad
II *vtr* **1** *frml* preocupar **2** molestar
III *vi frml* molestarse

troublemaker ['trʌbəlmeɪkər] *n* alborotador,-ora

troubleshooter ['trʌbəlʃu:dər] *n* apaciguador,-ora, mediador,-ora

troublesome ['trʌbəlsəm] *adj* molesto,-a

trough [trɒf] *n* **1** *(para beber)* abrevadero; *(para comer)* pesebre **2** *Geog Meteor* depresión

troupe [tru:p] *n Teat* compañía

trousers ['traʊzərz] *npl* pantalón, pantalones

trousseau ['tru:soʊ] *n* ajuar

trout [traʊt] *n Zool* trucha

truant ['tru:ənt] *n* **to play truant**, hacer novillos

truce [tru:s] *n* tregua

truck [trʌk] *n Auto* camión

truck driver *n* camionero,-a

trudge [trʌdʒ] *vi* caminar con dificultad

true [tru:] *adj (truer, truest)* **1** cierto,-a **2** verdadero,-a: **he is a true friend**, es un verdadero amigo **3** fiel; **true to his word**, fiel a su palabra

true-life [tru'laɪf] *adj* real, no ficticio, basado en la realidad

truffle ['trʌfəl] *n* trufa

truly ['tru:li] *adv* **1** verdaderamente, sinceramente **2** fielmente; *(en una carta)* **yours truly**, atentamente

trump [trʌmp] **I** *n Naipes* triunfo
II *vtr Naipes* matar con un triunfo

trumpet ['trʌmpɪt] *n* trompeta

truncated [trʌnkeɪdɪd] *adj* truncado, -a

truncheon ['trʌntʃən] *n porra (de policía)*

trunk [trʌŋk] *n* **1** *Anat Bot* tronco **2** *(de elefante)* trompa **3** *Auto* maletero **4** **trunks** *pl*, bañador

trust [trʌst] **I** *n* **1** confianza **2** *(organización)* fundación; *Fin* trust
II *vtr* confiar en
III *vi* confiar

trustee [trʌ'sti:] *n* **1** *Jur* fideicomisario,-a **2** *(de una fundación)* miembro del consejo de administración

trusting ['trʌstɪŋ], **trustful** ['trʌstfəl] *adj* confiado,-a

trustworthy ['trʌstwərði] *adj (persona)* digno,-a de confianza

trusty ['trʌsti] *adj (trustier, trustiest)* fiel, leal

truth [tru:θ] *n* verdad

truthful ['tru:θfəl] *adj* **1** *(persona)* veraz **2** *(evidencia)* verídico,-a

try [traɪ] **1** *vtr (ps & pp* **tried***)* **1** intentar: I'll

try my best, intentaré hacer todo lo posible **2** *(la comida, un aparato, etc)* probar. **try this ham,** prueba este jamón **3** *Jur* juzgar
II *n* tentativa, intento
■ **try on** *vtr (vestido)* probarse

trying ['traɪɪŋ] *adj* **1** *(una experiencia)* difícil **2** *(persona)* pesado,-a

tsar [zɑːr] *n* zar

T-shirt ['tiːʃɜːt] *n* camiseta

tub [tʌb] *n* **1** *(grande, para los líquidos)* tina, cuba; *(pequeño, para el helado, etc)* tarrina **2** bañera

tuba ['tuːbə] *n* tuba

tubby ['tʌbi] *adj (tubbier, tubbiest)* rechoncho,-a

tube [tuːb] *n* **1** tubo **2** *(de neumático)* cámara (de aire)

tuberculosis [təbɜːkjəˈloʊsɪs] *n Med* tuberculosis

tuck [tʌk] **I** *vtr* meter
II *n Cost* pliegue

Tuesday ['tuːzdeɪ] *n* martes; **Shrove Tuesday,** martes de Carnaval

tuft [tʌft] *n (de pelo)* mechón

tug [tʌg] **I** *vtr* **1** tirar de **2** arrastrar
II *n* tirón

tug (boat) *n Náut* remolcador

tuition [tuːˈɪʃən] *n frml* instrucción; **private tuition,** clases particulares

tulip ['tuːlɪp] *n* tulipán

tumble ['tʌmbəl] **I** *vi* **1** *(persona)* caerse **2** *(una construcción)* venirse abajo
II *n* caída

tumbledown ['tʌmbəldaʊn] *adj* en ruinas

tumbler ['tʌmblər] *n* vaso

tummy ['tʌmi] *n fam* barriguita

tumor ['tuːmər] *n* tumor

tumult ['tuːmʌlt] *n* tumulto

tuna ['tuːnə] *n Zool* atún, bonito

tune [tuːn] **I** *n* **1** *Mús* melodía **2** *Mús* tono; **in/out of tune,** afinado,-a/desafinado,-a
II *vtr* **1** *Mús* afinar **2** *Auto* poner a punto **3** *Rad TV* sintonizar
■ **tune in** *vi* sintonizar

tuner ['tuːnər] *n* sintonizador

tunic ['tuːnɪk] *n* túnica

tunnel ['tʌnəl] *n* túnel

tunnel vision ['tʌnəlˌvɪʒən] *n fig* **1** tendencia de enfocar la atención de modo único y limitado sobre algo **2** *Med* inhibición de la visión periférica

turban ['tɜːbən] *n* turbante

turbine ['tɜːbaɪn] *n* turbina

turbot ['tɜːbət] *n Zool* rodaballo

turbulence ['tɜːbjələns] *n* turbulencia

turbulent ['tɜːbjələnt] *adj* turbulento,-a

turf [tɜːf] *n* **1** césped **2** turba

turkey ['tɜːki] *n Orn* pavo

turmoil ['tɜːmɔɪl] *n* confusión

turn [tɜːn] **I** *n* **1** vuelta, revolución **2** cambio de dirección, giro: **left turn,** giro a la izquierda **3** *(de los acontecimientos)* giro; **turn of the century,** comienzo o final del siglo **4** turno: **it's my turn,** me toca a mí **5** favor; **to do a good turn,** hacer un favor, una buena acción **6** *Med* ataque **7** *Teat* número
II *vi* **1** girar **2** dar la vuelta, volverse; *Auto* girar; *(una carretera)* torcer **3** convertirse; volverse, ponerse; **it turned black,** se puso negro
III *vtr* **1** girar, darle vueltas a **2** *(la cabeza, la espalda)* volver **3** *(la atención)* dirigir; *(una esquina)* doblar; *(una página)* pasar; *(el tobillo)* torcer **4** convertir, transformar
■ **turn aside** *vtr* desviar
■ **turn away** *vtr (a una persona)* rechazar
■ **turn back** *vi* volverse
■ **turn down** *vtr* **1** *(la radio, la calefacción)* bajar **2** *(una petición)* rechazar
■ **turn into** *vtr* convertirse, hacerse, transformarse
■ **turn off I** *vtr (la corriente)* desconectar; *(la luz, una máquina)* apagar
II *vi* salir *(de la carretera)*
■ **turn on** *vtr* **1** *(la luz)* encender; *(una máquina)* poner en marcha **2** *fam* **it turns me on,** me chifla
■ **turn out I** *vtr (a una persona)* echar a la calle
II *vi* resultar
■ **turn over** *vi* dar vueltas de campana
■ **turn round I** *vtr* volver
II *vi* girar, dar vueltas
■ **turn up I** *vtr (el volumen, la calefacción)* subir
II *vi (una persona)* acudir, presentarse; *(una cosa)* aparecer

turncoat ['tɜːnkoʊt] *n* renegado, persona que suspende su apoyo a un grupo y se afilia a un grupo opuesto

turning ['tɜːnɪŋ] *n* bocacalle, calle

turnip ['tɜːnɪp] *n Bot* nabo

turnout ['tɜːnaʊt] *n* asistencia

turnover ['tɜːnoʊvər] *n* facturación

turnpike ['tɜːnpaɪk] *n* autopista de peaje

turnstile ['tɜːnstaɪl] *n* torniquete

turpentine ['tɜːpəntaɪn] *n* aguarrás

turquoise ['tɜːkɔɪz] **I** *n* turquesa
II *adj* **turquoise (blue),** azul turquesa

turret ['tʌrɪt] *n* torrecilla

turtle ['tɜːtl] *n* tortuga

tush ['tʊʃ] *n fam* culo, trasero

tusk [tʌsk] *n* colmillo

tussle ['tʌsəl] *n* pelea, lucha

tutor ['tuːtər] *n* **1** profesor,-ora particular **2** *Univ* tutor,-ora

tutorial [tuːˈtɔːriəl] *n Univ* tutoría, seminario

tuxedo [tʌkˈsiːdoʊ] *n (chaqueta)* esmoquin

tweak [twiːk] *vtr* pellizcar

tweezers ['twiːzərz] *npl* pinzas

twelfth [twelfθ] **I** *adj & n* duodécimo,-a
II *n (fracción)* duodécimo, doceava parte

Twelfth Night *n* Noche de Reyes

twelve [twelv] *adj & n* doce

twentieth ['twenɪɪθ] **I** *adj & n* vigésimo,-a
II *n (fracción)* vigésimo, veinteava parte

twenty ['twenɪ] *adj & n* veinte

twice [twaɪs] *adv* dos veces

twiddle ['twɪdəl] *vi* juguetear

twig [twɪg] *n* ramilla

twilight ['twaɪlaɪt] *n* crepúsculo

twin [twɪn] **I** *n* mellizo,-a
II *adj* mellizo,-a, gemelo,-a

twin beds *npl* camas gemelas

twine [twaɪn] *n* bramante

twinge [twɪndʒ] *n* punzada

twinkle ['twɪŋkəl] **I** *vi* 1 *(la luz)* centellear 2 *(los ojos)* brillar
II *n* 1 *(de luz)* centelleo 2 *(en los ojos)* brillo

twirl [twɜrl] **I** *vtr* girar
II *vi* girar
III *n* giro, vuelta

twist [twɪst] **I** *vtr* 1 *(un botón, grifo)* girar 2 distorsionar, retorcer 3 *(las palabras)* tergiversar
II *vi* 1 *(una carretera, un río)* serpentear 2 distorsionarse, retorcerse
III *n* 1 *(de papel)* cucurucho 2 *(en una carretera)* vuelta; *fig* giro

twitch [twɪtʃ] **I** *vi (las cejas, la nariz)* moverse nerviosamente
II *n* tic

twitter ['twɪdər] **I** *vi (pájaro)* gorjear
II *n* gorjeo

two [tuː] **I** *adj* dos
II *n* dos

two-faced ['tuːfeɪst] *adj* hipócrita

TX *(abr de Texas)* abreviatura, estado de Texas

tyke *n fam* niño,-a
a máquina

typo ['taɪ] *n* error de mecanografía

U

U, u [juː] *n (la letra)* U, u

ubiquitous [juːˈbɪkwɪdəs] *adj* ubicuo,-a

ugly ['ʌglɪ] *adj (uglier, ugliest)* feo,-a

UK [juːˈkeɪ] *(abr de United Kingdom)* Reino Unido, R.U.

ulcer ['ʌlsər] *n* 1 *(externa)* llaga 2 *(interna)* úlcera

ulterior [ʌlˈtiːriːər] *adj (motivo)* oculto,-a

ultimate ['ʌltəmɪt] *adj* 1 *(autoridad)* máximo,-a 2 *(objetivo)* final

ultimately ['ʌltəmɪtlɪ] *adv frml* 1 al final 2 en última instancia

ultimatum [ʌltɪˈmeɪdəm] *n* ultimátum

ultrasound [ʌltrəˈsaʊnd] *n* 1 ultrasonido 2 *Med* ecografía

ultraviolet [ʌltrəˈvaɪlɪt] *adj* ultravioleta

umbilical [əmˈbɪlɪkəl] *adj Anat* **umbilical cord**, cordón umbilical

umbrella [ʌmˈbrelə] *n* paraguas

umbrella organization *n* paraguas, *organización que aglutina a varios grupos*

ump ['ʌmp] *n Dep fam* de **umpire**, juez de béisbol

umpire ['ʌmpaɪər] **I** *n Dep* árbitro
II *vtr* arbitrar

umpteen [ʌmpˈtiːn] *adj fam* tropecientos,-as

UN [juːˈen] *(abr de United Nations)* Naciones Unidas, ONU

unabated ['ʌnəbeɪdɪd] *adj* que continúa sin rebajar o disminuir su condición original

unable [ʌnˈeɪbəl] *adj* incapaz; **to be unable to do sthg**, no poder hacer algo

unacceptable [ʌnəkˈseptəbəl] *adj* inaceptable

unaccompanied [ʌnəˈkʌmpənɪd] *adj* solo,-a

unaccustomed [ʌnəˈkʌstəmd] *adj* **to be unaccustomed to sthg**, no estar acostumbrado,-a a

unambiguous [ʌnæmˈbɪgjʊəs] *adj* inequívoco,-a

un-American [ʌnəˈmerɪkən] *adj* no afiliado o leal a los ideales y valores americanos (de los EE.UU.)

unanimous [juːˈnænɪməs] *adj* unánime

unannounced [ʌnəˈnaʊnst] *adj* inesperado,-a

unanswered [ʌnˈæːnsərd] *adj* sin contestar

unapproachable [ʌnəˈprəʊtʃəbəl] *adj* inabordable, inaccesible

unarmed [ʌnˈɑrmd] *adj* desarmado,-a

unassuming [ʌnəˈsuːmɪŋ] *adj* sin pretensiones

unattached [ʌnəˈtætʃt] *adj* 1 *(parte)* suelto,-a 2 independiente 3 *(persona)* soltero,-a y sin compromiso

unattended [ʌnəˈtendɪd] *adj* desatendido,-a

unattractive [ʌnəˈtrækdɪv] *adj* poco atractivo,-a

unauthorized [ʌnˈɑθəraɪzd] *adj* no autorizado,-a

unavailable [ʌnəˈveɪləbəl] *adj* no disponible

unavoidable [ʌnəˈvɔɪdəbəl] *adj* inevitable

unaware [ʌnəˈwer] *adj* inconsciente

unawares [ʌnəˈwerz] *adv* **to catch sb unawares**, coger a alguien desprevenido,-a

unbalanced [ʌnˈbælənst] *adj* desequilibrado,-a

unbearable [ʌnˈberəbəl] *adj* insoportable

unbeatable [ʌnˈbiːdəbəl] *adj* 1 *(calidad, precio)* inmejorable 2 *(un equipo)* invencible

unbeaten [ʌnˈbiːtʰn] *adj* invicto,-a

unbelievable [ʌnbɪˈliːvəbəl] *adj* increíble

unbiased [ʌnˈbaɪəst] *adj* imparcial

unborn [ʌn'bɔrn] adj nonato,-a

unbreakable [ʌn'breɪkəbəl] adj irrompible

uncalled-for [ʌn'kɔldfɔːr] adj 1 (crítica) inmerecido,-a 2 (comentario) fuera de lugar, innecesario,-a

uncanny [ʌn'kæni] adj extraño,-a, misterioso,-a

unceasing [ʌn'siːzɪŋ] adj incesante

uncertain [ʌn'sɜrtʰn] adj 1 to be uncertain, no estar seguro,-a 2 (un hecho) incierto,-a 3 (sinceridad, etc) dudoso,-a

uncertainty [ʌn'sɜrtʰnti] n 1 incertidumbre 2 duda

unchanged [ʌn'tʃeɪndʒd] adj igual, sin cambios

uncivilized [ʌn'sɪvɪlaɪzd] adj 1 (país, pueblo) no civilizado,-a; (sin cultura) inculto,-a 2 (comportamiento) incivilizado,-a

uncle ['ʌŋkəl] n tío

uncleanliness [ʌn'klɛnlinis] n 1 suciedad 2 impureza

unclear [ʌn'klir] adj poco claro,-a, confuso,-a

Uncle Sam [ʌŋkəl'sæm] n Tío Sam, término informal para referirse al gobierno de los EE.UU.

Uncle Tom [ʌŋkəltɑm] n ofens término que se usa para indicar que un Afro-americano es demasiado leal, respetuoso y amigo de los Sajones-americanos, un vendido, un traicionero

uncomfortable [ʌn'kʌmftərbəl] adj 1 (físicamente) incómodo,-a 2 (una situación, etc) molesto,-a

uncommon [ʌn'kɑmən] adj poco común

uncompromising [ʌn'kɑmprəmaɪzɪŋ] adj inflexible, intransigente

unconcerned [ʌnkən'sɜrnd] adj indiferente [about, a]

unconditional [ʌnkən'dɪʃənəl] adj incondicional, sin condiciones

unconscious [ʌn'kɑnʃəs] I adj inconsciente II n Psic the unconscious, el inconsciente

uncontrollable [ʌnkən'troʊləbəl] adj incontrolable

unconventional [ʌnkən'vɛnʃənəl] adj poco convencional, original

unconvincing [ʌnkən'vɪnsɪŋ] adj poco convincente

uncouth [ʌn'kuːθ] adj 1 grosero,-a 2 inculto,-a

uncover [ʌn'kʌvər] vtr 1 (un tarro) destapar 2 (un complot) descubrir

undamaged [ʌn'dæmɪdʒd] adj intacto,-a, sin tacha

undecided [ʌndɪ'saɪdɪd] adj 1 (cuestión) pendiente 2 (persona) indeciso,-a

undeniable [ʌndɪ'naɪəbəl] adj innegable

under ['ʌndər] I prep 1 debajo de 2 por debajo de: the tunnel goes under the park, el túnel pasa por debajo del parque 3 bajo:

under the water, bajo el agua 4 menos de: under age, menor de edad 5 (la ley) conforme a, según
II adv abajo, debajo

undercarriage [ʌndər'kerɪdʒ] n Av tren de aterrizaje

undercharge [ʌndər'tʃɑrdʒ] vi & vtr cobrar menos de lo debido

underclothes ['ʌndərkloʊz] npl ropa interior

undercover [ʌndər'kʌvər] adj secreto,-a, clandestino,-a

undercurrent ['ʌndərkɜrənt] n contracorriente

underdeveloped [ʌndərdɪ'vɛləpt] adj subdesarrollado,-a

underdevelopment [ʌndərdɪ'vɛləpmənt] n subdesarrollo

underestimate [ʌndər'ɛstɪmeɪt] vtr subestimar, infravalorar

underfed [ʌndər'fɛd] adj desnutrido,-a

underfinanced [ʌndərfaɪ'nænst] adj insuficientemente subvencionado

underfunding [ʌndər'fʌndɪŋ] n dotación insuficiente

undergo [ʌndər'goʊ] vtr 1 experimentar, sufrir 2 (una operación) someterse a

undergraduate [ʌndər'grædʒuɪt] n estudiante universitario,-a

underground ['ʌndərgraʊnd] I adj 1 subterráneo,-a 2 fig clandestino,-a
II [ʌndər'graʊnd] adv bajo tierra

undergrowth ['ʌndərɡroʊθ] maleza

underhand ['ʌndərhænd] adj 1 (método) poco limpio,-a 2 (persona) taimado,-a, solapado,-a

underline [ʌndər'laɪn] vtr subrayar

underlying [ʌndər'laɪɪŋ] adj subyacente

undermine [ʌndər'maɪn] vtr socavar, minar

underneath [ʌndər'niːθ] I prep bajo, debajo de, por debajo de
II adv 1 abajo, por debajo 2 fig en el fondo
III adj inferior, de abajo
IV n parte inferior

underpaid [ʌndər'peɪd] adj mal pagado,-a

underpants ['ʌndərpænts] npl calzoncillos

underpass ['ʌndərpæːs] n paso subterráneo

underprivileged [ʌndər'prɪvɪlɪdʒd] adj desfavorecido,-a

undershirt ['ʌndərʃɜrt] n camiseta

underside ['ʌndərsaɪd] n parte inferior

underskirt ['ʌndərskɜrt] n Indum combinación

understand [ʌndər'stænd] vtr & vi (ps & pp understood) entender, comprender

understandable [ʌndər'stændəbəl] adj comprensible

understanding [ʌndər'stændɪŋ] I adj comprensivo,-a
II n 1 comprensión, entendimiento 2 acuerdo

understate [ʌndər'steɪt] *vtr* subestimar

understatement [ʌndər'steɪtmənt] *n* descripción insuficiente: **it would be an understatement to say that Madrid is noisy,** decir que Madrid es ruidoso sería quedarse corto

undertake [ʌndər'teɪk] *vtr (ps undertook; pp undertaken* [ʌndər'teɪkən]) **1** *(un trabajo)* emprender **2** *(la responsabilidad)* asumir

undertaker ['ʌndərteɪkər] *n* empresario,-a de pompas fúnebres; **undertaker's,** funeraria

undertaking [ʌndər'teɪkɪŋ] *n* **1** Com empresa **2** garantía

underwater [ʌndər'wɔdər] **I** *adj* submarino,-a

II *adv* bajo el agua

underwear ['ʌndərwɛr] *n inv* ropa interior

undesirable [ʌndɪ'zaɪrəbəl] *adj & n* indeseable

undisciplined [ʌn'dɪsɪplɪnd] *adj* indisciplinado,-a

undisputed [ʌndɪ'spjuːdɪd] *adj* incontestable, indiscutible

undivided [ʌndɪ'vaɪdɪd] *adj* íntegro,-a

undo [ʌn'duː] *vtr (ps undid; pp undone)* **1** deshacer; *(ropa)* desabrochar **2** enmendar

undone [ʌn'dʌn] *adj* **1** inacabado,-a **2** sin hacer **3** *(cremallera)* abierto,-a; *(nudo, etc)* deshecho,-a; *(ropa)* desabrochado,-a; *(zapato)* desatado,-a

undoubted [ʌn'daʊdɪd] *adj* indudable

undress [ʌn'drɛs] **I** *vtr* desnudar

II *vi* desnudarse

undue [ʌn'duː] **1** *adj* indebido,-a

undulate ['ʌndʒəleɪt] *vi* ondular, ondear

unduly [ʌn'duːlɪ] *adv* excesivamente

unearth [ʌn'ərθ] *vtr* desenterrar

unearthly [ʌn'ərθlɪ] *adj* sobrenatural **2** *fam* tremendo,-a

uneasy [ʌn'iːzɪ] *adj* **1** *(conciencia)* intranquilo,-a *(paz)* inseguro,-a **3** *(persona)* preocupado,-a

uneducated [ʌn'edʒukeɪdɪd] *adj* inculto,-a

unemployed [ʌnɪm'plɔɪd] **I** *adj (persona)* en paro

II *npl* the unemployed, los parados

unemployment [ʌnɪm'plɔɪmənt] *n* paro, desempleo

unemployment compensation *n* subsidio de desempleo

unequal [ʌn'iːkwəl] *adj* desigual

uneven [ʌn'iːvən] *adj* **1** *(calidad)* irregular **2** *(carretera)* con baches, en mal estado **3** *(terreno)* accidenta-do,-a

unexpected [ʌnɪk'spɛktɪd] *adj* **1** *(regalo, visita)* inesperado,-a **2** *(resultado)* imprevisto,-a

unfailing [ʌn'feɪlɪŋ] *adj* indefectible, constante

unfair [ʌn'fɛr] *adj (crítica, trato)* injusto,-a

unfaithful [ʌn'feɪθfəl] *adj* infiel

unfamiliar [ʌnfə'mɪljər] *adj* **1** *(hecho, cosa,*

etc) desconocido,-a **2** *(persona)* no familiarizado,-a

unfashionable [ʌn'fæʃənəbəl] *adj* que no está de moda

unfasten [ʌn'fæːsən] *vtr* **1** *(un nudo)* desatar **2** *(la ropa)* desabrochar

unfavorable [ʌn'feɪvərəbəl] *adj* desfavorable

unfeeling [ʌn'fiːlɪŋ] *adj* insensible

unfinished [ʌn'fɪnɪʃt] *adj* inacabado,-a, incompleto,-a

unfit [ʌn'fɪt] *adj* **1** *(físicamente)* incapacitado,-a: **you're unfit,** no estás en forma **2** inadecuado,-a, no apto,-a **3** incompetente, indigno

unflattering [ʌn'flædərɪŋ] *adj* poco halagador,-ora

unfold [ʌn'foʊld] *vtr* **1** desplegar **2** *(una sábana)* desdoblar, extender

unforeseen [ʌnfər'siːn] *adj* imprevisto,-a

unforgettable [ʌnfər'gɛdəbəl] *adj* inolvidable

unforgivable [ʌnfər'gɪvəbəl] *adj* imperdonable

unfortunate [ʌn'fɔrtʃənɪt] *adj* desafortunado,-a

unfortunately [ʌn'fɔrtʃənɪtlɪ] *adv* desafortunadamente, por desgracia

unfounded [ʌn'faʊndɪd] *adj* infundado,-a

unfriendly [ʌn'frɛndlɪ] *adj (unfriendlier, unfriendliest)* antipático,-a

unfurl [ʌnfərl] *v* desplegar (una bandera, las velas de un velero)

unfurnished [ʌnfərnɪʃt] *adj* sin amueblar

ungainly [ʌn'geɪnlɪ] *adj* desgarbado,-a

ungrateful [ʌn'greɪtfəl] *adj* **1** *(persona)* desagradeci-do,-a **2** *frml (trabajo)* ingrato,-a

unhappiness [ʌn'hæpɪnɪs] *n* **1** tristeza **2** descontento

unhappy [ʌn'hæpɪ] *adj (unhappier, unhappiest)* **1** *(cara, persona)* triste **2** *(juventud, matrimonio)* infeliz, desgraciado,-a **3** descontento,-a **4** *(coyuntura)* desafortunado,-a

unharmed [ʌn'hɑrmd] *adj* ileso,-a, indemne

unhealthy [ʌn'hɛlθɪ] *adj (unhealthier, unhealthiest)* enfermizo,-a

unheard [ʌn'hərd] *adj* **1** no oído,-a **2** *(una petición, etc)* no atendido,-a

unheard of [ʌn'hərdʌv] *adj* insólito,-a

unhook [ʌn'huk] *vtr* descolgar

unhurt [ʌn'hərt] *adj* ileso,-a, indemne

unhygienic [ʌnhaɪ'dʒɛːnɪk] *adj* antihigiénico,-a

unidentified [ʌnaɪ'dɛnɪfaɪd] *adj* no identifica-do,-a

unification [juːnɪfɪ'keɪʃən] *n* unificación

uniform ['juːnɪfɔrm] **I** *adj* uniforme

II *n* uniforme

unify ['juːnɪfaɪ] *vtr* unificar

unilateral [juːnɪˈlædərəl] *adj* unilateral

unimportant [ʌnɪmˈpɔːfˈt] *adj* sin importancia

uninhabited [ʌnɪnˈhæbɪdɪd] *adj* deshabitado,-a

unintelligible [ʌnɪnˈtelɪdʒəbəl] *adj* ininteligible

unintentional [ʌnɪnˈtenʃənəl] *adj* involuntario,-a

unintentionally [ʌnɪnˈtenʃənəli] *adv* sin querer

uninterested [ʌnˈɪntrestɪd] *adj* indiferente

uninteresting [ʌnˈɪntrɪstɪŋ] *adj* poco interesante

uninterrupted [ʌnɪntəˈrʌptɪd] *adj* ininterrumpido,-a

union [ˈjuːnjən] **I** *n* **1** unión, enlace **2** *Lab* sindicato **3** *Pol US* **the Union,** los Estados Unidos

II *adj* sindical

unisex [juːnɪseks] *adj* unisexo

unison [ˈjuːnɪsən] *n* unísono

unit [ˈjuːnɪt] *n* **1** *Com Mat Téc, etc* unidad **2** departamento, servicio **3** *(mueble)* módulo, elemento

unite [juːˈnaɪt] **I** *vtr* unir

II *vi* unirse

united [juːˈnaɪtɪd] *adj* unido,-a

United Kingdom *n* Reino Unido

United Nations *n* Naciones Unidas

United States (of America) *n* Estados Unidos (de América)

United States of Mexico *n* Estados Unidos de México

unity [ˈjuːnɪdi] *n* unidad

universal [juːnɪˈvɜːsəl] *adj* universal

universe [ˈjuːnɪvɜːs] *n* universo

university [juːnɪˈvɜːsɪdi] **I** *n* universidad

II *adj* universitario,-a

unjust [ʌnˈdʒʌst] *adj* injusto,-a

unkempt [ʌnˈkempt] *adj* **1** *(apariencia)* descuidado,-a **2** *(pelo)* despeinado,-a

unkind [ʌnˈkaɪnd] *adj* poco amable, desagradable

unknown [ʌnˈnoun] *adj* desconocido,-a

unlawful [ʌnˈlɑːfəl] *adj* ilegal, ilícito,-a

unleash [ʌnˈliːʃ] *vtr* desatar

unless [ʌnˈles] *conj* a menos que, a no ser que, si no

unlike [ʌnˈlaɪk] **I** *adj* diferente, distinto,-a

II *prep* a diferencia de

unlikely [ʌnˈlaɪkli] *adj* raro,-a, insólito,-a

unlimited [ʌnˈlɪmɪdɪd] *adj* ilimitado,-a

unload [ʌnˈloud] *vtr & vi* descargar

unlock [ʌnˈlɒk] *vtr* abrir (con llave)

unluckily [ʌnˈlʌkəli] *adv* desafortunadamente, por desgracia

unlucky [ʌnˈlʌki] *adj (unluckier, unluckiest)* **1** *(persona)* desafortunado,-a: **you were unlucky,** tuviste mala suerte **2** *(día)* funesto; *(cosa)* que trae mala suerte

unmanageable [ʌnˈmænɪdʒəbəl] *adj* **1** *(por grande, etc)* inmanejable **2** *(por rebelde)* incontrolable

unmarried [ʌnˈmerɪd] *adj* soltero,-a

unmask [ʌnˈmæsk] *vtr* desenmascarar

unmistakable [ʌnmɪsˈteɪkəbəl] *adj* inconfundible

unmoved [ʌnˈmuːvd] *adj* impasible

unnamed [ʌnˈneɪmd] *adj* sin nombre

unnatural [ʌnˈnætʃrəl] *adj* antinatural

unnecessary [ʌnˈnesɪsəri] *adj* innecesario,-a

unnerve [ʌnˈnɜːv] *vtr* **1** desconcertar **2** poner nervioso,-a a

unnoticed [ʌnˈnoudɪst] *adj* desapercibido,-a: **to go unnoticed,** pasar inadvertido,-a

unobserved [ʌnəbˈzɜːvd] *adj* inadvertido,-a; **to pass unobserved,** pasar desapercibido,-a

unofficial [ʌnəˈfɪʃəl] *adj* no oficial

unpack [ʌnˈpæk] **I** *vtr* **1** *(una maleta)* deshacer **2** *(un paquete)* desembalar

II *vi* deshacer las maletas

unpaid [ʌnˈpeɪd] *adj* **1** *(trabajo)* no remunerado,-a **2** *(deuda)* pendiente

unpardonable [ʌnˈpɑːdnəbəl] *adj* imperdonable

unperturbed [ʌnpərˈtɜːbd] *adj* impasible, impertérrito,-a

unpleasant [ʌnˈplezənt] *adj* desagradable, antipático,-a

unplug [ʌnˈplʌg] *vtr* desenchufar

unpopular [ʌnˈpɒpjələr] *adj* impopular

unprecedented [ʌnˈpresɪdentɪd] *adj* sin precedentes

unpredictable [ʌnprɪˈdɪktəbəl] *adj* imprevisible

unprepared [ʌnprɪˈperd] *adj* **1** *(persona)* no preparado,-a **2** *(discurso)* improvisado,-a

unproductive [ʌnprəˈdʌktɪv] *adj* improductivo,-a

unprofessional [ʌnprəˈfeʃənəl] *adj* poco profesional

unprotected [ʌnprəˈtektɪd] *adj* sin protección

unpunished [ʌnˈpʌnɪʃt] *adj* impune

unqualified [ʌnˈkwɑːlɪfaɪd] *adj* **1** *(persona)* sin título **2** *(éxito, fracaso)* total **3** *(acuerdo, aprobación)* incondicional

unquestionable [ʌnˈkwestʃənəbəl] *adj* incuestionable

unquote [ʌnkwout] *v* cerrar cita, de la expresión *quote... unquote,* abrir cita...cerrar cita

unravel [ʌnˈrævəl] **I** *vtr* desenmarañar

II *vi* desenmarañarse

unreadable [ʌnˈriːdəbəl] *adj* ilegible

unreal [ʌnˈriːl] *adj* irreal

unrealistic [ʌnrɪəˈlɪstɪk] *adj* poco realista

unreasonable [ʌnˈriːznəbəl] *adj* poco razonable

unrelated [ʌnrɪˈleɪdɪd] *adj* **1** no relacionado,-a **2** sin parentesco

unrelenting [ʌnrɪ'lɛntɪŋ] *adj* 1 inexorable 2 implacable

unreliable [ʌnrɪ'laɪəbəl] *adj* poco fiable

unremitting [ʌnrɪ'mɪdɪŋ] *adj* constante, incesante

unrest [ʌn'rɛst] *n* malestar

unripe [ʌn'raɪp] *adj* verde, inmaduro,-a

unroll [ʌn'roul] *vtr* desenrollar

unruly [ʌn'ru:li] *adj (unrulier, unruliest)* 1 *(grupo)* indisciplinado,-a 2 *(pelo)* rebelde

unsafe [ʌn'seɪf] *adj* 1 inseguro,-a 2 peligroso,-a

unsatisfactory [ʌnsædɪs'fæktəri] *adj* insatisfactorio-rio,-a

unsavory [ʌn'seɪvəri] *adj* desagradable

unscathed [ʌn'skeɪðd] *adj* ileso,-a, indemne

unscrew [ʌn'skru:] *vtr* destornillar, desenroscar

unscrupulous [ʌn'skru:pjələs] *adj* sin escrúpulos

unseemly [ʌn'si:mli] *adj frml* indecoroso,-a

unselfish [ʌn'sɛlfɪʃ] *adj* desinteresado,-a

unsettle [ʌn'sɛdəl] *vtr* perturbar, inquietar

unsettled [ʌn'sɛdəld] *adj* 1 inestable 2 *(tierra)* deshabitado,-a

unshaven [ʌn'ʃeɪvən] *adj* sin afeitar

unsociable [ʌn'souʃəbəl] *adj* insociable

unspeakable [ʌn'spi:kəbəl] *adj* incalificable, atroz

unspoken [ʌn'spoukən] *adj* 1 *(acuerdo)* tácito,-a 2 *(sentimiento)* interior, secreto,-a

unstable [ʌn'steɪbəl] *adj* inestable

unsteady [ʌn'stɛdi] *adj* inestable, poco firme

unsuitable [ʌn'su:dəbəl] *adj* 1 no apto,-a, no adecuado,-a 2 inoportuno

unsure [ʌn'ʃuər] *adj* poco seguro,-a

unsuspecting [ʌnsə'spɛktɪŋ] *adj* confiado,-a

unsympathetic [ʌnsɪmpə'θɛdɪk] *adj* 1 *(persona)* poco comprensivo,-a 2 *(respuesta)* negativo,-a

unthinkable [ʌn'θɪŋkəbəl] *adj* impensable, inconcebible

untidy [ʌn'taɪdi] *adj (untidier, untidiest)* 1 desordenado,-a 2 descuidado,-a

untie [ʌn'taɪ] *vtr* desatar

until [ʌn'tɪl] **I** *prep* hasta **II** *conj* hasta que

untimely [ʌn'taɪmli] *adj* prematuro, extemporáneo, inoportuno

untouchable [ʌn'tʌtʃəbəl] *adj & n* intocable

untrained [ʌn'treɪnd] *adj* 1 sin preparación profesional, inexperto,-a 2 *(animal)* sin amaestrar

untrue [ʌn'tru:] *adj* falso,-a, inexacto,-a

untrustworthy [ʌn'trʌstwɜrði] *adj* 1 de poca confianza 2 *(información)* no fidedigno,-a

unused [ʌn'ju:zd] *adj* 1 nuevo, sin usar 2 [ʌn'ju:st] *(solo predicativo)* desacostumbrado,-a

unusual [ʌn'ju:ʒəl] *adj* 1 poco común, raro,-a 2 excepcional

unveil [ʌn'veɪl] *vtr* descubrir, revelar

unwanted [ʌn'wɒnɪd] *adj* no deseado,-a

unwarranted [ʌn'wɒrəntɪd] *adj* injustificado,-a

unwary [ʌn'wɛri] *adj* incauto,-a, imprudente

unwavering [ʌn'weɪvərɪŋ] *adj* firme, inquebrantable

unwelcome [ʌn'wɛlkəm] *adj* inoportuno,-a, molesto,-a

unwell [ʌn'wɛl] *adj* indispuesto,-a

unwieldy [ʌnwi:ldli] *adj* pesado, abultado, difícil de mover

unwilling [ʌn'wɪlɪŋ] *adj* poco dispuesto,-a

unwillingly [ʌn'wɪlɪŋli] *adv* de mala gana

unwind [ʌn'waɪnd] *(ps & pp unwound)* **I** *vtr* desenrollar **II** *vi* desenrollarse

unwise [ʌn'waɪz] *adj* imprudente

unwitting [ʌn'wɪdɪŋ] *adj* inconsciente

unworthy [ʌn'wɜrði] *adj* indigno,-a

unwrap [ʌn'ræp] *vtr* desenvolver, abrir

unwritten ['ʌnrɪt'n] *adj* que se sabe y se comprende pero que no está escrito

unyielding [ʌn'ji:ldɪŋ] *adj* firme, rígido inmovible

unzip [ʌn'zɪp] *v* abrir la cremallera o cierre relámpago de una pieza de vestir

up [ʌp] **I** *adv* 1 *(dirección: más alto)* hacia arriba; **to come/go up,** subir 2 *(dirección: acercarse)* **a man came up and said…,** un hombre se acercó y dijo… 3 *(posición)* arriba, en lo alto 4 *(diferencia)* **inflation is up,** la inflación ha subido; *(ventaja)* **Juventus is two up,** el Juventus está ganando por dos goles 5 *(levantado)* **I was up early,** me levanté pronto 6 *fam* **what's up with you?,** ¿qué te pasa a ti? **II** *prep* 1 *(dirección)* **we walked up the hill,** subimos la colina; **up the road/river,** calle/río arriba 2 *(posición)* en lo alto de: **up the tree,** en lo alto del árbol **III** *adj fam* **to be/feel up,** estar/sentirse en plena forma **IV** *n* **ups and downs,** altibajos ■ **up to** *prep* 1 hasta 2 *(nivel)* **he's not up to the job,** no está a la altura del trabajo 3 *(corresponder)* **it's up to you,** como tú quieras 4 *(tramar)* **what are they up to?,** ¿qué están tramando?

upbringing ['ʌpbrɪŋɪŋ] *n* educación

update [ʌp'deɪt] *vtr* actualizar, poner al día

upgrade [ʌp'greɪd] *vtr* 1 *(a una persona)* ascender 2 *Inform* modernizar

upheaval [ʌp'hi:vəl] *n* trastorno, agitación

uphill ['ʌphɪl] **I** *adv* cuesta arriba **II** *adj* 1 empinado,-a 2 *fig (tarea)* arduo,-a

uphold [ʌp'hould] *vtr (ps & pp upheld)* sostener

upholstery [ʌp'houlstəri] *n* tapicería

upkeep ['ʌpki:p] *n* mantenimiento

upon [ə'pɒn] *prep frml* en, encima de, sobre

upper ['ʌpər] *adj* 1 superior; **upper lip,** labio superior 2 *Pol* alto,-a

upper case *n Tip* (letra) mayúscula

upper class *adj* clase alta

Upper House *n Parl* the upper house, la cámara alta

uppermost ['ʌpərmoust] *adj* más alto,-a

upright ['ʌpraɪt] I *adj* 1 vertical 2 honrado,-a II *adv (andar, tenerse)* derecho

uprising ['ʌpraɪzɪŋ] *n* levantamiento

uproar ['ʌprɔ:r] *n* tumulto, alboroto

uproot [ʌp'ru:t] *vtr* desarraigar

upset [ʌp'set] I *vtr (ps & pp upset)* 1 disgustar 2 ofender, enfadar 3 *(una mesa, etc)* volcar II *adj (persona)* 1 apenado,-a 2 ofendido,-a 3 volcado,-a III ['ʌpset] *n* revés, contratiempo

upshot ['ʌpʃɒt] *n* resultado

upside down *n* **upside down,** al revés

upstairs [ʌp'steərz] I *adv* arriba II *adj* de arriba III *n* piso de arriba

upstream [ʌp'stri:m] *adv* río arriba

uptight [ʌp'taɪt] *adj fam* nervioso,-a

up-to-date [ʌptə'deɪt] *adj* actualizado,-a

upturn ['ʌptɜrn] *n* mejora

upturned ['ʌptɜrnd] *adj (nariz)* respingón,-ona

upward ['ʌpwərd] *adj* ascendente

upward(s) ['ʌpwərd(z)] *adv* hacia arriba

uranium [jʊ'reɪnɪəm] *n* uranio

Uranus [jʊ'reɪnəs] *n* Urano

urban ['ɜrbən] *adj* urbano,-a

urban renewal [ɜrbən'ri:nuəl] *n* renovación o mejoramiento de las zonas pobres de una ciudad

urban sprawl [ɜrbɪnsprɑ:l] *n* crecimiento urbano

urge [ɜrdʒ] I *vtr* instar, exhortar II *n* impulso

■ **urge on** *vtr* animar a

urgency ['ɜrdʒənsi] *n* urgencia

urgent ['ɜrdʒənt] *adj* urgente

urinate ['jɜrɪneɪt] *vi* orinar

urine ['jʊrɪn] *n* orina

Uruguay ['ʊrəgwaɪ] *n* Uruguay

Uruguayan [ʊrə'gwaɪən] *adj & n* uruguayo,-a

us [ʌs] *pron pers* 1 *(objeto directo e indirecto)* nos: **give us the money,** danos el dinero 2 *(después de prep)* nosotros,-as: **come with us,** ven con nosotros; **there are three of us,** somos tres 3 *(después de ser to be)* nosotros,-as: **who is it?, - it's us!,** ¿quién es?, - ¡somos nosotros!

US [ju:'es] *(abr de United States)* Estados Unidos, EE.UU.

USA [ju:es'eɪ] *(abr de United States of America)* Estados Unidos de América, EE.UU.

usage ['ju:sɪdʒ] *n* 1 *Ling* uso 2 *frml* costumbre, usanza

use [ju:z] I *vtr* 1 emplear, usar, utilizar 2 *(un servicio, etc)* hacer uso de II [ju:s] *n* 1 uso, empleo: **«instructions for use»,** «modo de empleo»; **out of use,** fuera de servicio o en desuso 2 utilidad

■ **use up** *vtr* acabar

used [ju:zd] *adj* 1 usado,-a, viejo,-a 2 [ju:st] **to be used to,** estar acostumbrado,-a a

used to *v aux (solo en ps)* soler, acostumbrar: **I used to live here,** vivía aquí

useful ['ju:sfəl] *adj* útil; *(consejo)* práctico,-a

usefulness ['ju:sfəlnɪs] *n* utilidad

useless ['ju:slɪs] *adj* inútil

user ['ju:zər] *n* usuario,-a

usher ['ʌʃər] *n* 1 *Cine Teat* acomodador,-ora 2 *Jur* ujier

usual ['ju:ʒʊəl] *adj* 1 normal, corriente 2 habitual: **as usual,** como siempre

usually ['ju:ʒʊəli] *adv* normalmente

UT *(abr de Utah)* abreviatura, estado de Utah

utensil [ju:'tensəl] *n* utensilio

uterus ['ju:dʒərəs] *n Anat* útero

utilitarian [ju:tɪlɪ'teəriən] *adj* utilitario,-a

utility [ju:'tɪlɪdʒi] *n* utilidad

utility room *n* cuarto para lavar y planchar

utilize ['ju:dʒɪlaɪz] *vtr frml* utilizar

utmost ['ʌtmoust] I *adj* mayor, sumo,-a II *n* **to do** *o* **try one's utmost,** hacer todo lo posible [**to + inf,** por + *inf*]: **to the utmost,** hasta más no poder

utopian [ju:'toupiən] *adj* utópico,-a

utter ['ʌdər] I *vtr* pronunciar; *(un grito)* dar, lanzar II *adj* total, completo,-a

U-turn ['ju:tɜrn] *n Auto* cambio de sentido; *Pol* giro de ciento ochenta grados

V

V, v [vi:] *n* 1 *(letra)* V, v 2 **V-sign,** signo de la victoria

VA *(abr de Virginia)* abreviatura, estado de Virginia

vacancy ['veɪkənsi] *n* 1 *Lab* vacante 2 *(en hotel, pensión)* habitación libre

vacant ['veɪkənt] *adj* 1 *Lab* vacante 2 *(habitación, etc)* vacío,-a; *(W.C., etc)* libre

vacate [vei'keɪt] *vtr* desalojar

vacation [və'keɪʃən] I *n* vacaciones; **on vacation,** de vacaciones II *vi US* estar de vacaciones

vaccinate ['væksɪneɪt] *vtr* vacunar

vaccine ['væksi:n] *n Med* vacuna

vacuum ['vækjum] I *n* vacío

II *vtr fam* pasar la aspiradora por

vacuum cleaner *n* aspiradora

vacuum-packed ['vækjumpækt] *adj* envasado,-a al vacío

vagina [vəˈdʒaɪnə] *n Anat* vagina

vagrant ['veɪɡrənt] *adj & n* vagabundo,-a

vague [veɪɡ] *adj* vago,-a, impreciso,-a

vain [veɪn] *adj* 1 (*persona*) vanidoso,-a 2 (*esfuerzo*) vano,-a: **in vain,** en vano

valiant ['væljənt] *adj* valiente

valid ['vælɪd] *adj* 1 legítimo,-a 2 (*documento*) válido,-a; **no longer valid,** caducado,-a

validity [vəˈlɪdətɪ] *n* validez

valley ['vælɪ] *n* valle

valor ['vælər] *n* gran valor y coraje (en guerra)

valuable ['væljəbəl] I *adj* valioso,-a

II *npl* **valuables,** objetos de valor

valuation [vælju'eɪʃən] *n* valoración, tasación

value ['væljuː] I *n* 1 valor 2 **values** *pl*, valores

II *vtr* valorar

value added tax *n* impuesto sobre el valor añadido

valve [vælv] *n* válvula

vampire ['væmpaɪər] *n* vampiro

vandal ['vændəl] *n* gamberro,-a

vandalism ['vændəlɪzəm] *n* vandalismo, gamberrismo

vandalize ['vændəlaɪz] *vtr* dañar, destrozar

vanguard ['vænɡɑrd] *n* vanguardia

vanilla [vəˈnɪlə] *n* vainilla

vanish ['vænɪʃ] *vi* desaparecer

vanity ['vænɪdʒɪ] *n* vanidad

vanity bag *n* neceser

vantage ['væːntɪdʒ] *n Tenis* ventaja

vantage point *n* posición estratégica

vaporize ['veɪpəraɪz] I *vtr* vaporizar, evaporar

II *vi* evaporarse

vapor ['veɪpər] *n* vapor; (*en un cristal*) vaho

variable ['verɪəbəl] I *adj* variable

II *n* variable

variant ['verɪənt] *n* variante

variation [verɪ'eɪʃən] *n* variación

varicose ['værɪkəʊs] *adj* **varicose veins,** varices

varied ['verɪd] *adj* variado,-a, diverso,-a

variety [vəˈraɪdʒɪ] *n* 1 variedad, diversidad 2 surtido

variety show *n Teat* espectáculo de variedades

various ['verɪəs] *adj* diversos,-as, varios,-as

varnish ['vɑrnɪʃ] I *n* barniz

II *vtr* barnizar; (*las uñas*) pintar

vary ['verɪ] I *vtr* variar, cambiar

II *vi* variar, oscilar 2 (*personas*) discrepar

vase [veɪs] *n* florero, jarrón

vaseline ['væsɪliːn] *n* vaselina

vast [væːst] *adj* vasto,-a, enorme

vastly ['væːstlɪ] *adv* enormemente

VAT,Vat [viːeɪˈtiː, væt] (*abr de value added tax*) impuesto sobre el valor añadido, IVA

vat [væt] *n* cuba, tinaja

Vatican ['vætɪkən] *n* **the Vatican,** el Vaticano

vault [vɔlt] I *vtr & vi* saltar

II *n* 1 *Dep* salto 2 *Arquit* bóveda; (*tumba*) cripta 3 cámara acorazada

VCR [viːsiːˈɑr] *n TV* (*abr de video cassette recorder*) grabadora de videocasetes

VDU [viːdiːˈjuː] *n Inform* (*abr de visual display unit*) unidad de representación visual, monitor

veal [viːl] *n Culin* ternera

veer [vɪr] *vi* torcer, girar

veg, veg out ['vedʒ, 'vedʒaʊt] *v fam de vegetate* vegetar

vegetable ['vedʒtəbəl] *n* 1 *Bot* vegetal 2 *Culin* verdura, hortaliza

vegetarian [vedʒɪ'terɪən] *adj & n* vegetariano,-a

vegetation [vedʒɪ'teɪʃən] *n* vegetación

vehement ['viːəmənt] *adj* vehemente

vehicle ['viːɪkəl] *n* vehículo

veil [veɪl] *n* velo

vein [veɪn] *n* vena

velocity [vɪ'lɒsɪdʒɪ] *n* velocidad

velvet ['velvɪt] *n* terciopelo

vending ['vendɪŋ] *n* **vending machine,** máquina expendedora

vendor ['vendər] *n* vendedor,-ora

veneer [vɪ'nɪr] I *n* chapa

II *vtr* (*un mueble, joya, etc*) chapar

venerable ['venərəbəl] *adj* venerable

venereal [vɪ'nɪərɪəl] *adj* venéreo,-a

Venetian [vɪ'niːʃən] *adj & n* veneciano,-a

Venezuela [venɪ'zweɪlə] *n* Venezuela

Venezuelan [venɪ'zweɪlɪən] *adj & n* venezolano,-a

vengeance ['vendʒəns] *n* venganza

venison ['venɪsən] *n Culin* carne de venado

venom ['venəm] *n* veneno

venomous ['venəməs] *adj* venenoso,-a

vent [vent] I *n* 1 rejilla de ventilación; **air vent,** respiradero 2 *Cost* abertura

II *vtr fig* (*la rabia, etc*) descargar

ventilate ['ventɪleɪt] *vtr* ventilar

ventilation [ventɪ'leɪʃən] *n* ventilación

ventilator ['ventɪleɪdʒər] *n* ventilador

ventriloquist [ven'trɪləkwɪst] *n* ventrílocuo,-a

venture ['ventʃər] I *n* empresa, aventura; *Com* operación

II *vtr* (*una opinión*) aventurar

III *vi* atreverse, aventurarse

venue ['venjuː] *n* 1 lugar de reunión 2 (*para un concierto*) local

Venus ['viːnəs] *n Astron & Mit* Venus

verb [vɜrb] *n* verbo

verbal ['vɜrbəl] *adj* verbal
verbatim [vər'beɪdɪm] **I** *adj* textual
II *adv* palabra por palabra
verdict ['vɜrdɪkt] *n Jur* veredicto
verge [vɜrdʒ] *n* borde **to be on the verge of doing sthg,** estar a punto de hacer algo
■ **verge on** *vtr* rayar en
verification [verɪfɪ'keɪʃən] *n* verificación
verify ['verɪfaɪ] *vtr* verificar
veritable ['verɪtəbəl] *adj* auténtico,-a
vermin ['vɜrmɪn] *npl* **1** *(animales)* alimañas **2** *(insectos)* bichos
versatile ['vɜrsədəl] *adj* versátil
verse [vɜrs] *n* **1** verso **2** *Lit & Mús* estrofa **3** *(de la Biblia)* versículo
versed [vɜrst] *adj* versado,-a
version ['vɜrʒən] *n* versión
versus ['vɜrsəs] *prep* contra
vertebra ['vɜrdɪbrə] *n* (*pl* **vertebras** o **vertebrae** ['vɜrtɪbreɪ]) *Anat* vértebra
vertical ['vɜrdɪkəl] *adj & n* vertical
vertigo ['vɜrdɪgoʊ] *n* vértigo
very ['veri] **I** *adv* muy, mucho,-ísimo: **it's very hot,** hace mucho calor; **very interesting,** muy interesante; **very much,** muchísimo
II *adj* enfático mismo,-a, mero,-a, propio,-a: **at that very moment,** en ese mismo momento
vessel ['vesəl] *n* **1** vasija **2** *Náut* buque, nave; **cargo vessel,** carguero **3** *Anat Bot* vaso
vest [vest] *n* chaleco
vestige ['vestɪdʒ] *n* vestigio
vestry ['vestri] *n* sacristía
vet [vet] *n fam* **1** (*abr de* **veterinary surgeon**) veterinario,-a **2** *US* (*abr de* **veteran**) excombatiente
veteran ['vedərən] **I** *n* **1** veterano,-a **2** *US* (**war**) **veteran,** excombatiente
II *adj* veterano,-a
veterinarian [vedərɪ'neriən] *n* veterinario,-a
veterinary ['vedərɪnəri] *adj* veterinario,-a
veto ['vi:doʊ] **I** *n* (*pl* **vetoes**) veto
II *vtr Pol* vetar
vexed [vekst] *adj* enfadado,-a
via [vɪə] *prep* por, a través de, vía
viaduct ['vaɪədʌkt] *n* viaducto
vial [vaɪl] *n Med* pomo, frasco
vibrant ['vaɪbrənt] *adj* **1** *(sonido, ambiente)* vibrante **2** *(luz)* brillante
vibrate [vaɪ'breɪt] *vi* vibrar [**with,** de]
vibration [vaɪ'breɪʃən] *n* vibración
vicar ['vɪkər] *n Rel (católico)* vicario
vice [vaɪs] **I** *n* **1** vicio **2** *Téc* torno de banco
II *pref* vice-
vice squad ['vaɪskwɑd] *n* patrulla policial contra el vicio
vice versa [vaɪs'vɜrsə] *adv* viceversa
vicinity [vɪ'sɪnɪdi] *n* inmediaciones, alrededores
vicious ['vɪʃəs] *adj (perro)* fiero,-a; *(persona)* despiadado,-a, cruel; *(crimen)* atroz

victim ['vɪktɪm] *n* víctima
victimize ['vɪktɪmaɪz] *vtr* perseguir, tratar injustamente
victor ['vɪktər] *n* vencedor,-ora
victorious [vɪk'tɔːriəs] *adj* victorioso,-a
victory ['vɪktəri] *n* victoria
video ['vɪdioʊ] **I** *n (aparato, película)* vídeo
II *vtr* → **videotape**
video camera *n* videocámara
video cassette *n* videocasete
video disc ['vɪdioʊdɪsk] *n* disco digital de video
video game *n* videojuego
videotape ['vɪdioʊteɪp] *vtr* grabar (en vídeo)
view [vju:] **I** *n* **1** panorama, vista **2** in **view,** visible, a la vista; **to come into view,** aparecer **3** opinión; **point of view,** punto de vista **4** in **view of sthg,** en razón de
II *vtr* **1** mirar, ver **2** considerar
viewer ['vju:ər] *n* **1** *TV* telespectador,-ora **2** *Fot* visor
viewfinder ['vju:faɪndər] *n Fot* visor
viewpoint ['vju:pɔɪnt] *n* punto de vista
vigil ['vɪdʒɪl] *n* vigilia
vigilant ['vɪdʒɪlənt] *adj* alerta
vigorous ['vɪgərəs] *adj* vigoroso,-a; *(rechazo)* rotundo,-a
vigor ['vɪgər] *n* vigor
vile [vaɪl] *adj* **1** *(acción)* vil, infame **2** *(olor, sabor)* asqueroso,-a **3** *(color, diseño)* horroroso,-a
villa ['vɪlə] *n* **1** *Hist* villa **2** casa de campo
village ['vɪlɪdʒ] *n (grande)* pueblo; *(pequeño)* aldea, lugar
villager ['vɪlɪdʒər] *n* aldeano,-a
villain ['vɪlən] *n* villano,-a; *Cine Lit Teat* malo,-a
vinaigrette [vɪne'gret] *n Culin* vinagreta
vindicate ['vɪndɪkeɪt] *vtr* justificar, reivindicar
vindictive [vɪn'dɪktɪv] *adj* vengativo,-a
vine [vaɪn] *n Bot* vid, parra
vinegar ['vɪnɪgər] *n* vinagre
vineyard ['vɪnjərd] *n* viña, viñedo
vintage ['vɪntɪdʒ] **I** *n (de la uva)* vendimia, cosecha
II *adj* **1** *(vino)* añejo,-a **2** *(coche)* de época
vinyl ['vaɪnɪl] *n* vinilo
viola [vi'oʊlə] *n* viola
violate ['vaɪəleɪt] *vtr* violar
violence ['vaɪləns] *n* violencia
violent ['vaɪlənt] *adj* violento,-a
violet ['vaɪəlɪt] **I** *n Bot* violeta
II *adj* violeta
violin [vaɪə'lɪn] *n* violín
violinist [vaɪə'lɪnɪst] *n* violinista
VIP [vi:aɪ'pi:] *n fam (abr de* **very important person**) personaje muy importante, VIP
viper ['vaɪpər] *n Zool* víbora
virgin ['vɜrdʒɪn] **I** *n* virgen

II *adj* virgen

virginity [və'rdʒɪnɪdi] *n* virginidad

Virgin Mary *n* **the Virgin Mary,** la Virgen María

Virgo ['vəɾgou] *n Astrol* Virgo

virile ['vɪɾɪl] *adj* viril

virtual ['vəɾtʃuəl] *adj* virtual

virtually ['vəɾtʃuəli] *adv* prácticamente

virtue ['vəɾtʃuː] *n* virtud

virtuous ['vəɾtʃuəs] *adj* virtuoso,-a

virus ['vaɪɾəs] *n* virus

visa ['viːzə] *n* visado, *LAm* visa

viscose ['vɪskous] *n* viscosa

viscount ['vaɪkaunt] *n* vizconde

visibility [vɪzɪ'bɪlɪdi] *n* visibilidad

visible ['vɪzɪbəl] *adj* visible

vision ['vɪʒən] *n* visión

visit ['vɪzɪt] **I** *vtr* visitar

II *vi* hacer visitas

III *n* visita

visiting ['vɪzɪdɪŋ] *adj* visitante

visitor ['vɪzɪdər] *n* **1** *(social)* invitado,-a **2** *(de un museo, ciudad)* visitante

visor ['vaɪzər] *n* visera

visual ['vɪʒuəl] *adj* visual

visualize ['vɪʒuəlaɪz] *vtr* **1** imaginar(se) **2** prever

vital ['vaɪdəl] *adj* vital, esencial, fundamental; *(decisión)* crítico,-a

vitality [vaɪ'tælɪdi] *n* vitalidad

vitamin ['vaɪdəmɪn] *n* vitamina

vivacious [vɪ'veɪʃəs] *adj* vivaz

vivacity [vɪ'væsɪdi] *n* viveza, vivacidad

vivid ['vɪvɪd] *adj* **1** *(color)* vivo,-a, intenso,-a **2** *(recuerdo)* vívido,-a

vividly ['vɪvɪdli] *adv* **1** *(acordarse, describir)* vívidamente **2** *(decorar)* vistosamente

vixen ['vɪksən] *n Zool* zorra

V-neck(ed) ['viːnɛk(t)] *adj (jersey)* de (cuello de) pico

vocabulary [vou'kæbjələri] *n* vocabulario

vocal ['voukəl] *adj* **1** *Anat Mús* vocal **2** *(minoría, etc)* ruidoso,-a

vocalist ['voukəlɪst] *n* cantante, vocalista

vocation [vou'keɪʃən] *n* vocación

vocational [vou'keɪʃənəl] *adj* profesional; **vocational guidance/training,** orientación/formación profesional

vodka ['vɑdkə] *n* vodka

vogue [voug] *n* boga, moda; **in vogue,** de moda

voice [vɔɪs] **I** *n* voz

II *vtr* manifestar

void [vɔɪd] **I** *adj Jur* nulo,-a, inválido,-a

II *n* vacío

volatile ['vɑlədl] *adj* volátil

volcanic [vɑl'kænɪk] *adj* volcánico,-a

volcano [vɑl'keɪnou] *n (pl volcanoes)* volcán

volley ['vɑli] *n* **1** *(de artillería)* descarga **2** *Tenis* volea

II *vtr Ten* volear

volleyball ['vɑlibɔːl] *n* voleibol

volt [voult] *n* voltio

voltage ['voultɪdʒ] *n* voltaje

volume ['vɑljuːm] *n* volumen

voluminous [və'luːmɪnəs] *adj* voluminoso,-a

voluntary ['vɑləntəri] *adj* voluntario,-a

volunteer [vɑlən'tiːr] **I** *n* voluntario,-a

II *vtr* ofrecer

III *vi* **1** ofrecerse **2** *Mil* alistarse como voluntario

voluptuous [və'lʌptʃuəs] *adj* voluptuoso,-a

vomit ['vɑmɪt] **I** *vtr & vi* vomitar

II *n* vómito

vomiting ['vɑmɪdɪŋ] *n* vómito(s)

voracious [vɔ'reɪʃəs] *adj* voraz

vote [vout] **I** *n* voto; *(acción)* votación

II *vtr* votar a **III** *vi* votar

voter ['voudər] *n* votante

vouch [vautʃ] *vi* **to vouch for sthg/sb,** responder de algo/por alguien

voucher ['vautʃər] *n* cupón

vow [vau] **I** *n* voto

II *vtr* jurar

vowel ['vauəl] *n Ling* vocal

voyage ['vɔɪɪdʒ] *n* viaje

vs. *(abr de versus)* versus, contra

VT *(abr de Vermont)* abreviatura, estado de Vermont

vulgar ['vʌlgər] *adj* vulgar

vulgarity [vʌl'gerɪdi] *n* vulgaridad

vulnerable ['vʌlnərəbəl] *adj* vulnerable

vulture ['vʌltʃər] *n* buitre

W

W, w ['dʌbəljuː] *n* **1** *(letra)* W, w **2** *(abr de West)* oeste, O **3** *abr de watt(s)* vatio, W

WA *(abr de Washington)* abreviatura, estado de Washington

wad [wɑd] *n* **1** *(de algodón)* bolita, copo **2** *(de papeles)* fajo

waddle ['wɑdəl] *vi* andar como un pato

wade [weɪd] *vi* vadear

wafer ['weɪfər] *n* barquillo; *Rel* hostia

waffle ['wɑfəl] **I** *n Culin* gofre

II *vi* **1** hablar sin decir gran cosa **2** *(al escribir)* meter paja

waft ['wɑft] *v* flotar en el aire, flotar sobre el agua

wag [wæg] **I** *vtr* menear

II *vi (el rabo)* menearse

wage [weɪdʒ] *n (usu pl)* salario, sueldo

wager ['weɪdʒər] **I** *n* apuesta

II *vtr* apostar

wagon ['wægən] *n (tirado por caballos)* carro, carreta; **covered wagon,** carromato

wagon train *n* durante las migraciones hacia el Oeste, caravana de carretas y carromatos

wail [weɪl] I n 1 (de un bebé) llanto 2 (de pena, tristeza) lamento
II vi 1 (persona) lamentarse, gemir 2 (sirena de un barco, etc) ulular

waist [weɪst] n cintura, talle

waistband n pretina de pantalón o de falda

waistline ['weɪstlaɪn] n cintura; fig línea

wait [weɪt] I n espera
II vi esperar
■ **wait on** vtr servir a
■ **wait up** vi no acostarse: don't wait up for me, no me esperes levantado,-a

waiter ['weɪdər] n camarero

waiting ['weɪdɪŋ] n espera

waiting room n sala de espera

waitress ['weɪtrɪs] n camarera

waive [weɪv] vtr frml prescindir de

wake [weɪk] I vtr (ps woke; pp woken) despertar
II vi despertar(se)
III n 1 estela, consecuencia 2 velatorio
■ **wake up** vi despertarse
II vtr despertar

walk [wɔːk] I n 1 paseo; (más arduo) caminata: to go for a walk, ir de paseo 2 paso, andar
II vi andar, ir andando
III vtr 1 andar 2 (una distancia) recorrer (a pie) 3 (un perro) pasear
■ **walk away** vi alejarse, marcharse
■ **walk into** vtr 1 darse contra 2 fig (una trampa) caer en
■ **walk off** vi marcharse
■ **walk out** vi retirarse, abandonar

walking ['wɔːkɪŋ] 1 n excursionismo
II adj (paso) de marcha

walking stick n bastón

Walkman® n marca registrada de un tocacintas portátil que se escucha con audífonos

walkout ['wɔːkaʊt] n Lab huelga

walkover ['wɔːkoʊvər] n Dep victoria fácil

wall [wɔːl] n 1 (interior) pared 2 (exterior) muro; (de ciudad) muralla; (de jardín) tapia

wallet ['wɒlət] n cartera

wallflower ['wɔːlflaʊər] n Bot alhelí II

wallow ['wɒloʊ] vi revolcarse

wallpaper ['wɔːlpeɪpər] I n papel pintado
II vtr empapelar

walnut ['wɔːlnʌt] n Bot (fruto) nuez; (árbol, madera) nogal

walrus ['wɔːlrəs] n Zool morsa

waltz [wɔːlts] I n vals
II vi bailar el vals

wan [wɒn] adj (wanner, wannest) 1 pálido,-a 2 triste

wand [wɒnd] n (magic) wand, varita (mágica)

wander ['wɒndər] vi 1 vagar, deambular 2 alejarse, desviarse

wane [weɪn] vi (la Luna) menguar; (el interés) decaer, decrecer

want [wɒnt] vtr 1 querer, desear 2 (la policía, etc) buscar; «wanted», «se busca»

wanton ['wɒntən] adj (violencia, crueldad) gratuito,-a

war [wɔr] I n guerra: to be at war, estar en guerra
II adj de guerra

ward [wɔrd] I n 1 (de un hospital) sala 2 Jur pupilo,-a
■ **ward off** vtr 1 (una enfermedad) prevenir 2 (un ataque) rechazar

warden ['wɔrdən] n 1 (de una residencia) guardián,-ana 2 Auto traffic warden, controlador,-ora de estacionamiento

wardrobe ['wɔrdroʊb] n 1 (mueble) armario 2 Teat vestuario

warehouse ['wɛrhaʊs] n almacén

wares [wɛrz] npl mercancías

warfare ['wɔrfɛr] n guerra

warhead ['wɔrhɛd] n (nuclear) warhead, cabeza nuclear

warlock n hechicero, mago, brujo

warlord n líder militar de grupos de fuerzas armadas extraoficiales

warm [wɔrm] I adj 1 (agua, comida) templado,-a, tibio,-a 2 (ropa) de abrigo 3 (persona) cariñoso,-a; (color) cálido,-a
II vtr calentar
III vi 1 calentarse 2 to warm to sb, cogerle simpatía a alguien
■ **warm up** I vtr calentar
II vi 1 (comida, sitio) calentarse; (persona) entrar en calor 2 (deportista) hacer ejercicios de calentamiento, calentar

warm-blooded ['wɔrm'blʌdɪd] adj de sangre caliente

warmed over adj se aplica a una idea o argumento que se ha usado en el pasado pero que ya no interesa ni tiene uso

warm-hearted ['wɔrm'hɑrdɪd] adj afectuoso,-a

warmly ['wɔrmli] adv fig 1 warmly dressed, bien abrigado,-a 2 (agradecer, saludar) calurosamente

warmth [wɔrmθ] n Fís calor; fig cordialidad

warn [wɔrn] vtr advertir, alertar

warning ['wɔrnɪŋ] 1 advertencia 2 aviso: without warning, sin previo aviso

warning light n piloto

warning sign n señal de aviso

warp [wɔrp] vi combarse

warrant ['wɔrənt] I n 1 Jur orden: arrest warrant, orden de búsqueda y captura; search warrant, orden de registro 2 Com vale
II vtr 1 frml justificar 2 Com garantizar

warranty ['wɔrənti] n Com garantía

warren ['wɔrən] n laberinto

warrior ['wɔriər] n guerrero,-a

warship ['wɔrʃıp] n buque de guerra

wart [wɔrt] n verruga

wary ['wɛri] adj (**warier, wariest**) cauteloso,-a

was [wʌz] ps → **be**

wash [wɑʃ] I n GB 1 lavado 2 colada
II vtr 1 lavar; (la vajilla) fregar 2 (un río, etc) arrastrar
III vi (persona) lavarse
■ **wash off** vi quitarse lavando
■ **wash up** vi 1 fregar los platos 2 lavarse

washable ['wɑʃəbəl] adj lavable

washer ['wɑʃər] n lavadora

washing ['wɑʃıŋ] n (acción) lavado; (de ropa) colada

washing machine n lavadora

washing-up [wɑʃıŋ'ʌp] n fregado **washout** ['wɑʃaut] n fam desastre, fracaso

washroom ['wɑʃruːm] n servicios

WASP (abr de **White Anglo-Saxon Protestant**) abreviatura, protestante anglosajón

wasp [wɑsp] n Zool avispa

wastage ['weıstıdʒ] n desperdicio, pérdidas

waste [weıst] I n 1 (de tiempo, etc) pérdida 2 (de recursos) derroche, despilfarro 3 residuos, desechos
II adj (productos) desechado,-a; (agua) residual
III vtr 1 (el tiempo) perder 2 (recursos) derrochar, despilfarrar 3 (una oportunidad) no aprovechar
■ **waste away** vi consumirse

wasteful ['weıstfəl] adj (persona) derrochador,-ora

wasteland ['weıstlænd] n páramo, tierra árida

wastepaper ['weıstpeıpər] n papeles viejos

wastepaper basket n papelera

watch [wɑtʃ] I n 1 (aparato) reloj 2 Mil (persona) centinela; (del Estado, de una compañía) guardia; **to be on watch,** estar de guardia
II vtr 1 mirar, ver 2 cuidar, vigilar 3 tener cuidado con: **watch it!,** ¡cuidado!, ¡ojo!
III vi mirar, observar
■ **watch out** vi tener cuidado: **watch out!,** ¡cuidado!

watchdog ['wɑtʃdɑg] n perro guardián

watchful ['wɑtʃfəl] adj vigilante

watchmaker ['wɑtʃmeıkər] n relojero,-a

watchman ['wɑtʃmən] n vigilante

watchstrap ['wɑtʃstræp] n correa de reloj

watchtower ['wɑtʃtauər] n atalaya

water ['wɑtər] I n agua: **fresh water,** agua dulce
II adj (deporte, planta) acuático,-a
III vtr (una planta) regar
■ **water down** vtr (una bebida) aguar

waterbed ['wɑtərbɛd] n cama o colchón de agua

watercolor ['wɑtərkʌlər] n Arte acuarela

watercress ['wɑtərkrɛs] n Bot berro

waterfall ['wɑtərfɑl] n (de un río) catarata

watering ['wɑtərıŋ] n riego, irrigación

waterline ['wɑtərlaın] n línea de flotación

waterlogged ['wɑtərlɑgd] adj (tierra) anegado,-a

watermark ['wɑtərmɑrk] n (papel) filigrana

watermelon ['wɑtərmɛlən] n Bot sandía

waterproof ['wɑtərpruːf] I adj (tela) impermeable; (reloj) sumergible
II n impermeable
III vtr impermeabilizar

water skiing n esquí acuático

watertight ['wɑtərtaıt] adj hermético,-a

waterway ['wɑtərweı] n vía fluvial, canal

watery ['wɑtəri] adj 1 aguado,-a 2 (los ojos) lloroso,-a

watt [wɑt] n vatio

wave [weıv] I n 1 (en el mar) ola 2 (en el pelo) onda 3 saludo con la mano 4 Fís onda
II vtr 1 (una bandera, un palo, etc) agitar 2 (el pelo) ondular, rizar
III vi 1 saludar con la mano 2 (una bandera) ondear

waver ['weıvər] vi 1 dudar, vacilar 2 (el ánimo) flaquear

wavy ['weıvi] adj (**wavier, waviest**) ondulado,-a

wax [wæks] I n 1 cera 2 **sealing wax,** lacre
II vtr 1 encerar 2 (las piernas, etc) depilar con cera

way [weı] n 1 camino: **way in,** entrada; **way out,** salida 2 paso: **to give way,** ceder el paso 3 **to be in the way,** estorbar o bloquear el camino: **get out of the way!,** ¡quítate de en medio! 4 **she has a baby on the way,** está esperando un niño; **by the way,** a propósito, por cierto 5 distancia: **it's a long way from here,** está lejos de aquí 6 (dirección) **is this the right way?,** ¿es por aquí?; **come this way,** ven por aquí; **which way?,** ¿por dónde?; **the wrong way up/around,** al revés 7 manera, modo, forma: **I did it my way,** lo hice a mi manera; **a way of life,** una forma de vida; **(in) one way or another,** de un modo u de otro; **no way!,** ¡ni hablar! 8 estado: **that's the way it is,** así es 9 don: **he has a way with words,** tiene facilidad de palabra 10 progreso, movimiento; **under way,** en marcha

we [wiː] pron pers nosotros,-as

weak [wiːk] adj 1 débil 2 (café) poco cargado,-a

weaken ['wiːkən] I vtr debilitar
II vi 1 debilitarse 2 ceder, ablandarse

weakness ['wiːknıs] n debilidad

wealth [wɛlθ] n riqueza

wealthy ['wɛlθi] adj (**wealthier, wealthiest**) rico,-a

wean [wiːn] vtr destetar

weapon ['wepən] n arma

wear [wer] I vtr (ps wore; pp worn) (gafas, perfume, ropa) llevar (puesto,-a), vestir
II vi 1 (tela, etc) durar 2 (una alfombra) desgastarse
III n 1 desgaste 2 (ropa) uso; **for everyday wear,** para uso diario 3 frml ropa; **ladies'/ men's wear,** ropa de señoras/caballeros
■ **wear away** I vtr desgastar
II vi (una piedra) desgastarse
■ **wear down** vtr 1 (des)gastar 2 (a una persona) agobiar
■ **wear off** vi 1 (el dolor) calmarse 2 (un efecto) pasar 3 (pintura) desgastarse
■ **wear out** I vtr 1 gastar 2 (a una persona, etc) agotar
II vi gastarse

wearily ['wiːrɪli] adv con cansancio

wearisome ['wiːrɪsəm] adj tedioso, fatigoso, pesado

weary ['wiːri] I adj (wearier, weariest) cansado,-a
II vtr cansar
III vi cansarse [**of,** de]

weather ['weðər] n tiempo
◆ | LOC: **to be under the weather,** estar pachucho,-a

weather forecast n pronóstico del tiempo

weatherman ['weðərmæn] n hombre del tiempo

weave [wiːv] I vtr (ps wove; pp woven) (tela, etc) tejer
II vi tejer
III n tejido

weaver ['wiːvər] n tejedor,-ora

web [web] n 1 Zool telaraña 2 (de mentiras) maraña, red

website ['websaɪt] n Comp sitio o página de internet

we'd [wiːd] 1 we had 2 we would

wedding ['wedɪŋ] n boda, casamiento

wedding dress n traje/vestido de novia

wedding ring n anillo de boda

wedge [wedʒ] I n cuña
II vtr apretar, meter a presión

Wednesday ['wenzdeɪ] n miércoles

wee [wiː] fam I n pipí
II vi hacer pipí

weed [wiːd] I n 1 Bot mala hierba 2 (persona) debilucho,-a
II vtr fig **to weed out,** eliminar

weedkiller ['wiːdkɪlər] n herbicida

weedy ['wiːdi] adj (weedier, weediest) pey (persona) debilucho,-a

week [wiːk] n semana

weekday ['wiːkdeɪ] n día laborable

weekend [wiːk'end] n fin de semana

weekly ['wiːkli] I adj semanal
II adv semanalmente
III n (revista) semanario

weenie ['wiːniː] n 1 salchicha 2 fam temeroso, débil, tonto

weep [wiːp] I vi (ps & pp wept) llorar
II vtr (lágrimas) llorar

weeping ['wiːpɪŋ] adj Bot **weeping willow,** sauce llorón

weigh [weɪ] vtr 1 pesar 2 fig (argumentos, etc) sopesar
■ **weigh down** vtr (sobre)cargar
■ **weigh up** vtr (una situación) evaluar; (los pros y los contras) sopesar

weight [weɪt] n peso; **to lose weight,** adelgazar; **to put on weight,** engordar

weighty ['weɪti] adj (weightier, weightiest) 1 (asunto) importante; (problema) serio,-a 2 pesado,-a

weir [wir] n presa

weird [wiərd] adj raro,-a, extraño,-a

welcome ['welkəm] I adj 1 (persona) bienvenido,-a: **thanks, - you're welcome,** gracias, - de nada 2 (noticia, etc) grato,-a
II n bienvenida, acogida
III vtr (a una persona) acoger, darle la bienvenida a

welcoming ['welkəmɪŋ] adj acogedor,-ora

weld [weld] vtr soldar

welfare ['welfer] n 1 bienestar 2 asistencia social 3 prestaciones de la seguridad social

welfare state n estado del bienestar

welfare worker n asistente social

we'll [wiːl] 1 we will 2 we shall

well[1] [wel] I n 1 pozo 2 (stair) well, hueco de la escalera
II vi (líquido) manar
■ **well up** vi brotar, manar

well[2] [wel] I adj (better, best) (de salud) bien: **to get well,** reponerse
II adv (better, best) 1 bien: **Spain is doing well,** España va bien; **well done!,** ¡muy bien! 2 mucho: **it cost well over a million,** costó mucho más de un millón 3 **as well,** también; **as well as,** además de
III excl bueno: (para introducir un discurso) **well, let's begin,** bien, empecemos

well-behaved [welbɪ'heɪvd] adj (niño) formal, educado,-a

well-being ['welbiːɪŋ] n bienestar

well-built ['welbɪlt] adj 1 (persona) fornido,-a 2 (barco, edificio) de construcción sólida

well-earned ['welɜːrnd] adj bien merecido,-a

well-educated [wel'edʒukeɪdɪd] adj culto,-a

well-informed [welɪn'fɔːrmd] adj bien informado,-a

well-kept [wel'kept] adj 1 (jardín) bien cuidado,-a 2 (secreto) bien guardado,-a

well-known ['welnoʊn] adj conocido,-a, famoso,-a

well-meaning [wel'miːnɪŋ] adj bien intencionado,-a

well-off [wel'ɑːf] adj acomodado,-a, pudiente

well-read [wel'red] *adj* culto,-a, leído,-a

well-spoken [wel'spoukən] *adj* bienhablado,-a

well-to-do [weltə'du:] *adj* acomodado,-a, pudiente

well-wisher ['welwɪʃər] *n* admirador,-ora

Welsh [welʃ] **I** *adj* galés,-esa

II *n* **1** *(idioma)* galés **2 the Welsh** *pl*, los galeses

Welshman ['welʃmən] *n* galés

Welshwoman ['welʃwumən] *n* galesa

went [went] *ps* → **go**

wept [wept] *ps & pp* → **weep**

we're [wɪr] → **we are**

were [wər] *ps* → **be**

werewolf ['werwulf] *n* hombre lobo (personaje ficticio)

west [west] **I** *n* oeste

II *adj* oeste, occidental

III *adv* al oeste, hacia el oeste

westbound ['wesbaund] *adj* en dirección oeste, hacia el oeste

western ['western] **I** *adj* del oeste, occidental

II *n Cine* western, película del oeste

West Indian [west'ɪndɪən] *adj & n* antillano,-a

West Indies [west'ɪndɪz] *npl* Antillas

westward ['westwərd] *adj* hacia el oeste *o* en dirección al oeste

westward(s) ['westwərd(z)] *adv* hacia el oeste

wet [wet] **I** *adj* (*wetter, wettest*) **1** *(la ropa, el papel)* mojado,-a **2** *(la pintura etc)* fresco,-a: «wet paint», «recién pintado»

II *vtr* (*ps & pp* **wet**) mojar

we've [wi:v] → **we have**

whack [wæk] **I** *vtr* golpear (fuertemente)

II *n* golpe, porrazo

whale [weɪl] *n* (*pl* **whale** *o* **whales**) *Zool* ballena

wharf [wɔrf] *n* (*pl* **wharves** [wɔrvz]) *(para embarcaciones)* muelle

what [wʌt, *forma débil* wət] **I** *adj* **1** *(en preguntas directas e indirectas)* ¿qué? **2** *(relativo) frml* what little I have is yours, lo poco que tengo es tuyo **3** *(excl)* qué: **what big teeth!,** ¡qué dientes más grandes!

II *pron* **1** *(en preguntas directas)* ¿qué?, ¿cuál?, ¿cómo?, ¿cuánto?: **what?,** ¿qué?, ¿cómo?; **what does it cost,** ¿cuánto cuesta?; **what's the matter?,** ¿qué pasa?; **what is she like?,** ¿cómo es? **2** *(en expresiones indirectas)* qué: **I asked what she thought,** le pregunté qué pensaba **3** *(relativo)* lo que: **that's not what I said,** eso no es lo que dije

whatchamacallit ['wʌtʃəməkɑlɪt] *n* término que se emplea cuando no se recuerda el nombre de lo que se quiere mencionar, un "comosedice", "comosellama"

whatever [wʌt'evər] **I** *adj* cualquier(a): **for whatever reason,** por cualquier motivo

II *pron* lo que, todo lo que: **he will do whatever you say,** hará todo lo que le digas; *fam* algo: **use a screwdriver or whatever,** usa un destornillador o algo semejante

III *adv (con negativo)* **nobody/nothing whatever,** nadie/nada en absoluto

whatsoever [wʌtsəʊ'evər] *adj frml* **nothing whatsoever,** nada en absoluto

wheat [wi:t] *n* trigo

wheedle [wi:dəl] *v* persuadir con halagos, sonsacar

wheel [wi:l] **I** *n* **1** rueda **2** *(de alfarero)* torno

II *vi* revolotear

wheelbarrow ['wi:lberou] *n* carretilla

wheelchair ['wi:ltʃer] *n* silla de ruedas

wheeze [wi:z] *vi* resollar

when [wen] **I** *adv* **1** *(en preguntas directas e indirectas)* cuándo **2** *(uso relativo)* cuando, en que: **the day when we met,** el día en que nos conocimos

II *conj* cuando: **when I was young...,** de joven...

whenever [wen'evər] **I** *conj* **1** siempre que **2** cuando: **whenever you like,** cuando quieras

II *adv* **1** *(en preguntas: enfático)* cuándo **2** **come on Tuesday or whenever,** ven el martes o cuando sea

where [wer] **I** *adv* **1** *(en preguntas directas e indirectas)* dónde, adónde **2** *(relativo)* donde, en que: **the street where you live,** la calle en que vives

II *conj* cuando: **where food is concerned...,** cuando se trata de comida...

whereas [wer'æz] *conj frml* mientras que

wherever [wer'evər] **I** *conj* dondequiera que

II *adv* *(en preguntas: enfático)* ¿dónde?

whether ['weðər] *conj* si: **whether you like it or not,** te guste o no

which [wɪtʃ] **I** *adj* *(en preguntas directas e indirectas)* qué: **which one?,** ¿cuál?

II *pron* **1** *(en preguntas)* cuál, cuáles **2** *(relativo: determinante)* que; *(con preposición)* que, el/la cual, los/las cuales: **the house in which she lives,** la casa en la cual vive **3** lo cual, lo que: **he was very late, which annoyed me,** llegó muy tarde, lo que me fastidió

whichever [wɪtʃ'evər] **I** *adj* el/la que, los/las que, cualquiera que

II *pron* **1** *(en preguntas: enfático)* cuál, cuáles **2** el/la que, los/las que: **whichever is best,** el que sea mejor

whiff [wɪf] *n* **1** olorcillo [of, a] **2** *fam* tufillo [of, a]

while [waɪl] **I** *conj* **1** mientras **2** a pesar de que, aunque: **while I have great respect for him...,** aunque le tengo gran respeto...

II *n* rato, tiempo; **for a while,** (durante) un rato; **in a little while,** dentro de un ratito

whilst [wɪlst] *conj* → while

whim [wɪm] *n* capricho, antojo

whimper ['wɪmpər] I *n* quejido

whine [waɪn] I *vi* 1 *(perro)* aullar, gañir; *(niño)* lloriquear 2 *pey* quejarse 3 *(una bala)* pasar silbando
II *n* 1 *(de perro)* aullido 2 *pey (de persona)* quejido

whip [wɪp] I *n* 1 látigo 2 *Culin* batido
II *vtr* 1 azotar 2 *Culin* batir
■ **whip away** *vtr* arrebatar

whipping ['wɪpɪŋ] *n* paliza

whirl [wɜrl] I *n* giro; *(de polvo)* remolino, torbellino
II *vi* 1 *(el polvo, etc)* arremolinarse 2 *(la cabeza)* dar vueltas
III *vtr* hacer girar

whirlpool ['wɜrlpuːl] *n* remolino

whirlwind ['wɜrlwɪnd] *n* torbellino

whir [wɜr] *vi* runrunear, zumbar

whisk [wɪsk] I *n* Culin batidor
II *vtr* 1 *Culin* batir 2 *(la cola)* mover, menear
■ **whisk away/off** *vtr* llevarse de repente

whisker ['wɪskər] *n* 1 pelo 2 **whiskers** *pl*, *(de un gato)* bigotes; *(de una persona)* patillas

whiskey ['wɪski] *n* whisky

whisper ['wɪspər] I *n* 1 susurro 2 rumor
II *vtr* decir en voz baja
III *vi* susurrar

whistle ['wɪsəl] I *n* 1 *(instrumento)* pito, silbato 2 *(sonido)* pitido, silbido
II *vtr* silbar
III *vi (persona, viento)* silbar

white [waɪt] I *adj* blanco,-a; *(café/té)* con leche; *(piel)* blanco,-a; **to go white**, *(la cara)* palidecer; *(el pelo)* encanecer
II *n* 1 *(color)* blanco 2 *(de un huevo)* clara

white collar [waɪt'kɒlər] *adj* **white collar worker**, empleado,-a de oficina

whiteness ['waɪtnɪs] *n* blancura

whitewash ['waɪtwɒʃ] I *n* 1 cal 2 *fig* encubrimiento
II *vtr* 1 encalar 2 *fig* encubrir

whiz [wɪz] I *n* zumbido
II *vi* 1 silbar 2 **to whiz by/past**, pasar zumbando

who [huː] *pron* 1 *(en preguntas directas e indirectas)* quién, quiéne 2 *(relativo: determinante)* que: **the man who lives next door**, el hombre que vive al lado; *(con una preposición al final de la oración)* **who are you talking to?**, ¿con quién hablas?

who'd [huːd] 1 who had 2 who would

whoever [huː'evər] *pron* 1 quienquiera: **whoever you are**, quienquiera que seas 2 *(en preguntas: enfático)* quién

whole [hoʊl] I *adj* 1 entero,-a, todo,-a: **a whole month**, un mes entero 2 entero,-a, intacto,-a; **to swallow sthg whole**, tragarse algo sin masticar
II *n* conjunto, totalidad; **society as a whole**, la sociedad en su totalidad; **on the whole**, en general

wholefood ['hoʊlfuːd] *n* alimentos integrales

wholehearted [hoʊl'hɑrdɪd] *adj* sincero,-a

wholemeal ['hoʊlmiːl] *adj (pan, harina)* integral

wholesale ['hoʊlseɪl] I *n* venta al por mayor
II *adv* al por mayor
III *adj (precios, venta)* al por mayor

wholesaler ['hoʊlseɪlər] *n* mayorista

wholesome ['hoʊlsəm] *adj* sano,-a

who'll [huːl] → who will

wholly ['hoʊli] *adv* enteramente, completamente

whom [huːm] *pron frml* 1 *(en preguntas directas e indirectas) (acusativo)* a quién: **whom did you see?**, ¿a quién viste?; *(con preposición)* **of/with whom?**, ¿de/con quién? 2 *(relativo) (acusativo)* al que/cual/quien, a la que/cual/quien, a los/las que/cuales/quienes: **the girl whom I saw**, la chica a quien vi 3 *(con preposición)* quien, el/la que/cual *(etc)*: **the woman with whom he lives**, la mujer con la que vive

whore [hɔːr] *n pey ofens* puta

who's [huːz] 1 who is 2 who has

whose [huːz] I *pron* de quién, de quiénes
II *adj* 1 *(en preguntas directas e indirectas)* de quién, de quiénes 2 *(relativo)* cuyo,-a, cuyos,-as

why [waɪ] *adv* 1 *(en preguntas directas e indirectas)* por qué: **why did he say that?**, ¿por qué dijo eso? 2 *(relativo)* **that is why I love you**, es por eso por lo que te quiero

WI *(abr de Wisconsin)* abreviatura, estado de Wisconsin

wick [wɪk] *n* mecha

wicked ['wɪkɪd] I *adj* 1 malvado,-a 2 *fig (niño)* muy malo,-a

wicker ['wɪkər] I *n* mimbre
II *adj* de mimbre

wide [waɪd] I *adj* 1 ancho,-a 2 *(experiencia, etc)* amplio,-a; *(surtido)* extenso,-a 3 *(los ojos, la boca)* muy abierto,-a
II *adv* completamente

widely ['waɪdli] *adv* 1 *(viajar)* extensamente 2 generalmente

widen ['waɪdən] I *vtr* ensanchar, ampliar
II *vi* ensancharse

widespread ['waɪdspred] *adj* extendido,-a

widow ['wɪdoʊ] *n* viuda

widowed ['wɪdoʊd] *adj* viudo,-a, enviudado,-a

widower ['wɪdoʊər] *n* viudo

width [wɪdθ] *n* anchura

wield [wiːld] *vtr (autoridad)* ejercer; *(un arma)* blandir

wife [waɪf] *n (pl wives)* mujer, esposa

wig [wɪg] *n* peluca

wiggle ['wɪgəl] **I** vtr mover
II vi menearse
wild [waɪld] **I** adj **1** (animal, tribu) salvaje **2** (comportamiento) alocado,-a, desenfrenado,-a **3** (mar) bravo,-a **4** fam (persona: entusiasmo) loco,-a
II adv sin control: **the children ran wild**, los niños se desmandaron
III n naturaleza salvaje; (animal) **in the wild**, en su hábitat natural
wilderness ['wɪldərnɪs] n desierto, selva, tierra salvaje
wildlife ['waɪldlaɪf] n fauna y flora
wildlife park n parque natural
wildly ['waɪldli] adv **1** frenéticamente **2** muy, completamente; **wildly funny**
Wild West n the Wild West, el lejano Oeste
will [wɪl] **I** n **1** voluntad **2** (will, rencor **2** fur testamento
II vtr desear, querer
III v aux (ps **would**, negativo **will not** o **won't**) **1** (para formar el tiempo futuro o futuro perfecto: esp de 2.ª y 3.ª persona) **it will rain tomorrow**, mañana lloverá **2** (predicción) **he'll be there by now**, ya habrá llegado **3** (intención, rechazo) **will you get me a coffee?**, ¿me traes un café?; (en una boda) «**I will**», «sí, quiero»; (ofertas) **will you have a biscuit?**, ¿quieres una galleta?
wilful ['wɪlfəl] adj (acción) intencionado,-a, premeditado,-a
willfully ['wɪlfəli] adv deliberadamente
willing ['wɪlɪŋ] adj **1** (ayudante, criado) servicial **2 to be willing to do sthg**, estar dispuesto,-a a hacer algo
willingly ['wɪlɪŋli] adv de buena gana
willingness ['wɪlɪŋnɪs] n buena voluntad
willow ['wɪləʊ] n Bot **willow (tree)**, sauce
willpower ['wɪlpaʊər] n (fuerza de) voluntad
wilt [wɪlt] vi marchitarse
win [wɪn] **I** n victoria
II vtr (ps & pp **won**) **1** ganar **2** fig (el apoyo, la amistad, fama) conseguir, ganarse
III vi ganar
■ **win back** vtr recuperar
■ **win over** vtr convencer
■ **win through** vi salir adelante
wince [wɪns] vi hacer una mueca de dolor
wind[1] [wɪnd] **I** n **1** viento **2** gases **3** aliento
II vtr dejar sin aliento
wind[2] [waɪnd] **I** vtr (ps & pp **wound**) **1** (un reloj) dar cuerda a **2** (un hilo) enrollar **3** (una cinta magnética) avanzar/rebobinar; (manivela) accionar
II vi (camino, río) serpentear
■ **wind up I** vtr **1** enrollar **2** (una empresa) liquidar; (una reunión) cerrar **3** (un reloj) dar cuerda a
II vi terminar

windfall ['wɪndfɔːl] n fig ganancia inesperada
winding ['waɪndɪŋ] adj (camino, río) sinuoso,-a, serpenteante
windmill ['wɪndmɪl] n molino (de viento)
window ['wɪndəʊ] n **1** ventana; (de un vehículo) ventanilla; (de una tienda) escaparate
window-shopping ['wɪndəʊʃɒpɪŋ] n **to go window-shopping**, ir a mirar escaparates
windowsill ['wɪndəʊsɪl] n alféizar
windpipe ['wɪndpaɪp] n Anat tráquea
windshield ['wɪndʃiːld] adj parabrisas
windshield wiper n Auto limpiaparabrisas, escobilla
windsurf ['wɪnsɜːrf] vi Dep hacer windsurf
windsurfing ['wɪnˈsɜːfɪŋ] n Dep windsurf
windy ['wɪndi] adj (**windier, windiest**) **1** (sitio) expuesto,-a al viento **2** (tiempo) ventoso,-a
wine [waɪn] n vino
wine cellar n bodega
wing [wɪŋ] n **1** Arquit Av Orn Pol ala **2** Auto aleta, guardabarros **3** Teat **wings** pl, bastidores **4** Ftb ala, banda
wink [wɪŋk] **I** n guiño
II vi **1** guiñar (el ojo) **2** (luz) parpadear
winner ['wɪnər] n ganador,-ora
winning ['wɪnɪŋ] adj **1** (candidato, equipo) ganador,-ora **2** (número de lotería) premiado,-a **3** (maneras) encantador,-ora
winnings ['wɪnɪŋz] npl ganancias
winter ['wɪntər] **I** n invierno
II adj de invierno, invernal
III vi invernar, pasar el invierno
win-win situation n situación o transacción en la que ambos o todos los participantes salen ganando o sacan ventaja
wipe [waɪp] **I** vtr **1** limpiar: **to wipe one's nose**, sonarse la nariz; (los ojos) secar **2** (una cinta) borrar
II n toallita
■ **wipe away** vtr (una lágrima) secar; (una memoria) borrar
■ **wipe out** vtr **1** borrar **2** (a la gente) aniquilar; (especie, etc) exterminar
■ **wipe up** vtr limpiar
wire [waɪər] **I** n **1** alambre **2** Elec cable **3** US telegrama
II vtr (una casa) electrificar
wireless ['waɪərlɪs] n radio
wiring ['waɪərɪŋ] n cableado, instalación eléctrica
wisdom ['wɪzdəm] n sabiduría, saber **wise** [waɪz] adj **1** (persona) sabio,-a **2** (comentario) juicioso,-a
wish [wɪʃ] n **1** deseo [**for**, de]: **to make a wish**, pedir un deseo **2** (en una carta) **best wishes**, un cordial saludo
II vtr desear, querer: **I wish I was rich**, ojalá fuera rico

III *vi* querer: **as you wish,** como quieras

wishful ['wɪʃfəl] *adj* that's wishful thinking, eso es hacerse ilusiones

wisp [wɪsp] *n* **1** *(de humo)* espiral **2** *(de paja)* brizna **3** *(de pelo)* mechón

wistful ['wɪstfʊl] *adj* melancólico,-a

wit [wɪt] *n* **1** ingenio, agudeza **2** *(una persona)* ingenioso,-a **3 wits** *pl,* juicio

witch [wɪtʃ] *n* bruja

witchcraft ['wɪtʃkræft] *n* brujería

with [wɪð, wɪθ] *prep* **1** con, de: *(en compañía)* **he went with us,** vino con nosotros **2** *(uso)* **it was filled with feathers,** estaba relleno de plumas **3** *fam* **are you with me?,** ¿me entiendes? **4** *(descripción)* de, con: **the man with long hair,** el hombre de pelo largo

withdraw [wɪð'drɔː] **I** *vtr (ps withdrew; pp withdrawn)* **1** retirar, sacar **2** *(permiso)* cancelar; *(declaración)* retractarse de **II** *vi* retirarse

withdrawal [wɪð'drɔːəl] *n* **1** retirada **2** *(de una declaración)* retractación

withdrawn [wɪð'drɔːn] *adj (persona)* retraído,-a

wither ['wɪðər] *vi Bot* marchitarse

withering ['wɪðərɪŋ] *adj (mirada)* fulminante

withhold [wɪð'hould] *vtr (ps & pp withheld* [wɪð'held])* **1** *(fondos)* retener **2** *(información)* ocultar

within [wɪ'ðɪn] **I** *prep* **1** dentro de **2** *(distancia, vista)* **within reach,** a mano **II** *adv frml* dentro «inquire within», «infórmese aquí»

without [wɪ'ðaʊt] *prep* sin: **without help,** sin ayuda

withstand [wɪð'stænd] *vtr (ps & pp withstood)* resistir a

witness ['wɪtnɪs] **I** *n* **1** *(persona)* testigo **2** evidencia **II** *vtr* **1** *(un incidente)* presenciar **2** *(un documento)* firmar como testigo

witness box *n US* banco/banquillo de los testigos

witness stand *n* banco/banquillo de los testigos

witty ['wɪdɪ] *adj (wittier, wittiest)* ingenioso,-a, agudo,-a

wives [waɪvz] *npl → wife*

wizard ['wɪzərd] *n* brujo, mago

wobble ['wɒbəl] *vi* **1** *(mesa)* tambalearse **2** *(la voz)* temblar

woe [woʊ] *n* **1 a tale of woe,** una historia trágica **2 woe is me!,** ¡ay de mí!

woeful ['woʊfʊl] *adj* triste, afligido,-a **woke** [woʊk] *ps → wake*

woken ['woʊkən] *pp → wake*

wolf [wʊlf] *n (pl wolves)* Zool lobo

woman ['wʊmən] **I** *n (pl women)* mujer **II** *adj* mujer; *(tb se traduce por nombre femenino)* **woman driver,** conductora

womanizer ['wʊmənaɪzər] *n* mujeriego

womanly ['wʊmənli] *adj* femenino,-a

womb [wuːm] *n* matriz, útero

women ['wɪmɪn] *npl → woman*

won [wʌn] *ps & pp → win*

wonder ['wʌndər] **I** *n* **1** maravilla, milagro **2** asombro **II** *adj (cura, droga)* milagroso,-a **III** *vtr* preguntarse **IV** *vi* preguntarse

wonderful ['wʌndərfəl] *adj* maravilloso,-a

won't [woʊnt] → *will not*

woo [wuː] *vtr* cortejar; *fig (clientes)* ganarse

wood [wʊd] *n* **1** bosque **2** *(materia)* madera; *(para quemar)* leña

woodcarving ['wʊdkɑːrvɪŋ] *n* **1** *(arte)* tallado en madera **2** *(producto)* talla en madera

wooded ['wʊdɪd] *adj* arbolado,-a

wooden ['wʊdən] *adj* de madera; **wooden leg,** *fam* pata de palo

woodland ['wʊdlənd] *n* bosque

woodpecker ['wʊdpekər] *n Orn* pájaro carpintero

woodwind ['wʊdwɪnd] *n Mús* **woodwind (instruments),** instrumentos de viento de madera

woodwork ['wʊdwɜːrk] *n* **1** *(arte)* carpintería **2** *(en un edificio)* maderamen

woodworm ['wʊdwɜːrm] *n Zool* carcoma

wool [wʊl] **I** *n* lana **II** *adj* de lana

woolen ['wʊlən] **I** *adj* de lana **II** *npl* **woolens,** prendas de lana o de punto

wooly ['wʊli] *adj (woolier, wooliest)* **1** de lana **2** *(juguete)* de peluche

word [wɜːrd] **I** *n* **1** palabra; **bad** o **naughty word,** palabrota; **in other words,** es decir, o sea **2** recado, mensaje, noticias **3 words** *pl, Mús* letra; *Teat* guión **II** *vtr* redactar, formular

word processing *n Inform* procesamiento de textos, tratamiento de textos

wore [wɔːr] *ps → wear*

work [wɜːrk] **I** *n* **1** *(empleo)* trabajo: **to be off work,** estar de baja; **out of work,** parado,-a **2** *Arte Lit Teat* obra **3 works** *sing* o *pl,* fábrica **II** *vi* **1** trabajar **2** *(máquina)* funcionar **3** estudiar **4** *(una medicina)* actuar, surtir efecto; *(un plan)* salir bien **III** *vtr* **1** *(una máquina)* manejar, usar **2** *(la tierra)* cultivar, labrar

■ **work at** *vtr* practicar

■ **work out I** *vi* **1** resultar, salir: **things all worked out fine,** todo salió bien **2** hacer ejercicio **II** *vtr* **1** *(una cuenta)* hacer; *(un problema)* resolver **2** *(una idea, un plan)* elaborar

workable ['wɜːrkəbəl] *adj* factible

worker ['wɜːrkər] *n* trabajador,-ora, obrero,-a

workforce ['wɜrkfɔrs] *n* mano de obra

working ['wɜrkɪŋ] **I** *adj* **1** *(persona)* que trabaja *(población)* activo,-a; *(clase)* obrero,-a **2** *(condiciones, horas, ropa)* de trabajo; *(día)* laboral

II *npl* **workings**, funcionamiento

working order *n* condiciones de funcionamiento

workman ['wɜrkmən] *n* obrero

workmate ['wɜrkmeɪt] *n* compañero,-a de trabajo

worksheet ['wɜrkʃiːt] *n* hoja de trabajo

workshop ['wɜrkʃɒp] *n* taller

worktop ['wɜrktɒp] *n* *(en la cocina)* encimera

world [wɜrld] **I** *n* mundo; **from all over the world**, del mundo entero

II *adj* *(banco, guerra, récord)* mundial

world-famous ['wɜrldfeɪməs] *adj* de fama mundial

worldly ['wɜrldli] *adj* mundano,-a

World Series *n* Serie mundial de béisbol, partidos que determinan el mejor equipo de béisbol profesional de los EE.UU.

worldwide ['wɜrldwaɪd] *adj* mundial

World Wide Web (www) *n Comp* red de internet mundial

worm [wɜrm] **I** *n Zool* gusano

worn [wɔrn] *adj* gastado,-a, usado,-a

worn out ['wɔrnaʊt] *adj* **1** *(cosa)* gastado,-a **2** *(persona)* rendido,-a

worried ['wʌrid] *adj* inquieto,-a, preocupado,-a

worry ['wʌri] **I** *vtr* **1** preocupar, inquietar **2** molestar

II *vi* preocuparse

III *n* inquietud

worrying ['wʌriɪŋ] *adj* inquietante, preocupante

worse [wɜrs] **I** *adj (comparativo de bad)* peor: **to get worse**, empeorar

II *adv (comparativo de badly)* peor

III *n* **there is worse to come**, lo peor aún está por llegar

worsen ['wɜrsən] *vtr & vi* empeorar

worship ['wɜrʃɪp] **I** *vtr* adorar, venerar

II *n* **1** adoración **2** *(organizado)* culto

worshipper ['wɜrʃɪpər] *n* devoto,-a

worst [wɜrst] **I** *adj (superlativo de bad)* **the worst thing is that...**, lo peor es que...

II *adv (superlativo de badly)* peor

III *n* **1** el/la peor, los/las peores **2** lo peor: **I fear the worst**, temo lo peor

worth [wɜrθ] **I** *adj* **1 to be worth** *(dinero)* valer **2 to be worth** *(tiempo o esfuerzo)* valer, merecer: **it's not worth the trouble**, no merece la pena

II *n* **1** valor **2** *(de persona)* valía

worthless ['wɜrθlɪs] *adj* sin ningún valor

worthwhile [wɜrθ'waɪl] *adj* valioso,-a, que vale la pena

worthy ['wɜrði] *adj (worthier, worthiest)* digno,-a; *(causa)* bueno,-a

would [wʊd] *v aux* **1** *ps de will (en discurso indirecto)* **I said I would call**, dije que llamaría **2** *(condicional)* **we would pay if we could**, pagaríamos si pudiéramos; *(consejo)* **(if I were you) I would learn Russian**, yo (que tú) aprendería ruso **3** *(posibilidad, probabilidad)* **that would mean problems**, eso conllevaría problemas **4** *(voluntad)* **would you lend me a dollar?**, ¿me prestas una dólar?; *(ofertas)* **would you like a coffee?**, ¿quieres un café?; *(aceptación)* **I would love a beer**, me encantaría una cerveza; *(preferencia)* **she would rather be at home**, preferiría estar en casa **5** *(hábito en el pasado)* **she would tell us stories**, nos contaba cuentos

wound¹ [waʊnd] *ps & pp* → **wind²**

wound² [wuːnd] **I** *n* herida

II *vtr* herir

wove [woʊv] *ps* → **weave**

woven ['woʊvən] *pp* → **weave**

wow [waʊ] *fam* **I** *vtr* cautivar

II *excl* ¡caramba!

wrangle ['ræŋgəl] **I** *n* altercado, disputa

II *vi* disputar

wrap [ræp] **I** *n* chal

II *vtr* envolver

■ **wrap up** *vtr* **1** *(un regalo)* envolver **2** *(a un niño)* arropar

II *vi* abrigarse

wrapper ['ræpər] *n* envoltorio

wrapping ['ræpɪŋ] *n* envoltorio

wrapping paper *n* papel de envolver

wreath [riːθ] *n* *(pl* **wreaths** [riːðz, riːθs]*)* **1** *(de flores, hojas)* corona **2** *(de humo)* espiral

wreck [rɛk] **I** *n* **1** *Náut (acontecimiento)* naufragio **2** *fam (coche)* cacharro; *(persona)* ruina

II *vtr* **1** *(barco, usu pasivo)* hacer naufragar **2** *(una máquina, la salud)* destrozar, estropear **3** *(los planes)* desbaratar, echar a perder

wreckage ['rɛkɪdʒ] *n* *(de avión, barco, coche)* restos; *(de un edificio)* ruinas

wrench [rɛntʃ] **I** *n* **1** tirón, *LAm* jalón **2** *Téc* llave inglesa

II *vtr* arrebatar

wrestle ['rɛsəl] *vi* luchar

wrestler ['rɛslər] *n* luchador,-ora

wrestling ['rɛslɪŋ] *n* lucha

wretched ['rɛtʃɪd] *adj* **1** *(persona, condiciones)* desdichado,-a **2** *fam* maldito,-a; **wretched traffic!**, ¡maldito tráfico!

wriggle ['rɪgəl] **I** *vtr* menear

II *vi* retorcerse; **to wriggle (about)**, *(serpiente)* serpentear; *(niño)* moverse nerviosamente

wring [rɪŋ] *vtr (ps & pp* **wrung**) *(las manos)* retorcer; *(la ropa)* escurrir

■ **wring out** *vtr* escurrir

wrinkle ['rɪŋkəl] **I** *n* arruga

II *vtr* arrugar
III *vi* arrugarse
wrist [rist] *n Anat* muñeca
wristwatch ['rɪstwɒtʃ] *n* reloj de pulsera
writ [rit] *n fur* orden judicial
write [raɪt] **I** *vtr (ps wrote; pp written)* **1** escribir; *(un cheque, una receta)* extender **2** escribir a **II** *vi* escribir
■ **write back** *vi* contestar
■ **write down** *vtr* **1** anotar **2** poner por escrito
■ **write off I** *vtr* **1** *(un coche)* destrozar; *Seg* declarar siniestro total **2** *(una deuda)* cancelar **3** *(una posibilidad)* descartar
II *vi* to write off for sthg, pedir algo por escrito
■ **write out** *vtr* **1** escribir; to write out neatly, pasar a limpio **2** *(un cheque)* extender, hacer
■ **write up** *vtr* pasar a limpio
write-off ['raɪdɒf] *n Com (seguros)* siniestro total
writer ['raɪdər] *n* escritor,-ora, autor,-ora
writhe [raɪð] *vi* retorcerse
writing ['raɪdɪŋ] *n* **1** *(manera de comunicarse)* escritura **2** *(de una persona)* letra, escritura **3** *(actividad)* escribir **4** *(texto)* there's some writing here, aquí hay algo escrito; in writing, por escrito **5** *Lit* obra
writing desk *n* escritorio
writing paper *n* papel de carta
written ['rɪt'n] *pp* → write
wrong [rɒŋ] **I** *adj* **1** *(conclusión, respuesta)* equivocado,-a, incorrecto,-a; *Tel* you've got the wrong number, se ha equivocado de número **2** *(momento)* inoportuno,-a **3** *(problema)* what's wrong with him?, ¿qué le pasa? **4** *(moralmente)* malo,-a: killing people is wrong, está mal matar a la gente
II *adv* **1** mal: to get sthg wrong, equivocarse en algo **2** to go wrong *(una máquina)* averiarse, estropearse; *(un plan)* salir mal; *(una persona)* cometer un error, equivocarse
III *n* **1** mal: to be in the wrong, estar equivocado,-a *o* tener la culpa **2** injusticia
IV *vtr frml* **1** ser injusto,-a con **2** ofender
wrongdoing ['rɒŋduɪŋ] *n* maldad
wrongful ['rɒŋfəl] *adj frml* injusto,-a
wrongly [rɒŋli] *adv* **1** erróneamente **2** *(escrito, pronunciado, traducido)* mal **3** injustamente
wrote [rəʊt] *ps* → write
wrung [rʌŋ] *ps & pp* → wring
wry [raɪ] *adj (wrier, wriest o wryer, wryest)* irónico,-a
wuss *n argot* miedoso, sin gracia, cobarde, insípido, aburrido
WV *(abr de West Virginia)* abreviatura, estado de West Virginia
WY *(abr de Wyoming)* abreviatura, estado de Wyoming

X

X, x [eks] *n (letra)* X, x; *fam (en una carta)* XXX, besos
xenophobia [zenəˈfəʊbɪə] *n* xenofobia
xenophobic [zenəˈfəʊbɪk] *adj* xenófobo,-a
Xerox® *n* nombre de marca registrada de fotocopiadoras, *v fam* fotocopiar, *n* fotocopia
Xmas ['eksməs, 'krɪsməs] *n (abr de Christmas)* Navidad
X-ray [eksˈreɪ] **I** *n* **1** rayos X **2** radiografía; to have an X-ray, hacerse una radiografía
II *vtr* radiografiar
X-rated film ['eksreɪdɪdfɪlm] *n* película X
X-ray therapy *n* radioterapia
xylophone ['zaɪləfəʊn] *n* xilófono

Y

Y, y [waɪ] *n (letra)* Y, y
yacht [jɒt] *n (grande)* yate
yachting ['jɒdɪŋ] *n Dep* navegación a vela
yank [jæŋk] **I** *vtr* tirar de; *(diente)* arrancar
II *n* tirón
Yankee ['jæŋki] *adj & n pey* yanqui
yap [jæp] *vi* **1** *(perro)* ladrar **2** *fam pey (persona)* hablar por los codos
yard [jɑrd] *n* **1** *(medida)* yarda (91,44 cm) **2** patio; *US* jardín
yardstick ['jɑrdstɪk] *n fig* criterio, norma
yarmulke *n Rel* yarmulke, gorrito con que se cubren la cabeza los judíos que siguen la tradición de demostrar humildad ante la presencia divina
yarn [jɑrn] *n* **1** *Tex* hilo **2** *fam* historia, cuento
yawn [jɔːn] **I** *vi* bostezar
II *n* bostezo
yawning ['jɔːnɪŋ] *adj (abismo, diferencia)* profundo,-a
yd *abr de yard(s)*, yarda(s)
yeah [jæː] *adv fam* → yes
year [jɪr] *n* **1** año **2** she is three years old, tiene tres años **3** *Educ* curso, año; in the final year, en el último año del curso
yearly ['jɪrli] **I** *adj* anual
II *adv* anualmente, cada año
yearn [jɜrn] *vi* to yearn for sthg, anhelar algo
yearning ['jɜrnɪŋ] *n* anhelo [for, de]
yeast [jiːst] *n* levadura
yell [jel] **I** *vi* gritar
II *n* grito, alarido
yellow ['jeləʊ] **I** *n* amarillo
II *adj* amarillo,-a
yellow pages *npl Tel* páginas amarillas
yelp [jelp] **I** *vi* aullar
II *n* aullido
yen [jen] *n (moneda japonesa)* yen

yes [jes] *n* sí

yesterday ['jestərdeɪ] *adv & n* ayer

yet [jet] **I** *adv* **1** todavía, aún, hasta ahora **2** (*en las preguntas*) ya: **have you eaten yet?,** ¿ya has comido? **3** (*después del superlativo*) hasta ahora; **his best film yet,** su mejor película hasta ahora **4** (*uso enfático*) todavía, aún; **yet again,** otra vez (más) **5** *frml* pero: **she was poor yet honest,** era pobre pero honrada **II** *conj* sin embargo

yield [ji:ld] **I** *vtr* (*cosecha*) producir; *Fin* (*resultado*) dar; (*interés*) rendir **II** *vi* **1** rendirse, ceder [**to,** ante] **2** *Auto* «**yield**», «ceda el paso» **III** *n* **1** *Agr* cosecha **2** *Fin* rendimiento

YMCA [waɪemsi:'eɪ] (*abr de Young Men's Christian Association*) asociación de jóvenes cristianos

yoga ['jəʊgə] *n* yoga

yog(h)urt ['jəʊgərt] *n* yogur

yoke [jəʊk] **I** *n* yugo **II** *vtr* uncir

yolk [jəʊk] *n* (*de huevo*) yema

you [ju:, *forma débil* jʊ] *pron pers* **1** (*sujeto: 2.ª persona*) tú, vosotros,-as, usted, ustedes **2** (*sujeto: impersonal*) uno,-a, tú *fam* (*tb se traduce por reflexivo*) **you never know,** nunca se sabe **3** (*objeto directo e indirecto: 2.ª persona*) te, os, le, lo, la, les, los, las: **I saw you,** te/os vi *o* le/lo/la/les/los/las vi **4** (*objeto directo e indirecto: impersonal*) te, le... a uno **5** (*2.ª persona: después de preposición*) ti, vosotros,-as, usted, ustedes: **it's for you,** es para ti/vosotros,-as/usted /ustedes **6** (*impersonal: después de preposición*) ti, uno: **with you,** contigo, con uno

you'd [ju:d] **1** you had **2** you would

you'll [ju:l] **1** you will **2** you shall

young [jʌŋ] **I** *adj* (*persona*) joven **II** *npl* **1** (*humanos*) **the young,** la juventud **2** (*animales*) crías

youngster ['jʌŋstər] *n* jovencito,-a

your [jɔ:r, *forma débil* jər] *adj pos* **1** (*2.ª persona*) tu, tus, vuestro,-a, vuestros,-as, su, sus **2** (*impersonal*) tu, su *o se omite*: **smoking is bad for your health,** fumar es malo para la salud *o* tu salud

you're [jɔ:r] → **you are**

yours [jɔːrz] *pron pos* **1** (*2.ª persona*) el tuyo, la tuya, los tuyos, las tuyas; el vuestro, la vuestra, los vuestros, las vuestras; el suyo, la suya, los suyos, las suyas; **the money is yours,** el dinero es tuyo/vuestro/suyo **2** (*impersonal*) tuyo,-a, tuyos,-as **3** (*en las cartas*) **yours faithfully,** le(s) saluda atentamente; *fam* yours, un saludo, un abrazo

yourself [jɔːr'self, *forma débil* jər'self] (*pl* **yourselves** [jɔːr'selvz] **I** *pron pers* **1** (*2.ª persona*) tú mismo,-a, vosotros,-as mismos,-as, usted mismo,-a, ustedes mismos,-as; **by yourself,** tú/usted solo,-a; **by yourselves,** vosotros,-as solos,-as, ustedes solos **2** (*impersonal*) tú mismo,-a, uno,-a mismo,-a **II** *pron reflexivo* **1** (*2.ª persona*) te, os, se: **help yourself,** sírvete, sírvase; **help yourselves,** servíos, sírvanse **2** (*impersonal*) te, se: **you have to look after yourself,** hay que cuidarse

youth [ju:θ] *n* **1** juventud **2** (*hombre*) joven **3** *sing o pl* juventud

youthful ['ju:θfəl] *adj* juvenil, joven

youth hostel *n* albergue juvenil

you've [ju:v] → **you have**

yo-yo [jəʊ'jəʊ] *n* **1** yo-yo, yoyó (*juguete*) **2** *fam* tipo tonto, distraído, juguetón

yr. *n* (*abr de year*) año

Yugoslav ['ju:gəslɑːv] *adj & n* yugoslavo,-a

Yugoslavia [ju:gə'slɑːviə] *n* Yugoslavia

Yugoslavian [ju:gə'slɑːviən] *adj & n* yugoslavo,-a

yukky ['jʌki] *adj fam* asqueroso,-a

yuppie ['jʌpi] *n* yuppy

YWCA [waɪdʌbəlju:si:'eɪ] (*abr de Young Women's Christian Association*) asociación de jóvenes cristianas

Z

Z, z [zi:] *n* (*letra*) Z, z

Zaire ['zaɪər] *n* Zaire

Zairean ['zaɪ:ri:ən] *n & adj* zaireño,-a

Zambia ['zæmbiə] *n* Zambia

Zambian ['zæmbiən] *n & adj* zambiano,-a

zany ['zeɪni] *adj* (*zanier, zaniest*) *fam* **1** chiflado,-a **2** (*ropa, comportamiento*) estrafalario,-a **3** (*humor*) surrealista

zap [zæp] **I** *excl* ¡zas! **II** *vtr fam* **1** destruir, cargarse a **2** *Inform* suprimir **III** *vi* *TV* hacer zapping

zeal [zi:l] *n* celo, entusiasmo

zealous ['zeləs] *adj* entusiasta, ferviente

zealously ['zeləsli] *adv* con afán, fervorosamente

zebra ['zi:brə] *n Zool* cebra

zenith ['zɪnɪθ] *n Astron* cénit; *fig* apogeo: **she was at the zenith of her power at that time,** en aquel entonces estaba en el momento cumbre de su poder

zero ['zi:rəʊ] *n Mat Meteor* cero; *Meteor* **ten degrees below zero,** diez grados bajo cero

■ **zero in on** *vtr* fijarse o centrar la atención o esfuerzo sobre algo: **they will zero in on that problem shortly,** se van a concentrar sobre ese problema pronto

zest [zest] *n* **1** entusiasmo **2** *Culin* cáscara (de naranja/ limón)

zestful ['zestfəl] *adj* entusiasta, animado,-a

zestfully ['zestfəli] *adv* con entusiasmo, con brío

zigzag ['zɪgzæg] **I** *n* zigzag **II** *vi* zigzaguear

zillion ['zɪljən] n fam tropecientos,-as

Zimbabwe [zɪm'bɑːbweɪ] n Zimbabue

Zimbabwean [zɪm'bɑːbwiən] n & adj zimbabuense

zinc [zɪŋk] n cinc, zinc

Zionism ['zaɪənɪzəm] n sionismo

zip [zɪp] I n 1 cremallera 2 fam brío 3 (sonido) silbido
II vi 1 cerrarse con cremallera 2 moverse rápidamente
■ **zip around** vtr fam desplazarse con rapidez de un lugar a otro: **she zips around town doing all the shopping,** ella se desplaza rápidamente por todo el pueblo haciendo sus compras
■ **zip by** vi pasar como un rayo
■ **zip up** vtr cerrar con cremallera; **to zip sb up,** subir la cremallera a alguien

zip code n codigo postal

zip fastener n cremallera

zipper ['zɪpər] n cremallera

zit [zɪt] n fam (en la piel) grano

zodiac ['zoʊdiæk] n zodiaco, zodíaco

zombie ['zɑmbi] n zombi

zone [zoʊn] I n zona; **time zone,** huso horario
II vtr dividir en zonas
■ **zone out** vi fam distraerse, dejar de poner atención: **he zones out during class,** él se distrae en clase

zonked ['zɑŋkt] adj argot 1 (muy cansado) hecho,-a polvo 2 (drogado) colocado,-a
■ **zonk out** vi fam dormirse: **she was so tired that she zonked out before dinner,** estaba tan cansada que se durmió antes de la cena

zoo [zuː] n zoo

zoological [zuə'lɑdʒɪkəl] adj zoológico,-a

zoologist [zu'ɑlədʒɪst] n zoólogo,-a

zoology [zu'ɑlədʒi] n zoología

zoom [zuːm] I n 1 zumbido 2 Inform zoom
II vi 1 zumbar 2 ir a toda velocidad; **to zoom off/past,** salir/pasar volando
■ **zoom in** vi 1 Cine enfocar de cerca [on, sobre] 2 acercarse rápidamente

zoom lens npl Fot zoom, teleobjetivo

zucchini [zuː'kiːni] n calabacín

Zulu ['zuːluː] n & adj zulú

Zululand ['zuːluːlænd] n Zululandia

zzz fam símbolo para representar el sueño en forma escrita